ÓSEMKA

Tej autorki ukazały się również:

GRA
MAGICZNY KRĄG

KATHERINE NEVILLE

ÓSEMKA

Przełożył
Krzysztof Filip Rudolf

DOM WYDAWNICZY REBIS
Poznań 2009

Tytuł oryginału
The Eight

Redaktor
Elżbieta Bandel

Konsultacja terminologii szachowej
Michał Knaflewski

Opracowanie graficzne okładki według oryginału wydanego
przez Random House, Inc.
Zbigniew Mielnik

Wydanie III

ISBN 978-83-7510-453-0

Dom Wydawniczy REBIS Sp. z o.o.
ul. Żmigrodzka 41/49, 60-171 Poznań
tel. 0-61-867-47-08, 0-61-867-81-40; fax 0-61-867-37-74
e-mail: rebis@rebis.com.pl
www.rebis.com.pl
Fotoskład: *AKAPIT*, Poznań, tel. 061-879-38-88

Szachy to życie.
Bobby Fischer

Życie to rodzaj szachów.
Benjamin Franklin

OBRONA

Zazwyczaj jest tak, że bohaterowie książki dzielą się na dwie kategorie: przeciwników i zwolenników poszukiwania. Jeżeli włączają się do niego, zostają przedstawieni w wyidealizowanych kategoriach jako osoby rycerskie i czyste, natomiast jeśli starają się je utrudniać, otrzymują etykietkę łajdaków i tchórzów.

Tak więc każdy typowy bohater (...) staje twarzą w twarz ze swoim moralnym przeciwnikiem, zupełnie jak białe i czarne figury w szachach.

Northrop Frye
Anatomia krytyki

Opactwo Montglane, Francja
wiosna 1790

Drogą przeszła gromadka zakonnic, a ich nakrochmalone kornety trzepotały na wietrze jak skrzydła morskich ptaków. Gdy przekroczyły wielkie, kamienne wrota miejskie, spod ich nóg rozbiegły się gęsi i kurczaki, bijąc skrzydłami i rozchlapując błoto na wszystkie strony. Idąc parami w ciemniejącej mgle, która każdego ranka spowijała dolinę, zakonnice kierowały się w milczeniu ku wzgórzom, skąd dochodził głęboki dźwięk dzwonu.

Trwała *le Printemps sanglant* – „krwawa wiosna". Tego roku wcześniej niż zwykle, bo jeszcze zanim zdążyły stopnieć śniegi pokrywające górskie szczyty, zakwitły wiśnie, a ich delikatne gałązki zgięły się do ziemi pod ciężarem wilgotnych, czerwonych kwiatów. Byli tacy, którzy mówili, że to dobry znak, że to wczesne kwitnienie to symbol życia rodzącego się po tak długiej i srogiej zimie. Niedługo potem jednak nadeszły zimne deszcze, po których kwiaty na gałęziach zamarzły, a cała dolina zastygła w czerwieni poplamionej brązowymi śladami mrozu. Jak rana pokryta zakrzepłą krwią. A to – jak powiedziano – też miał być jakiś znak.

Wysoko ponad doliną wznosiło się opactwo Montglane, wyrastające ze szczytu górskiego jak gigantyczny skalny ząb. Od ponad tysiąca lat ta ogromna budowla, przywodząca na myśl fortecę, żyła swoim własnym życiem, oddalona od zgieł-

---

W tej książce postaci, fakty i miejsca historyczne mieszają się z postaciami, faktami i miejscami fikcyjnymi, zrodzonymi w wyobraźni autorki.

ku tego świata. Opactwo leżało na sześciu lub siedmiu warstwach murów, wznoszonych jedne na drugich. W miarę jak przez stulecia wiatry, deszcze i zmiany temperatury niszczyły potężne głazy, naokoło nich stawiano nowe umocnienia, wszystkie z łukami przyporowymi. W efekcie powstała pełna zadumy architektoniczna mieszanka, której sam wygląd potwierdzał krążące w okolicy pogłoski. Opactwo to było najstarszą budowlą kościelną na terenie Francji, a ciążyła na nim pradawna klątwa, której skutki miały się niebawem ujawnić.

Gdy dolinę wypełnił głuchy dźwięk dzwonu, zakonnice przerwały pracę, odłożyły grabie i motyki i zeszły w dół wzdłuż długich, symetrycznych szeregów drzew wiśniowych, po czym zaczęły się piąć stromą drogą prowadzącą do opactwa.

Korowód zamykały, ramię w ramię, dwie młode nowicjuszki, Valentine i Mireille, posuwające się naprzód w zabłoconych butach. W tym idealnie zdyscyplinowanym sznureczku zakonnic od razu rzucały się w oczy. Wysoka, rudowłosa, długonoga i mocno zbudowana Mireille bardziej niż zakonnicę przywodziła na myśl zdrową, wiejską dziewczynę. Przepasana była grubym rzeźnickim fartuchem, a spod kornetu wymykały się jej rude kosmyki. Krocząca obok niej Valentine wydawała się wręcz krucha, choć wzrostem niewiele ustępowała swojej przyjaciółce. Jej blada cera robiła wrażenie przezroczystej, a podkreślała je dodatkowo kaskada jasnoblond włosów opadających na ramiona. Wepchnąwszy kornet do kieszeni habitu, szła z ociąganiem obok Mireille, kopiąc leżące na drodze grudy błota.

Obie kobiety – najmłodsze zakonnice w opactwie – były kuzynkami ze strony swoich matek, osieroconymi przez straszliwą zarazę, która przetoczyła się ongiś przez Francję. Dziadek Valentine, hrabia de Remy, mężczyzna mocno już wówczas posunięty w latach, oddał je pod opiekę Kościoła, a umierając, dochód ze znacznej części swojej posiadłości przeznaczył na ich utrzymanie.

Doświadczenia pierwszych lat życia scementowały przyjaźń tych dwóch kobiet, z których tryskała teraz niepohamowana radość młodości. Do uszu matki przełożonej częstokroć dochodziły skargi starszych zakonnic, które uważały, że takie zachowanie nie przystoi stanowi duchownemu, lecz ona sama zdawała sobie sprawę, że lepiej tę młodość brać w karby, aniżeli próbować ją zdusić.

Ponadto przeorysza pałała czymś na kształt sympatii dla osieroconych kuzynek, co biorąc pod uwagę jej charakter, jak również stanowisko, było dość niezwykłe. Starsze zakonnice byłyby chyba jeszcze bardziej zdziwione, gdyby dowiedziały się, że sama ich przełożona pozostaje cały czas w kontakcie ze swoją przyjaciółką z wczesnych lat dziecinnych, choć nie widziała się z nią od bardzo dawna i dzieliło je wiele tysięcy mil.

Tymczasem Mireille, wspinając się stromą ścieżką, wpychała niesforne kosmyki rudych włosów pod kornet i szarpała za ramię swoją kuzynkę, próbując jednocześnie pouczać ją o grzechu opieszałości.

– Jeśli nadal będziesz mitrężyć czas, matka przełożona znów nałoży nam karę – powiedziała.

Valentine oderwała się od niej i zakręciła pirueta.

– Wokół wiosna, aż się kręci w głowie! – wykrzyknęła, wymachując rękami, i omal nie spadła w przepaść. Mireille przytrzymała ją i poprowadziła wzdłuż zdradzieckiego skosu. – Dlaczego musimy siedzieć zamknięte w tych dusznych murach, gdy wokół cały świat tętni życiem?

– Ponieważ jesteśmy zakonnicami – odparła Mireille poważnie. Jednocześnie zwolniła kroku, cały czas mocno trzymając ramię Valentine, i dodała: – A naszym obowiązkiem jest modlić się za ludzkość.

Tymczasem ciepłe mgły unoszące się nad doliną przyniosły ze sobą odurzający aromat kwiatów wiśni, który w niedługim czasie przesiąknął wszystko, a Mireille starała się nie zwracać uwagi na dreszcz, który natychmiast przeszedł jej ciało.

– Dzięki Bogu nie jesteśmy żadnymi zakonnicami – powiedziała Valentine. – I do czasu złożenia ślubów pozostajemy zwykłymi nowicjuszkami. Nie wszystko jeszcze przepadło. Słyszałam rozmowy starych zakonnic, które mówiły, że po Francji wałęsają się gromady żołnierzy, plądrując kościoły, zabierając księży i pędząc ich do Paryża. Może i tu zjawią się jacyś żołnierze i też popędzą mnie do Paryża. I co wieczór będą mnie brać do opery i pić szampana z mojego buta!

– Niech ci się nie wydaje, że żołnierze są zawsze tak szarmanccy – ostudziła ją Mireille. – W końcu ich praca polega na uśmiercaniu ludzi, a nie zabieraniu ich do opery.

– Robią jeszcze różne inne rzeczy – powiedziała Valentine, zniżając głos do tajemniczego szeptu.

Doszły właśnie do szczytu wzgórza, gdzie droga była mniej stroma i robiła wrażenie znacznie szerszej. Na tym odcinku była wyłożona kamiennymi płytkami i przypominała jedną z tych wygodnych dróg, które biegną przez wiele miasteczek. Po obu jej stronach rosły cyprysy. Wznosząc się wysoko ponad morze wiśniowych sadów, wyglądały sztywno i odpychająco i – podobnie jak samo opactwo – zupełnie nie na miejscu.

– Słyszałam – szeptała dalej Valentine do ucha kuzynki – że ci żołnierze robią zakonnicom straszne rzeczy! Kiedy taki żołnierz spotka zakonnicę, dajmy na to w lesie, natychmiast wyciąga to swoje coś ze spodni, wkłada zakonnicy i zaczyna tym kręcić. A gdy już skończy, zakonnica ma dziecko!

– Cóż za bluźniercze myśli! – wykrzyknęła Mireille, wyrywając się Valentine i usiłując stłumić błąkający się na wargach uśmiech. – Doprawdy nie wiem, czy ktoś równie sprośny jak ty może być zakonnicą.

– Przecież cały czas o tym mówię – przytaknęła Valentine. – Szczerze mówiąc, wolałabym zostać oblubienicą jakiegoś żołnierza aniżeli oblubienicą Chrystusa.

Zbliżywszy się do opactwa, obie nowicjuszki zobaczyły wyraźnie cztery podwójne rzędy cyprysów zasadzone przed każdym wejściem w taki sposób, by tworzyły znak krzyża. Ruszyły raźnym krokiem wśród czerniejącej mgły, a gałęzie drzew otoczyły je z obu stron ciasną ścianą. Przeszły przez bramę opactwa i przemierzyły ogromny dziedziniec. Gdy stanęły u wysokich, drewnianych wrót prowadzących do głównej enklawy, dzwon nadal bił ponuro, a jego złowieszczy głos przebijał się z trudem przez gęstą mgłę.

Zatrzymały się u wejścia, by zeskrobać z butów błoto, przeżegnały się pośpiesznie i przeszły przez wysoki portal. Żadna z nich nawet nie podniosła wzroku, by spojrzeć na inskrypcję wyrytą surowymi, frankijskimi literami na kamiennym łuku wieńczącym portal, bo też obie dobrze go znały, zupełnie jakby był wyryty w ich sercach:

Przeklęty będzie ten, co głazy te rozburzy,
Króla – prócz Wszechmocnego – nikt nie utrzyma w szachu.

Poniżej wyryte było wielkimi literami CAROLUS MAG-NUS. To właśnie od niego wyszedł pomysł wzniesienia tej budowli i to on rzucił klątwę na tego, kto ośmieli się ją zburzyć: największy z władców cesarstwa frankijskiego, zasiadający na tronie przeszło dziesięć stuleci temu, znany całej Francji jako Karol Wielki.

Mury opactwa były ciemne, zimne, wilgotne i omszałe. Z wnętrza sanktuarium dochodziły szepty modlących się nowicjuszek i delikatny stukot paciorków różańca odliczających kolejne zdrowaśki, Chwała Ojcu i Ojcze nasz. Valentine i Mireille pośpiesznie przebiegły przez kaplicę obok klęczących nowicuszek i udały się w kierunku niewielkich drzwi za ołtarzem, gdzie mieścił się gabinet siostry przełożonej. Jakaś wiekowa zakonnica zapędzała do środka ostatnie maruderki. Valentine i Mireille spojrzały sobie w oczy, po czym podążyły w ślad za resztą.

Wezwanie do gabinetu siostry przełożonej, i to jeszcze tak nieoczekiwane, było doprawdy dziwnym wydarzeniem. Niewiele zakonnic miało okazję tam się znaleźć i najczęściej chodziło o naruszenie dyscypliny. Valentine, jako osoba często upominana, dobrze znała to pomieszczenie. Lecz przecież dzwon klasztorny służył do zwoływania wszystkich zakonnic. Chyba siostra przełożona nie zamierzała zwołać wszystkich naraz?

W dużym pokoju z niskim sufitem Valentine i Mireille naliczyły ponad pięćdziesiąt zakonnic, czyli niemal całe zgromadzenie. Siedziały, poszeptując, na twardych drewnianych ławkach ustawionych w taki sposób, że każda z nich była zwrócona twarzą do przeoryszy. Najwyraźniej wszystkie zdawały sobie sprawę z niezwykłości tego wydarzenia, a na twarzach, które zwróciły się w stronę wchodzących kuzynek, malowało się przerażenie. Dziewczęta usiadły w ostatnim rzędzie. Valentine kurczowo ścisnęła dłoń Mireille.

– O co w tym wszystkim chodzi? – wyszeptała.
– Mam złe przeczucia – odparła Mireille, również szep-

tem. – Przeorysza ma bardzo poważną minę. I są jeszcze dwie kobiety, których nigdy wcześniej nie widziałam.

Na końcu długiego pokoju, za potężnym biurkiem z błyszczącego wiśniowego drewna, stała przeorysza. Mimo że twarz miała pomarszczoną i wysuszoną jak stary pergamin, wciąż biła od niej moc pełnionego urzędu. W jej postawie wyczuwało się coś ponadczasowego, co sugerowało, że już dawno temu pogodziła się ze swoją duszą. Tym razem jednak była zasępiona jak nigdy przedtem.

Po obu jej stronach, jak anioły zemsty, stały dwie obce kobiety, zwracające na siebie uwagę silną budową i dużymi dłońmi. Jedna z nich miała bladą skórę, ciemne włosy i świetliste oczy, druga natomiast była niezwykle podobna do Mireille: miała śmietankowobiałą cerę i włosy tylko odrobinę ciemniejsze od pukli Mireille. Mimo iż obie wyglądały na zakonnice, nie miały na sobie habitów, tylko szare stroje podróżne o bliżej nie określonym fasonie.

Matka przełożona odczekała, aż wszystkie zakonnice znajdą się w środku, i drzwi zostały zamknięte. Zaczęła mówić, dopiero gdy w pokoju zapadła kompletna cisza. Jej głos nieodmiennie przypominał Valentine szelest zeschłych liści.

– Moje córki – powiedziała przeorysza, składając ręce przed sobą. – Od ponad tysiąca lat tutaj, na tej skale, zakonnice z Montglane wypełniają obowiązki wobec ludzkości i służą Bogu. Choć odcięte od świata, mimo wszystko czujemy targające nim wstrząsy. I właśnie tutaj, w naszym cichym zakątku, doszły nas ostatnio niepomyślne wieści, z których wynika, że czasy bezpiecznego bytowania dobiegają końca. Wysłanniczkami przynoszącymi owe wieści są właśnie te dwie kobiety stojące obok mnie. Pragnę wam przedstawić siostrę Alexandrine de Forbin – tu wskazała ciemnowłosą kobietę – i Marie-Charlotte de Corday, które stoją na czele zgromadzenia Abbaye-aux-Dames w Caen, w prowincjach północnych. Aby przynieść nam owe wieści, wybrały się w trudną, uciążliwą podróż i przemierzyły w przebraniu całą Francję. Dlatego więc nakazuję wam słuchać ich z całą uwagą, gdyż jest to kwestia o niepoślednim dla nas znaczeniu.

Przeorysza usiadła, a kobieta, którą przedstawiła jako Alexandrine de Forbin, odchrząknęła i zaczęła mówić głosem tak cichym, że zakonnice musiały wytężyć słuch. Lecz jej słowa były wyraźne.

– Drogie siostry w Chrystusie – zaczęła – opowieść, jaką dla was mamy, nie nadaje się dla osób bojaźliwych. Są pośród nas takie, które poszły za Chrystusem, mając nadzieję, iż dane im będzie zbawić ludzkość. Niektóre z nas zdecydowały się na ten krok tylko po to, by uciec od świata. Są nawet i takie, które znalazły się w zakonie wbrew swojej woli, nie czując absolutnie żadnego powołania – przy tych słowach zwróciła swój płomienny wzrok w kierunku Valentine, która zrobiła się czerwona jak piwonia. – Bez względu jednak na to, dlaczego się tu znalazłyście, informuję was, że od dzisiaj wszystko się zmienia. W czasie naszej podróży wraz z siostrą Charlotte przewędrowałam całą Francję, od Paryża aż do najmniejszych wiosek. Widziałyśmy nie tylko niedostatek, ale prawdziwy głód. Ludzie potrafią się bić o chleb. Krew leje się wszędzie; kobiety paradują po ulicach z odciętymi głowami nadzianymi na piki. Dochodzi do gwałtów i rzeczy znacznie gorszych. Morduje się małe dzieci, a w miejscach publicznych ludzie poddawani są torturom, a potem rozszarpywani przez rozszalałą tłuszczę...

W pokoju rósł gwar. Słychać było głosy przerażenia, gdy Alexandrine ciągnęła swą krwawą opowieść.

Mireille była zdziwiona, że zakonnica może spokojnie mówić o takich sprawach. Opowiadająca ani na chwilę nie zmieniła swego opanowanego, cichego tonu i żadne, nawet najmniejsze drżenie nie pojawiło się w jej głosie. Mireille obrzuciła krótkim spojrzeniem Valentine, która chłonęła to wszystko, siedząc z szeroko otwartymi oczami. Alexandrine de Forbin odczekała, aż zgromadzenie nieco się uspokoi, po czym kontynuowała:

– Mamy teraz kwiecień. W październiku zeszłego roku rozwścieczony motłoch porwał z Wersalu króla i królową i zmusił do powrotu do pałacu Tuileries, gdzie oboje zostali uwięzieni. Wkrótce potem zmuszono króla do podpisania pewnego dokumentu, tak zwanej Deklaracji Praw Człowieka i Obywatela, ogłaszającej równość wszystkich ludzi. W rezultacie Zgromadzenie Narodowe kieruje rządem, a król jest zupełnie bezradny. To, co się dzieje w naszym kraju, to już nie rewolucja: to anarchia. Co gorsza, Zgromadzenie odkryło, że skarb państwa świeci pustkami, a odpowiedzialnością za ten stan rzeczy obarczono monarchę. W Paryżu panuje przekonanie, że król nie dożyje końca roku. Słuchające tego zakonnice były wstrząśnięte, a w pokoju rozległy się pełne podniecenia szepty. Mireille, wpatrzona w opowiadającą, ściskała lekko rękę Valentine. Nigdy wcześniej żadna z nich nie słyszała, by ktokolwiek mówił głośno o podobnych sprawach, i nie wyobrażała sobie, że coś takiego może się naprawdę zdarzyć. Tortury, anarchia, królobójstwo. Jak mogło do tego dojść? Przeorysza zastukała w blat biurka, by przywrócić porządek, a zakonnice ucichły. Alexandrine usiadła i głos zabrała Charlotte. Mówiła głośno i dobitnie.

– W Zgromadzeniu zasiada człowiek całym sercem zaprzedany złu, który, choć mieni się członkiem duchowieństwa, jest chorobliwie żądny władzy. Mam na myśli biskupa Autun, uważanego przez Kościół rzymski za wcielenie diabła. Podobno urodził się z rozszczepionym kopytem, znakiem szatana, pije krew niemowląt, aby zachować młodość, i odprawia czarne msze. W październiku ten właśnie biskup zaproponował Zgromadzeniu, by skonfiskowało całą własność Kościoła. Drugiego listopada za ustawą o konfiskacie dóbr kościelnych opowiedział się wielki mąż stanu, Mirabeau, dzięki czemu została zatwierdzona. Trzynastego lutego zaczęły się konfiskaty. Każdy duchowny, który próbował stawiać opór, był aresztowany i wtrącany do więzienia. A szesnastego lutego biskup Autun został wybrany na przewodniczącego Zgromadzenia. Odtąd już nic nie może go powstrzymać.

Wśród wykrzykujących coś nerwowo sióstr widać było ogromne wzburzenie, lecz głos siostry Charlotte wznosił się ponad rosnący gwar.

– Na długo przed wejściem w życie ustawy o przejęciu dóbr kościelnych biskup Autun dokładnie zbadał stan posiadania Kościoła na terytorium Francji. Choć ustawa mówi wyraźnie, że jej skutki mają w pierwszej kolejności objąć księży, a oszczędzić zakonnice, doskonale jednak nam wiadomo, że biskup jest zainteresowany opactwem Montglane. Właśnie na temat tego miejsca starał się dowiedzieć jak najwięcej. Dlatego też z takim pośpiechem do was podążałyśmy. Nie wolno dopuścić, by skarb Montglane wpadł w jego ręce.

Przeorysza wstała, położyła dłoń na mocnym ramieniu Charlotte Corday i obrzuciła spojrzeniem siedzące w ławkach szeregi zakonnic. Ich sztywno nakrochmalone kornety przypominały stado mew kołyszących się na powierzchni morza. Stara przeorysza uśmiechnęła się. To było jej stadko, które prowadziła od tak dawna. Wiedziała, że teraz, gdy wyjawi im ten sekret, może już nigdy więcej ich nie zobaczyć.

– Teraz wiecie to samo co ja – powiedziała. – Choć sytuacja znana mi była już od kilku miesięcy, nie chciałam wywoływać przerażenia. Najpierw musiałam się zastanowić nad dalszymi posunięciami. Przyjeżdżając tutaj, nasze siostry z Caen potwierdziły moje najgorsze obawy. – Zakonnice zamilkły, jakby poczuły na sobie tchnienie śmierci. Słowa przeoryszy rozbrzmiewały w absolutnej ciszy. – Jestem już stara i przypuszczalnie Bóg wezwie mnie do siebie wcześniej, niż sobie wyobrażam. Jednak wstępując do tego zgromadzenia, złożyłam pewne śluby, z których część wykraczała poza kwestię wierności Chrystusowi. Prawie czterdzieści lat temu, gdy zostałam przeoryszą Montglane, ślubowałam dochować pewnej tajemnicy, a w razie konieczności bronić jej własnym życiem. Dziś nadszedł czas dotrzymania tych ślubów. Jednak by to uczynić, muszę zdradzić wam część tajemnicy i jednocześnie zobowiązać was do jej dochowania. Historia moja jest długa i wysłuchajcie jej cierpliwie, gdyż opowiadam powoli. Gdy skończę, zrozumiecie, dlaczego każda z was musi zrobić to, co musi. – Przeorysza przerwała, by wypić łyk wody ze srebrnego kielicha, który stał przed nią na stole. – Dziś mamy czwarty kwietnia Roku Pańskiego 1790. Opowieść moja zaczyna się również czwartego kwietnia, lecz wiele lat wcześniej. Usłyszałam ją od mojej poprzedniczki, która przed objęciem urzędu poznała ją z kolei z ust swojej poprzedniczki, i tak działo się od początku istnienia opactwa. A dziś opowiem ją wam...

OPOWIEŚĆ PRZEORYSZY

Czwartego kwietnia roku 782, w dniu czterdziestych urodzin Karola Wielkiego, w Pałacu Orientalnym w Akwizgranie odbywała się wspaniała uroczystość. Z tej okazji monarcha zaprosił możnowładców ze wszystkich krańców swojego imperium. Pałac królewski z mozaikową kopułą i krętymi schodami pełen był sprowadzonych z zagranicy palm i przyozdobiony kwietnymi girlandami. W ogromnych westybulach, wśród srebrnych i złotych latarń, rozbrzmiewały dźwięki harf i lutni. Dworzanie, przyodziani w fiolety, purpury i złoto, przemieszczali się wśród bajkowej plątaniny kuglarzy, żonglerów i lalkarzy. Na dziedzińcu zgromadzono niedźwiedzie, lwy, żyrafy, a także klatki pełne gołębi. Już od kilku tygodni trwała wesoła zabawa w oczekiwaniu na urodziny króla.

Kulminacyjnym punktem był, rzecz jasna, sam dzień urodzin. W godzinach rannych monarcha pojawił się na głównym dziedzińcu w otoczeniu osiemnaściorga swoich dzieci, królowej i ulubionych dworzan. Karol Wielki był człowiekiem niezwykle szczupłym i wysokim i poruszał się z wdziękiem jeźdźca i pływaka. Twarz miał ogorzałą, a włosy i brodę spłowiałe od słońca. Od razu widać było, że to wojownik z krwi i kości, władca największego królestwa na ziemi. Ubrany w prostą wełnianą tunikę, obcisły płaszcz podbity futrem i z nieodłącznym mieczem u boku, przeszedł przez dziedziniec, witając swoich poddanych i zachęcając ich do raczenia się jadłem, od którego stoły aż się uginały.

Na ten dzień król przygotował coś wyjątkowego. Będąc mistrzem strategii, znajdował wyjątkowe upodobanie w pewnej grze. Były nią szachy, zwane grą wojenną bądź też grą królów. Wtedy właśnie, w dniu swoich czterdziestych urodzin, zażyczył sobie zagrać z najlepszym szachistą swojego królestwa, Frankiem zwanym Garinem.

Wśród dźwięku trąb Garin wkroczył na dziedziniec. Akrobaci wyczyniali przed nim swoje sztuczki, a kobiety sypały mu pod nogi liście palm i płatki kwiatów. Garin był szczupłym mężczyzną o bladej twarzy i szarych oczach, a z całej jego postawy biła ogromna powaga. Służył jako żołnierz w armii na zachodzie. Gdy monarcha podniósł się na jego powitanie, Garin przyklęknął.

Ośmiu czarnych służących ubranych w mauretańskie stroje wniosło na ramionach wielką szachownicę. Zarówno ci ludzie, jak i niesiona przez nich szachownica, byli darem przysłanym przez Ibn-al-Arabiego, muzułmańskiego gubernatora Barcelony, w dowód wdzięczności za pomoc królewską w walce z pirenejskimi Baskami cztery lata wcześniej. Właśnie podczas odwrotu po tej sławetnej bitwie, na przełęczy Roncesvalles w Nawarze, poniósł śmierć ulubiony rycerz Karola, Hruoland, bohater *Pieśni o Rolandzie*. W związku z tak przykrym wspomnieniem król nigdy wcześniej nie używał tych szachów ani też nie pokazywał ich swoim poddanym.

Dworzanie w niemym zachwycie podziwiali wspaniałe figury rozstawiane przez służących na szachownicy. Choć wyszły spod rąk arabskich rzemieślników, nosiły wyraźne znamię indyjskiego i perskiego pochodzenia. Niektórzy wierzyli bowiem, iż owa gra znana była w Indiach czterysta lat przed narodzeniem Chrystusa, a Arabowie przywieźli ją z Persji po podboju tego kraju w Roku Pańskim 640.

Każdy bok szachownicy, wykonanej w całości ze srebra i złota, miał równo metr długości. Kunsztowne figurki wyrzeźbione z cennych kruszców wysadzane były rubinami, szafirami, diamentami i szmaragdami nierzadko wielkości przepiórczych jaj; kamienie te nie były jednak cięte, lecz tylko wypolerowane na gładko Lśniąc i połyskując w świetle lamp, zdawały się żarzyć wewnętrznym światłem, które hipnotyzowało patrzących.

Figurka zwana szachem, albo królem, wysokości piętnastu centymetrów, przedstawiała mężczyznę w koronie jadącego na grzbiecie słonia. Królowa – inaczej hetman – siedziała w krytej lektyce wysadzanej klejnotami. Gońcy przedstawieni byli jako słonie, dźwigające na grzbietach siodła wysadzane drogimi kamieniami, konie – jako arabskie dzianety. Wieże, lub zamki, nazywane były roch, od arabskiego słowa oznaczającego „rydwan"; były to wielbłądy słusznych rozmiarów, noszące na plecach wysokie krzesła podobne do wież. Natomiast pionki były zwykłymi żołnierzami wysokości siedmiu centymetrów. Zamiast oczu miały klejnociki, a rękojeści ich mieczy upstrzone były różnokolorowymi kamykami.

Karol Wielki i Garin zbliżyli się do szachownicy. Wówczas król uniósł dłoń i wyrzekł słowa, które otaczający go ludzie przyjęli z bezbrzeżnym zdumieniem.

– Proponuję zakład – powiedział dziwnym głosem. Karol nie był przecież zwolennikiem zakładów. Dworzanie obrzucili się niepewnym wzrokiem. – Jeżeli mój żołnierz, Garin, odniesie nade mną zwycięstwo, otrzyma część mego królestwa rozciągającą się od Akwizgranu aż do Pirenejów, a także rękę mojej najstarszej córki. Natomiast jeśli przegra, zostanie ścięty tu, na tym dziedzińcu, o świcie. Przez dwór przebiegł szmer. Przecież król tak bardzo kochał swoje córki, że ubłagał je, by nie wychodziły za mąż za jego życia.

Najdroższy przyjaciel monarchy, książę Burgundii, chwycił go za ramię i odciągnął na bok.

– Cóż to ma być za zakład? – wyszeptał. – Coś takiego przystoi najwyżej zapijaczonemu barbarzyńcy!

Karol zasiadł za stołem, zachowywał się jak w transie. Książę nic nie rozumiał. Garin też był zdumiony. Spojrzał księciu w oczy, po czym bez słowa usiadł przy szachownicy, tym samym przyjmując zakład. Przystąpiono do przydziału figur i Garin, jakby na swoje szczęście, wybrał białe, zyskując tym samym pierwszy ruch. Gra się rozpoczęła.

Niewykluczone, iż wynikało to z napięcia panującego na dziedzińcu, lecz widzowie odnosili wrażenie, że w miarę rozwoju gry obaj gracze przesuwają figury z siłą i precyzją przekraczającą ramy tej partii, zupełnie jakby nad szachownicą unosiła się jakaś inna, niewidzialna dłoń. Chwilami nawet zdawało się, że figury poruszają się same, bez udziału ludzi. Gracze, pobladli, siedzieli w milczeniu, otoczeni przez dworzan przypominających duchy.

Po mniej więcej godzinie książę Burgundii zauważył, że król zachowuje się dość dziwnie. Jego czoło przecinały głębokie bruzdy, wydawał się nieuważny i rozkojarzony. Zresztą i Garina najwyraźniej dręczył jakiś niezwykły niepokój; ruchy miał szybkie i nerwowe, a na czole perliły się wielkie krople potu. Obaj siedzieli ze wzrokiem wbitym w szachownicę, jakby ani na moment nie potrafili oderwać od niej oczu.

Nagle Karol wydał okrzyk i zerwał się na równe nogi, przewracając szachownicę i strącając wszystkie figury na podłogę. Dworzanie cofnęli się. W ataku nieprzytomnej wściekłości król zaczął wyrywać sobie włosy i walić się w piersi jak dzikie zwierzę. Garin i książę podbiegli do niego, lecz on odtrącił ich gwałtownie. Trzeba było dopiero sześciu możnowładców, by unieruchomić monarchę. Gdy wreszcie się uspokoił, rozejrzał się wokoło w całkowitym osłupieniu, jakby przed chwilą ocknął się z głębokiego snu.

– Najjaśniejszy panie – powiedział Garin łagodnym głosem, podnosząc jedną z figur i wręczając ją królowi – może powinniśmy przerwać tę grę. Figury są rozrzucone, a ja nie potrafię przypomnieć sobie ani jednego ruchu, jaki wykonałem w trakcie tej partii. Sire, te mauretańskie szachy napawają mnie lękiem. Drzemie w nich jakaś diabelska moc, która sprawiła, że zaproponowałeś zakład o moje życie.

Karol Wielki, usiadłszy na krześle, gestem zmęczenia uniósł dłoń do czoła, lecz nie odezwał się ani słowem.

– Garinie – powiedział książę Burgundii ostrożnie – wiadomo ci przecież, że król nasz nie daje wiary tego typu przesądom, uważając je za pogańskie i barbarzyńskie. Zakazał nawet uprawiania nekromancji i wróżbiarstwa na swoim dworze...

Karol przerwał mu, lecz jego głos był głosem wycieńczonego człowieka:

– Jakże mam przynieść Europie światło chrześcijaństwa, jeśli moi żołnierze wierzą w czary?

– Od niepamiętnych czasów w krajach arabskich i na całym Wschodzie praktykuje się magię tego rodzaju – odrzekł Garin. – Nie wierzę w nią ani też jej nie rozumiem. Ale – tu pochylił się nad królem i spojrzał mu w oczy – ty też ją czułeś, panie.

– Trawił mnie płomień wściekłości – przyznał monarcha. – Nie byłem w stanie się opanować. Czułem się tak jak w dniu walki, gdy oddziały ruszają do ataku. Nie potrafię tego wytłumaczyć.

– Jednak wszystkie rzeczy na niebie i na ziemi mają jakąś przyczynę – odezwał się głos zza pleców Garina, który odwrócił się i ujrzał Maura, jednego z ośmiu służących, którzy na swoich ramionach wnieśli szachownicę wraz z figurami.

Król skinął głową na znak, że chce słuchać dalej.

– Z watar, czyli miejsca narodzenia, wywodzi się starożytny lud zwany Badawi, czyli „mieszkańcy pustyni". Wśród tego ludu największą wartość ma zakład, w którym stawką jest życie. Mówią oni, że tylko taki zakład jest w stanie usunąć habb, tę czarną kroplę w ludzkim sercu, którą archanioł Gabriel usunął z piersi Mahometa. Wasza Wysokość zaproponował taki zakład nad szachownicą, zakład, w którym stawką było życie człowieka, a więc najwyższa forma sprawiedliwości. Mahomet mówi: „Królestwo toleruje kufr, czyli niewierność islamowi, lecz nie toleruje zulm, czyli niesprawiedliwości".

– Zakład, w którym stawką jest życie człowieka, jest złym zakładem – odparł Karol Wielki.

Książę Burgundii i Garin popatrzyli na siebie w zdumieniu, bo czyż nie on sam zaproponował taki właśnie zakład niespełna godzinę temu?

– Nie! – powiedział z uporem Maur. – Poprzez zakład o życie można osiągnąć ghutah, ziemską oazę, która jest rajem. Jeśli ktoś uczyni zakład nad planszą szatrandż, to sam szatrandż wymierza sar!

– Szatrandż to nazwa, jaką Maurowie określają szachy, najjaśniejszy panie – powiedział Garin.

– A co to jest „sar"? – spytał król, wstając powoli. Po chwili górował już nad wszystkimi.

– Zemsta – odrzekł Maur z nieprzeniknionym wyrazem twarzy. Pokłonił się przed monarchą i powoli wycofał.

– Zagramy jeszcze raz – oznajmił król. – Lecz tym razem żadnych zakładów. Zagramy ze zwykłej miłości do gry. Dość tych głupich przesądów wymyślonych przez dzieci i barbarzyńców.

Dworzanie zaczęli znów ustawiać figury na szachownicy. Zebrani powitali to wszystko z wyraźną ulgą. Karol odwrócił się do księcia Burgundii i ujął go za ramię.

– Naprawdę uczyniłem taki zakład? – spytał łagodnie.

Książę spojrzał nań ze zdumieniem.

– Oczywiście, że tak, panie – odparł. – Czyżbyś nie pamiętał?

– Nie – powiedział król ze smutkiem.

Karol Wielki i Garin ponownie zasiedli do gry. Po niezwykłej wręcz partii Garin odniósł zwycięstwo. Król ofiarował mu ziemię w Montglane w Pirenejach i tytuł Garin de Montglane. Mistrzostwo Garina w grze w szachy do tego stopnia zachwyciło monarchę, iż zaproponował mu wzniesienie umocnień mających strzec wygranego przezeń terytorium. Po latach Karol Wielki wysłał Garinowi specjalny prezent – ów niezwykły komplet szachów, którym stoczyli tę wyjątkową partię. Od tej pory przylgnęła do niego nazwa „szachy z Montglane".

Oto historia opactwa Montglane – tymi słowami przeorysza zakończyła swoją opowieść, po czym obrzuciła wzrokiem otaczające ją twarze. – Gdyż wiele lat później, kiedy Garin de Montglane leżał na łożu śmierci, zapisał Kościołowi terytorium Montglane, fortecę, która miała zostać naszym opactwem, jak również słynne szachy z Montglane. – Przeorysza umilkła na moment, jakby zastanawiała się, czy mówić dalej. Wreszcie odezwała się: – Garin jednak nie przestał wierzyć w istnienie straszliwej klątwy dotyczącej szachów z Montglane. Pogłoski o związanych z nimi złych mocach doszły do jego uszu dużo wcześniej, zanim otrzymał je w prezencie. Opowiadano, że Charlot, bratanek Karola Wielkiego, został zamordowany podczas gry tymi właśnie szachami. Krążyło wiele najprzedziwniejszych opowieści o rozlewie krwi, przemocy, a nawet wojnach, w których ten komplet szachowy miał swój udział.

Owych ośmiu Maurów, którzy przywieźli ten komplet z Barcelony Karolowi Wielkiemu, błagało o pozwolenie udania się razem z zestawem do Montglane, na co król przystał. Niebawem jednak Garin dowiedział się, że w murach fortecy odbywają się tajemnicze nocne ceremonie, rytuały, w których – w co nie wątpił – uczestniczą ci właśnie Maurowie. W Garinie powoli narastał lęk wobec tej nagrody, jak gdyby była diabelskim narzędziem. Kazał więc zakopać szachy gdzieś na terenie fortecy i poprosił Karola Wielkiego, by rzucił klątwę mającą chronić ścianę, za którą komplet był ukryty. Z zachowania króla wynikało, że traktuje to wszystko jako dowcip, lecz na swój sposób spełnił prośbę Garina i stąd właśnie mamy dziś ową inskrypcję nad drzwiami.

Przeorysza urwała i z pobladłą twarzą sięgnęła po stojące za nią krzesło. Alexandrine wstała i pomogła przeoryszy usiąść.

– A co się stało z szachami z Montglane, czcigodna matko? – spytała jedna ze starszych zakonnic, siedząca w pierwszym rzędzie.

Przeorysza uśmiechnęła się.

– Już wam mówiłam, że jeśli zdecydujemy się pozostać w opactwie, nasze życie będzie w wielkim niebezpieczeństwie. Mówiłam wam, że żołnierze francuscy zamierzają skonfiskować skarby Kościoła i nawet w tej chwili podejmują działania w tym kierunku. Mówiłam wam również, że dawno temu w ścianach tego opactwa ukryto skarb o niewyobrażalnej wartości, który jest w stanie wyrządzić wiele zła. Tak więc to, że zdradzam wam dzisiaj tajemnicę szachów z Montglane, której przykazano mi pieczołowicie strzec w chwili, gdy obejmowałam ten urząd, nie powinno budzić waszego zdziwienia. Pozostają one nadal ukryte w ścianach i podłodze tego pokoju i tylko ja znam miejsce ukrycia każdej figury. Córki moje, celem naszej misji jest usunięcie stąd tego narzędzia zła i rozproszenie go w najdalszych częściach globu, by nigdy więcej nie wpadło w ręce tych, którzy pożądają władzy. Ponieważ komplet ten kryje w sobie siłę przekraczającą prawa natury oraz możliwości poznawcze człowieka.

Lecz nawet gdybyśmy miały czas, by zniszczyć te wszystkie figury bądź też okaleczyć je nie do poznania, nie zdobyłabym się na podobny krok. Coś, co ma tak ogromną moc, może być również wykorzystane jako narzędzie dobra. Z tej to właśnie przyczyny poprzysięgłam nie tylko ukryć ten komplet, lecz także go ocalić. Musimy wierzyć, że pewnego dnia – jeśli bieg historii na to pozwoli – dane nam będzie zebrać wszystkie części i rozwiązać ich mroczną zagadkę.

Wprawdzie przeorysza znała dokładne rozmieszczenie wszystkich figur, lecz wydobycie ich z kryjówki, wyczyszczenie i wypolerowanie zajęło dwa tygodnie z okładem, a zajęte były przy tym wszystkie zakonnice w opactwie. Aby unieść szachownicę ze skrytki w podłodze, trzeba było czterech sióstr. Dopiero po dokładnym jej oczyszczeniu ukazały się dziwne symbole, które wycięto lub wytłoczono na każdym polu. Podobne symbole wyrzeźbione były w podstawie każdej figury. Znajdowała się tam również tkanina, przechowywana w dużym metalowym pudełku, którego brzegi uszczelniono jakąś woskową substancją, niewątpliwie, by zabezpieczyć wnętrze przed pleśnią. Był to ciemnoniebieski aksamit gęsto wyszywany złotą nicią i drogimi kamieniami składającymi się na znaki przypominające znaki zodiaku. W samym środku tkaniny znajdowały się dwie skręcone, wężowate figury, których sploty tworzyły cyfrę osiem. Przeorysza twierdziła, że tkanina ta okrywała szachy z Montglane, aby chronić je przed zniszczeniem.

Pod koniec drugiego tygodnia przeorysza poleciła zakonnicom rozpocząć przygotowania do podróży. Jednocześnie wyjaśniła, że pouczy każdą z nich na osobności, dokąd ma się udać, by żadna nie znała miejsca przeznaczenia pozostałych. Miało to zmniejszyć ryzyko związane z całym przedsięwzięciem. Ponieważ zakonnic w opactwie było więcej niż części szachów z Montglane, jedynie przeorysza wiedziała, które z sióstr wywożą jakąś figurę, a które nie.

Gdy Valentine i Mireille zostały wezwane do pokoju, przeorysza siedziała za swoim potężnym biurkiem i poleciła, by również usiadły. Na biurku połyskiwały szachy z Montglane, częściowo okryte wyszywaną, ciemnoniebieską tkaniną.

Przeorysza odłożyła pióro i podniosła wzrok. Mireille i Valentine stały obok siebie w nerwowym oczekiwaniu.

– Czcigodna matko! – wybuchnęła Valentine. – Chcę, żebyś wiedziała, że bardzo będę za tobą tęsknić, gdy wyjadę. Przy tym zaś zdaję sobie sprawę, że stanowiłam dla ciebie ogromny ciężar. Żałuję, że nie umiałam być lepszą zakonnicą i bardziej się nie starałam...

– Valentine – powiedziała przeorysza, która uśmiechnęła się, widząc, jak Mireille próbuje uciszyć swoją kuzynkę kuksańcem w żebra – co takiego chcesz mi powiedzieć? Po prostu boisz się, że zostaniesz oddzielona od swojej kuzynki Mireille. Czy to stąd te niewczesne przeprosiny?

Valentine wbiła w nią osłupiały wzrok, zastanawiając się, w jaki sposób przeorysza zdołała przejrzeć jej myśli.

– Na twoim miejscu tak bym się nie przejmowała – ciągnęła przeorysza, wręczając Mireille kartkę papieru. – Znajdziesz tu nazwisko opiekuna, który roztoczy nad wami opiekę; pod spodem są dokładne instrukcje dotyczące podróży, jaką zaplanowałam dla was obu.

– Obu? – wykrzyknęła Valentine, zmuszając się z całej siły, by nie zerwać się z krzesła. – Och, czcigodna matko, spełniłaś moje najgorętsze pragnienie!

Przeorysza zaśmiała się.

– Przecież wiem, że gdybym nie wysłała was razem, stanęłabyś na głowie, żeby pokrzyżować moje plany i znaleźć się u boku kuzynki. Ponadto nie bez powodu... wysyłam was razem. Słuchajcie zatem uważnie. Zatroszczyłam się o los każdej zakonnicy. Te, których rodziny zgodziły się na ich przyjęcie, zostaną wysłane do domów. Niektórym schronienie zapewnią przyjaciele bądź też dalecy krewni. Jeśli wstąpiły do zakonu z posagami, zwrócę wszystko, by zapewnić im bezpieczeństwo i utrzymanie. Te zakonnice, które nie dysponują żadnymi funduszami, wyślę za granicę do zaufanego opactwa. Wszystkim jednak opłacę podróż i utrzymanie, aby moim córkom nie stała się krzywda. – Przeorysza złożyła ręce i kontynuowała: – Ty, Valentine, z wielu względów możesz mówić o szczęściu. Twój dziadek zostawił ci mnóstwo pieniędzy, które przeznaczyłam dla ciebie i twojej kuzynki Mireille. Ponadto, choć nie masz rodziny, masz ojca chrzestnego, który przyjmuje odpowiedzialność za was obie. Otrzymałam od niego pisemne zapewnienie o gotowości do działań w waszym imieniu. Tu właśnie dotykamy drugiego punktu, mającego ogromne znaczenie.

Usłyszawszy wzmiankę przeoryszy o ojcu chrzestnym, Mireille obrzuciła krótkim spojrzeniem Valentine, po czym zerknęła na trzymany w ręce dokument, na którym napisane było dużymi literami: „Jacques-Louis David, artysta malarz". Pod spodem widniał paryski adres. Dopiero teraz dowiedziała się, że Valentine ma ojca chrzestnego.

– Oczywiście zdaję sobie sprawę, że wieść o zamknięciu przeze mnie opactwa wywoła niezadowolenie wielu osób we Francji. Niejedna z nas będzie musiała się liczyć z niebezpieczeństwem, zwłaszcza ze strony takich osób, jak biskup Autun, który zapragnie się dowiedzieć, co stąd wywiozłyśmy. Widzicie, problem polega na tym, że całkowite zatarcie śladów jest niemożliwe. Prześladowcy mogą wpaść na trop niektórych z was. Wówczas konieczna będzie ucieczka. Dlatego właśnie wytypowałam z waszego grona osiem osób. Każda z nich otrzyma jedną figurę z kompletu, a jednocześnie będzie czymś w rodzaju skrzynki kontaktowej; jeśli jakaś zakonnica będzie zmuszona do ucieczki, to właśnie u jednej z nich zostawi swoją figurę. Albo też przekaże instrukcje, jak można ją odnaleźć. Valentine, ty właśnie będziesz jedną z nich.

– Ja! – krzyknęła Valentine. Przełknęła głośno ślinę, gdyż naraz zaschło jej w gardle. – Ale, czcigodna matko, ja nie... nie...

– Próbujesz zapewne powiedzieć, iż trudno by cię było nazwać wzorem odpowiedzialności – powiedziała przeorysza, uśmiechając się mimo woli. – Doskonale zdaję sobie z tego sprawę i liczę, iż twoja zrównoważona kuzynka będzie mi tutaj pomocą. – Spojrzała przy tych słowach na Mireille, która skinęła głową na znak zgody. – Wybierając tę ósemkę, miałam na względzie nie tylko to, czego jesteście zdolne dokonać, lecz również wasze strategiczne rozmieszczenie – ciągnęła przeorysza. – Twój chrzestny ojciec, monsieur David, mieszka w Paryżu, czyli w samym sercu francuskiej szachownicy. Jego artystyczne osiągnięcia przysporzyły mu przyjaciół w kręgach arystokracji, która darzy go ogromnym poważaniem, a ponadto jest członkiem Zgromadzenia Narodowego, gdzie cieszy się opinią zagorzałego rewolucjonisty. Wierzę, iż w razie konieczności człowiek ten będzie w stanie zapewnić wam ochronę, a sowita zapłata, jaką otrzymał ode mnie w zamian za swoje trudy, stanowić będzie dlań dodatkową motywację. – Przeorysza spojrzała na dwie młode kobiety. – Valentine, to nie jest prośba – powiedziała surowo. – Życie twoich sióstr może być zagrożone, a ty będziesz w stanie przyjść im z pomocą. Część sióstr, które już wyruszyły w drogę, otrzymała twoje imię i adres. Dlatego więc udasz się do Paryża i uczynisz tak, jak ci przykazuję. Masz piętnaście lat, a więc dostatecznie dużo, by wiedzieć, że są w życiu sprawy znacznie istotniejsze aniżeli zaspokojenie najpilniejszych potrzeb. – Głos przeoryszy brzmiał surowo, lecz jej twarz była łagodna, jak zawsze, gdy patrzyła na Valentine. – Poza tym – dodała po chwili – Paryż nie jest wcale najgorszym miejscem zesłania.

Valentine uśmiechnęła się w odpowiedzi.

– Zgadzam się, czcigodna matko – przyznała. – Przede wszystkim jest tam opera i może będą przyjęcia, a jeszcze mówią, że damy noszą tam przepiękne stroje... – Mireille znów szturchnęła ją mocno w żebra. – Chciałam powiedzieć, że pokornie dziękuję czcigodnej matce za zaufanie, jakie pokłada w swojej oddanej słudze.

Na te słowa przeorysza wybuchnęła głośnym śmiechem, który zupełnie nie pasował do jej wieku.

– Doskonale, Valentine. Teraz możecie odejść i zacząć się pakować. Wyruszycie jutro o brzasku. I nie mitrężcie czasu. – Wstawszy z miejsca, przeorysza wręczyła nowicjuszkom dwie ciężkie figurki.

Valentine i Mireille kolejno ucałowały pierścień przeoryszy i ruszyły w kierunku drzwi. Stanąwszy w progu, Mireille
odwróciła się i przemówiła po raz pierwszy, odkąd się tam
znalazły:

– Czy wolno mi zapytać, czcigodna matko, dokąd się udajesz? Będziemy myśleć o tobie i pragnęłybyśmy przesłać ci
pozdrowienia, gdziekolwiek się znajdziesz.

– Udaję się w podróż, którą chciałam odbyć od czterdziestu
lat – odparła przeorysza. – Mam przyjaciółkę z czasów dzieciństwa. Wtedy... wiesz, czasami Valentine wydaje się do niej
łudząco podobna. Pamiętam ją jako osobę radosną, pełną życia... – Przeorysza zamyśliła się, a Mireille pomyślała sobie, że
(jeśli można w ogóle coś takiego powiedzieć o tak poważnej
osobie) stara zakonnica wpadła w pełną smutku zadumę.

– Czy przyjaciółka czcigodnej matki mieszka we Francji? –
spytała.

– Nie – odparła przeorysza. – W Rosji.

Następnego ranka, w wolno rzedniejącym mroku, dwie kobiety odziane w podróżne opończe opuściły opactwo Montglane
i wspięły się na wóz pełen siana. Wóz minął potężne wrota
i jął pokonywać łagodne, górskie wzniesienia. Gdy zjeżdżały
w dolinę, otoczyła je delikatna mgiełka unosząca się od ziemi.

Otulając się połami opończy, obie kobiety mimo przerażenia czuły radość, że oto wyruszają z bożą misją, gdyż oznaczało to powrót do świata, od którego tak długo były odgro-
dzone.

Jednak to nie Bóg obserwował je w milczeniu z górskiego
szczytu, gdy wóz zjeżdżał powoli w mroki doliny. Wysoko, na
ośnieżonym szczycie wznoszącym się nad opactwem, rysowała się postać samotnego jeźdźca na jasnym koniu. Tkwił tam,
póki wóz nie znikł w ciemnej mgle. Potem zawrócił konia
i odjechał.

DEBIUT ZAMKNIĘTY

Debiuty pionkiem hetmana – te, które rozpoczynają się od ruchu d2-d4 – to tzw. debiuty „zamknięte". Oznacza to, że kontakt taktyczny pomiędzy przeciwnikami rozwija się powoli. Daje to pole do rozlicznych manewrów i mija sporo czasu, nim dochodzi do zażartej walki wręcz... Tutaj podstawę stanowią szachy pozycyjne.

Fred Reinfeld
Księga otwarć szachowych

Pewien sługa podsłuchał na rynku, że szuka go Śmierć. Popędził zatem do domu i powiedział swojemu panu, że musi uciekać do sąsiedniego miasteczka Samara, aby Śmierć nie mogła go znaleźć.

Tej nocy, po wieczerzy, ktoś zapukał do drzwi. Pan domu otworzył i zobaczył Śmierć w długiej czarnej szacie z kapturem. Śmierć spytała o sługę.

– Jest chory i leży w łóżku – skłamał pan pośpiesznie. – Czuje się tak źle, że nie można go niepokoić.

– To dziwne – odrzekła Śmierć. – Wynika bowiem z tego, że jest w niewłaściwym miejscu, ponieważ jestem z nim umówiona dziś o północy. W Samarze.

Legenda o spotkaniu w Samarze

Nowy Jork
grudzień 1972

Byłam w tarapatach. Poważnych tarapatach. Wszystko zaczęło się w ostatnim dniu 1972 roku. Byłam umówiona z wróżką. Ale podobnie jak ten facet, który miał spotkanie w Samarze, próbowałam uciec od tego, co było mi pisane. Nie miałam ochoty, żeby ktokolwiek odczytywał mój los z dłoni. Problemów i tak miałam aż nadto. Do tego właśnie dnia – 31 grudnia 1972 roku – zdążyłam potężnie namieszać w swoim życiu. A miałam niespełna dwadzieścia trzy lata. Zamiast udać się pośpiesznie do Samary, udałam się równie pośpiesznie na najwyższe piętro centrum danych Pan Am mieszczące się na Manhattanie. Było mi tam znacznie bliżej niż do Samary, a o dziesiątej wieczorem 31 grudnia miejsce to było równie dalekie i opuszczone jak wierzchołek jakiejś góry. I rzeczywiście czułam się tak, jakbym znajdowała się na szczycie góry. Za oknami wychodzącymi na Park Avenue wirowały olbrzymie płatki śniegu, zawieszone w jednym miejscu jak na stop-klatce w kinie. Odnosiłam wrażenie, iż znajduję się wewnątrz jednego z tych przycisków do papieru, które kryją w sobie doskonałą, pojedynczą różyczkę albo maleńką replikę szwajcarskiej wioski. Jednak w szklanych ścianach centrum Pan Am pyszniło się kilka akrów lśniącego, najnowocześniejszego sprzętu komputerowego, który szumiąc cichutko, kontrolował trasy przelotów i sprzedaż biletów na całej kuli ziemskiej. Tu można się było ukryć i podumać.

A miałam nad czym dumać. Przed trzema laty przyjechałam do Nowego Jorku, by zacząć pracę dla Triple-M, jednego z największych na świecie producentów komputerów. Wtedy

Pan Am był jednym z moich klientów. Nadal jednak mogę korzystać z ich centrum danych. Ostatnio jednakże zmieniłam pracę, co prawdopodobnie okaże się jedną z największych pomyłek mojego życia. Mam wątpliwy zaszczyt być pierwszą kobietą w profesjonalnych szeregach szacownej firmy zaprzysiężonych rewidentów księgowych Fulbright, Cone, Kane & Upham.

Fulbright, Cone, Kane & Upham jest jedną z ośmiu największych na świecie firm tego typu, należących do bractwa określanego niezwykle adekwatnie mianem „Wielkiej Ósemki". „Zaprzysiężony rewident księgowy" to eufemizm oznaczający po prostu „kontrolera księgowego". Wielka Ósemka świadczyła te budzące lęk usługi dla większości ogromnych korporacji. Cieszyła się wielkim poważaniem, czyli – mówiąc bez ogródek – klienci robili przed nią w portki. Jeśli podczas kontroli ksiąg Wielka Ósemka zasugerowała, by klient przeznaczył pół miliona dolarów na ulepszenie swego systemu finansowego, zignorowanie podobnej sugestii byłoby równoznaczne z głupotą. Taką samą głupotą byłoby zignorowanie faktu, że ta właśnie firma gotowa jest świadczyć dlań rzeczoną usługę – oczywiście w zamian za odpowiednie honorarium. Świat wielkiej finansjery rozumiał takie rzeczy w lot. W tym biznesie kryły się ogromne pieniądze. Nawet mały wspólnik mógł zarobić do 900 000 dolarów rocznie.

Być może część osób nie zdaje sobie sprawy, że kontrola księgowości to domena zaprzysiężonych mężczyzn, lecz firma Fulbright, Cone, Kane & Upham była tego w pełni świadoma i na tym właśnie polegał kłopot. Tylko dlatego, że jako pierwsza kobieta w historii tego biznesu bynajmniej nie pełniłam funkcji sekretarki, traktowali mnie jak rzadkość porównywalną z ptakiem dodo – coś potencjalnie niebezpiecznego, co należy obserwować z ogromną uwagą.

W ogóle trzeba powiedzieć, że bycie pierwszą kobietą w jakiejkolwiek firmie to nie przelewki. Bez względu na to, czy jest się pierwszą kobietą kosmonautą, czy też pierwszą kobietą w chińskiej pralni, trzeba pogodzić się z tym, że pracujący tam mężczyźni będą się droczyć, szydzić i patrzeć obleśnie na nogi. I jeszcze z tym, że pracuje się ciężej od wszystkich, a dostaje niższe wynagrodzenie.

Nauczyłam się reagować z rozbawieniem, gdy przedstawiano mnie: „Oto panna Velis, nasza specjalistka w tych sprawach". Po takim wstępie wszyscy pewnie sądzili, że jestem ginekologiem. W rzeczywistości byłam informatykiem, najlepszym w całym Nowym Jorku specjalistą do spraw przemysłu transportowego. Dlatego właśnie mnie najęli. Gdy członkowie zarządu Fulbright, Cone, Kane & Upham przyjrzeli mi się uważniej, w ich przekrwionych oczach zajarzyły się dolarki; nie dostrzegli we mnie kobiety, lecz chodzącą kopalnię złota. Byłam dostatecznie młoda, by robić wrażenie, dostatecznie naiwna, by można było na mnie zrobić wrażenie, i dostatecznie niewinna, by rzucać swoich klientów na pożarcie ich kontrolerom – mówiąc krótko, uosabiałam wszystkie te cechy, które były im potrzebne. Jednak miodowy miesiąc rychło się skończył.

Kilka dni przed Bożym Narodzeniem kończyłam pracę dla jednego z naszych klientów – wielkiej firmy transportowej – który chciał nabyć sprzęt komputerowy jeszcze przed końcem roku, gdy w moim biurze pojawił się jeden z członków zarządu, Jock Upham.

Był to mężczyzna po sześćdziesiątce, wysoki, szczupły i usilnie młodzieńczy. Grywał często w tenisa, nosił nienaganne garnitury firmy Brooks Brothers i farbował sobie włosy. Chodząc, sprężynował na podeszwach stóp, jakby nigdy nie opuszczał kortu.

A więc Jock wpadł sprężyście do mojego biura.

– Velis – powiedział głębokim, zmysłowym głosem – zdrowo się nagłowiłem nad sprawą, którą się właśnie zajmujesz. Kosztowało mnie to sporo wysiłku, lecz nareszcie pojąłem, co mnie w tym tak gnębi. – W taki sposób Jock dawał do zrozumienia, że wszelki sprzeciw nie ma najmniejszego sensu. Już wcześniej występował jako klasyczny *advocatus diaboli* wobec obydwu stron, a po czyjej stronie zdecydował się opowiedzieć, ta właśnie wygrywała.

– Akurat skończyłam, proszę pana. Jutro mam to przesłać naszemu klientowi, w związku z czym mam nadzieję, że nie zamierza pan wprowadzać żadnych drastycznych zmian.

– Nie, to nic takiego – powiedział, przygotowując się łagodnie do uderzenia. – Po prostu uznałem, że z punktu widzenia naszego klienta drukarki są znacznie istotniejsze niż napędy do dyskietek, w związku z czym chciałbym, żeby dokonała pani niezbędnych poprawek w kryteriach wyboru.

Był to typowy przykład tego, co w biznesie komputerowym określa się jako „ustawianie danych". Jest to sprzeczne z prawem. Otóż miesiąc wcześniej sześciu sprzedawców sprzętu komputerowego przedłożyło naszemu klientowi zapieczętowane oferty, oparte na kryteriach wyboru opracowanych przez naszą firmę jako bezstronnych rewidentów. Stwierdziliśmy, że nasz klient potrzebuje mocnych napędów do dyskietek, a jeden ze sprzedawców przedstawił najkorzystniejszą ofertę. Gdybyśmy więc teraz, po przyjęciu ofert, zadecydowali nagle, że drukarki są istotniejsze od napędów do dyskietek, skorzystałaby na tym inna firma – która, nietrudno się było domyślić: ta, której szef zaprosił Jocka na lunch dzisiejszego popołudnia.

Niewątpliwie pachniało tu łapówką. Może była nią obietnica przyszłych kontraktów dla naszej firmy, może jakiś jachcik dla Jocka albo samochód sportowy. Jednak niezależnie od tego, co to było, nie miałam ochoty brać w tym udziału.

– Bardzo mi przykro – odparłam. – Lecz już za późno, żeby zmieniać kryteria bez zgody klienta. Rzecz jasna moglibyśmy zadzwonić do nich i powiedzieć, że chcemy poprosić sprzedawców o uzupełnienie pierwotnej oferty, lecz spowoduje to sytuację, w której klient będzie mógł dokonać zakupu dopiero po Nowym Roku.

– To nie będzie konieczne, Velis – powiedział Jock. – Nie dlatego zostałem członkiem zarządu, że lekceważyłem swoją intuicję. Nieraz już działałem w interesie moich klientów i w mgnieniu oka ratowałem ich przed utratą milionów, a oni nawet nie zdawali sobie z tego sprawy. To właśnie ten najprymitywniejszy instynkt sprawił, że nasza firma z roku na rok osiąga coraz lepszą pozycję w ramach Wielkiej Ósemki. – Błysnął w moją stronę uśmiechem, a na policzkach pojawiły mu się rozkoszne dołeczki.

Szanse na to, że Jock Upham był gotów zrobić coś dla klienta, nie biorąc na swoje konto wszystkich zasług, były mniej więcej równe szansom biblijnego wielbłąda na przeciśnięcie się przez ucho igielne. Lecz ja pozwoliłam mu przejść.

– Niemniej jednak, proszę pana, spoczywa na nas moralna odpowiedzialność wobec naszego klienta, żeby uczciwie

33

porównać i ocenić zapieczętowane oferty. W końcu jesteśmy firmą rewidentów.

Dołeczki na policzkach Jocka znikły, jakby znienacka je połknął.

– Chyba nie chce pani przez to powiedzieć, że odrzuca moją sugestię?

– Jeśli nie jest to polecenie, lecz tylko sugestia, to wolałabym z niej nie korzystać.

– A jeśli będzie to polecenie? – spytał chytrze Jock. – Jako członek zarządu tej firmy...

– Wówczas będę zmuszona zrezygnować z prowadzenia tej sprawy i przekazać ją komuś innemu. Oczywiście zachowam kopie wszystkich dokumentów na wypadek jakichś późniejszych wątpliwości.

Jock wiedział, o czym mówię. Firmy Wielkiej Ósemki nigdy nie sprawdzały się wzajemnie. Jedyną instancją mogącą zadawać pytania był rząd Stanów Zjednoczonych. A jego pytania dotyczyły nielegalnych lub oszukańczych praktyk.

– Rozumiem – powiedział Jock. – Nie będę pani dalej przeszkadzał, Velis. Wynika z tego, że sam będę musiał podjąć odpowiednią decyzję. – Po czym raptownie obrócił się na pięcie i wyszedł z pokoju.

Następnego ranka zjawił się u mnie mój szef, krwisty blondyn około trzydziestki, Lisle Holmgren. Był wyraźnie podniecony, jego rzedniejące włosy znajdowały się w nieładzie, a krawat był przekrzywiony.

– Catherine, coś ty, u diabła, powiedziała Jockowi Uphamowi? – brzmiały jego pierwsze słowa. – Aż go trzęsie ze złości. Zadzwonił dziś do mnie bladym świtem, jeszcze zanim zdążyłem się ogolić. Mówi, że całkiem ci odwaliło i że każe cię wsadzić w kaftan bezpieczeństwa. Nie chce, żebyś w przyszłości miała jakiekolwiek kontakty z poważnymi klientami, i twierdzi, że nie nadajesz się do poważnej roboty.

Życie Lisle'a ogniskowało się na firmie. Miał wymagającą żonę, dla której miarą sukcesu była wysokość opłat uiszczanych w ekskluzywnym klubie. Choć być może nie całkiem mu to odpowiadało, musiał się pilnować i nie wychylać z szeregu.

– Chyba wczoraj wieczorem straciłam głowę – oparłam sarkastycznie. – Nie zgodziłam się na odrzucenie oferty. Powiedziałam, że jeśli chce, może przekazać tę sprawę komuś innemu.

Lisle opadł na sąsiednie krzesło i milczał przez chwilę.

– Catherine, w świecie biznesu dzieje się wiele spraw, które komuś w twoim wieku wydają się nieetyczne. Ale niekoniecznie musi być tak, jak ci się wydaje.

– Tym razem właśnie tak było.

– Mogę cię zapewnić, że jeśli Jock Upham poprosił cię o coś takiego, miał swoje powody.

– A pewnie, że miał powody, i to warte trzydzieści albo czterdzieści tysięcy dolców – powiedziałam, po czym wróciłam do swojej pracy.

– Czy zdajesz sobie sprawę, że popełniasz rozmyślne samobójstwo? Z takim facetem jak Jock Upham nie ma żartów. Po takim czymś nie siądzie cicho w kątku, udając, że nic się nie stało. Nie wytrze śliny, mówiąc, że to deszcz. Dobrze ci radzę, idź natychmiast do jego biura i przeproś za wszystko. Powiedz, że zrobisz, co zechce, pogładź mu piórka. Jeśli nie, to możesz się już dziś pożegnać z karierą.

– Chyba nie wyrzuci mnie za to, że nie chciałam zrobić czegoś, co jest sprzeczne z prawem?

– Wcale nie musi cię wyrzucać. Wystarczy, że uprzykrzy ci życie do tego stopnia, że przekluniesz chwilę, w której się tu znalazłaś. Miła z ciebie dziewczyna, Catherine, i bardzo cię lubię. Znasz moje zdanie. A teraz idę, a ty możesz zacząć pisać swoje epitafium.

To wszystko zdarzyło się tydzień temu. Nie przeprosiłam Jocka. Nikomu nie wspomniałam o naszej rozmowie. A dzień przed Bożym Narodzeniem, zgodnie z harmonogramem, wysłałam naszemu klientowi sugestie dotyczące nadesłanych ofert. Kandydat Jocka przegrał. Od tej pory życie w szacownej firmie Fulbright, Cone, Kane & Upham toczyło się cicho i spokojnie. To znaczy do dzisiejszego ranka.

Partnerzy namyślali się całe siedem dni, aby wybrać dla mnie jak najwymyślniejszą karę. Tego ranka Lisle pojawił się w moim biurze z dobrymi nowinami.

– No cóż, nie powiesz, że cię nie ostrzegałem – zaczął. – Na tym właśnie polega kłopot z kobietami, że nie słuchają rozsądnych rad.

W toalecie sąsiedniego „biura" ktoś akurat spuścił wodę i czekałam, aż hałas ucichnie. Wróżba na przyszłość.

– Wiesz, jak nazywa się rozumowanie po fakcie? – spytałam. – Racjonalizacja.

– Tam, gdzie jedziesz, będziesz mieć mnóstwo czasu na racjonalizację – powiedział. – Zarząd spotkał się dziś wczesnym rankiem przy kawie i pączkach z galaretką i wydał na ciebie wyrok. W grę wchodziły Kalkuta i Algier, lecz chyba z radością dowiesz się, że wygrał Algier. Mój głos był rozstrzygający. Mam nadzieję, że to docenisz.

– O czym ty mówisz? – spytałam, czując rosnący chłód w żołądku. – Gdzie, u diabła, jest Algier? I co to wszystko ma w ogóle wspólnego ze mną?

– Algier jest stolicą Algierii, socjalistycznego państwa na wybrzeżu Afryki Północnej, pełnoprawnego członka Trzeciego Świata. Myślę, że dobrze by było, gdybyś wzięła tę książkę i gruntownie się z nią zapoznała. – Po tych słowach cisnął na biurko jakieś opasłe tomisko i kontynuował: – Gdy tylko podbiją twoją wizę, co powinno potrwać jakieś trzy miesiące, spędzisz tam sporo czasu. To twój nowy przydział.

– A czy jest tam w ogóle cokolwiek do roboty? – spytałam. – Czy to tylko wygnanie?

– Nie, zaczynamy tam pewien projekt. Dostajemy pracę w różnych egzotycznych miejscach. Tym razem jest to jakaś roczna robótka dla podrzędnego klubu z Trzeciego Świata, który spotyka się od czasu do czasu, żeby pogawędzić sobie o cenach ropy. Nazywa się to OTRAM, czy coś takiego. Zresztą czekaj, zaraz sprawdzę. – Wyjął jakieś papiery z kieszeni marynarki i zaczął je przeglądać. – O, mam, to się nazywa OPEC.

– Pierwsze słyszę – powiedziałam.

W grudniu 1972 roku niewiele osób na świecie słyszało o OPEC. Wkrótce jednak ta sytuacja miała ulec drastycznej zmianie.

– Ja też – przyznał Lisle. – Dlatego właśnie zarząd uznał, że to wprost idealne zadanie dla ciebie. Chcą cię pogrzebać, Velis, tak jak ci mówiłem.

Za ścianą znów ktoś spuścił wodę, a wraz z nią spłynęły resztki moich nadziei.

– Kilka tygodni temu dostaliśmy telegram z paryskiego biura, w którym pytali nas, czy mamy informatyków znających się na ropie, gazie naturalnym i elektrowniach; wezmą każdego, a my dostaniemy niezłe zlecenie. Jednak nikt ze starszych rangą nie wyrażał chęci, żeby się tam udać. Po prostu w energii nie ma większych perspektyw. To beznadziejne zlecenie. I już mieliśmy odtelegrafować, że nie ma nikogo takiego, gdy padło twoje nazwisko.

Nie mogli mnie przecież zmusić do wyjazdu; niewolnictwo skończyło się wraz z wojną secesyjną. Chcieli zmusić mnie do odejścia, lecz niech mnie diabli, jeśli dam im tę satysfakcję.

– A co takiego będę robić dla tych sympatycznych facetów z Trzeciego Świata? – spytałam słodkim głosem. – Na temat ropy nie wiem zupełnie nic. A jeśli chodzi o naturalny gaz, to wiem tyle, ile usłyszę z sąsiedniego pomieszczenia – to mówiąc, skinęłam w stronę toalety.

– Cieszę się, że o to pytasz – powiedział Lisle, podchodząc do drzwi. – Do czasu wyjazdu zostałaś przydzielona do firmy Con Edison. W tej swojej elektrowni palą każdą ciecz spływającą w dół East River. Za kilka miesięcy będziesz ekspertem w dziedzinie przetwarzania energii. – Lisle zaśmiał się i na odchodne pomachał mi ręką. – Głowa do góry, Velis. Przecież mogło paść na Kalkutę.

Dlatego właśnie o tak późnej porze siedziałam w centrum danych Pan Am, zbierając wiadomości o kraju, o którym nigdy przedtem nie słyszałam, kontynencie, o którym nic nie wiedziałam, aby zostać ekspertem w sprawach, które absolutnie mnie nie interesowały, i aby zamieszkać wśród ludzi, którzy nie mówili moim językiem i którzy przypuszczalnie uważali, że miejsce kobiety jest w haremie. Cóż, pomyślałam sobie, wykazują chyba w tej mierze pewne podobieństwo do kierownictwa firmy Fulbright, Cone, Kane & Upham.

Mimo wszystko nie czułam strachu. Wystarczyły mi przecież zaledwie trzy lata, by stać się absolutnym ekspertem w sprawach transportu. Problemy energii zdawały się nie nastręczać aż tylu trudności. Kopie się dziurę w ziemi i wytryskuje ropa, wielka mi filozofia. Jednak zanosiło się na torturę, jeśli wszystkie książki na ten temat były równie ekscytujące jak ta, którą miałam właśnie przed sobą:

W 1950 roku arabską ropę sprzedawano po 2 dolary za baryłkę. Dziś – w 1972 roku – cena jednej baryłki wciąż wynosi 2 dolary. Wynika z tego, że arabska ropa jest jednym z niewielu liczących się w świecie surowców, których ceny w tym okresie nie wzrosły. Wytłumaczenia tego zjawiska szukać należy w rygorystycznej kontroli sprawowanej nad tym surowcem przez światowe rządy.

Fascynujące. Lecz n a j b a r d z i e j fascynujące było to, czego ta książka nie wyjaśniała. Właśnie to, co nie było wyjaśnione w żadnej z przeczytanych owej nocy książek.

Arabska ropa – jak wynikało z mojej lektury – jest najbardziej cenioną i najbardziej poszukiwaną ropą na świecie. Natomiast to, że jej cena nie ulegała zmianie przez dwadzieścia lat, było niezwykle proste: otóż cena tego surowca nie była ustalana przez nabywców ani przez właścicieli terenów, na których się znajdował. Robili to ludzie, którzy ją rozdzielali, czyli cieszący się złą sławą pośrednicy. I tak było zawsze.

Na świecie istnieje osiem wielkich kompanii naftowych. Pięć należy do Amerykanów; pozostałe trzy do Brytyjczyków, Holendrów i Francuzów. Pięćdziesiąt lat temu w Szkocji, polując na kuropatwy, ludzie ci podjęli decyzję o podziale światowych zasobów ropy, dzięki czemu jedni drugim nie musieli już wchodzić w paradę. Kilka miesięcy później spotkali się w Ostendzie z Caloustem Gulbenkianem, który przyjechał z czerwonym ołówkiem w kieszeni. Tym to właśnie ołówkiem wyrysował linię, zwaną odtąd „Cienką czerwoną linią", otaczając nią część świata obejmującą dawne imperium osmańskie, czyli dzisiejszy Irak i Turcję, oraz spory skrawek Zatoki Perskiej. Reszta dżentelmenów podzieliła to, co zostało, i wywierciła dziurę. Ropa trysnęła w Bahrajnie i rozpoczął się wyścig.

Prawo popytu i podaży stanowi martwą literę, jeśli ktoś jest największym na świecie konsumentem danego produktu, a na dodatek kontroluje dostawy. Z przeanalizowanych przeze mnie wykresów wynikało, że największym konsumentem ropy są Stany Zjednoczone, a kompanie naftowe – w większości amerykańskie – kontrolują dostawy. Sposób był prosty. Zobowiązywali się kontraktem do wyprodukowania (lub znalezienia) ropy za cenę otrzymania znacznego udziału, a potem transportowali ją i rozdzielali, zyskując na dodatkowej zwyżce cen. Siedziałam więc sobie samotnie obok imponującego stosu książek, które wygrzebałam z biblioteki Pan Am, jedynej biblioteki w Nowym Jorku, która była otwarta przez całą noc w przeddzień Nowego Roku, patrzyłam na płatki śniegu przesiewające się powoli przez żółte światło ulicznych lamp na całej długości Park Avenue i myślałam. Myśl, która wówczas mnie naszła, miała niebawem dręczyć znacznie tęższe głowy. Miała przyprawić polityków o bezsenność i w poważnym stopniu zasilić konta szefów kompanii naftowych. Miała spowodować wojny, rozlew krwi i kryzysy ekonomiczne i doprowadzić wielkie mocarstwa na skraj trzeciej wojny światowej. Wówczas jednak nie dostrzegałam w tym nic rewolucyjnego.

A myśl ta brzmiała następująco: Co by się stało, gdybyśmy nie kontrolowali światowych dostaw ropy? Odpowiedź na to pytanie, wymowna w swojej prostocie, miała dwanaście miesięcy później objawić się reszcie świata jako prawdziwe „Mane, tekel, fares".

To było nasze spotkanie w Samarze.

CICHE POSUNIĘCIE

Pozycyjny: *określenie odnoszące się do posunięcia, manewru bądź też stylu gry dyktowanego raczej przez strategię aniżeli taktykę. Przeto ruch pozycyjny można określić mianem „cichego posunięcia".*

Ciche posunięcie: *ruch, którym nie zbija się figury przeciwnika ani też nie stwarza bezpośredniego zagrożenia... Niewątpliwie daje on przeciwnikowi pewną swobodę działania.*

Edward R. Brace
Ilustrowany słownik szachów

Gdzieś dzwonił telefon. Podniosłam głowę znad biurka i rozejrzałam się dookoła. Dopiero po chwili uświadomiłam sobie, że wciąż jestem w centrum danych Pan Am. Trwał ostatni wieczór grudnia, a zegar na jednej ze ścian wskazywał dwudziestą trzecią piętnaście. Za oknem padał śnieg. A więc spałam przez godzinę. Zdziwiłam się, że nikt nie podnosi słuchawki. Rozejrzałam się po całej sali – ogromnej przestrzeni wyłożonej plastikowymi płytkami. Pod nią kryły się długie mile koncentrycznych kabli ściśniętych jak dżdżownice we wnętrznościach budynku. Wokół bezruch, atmosfera jak w kostnicy. Potem przypomniało mi się, że zafundowałam operatorom małą przerwę, obiecując im dopilnować wszystkiego. Lecz od tamtej pory minęło wiele godzin. Dopiero teraz, gdy z ociąganiem poderwałam się z miejsca i ruszyłam w kierunku centrali telefonicznej, zdałam sobie sprawę, że ich prośba brzmiała dość dziwacznie: „Czy ma pani coś przeciwko temu, że pójdziemy do magazynu taśm, żeby trochę pograć w makao?" – spytali. W makao? Sięgnęłam do pulpitu biegnącego przez całą długość centrali i konsolet dla tego piętra, połączonych z bramkami bezpieczeństwa i pułapkami rozmieszczonymi w całym budynku. Przycisnęłam guzik linii telefonicznej, która właśnie migała. Zauważyłam przy okazji, że przy włączniku sześćdziesiątym trzecim mruga czerwone światełko wskazujące, że trzeba założyć nową taśmę. Połączyłam magazyn taśm z operatorem dla tego piętra i podniosłam słuchawkę, przecierając zaspane oczy.

– Tu nocna zmiana Pan Am, słucham? – powiedziałam.

– A widzisz? – odezwał się słodki głos z natychmiast rozpoznawalnym arystokratycznym brytyjskim akcentem. – Mówiłem, że będzie pracować! Ona zawsze pracuje – zwracał się do kogoś innego. Potem do mnie: – Cat, skarbie, jesteś spóźniona! Czekamy na ciebie. Już po jedenastej. Czyżbyś zapomniała, jaki mamy dziś dzień?

– Llewellyn, naprawdę nie mogę przyjść – odparłam, przeciągając się aż do bólu, żeby pozbyć się uczucia odrętwienia – mam jeszcze mnóstwo roboty. Wiem, że obiecałam, ale...

– Żadnych „ale", kochanie. W sylwestra każdy z nas musi się dowiedzieć, co przyszłość trzyma dla niego w zanadrzu. Już wszystkim nam przepowiedziano przyszłość i doprawdy było to szalenie zabawne. Teraz kolej na ciebie. Harry mnie tu szturcha, bo chce z tobą rozmawiać.

Jęknęłam i ponownie wcisnęłam przycisk operatora. Gdzież oni się, u diabła, podziali? I po jaką cholerę trzech dorosłych mężczyzn miałoby schodzić w taki wieczór do ciemnego i zimnego magazynu taśm? Żeby szydełkować?

– Kochanie – zahuczał Harry swoim głębokim barytonem, który sprawiał, że od razu odsuwałam słuchawkę pół metra od ucha. Harry był moim klientem w czasach, gdy pracowałam dla Triple-M, i od tamtej pory pozostawaliśmy w przyjaźni. Uczynił mnie członkiem swej rodziny i przy każdej nadarzającej się okazji karmił mną swoją małżonkę, Blanche, i jej brata, Llewellyna. Jednak najbardziej liczył na to, że zaprzyjaźnię się z jego nieznośną córką, Lily, będącą niemal moją rówieśniczką. I chyba się przeliczył. – Kochanie – powiedział więc Harry – wybacz mi, ale właśnie wysłałem po ciebie Saula.

– Niepotrzebnie wysłałeś samochód, Harry. Dlaczego mnie najpierw nie spytałeś, tylko wysłałeś Saula w taki śnieg?

– Bo wiem, że powiedziałabyś „nie" – odparł spokojnie Harry. I miał rację. – A poza tym Saul lubi sobie pojeździć. Płacę mu tyle, że chyba nie może narzekać. Tak czy inaczej, jesteś mi winna tę przysługę.

– Nic ci nie jestem winna, Harry – powiedziałam. – Nie zapominaj, kto co zrobił dla kogo.

Dwa lata wcześniej, dzięki systemowi transportowemu, który zainstalowałam w jego firmie, Harry stał się najlepszym kuśnierzem-hurtownikiem nie tylko w Nowym Jorku, lecz także na całej półkuli północnej. Firma „Doskonałe Futra Harry'ego" mogła dostarczyć wykonane na zamówienie futro dosłownie wszędzie. Jeszcze raz nacisnęłam z irytacją brzęczyk, a czerwone światełko sygnalizujące brak taśmy zamrugało ponownie. Gdzież się podziali ci operatorzy?

– Posłuchaj, Harry – powiedziałam ze zniecierpliwieniem. – Nie wiem, jak udało ci się mnie znaleźć, ale przyjechałam tu, żeby trochę pobyć sama. Nie mogę o tym teraz mówić, ale mam poważny problem...

– Twój problem polega na tym, że wiecznie pracujesz i wiecznie jesteś sama.

– Największym problemem jest moja firma – odparłam z rozdrażnieniem. – Próbują mnie wepchnąć na nową działkę, o której nie mam zielonego pojęcia. Chcą mnie wyekspediować za granicę. Muszę to wszystko przemyśleć, ustalić, co właściwie robię.

– A nie mówiłem?! – zahuczał Harry do mojego ucha. – Tym gojom nie można ufać. Kto to słyszał, żeby zatrudniać luterańskich księgowych? Dobra, zgoda, ożeniłem się z taką jedną, ale wara im od moich rozliczeń. A teraz uważaj: zachowasz się jak grzeczna dziewczynka, to znaczy włożysz płaszcz i zejdziesz na dół. Przyjedziesz, wypijemy sobie drinka i pogadamy o wszystkim. A swoją drogą ta wróżka jest n i e s a m o w i t a! Pracuje tu od dziesięciu lat, a nigdy o niej nie słyszałem. Gdybym wcześniej wiedział o jej istnieniu, z miejsca bym ją zatrudnił, a mojego maklera wyrzucił na bruk.

– Chyba sobie kpisz – powiedziałam z obrzydzeniem w głosie.

– Czy kiedykolwiek sobie z ciebie kpiłem? Słuchaj, ona wiedziała, że masz tu być. Ledwie usiadła przy naszym stoliku, a już mówi: „Gdzie jest ta wasza przyjaciółka od komputerów?" Możesz w to uwierzyć?

– Obawiam się, że nie – odparłam. – A gdzie wy właściwie jesteście?

– Zaraz ci powiem, kochanie. Ta dama cały czas nalega, żebyś się zjawiła. Powiedziała mi nawet, że nasze losy są jakoś z sobą połączone. Ale to nie wszystko, ona wiedziała nawet, że Lily miała tu być.

– Lily nie przyszła? – spytałam. Wiadomość tę przyjęłam z ogromną ulgą, lecz jednocześnie zastanawiałam się, z jakiegoż powodu jego córka jedynaczka zostawiła go samego w sylwestra. Na pewno zdawała sobie sprawę, jak bardzo go to zaboli.

– Ach, te córki, czy jest na nie jakaś rada? Potrzeba mi nieco moralnego wsparcia. Zabawa trwa, a mój szwagier jest duszą towarzystwa.

– No dobra, przyjdę – obiecałam.

– Świetnie, wiedziałem, że to zrobisz. Saul będzie czekał na dole, a gdy tu przyjedziesz, uściskam cię z całego serca.

Odłożyłam słuchawkę w stanie silnego przygnębienia. Trudno było sobie wyobrazić coś mniej podnoszącego na duchu niż perspektywa spędzenia wieczoru na przysłuchiwaniu się idiotyzmom artykułowanym przez członków wyjątkowo nudnej rodziny Harry'ego. Ale Harry zawsze mnie rozśmieszał. Może dzięki temu choć na chwilę oderwę się od moich problemów.

Przemaszerowałam przez całe centrum danych prosto do magazynu taśm i otworzyłam z impetem drzwi. Operatorzy siedzieli sobie na podłodze, a z rąk do rąk krążyła mała szklana fiolka wypełniona białym proszkiem. Spojrzeli na mnie z zakłopotaniem, po czym fiolka powędrowała zapraszająco w moim kierunku. Najwidoczniej powiedzieli wtedy, że idą „na kokę", a nie „grać w makao".

– Opuszczam ten lokal – oznajmiłam. – Mam nadzieję, że jesteście w stanie na tyle wziąć się w garść, żeby założyć taśmę przy włączniku sześćdziesiątym trzecim, bo w przeciwnym razie trzeba będzie zawiesić wszystkie loty.

Usłyszawszy to, poderwali się niezgrabnie na nogi, a ja wzięłam płaszcz i torbę i skierowałam się do windy.

Na dole już czekała na mnie wielka, czarna limuzyna. Przechodząc przez hall, dostrzegłam siedzącego za kierownicą Saula. Na mój widok wysiadł, by otworzyć ciężkie, szklane drzwi. Saul był mężczyzną, którego trudno nie zauważyć nawet w tłumie – wąska twarz z dwoma głębokimi bruzdami biegnącymi od policzków aż do żuchwy i grubo ponad sześć stóp wzrostu. Był prawie tak wysoki jak Harry, tyle że Harry był gruby, a Saul przeraźliwie chudy. Stojąc obok siebie, przypominali wypukło-wklęsłe odbicia w gabinecie śmiechu. Saul, w uniformie lekko przyprószonym śniegiem, wziął mnie pod ramię, bym się nie poślizgnęła. Sadzając mnie na tylnym siedzeniu, powiedział z uśmiechem:

– A jednak przekonał? Temu człowiekowi trudno odmówić.

45

– To wręcz niemożliwe – przytaknęłam. – Przypuszczam, że słowo „nie" jest dla niego niezrozumiałym dźwiękiem. Więc gdzież to zebrał się ten tajemniczy sabat? – W Fifth Avenue Hotel – odrzekł Saul. Zatrzasnął za mną drzwi i usiadł za kierownicą. Włączył silnik i pomknęliśmy w coraz gęściej padającym śniegu. W noc sylwestrową główne arterie Nowego Jorku są tak samo zapchane jak za dnia. Taksówki i limuzyny krążą tam i z powrotem, a gromady rozweselonych ludzi przemierzają ulice w poszukiwaniu kolejnych lokali. Chodniki są wyścielone grubą warstwą serpentyn i konfetti, a w powietrzu unosi się wyczuwalny nastrój histerii. I tym razem sytuacja nie odbiegała od normy. O mały włos bylibyśmy potrącili kilku maruderów, którzy wytoczyli się z jakiegoś baru prosto pod zderzak Saula. Po chwili butelka po szampanie z głośnym stukotem odbiła się od karoserii naszej limuzyny.

– Zapowiada się niezła droga – zauważyłam.

– Nic nadzwyczajnego – oparł Saul. – Co roku w ten dzień wożę państwa Rad po mieście i zawsze jest tak samo. Powinienem dostawać dodatek za pracę w niebezpiecznych warunkach.

– Od jak dawna pracuje pan dla Harry'ego? – spytałam, gdy mknęliśmy Fifth Avenue wzdłuż rzędów lśniących budynków i słabo oświetlonych witryn sklepowych.

– Od dwudziestu pięciu lat – odparł. – Zacząłem pracować dla pana Rada jeszcze przed urodzeniem się Lily. Jeszcze nawet zanim się ożenił.

– To na pewno pan to lubi.

– Praca jak praca – odpowiedział Saul. A po chwili dodał: – Szanuję pana Rada. Wiele razem przeżyliśmy. Zdarzały się okresy, że nie mógł sobie pozwolić, by mnie opłacać, a jednak to robił, nawet jeśli odbywało się to za cenę znacznych wyrzeczeń z jego strony. Lubił jeździć limuzyną. Mówił, że posiadanie kierowcy dodaje mu szyku. – Saul zatrzymał się na czerwonym świetle i odwrócił w moją stronę. – Pewnie pani nie wie, że kiedyś tą limuzyną dowoziliśmy futra klientom. Jako pierwsi w całym Nowym Jorku. – W jego głosie pobrzmiewała duma. – A teraz zazwyczaj jeżdżę z panią Rad i jej bratem po sklepach, gdy pan Rad mnie nie potrzebuje. Albo wożę Lily na mecze.

Jechaliśmy w milczeniu aż do końca Fifth Avenue.

– O ile mi wiadomo, Lily nie zjawiła się dziś wieczór – zauważyłam.

– Nie – potwierdził Saul.

– Dlatego właśnie zostawiłam pracę. Cóż miała tak ważnego, że nie mogła przyjechać, by spędzić kilka godzin w towarzystwie własnego ojca?

– Przecież pani wie, co ona robi – powiedział Saul, zatrzymując samochód przed Fifth Avenue Hotel. Może mi się tylko zdawało, lecz w jego głosie wyczuwałam gorycz. – Robi to, co zawsze. Gra w szachy.

Fifth Avenue Hotel położony jest po zachodniej stronie Fifth Avenue, nieopodal Washington Square Park. Wokół potężnego łuku, stanowiącego wejście do Greenwich Village, dostrzegłam drzewa pokryte grubą warstwą śniegu jak bitą śmietaną; ich czubki przypominały czapeczki elfów.

W roku 1972 hotelowy bar nie był jeszcze odnowiony. Podobnie jak wiele nowojorskich barów, stanowił on tak wierną replikę wiejskiego zajazdu z czasów Tudorów, że człowiek miał wrażenie, iż powinien wiązać konia u wejścia, a nie wysiadać z limuzyny. Ogromne okna wychodzące na ulicę zwieńczone były kantowanym i barwionym szkłem. Ogień trzaskający w wielkim kamiennym palenisku oświetlał twarze gości i odbijał się rubinowym połyskiem od szkła.

Harry zajął już wcześniej miejsca przy ogromnym dębowym stole pod oknem. Gdy zatrzymaliśmy się przed wejściem, zaczął do nas machać, a szyba, do której przytknął twarz, cała zaparowała od jego oddechu. Llewellyn i Blanche siedzieli gdzieś w tyle, szepcąc coś do siebie jak para aniołków Botticellego.

Obrazek jak z widokówki, pomyślałam sobie, gdy Saul pomagał mi wysiąść z samochodu. Ogień trzaskający w kominku, bar pełen ludzi w wizytowych ubraniach. Poczucie zupełnej nierzeczywistości. Saul odjechał, a ja stałam na zaśnieżonym chodniku, patrząc na płatki śniegu połyskujące w świetle ulicznych latarń. Nie minęła chwila, a ze środka wypadł Harry, najwidoczniej obawiając się, że zaraz roztopię się jak jeden z tych śniegowych płatków i zniknę.

– Nareszcie! – wykrzyknął, niemal miażdżąc mnie w niedźwiedzim uścisku.

Harry był wręcz monstrualny – miał sześć stóp i cztery lub pięć cali wzrostu, a słowo „nadwaga" w odniesieniu do niego stanowiło akt nadzwyczajnej uprzejmości. Była to potworna góra mięsa z workami pod oczami i obwisłymi policzkami upodabniającymi go do bernardyna. Miał na sobie idiotyczną marynarkę w czerwono-zielono-czarną kratkę, w której wydawał się jeszcze potężniejszy.

– Tak się cieszę, że cię widzę – powiedział. Wziął mnie pod ramię i poprowadził przez hall i ciężkie, podwójne drzwi do baru, gdzie czekali Blanche i Llewellyn.

– Moja d r o g a, droga Cat. – Llewellyn wstał i cmoknął mnie na powitanie w policzek. – Blanche i ja zastanawialiśmy się właśnie, czy ty się w ogóle dziś zjawisz, prawda, najdroższa? – Llewellyn nieodmiennie zwracał się do Blanche per „najdroższa", tak samo jak Mały Lord Fauntleroy zwracał się do swojej matki. – Szczerze mówiąc, kochanie – ciągnął – chyba łatwiej byłoby oderwać Heathcliffa od łoża śmierci Catherine niż ciebie od tych twoich komputerów. Słowo daję, nieraz zastanawiam się, co ty i Harry byście robili, gdyby nie to, że codziennie macie jakieś sprawy do załatwienia.

– Witaj, kochanie – odezwała się Blanche, kiwając na mnie ręką, bym schyliła się do jej chłodnego, porcelanowego policzka. – Jesteś jak zwykle czarująca. Bądź tak miła i usiądź. Co Harry ma zamówić?

– Już zamówiłem ajerkoniak – wyjaśnił Harry, który stał nad nami z uśmiechem, błyszcząc jak bożonarodzeniowa choinka. – Mają tu naprawdę doskonały ajerkoniak. Spróbuj, a potem możesz zamawiać wszystko, na co tylko przyjdzie ci ochota. – Po tych słowach wrył się jak pług w tłum gości otaczający bar i po chwili widać było tylko jego głowę sterczącą wysoko ponad głowami pozostałych.

– Słyszeliśmy od Harry'ego, że wyjeżdżasz do Europy – zaczął Llewellyn. Usiadł obok mnie i wyciągnął rękę w stronę Blanche, która podała mu jego kieliszek.

Stroje obojga były dopasowane kolorystycznie: Blanche miała na sobie suknię wieczorową koloru ciemnozielonego, który podkreślał jej jasną karnację, a on czarny krawat i ciemnozieloną, askamitną marynarkę. Choć oboje byli już dobrze po czterdziestce, wyglądali niezwykle młodzieńczo, lecz pod tą złoconą fasadą przypominali psy na wystawie – głupie i niewychowane mimo pozorów ułożenia.

– Nie do Europy. Do Algieru – sprostowałam. – Jest to coś na kształt kary. Algier jest miastem w Algierii...

– W porządku, my też to wiemy – przerwał mi Llewellyn i wymienił spojrzenie z Blanche. – Cóż za niebywały zbieg okoliczności, nieprawdaż, najdroższa?

– Na twoim miejscu nie wspominałabym o tym Harry'emu – poradziła mi Blanche, bawiąc się podwójnym sznurem idealnie dopasowanych pereł. – Raczej nie przepada za Arabami. Powinnaś posłuchać jego tekstów.

– Nie będziesz zachwycona – dorzucił Llewellyn. – Okropne miejsce. Nędza, brud, karaluchy. I kuskus, paskudna mieszanka ugotowanego na parze makaronu i baraniny, a wszystko zalane smalcem.

– Byłeś tam? – spytałam, rozradowana tak obiecującymi uwagami na temat miejsca, gdzie miałam być zesłana.

– Osobiście nie – odparł. – Lecz poszukuję kogoś, kto pojechałby tam w moim imieniu. Ani pary z ust, skarbie, ale wydaje mi się, że wreszcie znalazłem sponsora. Zdajesz sobie chyba sprawę, że od czasu do czasu zmuszony jestem korzystać ze wsparcia finansowego, jakie oferuje Harry...

W kwestii zadłużenia Llewellyna u Harry'ego nikt chyba nie miał dokładniejszych informacji niż ja. Nawet gdyby Harry w kółko o tym nie opowiadał, to i tak stan sklepu z antykami na Madison Avenue mówił sam za siebie. Sprzedawcy wręcz rzucali się na każdego klienta przekraczającego próg tego przybytku, zupełnie jakby był to komis z używanymi samochodami. W większości szanujących się nowojorskich sklepów z antykami sprzedaż odbywała się o ustalonej godzinie, po uprzedniej rozmowie telefonicznej – a nie z zaskoczenia.

– Lecz teraz – mówił Llewellyn – odkryłem sponsora, który zbiera niezwykle rzadkie przedmioty. Jeżeli uda mi się zlokalizować i nabyć ten, którego on poszukuje, będzie to moja przepustka do niezależności.

– Chcesz powiedzieć, że to, czego szuka, znajduje się w Algierii? – spytałam, zerkając na Blanche, która z kamienną twarzą sączyła szampana i zdawała się w ogóle nie zważać na naszą rozmowę. – Jeżeli nawet miałabym tam pojechać, to wizę dostanę najwcześniej za trzy miesiące. A zresztą dlaczego nie możesz sam tam pojechać?

– To bynajmniej nie takie proste – odpowiedział Llewellyn. – Moim kontaktem na miejscu jest pewien handlarz antykami, który wprawdzie wie, gdzie znajduje się ten przedmiot, lecz nie jest jego właścicielem. Właściciel natomiast jest odludkiem. Cała sprawa może wymagać czasu i wysiłku. Osobie przebywającej na miejscu przez dłuższy czas byłoby chyba dużo łatwiej...

– A może po prostu pokazałbyś jej zdjęcie? – zaproponowała cicho Blanche.

Llewellyn obrzucił ją krótkim spojrzeniem, po czym skinął głową i z kieszeni na piersi wyjął złożoną fotografię, która wyglądała tak, jakby ktoś wydarł ją z książki. Rozłożył ją przede mną na stole.

Była to duża rzeźba, najpewniej z kości słoniowej lub delikatnie zabarwionego drewna, przedstawiająca mężczyznę na krześle w kształcie tronu, jadącego na słoniu. Na grzbiecie zwierzęcia stało również kilku żołnierzy, podtrzymując ów tron, a obok podstawy figurki jechali konni, nieco większych rozmiarów, dzierżący w rękach średniowieczną broń. Rzeźba była po prostu wspaniała i niewątpliwie bardzo stara. Nie miałam pewności, co tak naprawdę przedstawia, lecz niespodziewanie przeszedł mnie dreszcz. Powędrowałam spojrzeniem za okno.

– I co o tym sądzisz? Niezwykłe, prawda? – spytał Llewellyn.

– Czujesz tu jakiś przeciąg? – spytałam.

Llewellyn potrząsnął głową. Blanche spojrzała na mnie pytająco. Tymczasem Llewellyn ciągnął:

– To arabska kopia rzeźby wykonanej z indyjskiej kości słoniowej. Ta, którą widzisz przed sobą, znajduje się w Bibliothèque Nationale w Paryżu. Możesz ją sobie obejrzeć, jeśli zatrzymasz się w Europie. Sądzę jednak, że indyjska figurka, stanowiąca wzór dla tej rzeźby, sama była kopią jeszcze starszej figurki, której do tej pory nie udało się odnaleźć. Nazywa się „Król Karol Wielki".

– Karol Wielki na słoniu? Myślałam, że to był Hannibal.

– Ta rzeźba nie przedstawia Karola Wielkiego. Jest to król z kompletu szachowego, który przypuszczalnie stanowił własność Karola Wielkiego. Byłaby to więc kopia kopii. Oryginalna figurka jest wręcz legendarna. Nie znam nikogo, kto by ją kiedykolwiek widział.

– Więc skąd wiesz, że w ogóle istnieje? – naciskałam.

– Wiem. Cały komplet szachowy opisany jest w *Legendzie o Karolu Wielkim*. Mojemu sponsorowi udało się już nabyć kilka figurek z tej kolekcji, ale chciałby mieć wszystkie i gotów jest zapłacić naprawdę ogromne sumy. Jednak pragnie zostać anonimowy. Pamiętaj, skarbie, że cała sprawa musi być utrzymana w największej tajemnicy. O ile mi wiadomo, oryginalne figurki wykonane są z dwudziestoczterokaratowego złota i wysadzane rzadkimi klejnotami.

Wpatrywałam się w Llewellyna zdziwiona, nie wierząc własnym uszom. Dopiero teraz zdałam sobie sprawę, w co zamierza mnie wpakować.

– Llewellyn, istnieją przecież prawa zabraniające wywozu złota i kosztowności z różnych krajów, nie mówiąc już o przedmiotach zabytkowych. Czyś ty całkiem oszalał, czy chcesz, żebym wylądowała w jakimś arabskim więzieniu?

– Oho. Harry już wraca – odezwała się spokojnie Blanche i wstała, jakby chciała najnormalniej w świecie rozprostować nogi.

Llewellyn pośpiesznie złożył fotografię i wsunął ją do kieszeni.

– Ani słowa mojemu szwagrowi – wyszeptał. – Porozmawiamy jeszcze o wszystkim przed twoim wyjazdem. Jeśli jesteś zainteresowana, to będą z tego duże pieniądze, tak samo dla mnie, jak i dla ciebie.

Potrząsnęłam głową i również wstałam, gdy podszedł do nas Harry z tacą.

– No i spójrzcie – odezwał się głośno Llewellyn – ajerkoniak dla wszystkich! To doprawdy niezwykle miło ze strony Harry'ego. – Pochyliwszy się ku mnie, szepnął: – Nienawidzę ajerkoniaku. Pomyje dla świń i nic więcej. – Mimo to wziął kieliszki z tacy i ustawił je na stoliku.

– Kochanie, skoro Harry już wrócił i jesteśmy w komplecie,

to może poszedłbyś po naszą wróżkę – powiedziała Blanche, spoglądając na swój wysadzany klejnotami zegarek. – Jest za piętnaście dwunasta, a wszystko powinno się przecież odbyć przed północą.

Llewellyn skinął głową i ruszył na poszukiwania, na pewno szczęśliwy, że ominie go przyjemność picia ajerkoniaku.

Harry odprowadził go podejrzliwym spojrzeniem.

– Wiesz co – zwrócił się do Blanche – jesteśmy razem już od dwudziestu pięciu lat, a każdego roku zastanawiam się, kto w czasie świątecznych przyjęć wlewa cały ajerkoniak do moich doniczek.

– Jest naprawdę wyśmienity – powiedziałam. Był gęstokremowy i miał wspaniały smak.

– Ten twój brat... – zaczął Harry. – Od tylu lat znam go i wspieram, ale ta wróżka jest chyba jego najlepszym pomysłem.

– Prawdę mówiąc, poleciła ją akurat Lily, choć doprawdy nie wiem, skąd się dowiedziała o wróżce w Fifth Avenue Hotel! – odezwała się Blanche. – Może akurat rozgrywała tu jakiś turniej – dodała sucho. – Teraz organizują je dosłownie wszędzie.

Po tych słowach Harry wsiadł na swojego ulubionego konika, czyli sposób oderwania Lily od szachów, a Blanche ograniczyła się tylko do wtrącania obraźliwych uwag. Oboje obwiniali się wzajemnie o spłodzenie tak dziwacznego osobnika jak ich jedyna córka.

Stwierdzenie, że Lily lubi szachy, było eufemizmem – należało raczej powiedzieć, że nimi żyje. Nie myślała ani o interesach, ani o małżeństwie, sprawiając tym Harry'emu okrutny ból. Blanche i Llewellyn nienawidzili tych „nieokrzesanych" ludzi i miejsc, które odwiedzała. Szczerze mówiąc, raczej trudno było znieść jej uporczywą arogancję, która miała źródło w grze w szachy. Jedyne, czym mogła się poszczycić w życiu, to umiejętność przesuwania drewnianych figurek po jasnych i ciemnych polach. Dlatego częściowo oddawałam sprawiedliwość jej rodzinie oraz rozumiałam, dlaczego tak ją traktują.

– Posłuchaj tylko, co wróżka powiedziała mi na temat Lily – odezwał się Harry, ignorując Blanche. – Otóż jakaś młoda kobieta spoza naszej rodziny ma odegrać istotną rolę w moim życiu.

– Chyba się domyślasz, że akurat to szczególnie spodobało się Harry'emu – skomentowała Blanche z uśmiechem.

– Powiedziała, że w grze żywota pionki są jak bijące serce, a pionek może się zmienić, gdy pomoże mu jakaś kobieta. Sądzę, że miała na myśli ciebie...

– Powiedziała: „Pionki są duszą gry" – przerwała mu Blanche. – I moim zdaniem jest to cytat...

– Skąd wiesz? – spytał Harry.

– Bo Llew spisał to wszystko na serwetce. „W grze życia pionki są duszą gry. A nawet najzwyklejszy pionek może zmienić swój strój. Ktoś, kogo kochasz, odwróci bieg rzeki. Kobieta, która przyprowadzi ją do owczarni, przetnie wskazane więzy i nastanie koniec, jak było przepowiedziane". – Blanche odłożyła serwetkę i nie patrząc na nas, napiła się szampana.

– Widzisz? – powiedział Harry z ożywieniem. – W moim odczuciu oznacza to, że jakimś sposobem dokonasz cudu: sprawisz, że Lily odłoży na pewien czas szachy i zacznie prowadzić normalne życie.

– Na twoim miejscu nie wstrzymywałabym oddechu w wyczekiwaniu – powiedziała Blanche dość chłodnym tonem.

Po chwili zjawił się Llewellyn, ciągnąc za sobą ową wróżkę, a Harry wstał, by zrobić jej miejsce obok mnie. To, co zobaczyłam, zdawało się zakrawać na kpinę. Ta wróżka była szokująca – istne dziwadło. Zgarbiona, z potężną, bujną czupryną przypominającą perukę, przyglądała mi się zza wysadzanych sztucznymi diamentami okularów, od których biegł do jej szyi długi łańcuch kolorowych kółek, podobnych do tych, jakie robią dzieci. Miała na sobie różowy sweter wyszywany w perełkowe stokrotki, zielone, fatalnie leżące spodnie, a na czubkach jej jaskraworóżowych butów wyszyte było imię „Mimsy". W ręku trzymała teczkę z kartkami, do których co pewien czas zaglądała. Żuła gumę Juicy Fruit, którą wyraźnie czułam, gdy mówiła do mnie.

– To wasza przyjaciółka? – spytała wysokim, skrzekliwym głosem.

Harry skinął głową i wręczył jej pieniądze, które wepchnęła do swojej teczki i pośpiesznie coś zapisała. Potem usiadła obok mnie, a Harry zajął miejsce po drugiej stronie. Wbiła we mnie wzrok.

– A teraz słuchaj, kochanie – powiedział Harry. – Gdy będzie mówić prawdę, po prostu skiń głową. Inaczej mogłaby się pomylić...

– Proszę mnie nie wyręczać! – warknęła stara dama, przyglądając mi się badawczo przez ozdobne okulary. Siedziała tak przez dłuższą chwilę, wcale nie śpiesząc się z przepowiadaniem mojej przyszłości. Po jakimś czasie wszyscy zaczęli się wiercić.

– Czy pani przypadkiem nie miała oglądać mojej dłoni? – spytałam.

– Masz się nie odzywać! – uciszyli mnie jednocześnie Harry i Llewellyn.

– Cisza! – powiedziała wróżka z irytacją w głosie. – Sprawa jest skomplikowana, a ja próbuję się skupić.

Rzeczywiście próbowała się skupić; odkąd usiadła, nie spuszczała ze mnie wzroku. Zerknęłam na zegarek Harry'ego – od północy dzieliło nas jeszcze siedem minut. Tymczasem wróżka siedziała nieruchomo, zupełnie jakby zamieniła się w kamień. W miarę zbliżania się północy temperatura na sali wyraźnie rosła. Wszyscy mówili coraz głośniej, obracali butelki szampana w pojemnikach z lodem, wypróbowywali trąbki i piszczałki, wyciągali skądś różne śmieszne czapki oraz opakowania serpentyn i konfetti. Całe napięcie starego roku miało wkrótce wybuchnąć jak potężna petarda. Doszło do mnie, dlaczego zawsze unikałam chodzenia na imprezy sylwestrowe. Tymczasem wróżka jakby zapomniała o wszystkim dookoła. Siedziała jak posąg. I cały czas wpatrywała się we mnie.

Odwróciłam wzrok od jej uporczywego spojrzenia. Harry i Llewellyn siedzieli z zapartym tchem, pochyleni do przodu. Blanche, usadowiona wygodnie na krześle, spokojnie obserwowała profil wróżki. Gdy znów na nią spojrzałam, siedziała w tej samej pozycji co przedtem. Była jakby w transie i zdawało mi się, że jej wzrok przeszywa mnie na wylot. Potem powoli spojrzała mi prosto w oczy i w tym momencie poczułam raz jeszcze ten sam chłód co przedtem. Tym razem jednak rodził się gdzieś we mnie, w środku.

– Nic nie mów – wyszeptała niespodziewanie wróżka.

Dopiero po chwili zorientowałam się, że te słowa wyszły właśnie z jej ust. Harry pochylił się jeszcze bardziej do przodu, a po nim zrobił to Llewellyn.

– Jesteś w wielkim niebezpieczeństwie – powiedziała. – Dookoła czuję niebezpieczeństwo. Właśnie teraz.

– Niebezpieczeństwo? – spytał Harry surowo. Akurat podeszła kelnerka, niosąc szampana w pojemniku z lodem. Harry pełnym poirytowania gestem nakazał jej, żeby sobie poszła. – Co też pani opowiada? Czy to ma być żart? Wróżka spoglądała teraz na swoje kartki, postukując ołówkiem w metalową ramkę, jak gdyby nie wiedziała, co ma dalej robić. Zaczynało mnie to denerwować. Dlaczego ta hotelowa wróżka chciała mnie przestraszyć? Raptem podniosła wzrok. Chyba dostrzegła złość na mojej twarzy, gdyż nagle zrobiła się bardzo konkretna.

– Jesteś praworęczna – powiedziała. – Dlatego też los tobie przeznaczony zapisany jest na lewej dłoni. Prawa określa kierunek, w jakim się poruszasz. Daj mi najpierw lewą dłoń.

Przyznam, że to dziwne, lecz gdy w milczeniu zaczęła się wpatrywać w moją dłoń, opanowało mnie dziwne uczucie, że naprawdę coś tam widzi. Jej cienkie, poskręcane palce ściskające moją dłoń były zimne jak lód.

– Ojej – powiedziała dziwnym głosem. – Nie byle jaką masz rączkę, młoda damo.

Wpatrywała się w nią w milczeniu, a za oprawkami cudacznych okularów jej oczy robiły się coraz większe. Teczka zsunęła się z jej kolan na podłogę, lecz nikt nie schylił się, żeby ją podnieść. Wokół stołu czuć było skupioną energię, lecz najwyraźniej nikt nie miał ochoty się odzywać. Wszyscy patrzyli na mnie, a gwar w sali rósł.

Wróżka tak mocno ściskała moją dłoń, że po pewnym czasie rozbolało mnie całe ramię. Próbowałam wyrwać rękę, lecz trzymała mnie jak w żelaznym imadle. Opanowała mnie jakaś dziwna złość, a ponadto zaczęło mnie mdlić od ajerkoniaku i zapachu owocowej gumy do żucia. Drugą ręką na siłę oderwałam jej kościste palce i zaczęłam mówić.

– Posłuchaj – przerwała mi łagodnie, a jej głos zupełnie nie przypominał poprzedniego wysokiego skrzekotu.

Zdałam sobie sprawę, że nie mówi z amerykańskim akcentem, ale nie potrafiłam jej umieścić w żadnym miejscu na mapie. Choć początkowo wydawała mi się bardzo stara – może z powodu siwych włosów i przez to, że się garbiła – teraz dostrzegłam, że jest znacznie wyższa, a jej skóra nie jest prawie wcale pomarszczona. Znów chciałam coś powiedzieć, lecz Harry dźwignął się ciężko z krzesła i stanął nad nami.

– Jak na mój gust, to wszystko jest zbyt melodramatyczne – oznajmił, kładąc rękę na ramieniu wróżki. Pogrzebał w kieszeni i wyjął pieniądze, które od razu jej wręczył. – Może na tym skończymy, co?

Jednak wróżka całkowicie go zignorowała i pochyliła się w moim kierunku.

– Przybyłam, żeby cię ostrzec – wyszeptała. – Gdziekolwiek pójdziesz, rozglądaj się dookoła. Nikomu nie ufaj. Podejrzewaj wszystkich. Bo z linii na twojej dłoni wynika... to jest dłoń, która była przepowiedziana.

– Przepowiedziana przez kogo? – spytałam.

Znów wzięła mnie za rękę i zamknąwszy oczy, jakby czytała brajla, delikatnie poprowadziła palec po wszystkich liniach. Nadal mówiła szeptem, a brzmiało to tak, jakby coś sobie przypominała, jakiś wiersz, który słyszała przed laty.

– Jako te linie, które łączą się i klucz tworzą, a są jak pola na szachownicy; gdy miesiąc i dzień jest czwarty, dalibóg by mata zadać, nie nadstawiaj głowy; otóż jedna gra jest prawdziwa, ta druga – metaforą i nie graj w otwarte karty; upominany mądrość poznaje późno – nie przyjmuje mowy; bitwa białych nieskończona trwa pod krwawą zorzą; energicznie walczą czarne – los jego gotowy; ciągle szukaj liczby trzydzieści i trzy jak ci, co ziemię orzą; vis-à-vis tajemnych drzwi stoisz, gdzie wchód na wieki zawarty.

Gdy skończyła, nie odezwałam się ani słowem, a Harry wciąż stał nad nami z rękami w kieszeniach. Nie miałam najmniejszego pojęcia, o czym mówiła – było to jednak bardzo dziwne. Nie mogłam się oprzeć wrażeniu, że to wszystko już kiedyś było – ten bar i te słowa. Odrzuciłam jednak to *déjà vu*.

– Nie rozumiem, o czym pani mówi – odezwałam się głośno.

– Nie rozumiesz? – spytała. I ni stąd, ni zowąd uraczyła mnie dziwnym, niemal porozumiewawczym uśmiechem. – Ale zrozumiesz. Czwarty dzień czwartego miesiąca. Czy to coś dla ciebie znaczy?

– Tak, ale...

Położyła palec na ustach i potrząsnęła głową.

– Nie zdradź się przed nikim, że wiesz, co to znaczy. Wkrótce zrozumiesz resztę. Albowiem oto jest dłoń, która była przepowiedziana, dłoń Przeznaczenia. Gdyż zostało napisane: „Po czwartym dniu czwartego miesiąca przyjdzie Ósemka".

– Co pani ma na myśli?! – krzyknął Llewellyn z przerażeniem i złapał ją gwałtownie za ramię, lecz wyrwała się z uścisku. W chwilę później sala pogrążyła się w zupełnej ciemności. Rozdźwięczały się piszczałki. Zaczęły strzelać korki od szampana, a wszyscy wrzeszczeli zgodnym chórem: „Szczęśliwego Nowego Roku!" Na ulicach wybuchały petardy. Postacie biesiadników, zniekształcone w blasku żarzącego się paleniska, przesuwały się tam i z powrotem jak duchy z dantejskich wędrówek, a echo ich krzyków rozbrzmiewało w ciemności.

Gdy światła zapłonęły na powrót, okazało się, że wróżka znikła. Harry wciąż stał obok jej krzesła. Wszyscy spojrzeliśmy ze zdumieniem na puste miejsce, które jeszcze przed chwilą zajmowała. Harry zaśmiał się, pochylił nade mną i pocałował mnie w policzek.

– Szczęśliwego Nowego Roku, kochanie – powiedział, ściskając mnie serdecznie. – Cóż za przepowiednie! Ta wróżka to jakaś meszugene! Wybacz, ale mój pomysł chyba nie wypalił.

Blanche i Llewellyn siedzieli blisko siebie, coś do siebie szepcząc.

– Hej, wy tam – powiedział Harry. – Może wypijemy do końca tego szampana, na którego musiałem się zadłużyć? Cat, na pewno masz ochotę na odrobinkę.

Llewellyn wstał i podszedł do mnie, by pocałować mnie w policzek.

– Cat, skarbie, absolutnie zgadzam się z Harrym. Wyglądasz tak, jakbyś przed chwilą ujrzała zjawę.

Rzeczywiście czułam się wyczerpana; złożyłam to jednak na karb napięcia, jakie towarzyszyło mi przez ostatnie dwa tygodnie, oraz dość późnej pory.

– Cóż za okropne babsko – ciągnął Llewellyn. – I te wszystkie bzdury o niebezpieczeństwie. Z drugiej strony jednak coś chyba w tym jest. A może się mylę?

– Nie sądzę, by coś miało w tym być – odparłam. – Szachownice i liczby i... co z tą ósemką? Jaka ósemka? Czego? Nic z tego nie pojmuję.

Harry podał mi kieliszek szampana.

– Cóż, to chyba nieistotne – odezwała się Blanche, podając mi papierową serwetkę, na której coś było nagryzmolone. – Weź ją sobie, Llew spisał wszystko, co mówiła. Może kiedyś coś ci się skojarzy, choć miejmy nadzieję, że nie! To brzmiało dość przygnębiająco.

– Już dajmy spokój, przecież to tylko zabawa – powiedział Llewellyn. – Szkoda, że wyszło tak dziwnie. Ale zdaje mi się, że coś chyba wspomniała o szachach, prawda? Ta historia z „wykonywaniem ruchu, żeby zadać mata", i cała reszta. Dość złowrogie. Czy wiecie, że słowo „mat", pochodzi od perskiego *shah-mat* i oznacza „śmierć królowi". Jeśli dodamy do tego, że twierdziła, iż jesteś w niebezpieczeństwie... czy jesteś pewna, że nic z tego w jakiś sposób nie dotyczy ciebie? – naciskał Llewellyn.

– Och, daj już z tym spokój – przerwał Harry. – Zrobiłem błąd, sugerując, że twój los ma coś wspólnego z losem Lily. Najwyraźniej to jedna wielka bzdura. Lepiej zapomnij o wszystkim, bo jeszcze będziesz miała koszmary.

– Lily nie jest jedyną znaną mi osobą, która gra w szachy – powiedziałam. – Prawdę mówiąc, mam przyjaciela, który kiedyś grywał na turniejach...

– Naprawdę? – zareagował natychmiast Llewellyn. – Może ktoś, kogo znam?

Potrząsnęłam głową. Blanche właśnie miała się odezwać, gdy Harry podał jej kieliszek szampana. Uśmiechnęła się i podniosła go do ust.

– Dość tego – rzekł Harry. – Wypijmy z okazji Nowego Roku, bez względu na to, co przyniesie.

W ciągu zaledwie półgodziny opróżniliśmy butelkę szampana. Na koniec odebraliśmy płaszcze z szatni i wyszliśmy na zewnątrz. Limuzyna – jakby wyczarowana – już na nas czekała. Harry polecił Saulowi, żeby najpierw zatrzymał się przy moim domu niedaleko East River. Gdy dojechaliśmy na miejsce, Harry wysiadł, by jeszcze raz mnie uściskać.

– Wierzę, że ten rok będzie dla ciebie wspaniały – powiedział. – Może uda ci się coś zrobić z tą moją niemożliwą córką. Na pewno. Widzę to w moich gwiazdach.

– Na pewno sama zobaczę gwiazdy, jeśli za chwilę nie położę się do łóżka – odparłam, próbując stłumić ziewnięcie. – Dzięki za ajerkoniak i szampana. Uścisnęłam dłoń Harry'ego, a on odprowadził mnie wzrokiem. Weszłam do mrocznego hallu. Dozorca siedział na krześle tuż przy wejściu, pogrążony w głębokim śnie. Nawet nie drgnął, gdy przeszłam przez hall i wsiadłam do windy. W budynku panowała absolutna cisza. Przycisnęłam guzik i drzwi zamknęły się powoli. Jadąc do góry, wyciągnęłam tę serwetkę, którą wcisnęłam przedtem do kieszeni płaszcza, i raz jeszcze przebiegłam wzrokiem jej treść. Wciąż jednak nie mogłam się niczego doczytać, więc uznałam, że to nie ma sensu. I tak miałam tyle problemów na głowie, że nie musiałam się zastanawiać nad nowymi. Jednak wysiadając z windy i kierując się w stronę moich drzwi, pomyślałam przez moment, skąd ta wróżka wiedziała, że czwartego dnia czwartego miesiąca przypadają moje urodziny.

FIANCHETTO*

Gońcy [Biskupi] to prałaci z rogami...
Poruszają się i zabijają podstępnie, gdyż niemal wszyscy
nadużywają swego urzędu przez chciwość.

papież Innocenty III (1198–1216)
Quaendam Moralitas de Scaccario

* Wyprowadzenie gońca na pole przed skoczkiem, by kontrolować najdłuższą przekątną. Stosowane w wielu debiutach (przyp. M. K.).

Paryż
lato 1791

O*h, merde. Merde!* – krzyknął Jacques-Louis David. Zerwał się na równe nogi i w przypływie wściekłości i rozpaczy cisnął na podłogę ręcznie robiony pędzel z sobolej sierści. – Przecież mówiłem, że macie stać nieruchomo. Nieruchomo! A teraz materiał puścił i wszystko przepadło! Po tych słowach spojrzał z furią na Valentine i Mireille, upozowane na wysokim podium po przeciwnej stronie pracowni. Ich nagie ciała okrywała niemal przezroczysta gaza, starannie ułożona tudzież upięta w pasie zgodnie z obowiązującą paryską modą, mającą naśladować styl starożytnych Greków. David nerwowo obgryzał palce. Jego czarne, zmierzwione włosy sterczały na wszystkie strony, a w ciemnych oczach błyskała wściekłość. Miękki fular w żółto-niebieskie pasy, owinięty dwukrotnie wokół szyi i zawiązany w fantazyjny supeł okrywała gruba warstwa węglowego pyłu. Szerokie, zdobione klapy jego zielonego aksamitnego żakietu były wyraźnie przekrzywione.

– Teraz będę musiał układać wszystko od początku – jęknął.

Valentine i Mireille milczały. Z rumieńcem zażenowania na twarzach wpatrywały się w otwarte drzwi za plecami malarza.

Jacques-Louis niecierpliwie zerknął przez ramię. Dostrzegł wysokiego, zgrabnego młodego mężczyznę o wręcz anielskiej urodzie. Bujne, złote loki zebrane miał z tyłu głowy i związane zwykłą wstążką. Długa, purpurowa sutanna układała się w miękkich fałdach wokół jego kształtnej postaci.

Stojąc w progu, patrzył na malarza swymi intensywnie niebieskimi oczami, a na twarzy błąkał mu się pełen rozbawienia uśmiech.

– Mam nadzieję, iż nie przeszkadzam – odezwał się, zerkając na podwyższenie, gdzie dwie młode kobiety stały jak sarny, gotowe w każdej chwili rzucić się do ucieczki. Z jego łagodnego głosu przebijała spokojna pewność, typowa dla przedstawicieli wyższych warstw, którzy zakładają z góry, że ich przybycie – nawet nie w porę – jest w stanie wszystko wynagrodzić.

– Ach, to tylko ty, Maurice – mruknął Jacques-Louis zrzędliwie. – A któż cię wpuścił? Przecież wiedzą, że nie lubię, gdy ktokolwiek przeszkadza mi w pracy.

– Czy zawsze w taki sposób przyjmujesz gości? – odparł z uśmiechem ów młody człowiek. – Choć szczerze mówiąc, niezupełnie wygląda mi to na pracę. A jeżeli coś takiego nazywasz pracą, to chętnie przyłożyłbym do tego rękę.

Przy tych słowach spojrzał raz jeszcze na Valentine i Mireille, oblane złotym światłem sączącym się przez północne okna pracowni. Przezroczysta tkanina ledwie kryła kształty ich drżących ciał.

– Już chyba dość się napracowałeś w tej dziedzinie – zauważył David, sięgając do cynowego dzbana po nowy pędzel. – A teraz bądź tak miły, podejdź i popraw te tkaniny, dobrze? Powiem ci, co masz zrobić. Światło poranne chyba już się kończy; jeszcze pół godziny i zrobimy przerwę na posiłek.

– A co to ma być? – zapytał Maurice. Gdy szedł, można było zauważyć, że lekko, choć wyraźnie kuleje.

– To rysunek węglem – odparł David. – Temat zainspirowany przez Poussina, z którym noszę się od dawna: *Porwanie Sabinek.*

– Cóż za rozkoszna myśl – powiedział Maurice, wchodząc na podest. – A co niby mam tutaj poprawić? Przecież to jest urocze.

Valentine stała na podwyższeniu ponad Maurice'em z wysuniętym kolanem i rękami wyrzuconymi do przodu na wysokości ramion. Mireille klęczała obok, wyciągając ramiona w błagalnym geście. Fala ciemnorudych włosów opadała jej na ramię, niemal zupełnie zasłaniając nagie piersi.

– Odsuń te włosy – krzyknął David z drugiego końca pracowni, mrużąc oczy i wymachując pędzlem jak batutą. – Nie, nie tak bardzo. Zakryj tylko lewą pierś. Prawa ma być odsłonięta. Całkiem odsłonięta. Opuść materiał trochę bardziej. Przecież one mają uwieść żołnierzy, a nie wstąpić do klasztoru.

Maurice posłusznie wykonywał polecenia, lecz gdy odsuwał delikatną tkaninę, ręka mu drżała.

– Odsuń się. No, odsuń się, na miłość boską, bo przecież nic nie widzę. Kto tu, do cholery, jest malarzem? – wykrzykiwał David.

Maurice przeszedł na bok, uśmiechając się lekko. Po raz pierwszy widział tak cudowne kobiety i zachodził w głowę, skąd też David je wziął. Wszyscy doskonale wiedzieli, że damy z towarzystwa ustawiają się w kolejkach przed jego pracownią, licząc na to, że dane im będzie pozować Davidowi jako greckie *femmes fatales* do jego słynnych płócien. Jednak te dziewczęta były zbyt świeże i niewyszukane, by można je było zaliczyć do zblazowanej arystokracji paryskiej.

Albowiem Maurice miał niebagatelne doświadczenie – chyba żaden mężczyzna w Paryżu nie wypieścił tylu piersi tudzież pośladków błękitnokrwistych niewiast. Do jego kochanek zaliczały się księżna de Luynes, księżna de Fitz-James, wicehrabina de Laval i księżna de Vaudemont. Był to klub, którego drzwi stały zawsze otworem. Jedno z powiedzeń Maurice'a krążyło po mieście: „Tutaj, w Paryżu, łatwiej jest posiąść kobietę aniżeli klasztor".

Maurice ukończył trzydzieści siedem lat, ale wyglądał o dziesięć lat młodziej, co często wykorzystywał. Wiele się przez ten czas wydarzyło, a były to wydarzenia zarówno przyjemne, jak i politycznie korzystne. Jego kochanki wyświadczyły mu liczne przysługi, tak w salonach, jak i w buduarze, a choć klasztor musiał kupić sobie sam, to kobiety otworzyły mu drogę do politycznych synekur, których pragnął i które miał niebawem uzyskać.

Kobiety rządziły Francją, a Maurice wiedział o tym doskonale. Chociaż więc prawo francuskie zabraniało im zasiadać na tronie, to i tak znalazły sposób, by postawić na swoim – po prostu wybierały właściwych kandydatów na to stanowisko.

– A teraz popraw materiał na Valentine – krzyknął niecierpliwie David. – Musisz wejść na podest, schodki są z tyłu.

Maurice, utykając, wszedł po schodkach na potężne podwyższenie, wznoszące się kilka stóp nad ziemią. Stanąwszy za Valentine, wyszeptał jej do ucha:

– A więc masz na imię Valentine? Jesteś zbyt urocza jak na osóbkę o męskim imieniu, moja droga.

– A ty, panie, jesteś zbyt lubieżny jak na osobę odzianą w biskupią sukienkę – odparła bezczelnie Valentine.

– Przestań szeptać! – ryknął z dołu David. – I popraw tę tkaninę! Światło mi się już kończy. – A gdy Maurice sięgał ręką, by wykonać polecenie, David dodał: – Ach, Maurice, zapomniałem was sobie przedstawić. To moja bratanica Valentine i jej kuzynka Mireille.

– Twoja bratanica! – powiedział Maurice, upuszczając trzymany w ręce materiał, jakby nagle zaczął go parzyć.

– „Przyszywana" bratanica – dodał. – Moja podopieczna. Jej dziadek był jednym z moich najbliższych przyjaciół, lecz niestety zmarł kilka lat temu. Mówię o hrabim de Remy. Twoja rodzina znała go, nieprawdaż?

Maurice patrzył ze zdumieniem na Davida.

– Valentine – mówił dalej David – ów dżentelmen, który właśnie poprawia twoją szatę, to bardzo ważna osobistość we Francji. Był przewodniczący Zgromadzenia Narodowego. Pozwolisz, że ci go przedstawię: monsieur Charles Maurice de Talleyrand-Périgord. Biskup Autun...

Mireille zerwała się na równe nogi, porwała materiał i zakryła nim nagie piersi. Jednocześnie wydała przeraźliwy okrzyk, który omal nie ogłuszył Maurice'a.

– Biskup Autun! – zawołała Valentine. – Diabeł z rozszczepionym kopytem!

I obie kobiety zbiegły boso z podwyższenia i znikły w drzwiach.

Maurice spojrzał na Davida z krzywym uśmiechem.

– Płeć piękna zazwyczaj nie reaguje na mnie w podobny sposób – zauważył.

– Widocznie twoja reputacja zdążyła dojść do ich uszu – odparł.

David siedział w niewielkim salonie przylegającym do pracowni i spoglądał przez okno na rue du Bac. Maurice natomiast, odwrócony tyłem do okien, siedział sztywno przy mahoniowym stole, na jednym z krzeseł obitych atłasem w czerwono-białe pasy. Na stole ustawiono miski pełne owoców i świeczniki z brązu, jak również zastawę dla czterech osób, malowaną w motywy kwiatowe i ptasie.

– Któż mógł się spodziewać podobnej reakcji? – spytał David, obierając pomarańczę. – Należą ci się przeprosiny za to całe zamieszanie. Byłem już na górze. Powiedziały, że ubiorą się i zejdą do nas.

– Jak doszło do tego, że stałeś się strażnikiem tego bezmiaru piękna? – spytał Maurice, kręcąc kieliszkiem i biorąc kolejny łyk. – Wydaje mi się, że jeden człowiek nie jest w stanie znieść takiego szczęścia, które zresztą marnuje się przy kimś takim jak ty.

David obrzucił go krótkim spojrzeniem i odparł:

– Zgadzam się z tobą. Sam nie wiem, jak sobie daję radę. Przeszukałem już cały Paryż, usiłując znaleźć dla nich odpowiednią guwernantkę, by mogły kontynuować edukację. Odkąd moja małżonka wyjechała do Brukseli kilka miesięcy temu, cały czas łamię sobie nad tym głowę.

– Mam nadzieję, że jej wyjazd nie był w żaden sposób związany z przybyciem twoich cudownych „bratanic" – rzucił Talleyrand, patrząc z uśmiechem, jak David ugniata palcami nóżkę kieliszka.

– Absolutnie nie – odparł David z przygnębieniem. – Moja żona i jej rodzina to zagorzali rojaliści, w związku z czym nie byli zachwyceni moim zaangażowaniem w pracę Zgromadzenia. Uważają, że taki mieszczański malarz jak ja, wspierany ongiś przez monarchię, nie powinien otwarcie udzielać wsparcia rewolucji. Od dnia zdobycia Bastylii w naszym domu zapanowało napięcie. Małżonka moja domaga się, bym zrezygnował ze stanowiska w Zgromadzeniu i przestał malować obrazy polityczne – od spełnienia tych warunków uzależniła swój powrót.

– Ależ przyjacielu, gdy w Rzymie dokonywałeś odsłonięcia *Przysięgi Horacjuszów*, do twej pracowni przy Piazza del Popolo schodziły się tłumy, by rzucać kwiaty przed obraz! To było pierwsze arcydzieło Nowej Republiki, a ty jesteś jej wybranym malarzem.

– Wiem o tym, niestety w przeciwieństwie do mojej żony – westchnął David. – Zabrała dzieci do Brukseli i chciała też zabrać moje podopieczne. Jednak zgodnie z umową, jaką zawarłem z ich przeoryszą, miałem być z nimi w Paryżu, za co otrzymuję niebagatelną sumę. Zresztą tutaj właśnie jest moje miejsce.

– Przeoryszą? A więc twoje podopieczne są zakonnicami? – Maurice omal nie wybuchnął śmiechem. – Cóż za rozkoszne szaleństwo! Oddać dwie młode kobiety, oblubienice Chrystusa, w ręce czterdziestotrzyletniego mężczyzny, który w żaden sposób nie jest z nimi spokrewniony. A cóż ta przeorysza sobie wyobraża?

– To nie są zakonnice, nie składały jeszcze ślubów. W przeciwieństwie do ciebie – dodał znacząco. – Wygląda na to, że to właśnie ta stara, sroga przeorysza ostrzegła je, że jesteś diabłem wcielonym.

– Choć przyznaję, iż życie moje nie zawsze toczyło się tak, jak by powinno, dziwię się, że takie słowa padły z ust przeoryszy w jednej z prowincji. Starałem się nie robić niczego w sposób ostentacyjny.

– Udzielasz ostatniego namaszczenia, płodzisz stada bękartów i jednocześnie utrzymujesz, iż jesteś księdzem: jeśli to nazywasz brakiem ostentacji, to doprawdy nie wiem, co zasługiwałoby na to miano!

– Nigdy nie chciałem być księdzem – powiedział Maurice z goryczą w głosie. – Trzeba przyjąć to, co daje los. Lecz przyjdzie dzień, gdy raz na zawsze zdejmę ten strój, a wówczas po raz pierwszy w życiu poczuję się czysty.

W tej chwili weszły Mireille i Valentine. Miały na sobie identyczne szare stroje podróżne, które otrzymały od przeoryszy. Całość ożywiały jedynie ich błyszczące loki. Mężczyźni wstali na powitanie, a David podsunął im krzesła.

– Czekamy już od kwadransa – powiedział karcąco. – I mamy nadzieję, że będziemy w stanie odpowiednio się zachowywać, nieprawdaż? Proszę o uprzejmość dla monseigneura. Pewien jestem, że to wszystko, co być może słyszałyście o nim, jest tylko bladym odbiciem prawdy. Niemniej jednak jest on naszym gościem.

– Czy powiedziano wam, że jestem wampirem? – spytał uprzejmie Talleyrand. – I że pijam krew niemowląt?

– Ach, tak, monseigneur – odparła Valentine. – I jeszcze, że masz rozszczepione kopyto, co chyba jest prawdą, bo przecież kulejesz.

– Valentine! – krzyknęła Mireille. – Toż to prawdziwe grubiaństwo!

David ukrył twarz w dłoniach i nie odezwał się ani słowem.

– Nic się nie stało – powiedział Talleyrand. – Zaraz to wytłumaczę.

Sięgnął po butelkę wina, by napełnić kieliszki Valentine i Mireille, po czym kontynuował:

– Gdy byłem małym dzieckiem, rodzina zostawiła mnie pod opieką mamki, ciemnej wiejskiej kobiety. Gdy pewnego razu położyła mnie na serwantce i odeszła, spadłem i złamałem sobie kość w stopie. Mamka była zbyt przerażona, by powiadomić rodziców o tym wypadku, i dlatego nikt nigdy nie nastawił mi kości. Ponieważ zaś matka moja nie przejawiała większego zainteresowania moją osobą, stopa zrosła się krzywo, a potem było już za późno na jakąkolwiek interwencję. I to cała historia. Niezbyt tajemnicza, prawda?

– A czy to cię boli, panie? – spytała Mireille.

– Stopa? Nie. – Talleyrand uśmiechnął się z lekką goryczą. – Raczej rezultaty. W efekcie straciłem prawo pierworództwa. Matka moja żwawo wydała na świat dwóch synów, przekazując moje prawa bratu memu, Archimbaudowi, a potem Bosonowi. Jakże mogła dopuścić, by spadkobiercą starego tytułu Talleyrand-Périgord był kaleka? Ostatni raz widziałem się z matką, gdy przyjechała do Autun, by zaprotestować przeciwko nadaniu mi sakry biskupiej. Mimo iż to ona właśnie siłą uczyniła mnie duchownym, żywiła nadzieję, że pozostanę kimś zupełnie nieznanym. Twierdziła, iż jestem nie dość religijny, by zostać biskupem. I oczywiście miała rację.

– Okropne! – krzyknęła Valentine z podnieceniem. – Gdybym tam była, nazwałabym ją starą wiedźmą!

David odsunął dłonie od twarzy, spojrzał w sufit, po czym zadzwonił na służbę, by podała posiłek.

– Tak właśnie byś uczyniła, pani? – spytał Maurice łagodnie. – W takim razie ubolewam, że cię tam nie było. Muszę wyznać, że sam nosiłem się z tym zamiarem.

Gdy przyniesiono już wszystkie dania i służba wyszła, Valentine powiedziała:

– Po tej opowieści, monseigneur, nie wydajesz się tak straszny, jak to nam opisywano. Muszę nawet przyznać, że jesteś całkiem atrakcyjny.

Mireille spojrzała na Valentine z rozpaczą, a David uśmiechnął się szeroko.

– Może Mireille i ja powinnyśmy ci podziękować, monseigneur, jeśli to naprawdę ty podjąłeś decyzję o zamknięciu klasztorów – ciągnęła Valentine. – Gdyby nie to, nadal tkwiłybyśmy w Montglane, usychając z tęsknoty za życiem w Paryżu, które zawsze było naszym marzeniem...

Maurice odłożył nóż i spojrzał na nią uważnie.

– Opactwo Montglane? W Pirenejach? Czy to właśnie stamtąd przybywacie? Ale co się stało? Dlaczego wyjechałyście?

Z wyrazu jego twarzy i tonu głosu Valentine wyczuła, że popełniła poważny błąd. Przecież mimo uroczej powierzchowności i nienagannych manier był to ten sam biskup Autun, przed którym tak bardzo przestrzegała je przeorysza. Jeżeli dowie się, że obydwie kuzynki nie tylko znają prawdę o szachach z Montglane, lecz także uczestniczyły w wywiezieniu figur z opactwa, nie spocznie, póki nie dowie się czegoś więcej.

Już fakt, że wiedział, skąd pochodzą, narażał je na ogromne niebezpieczeństwo. Choć przywiezione przez nie figury zostały starannie zakopane w ogrodzie na tyłach domu Davida już w pierwszy wieczór po ich przyjeździe do Paryża, teraz wyłaniał się kolejny problem. Otóż Valentine cały czas pamiętała, że przeorysza wyznaczyła im określone zadanie: miejsce ich pobytu miało być punktem zbornym dla wszystkich zakonnic, które – zmuszone sytuacją do ucieczki – chciałyby zostawić powierzone sobie figury. Wprawdzie żadna z nich jeszcze się nie zjawiła, lecz ze względu na szerzące się we Francji niepokoje mogło się to zdarzyć w każdej chwili. Trudno było wypełniać taką misję, znajdując się cały czas pod okiem Charles'a Maurice'a Talleyranda.

– Pytam raz jeszcze – powiedział Talleyrand surowo do dziewcząt, które siedziały w trwożnym milczeniu – dlaczego wyjechałyście z Montglane?

– Ponieważ opactwo zostało zamknięte, monseigneur – odparła niechętnie Mireille.

– Zamknięte? A dlaczego?

– Chodziło o ustawę o przejęciu majątków kościelnych, monseigneur. Przeorysza lękała się o nasze bezpieczeństwo...

– W liście, który otrzymałem, przeorysza wyjaśniła, że dostała polecenie od papieża, aby zamknąć klasztor – powiedział David.

– I przyjąłeś coś takiego? – spytał Talleyrand. – Jesteś więc republikaninem czy też nie? Przecież wiadomo ci, że papież Pius potępił rewolucję. Gdy uchwaliliśmy ustawę, zagroził, że obłoży ekskomuniką wszystkich katolików zasiadających w Zgromadzeniu! Ta przeorysza zdradza Francję, przyjmując polecenia od papiestwa, które, jak wiadomo, tańczy tak, jak mu zagrają Habsburgowie i hiszpańscy Burboni.

– Chcę powiedzieć, że jestem równie zagorzałym republikaninem jak ty – zaprotestował gorąco David. – Moja rodzina nie wywodzi się z arystokracji, jestem z ludu. Bez względu na to, co się wydarzy, stanę po stronie nowego rządu. Jednak zamknięcie opactwa Montglane nie ma nic wspólnego z polityką.

– Na tym świecie, mój drogi, wszystko ma coś wspólnego z polityką. Przecież doskonale wiesz, co zostało ukryte w opactwie Montglane, nieprawdaż?

Mireille i Valentine zbielały na twarzach, a David spojrzał dziwnie na Talleyranda i sięgnął po kieliszek.

– Phi! Stare bujdy – prychnął pogardliwie.

– Czyżby? – spytał Talleyrand, nie spuszczając spojrzenia swych intensywnie niebieskich oczu z dwóch dziewcząt. Potem sięgnął po kieliszek i pogrążył się w myślach. Na koniec wziął widelec i zaczął jeść.

Valentine i Mireille siedziały jak skamieniałe na swoich miejscach, nawet nie tknąwszy jedzenia.

– Nie mogę się oprzeć wrażeniu, że twoje bratanice straciły apetyt – zauważył Talleyrand.

David zerknął na nie.

– Może powiecie, co się właściwie stało? – spytał. – Chyba nie wierzycie w te bzdury?

– Nie, stryju – odparła cicho Mireille. – Wiemy, że to tylko wymysły.

– Oczywiście, to wszystko tylko stare legendy, prawda? – zagadnął Talleyrand równie uroczo jak przedtem. – Lecz najwyraźniej ktoś je wam opowiadał. Powiedzcie mi, proszę, gdzież to udała się ta wasza przeorysza, skoro już wiemy, że jest zdolna do knowań z papieżem przeciwko rządowi Francji?

– Na litość boską, Maurice – przerwał mu z irytacją David. – Pomyśleć by można, że szkolono cię na inkwizytora. Zaraz ci powiem, dokąd się udała, i na tym zakończmy to śledztwo. Pojechała do Rosji.

Talleyrand milczał przez chwilę. Potem uśmiechnął się, jakby właśnie przyszło mu do głowy coś zabawnego.

– Zapewne masz rację – powiedział do Davida. – Powiedz, czy twoje urocze bratanice miały okazję odwiedzić Operę Paryską?

– Nie, monseigneur – odpowiedziała pośpiesznie Valentine. – Lecz było to jedno z naszych największych marzeń, jeszcze w dzieciństwie.

– Aż tak dawno? – zażartował Talleyrand. – No cóż, zapewne ten problem nie będzie zbyt trudny do rozwiązania. Po posiłku rzucimy okiem na waszą garderobę. Tak się składa, że jestem ekspertem w kwestii mody...

– Monseigneur udziela rad w tej kwestii niemal połowie kobiet w Paryżu – dodał David z przekąsem. – To jeden z jego licznych aktów chrześcijańskiego miłosierdzia.

– Muszę opowiedzieć wam o tym, jak układałem fryzurę Marii Antoniny przed balem maskowym. Oprócz tego projektowałem jej kostium. Żaden z kochanków nie był w stanie jej rozpoznać, nie wspominając już o królu!

– Och, stryju, czy możemy poprosić biskupa, by zrobił to samo dla nas? – spytała Valentine błagalnym tonem. Odczuwała jednocześnie ogromną ulgę, że rozmowa zeszła na przyjemniejsze i mniej niebezpieczne tematy.

– Już teraz wyglądacie oszałamiająco – uśmiechnął się Talleyrand. – Pomyślimy jednak, jak jeszcze troszkę poprawić naturę. Na szczęście mam przyjaciółkę, która ma w swoim orszaku najlepszych krawców w całym Paryżu. Może słyszałyście o madame de Staël?

Niebawem Valentine i Mireille przekonały się, że każdy paryżanin zna Germaine de Staël. Gdy wchodziły w ślad za nią do złoto-błękitnej loży w Opéra Comique, długi rząd upudrowanych głów zwrócił się w jej kierunku. Śmietanka paryskiej socjety wypełniała loże podchodzące aż pod same krokwie przegrzanego budynku Opery. Widząc tę całą biżuterię, te perły i koronki, trudno było sobie wyobrazić, że na zewnątrz, na ulicach, trwa rewolucja, że rodzina królewska cierpi, uwięziona we własnym pałacu, że każdego ranka powozy wypełnione szlachtą i duchowieństwem toczą się z jękiem brukowanymi ulicami Paryża w kierunku Place de la Révolution. Jednak w przypominającym podkowę gmachu Opéra Comique panował doskonały nastrój. A najwspanialsza ze wszystkich, zmierzająca teraz do swojej loży jak wielki statek spacerowy płynący wodami Sekwany, była pierwsza dama Paryża – Germaine de Staël.

Valentine już wcześniej dowiedziała się nieco na jej temat, rozpytując służbę stryja. Madame de Staël, jak jej powiedziano, jest córką genialnego Szwajcara, ministra finansów Jacques'a Neckera, którego Ludwik XVI dwukrotnie skazywał na wygnanie i dwukrotnie – pod naciskiem opinii publicznej – przywracał na stanowisko. Jej matka, Suzanne Necker, prowadziła przez dwadzieścia lat najbardziej liczący się w Paryżu salon, którego gwiazdą była Germaine.

Będąc milionerką, Germaine już w wieku dwudziestu lat kupiła sobie męża: barona Erica Staël von Holstein, zubożałego szwedzkiego ambasadora we Francji. Idąc w ślady matki, otworzyła własny salon na terenie ambasady szwedzkiej i rzuciła się w wir polityki. Jej pokoje zapełniły się takimi luminarzami francuskiej elity politycznej i kulturalnej, jak Lafayette, Condorcet, Narbonne, Talleyrand. Germaine stała się filozoficzną rewolucjonistką. Wszelkie istotne decyzje polityczne tego okresu zapadały w obitych jedwabiem ścianach jej salonu, podejmowane przez mężczyzn, których jedynie ona potrafiła tutaj zgromadzić. Teraz, mając dwadzieścia pięć lat, była jedną z najbardziej liczących się kobiet Francji.

Podczas gdy Talleyrand, kulejąc boleśnie, pomagał im usiąść w loży, Valentine i Mireille przyglądały się badawczo tej niezwykłej kobiecie. W mocno wydekoltowanej sukni ze złotych i czarnych koronek, która uwydatniała jej silne ręce, muskularne ramiona i szeroką talię, madame de Staël prezentowała się imponująco. Miała naszyjnik z ciężkich kamei ozdobionych rubinami, a na głowie egzotyczny turban, po którym od razu można ją było rozpoznać. Pochyliła się w stronę Valentine, siedzącej tuż obok, i wyszeptała jej do ucha tym swoim niskim, dudniącym głosem, który słychać było z dużej odległości:

– Jutro rano, moja droga, cały Paryż będzie się dobijał do moich drzwi, zachodząc w głowę, kim właściwie jesteście. Będzie to wprost rozkoszny skandal, z czego wasz opiekun bez wątpienia zdaje sobie sprawę, w przeciwnym bowiem wypadku przygotowałby wam znacznie odpowiedniejszą garderobę.

– Madame, czy podobają ci się nasze stroje? – spytała z niepokojem Valentine.

– Obydwie wyglądacie uroczo, moja droga – zapewniła ją Germaine z lekkim rozbawieniem. – Jednakże biel jest kolorem dziewic, a nie rozkwitłych róż. I choć w Paryżu młodość jest zawsze w modzie, szal zazwyczaj okrywa ciała kobiet, które nie ukończyły dwudziestego roku życia. O czym monsieur Talleyrand doskonale wie.

Valentine i Mireille zaczerwieniły się jak piwonie, lecz Talleyrand wtrącił:

– Wyzwalam Francję w swoim własnym stylu – po czym uśmiechnął się do Germaine, która wzruszyła ramionami.

– Mam nadzieję, że spodoba ci się opera – zwróciła się do Mireille. – To jedna z moich ulubionych, nie oglądałam jej od dzieciństwa. Jej kompozytor, André Philidor, jest jednym z największych mistrzów szachowych Europy. Grą w szachy i muzyką obdarowywał największych królów i filozofów. Muzyka jednak może się wam wydać nieco staroświecka, zwłaszcza po rewolucji w operze dokonanej przez Glucka. Aż trudno słuchać tak wielu recytatywów...

– Nigdy w życiu nie oglądałyśmy opery, madame – wtrąciła Valentine.

– Nigdy nie oglądałyście opery! – krzyknęła Germaine. – Nie do wiary! W takim razie, gdzie trzymały was wasze rodziny?

– W klasztorze, madame – odparła grzecznie Mireille.

Germaine wpatrywała się w nią przez chwilę z uwagą, jakby nie rozumiała słowa „klasztor", a potem odwróciła się, spoglądając gniewnie na Talleyranda.

– Widzę, że jest kilka spraw, o których zapomniałeś mnie poinformować, *mon ami*. Gdybym wiedziała, że podopieczne Davida były wychowywane w klasztorze, na pewno nie wybrałabym *Toma Jonesa*. – Po tych słowach odwróciła się do Mireille i powiedziała: – Mam nadzieję, że nie będziecie zaszokowane. Jest to bowiem angielska opowieść o dziecku z nieprawego łoża...

– Chyba dobrze, iż zawczasu dowiedzą się o konsekwencjach – zaśmiał się Talleyrand.

– To prawda – wycedziła Germaine. – Jeśli biskup Autun pozostanie ich mentorem, ta wiedza może się okazać przydatna.

Po tych słowach odwróciła się w stronę sceny, a kurtyna poszła w górę.

To było chyba najcudowniejsze wydarzenie w moim życiu – powiedziała Valentine po przedstawieniu, siedząc na grubym dywanie z Aubusson w gabinecie Talleyranda i patrząc, jak języki ognia liżą szklane drzwiczki ochronne przy kominku. Talleyrand, położywszy nogi na otomanie, siedział rozparty w ogromnym krześle obitym błękitnym jedwabiem. Mireille stała kilka stóp dalej, z wzrokiem wbitym w płomienie.

– I pierwszy raz w życiu pijemy koniak – dodała Valentine.

– Cóż, masz dopiero szesnaście lat – powiedział Talleyrand, wdychając woń koniaku z przechylonego kieliszka. – Wszystko jeszcze przed tobą.

– A ile pan ma lat, monsieur Talleyrand? – spytała Valentine.

– To bardzo nieuprzejme pytanie – odezwała się Mireille. – Nigdy nie należy pytać nikogo o wiek.

– Proszę, żebyście mówiły do mnie Maurice – powiedział Talleyrand. – Mam trzydzieści siedem lat, lecz gdy zwracacie się do mnie per „monsieur", czuję się, jakbym miał dziewięćdziesiąt. A teraz powiedzcie: jak się wam podoba Germaine?

– Madame de Staël jest niezwykle urocza – odparła Mireille, której rude włosy zdawały się płonąć w blasku ognia.

– Czy ona naprawdę jest twoją kochanką? – spytała Valentine.

– Valentine! – krzyknęła Mireille.

Talleyrand wybuchnął śmiechem.

– Doprawdy jesteś wyjątkowa – stwierdził. Pochylił się i pogłaskał włosy Valentine. Potem zaś zwrócił się do Mireille: – Twoja kuzynka, mademoiselle, pozbawiona jest tych wszystkich pretensji, które tak nużą w paryskim towarzystwie. Jej pytania są dla mnie wręcz ożywcze i nie noszę w sobie urazy o żadne z nich. Stwierdzam ponadto, że te dwa tygodnie, podczas których ubierałem was i obwoziłem po całym Paryżu, były niczym balsam łagodzący mój przyrodzony cynizm. Lecz któż ci powiedział, Valentine, że madame de Staël jest moją kochanką?

– Słyszałam to od twojej służby, monsieur... to znaczy, wujku Maurice. Czy to prawda?

– Nie, moja droga. To nieprawda. Już nie. Kiedyś byliśmy kochankami, lecz plotki są zawsze spóźnione. Teraz jesteśmy dobrymi przyjaciółmi.

– A może rzuciła cię z powodu twojej stopy? – zasugerowała Valentine.

– Matko Najświętsza! – krzyknęła Mireille, nienawykła do przekleństw. – Natychmiast przeprosisz monseigneura. Proszę wybaczyć mojej kuzynce, monseigneur. Naprawdę nie chciała cię urazić.

Talleyrand siedział, nie odzywając się ani słowem, zaszokowany. Powiedział wprawdzie, że Valentine nie jest w stanie go urazić, ale nigdy nikt we Francji nie ośmielił się mówić publicznie o jego kalectwie. Drżąc z nieokreślonej emocji, wyciągnął ręce, chwycił Valentine i posadził ją obok siebie na otomanie. Potem łagodnie ją objął.

– Bardzo cię przepraszam, wujku Maurice – powiedziała Valentine. Położyła mu dłoń na policzku, jednocześnie obdarowując go uśmiechem. – Nigdy dotąd nie miałam okazji zobaczyć fizycznego zniekształcenia. Gdybyś mógł mi je pokazać, byłoby to niezwykle pouczające.

Mireille jęknęła. Talleyrand patrzył na Valentine, jakby nie wierzył własnym uszom. Tymczasem ona ścisnęła go zachęcająco za ramię.

Po chwili powiedział poważnym głosem:

– Dobrze. Jeśli tego sobie życzysz.

Z wyraźnym wysiłkiem uniósł nogę z otomany, schylił się i zdjął ciężki, metalowy but, umożliwiający mu chodzenie. Valentine uważnie przyglądała się stopie w słabym świetle bijącym od kominka. Była tak bardzo zniekształcona, że poduszeczka dużego palca była prawie niewidoczna, a palce zdawały się wyrastać gdzieś od dołu. Gdy spoglądało się z góry, przypominała pałkę. Valentine podniosła stopę i schyliwszy się, złożyła na niej delikatny pocałunek.

– Biedna stópko – powiedziała. – Tyle się nacierpiałaś, choć wcale sobie na to nie zasłużyłaś.

Talleyrand pochylił się ku Valentine i pocałował ją delikatnie w usta. Przez chwilę jego złote loki splotły się z jej jasnymi kędziorami.

– Nikt jeszcze nie zwrócił się do mojej stopy w taki sposób – powiedział z uśmiechem. – I nikt nie sprawił jej takiej przyjemności.

I gdy tak patrzył na Valentine, zwrócony ku niej swą piękną, wręcz anielską twarzą w aureoli złotych pukli, Mireille wręcz trudno było uwierzyć, że jest to człowiek, który bez litości niszczy Kościół katolicki we Francji. Człowiek, który pragnie posiąść szachy z Montglane.

Świece w gabinecie Talleyranda wypaliły się niemal do końca. Ogień w kominku przygasał, pogrążając w mroku cały pokój. Zerknąwszy na zegar z pozłacanego brązu, Talleyrand skonstatował, że minęła druga w nocy. Podniósł się z krzesła, o które opierały głowy Mireille i Valentine.

– Obiecałem waszemu stryjowi, że odprowadzę was do domu o przyzwoitej porze – powiedział. – Spójrzcie tylko na zegar.

– Proszę, wujku Maurice – powiedziała błagalnie Valentine. – Nie każ nam jeszcze iść. To nasze pierwsze wyjście w świat. Od przyjazdu do Paryża żyłyśmy tak, jakbyśmy ani na chwilę nie opuściły klasztoru.

– Jeszcze jedna opowieść – poparła ją Mireille. – Stryj na pewno nie będzie miał nic przeciwko temu.

– Będzie wściekły – zaśmiał się Talleyrand. – Lecz jest już zbyt późno, by prowadzić was do domu. O tej porze pijani sankiuloci przeczesują ulice, nawet w lepszych dzielnicach. Może po prostu poślę gońca z wiadomością do waszego stryja. A tymczasem poproszę Courtiade'a, mojego lokaja, by przygotował wam pokój. Chcecie spać razem, prawda?

Prawdę mówiąc, wcale nie groziło im aż takie niebezpieczeństwo. Talleyrand miał liczną służbę, a rezydencja Davida nie była daleko. Po prostu uświadomił sobie niespodziewanie, że wcale nie chce ich wysyłać do domu. Przeciągał opowieści, pragnąc jak najdalej odsunąć od siebie to, co było nieuniknione. Te dziewczęta, tak świeże i niewinne, obudziły w nim uczucia, które trudno by mu było określić. Nigdy nie miał rodziny, a ciepło, jakiego doświadczał w ich obecności, było dlań czymś zupełnie nowym.

– Ach, więc nie musimy wracać do domu? – spytała Valentine, siadając i ściskając ramię Mireille, która spojrzała z niedowierzaniem, jako że i ona też pragnęła zostać.

– W rzeczy samej – odrzekł Talleyrand, podnosząc się z krzesła, by zadzwonić po lokaja. – Miejmy tylko nadzieję, że nie wywoła to tego skandalu, który przepowiadała Germaine.

Poważny Courtiade, mimo późnej pory ubrany w sztywną liberię, obrzucił krótkim spojrzeniem rozczochrane dziewczęta i odsłoniętą stopę swojego pana, po czym bez słowa poprowadził je na górę, by otworzyć wielką sypialnię dla gości.

– Czy monseigneur mógłby znaleźć dla nas jakieś stroje do spania? – spytała Mireille. – Może coś od służących...

– To nie nastręcza wielkiego problemu – odparł uprzejmie Courtiade, kładąc przed nimi dwa jedwabne peniuary, hojnie przyozdobione ręcznie tkanymi koronkami, które na pewno nie należały do żadnej ze służących. Potem dyskretnie opuścił pokój.

Gdy Valentine i Mireille przebrały się, rozczesały włosy i wczołgały się do wielkiego, miękkiego łoża z ozdobnym baldachimem, rozległo się delikatne pukanie.

– Czy wszyscy leżą wygodnie? – spytał Talleyrand, wsuwając głowę do pokoju.

– To najwspanialsze łoże, jakie w życiu widziałam – odparła entuzjastycznie Mireille, leżąca na wielkich, puchatych poduszkach. – W klasztorze kazano nam spać na deskach, co miało nam zapewnić odpowiednią postawę.

– I efekty widoczne są gołym okiem – zauważył z uśmiechem Talleyrand. Podszedł bliżej i usiadł na niewielkiej kanapce obok ich łoża.

– A teraz, wujku, musisz opowiedzieć nam jeszcze jedną historię – powiedziała Valentine.

– Jest już bardzo późno... – zaczął Talleyrand.
– Historię o duchach! – wykrzyknęła Valentine. – Przeorysza nigdy nie pozwalała nam opowiadać historii o duchach,
a my i tak to robiłyśmy. Znasz jakieś?
– Niestety nie – odparł Talleyrand w zadumie. – Jak wam wiadomo, nie miałem normalnego dzieciństwa. Nikt nie opowiadał mi tego typu historii. – Zamyślił się na moment. – Choć,
prawdę mówiąc, raz w życiu n a p r a w d ę spotkałem ducha.
– Naprawdę? – spytała Valentine, chwytając pod kołdrą dłoń
Mireille. Obie były wyraźnie podniecone. – Prawdziwego ducha?
– Być może brzmi to nieco absurdalnie – zaśmiał się. –
Więc musicie obiecać, że nie powiecie ani słowa waszemu
stryjowi, gdyż w przeciwnym razie stanę się pośmiewiskiem
całego Zgromadzenia.
Dziewczęta poruszyły się pod kołdrą i przysięgły, że nie
powiedzą nikomu ani słowa. Zatem Talleyrand, w łagodnym
blasku świec, zaczął swoją opowieść...

OPOWIEŚĆ BISKUPA

Jako bardzo młody człowiek, jeszcze przed świeceniami ka-
płańskimi, opuściłem biskupstwo St Remy, gdzie pochowany
jest słynny król Chlodwig, i wyruszyłem na studia na Sorbonę.
Gdy minęły dwa lata mojego pobytu w murach tej przesław-
nej uczelni, nadszedł czas, bym obwieścił moje powołanie.
Wiedziałem, że jeśli nie zgodzę się na profesję, do której
zmuszała mnie rodzina, wywołam ogromny skandal; niemniej
jednak byłem świadom, że absolutnie nie nadaję się na księdza. W głębi duszy zawsze czułem, że chcę być mężem stanu.
Pod posadzką kaplicy na Sorbonie złożone były kości największego męża stanu, jakim może się poszczycić Francja, człowieka, którego ubóstwiałem. Rzecz jasna znacie jego imię: Armand Jean du Plessis, hrabia Richelieu. Człowiek ten, w którym w rzadko spotykany sposób łączyły się religia z polityką,
sprawował w tym kraju rządy żelaznej ręki przez niemal dwadzieścia lat, aż do śmierci w 1642 roku.
Pewnej nocy, gdy zbliżała się północ, opuściłem me ciepłe
łoże, na koszulę nocną narzuciłem ciężki płaszcz i zszedłem

po porośniętej bluszczem ścianie budynku studenckiego, po czym skierowałem się w stronę kaplicy uniwersyteckiej.

Wiatr przerzucał po trawniku zimne liście, a zewsząd rozlegały się pohukiwania sów i dziwne głosy różnych leśnych stworzeń. Choć zawsze uważałem się za osobę śmiałą, przyznam, że wówczas ogarnął mnie lęk. W kaplicy stał ciemny i zimny sarkofag. O tej porze była ona pusta i w krypcie płonęło jedynie kilka świec. Zapaliłem kolejną, po czym upadłem na kolana i zacząłem błagać zmarłego kapłana Francji, by pokierował moimi krokami. Odmalowując swój los, słyszałem bicie własnego serca, które odbijało się echem od pustych ścian kaplicy.

Ledwie przebrzmiały ostatnie słowa mojej modlitwy, gdy nagle, ku memu całkowitemu zaskoczeniu, silny podmuch wiatru zgasił wszystkie świece. Byłem przerażony! Posuwając się w absolutnych ciemnościach, usiłowałem po omacku znaleźć drogę do wyjścia. Lecz w tejże chwili usłyszałem jakiś jęk i z grobu podniósł się blady duch kardynała Richelieu! Cały był biały: jego włosy, skóra, a nawet uroczyste szaty swoją barwą przypominały śnieg. Unosił się nade mną, lśniący i zupełnie przezroczysty.

Gdybym już wtedy nie klęczał, z pewnością padłbym na kolana. Głos uwiązł mi w gardle i nie potrafiłem wykrztusić ani słowa. Po chwili znów usłyszałem ten niski, jęczący dźwięk. To duch kardynała przemawiał do mnie! Poczułem chłód biegnący wzdłuż kręgosłupa, gdy odezwał się do mnie głosem głębokim niczym dźwięk dzwonu.

– Czemuś mnie obudził? – zahuczał.

Wokół mnie szalał wiatr i panowała całkowita ciemność, lecz nogi wciąż odmawiały mi posłuszeństwa i nie byłem w stanie podnieść się i uciec. Przełknąłem ślinę i spróbowałem zapanować nad głosem.

– Kardynale Richelieu – wyjąkałem – potrzebuję rady. Za życia, mimo kapłańskiego powołania, byłeś największym politykiem Francji. W jaki sposób doszedłeś do takiej potęgi? Błagam, podziel się ze mną swym sekretem, albowiem pragnę podążyć w twoje ślady.

– Ty? – zahuczał znów ogromny, dymny słup, unosząc się w stronę sufitu, jakby poczuł się śmiertelnie urażony. Potem opuścił się i zaczął przesuwać od ściany do ściany, zupełnie jak mężczyzna przemierzający pokój tam i z powrotem. Rozrastał się z każdym krokiem, aż na koniec wypełnił sobą całą kaplicę, jak kłąb wielkich chmur, z których za chwilę ma przyjść burza. Skurczyłem się w sobie. Wreszcie duch przemówił: – Tajemnica, którą pragnąłem zgłębić, na wieki pozostanie zagadką. – Duch nadal unosił się pod sklepieniem kaplicy, lecz powoli robił się coraz bardziej niewyraźny. – Jej moc poszła do grobu wraz z Karolem Wielkim. Odnalazłem jedynie pierwszy klucz. Ukryłem go starannie... Zamigotał słabo na tle ściany jak płomyk świecy, który za chwilę ma zgasnąć. Zerwałem się z miejsca, próbując powstrzymać jego zniknięcie. O co mu chodziło? Jakiż to sekret poszedł do grobu wraz z Karolem Wielkim? Moim krzykiem usiłowałem przebić się przez ryk wiatru, który powoli go pochłaniał: – Sire, czcigodny księże! Błagam, powiedz, gdzie znaleźć ów klucz, o którym mówisz.

Duch zdążył już zniknąć, lecz doszedł mnie jeszcze jego głos: – François... Marie... Arouet.... – i to było wszystko.

Wiatr ucichł zupełnie, a świece ponownie zapłonęły. Stałem samotnie w kaplicy. Po długim czasie ruszyłem w kierunku sypialni studenckich.

Następnego ranka skłonny byłem uwierzyć, że całe to wydarzenie stanowi jedynie wymysł mej imaginacji, lecz zeschłe liście przyklejone do mego płaszcza i wciąż wyczuwalna woń krypty upewniły mnie, iż nie był to sen. Kardynał powiedział mi, że znalazł pierwszy klucz do tajemnicy. I z nie znanych mi powodów miałem szukać tego klucza przy pomocy wielkiego francuskiego poety i dramaturga, François Marie Aroueta, zwanego Wolterem.

Trzeba wam wiedzieć, że Wolter wrócił podówczas do Paryża po dobrowolnym wygnaniu w swojej posiadłości w Ferney. Rzekomo powrót ten wiązał się z zamiarem wystawienia jego nowej sztuki. Jednak większość ludzi sądziła, że wrócił, by umrzeć. Nie potrafiłem pojąć, jak to się stało, iż ów zrzędliwy stary dramaturg, a na dodatek ateista, urodzony w pięćdziesiąt lat po śmierci Richelieu, został wtajemniczony w sekret kardynała. Musiałem się jednak tego dowiedzieć. Zanim udało mi się umówić na spotkanie z Wolterem, minęło kilka tygodni.

Gdy zjawiłem się punktualnie na miejscu, odziany w sutannę, służba zaprowadziła mnie do jego sypialni. Wolter nienawidził wstawać przed południem i nierzadko spędzał całe dnie w łóżku. Od ponad czterdziestu lat utrzymywał, iż jest na granicy śmierci. I oto stanąłem przed nim. Siedział w łóżku, wsparty na poduszkach, w miękkiej, różowej szlafmycy i długiej, białej koszuli nocnej. Z oczyma jak dwa świecące węgielki w bladej twarzy, cienkimi ustami i spiczastym nosem był łudząco podobny do drapieżnego ptaka.

W pokoju uwijali się księża, a on protestował przeciwko wszystkiemu, co robili, w czym zresztą miał być konsekwentny aż do ostatniego tchu. Byłem zażenowany, gdy obrzucił spojrzeniem moją postać, ubraną w sutannę nowicjusza, gdyż wiedziałem, jak serdecznie nienawidził duchownych. Wymachując żylastą ręką, obwieścił księżom:

– Proszę nas zostawić! Spodziewałem się przybycia tego młodego człowieka. To emisariusz od samego kardynała Richelieu!

Potem zaniósł się piskliwym, kobiecym chichotem, a księża, zerkając na mnie ukradkiem, wymknęli się z pokoju. Wolter poprosił, bym usiadł.

– Doprawdy, nie potrafiłem nigdy pojąć, dlaczego ten stary, nadęty duch nie może spokojnie leżeć w grobie – powiedział ze złością. – Jest to dość irytujące dla ateisty, jeśli dawno zmarły ksiądz fruwa sobie, dokąd chce, i sugeruje młodym ludziom, by złożyli mi wizytę. Zawsze się domyślam, gdy przybywają od niego, ponieważ ślinią się na sposób metafizyczny, a ich wzrok błądzi błędnie, podobnie zresztą jak u księdza... W Ferney był całkiem spory ruch, ale tutaj to prawdziwy zalew!

Stłumiłem gniew, słysząc te słowa. To, że Wolter znał przyczynę mojej wizyty, niezmiernie mnie zdziwiło, wywołując jednocześnie panikę. Wynikało z tego bowiem, że byli już przede mną tacy, którzy szukali tego samego, co ja.

– Czasem chciałbym przebić kołkiem serce tego człowieka, żeby wreszcie zostawił mnie w spokoju – mówił z patosem Wolter. Był wyraźnie zdenerwowany i po chwili dostał ataku kaszlu. Dostrzegłem, że kaszle krwią, lecz gdy chciałem mu pomóc, odsunął mnie gestem ręki. – Lekarze i księża powinni zawisnąć na jednej szubienicy! – wykrzyknął, sięgając po szklankę z wodą.

Podałem mu ją, a on wypił łyk.

– Oczywiście, że chodzi mu o rękopisy. Kardynał Richelieu nie może znieść myśli, że jego bezcenne prywatne dzienniki wpadły w ręce takiego starego grzesznika jak ja.

– Masz zatem, panie, prywatne dzienniki kardynała Richelieu?

– Tak. Wiele lat temu, gdy byłem jeszcze młody, wtrącono mnie do więzienia za działalność wywrotową przeciwko Koronie, a to za sprawą pewnego skromnego, nabazgranego przeze mnie wierszyka, opisującego romantyczne życie króla. Gdy więc gniłem sobie w lochu, mój bogaty protektor przyniósł mi jakieś dzienniki do rozszyfrowania. Od dawna znajdowały się w posiadaniu jego rodziny, lecz były napisane jakimś tajemnym szyfrem i nikt nie potrafił ich odczytać. Ponieważ zaś nie miałem tam wiele do roboty, rozszyfrowałem je, dowiadując się przy tym wielu ciekawostek o naszym ukochanym kardynale.

– Myślałem, że wszystkie pisma Richelieu zostały przekazane w spadku Sorbonie.

– Tak się księdzu wydaje. – Wolter zaśmiał się złowieszczo. – Osoba duchowna, jeśli nie ma niczego do ukrycia, nie używa żadnego tajemniczego szyfru. Doskonale wiem, czemu w jego czasach oddawali się księża: praktykom masturbacyjnym i lubieżnym uczynkom. Rzuciłem się zatem na te jego dzienniki jak wygłodzony koń na worek z obrokiem, lecz zamiast plugawych opowiastek, których się tam spodziewałem, natrafiłem na prawdziwie naukowy traktat. Nigdy w życiu nie czytałem większych bzdur.

Wolter zaczął się tak bardzo krztusić i dławić, że z przerażeniem zawołałem księdza, gdyż sam nie mogłem jeszcze wówczas udzielać sakramentów. Wydawszy z siebie serię straszliwych dźwięków, przywodzących na myśl śmiertelny grzechot, skinął ręką, bym podał mu kilka chust. Ułożył je sobie na głowie, zawiązując jedną z nich pod brodą, i siedział tak, drżąc jak stara baba.

– Co odkryłeś, panie, w tych dziennikach i gdzie one teraz są? – nalegałem.

– Nadal znajdują się u mnie. Gdy przebywałem w więzieniu, mój protektor zmarł bezpotomnie. Te zapiski mają wartość historyczną i zapewne można by otrzymać za nie okrągłą sumkę. Moim zdaniem to tylko stek przesądnych bzdur. Magia i czarnoksięstwo.

– Ale przed chwilą powiedziałeś przecież, panie, że to traktat naukowy.

– Tak, jeżeli księży stać na naukowy obiektywizm. Widzi ksiądz, kardynał Richelieu – w chwilach, gdy nie zajmował się prowadzeniem wojsk przeciwko wszystkim krajom europejskim – badał sekrety władzy. Jego tajemne studia skupiały się na... może słyszał ksiądz o szachach z Montglane?

– Chodzi o komplet szachów Karola Wielkiego? – spytałem najspokojniejszym głosem, choć czułem, jak serce wali mi w piersi.

Nachyliłem się nad łóżkiem i, skupiony na jego każdym słowie, delikatnie zachęcałem go, by mówił dalej, bojąc się, by nie nastąpił kolejny atak kaszlu. Zaiste słyszałem już wcześniej o szachach z Montglane i wiedziałem, że od stuleci pozostaje tajemnicą, gdzie są ukryte. Zdawałem sobie sprawę, iż ich wartość jest niewyobrażalna.

– Zdawało mi się, że to tylko legenda – powiedziałem.

– Richelieu był odmiennego zdania – odparł sędziwy filozof. – Jego dziennik zawiera tysiąc dwieście stron poświęconych spekulacjom na temat ich pochodzenia tudzież znaczenia. Podróżował w tym celu do Akwizgranu lub Aix-la-Chapelle, a nawet badał Montglane, gdzie podobno komplet jest ukryty, lecz wszystko na próżno. Widzi ksiądz, nasz kardynał uważał, że komplet ten kryje w sobie klucz do tajemnicy, tajemnicy starszej niż szachy, przypuszczalnie tak starej jak nasza cywilizacja. Tajemnicy tłumaczącej przyczyny wzlotów i upadków całych cywilizacji.

– Cóż to mogła być za tajemnica? – spytałem, nie potrafiąc ukryć opanowującego mnie podniecenia.

– Powiem księdzu, co on myślał – rzekł Wolter. – Choć on sam zmarł, nim udało mu się rozwikłać zagadkę. Proszę uczynić z tym, co ksiądz zechce, byle tylko więcej mnie nie dręczyć. Otóż kardynał Richelieu wierzył, że szachy z Montglane kryją w sobie pewien wzór, wzór ukryty w samych figurach. Wzór wyjaśniający tajemnicę uniwersalnej potęgi...

Talleyrand przerwał i spojrzał w półmroku na Valentine i Mireille, przytulone do siebie i zagrzebane pod kołdrą. Udawały, że śpią, a ich piękne włosy rozrzucone na poduszkach lśniły w dogasającym blasku świec. Wstał i pochylił się nad nimi, by lepiej je okryć, głaszcząc je przy tym po głowach.

– Wujku Maurice – powiedziała Mireille, otwierając oczy – nie skończyłeś swej opowieści. Cóż to był za wzór, którego kardynał Richelieu poszukiwał przez całe życie? Co takiego miało być ukryte w szachach z Montglane?

– To właśnie będziemy musieli wspólnie wyjaśnić, moje kochane – uśmiechnął się Talleyrand, który zobaczył, że Valentine dopiero teraz otwiera oczy i że dziewczęta zaczynają drżeć pod kołdrą. – Rzecz w tym, że nigdy nie widziałem tego rękopisu. Wolter zmarł niedługo potem. Jego bibliotekę w całości zakupiła osoba, która doskonale zdawała sobie sprawę z wartości dzienników kardynała Richelieu. Osoba, która rozumiała znaczenie uniwersalnej potęgi i pragnęła jej z całego serca. Osoba, o której mówię – ciągnął Talleyrand – próbowała przekupić zarówno mnie, jak i Mirabeau, który bronił ustawy o przejęciu dóbr kościelnych, gdyż pragnęła sprawdzić, czy osoby prywatne o wysokiej pozycji politycznej i niskim poziomie moralnym będą w stanie przechwycić owe szachy.

– Rzecz jasna nie przyjąłeś łapówki, wujku Maurice? – spytała Valentine, siadając na łóżku.

– Powiedzmy, że cena była zbyt wysoka dla naszego protektora lub raczej protektorki – zaśmiał się Talleyrand. – Po prostu chciałem mieć ten komplet dla siebie. I nadal chcę. – Patrząc na Valentine w słabym świetle świec, uśmiechnął się powoli. – Wasza przeorysza popełniła wielki błąd, gdyż przejrzałem jej zamiary. Ona zabrała ten komplet z Montglane. Tylko proszę, nie patrzcie na mnie w taki sposób, moje drogie. Cóż za zbieg okoliczności, nieprawdaż, że wasza przeorysza pokonuje cały kontynent, udając się do Rosji, jak dowiedziałem się od waszego stryja. Otóż musicie wiedzieć, że osobą, która nabyła całą bibliotekę Woltera, osobą, która próbowała przekupić mnie i Mirabeau, osobą, która od czterdziestu lat stara się położyć rękę na tym komplecie szachowym, jest nikt inny, jak tylko Katarzyna, caryca Wszechrosji.

PARTIA SZACHÓW

My jednak zagramy partię szachów,
Przyciskając oczy bez powiek i
Czekając, aż ktoś zastuka do drzwi.

T. S. Eliot

Nowy Jork
marzec 1973

Ktoś zastukał do drzwi. Stałam akurat z ręką na biodrze na środku mojego mieszkania. Od Nowego Roku minęły trzy miesiące. Zdążyłam już niemal zapomnieć o słowach wróżki i wszystkich przedziwnych wydarzeniach tamtego wieczoru. Stukanie nie ustawało i było coraz głośniejsze. Położyłam następną smugę błękitu pruskiego na dużym płótnie ustawionym na sztaludze i rzuciłam pędzel do pojemnika z olejem lnianym. Okna były otwarte, żeby się wietrzyło, lecz mój klient, Con Edison, najwyraźniej palił *ordure* (co po francusku znaczy „śmieci") tuż pod moim oknem. Parapety były aż czarne od sadzy.

Idąc przez długi hall, czułam, że nie jestem w nastroju do zabawiania jakichkolwiek gości. Dlaczego, u licha, nie zadzwonił domofon, choć powinien? Przynajmniej wiedziałabym, kto się dobija do drzwi. Ostatni tydzień nie należał do najrozkoszniejszych – próbowałam skończyć pracę dla Con Edison, wykłócałam się godzinami z zarządem mojego budynku i z najróżniejszymi magazynierami. Przygotowywałam się do wyjazdu do Algierii, który zbliżał się wielkimi krokami.

Właśnie dostałam wizę. Zdążyłam obdzwonić wszystkich przyjaciół; wiedziałam, że ten wyjazd oznacza rozstanie z nimi na cały rok. Wśród tych osób znajdował się ktoś, na spotkaniu z kim szczególnie mi zależało, choć była to osoba nieosiągalna i tajemnicza jak sfinks. Chyba nie zdawałam sobie sprawy, jak bardzo potrzebna mi będzie jego pomoc po tym wszystkim, co niebawem miało się wydarzyć.

Przechodząc przez hall, zerknęłam do lustra. Włosy w nieładzie, upstrzone plamami cynobrowej farby, a na nosie ślady purpury. Starłam je grzbietem dłoni, a ręce wytarłam w płócienne spodnie i roboczą koszulę, którą wkładałam do malowania. Potem otworzyłam drzwi.

Na progu stał portier Boswell z pięścią zastygłą w powietrzu. Miał na sobie granatowy uniform z idiotycznymi epoletami, które bez wątpienia dobrał sobie sam. Spojrzał na mnie znad tego swojego długiego nosa.

– Najmocniej panią przepraszam – prychnął – ale znów jakiś błękitny corniche blokuje wjazd. Doskonale pani wiadomo, że goście mają obowiązek parkować swoje samochody w taki sposób, by nie blokować dostępu samochodom dostawczym...

– Dlaczego nie zadzwonił pan domofonem? – przerwałam potok jego wymowy. Moja wściekłość wywołana była tym, że doskonale zdawałam sobie sprawę, o czyim samochodzie mówi.

– Domofon jest nieczynny od tygodnia, proszę pani...

– To dlaczego się pan tym nie zajmie, Boswell?

– Jestem portierem, proszę pani. Tym zajmuje się dozorca. Portier obserwuje gości i upewnia się, że ich...

– No dobrze już, dobrze. Niech pan ją wpuści.

Tylko jedna osoba w całym Nowym Jorku jeździła jasnobłękitnym corniche'em, a była to Lily Rad. Ponieważ akurat była niedziela, domyśliłam się, że wozi ją Saul. Bez problemu mógł przestawić samochód w czasie, gdy Lily będzie zawracała mi głowę. Lecz Boswell wciąż spoglądał na mnie ponurym wzrokiem.

– Chodzi jeszcze o to małe zwierzę, proszę pani. Owa dama nalega na to, by wprowadzić je do budynku, mimo iż zawsze jej powtarzam, że...

Było jednak za późno. Zza rogu wypadła jak petarda mała kudłata kulka, pognała prosto do mojego mieszkania, przemknęła obok Boswella i mnie i zniknęła w hallu. Rozmiarami przypominała miotełkę z piór, a biegnąc, wydawała krótkie, ostre piski. Boswell obrzucił mnie pełnym potępienia wzrokiem i nie odezwał się ani słowem.

– Dobrze, Boswell – powiedziałam, wzruszając ramionami. – Będziemy udawać, że niczego nie widzieliśmy, co? A ja zaraz go złapię i dopilnuję, żeby nie napsocił.

W tym momencie zza tego samego rogu tanecznym krokiem wyszła Lily. Okrywała ją sobolowa pelerynka, z której zwisały długie, puszyste ogonki. Jej blond włosy związane były w pięć kucyków sterczących w różnych kierunkach, przez co trudno było stwierdzić, gdzie kończą się włosy, a zaczyna pelerynka. Boswell westchnął i zamknął oczy.

Lily zignorowała go całkowicie, cmoknęła mnie w przelocie w policzek i wpłynęła zwiewnie do mieszkania. Wprawdzie osoba o jej gabarytach ma raczej niewielkie szanse na zwiewność, lecz przyznać trzeba, że Lily dźwigała ciężar swego ciała z zauważalną klasą. Mijając mnie, wyartykułowała gardłowym głosem:

– Powiedz temu swojemu odźwiernemu, żeby się tak nie żołądkował. Podczas gdy ja będę tu, Saul pojeździ wokół domu.

Odprowadziłam Boswella wzrokiem, po czym zamknęłam drzwi, tłumiąc jęk. Weszłam do środka w jak najgorszym nastroju – oto czekało mnie kolejne niedzielne popołudnie zepsute przez obecność Lily Rad, osoby plasującej się na samym końcu listy moich nowojorskich ulubieńców. Przysięgłam sobie, że tym razem szybko się jej pozbędę.

Moje mieszkanie składało się z jednego wielkiego, bardzo wysokiego pokoju i łazienki, do której wchodziło się z hallu. W tym dużym pokoju było troje drzwi – jedne do szafy wnękowej, drugie do przechowalni naczyń stołowych, a trzecie kryły za sobą chowane łóżko. Ogromne drzewa i dzikie, egzotyczne rośliny zajmujące cały pokój tworzyły nieprawdopodobny labirynt krętych ścieżek. W rozmaitych miejscach wyrastały stosy książek, piramidy marokańskich poduszek i różnych różności powynajdywanych w sklepach z rupieciami na Piątej Alei, a wśród nich ręcznie malowane pergaminowe lampy z Indii, meksykańskie dzbany z majoliki, francuskie ptaszki z malowanej gliny i praskie kryształy. Ściany zawieszone były nie dokończonymi, wciąż jeszcze wilgotnymi malowidłami, starymi fotografiami w rzeźbionych ramkach i antycznymi lustrami. Z sufitu zwisały dzwonki rurkowe, ruchome figurki i rybki z lakierowanego papieru. Jedynym meblem w całym pokoju był mahoniowy fortepian koncertowy ustawiony niedaleko okien.

Krążąc po tym labiryncie jak wypuszczona z uwięzi pantera, Lily rozgrzebywała wszystko, próbując znaleźć swojego psa. Gdy w pewnym momencie zrzuciła sobolową pelerynkę na podłogę, stwierdziłam ze zdziwieniem, że pod spodem jest nader skąpo odziana. Lily przywodziła na myśl rzeźbę Maillola – jej cienkie pęciny przechodziły w zaokrąglone łydki, które rozrastały się coraz bardziej, osiągając apogeum w nieopisanej obfitości trzęsących się fałd tłuszczu, brutalnie wciśniętych w króciutką sukienkę z fioletowego jedwabiu, kończącą się na granicy pośladków i ud. Trudno było mi się oprzeć wrażeniu, że oto patrzę na górę bezkształtnego auszpiku – drżącego i przezroczystego.

Podniósłszy jedną z poduszek, Lily natknęła się na tę małą, włochatą kulkę, z którą nigdy się nie rozstawała. Chwyciła ją od razu i zagruchała zmysłowo:

– Mój słodziutki Carioca. Jak to się schował przed swoją pańcią. A fe, niedobly kudłaczek-włochaczek. – W jej głosie było tyle lukru, że zrobiło mi się niedobrze.

– Napijesz się wina? – zaproponowałam.

Lily zdążyła tymczasem uwolnić Cariocę, który zaczął biegać, ujadając denerwująco. Weszłam do przechowalni naczyń stołowych i wyjęłam z lodówki butelkę wina.

– Pewnie masz to okropne chardonnay od Llewellyna – mruknęła. – Od lat usiłuje się pozbyć całego zapasu. – Wzięła ode mnie kieliszek i wypiła duży łyk. Przesuwała się wąską ścieżką wśród drzew, w pewnej chwili zatrzymała się przed obrazem, nad którym pracowałam, zanim przyszła, psując mi całą niedzielę.

– Słuchaj, znasz tego faceta? – spytała, wskazując namalowanego przeze mnie rowerzystę, całego w bieli, który przejeżdżał kościotrupa. – Kropka w kropkę jak ten gość na dole.

– Jaki gość na dole? – zapytałam, siadając na ławce przy fortepianie i wbijając wzrok w Lily.

Jej wargi i paznokcie lśniły tym samym kolorem – jaskrawą czerwienią – co przy jej bladej twarzy dawało niesamowity efekt. Wyglądała zupełnie jak zła, biała bogini, która zwabiła w śmiertelną pułapkę Zielonego Rycerza i Starego Żeglarza. Po chwili jednak zdałam sobie sprawę, że efekt jest doskonały. Przecież muza szachów odznaczała się nie mniejszym okrucieństwem niż muza poezji. Hołdując osobliwemu zwyczajowi, muzy skazują na śmierć tych, których przedtem obdarzyły natchnieniem.

– Ten człowiek na rowerze był dokładnie taki sam: cały zakapturzony i okutany szmatami – powiedziała Lily. – Zresztą widziałam go tylko od tyłu. Przejechalibyśmy go, gdyby nie wjechał na chodnik.

– Naprawdę? – spytałam zdumiona. – Malowałam go z wyobraźni.

– Zgroza – ciągnęła Lily. – Zupełnie jakby pędził w objęcia śmierci. To wszystko było jakieś złowrogie, zwłaszcza to, że czaił się pod twoim domem...

– Co powiedziałaś? – Gdzieś w głębi mojej podświadomości obudziło się echo. *Oto dojrzysz białego konia, a imię tego, który go dosiada, jest Śmierć.* Gdzież ja to słyszałam? Carioca ucichł, a jego jazgot przeszedł w podejrzane chrząknięcia. Zorientowałam się, że wygrzebuje sosnowe wiórki z moich orchidei i rozrzuca je po podłodze. Podeszłam więc do niego, uniosłam do góry, cisnęłam do szafy wnękowej i od razu zamknęłam drzwi.

– Jak śmiesz zamykać mojego psa w szafie? – syknęła Lily.

– Do tego budynku psy są wpuszczane, pod warunkiem że właściciel trzyma je zamknięte w specjalnym pudełku; niestety nie dysponuję czymś takim. A teraz bądź łaskawa wyjaśnić, cóż to cię sprowadza. Nie widziałam cię od kilku miesięcy. – Na szczęście, dodałam w myślach.

– Harry wydaje na twoją cześć pożegnalną kolację – powiedziała, rozsiadając się na ławie przy fortepianie i dopijając wino. – Powiedz tylko, kiedy ci pasuje. Harry chce sam przygotować wszystkie potrawy.

Carioca drapał pazurkami drzwi, lecz udawałam, że tego nie słyszę.

– Przyjdę z rozkoszą – odparłam. – Może w tę środę? Wszystko wskazuje na to, że wyjadę pod koniec tygodnia.

– Doskonale – odrzekła Lily.

Z wnętrza szafy zaczęły dobiegać odgłosy głuchych uderzeń. To Carioca, który najwidoczniej brał rozbieg i odbijał się maleńkim ciałkiem od drzwi. Lily poruszyła się nieznacznie.

– Czy mogłabym już zabrać stamtąd mojego psa?

– Czyżbyś wychodziła? – spytałam z nadzieją.

Wzięłam ze słoika pęk pędzli i podeszłam do zlewozmywaka, żeby je opłukać, zupełnie jakby jej nie było. Lily przez chwilę nic nie mówiła. Wreszcie spytała:

– Słuchaj, masz jakieś plany na dzisiejsze popołudnie?

– Mam, ale co rusz coś mi przeszkadza w ich realizacji – odparłam z przechowalni. Wlałam mydło w płynie do wody, gdzie natychmiast utworzyło obfitą pianę.

– Ciekawa jestem, czy widziałaś kiedyś, jak gra Solarin – powiedziała z niewyraźnym uśmiechem i spojrzała na mnie swymi wielkimi, szarymi oczami. Włożyłam pędzle do wody i popatrzyłam na nią. Brzmiało to jak zaproszenie na mecz szachowy. Lily słynęła z tego, że tylko wtedy chodziła na mecze, gdy sama brała w nich udział.

– A kto to jest Solarin? – spytałam.

Lily spojrzała na mnie z takim osłupieniem, jakbym spytała ją, kto to jest królowa angielska.

– Zapomniałam, że nie czytasz prasy – powiedziała po chwili. – Wszyscy teraz o tym mówią. Nazywają to politycznym wydarzeniem tego dziesięciolecia. Podobno jest to najwybitniejszy szachista od czasów Capablanki, prawdziwy naturalny geniusz. Ale chodzi o to, że po raz pierwszy od trzech lat wypuszczono go ze Związku Radzieckiego...

– Myślałam, że najlepszym szachistą na świecie jest Bobby Fischer – zauważyłam, myjąc pędzle w gęstej pianie. – Co to była za strzelanina w Rejkiawiku w ubiegłym roku?

– No, dobrze, że słyszałaś chociaż o Islandii – rzekła Lily, wstając i podchodząc do drzwi przechowalni. – Prawda jest taka, że od tamtej pory nie rozegrał ani jednej partii. Krążą pogłoski, że nie zamierza bronić tytułu i że nigdy więcej nie zagra przed publicznością. Rosjanie są podekscytowani. Szachy to ich narodowy sport i tam wszyscy się zabijają, żeby wdrapać się na sam szczyt. Jeśli Fischer nie będzie bronić, poza Rosją nie znajdzie się pretendent do tytułu.

– Czyli że ten Rosjanin, który wypadnie najlepiej, może załapać się na tytuł – zasugerowałam. – I ty sądzisz, że ten facet...

– Solarin.

– Że to będzie właśnie Solarin?

– Może tak, a może nie – odparła Lily, wyraźnie się rozgrzewając. – To chyba najbardziej zdumiewająca historia. Choć wszyscy uważają, że jest najlepszy, brakuje mu poparcia radzieckiego politbiura, a bez tego żaden tamtejszy gracz daleko nie zajedzie. Przez ostatnie kilka lat Rosjanie w ogóle nie pozwalali mu grać!

– A to dlaczego? – Odłożyłam pędzle na osączarkę i wytarłam ręce. – Skoro tak bardzo zależy im na wygranej, że traktują to jako kwestię życia i śmierci...

– No cóż, najwyraźniej nie uważają go za jednego ze „swoich" – powiedziała Lily. Wyciągnęła z lodówki butelkę z winem i nalała sobie następny kieliszek. – Trzy lata temu na turnieju w Hiszpanii było jakieś zamieszanie. W samym środku nocy wywieziono Solarina, został wyekspediowany do Mateczki Rosji. Według pierwszej wersji zachorował, według drugiej przeszedł załamanie nerwowe. Tyle różnych historii, a potem cisza. Ani słowa od tamtej pory. Do tego tygodnia.

– A cóż takiego zdarzyło się w tym tygodniu?

– Otóż wyobraź sobie, że ni stąd, ni zowąd w Nowym Jorku pojawia się Solarin, szczelnie otoczony funkcjonariuszami KGB. Wkracza dumnie do Manhattańskiego Klubu Szachowego i mówi, że chce wziąć udział w turnieju Hermanold Invitational. Widzisz, turniej tego rodzaju polega na tym, że osoba pragnąca wziąć w nim udział musi najpierw otrzymać zaproszenie. Solarin bynajmniej go nie otrzymał. Po drugie, jest to strefa numer pięć, obejmująca obszar Ameryki, natomiast ZSRR znajduje się w strefie numer cztery. I teraz wyobraź sobie ich konsternację.

– A nie mogli po prostu mu odmówić?

– Aleś palnęła! – krzyknęła z podnieceniem Lily. – John Hermanold, sponsor tego turnieju, był kiedyś producentem teatralnym. Od czasu afery z Fischerem rynek szachowy stał się bardzo atrakcyjny i można tam nieźle zarobić. Za cenę udziału w turnieju kogoś takiego jak Solarin Hermanold gotów by był popełnić morderstwo.

– Nie pojmuję jednak, w jaki sposób Solarin wydostał się ze Związku Radzieckiego, skoro władze nie chcą, żeby grał.

– Otóż to, kochanie – powiedziała Lily. – A obecność tych ochroniarzy z KGB wskazuje ponad wszelką wątpliwość, że facet ma błogosławieństwo od rządu. Cóż za fascynująca historia. Dlatego właśnie sądziłam, że zechcesz się dzisiaj wybrać... – Przerwała.

– A dokąd? – spytałam słodko, choć doskonale wiedziałam, do czego zmierza.

Z rozkoszą obserwowałam, jak się wije i skręca. Rzecz w tym, że Lily ostentacyjnie afiszowała się ze swoją obojętnością wobec wszelkich form współzawodnictwa; jedno z jej często cytowanych stwierdzeń brzmiało: „Skupiam się na szachownicy, a nie na przeciwniku".

– Solarin ma grać dziś po południu – odezwała się z wahaniem. – To jego pierwszy publiczny występ od czasu tych wydarzeń w Hiszpanii. Wszystkie miejsca są wyprzedane, a bilety kosztowały fortunę. Gra zaczyna się za godzinę, ale sądzę, że uda nam się tam dostać...

– Nie, dzięki – weszłam jej w słowo. – Ja odpadam. Wiesz przecież, że szachy śmiertelnie mnie nudzą. Ale dlaczego nie pójdziesz sama?

Lily chwyciła kieliszek i usiadła sztywno na ławie.

– Przecież wiesz, że nie mogę – odezwała się cicho, z dużym wysiłkiem.

Był to chyba pierwszy znany mi przypadek, kiedy to Lily poprosiła kogoś o przysługę. Gdybym poszła z nią na ten turniej, mogłaby udawać, że po prostu wyświadcza przysługę swojej przyjaciółce. Natomiast gdyby zjawiła się sama i zaczęła prosić o załatwienie biletu, w prasie podniósłby się szum. Solarin mógł niewątpliwie stanowić dużą sensację, lecz w nowojorskich kręgach szachowych pojawienie się Lily na turnieju byłoby jeszcze większym wydarzeniem. Uznawano ją za jedną z najlepszych szachistek w Stanach Zjednoczonych, a już na pewno za jedną z najbarwniejszych postaci tego światka.

– W przyszłym tygodniu będę grać ze zwycięzcą – wycedziła przez zaciśnięte zęby.

– Aa, teraz rozumiem. Niewykluczone, że będzie nim Solarin. A skoro nigdy nie widziałaś, jak gra, i bezsprzecznie nigdy nie czytałaś na temat jego stylu...

Podeszłam do szafy i otworzyłam drzwi. Carioca wymknął się chyłkiem. Potem podbiegł do moich espadryli i zaczął szarpać jakiś naderwany kawałek. Spojrzałam na niego krótko, po czym podniosłam go stopą i rzuciłam na stos poduszek. Umościł się na nich z rozkoszą, po czym wydarł z nich kilka piór swoimi ostrymi ząbkami.

– Nie rozumiem, dlaczego on tak cię lubi – powiedziała Lily.

– Po prostu czuje, kto tutaj rządzi – odparłam.

Lily milczała. Patrzyłyśmy, jak Carioca miota się wśród poduszek, choć nie było w tym nic ciekawego. Mimo że moja wiedza na temat szachów była nad wyraz skromna, wiedziałam, kiedy jestem w korzystnej sytuacji. Czułam, że następny ruch nie należy do mnie.

– Musisz tam ze mną pójść – wykrztusiła wreszcie.

– Obawiam się, że nie użyłaś najwłaściwszego sformułowania – odpaliłam.

Lily znów wstała, podeszła do mnie i spojrzała mi prosto w oczy.

– Nawet sobie nie wyobrażasz, jaki ten turniej jest dla mnie ważny. Żeby mu nadać najwyższą rangę, Hermanold zgromadził wszystkich mistrzów i arcymistrzów ze strefy numer pięć. Gdybym zajęła dobre miejsce i zyskała kilka punktów, mogłabym zdobyć upragniony tytuł. Mogłabym nawet wygrać. Gdyby nie pojawił się Solarin.

Klasyfikacja szachistów stanowiła dość zagadkową kwestię. Jeszcze bardziej tajemnicze było nadawanie tytułów arcymistrza i mistrza międzynarodowego. Można by się spodziewać, że przy tak matematycznej grze jak szachy cały system będzie dużo prostszy, lecz niestety miał on charakter raczej kumoterski. Pojmowałam rozpacz Lily, lecz jedno mnie zastanawiało.

– A co za różnica, czy będziesz pierwsza, czy druga? – spytałam. – Przecież i tak w świecie szachowym jesteś jedną z najwyżej notowanych kobiet w całych Stanach...

– Najwyżej notowanych kobiet! Kobiet? – Lily wyglądała tak, jakby za chwilę miała splunąć na podłogę.

Przypomniało mi się, że jedną z jej zasad była gra wyłącznie z mężczyznami. Szachy to męska gra i żeby zajść wysoko, trzeba zwyciężać mężczyzn. Od ponad roku Lily czekała na tytuł mistrza międzynarodowego, na który – w swoim odczuciu – zapracowała. Zdałam sobie sprawę, że ten turniej ma dla niej ogromne znaczenie, ponieważ jeśli pokona tych, którzy plasują się wyżej od niej, nikt nie będzie już mógł jej odmówić zasłużonego tytułu.

– Nic nie rozumiesz – powiedziała Lily. – Ten turniej polega na tym, że przegrany odpada. Jeżeli Solarin wygra swój pierwszy mecz, a ja swój, a tak będzie, to w następnym meczu spotkam się z nim. A jeśli z nim przegram, odpadam z turnieju.

– Bierzesz pod uwagę przegraną? – spytałam. Choć Solarin

był nie byle jakim przeciwnikiem, dziwiłam się, że Lily bierze w ogóle pod uwagę możliwość przegranej.

– Sama nie wiem – odparła szczerze. – Mój trener nie jest najlepszej myśli. Uważa, że Solarin rozłoży mnie na łopatki i będzie jeździł na mnie jak na łysej kobyle. Nawet nie wiesz, co to znaczy przegrać w szachy. Nienawidzę przegrywać. Nienawidzę. – Zgrzytała zębami, a dłonie miała zaciśnięte w malutkie piąstki.

– A czy nie jest tak, że na początku muszą dać ci równorzędnego przeciwnika? – spytałam. Chyba coś kiedyś czytałam na ten temat.

– W Stanach jest tylko kilkudziesięciu szachistów, którzy mają ponad dwa tysiące czterysta punktów – odparła Lily ponuro. – I, rzecz jasna, nie wszyscy biorą udział w tym turnieju. Chociaż według ostatniego rankingu Solarin miał dwa tysiące pięćset punktów, na miejscu znajduje się tylko pięciu graczy, którzy plasują się między nim a mną. Jednak grając z nim na samym początku, mam okazję rozgrzać się przed następnymi pojedynkami.

Teraz zrozumiałam. Były producent teatralny, który organizował ten turniej, zaprosił Lily, gdyż chciał zrobić szum wokół całego przedsięwzięcia. Po prostu chciał sprzedać bilety, a Lily była szachową Josephine Baker. Miała wszystko, z wyjątkiem ocelota i bananów. Teraz, mając lepszą kartę w postaci Solarina, mógł się pozbyć Lily jak towaru jednorazowego użytku. Czyli postawić ją przed Solarinem, który ją wykończy. I nie obchodził go fakt, że dzięki temu turniejowi mogła wywalczyć upragniony tytuł. Nagle doszło do mnie, że świat szachów niewiele różni się od świata zaprzysiężonych rewidentów księgowych.

– Dobrze, wyjaśniłaś mi, o co ci chodzi – powiedziałam i ruszyłam w stronę hallu.

– Dokąd idziesz? – spytała Lily podniesionym głosem.

– Idę wziąć prysznic – rzuciłam przez ramię.

– Prysznic? – W jej głosie pobrzmiewała histeria. – A po jaką cholerę?

– Muszę się wykąpać i przebrać – odrzekłam, przystając przy drzwiach łazienki. – Jeżeli mamy zdążyć na ten turniej.

Lily spojrzała na mnie bez słowa. Nawet zdobyła się na uśmiech.

Czułam się idiotycznie, jadąc otwartym samochodem w połowie marca, kiedy na niebie gromadziły się śniegowe chmury, a temperatura spadła do trzydziestu stopni Fahrenheita. Lily siedziała otulona w swoją pelerynkę. Carioca pracowicie obgryzał chwasty przy tapicerce i rozrzucał je po podłodze. Ja natomiast marzłam w czarnym wełnianym płaszczu.

– Nie można zamknąć dachu?! – zawołałam, przekrzykując wiatr.

– A może poprosisz Harry'ego, żeby ci zrobił futro? Przecież tym się właśnie zajmuje, a poza tym przepada za tobą.

– Teraz i tak niewiele by mi to pomogło – odparłam. – Natomiast wyjaśnij mi coś: dlaczego jest to impreza zamknięta i dlaczego w Metropolitan Club? Myślałam, że sponsorowi zależy na jak największej liczbie widzów, zwłaszcza podczas takiego pojedynku, jakim jest pierwszy mecz Solarina poza blokiem wschodnim.

– Dobrze rozumujesz – zgodziła się Lily. – Ale Solarin gra dzisiaj z Fiskem. Publiczny pojedynek, zamiast cichej, prywatnej rozgrywki, mógłby mieć rezultat odwrotny do zamierzonego. Fiske nie jest całkiem normalny.

– A kto to jest Fiske?

– Anthony Fiske – odparła, poprawiając futro – to bardzo gruba ryba. Brytyjski arcymistrz zarejestrowany w strefie numer pięć, ponieważ kiedyś mieszkał w Bostonie, gdzie stoczył wiele pojedynków. Dziwi mnie, że wyraził zgodę, bo nie gra już od lat. Podczas ostatniego turnieju kazał wyrzucić z sali publiczność. Powiedział, że cała sala jest na podsłuchu i że te wibracje w powietrzu zakłócają jego fale mózgowe. Każdy szachista to potencjalny wariat. Mówią, że Paula Morphy'ego, pierwszego mistrza Stanów Zjednoczonych, znaleziono nieżywego w wannie. Był ubrany od stóp do głów, a na powierzchni wody unosiło się mnóstwo damskich butów. Wśród szachistów obłęd to ryzyko zawodowe, ale ja nie zwariuję. To przytrafia się tylko mężczyznom.

– Dlaczego?

– Ponieważ szachy, moja droga, to gra z kompleksem Edypa. Chodzi o to, żeby zabić króla i zerżnąć królową. Psychologowie uwielbiają śledzić mistrzów szachowych, żeby sprawdzić, czy rzeczywiście co pięć minut myją ręce, wąchają stare trampki i onanizują się między pojedynkami. A potem opisują to wszystko w kwartalnikach naukowych.

Jasnoniebieski rolls corniche zatrzymał się przed wejściem do Metropolitan Club na Sześćdziesiątej Ulicy, tuż obok Piątej Alei. Saul otworzył nam drzwi. Lily wręczyła mu Cariocę, po czym ruszyła wzdłuż zwieńczonej baldachimem balustrady biegnącej skrajem brukowanego dziedzińca i prowadzącej do wejścia. Przez całą drogę Saul nie odzywał się ani słowem, lecz teraz mrugnął do mnie. Wzruszyłam ramionami i ruszyłam w ślad za Lily. Metropolitan Club to wyblakła pozostałość po dawnym Nowym Jorku. Odnosiło się wrażenie, że w tym prywatnym klubie dla mężczyzn nic się nie zmieniło od zeszłego stulecia. Spłowiała, czerwona wykładzina w foyer aż domagała się prania, a stojące w recepcji biurko z ciemnego, kantowanego drewna od dawna nie było woskowane. Jednakże urok sali klubowej, do której wchodziło się z westybulu, wynagradzał wszelkie braki dostrzegalne zaraz po wejściu.

Był to ogromny pokój, wysoki na trzydzieści stóp, z sufitem rzeźbionym w stylu palladiańskim i inkrustowanym złotymi liśćmi. Na środku sufitu zwieszał się pojedynczy żyrandol na długim sznurze. Dwie ściany składały się z balkonów, umieszczonych jedne nad drugimi, które – wraz ze swymi bogato rzeźbionymi poręczami – przywodziły na myśl wenecki dziedziniec. Trzecią ścianę pokrywały lustra, pokryte złotymi żyłkami i biegnące od podłogi do sufitu. Czwartą ścianę tworzyły ogromne parawany z czerwonego aksamitu. Na marmurowej posadzce w szachownicę stały wszędzie małe stoliki z krzesełkami obitymi skórą. W najbardziej odległym kącie, przy pokrytym laką, chińskim parawanie stał hebanowy fortepian.

Gdy podziwiałam wystrój wnętrza, z balkonu powyżej usłyszałam głos Lily. Jej futrzana pelerynka zwieszała się przez balustradę. Wskazała gestem szeroką kondygnację marmurowych schodów wspinających się łagodnym łukiem od foyer do pierwszego balkonu, gdzie stała. Na górze Lily poprowadziła mnie do niewielkiego pokoju. Miał on ściany koloru leśnego mchu, a jego oszklone drzwi wychodziły na park i Piątą Aleję. W środku kręciło się kilku robotników, którzy wynosili stamtąd pokryte skórą stoliki do kart i zielone, rypsowe stoliki. Ustawiając je w stosy pod ścianą, rzucali nam krótkie spojrzenia.

– Tu właśnie odbędzie się pojedynek – poinformowała mnie Lily. – Ale wydaje mi się, że nikt jeszcze nie przyjechał. Mamy pół godziny. – Zwracając się do przechodzącego robotnika, spytała: – Gdzie możemy znaleźć pana Johna Hermanolda?

– Może w jadalni. – Wzruszył ramionami. – Niech pani zadzwoni na górę i przywoła go na biper. – Przy tych słowach zlustrował ją od góry do dołu krytycznym spojrzeniem.

Obfite ciało Lily wręcz wylewało się z ciasnej sukienki, a ja cieszyłam się w duchu, że wybrałam klasyczny, szary kostium Zaczęłam zdejmować płaszcz, lecz jeden z robotników powstrzymał mnie.

– Kobietom nie wolno wchodzić do sali gry – usłyszałam. – Ani do jadalni. Najlepiej będzie, jak pani zejdzie na dół i zadzwoni.

– Zamorduję tego sukinsyna Hermanolda – wyszeptała Lily przez zaciśnięte zęby. – Co to ma być, na litość boską, prywatny klub dla mężczyzn?

Ruszyła korytarzem w poszukiwaniu swojej ofiary, a ja wróciłam do pokoju i rozsiadłam się na krześle mimo wrogich spojrzeń robotników. Wiedziałam, że jeśli Lily znajdzie Hermanolda, to będzie mu można jedynie współczuć.

Siedziałam więc sobie wygodnie, patrząc przez brudne okna wychodzące na Central Park. Zobaczyłam tam kilka obwisłych flag, których wyblakłe barwy dodatkowo rozmywało dziś zimowe światło.

– Przepraszam bardzo – usłyszałam za sobą czyjś wyniosły głos.

Odwróciwszy się, ujrzałam wysokiego, przystojnego mężczyznę koło pięćdziesiątki, z ciemnymi włosami przyprószonymi siwizną na skroniach. Ubrany był w granatowy blezer z wyszukanym wzorem, szare spodnie i biały golf. Biła od niego woń Andover and Yale.

– Nikomu nie wolno wchodzić do tego pokoju przed rozpoczęciem pojedynku – powiedział twardo. – Jeżeli ma pani bilet, to znajdę pani miejsce na dole. W przeciwnym wypadku obawiam się, że będzie pani zmuszona opuścić klub.

Teraz nie wydawał mi się już tak atrakcyjny. Przystojny jest ten, kto się przystojnie zachowuje, pomyślałam sobie. Powiedziałam jednak:

– Wolę zostać tutaj. Czekam na osobę, która ma przynieść mi bilet.

– Niestety, to wykluczone – przerwał mi szorstko. Posunął się nawet do tego, że ujął mnie pod łokieć. – Złożyłem w klubie obietnicę, że będziemy przestrzegać przepisów. Ponadto dochodzą tutaj względy bezpieczeństwa...

Wciąż pozostawałam na swoim miejscu, mimo iż ciągnął mnie za łokieć, starając się to robić z możliwie największą delikatnością. Trzymając się stopami nóg krzesła, uniosłam głowę z uśmiechem.

– Obiecałam mojej przyjaciółce, Lily Rad, że na nią poczekam. Poszła poszukać...

– Lily Rad! – wykrzyknął, puszczając moje ramię, jakby było rozpalonym żelazem. Rozsiadłam się wygodniej, przybierając słodki wyraz twarzy. – Lily Rad jest tutaj?

W dalszym ciągu uśmiechałam się i kiwałam głową.

– Pani pozwoli, że się przedstawię, panno...

– Velis – odrzekłam. – Catherine Velis.

– Panno Velis, nazywam się John Hermanold i jestem sponsorem tego turnieju – poinformował mnie, po czym chwycił moją rękę i uścisnął ją z ogromną serdecznością. – Nawet nie wyobraża pani sobie, co to za zaszczyt gościć tutaj Lily. Czy wie pani, gdzie mogę ją znaleźć?

– Poszła szukać pana na górze – odpowiedziałam. – Pracownicy powiedzieli, że jest pan w jadalni, więc pewnie właśnie tam jest.

– W jadalni – powtórzył Hermanold, najwyraźniej przewidując najgorsze. – Pozwoli pani, że pójdę teraz jej poszukać. A potem spotkamy się wszyscy i pójdziemy na dół na drinka. – I wybiegł za drzwi.

Teraz, skoro Hermanold okazał się moim dobrym kumplem, wyczułam, że robotnicy mają dla mnie pewien respekt, choć pozbawiony jakiegokolwiek entuzjazmu. Obserwowałam, jak wynoszą z pokoju stosy stolików do gry i ustawiają rzędy krzeseł tak, aby siedzący na nich byli zwróceni do okna. Na środku zostawili przejście. Potem, co bardzo mnie zdziwiło, kucnęli na podłodze z taśmami mierniczymi i zaczęli przesuwać meble według niewidzialnego, sobie tylko znanego i tajemniczego schematu.

Po chwili do pokoju wślizgnął się jakiś mężczyzna, lecz byłam tak zaabsorbowana obserwowaniem robotników, że dostrzegłam go dopiero, gdy przeszedł obok mojego krzesła. Był wysoki i szczupły, a jego długie blond włosy, zaczesane do tyłu, skręcały się w loki nad kołnierzem. Miał na sobie szare spodnie i luźną, białą, płócienną koszulę, która, rozpięta u góry, odsłaniała silną szyję. Podszedł szybko do miejsca, gdzie krzątali się robotnicy, i zaczął coś do nich mówić cichym głosem. Wszyscy ci, którzy dotąd mierzyli podłogę, od razu poderwali się na nogi i zbliżyli do niego. Gdy wyciągnął rękę i wskazał na jakiś punkt, natychmiast popędzili, by spełnić jego życzenie.

Wielka tablica do zapisywania posunięć była kilkakrotnie przestawiana z miejsca na miejsce, stół sędziów odsunięto dużo dalej od miejsca, gdzie mieli siedzieć gracze, a stolik z szachownicą przesuwano tam i z powrotem tak długo, aż wreszcie znalazł się w równej odległości od obydwu ścian. Dostrzegłam, że w czasie tych dziwnych manewrów żaden z robotników ani razu się nie uskarżał. Najwyraźniej ów nowo przybyły napełniał ich lękiem, co można było wnosić z tego, że wykonując jego polecenia, ani razu nie spojrzeli mu w oczy. Później dotarło do mnie, że nie tylko jest świadom mojej obecności, ale wręcz rozmawia z nimi na mój temat. Coś gestykulował w moim kierunku, a na koniec odwrócił się w moją stronę. Zobaczywszy jego twarz, przeżyłam szok. Było w niej jednocześnie coś znajomego i dziwnego.

W tej twarzy – z wysokimi kośćmi policzkowymi, wąskim, orlim nosem – światło odbijało się jak w marmurze. Jego oczy miały niebieskozielony kolor ciekłej rtęci. Wyglądał jak wspaniały renesansowy posąg wykuty w kamieniu. I tak samo jak kamień był chłodny i nieprzenikniony. Byłam nim zafascynowana jak ptak zahipnotyzowany przez węża i zupełnie nie panowałam nad sobą, gdy niespodziewanie zostawił robotników i ruszył w moim kierunku.

Stanąwszy przy moim krześle, chwycił mnie za ręce i postawił na nogi. Potem, zanim zdałam sobie sprawę z tego, co się dzieje, wsunął mi dłoń pod ramię i poprowadził do drzwi.

– Co pani tutaj robi? – wyszeptał mi do ucha. – Nie powinna była pani w ogóle tu przychodzić. – Mówił z prawie niewyczuwalnym obcym akcentem.

Byłam absolutnie zaskoczona; bądź co bądź, widział mnie po raz pierwszy. Zatrzymałam się w miejscu.

– A kim pan właściwie jest? – spytałam.

– To, kim jestem, nie ma najmniejszego znaczenia – odpowiedział wciąż jeszcze cichym głosem. Spojrzał na mnie tymi swoimi zielonymi oczami, jakby chciał coś zapamiętać. – Liczy się to, że ja wiem, kim pani jest. Przybycie tutaj to wielki błąd. Jest pani w niebezpieczeństwie. Wokół pani wyczuwam niebezpieczeństwo, nawet teraz.

Gdzie ja to już słyszałam?

– O czym pan mówi? Przyjechałam tutaj na turniej szachowy. Razem z Lily Rad. John Hermanold powiedział mi, że mogę...

– Wiem, wiem – przerwał mi ze zniecierpliwieniem. – Wiem to wszystko. Musi pani jednak natychmiast opuścić to miejsce. Proszę nie pytać dlaczego, gdyż nie odpowiem pani. Po prostu wyjdzie pani z tego klubu jak najszybciej... proszę zrobić to, co pani mówię.

– To chyba jakieś kpiny – odezwałam się podniesionym głosem.

Spojrzał szybko na pracujących robotników, a potem znów na mnie.

– Nie zamierzam stąd wychodzić, dopóki nie powie mi pan, o co chodzi. Nie mam pojęcia, kim pan jest, i nigdy w życiu pana nie widziałam. Jakim prawem...

– Widziała mnie pani – powiedział spokojnie. Położył mi łagodnie rękę na ramieniu i spojrzał w oczy. – I jeszcze mnie pani zobaczy. Teraz jednak musi pani natychmiast opuścić to miejsce.

Po chwili już go nie było. Odwrócił się na pięcie i wyszedł z pokoju tak cicho, jak do niego wszedł. Stałam przez chwilę w miejscu i nagle uświadomiłam sobie, że cała się trzęsę. Zerknęłam na robotników – najwidoczniej nie dostrzegli nic dziwnego i wciąż krzątali się wokół swoich spraw. Wyszłam na balkon, a w głowie wszystko mi się kłębiło po tym dziwnym spotkaniu. I wtedy doznałam olśnienia – ten człowiek przypominał mi ową wróżkę.

Lily i Hermanold wołali mnie ze świetlicy klubowej. Stojąc na podłodze z białych i czarnych kostek, wyglądali jak dwie dziwnie ubrane figury szachowe na zatłoczonej szachownicy. Oprócz nich kręcili się tam inni goście.

– Prosimy do nas! – zawołał Hermanold. – Postawię pani drinka.

Opuściłam balkon, zeszłam po marmurowych schodach przykrytych czerwonym dywanem i doszłam do świetlicy. Nogi wciąż jeszcze miałam miękkie. Chciałam odciągnąć Lily na bok i powiedzieć jej, co się stało.

– Czego się pani napije? – spytał Hermanold, gdy zbliżyłam się do stolika. Podsunął mi krzesło; Lily już siedziała. – Trzeba to uczcić szampanem. Rzadko mamy zaszczyt gościć Lily na cudzym meczu.

– Bo to nie jest zwykły dzień – powiedziała Lily z irytacją w głosie i przerzuciła futro przez oparcie krzesła.

Hermanold zamówił szampana i zaczął wychwalać się pod niebiosy, wyraźnie denerwując tym Lily.

– Ten turniej jest wspaniały. Codziennie mamy komplet widzów. Kampania reklamowa jednak naprawdę się opłaciła. Ale nawet ja nie byłem w stanie przewidzieć, że trafią się nam takie tuzy. Najpierw pojawia się Fiske, który dotąd był na emeryturze, a potem ta gwiazda: Solarin! No i ty, oczywiście – dodał, poklepując Lily po kolanie. Chciałam przerwać i spytać o tego człowieka na górze, lecz nie pozwalała na to elokwencja Hermanolda. – Żałuję, że nie mogłem dostać na dzisiejszy pojedynek tej wielkiej hali na Manhattanie – powiedział, gdy przyniesiono szampana. – Byłaby wypełniona po brzegi. Ale wiecie, bałem się o Fiskego. Na wszelki wypadek mamy tu lekarzy. Pomyślałem, że najlepiej będzie, jeśli wystawimy go na początku i od razu wyeliminujemy. I tak by nie przeszedł przez cały turniej, a już teraz, tylko z jego powodu, mamy tu mnóstwo dziennikarzy.

– Brzmi doprawdy ekscytująco – stwierdziła Lily. – I pomyśleć, jaka okazja: można zobaczyć dwóch wielkich mistrzów i jedno załamanie nerwowe, a wszystko podczas tego samego pojedynku.

Hermanold zerknął na nią niepewnie, napełniając kieliszki. Nie był pewien, czy mówi to serio, czy też żartuje. Lecz ja nie miałam wątpliwości. Zwłaszcza po tym kawałku o wyeliminowaniu Fiskego.

– Może jednak zostanę na tym pojedynku – powiedziała słodkim głosem, popiwszy szampana. – Choć zamierzałam opuścić ten lokal, gdy tylko Cat trochę się tu zadomowi...

– Och, nie możesz tego zrobić! – krzyknął Hermanold ze szczerym przerażeniem. – To by było straszne. Przecież zanosi się na pojedynek stulecia.

– A ci dziennikarze, którym obiecywałeś moją obecność, byliby chyba okrutnie rozczarowani, nie zastając mnie tutaj. A może się mylę, skarbie? – Po tych słowach przełknęła łyk szampana, a Hermanold lekko się zaczerwienił.

Skorzystałam ze sposobności i wtrąciłam:

– Czy ten człowiek, którego widziałam na górze, to był Fiske?

– W sali do gry? – spytał Hermanold zaniepokojony. – Mam nadzieję, że nie. Ma odpoczywać przed pojedynkiem.

– Bez względu na to, kim jest, zachowywał się dość dziwnie – powiedziałam. – Przyszedł tam i kazał robotnikom poprzestawiać meble...

– O Boże – westchnął Hermanold. – To n a p e w n o był Fiske. Gdy ostatnim razem miałem z nim do czynienia, po każdej zbitej figurze kazał usuwać z sali jedną osobę lub jedno krzesło. Powiedział, że to przywraca mu poczucie „równowagi i harmonii". Ponadto nienawidzi kobiet, nie zgadza się na ich obecność w sali, gdzie toczy się gra... – Hermanold zaczął poklepywać dłoń Lily, lecz zaraz ją cofnęła.

– Może dlatego kazał mi stamtąd wyjść – powiedziałam.

– Kazał pani wyjść? Tego nie wolno robić; będę musiał zamienić z nim parę słów. Musi wreszcie zrozumieć, że nie może zachowywać się tak jak dawniej, kiedy był gwiazdą. Przecież już od piętnastu lat nie brał udziału w żadnym poważniejszym turnieju.

– Piętnastu? – zdziwiłam się. – To chyba w trakcie ostatniego pojedynku miał dwanaście lat. Ten człowiek na górze był młody.

– Tak? Więc któż to mógł być? – spytał Hermanold z niedowierzaniem.

– Wysoki, szczupły mężczyzna, bardzo blady. Przystojny, ale trochę zimny...

– A, to był Aleksiej – zaśmiał się Hermanold.

– Aleksiej?

– Aleksander Solarin – powiedziała Lily. – Ten, którego tak strasznie chciałaś zobaczyć. Ten gwiazdor.

– Wie pan o nim coś więcej? – spytałam.

– Niestety nie. Zanim tu przyjechał, żeby zapisać się na turniej, nie wiedziałem nawet, jak wygląda. To bardzo tajemniczy człowiek. Nie spotyka się z ludźmi, nie pozwala się fotografować. W czasie pojedynku nikt na sali nie może mieć aparatu fotograficznego. Niemal zmusiłem go do udzielenia wywiadu dla prasy. Bo przecież jaka korzyść z jego obecności tutaj, skoro nie można tego nagłośnić?

Lily spojrzała na niego z rozdrażnieniem i głośno westchnęła.

– Dziękujemy za drinki, John – powiedziała i zarzuciła futro na ramiona.

Wstałam razem z Lily. Wyszłyśmy ze świetlicy i ruszyłyśmy po schodach.

– Nie chciałam mówić przy Hermanoldzie – szepnęłam – ale ten facet, Solarin... Coś dziwnego się tutaj dzieje.

– Żadna nowość – burknęła Lily. – Wśród szachistów spotkasz dwa typy ludzi: albo kutasów, albo palantów. Albo jednych i drugich. Na pewno Solarin nie należy do wyjątków. Nie znoszą kobiet na sali...

– Ale nie o to mi chodzi – przerwałam. – Solarin nie dlatego wyrzucał mnie stąd, że chciał się pozbyć kobiety. Powiedział mi, że jestem w wielkim niebezpieczeństwie. – Chwyciłam ją gwałtownie za ramię i stanęłyśmy przy balustradzie. Pod nami, w świetlicy, tłum powoli gęstniał.

– Tak ci powiedział? – mruknęła Lily. – Chyba sobie kpisz. Niebezpieczeństwo? Na meczu szachowym? Jedyne niebezpieczeństwo, jakie ci grozi, to to, że zaśniesz w trakcie. Fiske z upodobaniem przygważdża ludzi do ziemi za pomocą zugzwangu dominacji.

– Mówię ci, że ostrzegł mnie o niebezpieczeństwie – powtórzyłam, przyciągając ją do ściany, żeby idący za nami ludzie mogli swobodnie przejść. Ściszyłam głos. – Pamiętasz tę wróżkę, do której wysłałaś mnie i Harry'ego w sylwestra?

– Daj spokój. Chyba nie wierzysz w jakieś mistyczne siły? – uśmiechnęła się Lily.

Goście zaczynali schodzić, kierując się do głównej sali. Przyłączyłyśmy się do nich, a Lily znalazła miejsca z boku na przedzie, skąd miałyśmy dobry widok, jednocześnie nie rzucając się w oczy. Jeżeli w ogóle coś takiego było możliwe przy stroju, jaki miała na sobie Lily. Gdy już wreszcie usiadłyśmy, nachyliłam się w jej kierunku i wyszeptałam:

– Solarin użył prawie dokładnie tych samych słów co tamta wróżka. Czyżby Harry nie powtórzył ci, co mi powiedziała?

– Nie widziałam jej na oczy – odparła Lily i wyciągnęła z kieszeni futra małą szachownicę, którą rozłożyła sobie na kolanach. – Poleciła ją jedna z moich koleżanek, ale ja tam nie wierzę w takie gówno. Dlatego mnie tam nie było.

Sala powoli się wypełniała. Lily ściągała na siebie wiele spojrzeń. Rzecz jasna było już sporo reporterów, w tym jeden z aparatem na szyi. Dostrzegli Lily i natychmiast skierowali się w naszą stronę. Pochyliła się nad szachownicą i powiedziała cichym głosem:

– Gdyby ktoś pytał, prowadzimy p o w a ż n ą rozmowę na temat szachów.

Do sali wszedł John Hermanold. Błyskawicznie podszedł do reporterów i złapał za kołnierz tego z aparatem, zanim jeszcze zdążył do nas podejść.

– Bardzo mi przykro, ale muszę zabrać ten aparat – zwrócił się do reportera. – Wielki mistrz Solarin nie życzy sobie aparatów podczas turnieju. Proszę wrócić na swoje miejsca, żebyśmy mogli rozpocząć pojedynek. Wywiady będą później.

Reporter z ociąganiem oddał aparat Hermanoldowi, a następnie wraz z kolegami ruszył w stronę wskazanych miejsc.

Rozmowy wśród widzów ścichły do szeptu. Do sali weszli sędziowie i zajęli miejsca przy stole, a za nimi pojawił się Solarin i starszy, siwiejący mężczyzna, bez wątpienia Fiske.

Fiske był zdenerwowany i spięty. Zauważyłam, że drga mu powieka i że cały czas rusza wąsem, jakby odganiał muchę. Miał rzadkie, nieco tłuste włosy, które – mimo iż zaczesane do tyłu – opadały mu co chwilę na czoło. Jego aksamitna marynarka w kolorze kasztanowym, mocno sfatygowana i chyba dawno nie czyszczona, była przepasana szarfą jak szlafrok. Brązowe spodnie były pogniecione i wypchane na kolanach. Zrobiło mi się go żal. Robił wrażenie osoby zagubionej i przygnębionej.

Stojący obok niego Solarin wyglądał jak alabastrowa rzeźba dyskobola. Był o głowę wyższy od Fiskego, który w dodatku się garbił. Teraz Solarin podszedł lekkim krokiem do stołu, podstawił krzesło Fiskemu i pomógł mu usiąść.

– Sukinsyn – syknęła Lily. – Chce sobie kupić zaufanie Fiskego, zyskać nad nim przewagę jeszcze przed rozpoczęciem gry.

– Chyba jesteś trochę zbyt surowa – powiedziałam głośno, a kilka osób z tyłu od razu zaczęło mnie uciszać.

Na środek wyszedł jakiś chłopiec i zaczął ustawiać figury na szachownicy, kładąc białe przed Solarinem. Lily wyjaśniła mi, że ceremonia przydziału kolorów odbyła się poprzedniego dnia. Znów kilka osób zaczęło posykiwać, więc umilkłyśmy. Podczas gdy jeden z sędziów odczytywał na głos reguły gry, Solarin rozejrzał się po sali. Siedział bokiem do mnie, więc mogłam mu się dokładnie przyjrzeć. Był spokojniejszy i znacznie bardziej rozluźniony niż przedtem. Teraz, gdy był w swoim żywiole, biła odeń siła i energia, jak od atlety przed rozpoczęciem zawodów. Po chwili jednak jego wzrok spoczął na mnie i na Lily i twarz mu stężała. Wbił we mnie przenikliwe spojrzenie.

– Oho, teraz rozumiem, co miałaś na myśli, mówiąc „zimny". Dobrze, że zobaczyłam to teraz, a nie dopiero przy szachownicy – powiedziała Lily.

Solarin patrzył na mnie, jakby nie mieściło mu się w głowie, że wciąż jeszcze mogę tu być. Zupełnie jakby chciał się poderwać z miejsca i wywlec mnie z sali. Przez chwilę nie mogłam oprzeć się wrażeniu, że zostając tutaj, popełniłam straszny błąd. Ponieważ figury były już rozstawione, a zegar włączony, musiał przenieść wzrok na szachownicę. Ruszył pionkiem sprzed króla. Dostrzegłam, że Lily wykonała ten sam ruch na swojej szachownicy. Chłopiec stojący przy tablicy zapisał kredą ruch: e2-e4.

Przez jakiś czas gra toczyła się jednostajnie. Obaj gracze stracili po jednym pionku i po jednym skoczku. Solarin przesunął pionka od strony króla. Ludzie na widowni zaczęli szemrać. Kilku wstało i wyszło na kawę.

– To mi wygląda na giuoco piano – westchnęła Lily. – Zanosi się na bardzo długą grę. Na turniejach nigdy nie stosuje się tej obrony, jest stara jak świat. Mój Boże, wymienia się ją już w rękopisie z Getyngi. – Dla kogoś takiego jak ja, kto nie czyta nic na temat szachów, Lily była istną kopalnią wiadomości. – Ta obrona pozwala czarnym rozwinąć pionki, ale jest za to strasznie, ale to strasznie wolna. Solarin daje Fiskemu fory, pozwala mu się trochę poruszać, zanim wykończy go z kretesem. Daj mi znać, jeśli w ciągu następnej godziny zdarzy się coś ciekawego.

– A skąd niby miałabym wiedzieć, że dzieje się coś ciekawego? – szepnęłam.

Właśnie w tej chwili Fiske wykonał ruch i przełączył swój zegar. Przez tłum przebiegł pomruk, a osoby, które zamierzały wyjść z sali, odwróciły się i spojrzały na tablicę. Uniósłszy wzrok, zdążyłam zauważyć, że Solarin się uśmiecha. A był to dziwny uśmiech.

– Co się stało? – spytałam.

– Fiske jest odważniejszy, niż myślałam. Zamiast ruszyć gońcem, przyjął tak zwaną obronę „dwóch skoczków". Rosjanie ją uwielbiają. Jest bardziej niebezpieczna. Dziwię się, że wybrał ją w grze z Solarinem, który przecież znany jest z tego, że... – Ugryzła się w język. Przecież Lily nigdy nie studiowała stylu gry innych szachistów. Właśnie.

Teraz Solarin ruszył skoczkiem, a Fiske pionkiem hetmana. Solarin zbił tego pionka. Zaraz potem Fiske zbił jego pionka swoim skoczkiem i wyrównał. Tak mi się wydawało. Odnosiłam wrażenie, że Fiske jest w dobrej sytuacji, gdyż jego figury zajmowały centralną część szachownicy, natomiast Solarin wydawał się schwytany w pułapkę. Lecz teraz właśnie Solarin zbił pionka Fiskego swoim skoczkiem. Na sali podniósł się gwar. Ci, którzy wcześniej wyszli, teraz pośpiesznie wracali z kawą na swoje miejsca i spoglądali na tablicę, gdzie chłopiec zapisywał kolejne posunięcia.

– Fegatello! – krzyknęła Lily, lecz tym razem nikt jej nie uciszył. – Wprost nie do wiary.

– Co to jest fegatello? – Pomyślałam, że szachy obfitują w równie tajemnicze słówka jak sfera przetwarzania danych.

– To znaczy „smażona wątroba". I na pewno usmażą wątrobę Fiskemu, jeżeli zbije tego skoczka swoim królem. – Gryzła z emocji palce i patrzyła na swoją szachownicę, zupełnie jakby tam właśnie toczyła się gra. – Nie ulega wątpliwości, że coś straci. Pod biciem są hetman i wieża. Nie może zaatakować skoczka żadną inną figurą.

Takie posunięcie ze strony Solarina wydawało mi się całkiem nielogiczne. Czyżby chciał się pozbyć skoczka za pionka tylko po to, aby król przesunął się o jedno pole?

– Jeśli Fiske ruszy króla, nie będzie mógł zrobić roszady – powiedziała Lily, jakby czytała w moich myślach. – Wtedy król zostanie na środku szachownicy i będzie się tam pętał aż do końca gry. Lepiej by było, gdyby ruszył hetmana, a pozbył się wieży.

Jednak Fiske zbił skoczka swoim królem. Solarin ruszył hetmana i zaszachował. Fiske upchnął króla za swoimi pionkami, a Solarin przesunął hetmana, który teraz zagrażał czarnemu skoczkowi. Gra bez wątpienia nabierała rozpędu, choć niezupełnie wiedziałam, w jakim kierunku. Widziałam, że Lily jest równie zagubiona jak ja.

– Strasznie to wszystko dziwne – szepnęła do mnie. – Fiske nigdy tak nie grał.

I rzeczywiście działo się coś dziwnego. Przyjrzawszy się Fiskemu, zauważyłam, że po wykonaniu ruchu nie odrywa wzroku od szachownicy. Jego zdenerwowanie wyraźnie rosło. Pod pachami jego kasztanowej marynarki pojawiły się rosnące plamy potu, a on sam wyglądał na chorego. Teraz włączony był zegar Solarina, lecz on również przyglądał się Fiskemu. W jego wzroku było takie skupienie, jakby zupełnie zapomniał o toczącej się grze. Minęła dłuższa chwila, zanim Fiske popatrzył na Solarina, ale od razu spuścił wzrok i utkwił go w szachownicy. Solarin zmrużył oczy. Złapał jedną z figur i przesunął ją naprzód.

To, co toczyło się na szachownicy, przestało już mnie obchodzić. Za to obserwowałam obu mężczyzn, próbując zrozumieć, co się właściwie dzieje między nimi. Lily siedziała obok mnie skupiona i z otwartymi ustami przyglądała się szachownicy. Nagle Solarin poderwał się z miejsca i odepchnął krzesło, na którym siedział. Ludzie za nami zaczęli szemrać i po chwili na sali zrobił się zgiełk. Solarin wcisnął guziki, zatrzymując oba zegary i nachylił się nad Fiskem, by coś mu powiedzieć. Jeden z arbitrów podbiegł pośpiesznie do stołu, zamienił z Solarinem kilka słów, po czym potrząsnął przecząco głową. Przez cały ten czas Fiske siedział nieruchomo na krześle, z dłońmi na kolanach, spuszczoną głową i wzrokiem utkwionym w szachownicy. Solarin znowu coś do niego powiedział. Arbiter powrócił do swoich kolegów, którzy po krótkiej wymianie zdań skinęli zgodnie głowami. Wtedy wstał środkowy sędzia.

– Panie i panowie, arcymistrz Fiske jest chwilowo niedysponowany – oznajmił. – W geście uprzejmości arcymistrz Solarin zatrzymał zegary i zgodził się na krótką przerwę, żeby pan Fiske mógł zaczerpnąć nieco świeżego powietrza. Panie Fiske, proszę o zapisanie następnego ruchu. Pojedynek zostanie wznowiony za pół godziny.

Fiske drżącą ręką zapisał swój ruch, włożył kartkę do koperty, zakleił ją i wręczył jednemu z arbitrów. Błyskawicznie, zanim którykolwiek z reporterów zdążył zareagować, Solarin wymaszerował z sali i ruszył sprężystym krokiem przez hall. W sali zapanowało ogólne poruszenie. Widzowie zbili się w grupki i żywo o czymś dyskutowali. Odwróciłam się do Lily.

– Co się stało? Co tu w ogóle się dzieje?

– To nie do wiary – odparła Lily. – Solarinowi nie wolno było zatrzymać zegarów. To leży w gestii arbitrów. Jest to sprzeczne z regułami i po czymś takim pojedynek powinien zostać zakończony. Arbiter zatrzymuje zegary jedynie wtedy, gdy wszyscy wyrażają na to zgodę, lecz najpierw Fiske musiałby zapisać swój następny ruch.

– A więc Solarin dał mu trochę wolnego poza regulaminowym czasem? Ale dlaczego?

Lily spojrzała na mnie, a jej szare zwykle oczy były teraz zupełnie bezbarwne. Była najwyraźniej zdziwiona tym, co mówi.

– On wiedział, że to nie jest styl Fiskego – odparła powoli, po czym przerwała na moment, jakby odtwarzała w pamięci ostatni fragment gry. – Solarin zaoferował Fiskemu wymianę hetmanów, choć w tej sytuacji wcale nie musiał. Odniosłam wrażenie, że w ten sposób go sprawdza. Wszyscy doskonale wiedzą, że Fiske nie znosi grać bez hetmana.

– I Fiske się zgodził?

– Nie – odparła Lily w zamyśleniu. – Najpierw podniósł

hetmana, a potem odłożył go na miejsce, udając, że to jest j'adoube.

– Co to jest j'adoube?

– „Dotykam", „poprawiam". W trakcie pojedynku graczowi wolno poprawić figurę.

– Więc co w tym było nie tak? – dopytywałam się.

– Nic. Lecz przed dotknięciem figury trzeba powiedzieć „j'adoube". Nie wolno tego robić po dotknięciu.

– Może nie zdawał sobie sprawy...

– To arcymistrz – powiedziała Lily i spojrzała na mnie przeciągle. – Musi to wiedzieć.

Siedziała, wpatrując się w szachownicę. Nie chciałam jej przeszkadzać, lecz wszyscy zdążyli już wyjść z sali i wokół nas było pusto. Milczałam, próbując się domyślić, o co w tym wszystkim chodzi, lecz moja wiedza na temat szachów była nader skromna.

– Wiesz, co o tym wszystkim sądzę? – spytała wreszcie Lily. – Uważam, że wielki mistrz Fiske po prostu oszukiwał. Wydaje mi się, że był podłączony do nadajnika.

Gdybym wówczas wiedziała, że ma rację, mogłoby to zmienić bieg najbliższych wydarzeń. Lecz jakże mogłam zgadnąć, co się dzieje zaledwie dziesięć stóp ode mnie, gdy Solarin wpatrywał się ze skupieniem w szachownicę?

Solarin dostrzegł to, wpatrując się w szachownicę. Początkowo tylko kątem oka, lecz za trzecim razem skojarzył to z ruchem. Gdy Solarin zatrzymywał swój zegar, Fiske – przed rozpoczęciem gry – nieodmiennie kładł dłonie na kolanach. Przed następnym ruchem Solarin zerknął na jego ręce. No właśnie. Fiske nigdy nie nosił sygnetu.

Fiske grał brawurowo. Liczył na szczęście. W pewnym sensie były to bardzo ciekawe szachy, lecz za każdym razem, gdy Fiske ryzykował, Solarin obserwował wyraz jego twarzy. Rzecz w tym, że nie była to twarz ryzykanta. Dlatego właśnie Solarin zaczął się przyglądać sygnetowi.

Fiske był podłączony. Nie było najmniejszej wątpliwości. Solarin grał z kimś lub czymś całkiem innym. Tego kogoś lub czegoś nie było w tej sali i bez wątpienia nie był to Fiske. Solarin spojrzał na swoich ludzi z KGB, którzy siedzieli w oddali pod ścianą. Jeżeli zdecyduje się na ryzykowną grę i przegra ten cholerny pojedynek, wyleci z turnieju. Ale musiał się dowiedzieć, kto podłączył Fiskego. I dlaczego.

W związku z tym Solarin zaczął grać niebezpiecznie, chcąc sprawdzić, czy w posunięciach Fiskego można się dopatrzyć jakiejś metody. Tymczasem jego przeciwnik wariował ze zdenerwowania. Wtedy Solarinowi przyszedł do głowy następujący pomysł: wymusi wymianę hetmanów, co nie ma zupełnie nic wspólnego z toczącą się grą. Przesunął więc hetmana, oferując go, odsłaniając, nie bacząc na konsekwencje. W efekcie Fiske zacznie grać własną grę albo zdradzi się, że to wszystko jest oszustwem. I właśnie wtedy Fiske pękł.

Przez chwilę zdawało się, że Fiske przyjmie wymianę i weźmie hetmana. W takim wypadku Solarin wezwałby sędziów i zrezygnował z gry. Nie zamierzał grać przeciwko maszynie lub czemuś, do czego Fiske był podłączony. Lecz zamiast tego Fiske wycofał się i poprosił o j'adoube. Solarin poderwał się z miejsca i pochylił nad Fiskem.

– Co pan, u diabła, sobie wyobraża? – wyszeptał. – Zrobimy teraz przerwę, żeby pan trochę oprzytomniał. Czy zdaje pan sobie sprawę, że w tej sali jest KGB? Jedno moje słowo i koniec z pańską karierą.

Solarin pokiwał jedną ręką w kierunku arbitrów, a drugą zatrzymał zegary. Potem poinformował arbitra, że Fiske źle się czuje i zapisze następny ruch.

– I radzę, żeby to był hetman, drogi panie – powiedział, raz jeszcze pochylając się nad Fiskem.

Ten nawet nie podniósł wzroku, tylko kręcił sygnetem na palcu, jakby był za ciasny. Solarin wypadł z sali.

Agent KGB, który czekał w hallu, spojrzał nań pytająco. Był to niski, blady mężczyzna z krzaczastymi brwiami. Nazywał się Gogol.

– Idź łyknij trochę śliwowicy – rzucił Solarin. – I pozwól, że ja się tym zajmę.

– Ale co się stało? – spytał Gogol. – Dlaczego poprosił o j'adoube? Strasznie dziwna historia. A nawiasem mówiąc, nie powinieneś był zatrzymywać zegarów. Mogli cię zdyskwalifikować.

– Fiske jest podłączony. Muszę wiedzieć, do kogo i dlaczego. Jeśli chcesz mi się przysłużyć, to zrób coś, co jeszcze bardziej go przerazi. A teraz idź i udawaj, że o niczym nie wiesz. Sam się wszystkim zajmę.

– A co zrobić z Brodskim? – wyszeptał Gogol. Brodski należał do wysoko postawionych agentów i w hierarchii stał wyżej od Gogola.

– Zaproś go na jednego – warknął Solarin – i przez najbliższe pół godziny trzymaj z dala ode mnie. I macie się nie wtrącać. Nic a nic, pojmujesz, Gogol?

Agent popatrzył na niego z przerażeniem, lecz ruszył posłusznie po schodach. Solarin poszedł za nim do balustrady, a potem schował się za drzwiami i czekał, aż Fiske wyjdzie z sali.

Fiske szybkim krokiem przeszedł balkon, zszedł po schodach i pobiegł przez foyer. Nie obejrzał się ani razu, więc nie dostrzegł Solarina, obserwującego go z góry. Wyszedł z budynku, przemierzył dziedziniec i minął potężną żelazną bramę. W odległym kącie dziedzińca, po przekątnej od wejścia do klubu, znajdowały się drzwi do znacznie mniejszego Canadian Club. Fiske wszedł do środka.

Solarin przemierzył cicho dziedziniec. Akurat gdy pchnął szklane drzwi Canadian Club, dostrzegł zamykające się za Fiskem drzwi męskiej toalety. Zatrzymał się na moment, a potem wspiął się po czterech schodkach, wślizgnął do środka i znieruchomiał. Fiske stał z zamkniętymi oczyma i pochylał się nad pisuarem. Po chwili opadł na kolana. Najpierw zaczął płakać – krótkim, suchym łkaniem – a potem pochylił się jeszcze bardziej, wziął głęboki wdech i zwymiotował do porcelanowej muszli. Gdy skończył, wyczerpany oparł głowę o pisuar.

Solarin zauważył, że Fiske wyraźnie drgnął na dźwięk odkręcanego kurka. Solarin stał bez ruchu przy umywalce, obserwując rozpryskujące się krople zimnej wody. Fiske był Anglikiem i czułby się upokorzony, wiedząc, że ktoś widział go wymiotującego jak zwierzę.

– Przyda się panu – powiedział głośno Solarin, nie odwracając się od umywalki.

Fiske spojrzał dookoła, jakby się chciał upewnić, czy te słowa są skierowane do niego. Lecz w całym pomieszczeniu byli tylko oni dwaj. Z ociąganiem podniósł się z kolan i ruszył w stronę Solarina, który wkładał pod wodę papierowy ręcznik. Ręcznik wydawał wyraźną woń wilgotnych płatków owsianych. Solarin obrócił się i wytarł Fiskemu czoło i skronie.

– Jeśli potrzyma pan nadgarstki pod zimną wodą, krew w całym ciele od razu się schłodzi – powiedział, rozpinając mu mankiety od koszuli. Potem wyrzucił wilgotny ręcznik do kubła. Fiske posłusznie włożył nadgarstki pod strumień zimnej wody, uważając jednak, jak spostrzegł Solarin, by nie zamoczyć dłoni. Solarin gryzmolił coś ogryzkiem ołówka na suchym ręczniku. Fiske obejrzał się przez ramię, wciąż trzymając nadgarstki pod wodą, i przeczytał: „Nadajnik działa w jedną stronę czy w dwie?"

Fiske podniósł wzrok, a krew znów napłynęła mu do twarzy. Solarin, który wbijał weń uważne spojrzenie, schylił się ponownie nad kawałkiem papieru i dopisał dla wyjaśnienia: „Czy oni nas teraz słyszą?"

Fiske wziął głęboki oddech, zamknął oczy i potrząsnął przecząco głową. Potem sięgnął po ręcznik, lecz Solarin podał mu nowy.

– Nie ten – powiedział, wyciągając z kieszeni malutką, złotą zapalniczkę i przykładając płomień do papierowego ręcznika, na którym wcześniej napisał pytania. Odczekał, aż spali się niemal doszczętnie, po czym zaniósł resztkę do ubikacji, wyrzucił i spuścił wodę.

– Jest pan pewien? – spytał, wracając do umywalki. – To ważne.

– Tak – powiedział Fiske z wyraźnym skrępowaniem. – To... właśnie mi wyjaśniono.

– Świetnie, możemy więc porozmawiać. – Solarin nadal trzymał w ręce złotą zapalniczkę. – W którym uchu jest umieszczony, prawym czy lewym?

Fiske postukał się w lewe ucho. Solarin skinął głową. Otworzył dno zapalniczki i wyjął stamtąd niewielki przedmiot, który natychmiast rozłożył. Były to maleńkie szczypczyki.

– Proszę się położyć na podłodze, a głowę trzymać nieruchomo. Lewe ucho skierowane do góry. I żadnych gwałtownych ruchów, bo nie chciałbym panu przebić bębenka. Fiske posłusznie wykonał wszystkie polecenia. Z wyraźną ulgą oddał się w ręce Solarina i nawet nie pytał, skąd jego kolega po fachu – wielki mistrz szachowy – ma taką wprawę w wyciąganiu ukrytych nadajników. Solarin kucnął i pochylił się nad uchem Fiskego. Po chwili wyjął niewielki przedmiot i przyjrzał mu się dokładnie. Był niewiele większy niż główka od szpilki.

– Aaa. Nasze są jeszcze mniejsze. A teraz niech no mi pan powie, mój drogi Fiske, kto go tam włożył? Kto się za tym wszystkim kryje? – Upuścił nadajnik na dłoń.

Fiske usiadł gwałtownie i popatrzył na Solarina. Chyba po raz pierwszy uświadomił sobie, kim jest Solarin: nie tylko kolegą szachistą, lecz także Rosjaninem. Towarzysząca mu w budynku eskorta KGB nie pozostawiała tu cienia wątpliwości. Fiske wydał z siebie głośny jęk i ukrył twarz w dłoniach.

– Musi mi pan powiedzieć. Chyba zdaje sobie pan z tego sprawę, prawda? – Solarin spojrzał na to, co Fiske miał na palcu. Podniósł dłoń Fiskego i zaczął się jej przyglądać. Fiske popatrzył na niego z lękiem.

Był to wielki sygnet z herbem, wykonany z metalu przypominającego złoto, z dołączoną wierzchnią płytką. Solarin przycisnął sygnet i rozległo się cichutkie brzęczenie, ledwie słyszalne nawet z bliska. Fiske mógł go przyciskać, sygnalizując wykonany właśnie ruch, a ludzie znajdujący się po drugiej stronie mogli mu przesyłać dane dotyczące następnego ruchu.

– Ostrzegano pana, żeby go nie zdejmować? – spytał Solarin. – Jest tak duży, że bez trudu mógłby się w nim pomieścić mały ładunek wybuchowy albo detonator.

– Detonator! – wykrzyknął Fiske.

– Na tyle silny, że z tego pomieszczenia nic nie zostanie – odparł Solarin z uśmiechem. – A przynajmniej z tej części, gdzie się teraz znajdujemy. Pracuje pan dla Irlandczyków? To specjaliści od małych bomb, takich jak listy-bomby. Wiem coś o tym, bo przecież szkolimy ich w Rosji. – Fiske pozieleniał na twarzy, lecz Solarin nie przerywał. – Doprawdy, nie mam pojęcia, o co chodzi pańskim przyjaciołom, mój drogi Fiske. Wiem natomiast, że jeśli jakiś agent zdradziłby mój rząd, tak jak pan zdradził tych, którzy tu pana przysłali, zostałby uciszony skutecznie i raz na zawsze.

– Ale... ja nie jestem agentem! – krzyknął Fiske.

Solarin popatrzył mu przez chwilę w oczy, a potem się uśmiechnął.

– Wcale nie twierdzę, że pan nim jest. Mój Boże, nie wiem, jak można tak spieprzyć sprawę. – Fiske splótł ręce, a Solarin zamyślił się na chwilę. – Niech pan posłucha, mój drogi Fiske – odezwał się wreszcie. – To niebezpieczna gra. Lada moment ktoś może się tu zjawić, a wówczas zarówno pańskie życie, jak i moje gwałtownie straci na wartości. Ludzie, którzy to panu zlecili, nie należą do najsympatyczniejszych. Czy pan to rozumie? Musi mi pan wszystko o nich opowiedzieć, i to szybko. Tylko ja mogę panu pomóc. – Solarin wstał i podał rękę Fiskemu, pomagając mu podnieść się z ziemi. Fiske spuścił wzrok w zakłopotaniu, jakby miał się rozpłakać, a Solarin łagodnym ruchem położył mu dłoń na ramieniu. – Skontaktowali się z panem ludzie, którzy chcieli pańskiego zwycięstwa w tej grze. Musi mi pan powiedzieć, kto to był i kiedy do tego doszło.

– Dyrektor... – zaczął Fiske drżącym głosem. – Kiedy da... wiele lat temu zachorowałem, nie mogłem nawet grać w szachy. Rząd brytyjski zaoferował mi stanowisko wykładowcy matematyki na uniwersytecie, a dodatkowo rządowe stypendium. Miesiąc temu zjawił się u mnie dyrektor mojego wydziału i powiedział, że jacyś mężczyźni chcieliby się ze mną zobaczyć. Nie mam pojęcia, kim byli. Powiedzieli, że w interesie bezpieczeństwa narodowego powinienem zagrać w tym turnieju. Nie miało się to wiązać z żadnym ryzykiem... – Fiske zaniósł się śmiechem i potoczył dookoła dzikim spojrzeniem, nie przestając kręcić sygnetem.

Solarin złapał go za nadgarstek, drugą rękę kładąc mu na ramieniu.

– Nie będzie się to wiązało z żadnym ryzykiem, ponieważ nie będzie to prawdziwy pojedynek. Pańskim zadaniem będzie wykonywać czyjeś polecenia. Zgadza się? – spytał łagodnie.

Fiske skinął głową, a w oczach stanęły mu łzy. Przez chwilę nie mógł się opanować i zanim się uspokoił, kilkakrotnie głośno przełknął ślinę. Widać było, że coraz bardziej traci panowanie nad sobą.

– Powiedziałem im, że nie potrafię tego zrobić, żeby wybrali kogoś innego – powiedział głośniej. – Błagałem, żeby nie zmuszali mnie do gry. Jednak nie mieli nikogo innego. A ja byłem zdany na ich łaskę; w każdej chwili mogli mi zabrać stypendium. Powiedzieli mi, że... – Znów głośno przełknął. Solarin zaniepokoił się. Fiske miał rosnące trudności z koncentracją, kręcił sygnetem, jakby coraz bardziej go cisnął, i rozglądał się dookoła dzikim wzrokiem. – Nie chcieli mnie słuchać. Powiedzieli, że za wszelką cenę muszę zdobyć wzór. Powiedzieli...

– Wzór? – spytał Solarin, chwytając Fiskego gwałtownie za ramię. – Powiedzieli wzór?

– Tak, tak, wzór, właśnie tego chcieli! – krzyczał Fiske piskliwym głosem.

Solarin rozluźnił uchwyt i próbował uspokoić Fiskego, głaszcząc go delikatnie.

– Proszę, niech mi pan powie coś o tym wzorze – zaczął ostrożnie, bojąc się go spłoszyć. – Bardzo pana proszę, mój drogi Fiske. Dlaczego aż tak bardzo interesowali się tym wzorem? W jaki sposób miał go pan zdobyć?

– Od pana – powiedział Fiske drżącym głosem, nie patrząc na niego, a łzy spływały mu po twarzy.

– Ode mnie? – Solarin wbił wzrok w Fiskego. Potem gwałtownie obejrzał się w kierunku drzwi; zdawało mu się, że na zewnątrz usłyszał czyjeś kroki. – Musimy się pospieszyć – powiedział cicho. – Skąd wiedzieli, że będę na tym turnieju? Przecież nikt nie znał do końca moich planów.

– Oni wiedzieli – odrzekł Fiske, patrząc na niego błędnym wzrokiem i gwałtownie kręcąc sygnetem. – O Boże, uwolnij mnie wreszcie od tego! Mówiłem im, że tego nie zrobię! Mówiłem, że mi się nie uda!

– Niech pan zostawi ten sygnet w spokoju – nakazał surowo Solarin. Złapał Fiskego za nadgarstek i wykręcił mu rękę, tak że tamten się skrzywił. – Jaki wzór?

– Ten, który stosował pan podczas gry w Hiszpanii! – krzyknął Fiske. – Wzór, o który się pan założył. Mówił pan wtedy, że da go temu, kto pierwszy z panem wygra. To pańskie słowa.

Solarin patrzył z niedowierzaniem na Fiskego. Potem opuścił ręce, cofnął się parę kroków i wybuchnął śmiechem.

– Sam pan tak powiedział – powtórzył Fiske tępo, szarpiąc sygnet.

– Ach, nie – powiedział Solarin. Odrzucił głowę do tyłu i śmiał się tak głośno, że aż łzy napłynęły mu do oczu. – Mój drogi Fiske, nie o ten wzór mi chodziło. – Wręcz dławił się ze śmiechu. – Ci durnie wyciągnęli błędny wniosek. Jest pan pionkiem w rękach bandy partaczy. Może wyjdźmy na zewnątrz i... co pan robi?!

Nie zauważył, że Fiske, skręcający się w coraz większym cierpieniu, wreszcie zsunął sygnet z palca. Potem wykonał gwałtowny ruch i cisnął go do umywalki, bełkocząc coś do siebie i pokrzykując:

– Nie chcę! Nie chcę!

Solarin patrzył wielkimi oczami na wpadający do umywalki sygnet. Potem jak szalony skoczył w kierunku drzwi, jednocześnie licząc w myślach. Jeden. Dwa. Gwałtownym uderzeniem otworzył drzwi na oścież. Trzy. Cztery. Przesadził stopnie jednym skokiem. Pięć. Sześć. Z całym impetem otworzył drzwi wejściowe i wypadł na dziedziniec. Siedem. Osiem. Sześć długich susów. Dziewięć. Potem rzut szczupakiem w powietrzu i lądowanie brzuchem na kamieniach. Dziesięć. Solarin zatkał rękami uszy. Czekał. Ale eksplozji nie było.

Otworzywszy oczy, zobaczył tuż przed sobą dwie pary butów. Podniósł wzrok i spostrzegł dwóch arbitrów, przyglądających mu się ze zdumieniem.

– Mistrzu, nic się panu nie stało? – spytał jeden z nich.

– Nie, wszystko w porządku – odparł Solarin, podnosząc się z godnością i otrzepując ubranie. – Mistrz Fiske źle się poczuł, jest w toalecie. Właśnie biegłem po lekarza, ale się przewróciłem. Niestety, te kamienie na dziedzińcu są dosyć śliskie. – Solarin pomyślał, że chyba się pomylił co do tego sygnetu. Może tak po prostu go zdjął i nie miało to najmniejszego znaczenia? Ale pewności nie miał.

– Pójdźmy tam i zobaczmy, czy nie moglibyśmy jakoś pomóc – powiedział jeden z nich. – Ale dlaczego poszedł do toalety w Canadian Club, a nie w Metropolitan? Albo do stanowiska pierwszej pomocy?

– Jest na to zbyt dumny. Zapewne nie chciał, żeby ktokolwiek widział go w niedyspozycji – odparł Solarin. Żaden z arbitrów nie spytał, co on – Solarin – robił w tej samej, odległej toalecie. Sam ze swoim przeciwnikiem.

– Czy czuje się bardzo źle? – spytał drugi arbiter, gdy zbliżali się do drzwi wejściowych.

– Jakieś problemy z żołądkiem – odparł Solarin. Nierozsądnie było tam wracać, lecz nie miał innego wyjścia.

Wszyscy trzej weszli po schodach, a pierwszy sędzia otworzył drzwi męskiej toalety. Natychmiast jednak odwrócił się, ciężko dysząc.

– Proszę nie patrzeć – powiedział.

Solarin jednak minął go i wszedł do środka. Na krawacie umocowanym do przepierzenia wisiał Fiske. Twarz miał poczerniałą, a kąt, pod jakim wygięta była jego głowa, wskazywał, że skręcono mu kark.

– Samobójstwo – stwierdził ten sędzia, który zabronił Solarinowi patrzeć.

Sam Solarin stał w miejscu, skręcając nerwowo dłonie, tak jak jeszcze niedawno robił Fiske. Gdy żył.

– Niejeden arcymistrz skończył w taki sposób – dodał drugi sędzia. Gdy Solarin obrócił się ku niemu z groźnym wzrokiem, umilkł z zakłopotaniem.

– Lepiej wezwijmy lekarza – odezwał się pośpiesznie pierwszy sędzia.

Solarin podszedł do umywalki, do której Fiske wrzucił sygnet. W środku nie było nic.

– Tak, wezwijmy lekarza – powtórzył.

Tymczasem ja, zupełnie nieświadoma toczących się wydarzeń, najspokojniej w świecie czekałam w hallu na Lily, która poszła po raz trzeci zamówić dla nas kawę. Gdybym wówczas wiedziała, co się dzieje za kulisami – i to raczej wcześniej niż później – prawdopodobnie wszystko potoczyłoby się całkiem inaczej.

Przerwa trwała już dobre czterdzieści pięć minut i po tylu wypitych kawach czułam, że będę musiała odbyć wędrówkę do toalety. Gdy zastanawiałam się, co się właściwie dzieje, przy stoliku pojawiła się Lily z konspiracyjnym uśmiechem na twarzy.

– Wiesz co – wyszeptała – tam, w barze, natknęłam się na Hermanolda, któremu najwyraźniej przybyło z dziesięć lat. Siedział przy stoliku i gorączkowo dyskutował z dyżurnym lekarzem. Wynika z tego, że możemy spokojnie dopić kawę i zrobić sobie przerwę na czas nieograniczony. Na dzisiaj gra skończona. Za chwilę zresztą ogłoszą to oficjalnie.

– Więc Fiske naprawdę źle się poczuł? Może dlatego tak dziwnie grał.

– Nie czuje się źle. Jego niedyspozycja się skończyła i to, że tak powiem, dość gwałtownie.

– Zrezygnował?

– Można to tak ująć. Powiesił się w toalecie męskiej tuż po ogłoszeniu przerwy.

– Powiesił się? – spytałam, a Lily uciszyła mnie, gdy kilka osób spojrzało na nas. – Co ty opowiadasz?

– Hermanold uważa, że Fiske był pod zbyt wielką presją. Jednak doktor jest odmiennego zdania. Twierdzi, że facet ważący sto czterdzieści funtów nie jest w stanie złamać sobie karku, wieszając się na przepierzeniu wysokości sześciu stóp.

– Wiesz co, zostawmy tę kawę i wyjdźmy stąd, dobrze? – Nie potrafiłam zapomnieć zielonych oczu Solarina, który pochylał się nade mną. Zrobiło mi się niedobrze. Musiałam natychmiast wyjść.

– Doskonale – powiedziała Lily głośno. – Więc wracamy. Nie zamierzam stracić ani sekundy z tego fascynującego pojedynku. – Żwawym krokiem przeszłyśmy przez pokój. Gdy znalazłyśmy się w hallu, doskoczyło do nas dwóch reporterów.

– Panno Rad, czy może nam pani powiedzieć, co się właściwie dzieje? Czy są jakieś szanse na wznowienie gry? – spytał jeden z nich.

– Niewielkie, chyba że znajdą tresowaną małpę w zastępstwie pana Fiskego.

– Więc nie jest pani specjalnie zachwycona jego grą? – spytał drugi, gryzmoląc coś pośpiesznie w swoim notatniku.

– Ja w ogóle nie jestem zachwycona jego grą – odparła gładko Lily. – Jak panu wiadomo, jestem zachwycona wyłącznie własną grą. Jeżeli zaś chodzi o obecny pojedynek, to już w tej chwili mogę bez trudu przewidzieć jego rezultat – dodała, prąc do wyjścia jak czołg i ciągnąc za sobą nagabujących ją reporterów.

Wreszcie przedarłyśmy się przez podwójne drzwi wiodące na dziedziniec i ruszyłyśmy w kierunku ulicy.

– Gdzie, do cholery, podziewa się Saul? – rzuciła Lily z irytacją. – Przecież dobrze wie, że ma zawsze parkować przed budynkiem.

Rozejrzałam się dookoła i zobaczyłam wielkiego, niebieskiego corniche'a, należącego do Lily, po przeciwnej stronie Piątej Alei. Wskazałam go palcem.

– Świetnie, szykuje się kolejny mandat, tego właśnie potrzebowałam – stwierdziła. – Chodź, znikamy, zanim w tym budynku rozpęta się piekło.

Chwyciła mnie za rękę i popędziłyśmy ulicą, smagane zimnymi podmuchami wiatru. Dobiegłszy do samochodu, zobaczyłyśmy, że jest pusty. Saula nigdzie nie było. Krążyłyśmy chwilę po ulicy, próbując go znaleźć, lecz bez skutku. Gdy wreszcie wróciłyśmy do samochodu, okazało się, że kluczyk tkwi w stacyjce. Carioca też gdzieś zniknął.

– W głowie mi się to nie mieści! – wściekała się Lily. – Przez te wszystkie lata ani razu się nie zdarzyło, by Saul zostawił samochód bez opieki. Gdzież on, u diabła, może być? I co się stało z moim psem?

Spod siedzenia dobiegł mnie cichy szelest. Otworzyłam drzwi, schyliłam się i gdy włożyłam tam rękę, poczułam na niej malutki języczek. Wyciągnęłam Cariocę i prostując się, zobaczyłam coś mrożącego krew w żyłach. W siedzeniu kierowcy widniała dziura.

– Spójrz. – Pokazałam ją Lily. – Co to jest za dziura?

W momencie, gdy się schylała, tuż nad nami rozległ się gwizd, a samochód drgnął. Spojrzałam przez ramię, ale w pobliżu nie było nikogo. Położyłam psa na siedzeniu i zaczęłam gramolić się z samochodu. Dokładnie przyjrzałam się tej jego stronie, która była zwrócona w kierunku Metropolitan Club. W siedzeniu znalazłam jeszcze jedną dziurę, której przed kilkoma sekundami nie było. Dotknęłam jej. Była ciepła.

Zerknęłam na okna Metropolitan Club – jedno z nich, tuż nad flagą amerykańską, było otwarte. Flaga łopotała na wietrze, lecz w oknie nie było nikogo. Było to jedno z okien sali, w której toczył się pojedynek, znajdujące się tuż za stolikiem arbitrów. Co do tego nie miałam najmniejszych wątpliwości.

– Chryste, Lily – wyszeptałam. – Ktoś strzela do samochodu.

– Nie rób ze mnie wariatki – powiedziała. Obeszła samochód i przyjrzała się dziurze w karoserii. Potem jej wzrok powędrował za moim spojrzeniem prosto do otwartego okna klubu. Na przenikliwie zimnej ulicy nie było żywej duszy, a gdy słyszałam ów gwizd, nie przejeżdżał żaden samochód. Liczba możliwych wariantów była zatem ograniczona.

– Solarin! – rzuciła Lily, chwytając mnie gwałtownie za ramię. – Ostrzegał cię, że masz opuścić klub, prawda? Ten sukinsyn chce się nas pozbyć!

– Mówił, że grozi mi niebezpieczeństwo, jeśli z o s t a n ę w klubie. A teraz już mnie tam nie ma. A poza tym, gdyby ktoś naprawdę chciał nas zastrzelić, z tej odległości zrobiłby to bez większego kłopotu.

– Chce mnie nastraszyć, żebym nie pojawiała się na tym turnieju – upierała się Lily. – Najpierw porywa mi szofera, potem strzela do mojego samochodu. Ale przekona się, że nie tak łatwo mnie wystraszyć.

– A mnie tak! Wynośmy się stąd.

Prędkość, z jaką Lily umieściła swoje dziesiątki kilogramów w samochodzie, świadczyła, że jej odczucia są zbieżne z moimi. Z takim impetem wyjechała z Piątej Alei, że Carioca aż podskoczył na siedzeniu.

– Umieram z głodu! – zawołała, przekrzykując świst wiatru.

– T e r a z chcesz jeść? Oszalałaś? Chyba najpierw powinnyśmy jechać na policję! – odwrzasnęłam.

– Wybij to sobie z głowy – odrzekła zdecydowanie. – Gdyby coś doszło do uszu Harry'ego, zaraz wsadziłby mnie do więzienia, żeby uniemożliwić mi udział w tym turnieju. Teraz pojedziemy coś przekąsić i może wspólnie uda się nam dojść do jakichś wniosków. Nie potrafię myśleć na czczo.

– No to skoro nie jedziemy na policję, to może podskoczymy do mnie.

– U ciebie nie ma kuchni – skrzywiła się. – Moje komórki mózgowe domagają się czerwonego mięsa.

– Jedź w stronę mojego mieszkania. Kilka domów dalej, na Trzeciej Alei, jest dobra restauracja. Ale pamiętaj: gdy się najesz, od razu jadę na policję.

Lily zatrzymała się na Drugiej Alei przed Palm Restaurant zbudowaną w stylu lat czterdziestych. Pogmerawszy w swojej wielkiej torbie, wyciągnęła z niej szachownicę, a na jej miejsce wcisnęła Ciriocę, który od razu wysunął górą łepek i oślinił cały bok.

– Z psami do restauracji nie wpuszczają – wyjaśniła.

– A co mam z tym zrobić? – spytałam, podnosząc szachownicę, którą rzuciła mi na kolana.

– Zatrzymać. Jesteś geniuszem komputerowym, a ja ekspertem od szachów. Strategia to nasz chleb powszedni. Jestem pewna, że jeśli razem siądziemy nad tym problemem, coś nam z tego wyjdzie. Ale najpierw posłuchaj: musisz opanować podstawy gry w szachy. – Wepchnęła główkę Carioki do środka i zamknęła klapę. – Słyszałaś kiedyś zdanie: „Pionki są duszą gry"?

– Tak jakby, tylko nie bardzo wiem gdzie. A czyje to słowa?

– André Philidora, ojca nowoczesnych szachów. Mniej więcej w okresie rewolucji francuskiej napisał słynną książkę, w której wyjaśniał, że pionki, używane *en masse*, mogą mieć równie duży wpływ na grę jak figury. Nikt nigdy wcześniej na to nie wpadł. Dawniej poświęcało się wszystkie pionki, by nie blokowały ruchów.

– Czy chcesz mi przez to powiedzieć, że jesteśmy taką parą pionków, której ktoś chce się pozbyć? – Było to dla mnie dziwne, choć bezsprzecznie intrygujące.

– Nie – odrzekła Lily, wychodząc z samochodu i przerzucając sobie torbę przez ramię. – Chodzi mi o to, że czas najwyższy, by połączyć siły. Przynajmniej do czasu, aż się przekonamy, co to właściwie za gra.

I uścisnęłyśmy sobie ręce.

WYMIANA KRÓLOWYCH

Królowe nigdy nie zawierają umów.

Lewis Carroll
O tym, co Alicja odkryła po drugiej stronie lustra

Sankt Petersburg
jesień 1791

Przez ośnieżone pola mknęła trojka, a z nozdrzy ciągnących ją koni dobywały się potężne kłęby pary. Za Rygą śnieg stał się tak głęboki, że trzeba było zamienić ciemną karetę na te szerokie, otwarte sanie, zaprzężone w trójkę koni. Skórzane pasy ozdobione były srebrnymi dzwonkami, a na szerokich, łukowatych bokach widniał cesarski herb wybity szczerozłotymi gwoździami.

Tutaj, w odległości zaledwie piętnastu wiorst od Petersburga, na drzewach w dalszym ciągu wisiały liście koloru ochry, a wieśniacy trudzili się na częściowo zamarzniętych polach, mimo iż na krytych strzechą dachach ich kamiennych domów leżała całkiem gruba warstwa śniegu.

Przeorysza oparła się wygodnie o stos miękkich futer i podziwiała zmieniający się krajobraz. Według kalendarza gregoriańskiego, obowiązującego w Europie, był to 4 listopada i mijał właśnie rok i siedem miesięcy, odkąd – aż strach myśleć – postanowiła zabrać szachy z Montglane z miejsca, gdzie spoczywały od tysiąca lat.

Tymczasem tutaj, w Rosji, zgodnie z kalendarzem juliańskim, był dopiero 23 października. Rosja to pod wieloma względami zacofany kraj, pomyślała przeorysza. Kraj funkcjonujący w ramach własnego kalendarza, własnej religii i własnej kultury. Zwyczaje i stroje mijanych przez nią wieśniaków od stuleci nie podlegały żadnym zmianom. Wychudzone twarze z wielkimi, rosyjskimi oczyma, śledzącymi przejeżdżające sanie, zdradzały lud ciemny, nadal będący we władzy prymitywnych przesądów i rytuałów. Ich żylaste ręce ściskały te same narzędzia i ryły tę samą zamarzniętą ziemię co ręce ich przodków przed tysiącem lat. Mimo ukazów wydanych jeszcze za czasów Piotra I w dalszym ciągu nie ścinali swych gęstych włosów i czarnych bród, a ich końce wciskali pod kapoty z owczych skór.

Na skraju ośnieżonej równiny widać było otwarte wrota Sankt Petersburga. Woźnica, ubrany w białą liberię, przyozdobioną złotymi galonami carskiej gwardii, stał na szeroko rozstawionych nogach na przedniej platformie sań i smagając konie batem, zmuszał je do szybszego biegu. Gdy jechali przez miasto, przeorysza dostrzegła śnieg błyszczący na wieżyczkach i wysokich kopułach wznoszących się na drugim brzegu Newy. Dzieci ślizgały się po zamarzniętej rzece, a handlarze, mimo tak późnej pory roku, porozstawiali wzdłuż brzegów swoje barwne stragany. Stada kundli różnej maści obszczekiwały przejeżdżające sanie, a gromady lnianowłosych dzieciaków o umorusanych buziach biegły za saniami, żebrząc o jakiś grosz. Woźnica smagnął konie.

Gdy przejeżdżali zamarzniętą rzekę, przeorysza sięgnęła do swej torby podróżnej i wymacała wyszywany materiał. Dotknęła różańca i odmówiła zdrowaśkę. Nagle uświadomiła sobie w pełni, czego się podjęła. A teraz właśnie ona, i nikt inny, musi przekazać tę potęgę we właściwe ręce, ręce osoby, która uchroni ją przed zakusami ludzi chciwych i ambitnych. Tak, przeorysza zdawała sobie sprawę, na czym polega jej misja. To było jej przeznaczenie i całe życie czekała na wydarzenia, które umożliwią jej realizację tego celu.

Dziś właśnie, po upływie blisko pięćdziesięciu lat, przeorysza miała zobaczyć przyjaciółkę z lat dziecinnych, której tyle razy powierzała swoje sekrety. Przypomniała sobie owe czasy i tę młodą dziewczynę, tak bardzo przypominającą Valentine z charakteru, bladą i delikatną, chorowite dziecko w ubranku z szelkami, które ogromnym wysiłkiem woli pokonało rozpacz i chorobę, wywalczając sobie prawo do szczęśliwego, zdrowego dzieciństwa. Mała Sophie Anhalt-Zerbst, przyjaciółka, którą niejednokrotnie czule wspominała, której niemal co miesiąc powierzała w listach swoje sekrety. Choć ich drogi dawno się rozeszły, przeorysza wciąż miała w oczach Sophie jako małą dziewczynkę z włosami rozzłoconymi słońcem, ganiającą z siatką za motylami na podwórku domu rodzinnego w szczecińskiej dzielnicy Greifenhagen. Gdy trojka przejechała rzekę i zaczęła się zbliżać do Pałacu Zimowego, przeorysza poczuła nagły chłód. Chmura zasłoniła słońce. Zastanawiała się, jaka jest teraz jej protektorka i przyjaciółka, gdy przestała być małą Sophie ze Szczecina. Teraz znana była w całej Europie jako Katarzyna, imperatorowa Wszechrosji.

Katarzyna siedziała przy toaletce i spoglądała w lustro. Była dość otyła i niewysoka, miała sześćdziesiąt dwa lata, wysokie czoło i silnie zarysowaną szczękę. Jej lodowato błękitne oczy, zwykle iskrzące się życiem, były dziś rano przygasłe i szare, a na dodatek zapuchnięte od płaczu. Od prawie dwóch tygodni siedziała zamknięta w swoich komnatach, nie wpuszczając nawet najbliższej rodziny. Cały jej dwór był w żałobie. Dwa tygodnie temu, dokładnie 12 października, z Jassy do Sankt Petersburga przybył posłaniec w czerni, przynosząc wieść, że książę Potiomkin nie żyje.

Ten Potiomkin, który posadził ją na tronie, który przekazał jej chwost zdobiący rękojeść jego miecza, gdy – siedząc na białym rumaku – poprowadziła zbuntowane wojska przeciwko swemu małżonkowi carowi. Ten Potiomkin, który był jej kochankiem, ministrem, dowódcą jej wojsk i powiernikiem, człowiekiem, którego nazywała swoim „jedynym mężem”. Ten Potiomkin, który powiększył jej imperium o jedną trzecią, rozciągając jego granice aż do brzegów Morza Kaspijskiego i Czarnego. Zmarł na drodze wiodącej do Mikołajowa, jak pies.

Zmarł od nadmiaru. Nadmiaru bażantów i kuropatw, szynki i solonej wołowiny, którą opychał się bez opamiętania, nadmiaru kwasu, piwa i nalewki żurawinowej. Nadmiaru pulchnych szlachcianek, które ochoczo zaspokajał i które ciągnęły za nim na kształt armii maruderów wyczekujących na okruchy spadające z pańskiego stołu. Wydał pięćdziesiąt milionów rubli na piękne pałace, drogą biżuterię i francuskiego szampana. Lecz uczynił ją najpotężniejszą kobietą na świecie.

Pokojówki krążyły wokół niej w ciszy, jak motyle, pudrując

jej włosy i wciągając sznurowadła do butów. Wstała, a one nałożyły jej na ramiona szary, aksamitny strój ceremonialny, obwieszony odznaczeniami, które zawsze nosiła na dworze: był tam Krzyż św. Katarzyny, św. Włodzimierza i św. Aleksandra Newskiego, szarfy św. Andrzeja i św. Jerzego biegnące na skos przez jej korpus. Wyprostowała ramiona, by pokazać swą dostojną sylwetkę, po czym wyszła z komnaty. Dziś, po raz pierwszy od dziesięciu dni, miała się pojawić na dworze. W asyście członka ochrony, mijając szpalery żołnierzy, ruszyła długimi korytarzami Pałacu Zimowego. Przed laty z tych właśnie okien odprowadzała wzrokiem okręty płynące w kierunku ujścia Newy na spotkanie szwedzkiej floty, zamierzającej przypuścić atak na Sankt Petersburg. Teraz spojrzała przez nie w zamyśleniu.

Na dworze roiło się od żmij, które określały się mianem dyplomatów i dworzan. Spiskowali i knuli przeciwko niej, chcąc doprowadzić do jej upadku. Nawet Paweł, rodzony syn, planował jej zabójstwo. Lecz do Petersburga przyjechała osoba, która mogła ją ocalić – kobieta, w której rękach spoczywała potęga. Właśnie tego ranka do Sankt Petersburga przybyła jej najstarsza przyjaciółka z lat dziecinnych – Hélène de Roque, przeorysza Montglane.

Wizyta na dworze zmęczyła Katarzynę, więc przeszła do prywatnej komnaty, wsparta na ramieniu obecnego kochanka, Płatona Aleksandrowicza Zubowa. W środku oczekiwała jej przeorysza, w towarzystwie Waleriana Aleksandrowicza, brata Płatona. Na widok imperatorowej wstała z miejsca i ruszyła przez pokój, by ją przywitać.

Przeorysza, niezwykle rześka jak na swój wiek i chuda jak trzcina, rozjaśniła się na widok przyjaciółki. Gdy caryca trzymała ją w objęciach, zerknęła na Płatona Zubowa ubranego w jasnobłękitny kubrak i obcisłe bryczesy i obwieszonego tak nieprawdopodobną liczbą medali, że ledwo trzymał się na nogach pod ich ciężarem. Był to młodzieniec o delikatnych, pięknych rysach. Jego rola na tym dworze nie nasuwała wątpliwości, a na dodatek Katarzyna, rozmawiając z przeoryszą, głaskała jego dłoń.

– Hélène – westchnęła. – Nawet nie wiesz, jak bardzo mi ciebie brakowało. Aż trudno mi uwierzyć, że wreszcie tutaj jesteś. Jednak Bóg wysłuchał moich próśb i przysłał moją przyjaciółkę z dzieciństwa.

Wskazała przeoryszy wielkie, wygodne krzesło, a sama usiadła obok. Płaton stanął za krzesłem carycy, a Walerian – za krzesłem przeoryszy.

– To wydarzenie należy uczcić. Jak zapewne ci wiadomo, jestem w żałobie, w związku z czym nie mogłam wydać hucznego przyjęcia na twoją cześć. Proponuję jednak wspólny posiłek w prywatnych komnatach. Możemy się pośmiać i pożartować, udając przez chwilę, że znów jesteśmy dziewczętami. Walerianie, czy otworzyłeś tę butelkę, jak ci poleciłam?

Walerian skinął głową i podszedł do kredensu.

– Musisz spróbować tego klaretu, moja droga. To jeden ze skarbów mojego dworu. Przechowuję to wino niczym prawdziwy klejnot, gdyż otrzymałam je w darze od Denisa Diderota, który przywiózł je przed laty z Bordeaux.

Walerian nalał ciemnoczerwone wino do niewielkich kryształowych kieliszków.

– Wyborne – powiedziała przeorysza, uśmiechając się do Katarzyny. – Lecz żadne wino nie może się równać z tym eliksirem, który płynie w moich żyłach na twój widok, droga Fiekchen.

Usłyszawszy tak poufałe słowa, Płaton i Walerian wymienili spojrzenia. Carycę, której prawdziwe nazwisko brzmiało Sophie Anhalt-Zerbst, nazywano w dzieciństwie „Fiekchen". Płaton, jedynie ze względu na swą pozycję, zdobywał się na niezwykłe zuchwalstwo, szepcząc do niej – gdy byli w łóżku – „pani mego serca", podczas gdy publicznie zawsze zwracał się do niej „wasza wysokość"; tak samo zresztą tytułowały ją dzieci. Aż dziw, że caryca nie zwróciła najmniejszej uwagi na bezczelność tej francuskiej przeoryszy.

– A teraz powiedz mi, z jakich względów zdecydowałaś się tak długo zostać we Francji – rzekła Katarzyna. – Miałam nadzieję, że po zamknięciu opactwa natychmiast przyjedziesz do Rosji. Na moim dworze pełno jest twoich wygnanych rodaków, zwłaszcza że król wasz został złapany w Varennes, gdy próbował uciec z Francji, i jest teraz więźniem własnego ludu.

Francja jest hydrą o tysiąc dwustu głowach, krajem, w którym panuje anarchia. Ten naród szewców odwrócił bieg natury!

Przeorysza pomyślała sobie, że podobne słowa dość dziwnie brzmią w ustach tak oświeconej i liberalnej władczyni. Choć, prawdę mówiąc, Francja stanowiła zagrożenie, to czyż nie ta sama Katarzyna przyjaźniła się z Wolterem i Denisem Diderotem, orędownikami liberalizmu, równości klasowej i przeciwnikami zaborczych wojen?

– Nie mogłam przyjechać od razu – odparła przeorysza. – Zajmowałam się pewną sprawą... – Tu spojrzała ostro na Płatona Zubowa, który stał za krzesłem Katarzyny i głaskał ją po szyi. – Lecz o tym mogę rozmawiać wyłącznie z tobą.

Katarzyna przyglądała się jej przez chwilę. Potem powiedziała od niechcenia:

– Walerianie i ty, Płatonie Aleksandrowiczu, zostawcie nas same.

– Ale moja ukochana imperatorowo... – głos Płatona Zubowa do złudzenia przypominał jęk małego dziecka.

– Nie obawiaj się o moje bezpieczeństwo, gołąbeczku – uspokoiła go caryca, poklepując go po ręce, która wciąż spoczywała na jej szyi. – Hélène i ja znamy się od niemal sześćdziesięciu lat. Nic złego się nie stanie, jeśli na chwilę zostaniemy same. Czyż on nie jest piękny? – spytała Katarzyna, gdy obaj młodzieńcy opuścili komnatę. – Wiem, że wybrałyśmy zupełnie odmienne drogi, kochana. Mam jednak nadzieję, że zrozumiesz mnie, jeśli powiem, że czuję się jak mały owad, który po długiej zimie wygrzewa w słońcu skrzydełka. Nic tak nie pobudza soków w starym drzewie jak pieszczoty młodego ogrodnika.

Przeorysza siedziała w milczeniu, zastanawiając się raz jeszcze, czy naprawdę dokonała właściwego wyboru. Przecież, choć pisały do siebie często i serdecznie, nie widziały się od bardzo wielu lat. Czyżby prawdziwe były pogłoski, jakie o niej krążyły? Czy tej starzejącej się kobiecie, tkwiącej w szponach zmysłowości, zazdrosnej o swoją władzę, można powierzyć tak odpowiedzialne zadanie?

– Czyżbym tak cię zaszokowała, że aż zaniemówiłaś? – zaśmiała się Katarzyna.

– Moja droga Sophie, odnoszę wrażenie, iż lubisz szokować ludzi – odparła przeorysza. – Pamiętam, że miałaś zaledwie cztery lata, gdy przedstawiono nas na dworze króla pruskiego Fryderyka Wilhelma, a już wtedy powiedziałaś, że nie ucałujesz skraju jego płaszcza.

– Powiedziałam mu, że to wina krawca, który uszył mu zbyt krótki surdut! – Katarzyna zaśmiewała się do łez. – Matka była na mnie straszliwie wściekła. Król powiedział jej, że jestem stanowczo zbyt bezczelna.

Przeorysza uśmiechnęła się dobrotliwie do przyjaciółki.

– A pamiętasz ten dzień, kiedy kanonik brunszwicki przepowiedział przyszłość z naszych dłoni? – zapytała łagodnie. – Na twojej znalazł trzy korony.

– Tak, pamiętam doskonale. I od owego dnia nie wątpiłam ani przez chwilę, iż będę kiedyś rządzić wielkim imperium. Zawsze wierzę w mistyczne przepowiednie, jeśli pokrywają się z moimi pragnieniami – dodała z uśmiechem, którego przeorysza tym razem nie odwzajemniła.

– A czy pamiętasz, co kanonik wyczytał z mojej ręki? – spytała przeorysza.

Katarzyna milczała przez chwilę.

– Pamiętam to tak wyraźnie, jakby to było wczoraj – odparła wreszcie. – Dlatego właśnie z tak ogromnym napięciem oczekiwałam na twój przyjazd. Nie wyobrażasz sobie tego szaleństwa, jakie opanowywało mnie, gdy tak długo nie przyjeżdżałaś... – Przerwała niepewnie. – Masz je? – spytała.

Przeorysza sięgnęła między fałdy szaty, gdzie – przytroczona do pasa – znajdowała się niewielka sakiewka. Wyjęła z niej ciężką złotą figurę, ozdobioną drogocennymi kamieniami. Przedstawiała ona jakąś postać odzianą w długie szaty i siedzącą w niewielkim namiocie z odsuniętymi zasłonami. Wręczyła ją Katarzynie, która wzięła ją z niedowierzaniem, przyglądając się jej uważnie.

– Czarna Królowa – wyszeptała przeorysza, bacznie przyglądając się twarzy Katarzyny.

Palce carycy objęły drogocenną figurę. Przyciskając ją mocno do łona, spojrzała na przeoryszę.

– A reszta? – spytała. W jej głosie zabrzmiało coś, co sprawiło, że przeorysza zaczęła się mieć na baczności.

– Jest ukryta w bezpiecznym miejscu, by nikomu nie stała się krzywda.

– Ależ moja kochana Hélène, musisz je natychmiast zebrać!

Znasz przecież moc, jaką kryje w sobie ten komplet. Z ich pomocą dobrotliwy władca jest w stanie osiągnąć wszystko...

– Wiesz przecież – przerwała jej przeorysza – że przez czterdzieści lat nie zwracałam uwagi na twoje usilne prośby, by znaleźć szachy z Montglane i wydobyć je z murów opactwa. Teraz wyjawię ci przyczyny takiego zachowania. Od dawna znałam dokładne miejsce ukrycia tego kompletu. – Przeorysza podniosła rękę, uprzedzając gwałtowny wybuch Katarzyny. – I jednocześnie cały czas wiedziałam, że wydobycie go wiąże się z ogromnym niebezpieczeństwem. Na pokusę tej miary można by z czystym sumieniem wystawić tylko osobę świętą. A ty nie masz wiele wspólnego ze świętością, moja droga Fiekchen.

– Co chcesz przez to powiedzieć?! – krzyknęła caryca. – Przecież zjednoczyłam rozbity naród, przyniosłam oświecenie ciemnemu ludowi. Położyłam kres zarazom, pobudowałam szpitale i szkoły, wyeliminowałam zwaśnione frakcje, które prędzej czy później doprowadziłyby do rozpadu Rosji, czyniąc z niej łatwy łup dla nieprzyjaciół. Czy sugerujesz zatem, jakobym była despotką?

– Mam na uwadze jedynie twoje dobro – odparła spokojnie przeorysza. – Moc drzemiąca w tych figurach jest tak wielka, że nawet najrozsądniejszy człowiek może stracić głowę. Nie zapominaj, że szachy z Montglane doprowadziły imperium frankijskie na skraj przepaści. Po śmierci Karola Wielkiego między jego synami doszło do wojny.

– To były tylko terytorialne zamieszki – prychnęła pogardliwie Katarzyna. – I nie rozumiem, co jedno z drugim ma wspólnego.

– Tylko siła Kościoła katolickiego w Europie Środkowej sprawiła, że tę mroczną siłę udało się utrzymać na wodzy. Lecz gdy doszły mnie wieści, że Francja ogłosiła ustawę o przejęciu dóbr kościelnych, by dokonać konfiskaty majątku kościelnego, zrozumiałam, że oto sprawdzają się moje najgorsze przeczucia. Potwierdzeniem tego była informacja o grupie francuskich żołnierzy zmierzających w kierunku Montglane. A dlaczego Montglane? Przecież nasze opactwo położone było z dala od Paryża i ukryte w górach. Znacznie bliżej stolicy mieściły się inne, o wiele zamożniejsze opactwa, które bez trudu można było ograbić. Nie, nie, oni szukali kompletu. Myślałam nad tym przez wiele dni, dokładnie wszystko obliczyłam i postanowiłam wydobyć figury z murów opactwa i rozrzucić je po całej Europie, by nikt przez długie lata nie był w stanie ich odnaleźć...

– Rozrzucić! – wykrzyknęła caryca. Poderwała się na równe nogi i wciąż ściskając w ręku figurkę, zaczęła przemierzać komnatę tam i z powrotem, jak zamknięte w klatce zwierzę. – Jak mogłaś zrobić coś takiego? Powinnaś była przyjść z tym do mnie, poprosić mnie o pomoc!

– Powtarzam, że nie mogłam – odparła przeorysza cichym głosem, mocno osłabiona po wyczerpującej podróży. – Okazało się, że ktoś inny dowiedział się o miejscu ich ukrycia. Ktoś, jakiś bardzo wpływowy człowiek z zagranicy, przekupił członków Zgromadzenia, by wydali ustawę, a następnie skierował ich zainteresowania w stronę Montglane. Czy nie wydaje ci się to zbyt dużym zbiegiem okoliczności, że ludźmi tymi byli wielki mówca Mirabeau i biskup Autun? Jeden był autorem tego aktu, a drugi jego najbardziej zagorzałym obrońcą. Gdy w kwietniu tego roku Mirabeau zachorował, biskupa ani na moment nie dało się odciągnąć od łoża umierającego, które opuścił, dopiero gdy tamten wydał ostatnie tchnienie. Niewątpliwie chciał za wszelką cenę przechwycić korespondencję, która mogłaby obciążyć ich obydwu.

– W jaki sposób dowiedziałaś się tego wszystkiego? – wymamrotała Katarzyna. Odwróciwszy się od przeoryszy, podeszła do okien i spojrzała na ciemniejące niebo. Daleko, na linii horyzontu, gromadziły się chmury śniegowe.

– Mam ich korespondencję – odparła przeorysza. Przez chwilę obie kobiety milczały. Wreszcie przeorysza odezwała się łagodnie: – Pytałaś, co tak długo zatrzymywało mnie we Francji. Teraz znasz odpowiedź. Musiałam się dowiedzieć, kim jest ów człowiek, który zmusił mnie do tego, przed czym się wzbraniałam, który sprawił, że wydobyłam szachy z kryjówki, gdzie spoczywały od tysiąca lat. Musiałam się dowiedzieć, jakiż to wróg prześladował mnie jak łowca tak długo, aż wreszcie straciłam ochronę Kościoła i zmuszona byłam szukać bezpiecznego schronienia dla powierzonego mi skarbu.

– I udało ci się poznać imię tej osoby? – spytała powoli Katarzyna, odwracając się na pięcie, i wbiła wzrok w przeoryszę.

– Tak, moja droga Fiekchen, to ty.

Skoro od początku o tym wiedziałaś, to doprawdy nie pojmuję, dlaczego w ogóle zdecydowałaś się na przyjazd do Petersburga – powiedziała caryca następnego ranka, gdy wraz z przeoryszą spacerowały ośnieżoną ścieżką prowadzącą do Ermitażu.

Z obu stron, w odległości około dwudziestu kroków, maszerowali żołnierze carskiej gwardii, miażdżąc biały puch swoimi ciężkimi, kozackimi butami. Jednak odległość dzieląca ich od obu kobiet była dostatecznie duża, by mogły swobodnie rozmawiać.

– Ponieważ mimo wszelkich argumentów przemawiających przeciwko takiemu krokowi ufałam ci – powiedziała przeorysza z lekkim błyskiem w oku. – Przecież bałaś się upadku rządu francuskiego, co doprowadziłoby do całkowitej anarchii w kraju. Pragnęłaś mieć pewność, że komplet z Montglane nie wpadnie w niepowołane ręce, i podejrzewałaś, że nie wyrażę aprobaty dla kroków, które zamierzałaś przedsięwziąć. Zdradź mi wszakże jedno, droga Fiekchen: zakładając, że żołnierzom francuskim udałoby się wykraść komplet z Montglane, jak zamierzałaś przejąć ich zdobycz? Może planowałaś inwazję na Francję?

– W górach czekał oddział moich żołnierzy, którzy mieli zatrzymać Francuzów na przełęczy – powiedziała Katarzyna i dodała z uśmiechem: – Nie byli umundurowani.

– Rozumiem – odparła przeorysza. – Ale cóż natchnęło cię do powzięcia tak drastycznych kroków?

– Sądzę, że będę musiała podzielić się z tobą moją wiedzą – rzekła caryca. – Jak ci zapewne wiadomo, nabyłam bibliotekę Woltera zaraz po śmierci tego dżentelmena. Znajdowały się tam tajemne dzienniki kardynała Richelieu, który zaszyfrował w nich wyniki swych badań nad kompletem z Montglane. Wolterowi udało się złamać szyfr, dzięki czemu mogłam wszystko przeczytać. Rękopis spoczywa zamknięty w Ermitażu, dokąd teraz idziemy. Chciałabym ci go pokazać.

– A jaką wartość ma ten dokument? – spytała przeorysza, zastanawiając się jednocześnie, dlaczego jej przyjaciółka dopiero teraz o tym mówi.

– Richelieu, badając dzieje kompletu, doszedł aż do owego Maura, który ofiarował go Karolowi Wielkiemu, a nawet jeszcze dalej. Jak ci doskonale wiadomo, Karol Wielki prowadził krucjaty przeciw Maurom zarówno w Hiszpanii, jak i na terenie Afryki. Raz jednak zdarzyło się tak, że bronił Barcelony i Kordoby przed atakiem chrześcijańskich Basków, którzy byli o krok od zniszczenia mauretańskiej potęgi. Mimo iż Baskowie byli chrześcijanami, już od stuleci usiłowali zniszczyć królestwo frankijskie i podporządkować sobie Europę Zachodnią, a zwłaszcza wybrzeże Atlantyku oraz góry, gdzie ongiś panowali.

– Pireneje – dopowiedziała przeorysza.

– W rzeczy samej – przytaknęła Katarzyna. – Oni nazywali je Czarodziejskimi Górami. Wiadomo ci zapewne, że te właśnie góry były niegdyś ośrodkiem najbardziej mistycznego kultu od czasów Chrystusa. Stamtąd przybyli Celtowie, przepędzeni później do Bretanii, skąd ostatecznie udali się na Wyspy Brytyjskie. Z tych właśnie gór wywodzi się czarownik Merlin, a także tajemna sekta, dziś znana pod nazwą druidów.

– Tego nie wiedziałam – rzekła przeorysza, wpatrzona w ciągnącą się przed nimi białą ścieżkę. Jej wąskie usta były mocno zaciśnięte, a twarz, pokryta siateczką zmarszczek, przypominała kamienną rzeźbę z jakiegoś starożytnego sarkofagu.

– Przeczytasz wszystko w tym dzienniku, gdyż jesteśmy już prawie na miejscu – powiedziała caryca. – Richelieu twierdzi, że ten właśnie obszar został zaatakowany przez Maurów, którym udało się poznać ową straszliwą tajemnicę, strzeżoną przez stulecia najpierw przez Celtów, a potem przez Basków. Mauretańscy zdobywcy zapisali swoją wiedzę własnym szyfrem, a następnie zaszyfrowali ową tajemnicę w złotych i srebrnych figurach kompletu z Montglane. Gdy jednak zdali sobie sprawę, że mogą utracić władzę nad Półwyspem Iberyjskim, wysłali szachy Karolowi Wielkiemu – władcy, przed którym czuli lęk. Uważali, że tylko on, jako najpotężniejszy w dziejach władca, jest w stanie zapewnić mu bezpieczeństwo.

– I ty wierzysz w tę opowieść? – spytała przeorysza, gdy zbliżyły się do masywnej fasady Ermitażu.

– Osądzisz sama – odparła Katarzyna. – Wiem tylko, że sekret ów jest starszy niż Maurowie i starszy niż Baskowie. Nawet starszy niż druidzi. Muszę ci zadać pewne pytanie, droga przyjaciółko, czy słyszałaś kiedykolwiek o tajnym towarzystwie męskim, które nazywa siebie wolnomularzami?

Przeorysza zbielała na twarzy i zatrzymała się przed drzwiami prowadzącymi do budynku.

– Co ty powiedziałaś? – spytała słabym głosem, chwytając przyjaciółkę za ramię.

– Ach, więc wiesz, że to prawda – powiedziała Katarzyna. – Gdy przeczytasz rękopis, opowiem ci moją historię.

OPOWIEŚĆ CARYCY

Gdy miałam lat czternaście, opuściłam mój dom na Pomorzu, gdzie razem dorastałyśmy. Niewiele wcześniej ojciec twój sprzedał swe posiadłości przylegające do naszych i powrócił do ojczystej Francji. Przenigdy nie zapomnę tego smutku, droga Hélène, jaki odczuwałam, nie mogąc podzielić się z tobą tą triumfalną nowiną, tym, o czym wielekroć rozmawiałyśmy – że niebawem miałam zostać żoną następcy tronu.

W owym czasie miałam się udać na dwór caryca Elżbiety Piotrownej. Elżbieta, córka Piotra, zdobyła władzę po przewrocie w kraju, wtrąciwszy do więzień wszystkich swoich przeciwników. Ponieważ zaś nigdy nie wyszła za mąż, a była w zbyt zaawansowanym wieku, by myśleć o wydaniu na świat dziecka, na swego następcę wybrała nie odgrywającego znaczniejszej roli Wielkiego Księcia Piotra. To jego miałam poślubić.

W drodze do Rosji matka i ja miałyśmy zatrzymać się w Berlinie, na dworze Fryderyka II. Ów młody władca Prus, któremu Wolter nadał przydomek „Wielkiego", zamierzał wspierać mnie finansowo jako kandydatkę w planowanym przezeń zjednoczeniu przez małżeństwo królestw Prus i Rosji. Znacznie bardziej mu odpowiadałam aniżeli jego własna siostra, której nie chciał poświęcić nawet na ołtarzu takiej sprawy.

W owych czasach dwór pruski, który w późniejszym okresie panowania Fryderyka miał się stać niezwykle surowy, jeszcze skrzył się życiem. Po moim przyjeździe król zadał sobie wiele trudu, by mnie oczarować, a jednocześnie sprawić, bym czuła się swobodnie. Przyodziewał mnie w stroje swoich królewskich sióstr i co wieczór, podczas kolacji, sadzał u swego boku, by zabawiać opowiastkami ze świata opery i baletu. Choć byłam wówczas dzieckiem, zdawałam sobie sprawę, o co toczy się gra. Wiedziałam, że zamierza wykorzystać mnie jako pionka w znacznie większej grze, którą prowadził na rozległej szachownicy Europy.

Po upływie jakiegoś czasu dowiedziałam się, że na dworze żyje pewien człowiek, który powrócił tam niedawno po dziesięcioletnim pobycie na carskim dworze. Był to nadworny matematyk Fryderyka, Leonhard Euler. Zdobyłam się wówczas na tak wielką śmiałość, że poprosiłam go o prywatne spotkanie w nadziei, że zechce podzielić się ze mną osobistymi spostrzeżeniami na temat kraju, który niebawem miałam odwiedzić. Nie mogłam wówczas przewidzieć, że to spotkanie pewnego dnia zmieni bieg mojego życia.

Do pierwszego spotkania z Eulerem doszło w niewielkim pokoju wielkiego dworu w Berlinie. Ten człowiek o skromnych potrzebach, lecz genialnym umyśle oczekiwał dziecka, które niebawem miało zostać królową. Bez wątpienia stanowiliśmy dość dziwną parę. Gdy weszłam, na środku pokoju stał wysoki mężczyzna o delikatnej budowie, chudej, butelkowatej szyi, wielkich, ciemnych oczach i wystającym nosie. Przyjrzał mi się świdrowato, co tłumaczyło się faktem, iż utracił jedno oko w wyniku częstego obserwowania Słońca. Euler bowiem, oprócz matematyki, zajmował się również astronomią.

– Nie nawykłem do rozmów – zaczął. – Ponieważ przybywam z kraju, gdzie wiesza się tych, którzy mówią. – To było moje wprowadzenie w atmosferę Rosji, co – jak mogę cię zapewnić – okazało się później bardzo użyteczne. Opowiedział mi o carycy Elżbiecie Piotrownej, która miała piętnaście tysięcy sukien i dwadzieścia pięć tysięcy par butów. Ciskała tymi butami w swoich ministrów, gdy tylko odważyli się mieć odmienne zdanie, a na szubienicę posyłała pod byle pretekstem. Miała legion kochanków, a jej pociąg do trunków przerastał nawet jej seksualne apetyty. Opinie jej otoczenia musiały się pokrywać z jej opiniami.

Od momentu, gdy udało mi się przełamać jego początkową nieufność, spędzaliśmy wiele czasu razem. Zawiązało się między nami coś na kształt sympatii, a pewnego dnia przyznał, iż pragnął zatrzymać mnie w Berlinie, by uczyć mnie matematyki, w której to dziedzinie byłam ponoć obiecująca. Niestety, było to niemożliwe.

Euler wyznał kiedyś, że nie ma najlepszego zdania o swoim protektorze, cesarzu Fryderyku. Miał ku temu powody i nie chodziło mu bynajmniej o to, że nie wykazuje większych zdolności matematycznych. Gdy nadszedł ostatni ranek mojego pobytu w Berlinie, Euler wyjawił mi pewną tajemnicę.

– Moja mała przyjaciółko – powiedział, gdy weszłam do jego laboratorium owego pamiętnego ranka, by pożegnać się przed odjazdem. Pamiętam, że polerował soczewkę swoim jedwabnym szalem, co było znakiem, że rozważa jakiś problem. – Jest coś, co muszę ci powiedzieć, zanim wyjedziesz. Przyglądałem ci się ostatnio bardzo uważnie i sądzę, że mogę powierzyć ci pewien sekret. Gdybyś jednak nierozsądnie zdradziła go komukolwiek, narazisz i siebie, i mnie na ogromne niebezpieczeństwo.

Zapewniłam doktora Eulera, że nigdy nie zawiodę jego zaufania i że będę strzec sekretu nawet za cenę życia. Ku memu zaskoczeniu powiedział mi, że coś takiego może być konieczne.

– Jesteś młoda, bezradna, a na dodatek jesteś kobietą – powiedział Euler. – Właśnie dlatego Fryderyk wybrał ciebie jako narzędzie w grze, która toczy się w tym ogromnym, mrocznym imperium, jakim jest Rosja. Może nawet nie wiesz, że przez dwadzieścia lat krajem tym rządziły wyłącznie kobiety: najpierw Katarzyna I, wdowa po Piotrze Wielkim, potem Anna Iwanowna, następnie Anna Leopoldowna, sprawująca regencję w zastępstwie nieletniego syna, Iwana VI, a teraz Elżbieta Piotrowna. Jeśli ruszysz w ich ślady, znajdziesz się w ogromnym niebezpieczeństwie.

Słuchałam uprzejmie tych wywodów, choć zaczynałam odnosić wrażenie, iż ostre promienie słońca uszkodziły mu coś więcej niż tylko oko.

– Istnieje tajne stowarzyszenie ludzi, dla których zmiana biegu cywilizacji stanowi życiową misję – powiedział Euler. Siedzieliśmy w jego gabinecie, pełnym teleskopów, mikroskopów i pokrytych pleśnią ksiąg, piętrzących się w stosach na mahoniowych stolikach pośród bezładnych plików przeróżnych kartek.

– Ludzie ci – kontynuował – określają się mianem uczonych i inżynierów, choć, prawdę mówiąc, są raczej mistykami. Podzielę się z tobą tym, co wiadomo mi na ten temat, jako że prawdopodobnie będzie to mieć dla ciebie duże znaczenie. Oto w roku 1271 książę Edward, syn króla angielskiego Henryka III, popłynął do wybrzeży Afryki Północnej, by wziąć udział w krucjatach. Wylądował w Akce, starożytnym mieście położonym nieopodal Jerozolimy. Z tego okresu jego życia nader skąpe posiadamy informacje, choć wiadomo nam, że uczestniczył w wielu bitwach i poznał kilku wodzów mauretańskich. Następnego roku Edward został wezwany do Anglii w związku ze śmiercią ojca. Po powrocie został koronowany na króla i przyjął imię Edwarda I. Resztę znamy z podręczników. Jest jednak coś, o czym owe podręczniki milczą, a mianowicie to, że przywiózł coś z Afryki.

– A cóż to było? – ciekawość moja zaczęła rosnąć.

– Przywiózł wiedzę na temat niezwykłej tajemnicy. Tajemnicy korzeniami sięgającej początków naszej cywilizacji. Przybywszy do kraju, Edward założył stowarzyszenie grupujące ludzi, którym zapewne zdradził ową tajemnicę. Wprawdzie niewiele nam o nich wiadomo, lecz do pewnego stopnia możemy śledzić ich poczynania. Gdy Anglicy podporządkowali sobie Szkotów, stowarzyszenie rozprzestrzeniło się również w Szkocji, gdzie przez pewien czas nie rzucało się w oczy. Gdy na początku tego stulecia jakobici uciekli ze Szkocji do Francji, wraz z nimi przywędrowało do tego kraju owo stowarzyszenie tudzież jego nauki. Wielkiego francuskiego pisarza i myśliciela Monteskiusza wciągnięto w szeregi towarzystwa, gdy przebywał w Anglii, i to przy jego pomocy w roku 1734 powstała w Paryżu Loża Nauk. Cztery lata później nie kto inny, tylko nasz Fryderyk Wielki został wprowadzony w szeregi tego tajnego towarzystwa w Brunszwiku. Tego samego roku papież Klemens XII ogłosił dekret skierowany przeciwko tej organizacji, która zdążyła się już rozprzestrzenić na terenie Włoch, Prus, Austrii, Niderlandów i Francji. O sile stowarzyszenia może świadczyć fakt, że parlament katolickiej Francji odrzucił papieski dokument.

– Dlaczego, panie, opowiadasz mi o tym wszystkim? – spytałam Eulera. – Nawet gdybym pojęła cele przyświecające tym ludziom, to jakiż to wszystko ma związek ze mną? I cóż mogłabym z tym zrobić? Choć pragnę wielkości, nadal jeszcze jestem dzieckiem.

– Z tego, co wiadomo mi o ich celach, mogę wywnioskować, że jeśli ktoś nie pokona tych ludzi, to oni pokonają świat – powiedział łagodnie Euler. – Dziś jesteś dzieckiem, lecz niebawem staniesz się małżonką przyszłego cara Rosji, pierwszego od dwudziestu lat mężczyzny mającego rządzić tym krajem. Musisz mnie słuchać uważnie i wbić to sobie do głowy. – Złapał mnie za rękę. – Czasami ludzie ci określają się mianem Bractwa Wolnomularskiego, a czasem różokrzyżowcami. Bez względu na przyjętą nazwę, łączy ich jedno: wywodzą się z Afryki Północnej. Gdy książę Edward przeniósł to stowarzyszenie do Europy, nazywali siebie wówczas Związkiem Architektów Afryki. Uważają, że ich poprzednicy byli architektami starożytnych cywilizacji, że przycinali i układali kamienie do egipskich piramid, zbudowali wiszące ogrody Semiramidy i wieżę Babel. Znali sekrety starożytnych mędrców. Ja jednak sądzę, że byli oni architektami czegoś innego, czegoś nieco bardziej współczesnego i potężniejszego niż...

Tu Euler przerwał i wbił we mnie spojrzenie, którego nigdy nie zapomnę. Prześladuje mnie ono nawet dziś, po pięćdziesięciu latach, zupełnie jakby to wszystko wydarzyło się wczoraj. W moich snach pojawia się z przerażającą wyrazistością i nadal czuję na szyi jego oddech, gdy wyszeptał mi do ucha:

– Sądzę, że oni stworzyli również szachy z Montglane. I uważają się za ich prawowitych spadkobierców.

Gdy opowieść Katarzyny dobiegła końca, obie kobiety siedziały w milczeniu w wielkiej bibliotece w Ermitażu, gdzie przyniosły rękopis dzienników Woltera. Siedząc przy ogromnym stole otoczonym zewsząd ścianami książek, caryca przyglądała się przeoryszy tak, jak kot obserwuje mysz. Przeorysza spoglądała tymczasem przez szerokie okna wychodzące na trawnik, na którym żołnierze carskiej gwardii stali, przytupując i dmuchając na palce marznące w chłodzie poranka.

– Mój nieżyjący mąż był wielbicielem Fryderyka Wielkiego – wyznała cicho caryca. – Nawet tu, na dworze w Petersburgu, Piotr nosił pruski mundur. W naszą noc poślubną rozłożył na łóżku armię ołowianych pruskich żołnierzyków i kazał mi przeprowadzić musztrę oddziałów. Gdy Fryderyk sprowadził do Prus wielu masonów, Piotr przyłączył się do nich i poprzysiągł zawsze ich popierać.

– Dlatego strąciłaś swego małżonka z tronu, uwięziłaś go i zorganizowałaś jego zabójstwo.

– To był niebezpieczny szaleniec – powiedziała Katarzyna. – I wcale nie byłam zamieszana w jego śmierć. Sześć lat później, w 1768 roku, Fryderyk stworzył na Śląsku Wielką Lożę Architektów Afryki. Przyłączył się do nich król szwedzki Gustaw, a także, mimo wysiłków Marii Teresy pragnącej wypędzić z Austrii to robactwo, jej syn Józef II. Gdy dowiedziałam się o tym wszystkim, jak najszybciej sprowadziłam do Rosji doktora Eulera. Stary matematyk był już wówczas zupełnie ślepy. Nie stracił jednak swojej wewnętrznej wizji. Po śmierci Woltera Euler naciskał, bym kupiła jego bibliotekę. Zawierała ona ważne dokumenty, które Fryderyk Wielki pragnął mieć w swoim posiadaniu. Gdy wreszcie udało mi się ściągnąć całą bibliotekę do Petersburga, znalazłam właśnie to: zachowałam to dla ciebie.

Caryca wyjęła z rękopisu Woltera pergaminowy zwój, który podała swojej przyjaciółce. Przeorysza rozwinęła go delikatnie. Było to pismo od Fryderyka, regenta pruskiego, adresowane do Woltera i datowane na rok, w którym Fryderyk Wielki wstąpił w szeregi wolnomularzy:

Monsieur, niczego nie pragnę goręcej nad to, by znaleźć się w posiadaniu wszystkich pańskich pism... Jeśliby pośród tychże rękopisów trafił się taki, którego treść miałaby pozostać nieznana, poprzysięgam zachować ją w najgłębszej tajemnicy...

Przeorysza uniosła wzrok znad pisma, patrząc przed siebie nieobecnym spojrzeniem. Potem powoli zwinęła pergamin i oddała go Katarzynie, która schowała go na miejsce.

– Czyż nie jest jasne, że chodzi mu o dzienniki kardynała Richelieu, rozszyfrowane przez Woltera? – spytała caryca. – Od momentu wstąpienia do towarzystwa nie pragnął niczego innego. Może teraz mi uwierzysz...

Sięgnęła po jeden z oprawionych w skórę woluminów i zaczęła go kartkować, aż natrafiła na fragment znajdujący się pod koniec księgi i zawierający znane przeoryszy słowa, słowa nieżyjącego już od dawna kardynała Richelieu, który zadał sobie tyle trudu, by zapisać je sobie tylko znanym szyfrem:

Gdyż nareszcie przekonałem się, że sekret odkryty w starożytnym Babilonie, sekret przekazany cesarstwom Persji i Indii i znany tylko niewielkiej garstce wybrańców, to właśnie sekret szachów z Montglane.

Sekret ów, podobnie jak najświętsze imię Boga, nie miał być nigdy wyrażony za pomocą pisma. Ponieważ potęga jego jest tak wielka, iż jest w stanie spowodować upadek cywilizacji i śmierć władców, mógł on być przekazywany jedynie osobom wtajemniczonym, członkom świętych zgromadzeń, tym, którzy przeszli próbę i złożyli przysięgę. Owa wiedza była tak przerażająca, że można ją było powierzyć wyłącznie najściślejszym kręgom Elity.

W moim przekonaniu ów sekret przyjął postać wzoru, który stał się przyczyną upadku wielu królestw tego świata, królestw, które dziś przeszły do legendy. A Maurowie, mimo wtajemniczenia w ową wiedzę i mimo lęku, jaki w nich wywoływała, wpisali wzór w szachy z Montglane. Wbudowali święte symbole w pola szachownicy tudzież w same figury, zachowując jedynie klucz dostępny wyłącznie prawdziwym Mistrzom Gry.

To wszystko spisałem na podstawie lektury starożytnych rękopisów zebranych z Chalons, Soissons i Tours, które sam przetłumaczyłem.

Niech Bóg ma miłosierdzie nad naszymi duszami.

Ecce Signum,
Armand Jean du Plessis,
Książę Richelieu & Wikary
Lucon, Poitou & Paryża,
Kardynał,
Pierwszy Minister Francji
Anno Domini 1642

– Z dzienników tych wynika, że „Żelazny Kardynał" planował podróż do Montglane – powiedziała Katarzyna, gdy skończyła czytać i spojrzała na milczącą przeoryszę. – Lecz, jak ci wiadomo, zmarł w grudniu tego samego roku, po stłumieniu powstania w Roussillon. Czy możemy wątpić choćby przez chwilę, że wiedział o istnieniu tych stowarzyszeń albo że planował zagarnąć figury z Montglane, nim wpadną w niepowołane ręce? We wszystkim, co robił, chodziło o władzę. Dlaczegoż by więc miał się zmienić w tak późnym wieku?

– Moja droga Fiekchen – odezwała się przeorysza z uśmiechem, pokrywającym wewnętrzną burzę, jaka rozpętała się w niej na dźwięk tych słów. – Masz rację. Ale ludzie ci już nie żyją. Za życia na pewno pożądali władzy. Lecz jej nie znaleźli. Chyba nie chcesz mi powiedzieć, że boisz się duchów?

– Duchy potrafią wracać! – rzekła z naciskiem Katarzyna. – Piętnaście lat temu kolonie brytyjskie w Ameryce zrzuciły jarzmo imperium. A któż kierował tym wszystkim? Ludzie tacy, jak Waszyngton, Jefferson, Franklin, sami masoni! Dziś król Francji gnije w więzieniu, a jego głowa potoczy się niebawem wraz z koroną. A któż kryje się za tym wszystkim? Lafayette, Condorcet, Danton, Desmoulins, Brissot, Sieyès i rodzeni bracia króla, łącznie z księciem Orleanu: sami masoni!

– To zbieg okoliczności... – zaczęła przeorysza, lecz caryca nie pozwoliła jej dokończyć.

– A czy nazwiesz zbiegiem okoliczności fakt, że jednym z ludzi, których usiłowałam przekupić, by wydali ustawę o przejęciu dóbr kościelnych, i jedynym, który przyjął moje warunki, był Mirabeau, członek masonerii? Oczywiście nie znał całego planu. Zamierzałam uwolnić go od tego skarbu zaraz po przekazaniu łapówki.

– Czyli że biskup Autun odmówił? – spytała przeorysza z uśmiechem, spoglądając na przyjaciółkę znad grubych tomów dzienników. – A jakiż był tego powód?

– Cena, jakiej zażądał za współpracę, była wręcz porażająca – syknęła ze złością caryca, wstając z miejsca. – Ten człowiek wiedział znacznie więcej, niżby się mogło wydawać. Czy wiesz, że członkowie Zgromadzenia nazywają tego Talleyranda „angorskim kotem"? Wprawdzie mruczy, lecz ma ostre pazury. Nie ufam temu człowiekowi.

– A zatem ufasz człowiekowi, który przyjął twą łapówkę, a nie ufasz temu, który nie dał się przekupić? – spytała przeorysza. Spojrzała smutnym wzrokiem na carycę, po czym powoli wstała, poprawiła długą szatę. Następnie odwróciła się, jakby zamierzała wyjść.

– Dokąd idziesz?! – krzyknęła caryca z przerażeniem. – Nie

rozumiesz, dlaczego przedsięwzięłam te wszystkie kroki? Proponuję ci moją ochronę. Jestem władczynią największego kraju na świecie. Swoją potęgę składam w twoich rękach...

– Sophie, dziękuję za twą propozycję – powiedziała cicho przeorysza – lecz nie lękam się tych ludzi tak bardzo jak ty. Jestem skłonna uwierzyć, że są oni mistykami, a nawet rewolucjonistami. A czy kiedykolwiek przeszło ci przez myśl, że te stowarzyszenia mistyków, które tak dokładnie badasz, mogą zmierzać do celu, którego nie potrafisz sobie wyobrazić?

– O czym ty mówisz? – spytała caryca. – Z ich działań wynika, że chcą obalić wszystkie monarchie. Jakiż inny cel poza opanowaniem świata może im przyświecać?

– Może ich celem jest danie światu wolności – uśmiechnęła się przeorysza. – W tym momencie nie dysponuję dowodami mogącymi poprzeć jedno lub drugie przekonanie, lecz posiadam wystarczająco dużo dowodów, by stwierdzić jedno: ze słów twoich wynika, że jakaś siła pcha cię do realizacji przeznaczenia zapisanego od urodzenia na twojej dłoni, gdzie widnieją trzy korony. Ja jednak muszę iść własną drogą.

Przeorysza odwróciła dłoń i wyciągnęła ją przez stół w stronę przyjaciółki. Blisko nadgarstka spleciona linia życia i linia losu tworzyły cyfrę osiem. Katarzyna spojrzała na nią w lodowatym milczeniu, po czym delikatnie przesunęła po niej opuszkami palców.

– Chcesz zapewnić mi ochronę, ale ten, kto mnie chroni, jest potężniejszy od ciebie – powiedziała łagodnie przeorysza.

– Mogłam się tego spodziewać! – krzyknęła chrypliwie caryca, odpychając jej rękę. – Te wszystkie górnolotne opowieści o celach i zamiarach kryją za sobą jedno: zawarłaś z kimś pakt, nie uzgadniając tego wcześniej ze mną! Kim jest osoba, której w naiwności swojej zdecydowałaś się zaufać? Powiedz, domagam się tego!

– Z przyjemnością – odparła przeorysza. – Jest nim Ten, który umieścił ów znak na mojej dłoni. A w tym znaku mam władzę absolutną. Możesz sobie być władczynią Wszechrosji, moja droga Fiekchen. Lecz proszę cię, nie zapominaj, kim j a naprawdę jestem. I przez kogo zostałam wybrana. Pamiętaj: największym mistrzem szachowym jest Bóg.

OBIEG SKOCZKA

Król Artur miał onej nocy cudowny sen, a był on następujący: zdało mu się, iż oto siedzi na stolcu wysokim, a stolec ów przytwierdzony jest do koła i na nim właśnie siedzi król Artur w złotem zdobionej szacie... i naraz królowi zdało się, że oto koło się zakręciło, a on sam wpadł pomiędzy wężów, a każda z tych bestii złapała go za kończynę i wtedy król jął krzyczeć, leżąc w swoim łożu i śniąc: „Pomocy!"

Sir Thomas Malory
Le Morte d'Arthur

Regnabo, Regno, Regnavi, Sum sine regno.
(Będę rządził, Rządzę, Rządziłem, Straciłem rządy.)

Napis na kole Fortuny
Tarot

Następnym dniem po turnieju szachowym był poniedziałek. Wstałam zmordowana z mojego zmiętoszonego łóżka, złożyłam je i ruszyłam pod prysznic, by przygotować się na kolejny dzień w Con Edison.

Wytarłam się grubym ręcznikiem, poczłapałam boso przez hall i zaczęłam szukać telefonu wśród mojej kolekcji. Po kolacji z Lily w The Palm i tym dziwnym wydarzeniu, które nastąpiło zaraz potem, uwierzyłam, że naprawdę jesteśmy parą pionków, którymi ktoś rozgrywa swój pojedynek. Postanowiłam zatem wyjąć z zanadrza silniejsze figury. Doskonale wiedziałam, od czego zacząć.

W trakcie kolacji ustaliłyśmy z Lily, że ostrzeżenie, które skierował do mnie Solarin, było w jakiś sposób związane z wszystkimi dziwacznymi wydarzeniami owego dnia, lecz w tym punkcie nasza jednomyślność się kończyła. Lily utrzymywała, że za tymi wydarzeniami kryje się Solarin.

– Po pierwsze, w tajemniczych okolicznościach ginie Fiske – deliberowała, gdy usiadłyśmy przy jednym z gęsto obleganych stolików ustawionych wśród palm. – Skąd pewność, że to nie sprawka Solarina? Potem znika Saul, zostawiając mój samochód i mojego psa na pastwę wandali. Nie ulega wątpliwości, że Saul został porwany, gdyż inaczej nigdy w życiu nie opuściłby swego stanowiska.

– To oczywiste – potwierdziłam z uśmiechem, patrząc, jak łapczywie pożera płat krwistego befsztyka. Wiedziałam, że Saul nie odważyłby się stanąć przed Lily, gdyby nie przydarzyło mu się coś naprawdę straszliwego.

Teraz Lily przystąpiła do unicestwiania potężnej porcji sałatki i trzech koszyków chleba, ale nie przerywała rozmowy.

– Potem ktoś do nas strzela – powiedziała między jednym kęsem a drugim – i obie zgadzamy się, że strzelono z otwartego okna sali, gdzie toczył się pojedynek.

– Były dwie kule – podkreśliłam z naciskiem. – Może ktoś wcześniej strzelał i dlatego właśnie Saul uciekł.

– Ale najważniejsze jest to, że odkryłam nie tylko metodę i środki, ale również motyw! – obwieściła Lily, żując chleb i zupełnie ignorując moje słowa.

– O czym ty opowiadasz?

– Wiem, dlaczego Solarin robi te wszystkie niegodziwe rzeczy. Doszłam do tego między żeberkami i sałatką.

– No to oświeć mnie – poprosiłam. Słyszałam, jak Carioca drapie i szarpie wszystko w torbie Lily, i przeczuwałam, że niebawem inni goście też to usłyszą.

– Rzecz jasna, słyszałaś o skandalu w Hiszpanii? – spytała. Tym razem musiałam mocno wytężyć swój intelekt.

– Chodzi ci o to wydarzenie sprzed kilku lat, kiedy Solarin został wezwany do Rosji? – Skinęła głową, a ja dodałam: – To wszystko, co wiem od ciebie.

– Chodziło o wzór. Widzisz, Solarin dość wcześnie wypadł z szachowego światka. Tylko raz na jakiś czas brał udział w turniejach. Zalicza się go do wielkich mistrzów, lecz w rzeczywistości studiował fizykę i z tego nadal się utrzymuje. Podczas turnieju w Hiszpanii Solarin założył się z innym graczem, że jeśli pokona go w tym turnieju, zdradzi mu pewien tajny wzór.

– Cóż to był za wzór?

– Nie wiem. Jednak gdy cała sprawa dostała się na łamy prasy, Rosjanie wpadli w panikę. Tej samej nocy Solarin zniknął i na długi czas słuch o nim zaginął.

– Jakiś wzór fizyczny? – spytałam.

– Może chodziło o jakąś tajną broń. Wtedy wszystko byłoby jasne, prawda? – Dla mnie w tym wszystkim nie było nic jasnego, ale pozwoliłam jej się wygadać. – Obawiając się, że Solarin spłata takiego samego figla podczas tego turnieju, KGB wkracza do akcji i załatwia Fiskego, a potem próbuje nastraszyć mnie. Gdyby któreś z nas wygrało z Solarinem, mógłby nam zdradzić tajny wzór! – Była wyraźnie podniecona tym, że wszystko tak dokładnie do siebie pasuje, lecz ja nie dałam się na to nabrać.

– To naprawdę świetna teoria – przyznałam. – Zdaje mi się jednak, że dostrzegam w niej kilka słabych punktów. Na przykład: co stało się z Saulem? Dlaczego Rosjanie w ogóle wypuścili Solarina z kraju, skoro podejrzewali, że może ponownie zdecydować się na tę samą sztuczkę? Jeżeli zakładamy, że to była sztuczka. I dlaczego to niby Solarin miałby przekazywać szczegóły dotyczące jakiejś tajnej broni tobie albo tej zramolałej skamielinie nazwiskiem Fiske, niech mu ziemia lekką będzie?

– Cóż, zgoda, nie wszystko tutaj pasuje. Ale przynajmniej jest to jakiś początek.

– Sherlock Holmes powiedział kiedyś: „Kardynalnym błędem jest tworzenie teorii przed zdobyciem danych" – zacytowałam. – Proponuję najpierw dowiedzieć się czegoś o Solarinie. Nadal jednak sądzę, że powinnyśmy się udać na policję. W końcu mamy dowód w postaci dwóch dziur po kulach.

– Po moim trupie! – krzyknęła Lily w podnieceniu. – Nigdy nie przyznam, że sama nie potrafię rozwiązać czegoś takiego. Moje drugie imię brzmi: Strategia.

W końcu, po gorącej dyskusji i lodach z owocami i bitą śmietaną, postanowiłyśmy, że rozstaniemy się na kilka dni, by zdobyć nieco więcej informacji na temat wielkiego mistrza Solarina i opracować modus operandi.

Trener szachowy opiekujący się Lily sam był kiedyś wielkim mistrzem. Lily sądziła, że pomimo ogromnej pracy, jaka czekała ją przed wtorkowym pojedynkiem, zdoła zdobyć od niego jakieś informacje na temat charakteru Solarina. Najpierw jednak chciała dowiedzieć się czegoś o Saulu. Jeżeli nie został porwany (co – śmiem twierdzić – rozczarowałoby ją, zmniejszając dramatyzm całej sytuacji), to będzie w stanie dowiedzieć się z jego własnych ust, dlaczego to opuścił posterunek.

Ja miałam własne plany i jeszcze nie zamierzałam dzielić się nimi z Lily Rad.

Otóż na Manhattanie mieszkał mój przyjaciel, tajemniczością przewyższający nawet nieuchwytnego Solarina. Człowiek, którego numer telefonu nie figurował w żadnej książce telefonicznej i który nie miał adresu do korespondencji. Był jedną z legend świata komputerowego i choć skończył dopiero trzydzieści lat, był już autorem klasycznych prac ze swojej dziedziny. Kiedy trzy lata temu po raz pierwszy znalazłam się w Nowym Jorku, był moim przewodnikiem po komputerowym świecie i kilkakrotnie zdarzyło mu się wyciągać mnie z kłopotliwych sytuacji. Gdy używał imienia i nazwiska, brzmiało ono doktor Ladislaus Nim.

Nim był nie tylko mistrzem komputerowym, lecz także szachowym ekspertem. Grywał z Resnevskym i Fischerem i odnosił sukcesy. Jednak najcenniejsza dla mnie była jego rozległa wiedza na temat samej gry i właśnie dlatego tak bardzo zależało mi na tym, by go odnaleźć. Znał na pamięć wszystkie mistrzowskie pojedynki w całej historii szachów, a jeśli chodzi o biografie wielkich mistrzów, był chodzącą encyklopedią. Gdy miał dobry humor i chciał być czarujący, potrafił zabawiać mnie godzinami, opowiadając różne wydarzenia z historii szachów. Wiedziałam, że będzie w stanie połączyć te wszystkie luźne wątki, które udało mi się zebrać. Oczywiście, pod warunkiem że go znajdę.

Jednak chcieć go znaleźć i znaleźć go naprawdę, to dwie zupełnie różne sprawy. W porównaniu z jego automatyczną sekretarką nagrania KGB i CIA brzmią jak gadatliwe plotkary. Gdy dzwoniłam, jego aparatura nie chciała przyznać, że wie, o kogo chodzi; dzwoniłam już od kilku tygodni.

Wcześniej chciałam znaleźć Nima po prostu po to, by się pożegnać przed opuszczeniem kraju. Teraz musiałam go znaleźć i to nie tylko dlatego, że zawarłam pakt z Lily Rad. Po prostu teraz wiedziałam, że te wszystkie pozornie zupełnie nie związane z sobą wydarzenia – śmierć Fiskego, ostrzeżenie Solarina, zniknięcie Saula – mają jednak pewien związek. Związek ze mną.

Przekonałam się o tym jeszcze tego wieczoru, kiedy rozstałam się z Lily po kolacji i postanowiłam coś zbadać na własną rękę. Zamiast skierować się prosto do domu, pojechałam taksówką do Fifth Avenue Hotel, by spotkać się z wróżką, która trzy miesiące wcześniej – jakimś dziwnym trafem – udzieliła mi tego samego ostrzeżenia, które usłyszałam od Solarina tego właśnie popołudnia. I chociaż j e g o ostrzeżenie natychmiast potwierdziły następujące jedno po drugim wydarzenia, stwierdziłam, że podobieństwo użytych przez nich słów nie mogło być kwestią przypadku. A ja chciałam wiedzieć dlaczego.

Dlatego właśnie chciałam porozmawiać z Nimem, i to od razu, natychmiast. Rzecz bowiem w tym, że w Fifth Avenue Hotel nie było żadnej wróżki. Przez ponad pół godziny rozmawiałam z kierownikiem baru, aby upewnić się, że nie jestem w błędzie. Pracował tam od piętnastu lat i wielokrotnie potwierdzał, że się nie myli. W tym barze nigdy nie było żadnej wróżki. Nawet w sylwestra. Tak więc kobieta, która wiedziała, że mam tam przyjechać, która czekała, aż Harry zadzwoni do mnie do centrum danych Pan Am, która przygotowała sobie wróżbę w pentametrach jambicznych, która użyła tych samych słów co Solarin kilka miesięcy później, ta kobieta, która – jak mi się teraz przypomniało – znała nawet datę mojego urodzenia, nigdy nie istniała.

Ależ oczywiście, że istniała. Miałam na to dowód w postaci potwierdzenia trojga naocznych świadków. Osiągnęłam jednak etap, w którym zaczęłam powątpiewać nawet w to, czego sama byłam pewna.

Tak więc w poniedziałkowy poranek, ze świeżo umytymi włosami zawiniętymi w ręcznik kąpielowy, wygrzebałam skądś mój telefon i podjęłam jeszcze jedną próbę skontaktowania się z Nimem. Tym razem jednak czekała mnie niespodzianka.

Gdy wykręciłam jego numer, włączyło się nagranie Nowojorskiej Sieci Telefonicznej informujące mnie, że do dawnego numeru dodana została cyfra wspólna dla całego Brooklynu. Wykręciłam więc raz jeszcze, zdziwiona tym, że Nim zmienił miejsce pobytu. Byłam przecież jedną z trzech osób na świecie, które miały zaszczyt znać jego stary numer. Jednak ostrożności nigdy za wiele.

Następna niespodzianka czekała mnie, gdy uzyskałam połączenie.

– Tu Rockaway Greens Hall – usłyszałam kobiecy głos.

– Czy jest może doktor Nim? – spytałam.

– Niestety nie ma tu nikogo o takim nazwisku – padła słodka odpowiedź. Cóż za urocza reakcja w porównaniu z okropnym traktowaniem, jakiego zazwyczaj doświadczałam ze strony jego automatycznych sekretarek. Ale na tym nie koniec niespodzianek.

– Doktor Nim. Doktor Ladislaus Nim – powtórzyłam wyraźnie. – Ten właśnie numer dostałam w informacji na Manhattanie.

– Czy... czy ta osoba jest m ę ż c z y z n ą? – sapnęła kobieta po drugiej stronie.

– Tak – odparłam z lekkim zniecierpliwieniem. – Czy mogłabym zostawić wiadomość? Muszę się z nim skontaktować w ważnej sprawie.

– Proszę pani – głos miłej dotąd kobiety zabrzmiał chłodno – to klasztor karmelitanek! Ktoś robi sobie z pani żarty! – I odłożyła słuchawkę.

Wiedziałam, że Nim ma naturę anachorety, lecz to była jakaś zupełna bzdura. Wpadłam w taką wściekłość, że postanowiłam zmieszać go z błotem raz na zawsze. Ponieważ byłam już spóźniona do pracy, wyciągnęłam suszarkę i zaczęłam suszyć włosy na środku pokoju, chodząc tam i z powrotem i zastanawiając się, co dalej robić. Wtedy przyszło mi coś do głowy.

Kilka lat wcześniej Nim instalował duże systemy na Nowojorskiej Giełdzie. Na pewno ludzie pracujący tam na komputerach będą coś o nim wiedzieć. Może nawet wpada tam od czasu do czasu, żeby przyjrzeć się swemu dziełu. Zadzwoniłam do jednego z szefów.

– Doktor Nim? Pierwsze słyszę – odparł. – Na pewno tutaj pracował? Jestem tu od trzech lat, ale nigdy nie słyszałem tego nazwiska.

– Dobrze – powiedziałam, powoli tracąc spokój. – Mam już tego dość. Chcę mówić z dyrektorem naczelnym. Jak się nazywa?

– Nowojorska... Giełda... nie... ma... dyrektora naczelnego – padła szydercza odpowiedź. Niech to szlag.

– Więc kogo? – Mój głos przechodził we wrzask. – Przecież ktoś, u diabła, musi tym wszystkim kierować!

– Mamy przewodniczącego – odpowiedział ze wstrętem i podał mi jego nazwisko.

– Świetnie, więc proszę mnie z nim połączyć.

– Dobrze, proszę pani. Mam nadzieję, że zdaje sobie pani sprawę z tego, co robi.

Jak najbardziej. Sekretarka przewodniczącego była niezmier-

nie uprzejma, lecz po sposobie, w jaki reagowała na moje pytania, wyczułam, że jestem na właściwym tropie.

– Doktor Nim? – powiedziała głosem malutkiej staruszki. –
Nie... nie zdaje mi się, bym znała to nazwisko. Przewodniczący
akurat jest za granicą. Może coś przekazać?

– Oczywiście. – Długie obcowanie z tym tajemniczym mężczyzną czegoś jednak mnie nauczyło. – Gdyby przypadkiem
miała pani jakieś wieści od niejakiego doktora Nima, proszę mu
powiedzieć, że panna Velis oczekuje na jego telefon w klasztorze Rockaway Greens. A ponadto, jeśli nie skontaktuje się
ze mną najpóźniej tego wieczoru, będę zmuszona złożyć śluby
wieczyste.

Dałam tej biednej, zupełnie zdezorientowanej kobiecie moje
numery telefonów i obie odłożyłyśmy słuchawki. Dobrze mu
tak, szczególnie jeśli ta wiadomość wpadnie po drodze w ręce
młodej kadry Nowojorskiej Giełdy. Chciałabym widzieć, jak
się z tego tłumaczy.

Uznawszy, iż w tak skomplikowanej sprawie trudno byłoby
oczekiwać większych sukcesów, postanowiłam przygotować
się do dnia pracy w Con Edison. Włożyłam kostium w kolorze pomidorowym i zaczęłam szukać czegoś na nogi. Gdy
jednak otworzyłam szafkę, z ust wyrwało mi się głośne prze-
kleństwo – Carioca pogryzł mi połowę butów, a drugą połowę
dokładnie wymieszał. Po dłuższym grzebaniu w tym stosie
znalazłam odpowiednią parę, wrzuciłam na siebie płaszcz i poszłam na śniadanie. Są sprawy, którym – podobnie jak Lily –
nie potrafię stawić czoła na czczo, a Con Edison zalicza się
do tej grupy.

Kawałek dalej, na końcu Tudor Place znajduje się małe francuskie bistro La Galette. Na stolikach leżą obrusy w kratkę,
w doniczkach zieleni się geranium, a przez tylne okna widać
budynek UN Plaza. Zamówiłam świeżo wyciskany sok z po-
marańczy, czarną kawę i ciastko śliwkowe.

Gdy już wszystko znalazło się przede mną, wyjęłam z teczki
część notatek, które porobiłam sobie poprzedniej nocy, zanim
zmorzył mnie sen. Liczyłam, że uda mi się bardziej sensownie
uporządkować chronologię wydarzeń.

Solarin znał tajemniczy wzór i został na pewien czas ścią-
gnięty do Rosji. Fiske miał piętnastoletnią przerwę w grze.

Solarin ostrzegł mnie, używając tych samych słów co wróżka, którą widziałam kilka miesięcy wcześniej. Solarin i Fiske pokłócili się o coś podczas pojedynku i zarządzono przerwę. Lily sądziła, że Fiske oszukuje. Fiske poniósł śmierć w podejrzanych okolicznościach. W samochód Lily trafiły dwie kule; jedna przed naszym przybyciem, a druga, gdy już stałyśmy obok niego. I wreszcie zniknęły dwie osoby: Saul i wróżka. Na pierwszy rzut oka nic tu nie pasowało do siebie, a jednak wiele wskazywało, że wydarzenia te są z sobą w jakiś sposób powiązane. Zdawałam sobie sprawę, że prawdopodobieństwo natrafienia na jakiś klucz jest równe zeru.

Akurat dopiłam kawę i byłam w połowie ciastka śliwkowego, gdy go zobaczyłam. Wpadł mi w oko, kiedy wyglądałam przez wielkie okna, podziwiając niebieskozielony zarys UN Plaza. Chodnikiem szedł mężczyzna, ubrany na biało; pchał rower. Miał na sobie bluzę z kapturem, a biały szal owinięty wokół szyi zakrywał mu dolną część twarzy.

Moja ręka ze szklanką soku pomarańczowego zastygła w powietrzu, a ja siedziałam jak sparaliżowana. Ów człowiek zaczął schodzić po stromych, spiralnych schodach ciągnących się wzdłuż muru prowadzącego do placu po przeciwnej stronie UN Plaza. Odstawiłam szklankę i zerwałam się na równe nogi. Rzuciłam na stół jakieś drobne, wcisnęłam papiery do teczki, chwyciłam płaszcz i wybiegłam na zewnątrz.

Kamienne stopnie były śliskie, pokryte lodem i posypane solą. Usiłowałam w pędzie narzucić na siebie płaszcz, starając się jednocześnie nie zgubić teczki. Mężczyzna z rowerem właśnie znikał za rogiem. Gdy próbowałam trafić do rękawa, zahaczyłam o lód, złamałam obcas i spadłam z dwóch schodków, po czym wylądowałam na kolanach. Nad moją głową w kamiennej ścianie wyryte były słowa:

„I przekują miecze swe na lemiesze, a włócznie swe na sierpy: nie podniesie miecza naród przeciw narodowi ani się będą więcej ćwiczyć ku bitwie!"

Akurat. Wstałam i otrzepałam kolana. Izajasz musi się jeszcze sporo nauczyć, jeżeli chodzi o ludzi i narody. Od ponad pięciu tysięcy lat na naszej uroczej planecie nie było ani jednego dnia bez jakiejś wojny. O tej porze gromadzili się już na placu ludzie protestujący przeciwko wojnie w Wietnamie. Musiałam przebijać się przez zwarty tłum wymachujący gołąbkami pokoju. Bardzo chciałabym zobaczyć, jak przekuwają pocisk balistyczny na lemiesz. Popędziłam za róg, skacząc na moim złamanym obcasie, i wypadłam prosto na boczną ścianę Instytutu Badawczego IBM. Mężczyzna zdążył już wsiąść na rower i był teraz sporo oddalony ode mnie. Zbliżył się do przejścia prowadzącego na UN Plaza i zatrzymał się na światłach. Pędziłam po chodniku, smagana wiatrem, w dalszym ciągu usiłując zapiąć płaszcz i zamknąć teczkę. Po chwili zmieniły się światła, a mężczyzna popedałował powoli przed siebie. Przyśpieszyłam kroku, lecz gdy dobiegłam do przejścia, znów zmieniły się światła, a ulicą ruszył strumień samochodów. Cały czas nie spuszczałam wzroku z niknącej powoli sylwetki na jezdni. Teraz mężczyzna zsiadł z roweru i skierował się w stronę placu. Mam cię! Stamtąd nie było wyjścia, więc mogłam się uspokoić. Jednak czekając na zmianę światła, nagle zdałam sobie sprawę z tego, co robię.

Dzień wcześniej o mały włos byłabym świadkiem morderstwa, potem ktoś do mnie strzelał, a wszystko to stało się w samym centrum Nowego Jorku. Teraz deptałam po piętach całkiem nieznajomemu mężczyźnie tylko dlatego, że – przez ten rower i całą resztę – przypominał człowieka z moich obrazów. Skąd jednak mogło się wziąć takie podobieństwo? Łamałam sobie nad tym głowę, lecz nie potrafiłam znaleźć odpowiedzi. Mimo to rozejrzałam się przytomnie, zanim weszłam na jezdnię.

Minąwszy żelazne wrota UN Plaza, weszłam na schody. Po przeciwnej stronie, na kamiennej ławie, siedziała jakaś staruszka w czerni, karmiąc gołębie. Tkwiła tam pochylona, z głową owiniętą ciemnym szalem, i rzucała ziarno srebrzystym ptakom, które tłoczyły się wokół niej, gruchały i co chwilę wzbijały się w powietrze wielką chmarą. A przed nią stał mężczyzna z rowerem.

Znieruchomiałam, zastanawiając się, co dalej robić. Rozmawiali ze sobą. Staruszka odwróciła się, spojrzała w moim kierunku i powiedziała coś do mężczyzny, który skinął głową, nawet się nie odwracając, po czym trzymając rower jedną ręką, zszedł po schodach prowadzących do rzeki. Otrząsnąwszy się z osłupienia, ruszyłam pędem za nim. Stado gołębi ze straszliwym łopotem poderwało się w powietrze, a ja na chwilę przestałam cokolwiek widzieć. Biegłam prosto ku schodom, zasłaniając twarz dłonią. Na dole stał pomnik: olbrzymi wieśniak z brązu podarowany przez Rosjan, zajęty przekuwaniem miecza na lemiesz. Przede mną rozciągały się lodowate nurty East River, a na przeciwległym brzegu, otoczony dymiącymi kominami w dzielnicy Queens, błyszczał wielki znak Coca-Coli. Po lewej stronie miałam ogród, którego szeroki, porośnięty drzewami trawnik okryty był warstwą śniegu, którego idealnie gładkiej powierzchni nie zakłócał najmniejszy ślad. Wzdłuż koryta rzeki biegła żwirowana ścieżka, oddzielona od ogrodu długim rzędem równo przystrzyżonych drzew. Nigdzie ani żywej duszy.

Gdzież on mógł pójść? Z ogrodu nie ma przecież wyjścia. Wycofałam się powoli i weszłam z powrotem na plac. Również staruszka gdzieś zniknęła, lecz dostrzegłam jakiś cień wchodzący do budynku wejściem dla gości. Na zewnątrz, przy specjalnej barierce, stał jego rower. Jak to możliwe, że udało mu się mnie minąć? Choć dręczyły mnie te myśli, nie zwalniałam kroku. W środku nie było nikogo prócz strażnika gawędzącego z młodą recepcjonistką przy owalnej ladzie.

– Przepraszam bardzo – powiedziałam. – Czy wchodził tu przed chwilą mężczyzna w białym ubraniu?

– Nie zauważyłem – odparł strażnik, najwyraźniej niezadowolony, że mu przeszkadzam.

– A gdzie by pan poszedł, gdyby chciał się pan przed kimś ukryć? – zadałam kolejne pytanie. To zwróciło ich uwagę. Oboje przyjrzeli mi się uważnie, jakbym była potencjalną anarchistką. Pośpieszyłam więc z wyjaśnieniem: – To znaczy, gdyby chciał pan przez chwilę pobyć sam, w spokoju?

– Delegaci udają się do Sali Medytacji – odrzekł strażnik. – Tam jest bardzo cicho. To tędy. – Wskazał na drzwi w dalszej części korytarza, którego marmurowe płytki, różowe i szare, przypominały pola na szachownicy. Obok drzwi pysznił się niebiesko-zielony witraż autorstwa Chagalla. Skinęłam głową na znak podziękowania i ruszyłam w tamtą stronę. Gdy weszłam do środka, drzwi zamknęły się za mną bezszelestnie.

Był to długi, ciemny pokój, przypominający kryptę. Niedaleko drzwi stało kilka rzędów niskich ławek, o które omal się nie potknęłam w panującym tam półmroku. W samym środku ustawiona była wielka płyta w kształcie trumny, oświetlona wąziutkim reflektorem. Wewnątrz panowały kompletna cisza, chłód i wilgoć. Wzrok powoli dostosowywał się do panujących w pokoju warunków.

Usiadłam na jednej z trzeszczących ławek. Położyłam teczkę obok i spojrzałam na płytę. Była zawieszona w powietrzu jak monolit unoszący się w przestrzeni i zdawało mi się, że przebiega przez nią jakieś tajemnicze drżenie o uspokajającym, hipnotycznym działaniu.

Gdy drzwi za moimi plecami otworzyły się bezgłośnie, wpuszczając do środka cienką smużkę światła, zaczęłam się odwracać, jakby w zwolnionym tempie.

– Proszę nie krzyczeć – usłyszałam szept. – Nie zrobię pani krzywdy, lecz musi pani być cicho.

Poznałam ten głos, a serce załomotało mi w piersiach. Zerwałam się z ławki i odwróciłam plecami do płyty.

W półmroku stał Solarin, a w jego oczach odbijała się świetlista płyta. Skoczyłam tak raptownie, że cała krew na moment odpłynęła mi z mózgu. Odchyliłam się do tyłu, opierając się rękami o płytę. Solarin stał przede mną nieporuszony. Wciąż miał na sobie te same wąskie, szare spodnie, które zapamiętałam z poprzedniego dnia, lecz zmienił marynarkę: tym razem była z ciemnej skóry, co jeszcze bardziej uwydatniało bladość jego twarzy.

– Proszę usiąść – odezwał się równie cicho jak poprzednio. – Tutaj, koło mnie. Nie mam zbyt wiele czasu.

Podeszłam na miękkich nogach i zrobiłam to, co kazał. Nie odzywałam się ani słowem.

– Próbowałem panią wczoraj ostrzec, lecz pani nie chciała mnie słuchać. Teraz już pani wie, że nie kłamię. Pani i Lily Rad będziecie trzymać się z dala od tego turnieju. W przeciwnym wypadku skończycie jak Fiske.

– Więc nie wierzy pan, że to było samobójstwo – szepnęłam.

– Chyba pani kpi. To była robota eksperta. Zresztą widziałem go tuż przed śmiercią i nic mu nie dolegało. Dwie minuty później już nie żył. I brakowało kilku...

– Chyba że to pan go zabił – przerwałam.

Na twarzy Solarina rozlał się uśmiech, całkowicie zmieniając jej wyraz. Pochylił się w moją stronę i położył mi na ramionach dłonie, z których promieniowało ciepło.

– Jeżeli ktoś nas zobaczy, będę w wielkim niebezpieczeństwie, więc proszę mnie uważnie słuchać. To nie ja strzelałem do samochodu pani przyjaciółki. Ale zniknięcie jej szofera bynajmniej nie jest przypadkiem.

Spojrzałam na niego ze zdumieniem. Ustaliłyśmy z Lily, że zachowamy całą sprawę w tajemnicy. Skąd Solarin wiedział, jeśli nie on to zrobił?

– Co się stało z Saulem? Czy pan wie, kto strzelał?

Solarin spojrzał na mnie w milczeniu. Cały czas trzymał ręce na moich ramionach. Teraz zacisnął je i znów się uśmiechnął. Z tym uśmiechem na twarzy przypominał chłopca.

– Oni mieli rację – powiedział. – To właśnie pani.

– Kto miał rację? Niechże pan powie, przecież pan wie znacznie więcej – odezwałam się z irytacją. – Ostrzega mnie pan, nawet nie podając powodów. Zna pan tę wróżkę?

Solarin puścił mnie gwałtownie, a twarz mu skamieniała. Zdałam sobie sprawę, że szarżuję, lecz nie potrafiłam się zatrzymać.

– Oczywiście, że pan zna – stwierdziłam. – A kim był ten mężczyzna na rowerze? Jeśli szedł pan za mną, to musiał pan go widzieć! Dlaczego wciąż pan za mną chodzi, ostrzega mnie i straszy, a ja cały czas nie wiem, o co chodzi? Czego pan tak naprawdę chce? Co to wszystko ma ze mną wspólnego? – Przerwałam zdyszana, spoglądając gniewnie na Solarina.

Przyglądał mi się z uwagą.

– Nie bardzo wiem, ile mogę pani powiedzieć – odparł wreszcie. Głos nagle mu złagodniał i po raz pierwszy przez tę jego staranną, oficjalną angielszczyznę przebił się wyraźny słowiański akcent. – Cokolwiek pani powiem, może to panią narazić na znacznie większe niebezpieczeństwo. Proszę tylko o jedno: żeby mi pani zaufała, gdyż dużo zaryzykowałem, chcąc z panią porozmawiać. – Ku mojemu zdumieniu wyciągnął rękę i pogłaskał mnie łagodnie po włosach, jakbym była małym dzieckiem. – Proszę się trzymać z dala od tego turnieju. Nikomu nie można ufać. Ma pani potężnych przyjaciół po swojej stronie, ale nie zdaje sobie pani sprawy, w jakiej uczestniczy grze...

– Po jakiej stronie? Nie biorę przecież udziału w żadnej grze.

– Jest pani w błędzie – odparł, przyglądając mi się tak czule, jakby chciał mnie otoczyć ramionami. – Uczestniczy pani w partii szachów. Lecz nie ma się czego obawiać. W tej grze ja jestem mistrzem. I jestem po pani stronie.

Wstał i ruszył do wyjścia, a ja ruszyłam za nim, nie zdając sobie sprawy z tego, co robię. Zbliżywszy się do drzwi, przykleił się plecami do ściany i zaczął nasłuchiwać, jakby spodziewał się, że ktoś może wpaść z impetem do środka. Potem spojrzał na mnie, stojącą bez ruchu i nie całkiem pojmującą, co właściwie się dzieje.

Wsunął rękę za połę marynarki i skinął głową, bym wyszła pierwsza. W ułamku sekundy spostrzegłam, że pod pachą trzyma pistolet. Przełknęłam ślinę i szybko wyszłam z sali, nie oglądając się za siebie.

Hall wypełniony był jaskrawym, zimowym światłem, wpadającym do środka przez oszklone ściany. Szybkim krokiem ruszyłam do wyjścia. Otulając się ciasno płaszczem, przeszłam oblodzony plac i zbiegłam po schodach w kierunku East River Drive.

Byłam w połowie ulicy, skulona z zimna, gdy nagle stanęłam jak wryta przed wejściem dla delegatów. Moja teczka! Zostawiłam ją na ławce w Sali Medytacji. W środku, oprócz książek pożyczonych z biblioteki, były także moje zapiski z poprzedniego dnia.

Po prostu cudownie. Tylko tego trzeba, żeby Solarin znalazł to wszystko i doszedł do przekonania, że badam jego przeszłość znacznie bardziej szczegółowo, niż można się było tego spodziewać. I nie byłby wcale tak daleki od prawdy. Przeklęłam swoją głupotę, zrobiłam w tył zwrot na złamanym obcasie i ruszyłam z powrotem w kierunku UN Plaza.

Gdy weszłam do hallu, recepcjonistka obsługiwała jakiegoś gościa, a strażnika nie było w zasięgu wzroku. Stwierdziłam, że mój lęk przed samotnym powrotem do tej sali jest zupełnie bezpodstawny. Hall był pusty, tak samo zresztą jak i spiralne schody, które widziałam aż do samej góry. W pobliżu nie było nikogo.

Ruszyłam odważnie naprzód, a dochodząc do okna z witrażem Chagalla, obejrzałam się przez ramię. Potem pchnęłam drzwi i zajrzałam do środka.

Wprawdzie dopiero po chwili przyzwyczaiłam się do panującego tam półmroku, lecz od razu zorientowałam się, że coś się pozmieniało. Zniknął Solarin. Moja teczka też. A na kamiennej płycie leżało na wznak jakieś ciało. Stałam w drzwiach, sparaliżowana przerażeniem. Długie ciało leżące na płycie ubrane było w uniform szofera. Krew ścięła mi się w żyłach. W skroniach mi łomotało. Wzięłam głęboki wdech i puściłam drzwi.

Zbliżyłam się do płyty i spojrzałam na białą, ziemistą twarz oświetloną smużką światła. Tak. To był Saul. I nie ulegało wątpliwości, że jest martwy. Zrobiło mi się niedobrze i opanował mnie strach; nigdy wcześniej nie widziałam nieżywego człowieka, nawet przy okazji pogrzebu. Zaczęłam się dławić, jakbym zaraz miała się rozpłakać.

Lecz zanim z moich ust zdążył wydobyć się pierwszy szloch, coś ścisnęło mnie za gardło: przecież Saul nie wdrapał się o własnych siłach na płytę, aby następnie wyzionąć ducha. Ktoś musiał go tam położyć i ten ktoś na pewno był tutaj w ciągu ostatnich pięciu minut. Rzuciłam się do drzwi i wpadłam do hallu. Recepcjonistka w dalszym ciągu tłumaczyła coś temu samemu gościowi. W pierwszej chwili zamierzałam kogoś zaalarmować, lecz potem zdecydowałam, że nie. Byłoby mi bardzo trudno wyjaśnić, jak to się stało, że szofer mojej przyjaciółki został tam zamordowany i że akurat ja natknęłam się na zwłoki. I jak to się stało, że dzień wcześniej znajdowałam się na miejscu pewnej tajemniczej śmierci. A także skąd wzięła się tam moja przyjaciółka, pracodawczyni tego szofera. I dlaczego nie poinformowałyśmy policji o tych dwóch dziurach w samochodzie.

W ogromnym pośpiechu oddalałam się od UN Plaza i niemal zjechałam ze schodów prowadzących na ulicę. Wiedziałam, że należy powiadomić o wszystkim policję, lecz byłam na to zbyt przerażona. Saula zamordowano zaraz po moim wyjściu. Fiske został zabity kilka minut po ogłoszeniu przerwy. W obydwu przypadkach ofiary przebywały w miejscu publicznym. I w obydwu przypadkach był tam Solarin. Przecież Solarin miał pistolet. I był tam. Przy jednym i przy drugim.

A więc toczy się jakiś pojedynek; jeśli tak, to sama spróbuję ustalić, jakie obowiązują w nim reguły. Uświadomiłam to sobie, gdy przemierzając oblodzone ulice, kierowałam kroki w stronę mojego ciepłego, przytulnego biura. Przepełniała mnie determinacja. Musiałam zerwać tę tajemniczą kotarę skrywającą zarówno reguły gry, jak i samych graczy. I to jak najprędzej. W wyniku kolejnych ruchów wokół mnie robiło się coraz ciaśniej. Nie zdawałam sobie jednak sprawy, że kilka domów dalej właśnie w tej chwili ktoś wykonuje ruch, który w niedługim czasie zmieni definitywnie bieg mojego życia...

Brodski jest wściekły – powiedział nerwowo Gogol. Gdy tylko zobaczył w drzwiach Solarina, od razu poderwał się z wygodnego krzesła w hallu hotelu Algonquin, gdzie siedział, popijając herbatę. – Gdzieś się podziewał? – spytał, zwracając ku niemu twarz bladą jak prześcieradło.

– Wyszedłem zaczerpnąć świeżego powietrza – wyjaśnił spokojnie Solarin. – Nie jesteśmy w Związku Radzieckim. Nowojorczycy bez przerwy chodzą na spacery i bynajmniej nie powiadamiają swoich władz o planowanych posunięciach. A może obawiał się, że nawiążę z kimś kontakt?

Jednak Gogol nie odwzajemnił jego uśmiechu.

– Jest zły. – Rozejrzał się nerwowo dookoła, lecz w hallu nie było nikogo z wyjątkiem jakiejś starszej pani, pijącej herbatę daleko od nich. – Hermanold mówił, że turniej zostanie zawieszony aż do odwołania, gdyż muszą się zająć kwestią śmierci Fiskego. Ktoś skręcił mu kark.

– Wiem – powiedział Solarin, biorąc Gogola pod ramię i prowadząc go do stolika, gdzie stygła herbata, po czym skinął ręką, by usiadł i spokojnie dopił. – Przecież pamiętasz, że widziałem ciało.

– W tym właśnie tkwi problem – zaczął Gogol. – Przed jego śmiercią byłeś z nim sam na sam, a to niedobrze. Mieliśmy nie zwracać na siebie uwagi. Jeśli dojdzie do śledztwa i przesłuchań, z pewnością pójdziesz na pierwszy ogień.

– Te problemy możesz zostawić mnie – odezwał się Solarin.

Gogol wziął kostkę cukru i wsunął ją sobie między zęby, po czym zaczął powoli sączyć przez nią herbatę. Na jego twarzy rysował się wyraz zamyślenia.

Staruszka siedząca na drugim końcu hallu ruszyła w ich kierunku. Była ubrana na czarno i szła, z trudem podpierając się laską. Gogol podniósł na nią wzrok.

– Najmocniej przepraszam – powiedziała słodko, zbliżywszy się do nich. – Ale nie podano mi słodzika do herbaty, a mnie nie wolno używać cukru. Czy macie może, panowie, słodzik?

– Oczywiście – odpowiedział Solarin. Sięgnął do cukierniczki stojącej obok Gogola, wyciągnął kilka różowych torebek i podał je staruszce. Podziękowała serdecznie i poszła.

– Tylko nie to – jęknął Gogol, patrząc w kierunku windy. Przez salę maszerował Brodski, lawirując wśród gęstwy stoliczków i krzesełek w kwiatki. – Miałem cię zabrać na górę, jak tylko wrócisz – mruknął w stronę Solarina, po czym poderwał się, omal nie przewracając stolika z herbatą.

Solarin pozostał na miejscu.

Brodski był wysokim, muskularnym mężczyzną o opalonej twarzy. W granatowym, prążkowanym garniturze i jedwabnym kiprowanym krawacie przypominał europejskiego biznesmena. Podszedł do stolika zdecydowanym krokiem, zupełnie jakby przybywał na spotkanie służbowe. Zatrzymał się przed Solarinem i wyciągnął dłoń. Ten uścisnął ją, nie podnosząc się z miejsca. Brodski usiadł.

– Musiałem powiadomić pierwszego sekretarza o waszym zniknięciu – zaczął Brodski.

– Bynajmniej nie zniknąłem. Po prostu poszedłem na przechadzkę.

– I może jeszcze na małe zakupy, co? – ironizował Brodski. – Całkiem miła teczuszka. Gdzież to ją kupiliście? – Wprawnymi ruchami obmacywał leżącą obok krzesła aktówkę, której Gogol nawet nie zauważył. – Włoska skóra, coś w sam raz dla radzieckiego mistrza szachowego. Pozwolicie, że zbadam zawartość? – Solarin wzruszył ramionami, a Brodski wziął aktówkę na kolana, zajrzał do środka i zaczął badać jej zawartość. – A właśnie, kim była ta kobieta, która odchodziła od stolika, gdy wszedłem do sali?

– Jakaś staruszka – odparł Gogol. – Chciała trochę słodzika do herbaty.

– Niewątpliwie bardzo go potrzebowała – mruknął Brodski, przerzucając papiery – gdyż wyszła natychmiast po moim wejściu.

Gogol spojrzał szybko w kierunku stolika, gdzie siedziała staruszka. Rzeczywiście. Krzesło było puste.

Brodski odłożył papiery na powrót do teczki i wręczył ją Solarinowi. Potem spojrzał na Gogola i westchnął ciężko.

– Jesteście głupcem, Gogol – powiedział lekkim tonem, zupełnie jakby mówił o pogodzie. – Nasz wielki mistrz już trzykrotnie wystrychnął was na dudka. Najpierw, gdy wyspowiadał Fiskego tuż przed śmiercią. Potem, kiedy udał się po tę teczkę, w której teraz nie ma nic poza segregatorem, kilkoma czystymi notatnikami i dwiema książkami o przemyśle naftowym. Rzecz jasna wszelkie wartościowe przedmioty zdążyły z niej zniknąć. A teraz, na waszych oczach, przekazuje wiadomość agentce.

Gogol zaczerwienił się jak burak i odłożył filiżankę.

– Zapewniam was...

– Darujcie sobie te zapewnienia – przerwał szorstko Brodski, po czym odwrócił się do Solarina. – Sekretarz powiedział, że musimy zdobyć kontakt w ciągu dwudziestu czterech godzin, gdyż w przeciwnym razie zostaniemy wezwani do Rosji. Nie możemy ryzykować odkrycia, zwłaszcza teraz, po odwołaniu turnieju. Wyglądałoby to idiotycznie, gdybyśmy zostali w Nowym Jorku tylko po to, by zaopatrywać się we włoskie aktówki – powiedział szyderczo. – Macie dwadzieścia cztery godziny na złapanie kontaktu, mistrzu.

Solarin spojrzał Brodskiemu w oczy i uśmiechnął się chłodno.

– Mój drogi Brodski, możecie poinformować sekretarza, że wykonałem już swoje zadanie.

Brodski milczał, czekając na ciąg dalszy. Solarin również milczał, więc Brodski nie wytrzymał:

– No więc? Może przestaniecie trzymać nas w napięciu?

Solarin spojrzał na aktówkę. Gdy wreszcie podniósł wzrok na Brodskiego, jego twarz była nieprzenikniona.

– Figury są w Algierii – powiedział.

Zbliżało się południe, a ja czułam się zupełnie rozbita. Rozpaczliwie usiłowałam dodzwonić się do Nima, lecz wszystko na próżno. Przed oczyma wciąż miałam ciało Saula leżące na tej płycie i próbowałam jakoś dociec sensu tego wszystkiego. Siedziałam w biurze Con Edison, wychodzącym prosto na wejście do UN Plaza, wsłuchiwałam się we wszystkie wiadomości i czekałam, kiedy zjawi się policja, poinformowana o znalezieniu ciała. Jednak nic takiego się nie stało.

Próbowałam także dodzwonić się do Lily, ale nie było jej w domu. W biurze Harry'ego powiedziano mi, że pojechała do Buffalo w związku z transportem uszkodzonych futer i że wróci dopiero późnym wieczorem. Zastanawiałam się nawet, czy nie zadzwonić na policję i nie powiedzieć im o Saulu, lecz stwierdziłam, że sami się niebawem dowiedzą. Trudno przecież, żeby w UN Plaza trup mógł długo leżeć na kamiennej płycie nie zauważony.

Zaraz po południu wysłałam sekretarkę po kanapki. Po chwili zadzwonił telefon. W słuchawce usłyszałam obrzydliwie radosny głos mojego szefa Lisle'a.

– Mamy bilety i plan podróży, Velis – powiedział. – Biuro oczekuje cię w Paryżu w przyszły poniedziałek. Po noclegu polecisz do Algierii. Dostaniesz wszystko dziś po południu. W porządku? – Odpowiedziałam, że tak. – Czyżbym wyczuwał umiarkowany entuzjazm w twoim głosie, Velis? Jakieś wątpliwości w związku z wyjazdem na Czarny Kontynent?

– Absolutnie żadnych – odparłam, starając się, by mój głos brzmiał jak najbardziej zdecydowanie. – Przerwa dobrze mi zrobi. Nowy Jork powoli zaczyna mnie męczyć.

– Cudownie, cudownie. W takim razie *bon voyage*, Velis. I proszę, pamiętaj, że cię ostrzegałem.

Odłożył słuchawkę. Po chwili wróciła sekretarka, niosąc kanapki i mleko. Zamknęłam drzwi i próbowałam jeść, lecz zdołałam przełknąć jedynie kilka kęsów. Książki o historii przemysłu naftowego jakoś też nie potrafiły wywołać mojego entuzjazmu. Siedziałam więc ze wzrokiem tępo wbitym w blat biurka.

Około trzeciej sekretarka zapukała do drzwi i weszła. W rękach miała aktówkę.

– Jakiś człowiek przekazał to strażnikowi na dole – poinformowała mnie. – I zostawił wiadomość.

Wzięłam ją drżącą ręką i odczekałam, aż zostanę sama. Rozcięłam kopertę i wyszarpnęłam kartkę. *Usunąłem część pani papierów. Proszę, żeby nie szła pani sama do mieszkania.* Nie było podpisu, lecz domyśliłam się bez trudu. Włożyłam kartkę do kieszeni i zajrzałam do teczki. Nic nie zginęło. Z wyjątkiem moich notatek o Solarinie.

O szóstej trzydzieści wciąż jeszcze byłam w biurze. Sekretarka coś przepisywała, choć wszyscy inni już dawno poszli do domów. Dałam jej mnóstwo pracy, żeby tylko nie zostać sama, lecz teraz zastanawiałam się, jak dostać się do mieszkania. Przecież nie zrobię z siebie idiotki, wzywając taksówkę, skoro mieszkam dwie przecznice dalej.

Wszedł woźny, żeby trochę posprzątać. Gdy opróżniał popielniczkę, zadzwonił telefon. Odebrałam go tak gwałtownie, że omal nie strąciłam aparatu na podłogę.

– Widzę, że trwa wytężona praca – usłyszałam znajomy głos. O mało co nie popłakałam się z radości.

– Jeśli to siostra Nim – odparłam, za wszelką cenę starając się opanować – to obawiam się, że ten telefon jest nieco spóźniony; właśnie spakowałam wszystko, co potrzebne na rekolekcje. Od tej chwili należę do Zgromadzenia Siostrzyczek Jezusowych.

– Byłaby to smutna wiadomość, a zarazem wielka strata – powiedział Nim wesoło.

– Skąd wiedziałeś, że zastaniesz mnie tu o tak późnej porze?

– A gdzież indziej mógłbym znaleźć w ten zimowy wieczór kogoś tak bezgranicznie oddanego swojej pracy? – zakpił. – Oczy masz pewnie na zapałkach grubości ołówków. Ale co tam u ciebie, skarbie? Podobno usiłowałaś mnie znaleźć.

Odpowiedziałam dopiero, gdy woźny zamknął za sobą drzwi.

– Obawiam się, że wpadłam w poważne tarapaty – zaczęłam.

– Normalka. Wiecznie jesteś w tarapatach – odparł spokojnie Nim. – Właśnie to jest w tobie tak urocze. Kogoś takiego jak ja nużą ciągłe spotkania z przewidywalnym.

Zerknęłam przez szklaną ścianę na plecy sekretarki.

– Jestem w okropnych tarapatach – syknęłam do słuchawki. – W ciągu ostatnich dni dwie osoby zamordowano właściwie na moich oczach! Ostrzeżono mnie, że ma to coś wspólnego z moją obecnością na turnieju szachowym...

– Ojej. A cóż ty wyrabiasz, mówisz przez serwetkę? Ledwo cię słyszę. O czym cię ostrzeżono? Mów głośniej!

– Wróżka przepowiedziała mi, że będę w niebezpieczeństwie – odparłam. – No i jestem. Te morderstwa...

– Cat, skarbie. – Nim wybuchnął śmiechem. – Powiedziałaś: „wróżka"?

– Nie ona jedna – odparłam, wbijając paznokcie w skórę. – Słyszałeś kiedyś nazwisko Aleksander Solarin?

Nim milczał przez chwilę.

– Ten szachista? – odezwał się po chwili.

– Właśnie on mnie ostrzegł... – zaczęłam niepewnie, zdając sobie jednocześnie sprawę, że moje opowiadanie jest zbyt fantastyczne, by ktokolwiek mógł dać mu wiarę.

– Skąd znasz Aleksandra Solarina?

– Był wczoraj na turnieju szachowym. Podszedł do mnie i powiedział, że grozi mi niebezpieczeństwo. I kilkakrotnie podkreślał, że to nie żarty.

– Może pomylił cię z kimś innym – zasugerował Nim. Jednak w jego głosie wyczułam pewien namysł, jakby nad czymś się zastanawiał, jakby cały czas nad czymś intensywnie myślał.

– Niewykluczone – przyznałam. – Lecz potem, tego ranka w UN Plaza dał mi do zrozumienia...

– Chwileczkę – przerwał Nim. – Chyba zaczynam rozumieć, o co chodzi. Tłumy wróżek i radzieckich szachistów depczą ci po piętach, szepcząc do ucha różne tajemnicze rzeczy, a wokół trup ściele się gęsto. Co ty dziś jadłaś?

– Zaraz... Kanapkę i trochę mleka.

– A zatem paranoja wywołana brakiem pożywienia – zawyrokował wesoło Nim. – Weź, co masz do wzięcia, i melduj się na dole za pięć minut. Jeden przyzwoity posiłek położy kres wszelkim urojeniom.

– To nie żadne urojenia – zaprotestowałam. Jednocześnie z ulgą przyjęłam wiadomość, że Nim będzie na mnie czekał na dole. Przynajmniej bezpiecznie dostanę się do domu.

– Pozwól, że sam to ocenię – odparł. – Z tej odległości wyglądasz na osobę niedożywioną. Ale w tym czerwonym kostiumie jest ci szalenie do twarzy.

Rozejrzałam się po biurze, po czym wyjrzałam za okno. Latarnie przed gmachem UN Plaza właśnie zapalono, lecz większa część chodnika znajdowała się jeszcze w mroku. Niedaleko przystanku, przy budce telefonicznej, ujrzałam jakąś postać, która pomachała ręką.

– A tak nawiasem mówiąc, skarbie – usłyszałam w słuchawce głos Nima – jeśli tak bardzo lękasz się o swoje bezpieczeństwo, to proponuję, byś przestała dokazywać w oświetlonym oknie po zapadnięciu zmroku. Rzecz jasna, jest to jedynie sugestia. – Po czym odwiesił słuchawkę.

Przed wejściem do Con Edison stał ciemnozielony morgan Nima. Wybiegłam z budynku i wskoczyłam na miejsce pasażera, znajdujące się po lewej stronie. Samochód miał rozregulowaną tablicę rozdzielczą, a jego deski podłogowe wykonane były z drewna. Przez szpary między nimi widać było chodnik. Nim miał na sobie sprane dżinsy i drogą, włoską skórzaną kurtkę, a szyję okrywał mu biały, jedwabny szalik z frędzelkami. Gdy ruszyliśmy z miejsca, wiatr zaczął rozwiewać jego miedzianoczerwone włosy. Nigdy nie mogłam zrozumieć, dlaczego mam tylu przyjaciół, którzy uwielbiają jeździć w zimie z opuszczonym dachem. Gdy skręcaliśmy, zauważyłam, że światło latarń zapala w jego lokach złote błyski.

– Podskoczymy na moment do ciebie, żebyś mogła się przebrać w coś cieplejszego – powiedział Nim. – Jeśli chcesz, wejdę pierwszy z wykrywaczem min. – Każde z oczu Nima, w rezultacie jakichś zaburzeń genetycznych, było innego koloru: jedno brązowe, a drugie niebieskie. Z tego powodu nigdy nie mogłam się oprzeć wrażeniu, że patrząc na mnie, jednocześnie prześwietla mnie tym spojrzeniem na wylot. Trudno się dziwić, iż niezbyt za tym przepadałam.

Zahamowaliśmy przed moim domem. Nim wyszedł z samochodu i wcisnął w dłoń Boswella dwudziestodolarowy banknot.

– Nie zajmie nam to dużo czasu, dobry człowieku – powiedział. – Więc czy mógłby pan przez ten czas rzucić okiem na mój samochód. To pamiątka rodzinna.

– Oczywiście, proszę pana – odparł Boswell uprzejmie.

Ku mojemu zaskoczeniu podszedł do samochodu i pomógł mi wysiąść. Wprost nie do wiary, co można kupić za pieniądze.

W hallu sprawdziłam pocztę. Jedynie koperta z Fulbright Cone zawierająca moje bilety. Wsiedliśmy z Nimem do windy i pojechaliśmy na górę.

Nim obrzucił spojrzeniem moje drzwi i stwierdził, że obejdzie się bez wykrywacza min. Jeśli ktokolwiek wszedł do mojego mieszkania, uczynił to za pomocą klucza. Miałam drzwi z dwucalowej stali i z podwójnym zestawem bolców, jak większość nowojorskich mieszkań.

Nim wszedł pierwszy i poprowadził mnie przez hall do salonu.

– Moim skromnym zdaniem wynajęcie kogoś raz na miesiąc do posprzątania zdziałałoby cuda – zauważył. – Natomiast nie mogę pojąć, dlaczego trzymasz tak obfitą kolekcję kurzu i pamiątek; chyba że traktujesz to jako doskonały środek pomagający w wykryciu przestępstwa. – Zdmuchnął kłąb kurzu z piramidki książek, wziął pierwszą z brzegu i przekartkował ją od niechcenia.

Pogrzebawszy w szafce, znalazłam sztruksowe spodnie w kolorze khaki i gruby sweter z owczej wełny. Ruszyłam w stronę łazienki, żeby się przebrać, i zobaczyłam, że Nim przebiega palcami po klawiszach.

– Grasz trochę? – zawołał do mnie. – Klawisze są podejrzanie czyste.

– Studiowałam muzykę! – odkrzyknęłam z łazienki. – Muzycy są najlepszymi ekspertami komputerowymi. Lepszymi niż inżynierowie i fizycy razem wzięci.

Dobrze wiedziałam, że Nim studiował inżynierię i fizykę. Przebierając się w łazience, skonstatowałam nagle, że w salonie zapadła cisza. Gdy zjawiłam się tam, jeszcze bez butów, Nim stał na środku pokoju, wpatrując się w moje malowidło przedstawiające mężczyznę w bieli jadącego na rowerze, które zostawiłam oparte o ścianę.

– Uważaj. Jest jeszcze mokre – ostrzegłam.

– To ty malowałaś? – spytał, nie odrywając wzroku od płótna.

– Właśnie przez to miałam same kłopoty – wyjaśniłam. – Najpierw to namalowałam, a potem zobaczyłam mężczyznę, który wyglądał dokładnie tak samo. Więc ruszyłam w ślad za nim...

– Co zrobiłaś? – Nim odwrócił raptownie głowę.

Usiadłam na ławce przy fortepianie i opowiedziałam mu całą historię, zaczynając od przyjazdu Lily z Cariocą. Czy naprawdę to wszystko zdarzyło się nie dalej jak wczoraj? Tym razem Nim słuchał w milczeniu. Od czasu do czasu odwracał głowę, żeby zerknąć na obraz. Na koniec opowiedziałam o wróżce i mojej podróży do Fifth Avenue Hotel zeszłego wieczoru, kiedy to odkryłam, że taka wróżka nigdy nie istniała. Gdy umilkłam, Nim stał w zamyśleniu. Wstałam więc, poszłam do szafki, wyjęłam jakieś stare kozaki i kurtkę i zaczęłam się ubierać.

– Jeżeli nie masz nic przeciwko temu – powiedział Nim powoli – to pożyczyłbym sobie to twoje malowidło na kilka dni. – Podniósł je delikatnie, trzymając blejtram czubkami palców. – Masz gdzieś jeszcze ten wiersz od wróżki?

– Gdzieś leży – westchnęłam, ogarniając ruchem ręki otaczający nas chaos.

– No to poszukajmy.

Westchnąwszy ciężko, zaczęłam gmerać w kieszeniach płaszczy wiszących w garderobie. Zajęło mi to około dziesięciu minut, ale w końcu znalazłam serwetkę, na której Llewellyn zapisał proroctwo, mocno przyciskając długopis.

Nim wyjął mi ją z ręki i wcisnął sobie do kieszeni. Potem podniósł mój obraz jedną ręką, otoczył mnie ramieniem i ruszyliśmy w kierunku drzwi.

– Nie martw się o ten obraz – powiedział, gdy szliśmy przez hall. – Oddam ci go za tydzień.

– Równie dobrze możesz go sobie zatrzymać. Ludzie z firmy organizującej przeprowadzki zaczynają mnie pakować już w piątek. Dlatego właśnie dzwoniłam przedtem do ciebie. W ten weekend wyjeżdżam z kraju. Moja firma wysyła mnie za granicę w interesach.

– Ta firma sprzedajnych krwiopijców. A dokąd to cię wysyłają?

– Do Algierii – odparłam, gdy doszliśmy do drzwi.

Nim zatrzymał się jak wryty i wbił we mnie uważne spojrzenie. Potem wybuchnął śmiechem.

– Moja droga kobieto, ty chyba nigdy nie przestaniesz mnie zaskakiwać. Przez niemal godzinę zabawiałaś mnie opowieściami o morderstwach, niebezpieczeństwie, zagadkach i intrygach. A jednocześnie nie zwróciłaś mojej uwagi na sprawę najistotniejszą.

Spojrzałam na niego w kompletnym oszołomieniu.

– A cóż z tym wszystkim ma wspólnego Algieria? – spytałam.

– Posłuchaj – powiedział Nim, ujmując mnie za podbródek i odwracając moją twarz ku swojej. – Czy słyszałaś kiedykolwiek o szachach z Montglane?

RUNDA SKOCZKA

Rycerz: Umiesz grać w szachy, prawda?
Śmierć: Skąd wiesz?
Rycerz: Widziałem to na malowidłach i opowiadały mi o tym słowa ballad.
Śmierć: Tak, w istocie niezgorzej potrafię grać w szachy.
Rycerz: Na pewno jednak nie jesteś lepsza ode mnie.

Ingmar Bergman
Siódma pieczęć

Tunel w centrum miasta był niemal pusty. Było wpół do ósmej wieczorem, a warkot silnika morgana odbijał się echem od ścian.

– Myślałam, że jedziemy na kolację – zawołałam, przekrzykując hałas.

– I tak jest – odparł Nim tajemniczo. – Ale zjemy ją u mnie, na Long Island, gdzie próbuję pędzić żywot wiejskiego dżentelmena. Choć, rzecz jasna, o tej porze roku trudno liczyć na jakiekolwiek żniwa.

– Masz farmę na Long Island? – spytałam. To dziwne, ale trudno mi było sobie wyobrazić, że Nim w ogóle gdzieś mieszka. Zazwyczaj pojawiał się i znikał całkiem jak duch.

– A mam – odparł, zerkając na mnie w ciemnościach dwukolorowymi oczami. – Co będziesz miała szansę stwierdzić jako jedyna osoba na świecie. Dobrze wiesz, że wyjątkowo strzegę swojej prywatności. Dziś osobiście zamierzam przygotować dla ciebie kolację. A potem możesz u mnie przenocować.

– Zaraz, poczekaj chwileczkę...

– Wiem, że logika i zdrowy rozsądek to dwie całkiem ci obce sprawy – przerwał Nim. – Właśnie przed chwilą wyjaśniłaś mi, że grozi ci niebezpieczeństwo. W ciągu ostatnich czterdziestu ośmiu godzin niemal na twoich oczach zamordowano dwóch mężczyzn i zostałaś ostrzeżona, że cała sprawa dotyczy również ciebie. Więc chyba nie zamierzasz nocować sama w swoim mieszkaniu?

– Muszę iść rano do pracy – zaoponowałam.

– Wybij to sobie z głowy – rzekł Nim stanowczo. – Będziesz się trzymać z dala od tego wszystkiego, aż dojdziemy, o co tu właściwie chodzi. Zresztą jest kilka spraw, które chciałbym ci wyjaśnić.

Siedząc w samochodzie pędzącym ze świstem przez zupełne pustkowie, otuliłam się szczelniej kocem i słuchałam Nima.

– Przede wszystkim opowiem ci o szachach z Montglane – zaczął. – To długa historia, lecz zacznę od tego, że pierwotnie były one własnością Karola Wielkiego...

– O! – wykrzyknęłam, prostując się. – Tak, słyszałam o tym, ale nie wiedziałam, że to się tak nazywa. Wuj Lily Rad, Llewellyn, poruszył ten temat, gdy się dowiedział, że jadę do Algierii. Prosił, żebym przywiozła mu stamtąd kilka figurek.

– Trudno się dziwić – zaśmiał się Nim. – Są niezwykle rzadkie, a każda z nich warta jest fortunę. Zresztą większość ludzi nie wierzy w ich istnienie. Ale skąd Llewellyn się o nich dowiedział i na jakiej podstawie przypuszcza, że są akurat w Algierii? – Zadał te pytania obojętnym tonem, lecz wyczuwałam, że z napięciem czeka na odpowiedź.

– Llewellyn handluje antykami – wyjaśniłam. – Jeden z jego klientów chce je ściągnąć za wszelką cenę. Ponoć znają człowieka, który wie, gdzie one są.

– Śmiem wątpić. Według legendy cały komplet jest gdzieś zakopany już od ponad stu lat, a przez tysiąc lat nie były wcale w obiegu.

I Nim rozpoczął niezwykłą historię o mauretańskich władcach i francuskich zakonnicach i o tej tajemniczej sile, której od wieków szukali ci, którzy rozumieli naturę władzy. Wreszcie opowiedział o tym, jak cały komplet zniknął i nikt go więcej nie widział. Panuje przekonanie, że ukryto go gdzieś w Algierii. Nie wyjaśnił jednak dlaczego.

Gdy kończył swoją historię, samochód wjechał w gęstwinę drzew, a droga opadła nisko. Wyjechawszy wreszcie na wzniesienie, dostrzegliśmy mlecznobiały księżyc zawieszony nisko nad czarną powierzchnią oceanu. Gdzieś z lasu dochodziły pohukiwania sów. Z pewnością znajdowaliśmy się dość daleko od Nowego Jorku.

– No cóż – westchnęłam, wysuwając nos spod koca. – Już powiedziałam Llewellynowi, że nie zamierzam brać w tym udziału i że chyba zwariował, jeżeli myśli, że przemycę mu tak wielką figurę, całą ze złota i powysadzaną tymi wszystkimi diamentami i rubinami...

Samochód skręcił gwałtownie i o mały włos wpadlibyśmy do wody. Nim zwolnił i opanował sytuację.

– Miał jedną? Pokazał ci?

– Oczywiście, że nie – odparłam, zastanawiając się, o co właściwie chodzi. – Przecież sam mówiłeś, że od ponad stu lat nikt ich nie widział. Pokazał mi fotografię czegoś, co zdawało się być wykonane z kości słoniowej. Chyba z Bibliothèque Nationale.

– Aha – mruknął Nim, uspokajając się nieco.

– Nie rozumiem, co to wszystko ma wspólnego z Solarinem i tymi morderstwami.

– Zaraz ci wszystko wyjaśnię. Ale przysięgnij, że nikomu tego nie powtórzysz.

– Dokładnie to samo powiedział Llewellyn.

Nim spojrzał na mnie z niesmakiem.

– Być może będziesz ostrożniejsza, gdy ci wytłumaczę, że przyczyną, dla której Solarin skontaktował się z tobą i dla której wielokrotnie cię ostrzegał, są właśnie te figury szachowe.

– Niemożliwe – zaoponowałam. – Nigdy przedtem o nich nawet nie słyszałam. W zasadzie nadal nic o nich nie wiem. Nie mam nic wspólnego z całą tą głupią grą.

– Ale być może ktoś myśli, że masz – odparł Nim, patrząc na mnie poważnie.

Droga oddalała się łagodnym łukiem od oceanu. Po obu stronach, za wypielęgnowanymi żywopłotami, majaczyły wielkie posiadłości. Od czasu do czasu migały mi ogromne rezydencje oblane światłem księżyca i otoczone przez rozległe, białe od śniegu trawniki. Nigdy wcześniej nie widziałam czegoś takiego w pobliżu Nowego Jorku. Krajobraz zupełnie jak z książek Scotta Fitzgeralda.

Tymczasem Nim opowiadał mi o Solarinie.

– Wiem o nim tylko tyle, ile wyczytałem w czasopismach szachowych. Aleksander Solarin, lat dwadzieścia sześć, obywatel Związku Radzieckiego, wychowany na Krymie, tej kolebce cywilizacji, która ostatnimi czasy ma niewiele z cywilizacją wspólnego. Jest sierotą i wychowywał się w państwowym domu dziecka. Mając dziewięć lub dziesięć lat, pokonał w szachy swojego dyrektora. Najwyraźniej nauczył się grać w wieku czterech lat, od czarnomorskich rybaków. Od razu umieszczono go w pałacu pionierów.

Wiedziałam, co to takiego. Pałace pionierów były jedyną placówką na świecie, która zajmowała się masową produkcją mistrzów szachowych. Szachy w Rosji były czymś więcej niż tylko narodowym sportem – stanowiły przedłużenie polityki zagranicznej i traktowano je jako najbardziej intelektualną grę w historii. Rosjanie uważali, że ich długa hegemonia stanowi potwierdzenie ich umysłowej wyższości.

– Jeżeli Solarin był w pałacu pionierów, oznacza to, że miał silne poparcie polityczne – stwierdziłam.

– Tak by logicznie z tego wynikało – powiedział Nim.

Samochód znów zaczął się zbliżać do oceanu. Pieniste języki fal lizały skraj drogi, gdzie dostrzegłam sporo naniesionego piasku. Szeroka droga kończyła się wielkimi wrotami kutymi w żelazie. Nim wcisnął kilka guzików na desce rozdzielczej i wjechaliśmy w dżunglę splątanych liści, obwieszonych girlandami sopli. Całość przypominała krainę Królowej Śniegu.

– Ponadto – ciągnął Nim – Solarin nie zgadzał się na przegrywanie partii z graczami, których przewidywano do zwycięstwa, co jest obyczajem powszechnie praktykowanym przez Rosjan. Spotyka się to, rzecz jasna, z powszechną krytyką, lecz nikt sobie z tego nic nie robi.

Śnieg za bramą nie był odgarnięty i wyglądało na to, że od pewnego czasu nie wjeżdżały tu żadne samochody. Drzewa, przypominające olbrzymie kolumny katedry, zasłaniały rozciągający się dalej ogród. Na koniec dojechaliśmy do podjazdu z wielką fontanną pośrodku. Przed nami rysowała się bryła domu. Był gigantyczny, a jego dach pokrywał las kominów.

– Tak więc nasz przyjaciel Solarin zaczął studiować fizykę i porzucił świat szachów. Od czasu do czasu grywał w turniejach, lecz od ukończenia dwudziestego roku życia nie miał żadnego poważniejszego przeciwnika.

Wysiadłszy z samochodu, ruszyliśmy w kierunku wejścia, niosąc dosychający obraz.

Gdy Nim przekręcił klucz w zamku, stanęliśmy w rozległym hallu. Od razu włączył wielki, kryształowy żyrandol, który oświetlił podłogę wykonaną z ręcznie ciętych kafelków wypolerowanych na taki połysk, że lśniły jak marmur. Wewnątrz panował przenikliwy chłód – z moich ust wydobywała się para, a w rowkach między kafelkami widziałam cienką warstwę lodu. Wędrowałam posłusznie za Nimem przez szereg ciemnych pokoi, aż wreszcie dotarliśmy do kuchni mieszczącej się na tyłach domu. Cóż za cudowne pomieszczenie. W ścianach i na suficie zachowane były oryginalne rury gazowe. Nim odłożył obraz i włączył rozmieszczone w ścianach światła punktowe, roztaczające ciepły, złoty blask. Kuchnia również była ogromna – jakieś trzydzieści na pięćdziesiąt stóp. Tylną ścianę tworzyły oszklone drzwi, wychodzące na ośnieżony trawnik, za którym w dali, oblany srebrzystą poświatą, szalał ocean. W jednym kącie stały piece tak wielkie, że można na nich było przygotować posiłek dla setki ludzi, prawdopodobnie opalane węglem. Całą przeciwną ścianę zajmował monstrualny kominek, przed którym stał dębowy stół dla ośmiu lub dziesięciu osób. Powierzchnia blatu świadczyła, że nie był to mebel li tylko dekoracyjny. Dookoła wszędzie stały krzesła i puchate sofy pokryte poduszkami w jaskrawe, kwieciste wzory.

Nim wziął drewno leżące na stosie przy ścianie i ułożył je w środku, kładąc na wierzch cięższe kawałki. Po kilku minutach po kuchni zaczęło się rozchodzić przyjemne ciepło. Ściągnęłam buty i usiadłam z podkurczonymi nogami na sofie, a Nim otworzył butelkę sherry. Podał mi kieliszek, po czym nalał sobie i usiadł obok. Gdy zdjęłam kurtkę, stuknęliśmy się kieliszkami.

– Za szachy z Montglane i te wszystkie przeżycia, które staną się twoim udziałem – powiedział z uśmiechem i wypił łyk.

– Mmm. Pyszne.

– To amontillado – wyjaśnił, potrząsając kieliszkiem. – Za sherry znacznie gorsze od tego ludzi zamurowywano żywcem w ścianach.

– Mam nadzieję, że nie przewidujesz dla mnie tego rodzaju przeżyć. Naprawdę muszę być w pracy jutro rano – zapewniłam go.

– „Umarłem dla Piękna, umarłem dla Prawdy" – zacytował Nim. – Każdy człowiek wierzy, że jest gotów za coś umrzeć. Nigdy jednak nie spotkałem nikogo, kto gotów byłby ryzykować życie po to tylko, by odpracować jeden bezsensowny dzień w firmie Consolidated Edison.

– Teraz chyba chcesz napędzić mi strachu.

– W żadnym wypadku – odpowiedział Nim, zdejmując skórzaną kurtkę i jedwabny szalik. Pod spodem miał jaskrawoczerwony sweter, który doskonale harmonizował z jego włosami. Przeciągnął się i wyprostował nogi. – Lecz byłbym zaniepokojony, gdyby w pustej sali w gmachu UN Plaza zaczepił mnie jakiś nieznajomy mężczyzna. Zwłaszcza że zaraz po każdym z tych ostrzeżeń ktoś ponosi śmierć.

– A dlaczego twoim zdaniem Solarin wybrał właśnie mnie? – spytałam.

– Miałem nadzieję, że dowiem się tego od c i e b i e – odparł Nim, sącząc w zamyśleniu sherry i wpatrując się w ogień.

– Może chodzi o ten tajemniczy wzór, który rzekomo miał zdradzić podczas turnieju w Hiszpanii?

– To tylko zmyłka. Solarin jest prawdopodobnie maniakiem, jeśli chodzi o zagadki matematyczne. Wynalazł nową metodę obiegu skoczka i założył się o nią z każdym, komu uda się go pokonać. Wiesz, co to jest obieg skoczka? – spytał, widząc wyraz mojej twarzy. Potrząsnęłam przecząco głową. – To zagadka matematyczna. Poruszasz się skoczkiem po wszystkich polach szachownicy, przy czym nie wolno ci stanąć dwukrotnie na tym samym polu. Rzecz jasna, musisz przesuwać go w sposób tradycyjny, to znaczy dwa pola poziomo i jedno pionowo lub odwrotnie. Matematycy od stuleci usiłowali znaleźć metodę umożliwiającą coś takiego. Dokonał tego Euler. Po nim Benjamin Franklin. O rundzie zamkniętej można mówić wówczas, gdy skoczek kończy na tym samym polu, z którego zaczął. – Nim wstał, podszedł do pieców, powyciągał rozmaite garnki i zapalił gaz, przez cały czas nie przestając mówić. – Włoskim dziennikarzom w Hiszpanii zdawało się, że Solarin ukrył w tym wzorze jeszcze jeden wzór. On lubi zagadki wielopoziomowe. A ponieważ wiedzieli, że jest fizykiem, wyciągnęli dość pochopne, a zarazem niezwykle chwytliwe wnioski.

– No właśnie. Jest fizykiem – powiedziałam, przysuwając krzesło bliżej pieca i biorąc butelkę amontillado. – Jeśli ten wzór nie był aż tak istotny, dlaczego Rosjanie tak szybko wywieźli go z Hiszpanii?

– Zrobiłabyś karierę jako paparazzi – stwierdził Nim. – To jest dokładnie i c h sposób rozumowania. Niestety, Solarin zajmuje się akustyką. To dziedzina mało znana, niepopularna i nie mająca żadnego związku z obroną narodową. W większości uczelni w ich kraju trudno uzyskać stopień naukowy w tej dziedzinie. Być może zajmuje się projektowaniem sal koncertowych, jeżeli jeszcze w ogóle zajmują się ich budową. Nim postawił garnek na płycie i ruszył do spiżarki, skąd przyniósł mięso i naręcze świeżych warzyw.

– Na twoim podjeździe nie było żadnych śladów opon – zauważyłam. – A śnieg nie padał już od dziesięciu dni. Więc skąd wziąłeś świeży szpinak i egzotyczne grzyby?

Nim uśmiechnął się, jakbym właśnie zdała trudny egzamin.

– Widzę, że odznaczasz się niezwykłą dociekliwością. I to ci się przyda. – Włożył warzywa do zlewu i zaczął je myć. – Zakupy zlecam mojemu dozorcy, który wjeżdża i wyjeżdża bocznym wejściem.

Nim rozpakował bochenek świeżego żytniego chleba z koperkiem i otworzył mus z pstrąga. Ukroił dla mnie dużą kromkę. Nigdy nie kończyłam śniadań, a rzadko kiedy miałam okazję zjeść lunch. To, co podał Nim, było wyborne. A kolacja okazała się jeszcze lepsza. Zaserwował cienkie plasterki cielęciny w sosie kumkwatowym, świeży szpinak z orzechami i duże, czerwone pomidory befsztykowe (niezmiernie rzadkie o tej porze roku), pieczone i nadziewane sosem cytrynowo-jabłkowym. Szerokie, wachlarzowate grzyby sauté były podane jako przystawka. Po daniu głównym zabraliśmy się do sałatki z czerwonej i zielonej młodej sałaty z liśćmi mlecza i pieczonymi orzechami laskowymi.

Po kolacji Nim zabrał naczynia i przyniósł dzbanek kawy, którą podał z odrobiną Tuaca. Przenieśliśmy się na duże miękkie krzesła w pobliżu ognia, który powoli przygasał, zostawiając po sobie tlące się łagodnie węgielki. Nim sięgnął do przewieszonej przez krzesło kurtki i wyciągnął serwetkę od wróżki. Przez dłuższą chwilę przyglądał się zapiskom Llewellyna. Potem wręczył mi ją, a sam podniósł się, by przegarnąć żar.

– Czy zauważyłaś coś niezwykłego w tym wierszu? – spytał.

Spojrzałam, lecz nie dostrzegłam tam nic dziwnego.

– Wiesz oczywiście, że czwarty dzień czwartego miesiąca to moje urodziny – stwierdziłam. Nim przytaknął. W blasku ognia jego włosy przybrały złocistoczerwony kolor. – Wróżka ostrzegała mnie, bym nikomu o tym nie mówiła.

– I jak zwykle dotrzymałaś słowa, nie bacząc na cenę – zauważył Nim, wrzucając kilka szczap do ognia. Podszedł do stołu w rogu pokoju, by wziąć kartkę i pióro, po czym usiadł obok mnie. – Spójrz tylko – powiedział.

Dużymi, wyraźnymi literami przepisał całość w osobnych linijkach. Poprzednio tekst był rozrzucony po całej serwetce. Teraz wyglądało to następująco:

JAKO TE LINIE, KTÓRE ŁĄCZĄ SIĘ I KLUCZ TWORZĄ
A SĄ JAK POLA NA SZACHOWNICY; GDY MIESIĄC
                    I DZIEŃ JEST CZWARTY
DALIBÓG, BY MATA ZADAĆ, NIE NADSTAWIAJ GŁOWY
OTÓŻ JEDNA GRA PRAWDZIWA, TA DRUGA
        – METAFORĄ I NIE GRAJ W OTWARTE KARTY
UPOMINANY MĄDROŚĆ POZNAJE PÓŹNO
                  – NIE PRZYJMUJE MOWY
BITWA BIAŁYCH NIESKOŃCZONA TRWA
               POD KRWAWĄ ZORZĄ
ENERGICZNIE WALCZĄ CZARNE
               – LOS JEGO GOTOWY
CIĄGLE SZUKAJ LICZBY TRZYDZIEŚCI I TRZY JAK CI,
               CO ZIEMIĘ ORZĄ
VIS-À-VIS TAJEMNYCH DRZWI STOISZ,
           GDZIE WCHÓD NA WIEKI ZAWARTY

– No i co tutaj widzisz? – spytał Nim, przyglądając mi się badawczo, gdy studiowałam w skupieniu podany mi tekst.

Niezupełnie wiedziałam, o co mu chodzi.

– Spójrz na strukturę samego wiersza – powiedział z lekką irytacją. – Ruszże głową, przecież nie od parady masz ścisły umysł.

Spojrzałam na wiersz ponownie i wtedy zauważyłam.

– Układ rymów jest dość niezwykły – oznajmiłam z dumą.

Brwi Nima uniosły się i błyskawicznie wyrwał mi kartkę z ręki. Przyjrzał się wierszowi i wybuchnął śmiechem.

– Rzeczywiście – przyznał, zwracając mi kartkę. – Nie zauważyłem wcześniej. Masz, weź i zapisz, jak wygląda.

Uczyniłam posłusznie, jak mi kazał.

– Tworzą – czwarty – głowy (A-B-C), karty – mowy – zorzą (B-C-A), gotowy – orzą – zawarty (C-A-B).

– A więc taki mamy układ rymów – powiedział Nim, przepisując wszystko jeszcze raz. – Teraz chciałbym, żebyś zastąpiła litery cyframi i spróbowała je dodać. Efekt był następujący:

ABC	123
BCA	231
CAB	312
	666

– To przecież numer apokaliptycznej bestii: 666! – wykrzyknęłam.

– Zgadza się. A jeśli dodasz wszystko poziomo, również otrzymasz tę samą liczbę. I to właśnie, moja droga, określane jest mianem „kwadratu magicznego". Następna matematyczna gra. Tajemne kwadraty magiczne znajdowały się również w niektórych z obiegów skoczka wynalezionych przez Bena Franklina. Przyznam, że jesteś w tym niezła. Ja go tam nie znalazłem, a ty to zauważyłaś za pierwszym razem.

– To ty go nie widziałeś? – spytałam, dumna z siebie. – Ale w takim razie, co miałam wtedy znaleźć? – Przyjrzałam się badawczo kartce, spodziewając się, że u góry albo z boku pojawi się nieoczekiwanie ukryty królik, zupełnie jak w pisemku dla dzieci.

– Oddziel linią dwa ostatnie zdania. – A gdy to uczyniłam, Nim dodał: – A teraz spójrz na pierwsze litery każdej linijki.

Powoli przesunęłam wzrokiem po kartce i pomimo ciepła emanującego z kominka, zimny dreszcz przeszedł mi po plecach.

– Co się stało? – spytał Nim, przyglądając mi się dziwnym wzrokiem.

Wpatrywałam się w kartkę, nie mogąc wydusić słowa. Wreszcie wzięłam kartkę i napisałam to, co widziałam.

– J-A-D-O-U-B-E/C-V. – Litery na kartce zdawały się odpowiadać za mnie.

– No właśnie – powiedział Nim, podczas gdy ja siedziałam obok sztywna z przerażenia. – „J'adoube" to francuski termin szachowy oznaczający „dotykam", „poprawiam". Wypowiada go gracz, gdy chce poprawić podczas gry jedną z figur na szachownicy. Na końcu zaś mamy CV, czyli twoje inicjały. Wynikać by z tego mogło, że owa wróżka przesłała ci jakąś wiadomość. Może chce się z tobą skontaktować. Zdaję sobie sprawę, że... Co, u licha, się z tobą dzieje?

– Nic nie rozumiesz – rzekłam drżącym głosem. – J'adoube... to ostatnie słowo wypowiedziane publicznie przez Fiskego. Tuż przed śmiercią.

Rzecz jasna, po tym wszystkim śniły mi się koszmary. Podążałam za mężczyzną na rowerze, jadącym wąską drogą wijącą się aż do samego szczytu stromego wzgórza. Wszystkie budynki stały tak blisko siebie, że nie widziałam nieba. W miarę jak coraz bardziej zagłębialiśmy się w labirynt brukowanych uliczek, robiło się coraz ciemniej. Gdy wynurzałam się zza rogu, on właśnie znikał za następnym zakrętem. Wreszcie dopadłam go na końcu ślepej uliczki. Czekał na mnie jak pająk w sieci. Gdy odwrócił się w moją stronę i ściągnął kaptur z twarzy, zobaczyłam zbielałą czaszkę z ziejącymi oczodołami. Czaszka zaczęła obrastać ciałem i po chwili, na moich oczach, stała się uśmiechniętą twarzą wróżki.

Obudziłam się mokra z przerażenia, odrzuciłam kołdrę i usiadłam w łóżku, cała drżąc. W kominku wciąż tlił się żar. Wyjrzawszy przez okno, zobaczyłam trawniki pokryte śniegiem. W samym środku znajdowała się duża, marmurowa fontanna, a poniżej jeszcze większy basen, nadający się nawet do pływania. Dalej połyskiwała powierzchnia oceanu, szaroperłowego w świetle poranka.

Wydarzenia poprzedniego wieczoru nie rysowały się zbyt wyraźnie w mojej pamięci, a to za sprawą Nima, a raczej napoju o nazwie Tuaca, którym mnie raczył. Teraz czułam, że boli mnie głowa. Zwlokłam się z łóżka, poczłapałam do łazienki i odkręciłam kurek z gorącą wodą. Udało mi się znaleźć jakiś płyn do kąpieli o nazwie „Goździki i fiołki". Zapach miał niezbyt zachęcający, lecz wlałam go trochę do wanny. Gdy usiadłam wygodnie otoczona cienką warstwą piany, zaczęły mi się przypominać strzępy naszej rozmowy. Wkrótce też cały lęk odezwał się we mnie ze zdwojoną siłą.

Przed drzwiami mojej sypialni leżała niewielka kupka ubrań:

skandynawski sweter z owczej wełny i żółte gumowce wyściełone wewnątrz flanelą. Wciągnęłam to wszystko na siebie i zeszłam na dół, gdzie unosił się apetyczny aromat. Nim stał przy piecu ubrany w kraciastą koszulę, dżinsy i żółte buty podobne do moich.

– Jak mogę stąd zadzwonić do biura? – spytałam.

– W tym domu nie ma telefonów – odparł. – Ale dziś rano był tu Carlos, mój dozorca, i poprosiłem go, żeby po powrocie do miasta zatelefonował do twojej firmy i powiedział, że dziś się nie zjawisz. Odwiozę cię po południu i pomogę ci zabezpieczyć mieszkanie. A tymczasem proponuję, żebyśmy coś zjedli, a potem poszli obejrzeć ptaki. Mam tutaj dużą wolierę.

Nim postawił na stole jajka w koszulkach, kanadyjski bekon ze smażonymi ziemniakami i uraczył mnie najwyborniejszą kawą na całym Wschodnim Wybrzeżu. Po śniadaniu, w którego trakcie nie rozmawialiśmy zbyt wiele, wyszliśmy na zewnątrz, by podziwiać jego posiadłość, która ciągnęła się wzdłuż oceanu na przestrzeni stu jardów, od sąsiednich terenów odgrodzona wysokim, gęstym żywopłotem. Owalna fontanna i znajdujący się poniżej basen były częściowo napełnione wodą, na której powierzchni unosiły się baryłki do kruszenia lodu.

Nieopodal stała ogromna woliera z pomalowanej na biało siatki, zwieńczona kopułą w stylu mauretańskim. Przez kraty przedostawał się śnieg, który osiadał na rosnących wewnątrz małych drzewkach. Na gałęziach siedziały przeróżne ptaki, a po ziemi dreptały wielkie pawie, ciągnąc po śniegu przepiękne ogony. Ich przenikliwe głosy przypominały krzyki sztyletowanej kobiety. Ciarki przechodziły mi po plecach.

Nim otworzył drzwi, wprowadził mnie do środka i ruszył przodem przez gęstwinę ośnieżonych drzew, wskazując po drodze co ciekawsze okazy.

– Ptaki bywają inteligentniejsze od ludzi – powiedział. – Trzymam tu również sokoły, rzecz jasna w oddzielnej klatce. Dwa razy dziennie Carlos daje im mięso. Moim ulubieńcem jest sokół wędrowny. Jak u większości gatunków, polowaniem zajmuje się samica – mówiąc to, wskazał na niewielkiego, nakrapianego ptaka, siedzącego wysoko na tyłach woliery.

– Naprawdę? Nigdy wcześniej o tym nie słyszałam. – Podeszłam bliżej, by lepiej mu się przyjrzeć. Jego blisko osadzone oczy, duże i czarne, przyglądały się nam z ogromną uwagą.

– Zawsze odnosiłem wrażenie, że to właśnie ty masz instynkt zabójcy – rzekł Nim, wpatrując się w ptaka.

– Ja? Chyba żartujesz!

– Rzecz jasna nikt go jeszcze odpowiednio nie podsycił – dodał. – Lecz zamierzam tym się zająć. Moim zdaniem zbyt długo znajduje się w uśpieniu.

– Ale przecież to mnie chcą zabić – zaoponowałam.

– Jak w każdej grze, tak i tutaj przysługuje ci prawo wyboru: czując zagrożenie, możesz zareagować defensywnie albo agresywnie – powiedział Nim, spoglądając na mnie i czochrając mi włosy dłonią w rękawiczce. – Dlaczego więc nie wybierzesz tej drugiej metody i nie zagrozisz swojemu przeciwnikowi?

– Ale przecież nie wiem, kto nim jest – odparłam zdenerwowana.

– Mylisz się – odpowiedział tajemniczo Nim. – Wiesz od samego początku. Mam ci to udowodnić?

– Proszę bardzo.

Okropnie mnie tym wszystkim zdenerwował i nie miałam zamiaru odzywać się do niego ani słowem. Z woliery wyszliśmy więc w milczeniu. Nim zamknął drzwi, wziął mnie za rękę i zaprowadził do domu.

Gdy znaleźliśmy się w środku, zdjął mi płaszcz, posadził na sofie w pobliżu ognia, pomógł mi zdjąć buty, po czym poszedł po mój obraz z mężczyzną na rowerze i postawił go blisko nas.

– Kiedy wczoraj wieczorem poszłaś spać, długo przyglądałem się temu obrazowi – powiedział. – Męczyło mnie to, ponieważ miałem silne *déjà vu*. Wiesz, że zawsze muszę rozgryźć każdy problem. I udało mi się to tego ranka.

Podszedł do dębowej lady i otworzył szufladę, skąd wyjął kilka talii kart. Usiadł obok mnie na sofie. Z każdej talii wyjął jokera i położył go na stoliku. Spojrzałam na nie w milczeniu.

Jeden z nich był błaznem w czapce z dzwoneczkami i jechał na rowerze. Zarówno on, jak i jego rower byli ustawieni dokładnie tak samo jak na moim obrazie. W tle znajdował się nagrobek i litery RIP. Drugi joker był podobny, tyle tylko

181

że na karcie widniało też jego lustrzane odbicie. Trzecim był głupiec z tarota idący wesoło przed siebie i stawiający krok w stronę przepaści.

Spojrzałam na Nima, a on uśmiechnął się do mnie.

– Joker w kartach jest tradycyjnie kojarzony ze Śmiercią – wyjaśnił. – Zarazem traktuje się go jako symbol odrodzenia oraz niewinności rodzaju ludzkiego przed Upadkiem. Osobiście uważam go za rycerza Świętego Graala, który musi być prosty i naiwny, jeśli chce natrafić na szczęście, którego szuka. Nie zapominaj, że jego celem jest ocalenie ludzkości.

– Więc? – spytałam jak gdyby nigdy nic, choć prawdę mówiąc, podobieństwo między kartami a moim obrazem wytrąciło mnie z równowagi. Teraz, gdy ujrzałam prototyp, zaczęło mi się wydawać, że mój człowiek na rowerze ma kaptur błazna i jego dziwnie spiralne oczy.

– Zapytałaś mnie, kim jest twój przeciwnik – zaczął Nim poważnym tonem. – Więc moim zdaniem, tak samo jak w tych kartach i na twoim obrazie, ów człowiek na rowerze jest jednocześnie twoim wrogiem i sprzymierzeńcem.

– Ale chyba nie mówisz o kimś realnym?

Nim skinął głową, przyglądając mi się uważnie.

– Widziałaś go, prawda?

– Ale to był czysty przypadek.

– Być może – zgodził się. – Lecz istnieją różnego rodzaju przypadki. Na przykład mogła to być pułapka przygotowana przez kogoś, kto wiedział o istnieniu tego obrazu. Choć równie dobrze mógł to być przypadek zupełnie innego rodzaju – dodał z uśmiechem.

– Nie, nie – zaprzeczyłam, gdyż zdawałam sobie sprawę, do czego zmierza. – Przecież wiesz, że nie wierzę w jasnowidztwo, siły psychiczne i cały ten metafizyczny bełkot.

– Nie? – spytał Nim, w dalszym ciągu się uśmiechając. – A jednak będziesz zmuszona znaleźć jakieś wytłumaczenie, bo w przeciwnym wypadku nikt nie uwierzy, że najpierw namalowałaś obraz, a potem zobaczyłaś modela. Muszę ci, niestety, coś wyznać. Otóż podobnie jak twoi przyjaciele, Llewellyn, Solarin i owa wróżka, uważam, że masz do odegrania ważną rolę w zagadce szachów z Montglane. W przeciwnym razie trudno byłoby znaleźć jakieś wytłumaczenie. Może być tak, że jesteś w pewien sposób przeznaczona – może nawet wybrana – aby odegrać główną...

– Daj spokój – warknęłam. – Nie zamierzam się uganiać za tym mitycznym kompletem szachowym! Jacyś ludzie chcą mnie zabić albo przynajmniej wmieszać w jakieś morderstwa, nie łapiesz, o co chodzi?

– Doskonale „łapię", o co chodzi, jak to uroczo określiłaś – odparł Nim. – Jednak to właśnie ty podążasz w niewłaściwym kierunku. Najlepszą obroną jest dobry atak.

– Bzdury – powiedziałam. – Od razu widać, że traktujesz mnie jak naiwniaczkę. Aż cię łapy świerzbią, żeby znaleźć ten komplet szachowy, i po prostu potrzebujesz frajera. I tak siedzę w tym aż po uszy, dokładnie tutaj, w Nowym Jorku. I bynajmniej się nie rwę do jakiegoś obcego kraju, gdzie nie mam nikogo, do kogo mogłabym się zwrócić o pomoc. Może jesteś znudzony i marzą ci się mocne wrażenia, ale co się stanie ze mną, gdy wpakuję się tam w jakieś tarapaty? Nawet nie masz numeru telefonu, który w razie potrzeby mogłabym wykręcić. A może ci się zdaje, że siostry karmelitanki pośpieszą mi z odsieczą, gdy ktoś zacznie do mnie strzelać? A może przewodniczący Nowojorskiej Giełdy ruszy w ślad za mną, zbierając wszystkie trupy, jakie po sobie zostawię?

– Nie popadajmy w histerię – rzekł Nim, jak zwykle spokojny i opanowany. – Nie brakuje mi kontaktów na żadnym kontynencie, ale tobie nic o tym nie wiadomo, gdyż za bardzo jesteś zajęta unikaniem głównej kwestii. Przypominasz mi te trzy małpy, które próbują uniknąć zła, zatykając wszystkie kanały percepcji zmysłowej.

– W Algierii nie ma konsulatu amerykańskiego – wycedziłam przez zaciśnięte zęby. – Więc może znasz jakąś pomocną duszę w ambasadzie rosyjskiej? – Prawdę mówiąc, nie było to aż tak nieprawdopodobne, gdyż w żyłach Nima płynęła krew rosyjska i grecka. Lecz o ile się orientowałam, jego związki z każdym z tych krajów były bardziej niż luźne.

– Prawdę mówiąc, rzeczywiście mam kontakty w kilku ambasadach w kraju, do którego się udajesz – stwierdził Nim z lekkim uśmieszkiem. – Ale o tym później. Musisz się pogodzić z tym, moja droga, że jesteś wplątana w tę eskapadę, bez względu na to, czy ci się to podoba czy nie. Poszukiwanie

Świętego Graala zamieniło się w tłumny pęd. Jeżeli nie dotrzesz tam pierwsza, nie masz żadnych szans.

– Nazywaj mnie Parsifalem – powiedziałam ponuro. – Popełniłam wielki błąd, licząc na pomoc z twojej strony. Masz wielce osobliwy sposób rozwiązywania problemów: na ich miejsce wynajdujesz nowe, dzięki czemu te pierwsze wydają się błahostką.

Nim wstał, podniósł mnie z miejsca i spojrzał na mnie z porozumiewawczym uśmiechem. Położył mi ręce na ramionach.

– *J'adoube* – powiedział.

OFIARY

Stojąc na skraju przepaści, ludzie nie mają głowy do szachów.

Madame Suzanne Necker
matka Germaine de Staël

Paryż
2 września 1792

Nikt nie zdawał sobie sprawy, co to będzie za dzień.
Nie wiedziała tego Germaine de Staël, żegnając się z perso-
nelem ambasady. Gdyż właśnie dziś, 2 września, miała podjąć
próbę ucieczki z Francji, korzystając z immunitetu dyplomatycznego.

Nie wiedział tego Jacques-Louis David, gdy ubierał się w pośpiechu na nadzwyczajne posiedzenie Zgromadzenia Narodowego. Gdyż właśnie dziś, 2 września, oddziały nieprzyja-
cielskie zbliżyły się do Paryża. Prusacy zagrozili, że obrócą
miasto w perzynę.

Nie wiedział tego Maurice Talleyrand, gdy wraz z lokajem,
Courtiade'em, ściągał cenne, oprawione w skórę woluminy
z półek biblioteki. Gdyż właśnie dziś, 2 września, planował
przemycić swe cenne zbiory przez granicę francuską, przygotowując się do rychłej ucieczki.

Nie wiedziały tego Valentine i Mireille, przechadzając się
po jesiennym ogrodzie położonym na tyłach gabinetu Davida.
Z otrzymanego właśnie listu dowiedziały się, że pierwsze figury z Montglane są w niebezpieczeństwie. Nie zdawały sobie sprawy, że przez ów list znajdą się niebawem w samym
oku cyklonu mającego przetoczyć się przez Francję.

Gdyż nikt nie wiedział, że dokładnie za pięć godzin, o drugiej po południu 2 września, rozpocznie się terror.

Valentine przebierała palcami w niewielkiej, rozświetlonej sadzawce w tylnej części pracowni Davida, a pływająca tam duża złota rybka lekko trącała ją pyszczkiem. Niedaleko stąd ona i Mireille zakopały dwie figury z kompletu, przywiezione z Montglane. A teraz miały do nich dołączyć inne. Obok niej stała Mireille, czytając list. Wokół nich, w gęstwinie liści, pobłyskiwał przydymiony ametyst i topaz ciemnych chryzantem. Na powierzchni wody unosiły się pierwsze żółte liście, tworząc jesienną aurę pomimo dręczącego upału ostatnich dni lata.

– Ten list może mieć tylko jedno wytłumaczenie – powiedziała Mireille i przeczytała go na głos:

Ukochane Siostry w Chrystusie!

Jak Wam wiadomo, opactwo w Caen zostało zamknięte. W czasie niepokojów, do których doszło we Francji, nasza przełożona, Mademoiselle Alexandrine de Forbin, zmuszona była udać się do swej rodziny we Flandrii. Jednak siostra Marie Charlotte Corday, którą zapewne pamiętacie, pozostała w Caen, by zająć się wszystkimi problemami, jakie mogą się pojawić.

Choć nigdy się nie spotkałyśmy, pragnę się przedstawić: jestem siostra Claude, benedyktynka z zamkniętego opactwa w Caen. Byłam osobistą sekretarką siostry Alexandrine, która kilka miesięcy temu, przed wyjazdem do Flandrii, odwiedziła mnie w moim domu w Épernay. Nalegała wówczas, bym – jeśli znajdę się w Paryżu – osobiście przekazała wieści siostrze Valentine.

Obecnie przebywam w dzielnicy Cordelières. Proszę o spotkanie przy bramie opactwa L'Abbaye dzisiaj o drugiej po południu, ponieważ nie wiem, jak długo tu jeszcze pozostanę. Mam nadzieję, że rozumieją siostry wagę tej prośby.

Wasza siostra w Chrystusie
Claude z Abbaye-aux-Dames, Caen

– Przybywa z Épernay – rzekła Mireille, skończywszy czytanie listu. – To miasto położone na wschód stąd, nad Marną.

187

Twierdzi, że Alexandrine de Forbin zatrzymała się tam w drodze do Flandrii. Czy wiesz, co znajduje się między Épernay a granicą flandryjską?

Valentine potrząsnęła przecząco głową, patrząc na Mireille wielkimi oczami.

– Fortece Longwy i Verdun. Oraz połowa pruskiej armii. Może nasza droga siostra Claude przywozi nam coś znacznie cenniejszego niż tylko dobre wieści od Alexandrine de Forbin. Może przywozi nam coś, co w opinii Alexandrine było zbyt niebezpiecznym bagażem podczas przekraczania granicy flandryjskiej, zwłaszcza przy takiej liczbie walczących wojsk.

– Figury! – wykrzyknęła Valentine, zrywając się na równe nogi i płosząc rybki. – Z listu wynika, że Charlotte Corday została w Caen! Niewykluczone, że Caen było punktem zbornym na północnej granicy. – Przerwała i zamyśliła się nad tymi słowami. – Lecz jeśli tak – dodała w pomieszaniu – to dlaczego Alexandrine próbowała opuścić Francję od wschodu?

– Nie mam pojęcia – odrzekła Mireille, rozpuszczając swe długie, rude włosy i nachylając się nad sadzawką, by ochlapać wodą rozpaloną twarz. – Nigdy się tego nie dowiemy, jeśli o wyznaczonej porze nie udamy się na spotkanie z siostrą Claude. Dlaczego jednak wybrała Cordelières, najniebezpieczniejszą dzielnicę miasta? I wiesz przecież, że L'Abbaye nie jest już opactwem, zostało zmienione na więzienie.

– Nie lękam się iść tam sama – powiedziała Valentine. – Obiecałam przeoryszy, że podejmę się tej odpowiedzialności, a teraz nadszedł czas próby. Lecz ty musisz tutaj zostać, droga kuzynko. Stryj Jacques-Louis zakazał nam opuszczać dom podczas jego nieobecności.

– Więc będziemy musiały wykazać wiele sprytu – odparła Mireille. – Gdyż przenigdy nie zgodzę się, byś sama szła do Cordelières. Tego możesz być pewna.

10.00

Przez bramę ambasady szwedzkiej przetoczyła się karoca wioząca Germaine de Staël. Na jej dachu piętrzyły się stosy kufrów i pudeł z perukami, pilnowanych przez woźnicę i dwóch służących w liberii. Wewnątrz, w towarzystwie pokojówek i szkatułek z klejnotami, siedziała skulona Germaine, odziana w oficjalny strój ambasadorowej, pełen barwnych wstęg i epoletów. Szóstka białych koni przedzierała się przez zatłoczone o tej porze ulice Paryża, zmierzając w kierunku bram miejskich. Konie ozdobione były kokardami w szwedzkich barwach narodowych, a na drzwiczkach karocy pyszniły się herby szwedzkiej rodziny królewskiej. Zasłony przy okienkach były zaciągnięte.

Siedząc w mrocznym wnętrzu nieznośnie dusznej karocy, Germaine tak się zamyśliła, że nie spojrzała ani razu, co się dzieje na zewnątrz. Gdy nagle, z całkowicie nie wyjaśnionych przyczyn, karoca gwałtownie zahamowała, jedna z pokojówek nachyliła się i otworzyła skrzydło okna. Znajdowali się przed bramami miasta.

Na zewnątrz krążyła zbieranina obszarpanych kobiet dzierżących w dłoniach grabie i motyki, niewątpliwie traktowane jak broń. Kilka z nich spojrzało pożądliwie na Germaine, a ich wykrzywione usta, całkiem bezzębne bądź też pełne poczerniałych pieńków, przypominały obrzydliwie poszarpane dziury. Dlaczego motłoch musi zawsze wyglądać tak motłochowato, pomyślała Germaine. Całymi godzinami potrafiła knuć polityczne spiski, przeznaczając swą znaczną fortunę na łapówki dla odpowiednich urzędników – a wszystko dla takich oto nędzników. Germaine wychyliła się przez okno, opierając ramię o listwę drzwiczek.

– Co się tutaj wyprawia? – krzyknęła swoim donośnym, nie znoszącym sprzeciwu głosem. – Natychmiast przepuśćcie moją karetę!

– Nikomu nie wolno wyjeżdżać z miasta! – krzyknęła z tłumu jakaś kobieta. – Pilnujemy bram! Śmierć arystokracji! – Ten okrzyk został podchwycony przez tłum, który rósł z każdą chwilą.

Wrzask tych skrzeczących wiedźm omal nie ogłuszył Germaine.

– Jestem ambasadorową Szwecji! – krzyknęła jak najgłośniej. – I wyruszam z oficjalną misją do Szwajcarii! Żądam, byście natychmiast przepuściły moją karocę!

– Słyszałyście? Ona żąda! – wrzasnęła kobieta stojąca tuż

obok karocy. Potem zwróciła się w stronę Germaine i splunęła jej w twarz, wywołując tym powszechny entuzjazm.

Germaine wyjęła koronkową chusteczkę i wytarła ślinę. Następnie wyrzuciła tę chusteczkę przez okno, krzycząc:

– Oto chusteczka córki Jacquesa Neckera, ministra finansów, którego kochaliście i darzyliście szacunkiem. Pokryta plwociną ludu!... Bydło – powiedziała madame de Staël do swych pokojówek, które drżąc, wcisnęły się w kąt karety. – Zobaczymy, kto tu jest panem sytuacji.

Jednak tłum kobiet wyprzągł konie i zaczął sam ciągnąć karetę przez ulicę, oddalając się cały czas od bram miasta. Tłumy na ulicach rozrastały się do niebywałych rozmiarów. Masa ludzka naciskała na boki karocy, przesuwając ją powoli, jak rój mrówek przenoszący kawałek ciastka.

Germaine przywarła dziko do drzwiczek, rzucając na przemian przysięgi i groźby, lecz jej głos ginął wśród wrzasków tłuszczy. Po pewnym czasie, który zdawał się wiecznością, tłum zatrzymał się przed imponującą fasadą wielkiego budynku otoczonego przez straże. Gdy Germaine zobaczyła, gdzie ją przywieźli, zrobiło się jej zimno. Stała przed Hôtel de Ville. Kwaterą główną Komuny Paryskiej.

Germaine wiedziała, że Komuna Paryska to coś znacznie niebezpieczniejszego niż otaczające ją pospólstwo. To banda szaleńców. Bali się ich nawet pozostali członkowie Zgromadzenia. Mianując się delegatami ulic Paryża, wtrącali do więzień, sądzili i wymierzali wyroki śmierci arystokratom, a wszystko odbywało się w tempie tak błyskawicznym, iż przeczyło to samemu pojęciu wolności. Dla nich Germaine de Staël stanowiła kolejną arystokratyczną szyję, która domaga się gilotyny. A ona doskonale o tym wiedziała.

Ktoś szarpnął drzwiczki karocy, otwierając je na oścież, a brudne ręce wyciągnęły Germaine na ulicę. Prostując się z godnością, przeszła wzdłuż ludzkiej masy, darząc ją lodowatym spojrzeniem. Z tyłu słyszała rozpaczliwy bełkot swoich służących, których tłum wyrwał z karety i popychał naprzód, nie szczędząc razów wymierzanych kijami od mioteł i styliskami od łopat

Germaine, którą niemal wleczono po schodach Hôtel de Ville, stęknęła, gdy jakiś człowiek rzucił się niespodziewanie do przodu i dźgnął ją piką w podbrzusze, rozdzierając suknię. Gdyby się poślizgnęła, ostrze przebiłoby ją na wylot. Wstrzymała oddech. Na szczęście wkroczył żandarm i odsunął szablą ostrze piki. Potem chwycił Germaine i pchnął ją do ciemnego hallu Hôtel de Ville.

11.00

Dotarłszy do budynku Zgromadzenia, David nie mógł złapać tchu. Ogromna sala była nabita po brzegi krzyczącymi ludźmi. Na głównym podium stał sekretarz, który musiał wrzeszczeć, by ktokolwiek go usłyszał. David, nie rozumiejąc dokładnie jego słów, przepychał się w kierunku swojego miejsca.

– Dnia dwudziestego trzeciego sierpnia forteca Longwy wpadła w ręce nieprzyjaciela! Książę brunszwicki, dowódca wojsk pruskich, wydał manifest domagający się od nas uwolnienia króla i przywrócenia władzy królewskiej. W razie odmowy obróci Paryż w perzynę!

Krzyki zebranych zdawały się płynąć ku sekretarzowi jak fale, zagłuszając jego słowa. Gdy fale się uspokajały, próbował kontynuować.

Władza Zgromadzenia Narodowego nad Francją, dość zresztą problematyczna, miała rację bytu dopóty, dopóki król znajdował się w więzieniu. Jednak zawarte w manifeście księcia brunszwickiego żądania wypuszczenia na wolność Ludwika XVI były dla Prusaków tylko pretekstem do inwazji na Francję. Młodemu rządowi, tonącemu w długach i udręczonemu masową dezercją w szeregach armii, groził rychły upadek. Na domiar złego każdy z delegatów podejrzewał pozostałych o zdradę i knowania z nieprzyjacielem, który znajdował się już w granicach państwa. Obserwując wysiłki sekretarza usiłującego zaprowadzić porządek, David pomyślał sobie, że to jest właśnie łono, z którego rodzi się anarchia.

– Obywatele! – krzyczał sekretarz. – Przynoszę wam straszliwe wieści! Dziś rano twierdza Verdun wpadła w ręce Prusaków! Musimy chwycić za broń...

Wszyscy zebrani wpadli w histerię. Wybuchła panika, a ludzie zaczęli biegać bezładnie jak przerażone szczury. Forteca Verdun była ostatnią twierdzą oddzielającą Paryż od nieprzyjacielskich wojsk! Jeszcze tego wieczoru Prusacy mogli stanąć u bram miasta.

David usiadł w milczeniu na swoim miejscu i próbował uważnie wszystkiemu się przysłuchiwać. Słowa sekretarza ginęły wśród dzikiego harmidru, a jego usta poruszały się bezgłośnie.

Zgromadzenie przekształciło się w kipiącą szaleństwem masę ludzką. Z góry motłoch ciskał gazety i owoce na głowy umiarkowanych. Siedzący tam żyrondyści z koronkowymi mankietami, uważani ongiś za liberałów, podnieśli pobladłe od lęku twarze. Wiedziano powszechnie, że są republikańskimi rojalistami popierającymi trzy stany: arystokrację, duchowieństwo i mieszczaństwo. Ogłoszenie manifestu księcia brunszwickiego sprawiło, że ich życie zawisło na włosku. A oni o tym wiedzieli.

Natomiast ci, którzy popierali restaurację króla, mogli być martwi, zanim pruskie wojska staną u bram Paryża.

Teraz na podwyższenie wstąpił Danton, a dotychczasowy mówca zrobił mu miejsce. Danton, lew Zgromadzenia Narodowego, był człowiekiem z wielką głową i krzepkim ciałem, złamanym nosem i wargą zniekształconą przez byka, którego kopnięcie przeżył w dzieciństwie. Uniósł ogromne ręce i uspokoił zebranych.

– Obywatele! Dla ministra wolnego państwa prawdziwą przyjemnością jest obwieścić, że kraj jest ocalony! Wszyscy są poruszeni, wszystkich przepełnia entuzjazm, wszyscy aż drżą z niecierpliwości, by stanąć do walki...

Grupy mężczyzn stojące na galeriach i w przejściach między ławkami wielkiej sali Zgromadzenia nagle umilkły, przysłuchując się porywającym słowom potężnego przywódcy. Oto Danton ich wzywa, zagrzewa, by nie ulegali słabości, nakłania, by powstrzymali falę zalewającą Paryż. Gdy zażądał, by bronili granic Francji, wzmocnili pierścienie okopów, strzegli bram miasta przy użyciu pik i lanc, temperatura doszła do stanu wrzenia. Przemowa jego była iskrą, która rozniecila płomień. Niebawem cały hall huczał od okrzyków, którymi słuchacze witali każde słowo padające z jego ust.

– Krzyk wydobywający się z gardeł naszych nie oznacza lęku przed grożącym niebezpieczeństwem, to wezwanie do uderzenia na wrogów Francji!... Musimy zdobyć się na odwagę, raz jeszcze ją okazać i nigdy jej nie tracić – a Francja będzie ocalona!

Zgromadzonych opanował szał.

– *L'audace! L'audace!* – Odwagi! Odwagi!

Na sali zapanowało istne pandemonium. Tymczasem wzrok Davida, wędrujący po sali, zatrzymał się na jednym człowieku. Był to chudy, blady, nienagannie ubrany mężczyzna. Miał na sobie żakiet, sztywno nakrochmalony fular i starannie upudrowaną perukę. W jego zimnej twarzy lśniły szmaragdowozielone oczy, przypominające oczy węża.

Ów człowiek siedział w milczeniu, nie poruszony słowami Dantona. Patrząc na niego, David zdał sobie sprawę, że tylko jedno może ocalić ten kraj, rozdarty przez setkę walczących ze sobą frakcji, znajdujący się na skraju bankructwa i zagrożony przez kilka wrogich państw stojących u jego granic. Francja nie potrzebowała aktorstwa w wykonaniu Dantona lub Marata. Francja potrzebowała przywódcy. Człowieka, który w ciszy zbierał siły, czekając na najdogodniejszy moment. Człowieka, w którego wąskich, bladych ustach słowo „cnota" brzmiało słodziej niż „chciwość" czy „sława". Człowieka, który przywróci naturalne, sielankowe ideały wielkiego Jana Jakuba Rousseau, z których przecież wyrosła rewolucja. I tym właśnie przywódcą był ów młody człowiek siedzący na galerii. Nazywał się Maksymilian Robespierre.

13.00

Już od dwóch godzin Germaine de Staël siedziała na twardej drewnianej ławce w biurze Komuny Paryskiej. Pomieszczenie pełne było zaniepokojonych mężczyzn zbitych w milczące grupki. Kilku z nich siedziało obok niej na ławce, podczas gdy reszta usadowiła się na podłodze. Za otwartymi drzwiami tej zaimprowizowanej poczekalni Germaine widziała poruszające się sylwetki ludzi, którzy wstawali, siadali, stemplowali papiery. Od czasu do czasu ktoś stamtąd pojawiał się w drzwiach, wywołując czyjeś nazwisko. Wywołany mężczyzna bladł na twarzy, jego towarzysze poklepywali go po plecach, szepcząc: „Odwagi", po czym znikał w drzwiach.

Germaine wiedziała, co dzieje się po tamtej stronie. Członkowie Komuny Paryskiej odbywali tam sądy doraźne. „Oskarżonemu", którego wina sprowadzała się zapewne do nieodpowiedniego pochodzenia, zadawano kilka rutynowych pytań na temat rodziny i wierności królowi. Jeśli w jego krwi dopatrzono się kilku błękitnych kropli, mógł być pewien, że już o świcie zrosi nią paryski bruk. Germaine nie miała złudzeń co do swoich szans. Pozostała jej tylko jedna nadzieja, której cały czas się trzymała: na pewno nie zgilotynują kobiety w ciąży.

Gdy tak więc czekała, skubiąc wstążki sukni, siedzący obok niej mężczyzna nie wytrzymał napięcia i ukrywszy twarz w dłoniach, zaczął łkać. Pozostali zerknęli nerwowo w jego kierunku, lecz nikt nie kwapił się, by go pocieszyć; wszyscy szybko odwrócili wzrok, jak na widok żebraka lub kaleki. Germaine podniosła się z westchnieniem. Nie zamierzała myśleć o płaczącym mężczyźnie. Chciała znaleźć sposób, by jakoś wyjść z tego cało.

I właśnie wtedy mignął jej jakiś młody człowiek przepychający się przez zatłoczoną poczekalnię z plikiem kartek w ręce. Miał brązowe kręcone włosy, zaczesane do tyłu i związane wstążką, a jego koronkowy żabot był cokolwiek oklapły. Choć padał ze zmęczenia, otaczała go aura żarliwości i przejęcia. Germaine uświadomiła sobie, że przecież go zna.

– Camille! – krzyknęła. – Camille Desmoulins! – Młody człowiek obrócił się w jej kierunku, a w jego oczach błysnęło zdumienie.

Camille Desmoulins był *enfant célèbre* Paryża. Przed trzema laty, gdy jeszcze studiował u jezuitów, pewnej gorącej, lipcowej nocy wskoczył na stolik w Café Foy i wezwał swoich rodaków do szturmu na Bastylię. Teraz był bohaterem rewolucji.

– Madame de Staël! – zawołał Camille, przeciskając się przez tłum, by złapać ją za rękę. – Cóż panią tutaj sprowadza? Chyba nie jest pani przypadkiem zamieszana w jakieś antypaństwowe knowania? – uśmiechnął się szeroko.

Germaine stwierdziła, że jego urocza i subtelna twarz zupełnie nie pasuje do tego pomieszczenia wypełnionego lękiem i wonią śmierci. Spróbowała odwzajemnić uśmiech.

– Zostałam aresztowana przez „Obywatelki Paryża" – odparła, usiłując wykrzesać z siebie choć odrobinę tego dyplomatycznego uroku, który niejednokrotnie już tak się jej przysłużył. – Wygląda na to, iż żona ambasadora, zamierzająca przejechać przez bramy miejskie, jest uważana obecnie za wroga ludu. Czyż nie uważa pan, że jest w tym jakaś ironia, biorąc pod uwagę, że przecież walczyliśmy o wolność?

Uśmiech Camille'a zgasł. Spojrzał z niechęcią na sąsiada Germaine, który nie przestawał płakać, po czym wziął ją pod rękę i odciągnął na bok.

– Chce pani powiedzieć, że próbowała opuścić Paryż bez przepustki i eskorty? Mój Boże, madame. Powinna pani poczytywać sobie za szczęście, że nie postawiono jej dla przykładu przed plutonem egzekucyjnym.

– Proszę nie opowiadać takich absurdów! – wykrzyknęła. – Przecież chroni mnie immunitet poselski. Aresztowanie mnie byłoby równoznaczne z wypowiedzeniem wojny Szwecji! Ci ludzie chyba oszaleli, jeśli myślą, że mogą mnie tu trzymać. – Lecz jej chwilowa zuchwałość szybko przygasła, gdy usłyszała słowa Camille'a.

– Czyż nie wie pani, co się tutaj dzieje? Już trwa wojna, a w każdej chwili grozi nam atak... – Ściszył głos, zdając sobie sprawę, że nie wszyscy znają najświeższe wiadomości, a to, co miał do powiedzenia, mogłoby wywołać panikę. – Verdun padło – powiedział.

Germaine wpatrywała się weń przez dłuższą chwilę. Nagle dotarła do niej powaga sytuacji.

– Niemożliwe – wyszeptała. Po czym, potrząsając głową, spytała: – W jakiej odległości... Gdzie oni teraz są?

– Dzieli ich od nas niespełna dziesięć godzin drogi, nawet z ciężką artylerią. Wydano już rozkaz, by zabijać wszystkich, którzy zbliżą się do bram miejskich. Próba opuszczenia miasta pociągnęłaby za sobą oskarżenie o zdradę. – Po tych słowach spojrzał na nią surowo.

– Camille, czy wie pan, dlaczego tak bardzo pragnęłam się połączyć z moją rodziną w Szwajcarii? – spytała pośpiesznie. – Jeśli mój wyjazd znowu się odwlecze, w ogóle nie będę w stanie podróżować. Spodziewam się dziecka.

Spojrzał na nią z niedowierzaniem, lecz ona śmiało patrzyła

mu w oczy. Po chwili wzięła jego dłoń i przyłożyła ją sobie do brzucha. Mimo wielu warstw sukien wyczuł, że mówi prawdę. Znów uśmiechnął się swoim chłopięcym uśmiechem, lekko się przy tym rumieniąc.

– Madame, jeśli dopisze mi szczęście, może jeszcze dziś wieczór wróci pani do ambasady. Lecz dopóki nie odeprzemy Prusaków, nawet Bóg Wszechmogący nie wyprowadzi pani poza bramy miasta. Postaram się poruszyć tę kwestię z Dantonem.

Germaine uśmiechnęła się z ulgą. A gdy Camille ściskał jej dłoń, powiedziała:

– Gdy moje dziecko urodzi się bezpiecznie w Genewie, nazwę je pańskim imieniem.

14.00

Po ucieczce z pracowni Davida Valentine i Mireille wynajęły powóz, w którym zbliżyły się do bram więzienia L'Abbaye. W zatłoczonej ulicy gromadził się już tłum, u samych bram więzienia zatrzymano kilka innych powozów.

Wypełniająca ulicę tłuszcza składała się głównie z sankiulotów, którzy – uzbrojeni w motyki i pogrzebacze – wspinali się na powozy ustawione przy bramie, łomocząc w drzwi i okna. Echo ich wściekłych okrzyków roznosiło się wzdłuż wąskiej uliczki, a strażnicy więzienni, stojąc na dachach powozów, usiłowali zmusić tłum, by się cofnął.

Woźnica wiozący Valentine i Mireille wychylił się z kozła i zajrzał przez okienko.

– Już bliżej nie mogę podjechać – oświadczył. – Bo utkniemy w tej *allée* i nie damy rady wyjechać. Poza tym wcale nie podoba mi się ten tłum.

Właśnie wtedy Valentine dostrzegła wśród ściśniętych ludzi jakąś zakonnicę w habicie benedyktynek z Abbaye-aux--Dames z Caen. Pomachała jej z okienka, a starsza zakonnica odwzajemniła gest, lecz tłum wypełniający wąską *allée* z wysokimi, kamiennymi ścianami był tak gęsty, iż nie była w stanie ruszyć się z miejsca.

– Nie, Valentine! – krzyknęła Mireille, gdy jej mała, jasnowłosa kuzynka otwarła z impetem drzwiczki i wyskoczyła na ulicę. – Monsieur, bardzo proszę, czy mógłby pan choć chwilę poczekać? – Mireille wysiadła z powozu i patrzyła na woźnicę błagalnym wzrokiem. – Moja kuzynka za moment będzie z powrotem. – Modliła się w duchu, by to, co mówi, było prawdą, a jednocześnie odprowadzała spojrzeniem Valentine przepychającą się w kierunku siostry Claude. Na chwilę zniknęła w gęstniejącym tłumie.

– Mademoiselle, muszę zawrócić powóz ręcznie – rzekł woźnica. – Tu grozi nam niebezpieczeństwo. Te powozy, które zatrzymano przed nami, przewożą więźniów.

– Przyjechałyśmy tutaj na spotkanie z przyjaciółką – tłumaczyła Mireille. – Zaraz ją tu ściągniemy. Błagam, żeby pan na nas zaczekał.

– Ci więźniowie to sami księża, którzy odmówili przysięgi na wierność państwu – powiedział woźnica, spoglądając z wysokiego kozła. – Boję się tak samo o nich, jak i o nas. Proszę przyprowadzić kuzynkę, a ja tymczasem zawrócę powóz. Nie ma chwili do stracenia.

Mówiąc to, woźnica zeskoczył z kozła i chwyciwszy konie za uzdy, jął zawracać pojazd w wąskiej uliczce. Mireille z bijącym sercem weszła w tłum.

Ciżba wchłonęła ją od razu. W tej ciasno zbitej czeredzie wypełniającej uliczkę trudno było dostrzec Valentine. Przepychała się szaleńczo przez tłum, nie zważając, że ktoś co chwilę chwyta ją i szarpie. Ścisk robił się coraz większy, a nozdrza Mireille wypełnił odrażający smród nie mytych ciał. Opanowała ją panika.

Naraz, w tej gęstwinie wymachujących rąk i przeróżnych narzędzi, mignęła jej postać Valentine, oddalonej o kilka stóp od siostry Claude i wyciągającej do niej rękę. Potem tłum znów się zamknął.

– Valentine! – krzyknęła przeraźliwie Mireille. Jej głos zginął jednak w ogłuszającym wrzasku, a tłum pociągnął ją w kierunku kilku zamkniętych powozów przyciśniętych do bram więzienia – powozów, w których znajdowali się księża.

Mireille rozpaczliwie walczyła, by dostać się w pobliże Valentine i siostry Claude, lecz jej wysiłki przypominały zmagania z morskim prądem. Gdy udawało się jej przedrzeć o kilka stóp do przodu, napór tłumu przenosił ją bliżej powozów stojących pod samym murem więzienia, aż wreszcie poczuła szprychy kół, do których przywarła, próbując złapać równowagę. Gdy zaczęła się dźwigać do góry, drzwiczki powozu otworzyły się raptownie, jakby pod wpływem eksplozji. Dookoła zafalowało skłębione morze nóg i rąk, a Mireille kurczowo chwyciła się jednego z kół, by tłuszcza nie wessała jej do środka.

Księży wywlekano z powozów wprost na ulicę. Jakiś młody kapłan, o ustach pobladłych z lęku, spojrzał w oczy Mireille. W ułamku sekundy wyrwano go z powozu i zniknął w tłumie. Za nim pojawił się starszy wiekiem ksiądz, który zeskoczył na ziemię, okładając tłum trzymaną w dłoni trzciną. Krzyczał coś szaleńczo, prosząc strażników o pomoc, lecz ci zmienili się teraz w krwawe bestie. Stanąwszy po stronie motłochu, zeskoczyli z dachu powozu i zaczęli zrywać sutannę z biednego księdza, drąc ją na kawałki. Po chwili zniknął pod nogami swoich prześladowców, którzy deptali go bez litości.

Mireille trwała uczepiona jednego z kół, obserwując przerażonych kapłanów, których kolejno wywlekano na zewnątrz. Zrywali się na nogi i biegali wkoło jak przerażone myszy, a zgromadzona tłuszcza biła ich bez litości, dźgając ich zewsząd żelaznymi pikami i motykami. Mireille, niemal dławiąc się z przerażenia na widok tego bestialstwa, wykrzykiwała raz po raz imię Valentine. Mimo iż krwawiącymi palcami z całej siły trzymała się szprych koła, siła tłumu oderwała ją od powozu i cisnęła na ścianę więzienia.

Uderzyła w kamienną ścianę i upadła na brukowaną ulicę. Wyciągniętą ręką, którą próbowała się podeprzeć podczas upadku, natrafiła na coś wilgotnego i ciepłego. Gdy odgarnęła z twarzy rude włosy, spostrzegła, że patrzy w otwarte oczy siostry Claude, która leżała przygnieciona do ściany więzienia L'Abbaye. Zerwano jej kornet, a z otwartej rany na czole ciekła krew. Jej szeroko otwarte oczy, zupełnie bez wyrazu, wpatrywały się w przestrzeń. Mireille odsunęła się nieco i otworzyła usta do krzyku, lecz z jej zduszonego gardła nie wydobył się żaden dźwięk... To wilgotne i ciepłe miejsce było otwartą dziurą w barku, skąd wyrwano ramię siostry Claude.

Mireille, drżąc z przerażenia, odsunęła się od starej zakonnicy. Instynktownie otarła dłoń o ubranie, próbując zetrzeć z niej krew. Valentine. Gdzie jest Valentine? Mireille dźwignęła się na kolana i próbowała doczołgać do ściany, podczas gdy tłuszcza przewalała się nad nią na podobieństwo dzikiej, bezmyślnej bestii. W tym momencie do jej uszu dotarł cichy jęk. Wargi siostry Claude rozwarły się nieznacznie! A więc żyła! Mireille pochyliła się i chwyciła ją za ramiona, a z otwartej rany bryznęła krew.

– Valentine! – krzyknęła. – Gdzie jest Valentine? Na Boga, czy mnie rozumiesz? Powiedz, co się stało z Valentine?

Stara zakonnica poruszyła bezgłośnie pomarszczonymi wargami, obracając szkliste oczy w kierunku Mireille. Dziewczyna nachyliła się nad nią, aż jej włosy opadły tamtej na twarz.

– W środku – wyszeptała Claude. – Wciągnęli ją do środka. – Po czym opadła bezwładnie.

– Na Boga, czy jesteś pewna? – spytała Mireille, lecz nie było odpowiedzi.

Spróbowała wstać. Tłum miotał się szaleńczo, domagając się krwi. Ostrza pik i motyki przecinały powietrze, a wrzaski morderców i jęki konających zlewały się w jeden harmider, przez który Mireille nie słyszała własnych myśli.

Oparta o masywne wrota więzienia L'Abbaye, Mireille waliła w nie z całych sił pięściami, aż z kostek pociekła jej krew. Jednak bez rezultatu. Wyczerpana, targana bólem i rozpaczą próbowała przebić się z powrotem przez motłoch do powozu, który – o co się modliła – być może nadal tam czekał. Musi znaleźć Davida. Tylko David może teraz pomóc.

Nagle znieruchomiała pośród oszalałej masy kłębiących się wokół niej ciał. Nieco dalej tłum ciągnął coś w jej kierunku. Rozpłaszczona na ścianie, przesuwała się tam powoli, próbując zobaczyć, co to jest. Przez zatłoczoną uliczkę tłum ciągnął powóz, którym tu przyjechała. A na pice, umocowanej na sztorc w siedzeniu, tkwiła odcięta głowa jej woźnicy. Jego siwe włosy były pochlapane krwią, a twarz zastygła w grymasie przerażenia.

Mireille ugryzła się w rękę, żeby stłumić krzyk. Skamieniała, nie mogąc oderwać wzroku od tej przerażającej głowy, pojęła, że nie ma czasu na szukanie Davida. Musiała natychmiast dostać się do więzienia L'Abbaye. Czuła w sobie tę przerażającą pewność, że jeśli nie dostanie się do środka, będzie za późno.

15.00

Jacques-Louis David przeszedł przez obłok pary w miejscu, gdzie kobiety wylewały wiadra wody, by schłodzić rozgrzane chodniki, i wszedł do Café de la Régence. Wewnątrz otoczył go jeszcze gęstszy obłok – tym razem był to dym z fajek i cygar, które palili zebrani tam mężczyźni. Oczy od razu zaczęły go piec, a płócienna koszula, rozpięta aż do pasa, przylgnęła do spoconego ciała. David przeciskał się przez przegrzaną salę, co chwilę dokonując akrobatycznych wyczynów, by uniknąć zderzenia z kelnerami, którzy – trzymając wysoko tace z napojami – krążyli pośród ciasno ustawionych stolików, przy których grano w karty, domino lub szachy. Café de la Régence była bowiem najstarszym i najsławniejszym klubem Francji.

Zmierzając w stronę tylnej części sali, David dostrzegł pochylony nad szachownicą profil Maksymiliana Robespierre'a, który przywodził na myśl kameę wyrzeźbioną w kości słoniowej. Siedział z podbródkiem opartym na kciuku, a jego sztywny fular i idealnie wyprasowana brokatowa kamizelka sprawiały wrażenie, jakby cały ten zgiełk i potwornie wysoka temperatura zupełnie go nie dotyczyły. Z jego zachowania można było jak zwykle wywnioskować, że nie jest uczestnikiem toczących się wokół niego wydarzeń, lecz jedynie obserwatorem. A może sędzią.

Towarzysz Robespierre'a był kimś zupełnie Davidowi nie znanym. Miał na sobie staromodny, bladoniebieski surdut, ozdobione wstążkami spodnie, białe pończochy i pumpy w stylu Ludwika XV. Gdy David zbliżał się do ich stolika, ów starszy mężczyzna przesunął od niechcenia jedną z figur, po czym podniósł na nowo przybyłego wodniste oczy.

– Proszę wybaczyć, że przeszkadzam w grze – odezwał się David. – Lecz chciałbym przekazać panu Robespierre'owi prośbę w kwestii nie cierpiącej zwłoki.

– Doprawdy, nic nie szkodzi – odparł ów mężczyzna. Robespierre wciąż w milczeniu studiował szachownicę. – Przyjaciel mój właśnie poniósł klęskę. Mat w pięciu ruchach. Możesz się poddać, drogi Maksymilianie. Twój przyjaciel przerwał nam w samą porę.

– Nic takiego tu nie widzę – rzekł Robespierre. – Lecz gdy chodzi o szachy, twoje oczy są znacznie lepsze od moich. – Prostując się z westchnieniem znad szachownicy, spojrzał na Davida. – Monsieur Philidor jest najdoskonalszym szachistą Europy. Przegraną z kimś takim poczytuję sobie za zaszczyt i raduję się, iż miałem sposobność zasiąść razem z nim do stolika.

– A więc to pan jest tym słynnym Philidorem! – zawołał David, ściskając serdecznie dłoń tamtego. – Jest pan wielkim kompozytorem, monsieur. Będąc dzieckiem, widziałem wznowienie *Le Soldat Magicien* i nigdy tego nie zapomnę. Pozwoli pan, że się przedstawię: jestem Jacques-Louis David.

– Malarz! – wykrzyknął Philidor, zrywając się z miejsca. – Ja też podziwiam pańskie dzieła, zresztą jak chyba każdy obywatel Francji. Obawiam się jednak, że w tym kraju nikt poza panem mnie już nie pamięta. Kiedyś muzyka moja rozbrzmiewała w murach Comédie Française i Opéra Comique, a teraz, by utrzymać siebie i rodzinę, zmuszony jestem grać na pokazach jak tresowana małpa. Dzięki uprzejmości Robespierre'a, który zapewnił mi możliwość wyjazdów do Londynu, mogę zarobić całkiem godziwe pieniądze, uczestnicząc w tego typu przedstawieniach.

– Tego samego dotyczy właśnie moja prośba – powiedział David, widząc, że Robespierre przestał się przyglądać szachownicy i wstał. – Sytuacja polityczna w Paryżu stała się niezwykle groźna, a ten potworny upał, który nie ustępuje od dłuższego czasu, bynajmniej nie wpływa na złagodzenie obyczajów paryżan. Ogólna atmosfera, jaka powstała w związku z powyższym, każe mi poprosić... rzecz jasna nie chodzi tu o mnie.

– Obywatele zazwyczaj domagają się względów dla kogoś innego – wycedził Robespierre.

– Zwracam się z prośbą w imieniu moich młodych podopiecznych – powiedział sztywno David. – Zapewne jesteś w pełni świadom faktu, Maksymilianie, że Francja nie stanowi teraz najbezpieczniejszego schronienia dla młodych kobiet.

– Gdybyś tak wielką wagę przywiązywał do ich dobrostanu – prychnął Robespierre, wpatrując się w Davida błyszczącymi, zielonymi oczami – to nie dopuściłbyś do sytuacji, w której paradują po całym mieście wsparte na ramieniu biskupa Autun.

– Jestem odmiennego zdania – wtrącił Philidor. – Jako

ogromny wielbiciel Maurice'a Talleyranda. Przyjdzie dzień, gdy zostanie okrzyknięty największym mężem stanu w całej historii Francji.

– Wystarczy już tych proroctw – uciął Robespierre. – Na szczęście nie musisz zarabiać na życie wróżbami. Maurice Talleyrand całymi tygodniami próbował przekupić wszystkich możliwych urzędników we Francji, by zezwolili mu na powrót do Anglii, gdzie mógłby w dalszym ciągu udawać dyplomatę. Temu człowiekowi chodzi jedynie o uratowanie własnej skóry. Mój drogi David, cała francuska arystokracja staje na głowie, by opuścić ten kraj przed wkroczeniem Prusaków. Zobaczę, co uda mi się wskórać dziś wieczór na zebraniu Komitetu, lecz niczego nie mogę obiecać. Trochę się spóźniłeś ze swą prośbą.

David podziękował mu gorąco, a Philidor zaproponował malarzowi towarzystwo, jako że i on wychodził z klubu. Gdy przepychali się przez zatłoczoną salę, Philidor powiedział:

– Musi pan zrozumieć, że Maksymilian Robespierre jest człowiekiem zupełnie innym niż pan i ja. Jest kawalerem i nigdy nie miał okazji doświadczyć, co znaczy opieka nad dziećmi. W jakim wieku są pańskie podopieczne, David? Od jak dawna są pod pańską opieką?

– Niewiele ponad dwa lata – odparł David. – Przedtem były postulantkami w opactwie Montglane...

– Czy powiedział pan: „Montglane"? – spytał Philidor przyciszonym głosem, gdy znaleźli się bliżej drzwi. – Mój drogi David, zapewniam pana, że jako szachista wiem bardzo dużo na temat opactwa Montglane. Czy zna pan tę historię?

– Tak, tak – odparł David ze źle skrywaną irytacją. – Znam te mistyczne brednie. Nie ma niczego takiego jak szachy z Montglane i dziwię się, że daje pan wiarę podobnym opowieściom.

– Daję wiarę? – Philidor schwycił go za ramię, gdy wyszli na zalany oślepiającym słońcem chodnik. – Mój drogi przyjacielu, ja wiem, że one istnieją. I wiem dużo więcej. Ponad czterdzieści lat temu, zapewne przed pańskim urodzeniem, byłem gościem na dworze króla pruskiego, Fryderyka Wielkiego. Tam właśnie miałem zaszczyt poznać dwóch niezwykłych ludzi. O jednym z nich na pewno pan słyszał: to Leonhard Euler, wielki matematyk. Drugi z nich, też na swój sposób sławny, był ojcem młodego nadwornego muzyka królewskiego. Wszystko wskazuje na to, że przeznaczeniem tego starego geniusza muzycznego jest zapomnienie. Choć od tamtego czasu nikt w Europie o nim nie słyszał, jego muzyka, którą wykonał pewnego wieczoru na prośbę króla, była najwspanialszą muzyką, jaką w życiu słyszałem. Nazywał się Jan Sebastian Bach.

– Rzeczywiście nic mi nie mówi to nazwisko – przyznał David. – Lecz cóż Euler i ten muzyk mogą mieć wspólnego z owym legendarnym kompletem szachowym?

– Zaraz to panu wyjaśnię – powiedział Philidor z uśmiechem. – Jednak pod warunkiem że przedstawi mnie pan swoim młodym podopiecznym. Być może dowiem się czegoś, co pozwoli mi wreszcie rozwikłać tę tajemnicę, nad którą przez całe życie łamałem sobie głowę.

David zgodził się i stary mistrz szachowy ruszył wraz z nim przez podejrzanie ciche uliczki Paryża, wzdłuż brzegów Sekwany, przez Pont Royal, w kierunku pracowni Davida.

Powietrze było nieruchome; wiatr nie poruszał żadnym liściem. Z chodników buchały fale gorąca, a ołowiane wody Sekwany towarzyszyły im leniwie w wędrówce. Nie wiedzieli, że dwadzieścia domów dalej, w samym sercu dzielnicy Cordelières, żądna krwi tłuszcza dobija się do bram więzienia L'Abbaye. A w środku znajduje się Valentine.

I gdy tak szli w ciepłej ciszy późnego popołudnia, Philidor rozpoczął swoją opowieść...

OPOWIEŚĆ MISTRZA SZACHOWEGO

Mając lat dziewiętnaście, wyjechałem z Francji i udałem się do Holandii, by akompaniować na *hautbois*, to jest na oboju, pewnej młodej pianistce, która – jako cudowne dziecko – tam właśnie miała występować. Tak się jednak nieszczęśliwie złożyło, że zmarła ona na ospę, o czym dowiedziałem się dopiero po przyjeździe na miejsce. I tak oto znalazłem się w sytuacji rozbitka: byłem w obcym kraju, bez pieniędzy i bez źródła dochodu. Aby jakoś się utrzymać, zacząłem wędrować po kawiarniach i grać w szachy.

Od czternastego roku życia studiowałem szachy pod kierunkiem przesławnego sire de Legala, najwytrawniejszego szachisty Francji, a niewykluczone, że także całej Europy. Kiedy miałem lat osiemnaście, potrafiłem pokonać mego nauczyciela, nawet utraciwszy skoczka. Jak się niebawem przekonałem, żaden z graczy, któremu przyszło mi stawić czoło, nie był dla mnie zagrożeniem. W Hadze, podczas bitwy pod Fontenoy, grałem z księciem Waldeckiem, podczas gdy wokół nas toczyły się wojenne zmagania.

Wiele podróżowałem po Anglii, gdzie grałem między innymi w Slaughter's Coffee House w Londynie. Wystawiono tam przeciwko mnie najwyborniejszych graczy, łącznie z sir Abrahamem Janssenem i Philipem Stammą, a pokonałem wszystkich. Stamma, Syryjczyk, prawdopodobnie mauretańskiego pochodzenia, opublikował wcześniej kilka książek o szachach. Pokazał mi je wszystkie, jak również dzieła panów La Bourdonnais i marszałka Saxe. Stamma był zdania, że ja – z moim wyjątkowym talentem do gry – też mógłbym napisać książkę.

I tak uczyniłem. Ukazała się kilka lat później i nosiła tytuł *Analyse du jeu des échecs*. Tam właśnie wysunąłem teorię, że „pionki są duszą gry". Udowodniłem, że pionki nie są jedynie przedmiotami, które można poświęcać, lecz że da się je wykorzystać do celów strategicznych. Ta książka wywołała rewolucję w świecie szachowym.

Moja praca zwróciła uwagę niemieckiego matematyka Eulera. Ponieważ przeczytał kiedyś we francuskim *Dictionnaire*, opublikowanym przez Diderota, opis partii szachów, którą stoczyłem z zawiązanymi oczyma, nakłonił Fryderyka Wielkiego, by zaprosił mnie na swój dwór.

Poczdamski dwór Fryderyka Wielkiego mieścił się w wielkim, ponurym budynku, który, choć rzęsiście oświetlony, pozbawiony był wszelako tych artystycznych cudów, które znaleźć można na każdym europejskim dworze. Albowiem Fryderyk był z natury swej wojownikiem, przedkładającym towarzystwo innych żołnierzy nad towarzystwo dworzan, artystów i kobiet. Mówiono, że sypia na twardej, drewnianej pryczy i nigdy nie rozstaje się ze swymi psami.

Tego wieczoru, gdy miałem zjawić się na dworze, z Lipska

przybył kapelmistrz Bach w towarzystwie syna Wilhelma, pragnąc jednocześnie odwiedzić swego drugiego syna, Karola Filipa Emmanuela Bacha, klawesynistę króla Fryderyka. Otóż sam król skomponował osiem taktów kanonu i poprosił starszego Bacha, żeby zaimprowizował coś na kanwie jego tematu. Mówiono, że stary kompozytor ma dar do tego typu spraw. Wcześniej już pisywał kanony, w których – używając notacji matematycznej – zapisał własne imię oraz imię Jezusa Chrystusa. Komponował odwrotne kontrapunkty o niebywałej złożoności, w których harmonia stanowi zwierciadlane odbicie melodii.

Euler napomknął również, że stary kapelmistrz wymyślił odmianę odzwierciedlającą w swej strukturze „Nieskończoność" – to jest Boga samego we wszystkich Jego przejawach.

Król wydawał się zadowolony ze swojej propozycji, lecz byłem pewien, że Bach się nie zgodzi. Jako kompozytor orientuję się nieco w tych kwestiach i wiem, że improwizacja na cudzy temat nie należy do najłatwiejszych zadań. Raz przyszło mi skomponować operę do tematu z Jana Jakuba Rousseau, filozofa z drewnianym uchem. Jednak ukrycie tajemniczej łamigłówki tego kalibru w utworze muzycznym... cóż, osiągnięcie takie graniczyło wręcz z niemożliwością.

Ku memu zaskoczeniu, kapelmistrz dźwignął swój krępy, kwadratowy korpus i pokuśtykał w kierunku klawiatury. Na jego masywnej głowie leżała wielka, źle dopasowana peruka, a krzaczaste, przyprószone siwizną brwi przypominały orle skrzydła. Surowy nos, masywna żuchwa i marsowa mina sugerowały człowieka o kłótliwej naturze. Euler szepnął mi do ucha, że starszy Bach nie przepada za „występami na zamówienie" i z pewnością pozwoli sobie na żart pod adresem króla.

Pochyliwszy nad klawiaturą swą kudłatą głowę, zaczął grać piękną i przejmującą melodię, która zdawała się unosić coraz wyżej i wyżej niczym ptak. Było to coś w rodzaju fugi i przysłuchując się jej tajemniczym zawiłościom, natychmiast zdałem sobie sprawę, co osiągnął. Nie pojmuję, jak mu się to udało, lecz każda fraza rozpoczynała się w jednym kluczu harmonicznym, a kończyła o tonację wyżej, by wreszcie, po sześciokrotnym powtórzeniu podstawowego tematu skomponowanego przez króla, powrócić do pierwotnej tonacji. Mimo iż zdawałem sobie sprawę, na czym polega konstrukcja, nie potrafiłem wskazać, w którym miejscu – ani w jaki sposób – nastąpiło przejście z jednej tonacji do drugiej. Całość przywodziła na myśl magiczną sztuczkę, transmutację zwykłego metalu w czyste złoto. Zrozumiałem, że dzięki tej jakże przemyślnej konstrukcji melodia ta mogłaby się unosić w nieskończoność, coraz wyżej i wyżej, aż nuty, na podobieństwo muzyki sfer, byłyby słyszalne wyłącznie dla uszu aniołów.

– Cudowne – wymamrotał król, gdy Bach skończył grać. Skinął głową garstce generałów i żołnierzy siedzących na drewnianych krzesłach w oszczędnie umeblowanej sali.

– Jak nazywa się ten utwór? – spytałem Bacha.

– *Ricercare* – odparł starzec z surowym wyrazem twarzy, którego nie była w stanie złagodzić nawet tak piękna muzyka. – Co oznacza po włosku „poszukiwać". To bardzo dawna forma muzyczna, dziś niemodna. – Przy tych słowach spojrzał krzywo na swego syna, Karola Filipa, który znany był z tego, że pisał muzykę „popularną".

Bach sięgnął po królewski rękopis i na samej górze kartki nagryzmolił wielkimi literami słowo „Ricercar", robiąc duże odstępy między literami. Następnie do każdej z liter dopisał łacińskie słowo, tworząc zdanie: „Regis Iussu Cantio Et Reliqua Canonica Arte Resoluta". Oznacza to, mniej więcej, pieśń wywodzącą się od króla, która została rozwinięta dzięki sztuce kanonu. Kanon jest strukturą polifoniczną, opartą na ścisłej imitacji, gdzie linię melodyczną głosu rozpoczynającego powtarzają dokładnie wszystkie kolejno występujące głosy. Sprawia to wrażenie nieskończoności.

Potem, na marginesie, Bach dopisał jeszcze dwa łacińskie zdania, które przetłumaczone, brzmiały następująco:

Gdy Nuty rosną, rośnie też Szczęście Króla.
Gdy wznosi się Modulacja, wznosi się Chwała Króla.

Euler i ja pogratulowaliśmy starzejącemu się kompozytorowi przemyślności tego pomysłu. Następnie poproszono mnie, bym z zawiązanymi oczyma zagrał trzy partie szachów jednocześnie: z królem, z doktorem Eulerem i z synem kapelmistrza, Wilhelmem. Choć sam kapelmistrz nie grał w szachy, z przyjemnością przyglądał się grze. Na koniec, gdy odniosłem potrójne zwycięstwo, Euler odciągnął mnie na bok.

– Mam dla ciebie prezent, mój miły panie – powiedział. – Wymyśliłem nowy obieg skoczka, matematyczną zagadkę. Uważam, że jest to, jak dotąd, najdoskonalszy wzór dla wędrówki skoczka przez całą szachownicę. Wszelako chciałbym go dziś wieczór podarować staremu kompozytorowi, jeśli – rzecz jasna – nie masz nic przeciwko temu. Ponieważ lubi gry matematyczne, powinno mu to sprawić przyjemność.

Bach przyjął prezent z dziwnym uśmiechem, dziękując zań wylewnie.

– Jutro rano, przed wyjazdem Herr Philidora, proponuję spotkanie w domu mego syna – rzekł. – Być może da mi to czas na przygotowanie dla obu panów małej niespodzianki.

Ciekawość nasza wzrosła niepomiernie i bez chwili namysłu zgodziliśmy się na wyznaczoną godzinę i miejsce.

Następnego ranka Bach otworzył przed nami drzwi domku Karola Filipa i zaprosił nas do środka. Usiedliśmy w niewielkim saloniku, gdzie niebawem podano nam herbatę. Bach usiadł przy małym klawesynie i zaczął grać przedziwną melodię. Gdy skończył, Euler i ja spojrzeliśmy nań w całkowitym pomieszaniu.

– To jest właśnie owa niespodzianka! – powiedział Bach, zanosząc się wesołym rechotem, dzięki któremu jego twarz straciła swój normalny, ponury wyraz. Spostrzegł jednak, że ani Euler, ani ja zupełnie niczego nie rozumiemy. – Raczcie, mili panowie, spojrzeć na nuty – doradził Bach.

Powstawszy, podeszliśmy do klawesynu. Na podpórce stał właśnie ów obieg skoczka, który Euler podarował mu poprzedniego wieczoru. Był to plan dużej szachownicy, której każde pole miało jakiś numer. Otóż Bach w przemyślny sposób połączył owe liczby gęstą pajęczyną cieniutkich linii, które zapewne miały dlań jakieś znaczenie, choć nam nie mówiły nic. Jednak Euler był matematykiem i jego umysł pracował znacznie szybciej niż mój.

– Zmieniłeś, panie, liczby na oktawy i akordy! – wykrzyknął. – Musisz mi pokazać, jak tego dokonałeś. Zmienić matematykę w muzykę to prawdziwe czary!

– Przecież matematyka to j e s t muzyka – odparł Bach. –

I vice versa. Nie ma znaczenia, czy wierzycie, że słowo „muzyka" pochodzi od muz, czy też od słowa „muta" oznaczającego usta wyroczni. Tak samo nie ma różnicy, czy jesteście skłonni przyznać, że słowo „matematyka" pochodzi od greckiego „manthanein", co oznacza naukę, czy też od słowa „matrix", czyli łono bądź też matka wszystkiego stworzenia...

– Studiowałeś, panie, znaczenie słów? – spytał Euler.

– Wielka jest siła słów, albowiem mogą powoływać do życia i uśmiercać – odpowiedział Bach. – Wielki Architekt, który stworzył nas wszystkich, stworzył także słowa. W rzeczy samej słowa stworzył jako pierwsze, jeśli mamy dawać wiarę świętemu Janowi z Nowego Testamentu.

– Co powiedziałeś, panie? Wielki Architekt? – spytał Euler, blednąc nieznacznie.

– Wielkim Architektem nazywam Boga, gdyż Jego pierwszym dziełem był dźwięk – odrzekł Bach. – „Na początku było Słowo", pamiętacie panowie? Kto wie? Może było to coś więcej niż słowo? Może to była muzyka? Może Bóg śpiewał własny, nie kończący się kanon, z którego powstał wszechświat?

Euler zbladł jeszcze bardziej. Choć stary matematyk stracił jedno oko w efekcie zbyt długiej obserwacji Słońca przy użyciu lunety, drugim uważnie badał plan umieszczony na podstawce klawesynu. Przez chwilę wodził palcem po nie kończących się szeregach maleńkich cyferek wypisanych na szachownicy, robiąc wrażenie osoby nieobecnej. Wreszcie przemówił.

– Gdzie nauczyłeś się tego wszystkiego, panie? – spytał kompozytora-mędrca. – Opisałeś przed momentem mroczną i niebezpieczną tajemnicę, znaną wyłącznie wtajemniczonym.

– Sam się wtajemniczyłem – odparł spokojnie Bach. – Och, tak, słyszałem o istnieniu tajnych stowarzyszeń, którym przyświeca wspólny cel: rozwiązanie wszystkich zagadek wszechświata, lecz osobiście do nich nie należę. Poszukuję prawdy na swój sposób. – Mówiąc te słowa, sięgnął po plan Eulera i na samej górze napisał gęsim piórem: *Quaerendo invenietis*. Szukajcie, a znajdziecie. Następnie wręczył go mnie.

– Nie rozumiem – powiedziałem zdumiony.

– Herr Philidor – rzekł Bach – jesteś jednocześnie mistrzem szachowym, jak doktor Euler, i kompozytorem, jak ja. A zatem łączy pan w jednej osobie dwie cenne umiejętności.

– W jakim sensie cenne? – spytałem uprzejmie. – Pytam, gdyż wyznać muszę, iż do tej pory żadna z nich nie była w stanie zapewnić mi utrzymania – zakończyłem z uśmiechem.

– Być może czasami trudno w to uwierzyć – powiedział Bach, chichocząc. – Ale we wszechświecie działają siły potężniejsze od pieniędzy. Na przykład, czy słyszałeś, mój miły panie, o komplecie szachowym z Montglane?

Odwróciłem się raptownie do Eulera, który głośno westchnął.

– Widać z tego, że ta nazwa nie jest zupełnie obca Herr doktorowi – powiedział Bach. – Może więc będę w stanie oświecić was obu.

Wysłuchałem zatem prawdziwie fascynującej, przedziwnej opowieści o tym komplecie należącym ongiś do Karola Wielkiego i posiadającym rzekomo ogromną moc. Kończąc, stary kompozytor powiedział:

– Zaprosiłem was tutaj, mili panowie, gdyż chciałem przeprowadzić pewien eksperyment. Przez całe życie badałem osobliwą moc muzyki. Albowiem ma ona moc, której istnienie bardzo niewiele osób może podać w wątpliwość. Jest ona w stanie uspokoić dziką bestię oraz sprawić, że łagodny człowiek z zaciętością zaatakuje wroga. Eksperymenty, które przeprowadziłem, pozwoliły mi poznać sekret muzyki. Widzicie, muzyka kieruje się własną logiką. Przypomina ona logikę matematyczną, choć nie jest z nią tożsama. Albowiem muzyka nie tylko kontaktuje się z naszym umysłem, lecz zmienia nasze myśli, choć w sposób niedostrzegalny.

– Cóż przez to rozumiesz, panie? – spytałem. Wiedziałem jednak, że słowa Bacha poruszyły we mnie pewną strunę, którą trudno mi było w tamtej chwili określić. Było to coś, co czułem, że wiem od lat, coś zagrzebane w głębi mego jestestwa, coś, co ożywało, gdy słuchałem pięknej melodii. Albo grałem w szachy.

– Chodzi mi o to – odparł Bach – że wszechświat przypomina wielką matematyczną grę rozgrywaną na gigantyczną skalę. Muzyka stanowi najczystszą formę matematyki. Każdy wzór matematyczny można zmienić na muzykę, co uczyniłem ze wzorem Herr doktora. – Spojrzał na Eulera, który skinął głową, jakby obaj znali sekret, do którego nie byłem jeszcze dopuszczony. – A muzykę – kontynuował Bach – można przetransponować na matematykę, co, nawiasem mówiąc, daje niezwykłe rezultaty. Muzyka posiada moc tworzenia wszechświatów albo niszczenia cywilizacji. Jeśli mi nie wierzycie, mili panowie, radzę poczytać Biblię.

Przez chwilę Euler siedział w milczeniu.

– Tak – rzekł wreszcie. – W Biblii pojawiają się także inni architekci, a ich opowieści są równie odkrywcze, nieprawdaż?

– Mój drogi przyjacielu – powiedział Bach, zwracając się do mnie z uśmiechem – jak już mówiłem: Szukajcie, a znajdziecie. Ten, kto rozumie architekturę muzyki, zrozumie moc szachów z Montglane. Gdyż one stanowią jedność.

David słuchał z uwagą. Gdy zbliżyli się do żelaznych bram jego domostwa ozdobionych wypukłym deseniem z prostokątów, zwrócił się skonsternowany do Philidora.

– Lecz cóż to wszystko oznacza? – spytał. – Cóż muzyka i matematyka mają wspólnego z szachami z Montglane? Cóż każda z tych rzeczy ma wspólnego z potęgą czy to w niebie, czy na ziemi? Ta opowieść potwierdza jedynie moją teorię, iż ten legendarny komplet szachowy przemawia do mistyków i głupców. Choć z najwyższą niechęcią skłonny jestem łączyć takie stwierdzenia z doktorem Eulerem, z opowieści pańskiej wynika, że łatwo ulegał tego typu wymysłom.

Philidor zatrzymał się pod wielkim kasztanowcem, którego gałęzie zwieszały się nisko nad dziedzińcem domu Davida.

– Od lat badam tę sprawę – wyszeptał. – I wreszcie, mimo iż nigdy nie wykazywałem zainteresowania biblistyką, postanowiłem przeczytać całą Biblię, jak to sugerowali mi Euler i Bach. Bach zmarł w niedługi czas po naszym spotkaniu, a Euler wyemigrował do Rosji, więc nigdy nie było mi dane spotkać się z nimi ponownie, by przedyskutować to, co udało mi się odkryć.

– A cóż takiego pan odkrył? – spytał David, wyjmując z kieszeni klucze.

– Jeden i drugi namawiał mnie do studiowania architektury, co też uczyniłem. Otóż w Biblii są dwaj ważni architekci. Jednym z nich jest Architekt Wszechświata, czyli Bóg. Drugi

to architekt twórca wieży Babel. Jak odkryłem, słowo „Babel"
pochodzi od „Bab-El", czyli „brama boga". Babilończycy byli niezwykle dumnym ludem. Ich cywilizacja nie miała sobie
równej w dziejach świata. Zbudowali wiszące ogrody, mogą-
ce się równać z najwspanialszymi dziełami natury. Chcieli
również zbudować wieżę, która sięgnie niebios, która dotknie
słońca. Byłem pewien, że Bach i Euler nawiązywali do tej
właśnie historii. Ten architekt – ciągnął Philidor, gdy przeszli przez bramę – nazywał się Nemrod. Największy architekt
swoich czasów. Wzniósł on najwyższą wieżę, jaką człowiek
dotąd zbudował. Jednak nigdy nie została ukończona. Czy
wie pan dlaczego?

– O ile pamiętam, Bóg ją zniszczył – odparł David, gdy
przechodzili przez dziedziniec.

– Lecz jak ją zniszczył? – spytał Philidor. – Nie zesłał pioru-
na, potopu ani zarazy, jak to miał w zwyczaju! Powiem panu,
w jaki sposób Bóg zniszczył dzieło Nemroda, mój przyjacielu.
Bóg pomieszał języki budujących, którzy poprzednio poro-
zumiewali się za pomocą jednego języka. Zniszczył język.
Zniszczył Słowo!

W tym właśnie momencie David dostrzegł jednego ze swych
służących biegnącego w ich kierunku.

– Jak zatem mam to wszystko rozumieć? – spytał Philidora
z cynicznym uśmiechem. – Czy tak właśnie Bóg niszczy cywilizacje? Czyniąc ludzi niemymi? Wprowadzając chaos w języku? Jeśli tak, to my, Francuzi, nie mamy się czego obawiać.
My hołubimy nasz język jak prawdziwy skarb.

– Być może pańskie podopieczne będą nam w stanie więcej
wytłumaczyć, jeśli naprawdę są z Montglane – odparł Philidor. – Albowiem wierzę, że to właśnie ta moc, moc muzyki
języka, muzycznej matematyki, tajemnica Słowa, którym Bóg
stworzył świat i którym zniszczył babilońskie imperium, to
wszystko stanowi sekret ukryty w szachach z Montglane.

Służący Davida zdążył się do nich zbliżyć i stał teraz, nerwowo splatając ręce, w pełnej szacunku odległości od obu mężczyzn.

– Co się stało, Pierre? – spytał David zdziwiony.

– Chodzi o dwie młode damy – powiedział Pierre, wyraźnie zmartwiony. – One zniknęły, monsieur.

– Co? Co ty powiedziałeś?!

– Już dwie godziny temu, monsieur. Otrzymały jakiś list poranną pocztą. Poszły do ogrodu, żeby go przeczytać. Około południa posłaliśmy po nie, lecz już ich nie było! Prawdopodobnie – gdyż nie ma innego wytłumaczenia – przeszły przez mur ogrodu. I dotąd nie wróciły.

16.00

Nawet wrzaski tłuszczy zgromadzonej przed bramami więzienia L'Abbaye nie były w stanie zagłuszyć przeraźliwych krzyków dochodzących zza muru. Mireille nie zapomniała ich do końca życia.

Motłoch już dawno zmęczył się łomotaniem w więzienne bramy i zajął miejsca na dachach powozów, zbryzganych krwią księży. Cała uliczka zaścielona była poszarpanymi i zdeptanymi ciałami.

Rozprawy trwały już od ponad godziny. Silniejsi z mężczyzn wydźwignęli swoich towarzyszy za wysoki mur otaczający dziedziniec więzienny, a ci, wdrapawszy się na górę, wciągali za sobą żelazne szpikulce, po czym zeskakiwali na drugą stronę. Jakiś mężczyzna, stojący na ramionach drugiego, wrzasnął:

– Otwórzcie bramy, obywatele! Dziś sprawiedliwości musi stać się zadość!

Rozległ się szczęk odsuwanej sztaby, co tłum przywitał radosnymi okrzykami. Masywne wrota lekko się uchyliły, a cała ciżba ruszyła z impetem naprzód. Jednak oddział uzbrojonych w muszkiety żołnierzy powstrzymał tłum i ponownie zamknął bramę. Teraz Mireille i cała reszta musieli zadowolić się sprawozdaniami tych, którzy siedzieli na szczycie muru, obserwowali zaimprowizowane procesy i opisywali rozgrywającą się tam rzeź.

Mireille wielokrotnie bębniła pięściami w bramę więzienia, próbowała też wspiąć się po murze, lecz bez powodzenia. Tkwiła więc, wyczerpana, przed bramą, licząc, że raz jeszcze ktoś ją otworzy, a wtedy uda się jej wślizgnąć do środka. Wreszcie jej życzenie się spełniło. O czwartej Mireille podniosła wzrok i ujrzała jakiś pojazd ciągnięty przez konia.

Przesuwał się uliczką w stronę więzienia, starannie omijając maltretowane ciała. Zobaczywszy jadącego w nim człowieka, obywatelki siedzące na dachach pustych powozów wydały okrzyk radości, a uliczka znów rozbrzmiała gwarem. Mężczyźni zeskakiwali z muru, a odrażające stare wiedźmy staczały się niezgrabnie z powozów i otaczały nadjeżdżający pojazd. Mireille podskoczyła ze zdumienia. To był David!

– Stryjku, stryjku! – wrzasnęła, przebijając się przez tłum, a po policzkach spływały jej łzy.

Gdy David ją dostrzegł, wysiadł z powozu z poszarzałą twarzą i ruszył w jej kierunku.

– Mireille! – zawołał. Tymczasem tłum napierał na niego, poklepując go po plecach i wydając radosne okrzyki. – Co się stało? Gdzie jest Valentine? – Trzymał w ramionach łkającą rozpaczliwie Mireille, a na jego twarzy malowało się przerażenie.

– Jest tam... w więzieniu! – krzyknęła Mireille. – Przyjechałyśmy na spotkanie z przyjaciółką... i... nie wiem, co się stało, stryjku. Może już jest za późno.

– Spokojnie, spokojnie – powiedział David, który otoczył ramieniem Mireille i przepychał się przez tłum, poklepując różne znajome osoby, które ustępowały mu z drogi.

– Otwórzcie bramy! – krzyknął jeden z mężczyzn siedzących na szczycie murów. – Przyjechał obywatel David! Malarz David czeka przed bramą!

Po chwili jedno ze skrzydeł bramy otworzyło się i napór nie mytych ciał na moment przyparł Davida do bramy. Gdy wtoczyli się do środka, wrota znów zatrzaśnięto.

Dziedziniec więzienny był skąpany we krwi. Na niewielkim, porośniętym trawą placyku, stanowiącym niegdyś klasztorny ogród, na drewnianym pieńku, leżał z głową odgiętą do tyłu jakiś ksiądz, a żołnierz w mundurze całym pochlapanym krwią uderzał niezgrabnie mieczem, usiłując oddzielić jego głowę od tułowia. Duchowny, który wciąż jeszcze żył, kilkakrotnie próbował się podnieść, a krew tryskała z jego otwartego gardła.

Ludzie biegali po całym dziedzińcu, depcząc po ciałach, które walały się wszędzie, poskręcane w najdziwaczniejszych pozycjach. Nikt nie byłby w stanie policzyć ofiar. Ręce, nogi, korpusy – wszystko spiętrzono wzdłuż starannie poprzystrzyganych żywopłotów, a wnętrzności zepchnięto na wielkie stosy obok grządek z ziołami.

Mireille kurczowo ścisnęła ramię Davida i zaczęła krzyczeć, rozpaczliwie łapiąc oddech. On jednak zdusił ją w żelaznym uścisku i wyszeptał chrypliwie:

– Weź się w garść, bo inaczej zginiemy. Musimy natychmiast ją znaleźć.

Mireille spróbowała się opanować, a David rozglądał się dookoła nieprzytomnym wzrokiem. Jego delikatna ręka aż zadrżała, gdy sięgnął, by szarpnąć za rękaw stojącego obok mężczyznę. Ubrany był w mundur żołnierza, a nie strażnika więziennego, a twarz miał pomazaną krwią, choć na jego ciele nie było żadnej rany.

– Kto przewodniczy temu wszystkiemu? – spytał David.

Żołnierz zaśmiał się, a potem wskazał długi, drewniany stół w pobliżu wejścia do więzienia, przy którym siedziało kilka osób. Wokół stołu kręcił się tłum ludzi.

Gdy David wraz z Mireille zaczęli się przepychać w tamtym kierunku, z drzwi więzienia wyciągnięto trzech księży, których brutalnie wypchnięto na dziedziniec. Tłum przywitał ich szyderczymi okrzykami, a żołnierze użyli bagnetów, by ostudzić zapały co bardziej krewkich gapiów. Następnie szarpnięciem postawili księży na nogi i pchnęli ich przed długi stół.

Każdy z pięciu siedzących tam mężczyzn mówił coś do nich. Jeden z sędziów zerknął w papiery, szybko coś zapisał, po czym potrząsnął przecząco głową.

Zaraz potem poprowadzono nieszczęśników na środek dziedzińca. Gdy zobaczyli, co ich czeka, ich twarze skamieniały z przerażenia. Zebrany na dziedzińcu motłoch radosnym wyciem przywitał nowe ofiary. David ujął Mireille pod ramię i popychał ją w kierunku stołu, gdzie siedzieli sędziowie, teraz zasłonięci przez tłum oczekujący na egzekucję.

David podszedł do stołu akurat w momencie, gdy mężczyźni siedzący na murze przekazywali werdykt stojącym na zewnątrz.

– Śmierć ojcu Ambrose z Saint Sulpice! – rozległ się pierwszy okrzyk, który powitały radosne okrzyki.

– Jestem Jacques-Louis David – zwrócił się do najbliższego sędziego, przekrzykując ryk tłumu odbijający się echem od ścian. – Jestem członkiem trybunału rewolucyjnego. Danton przysłał mnie tutaj...

– Doskonale cię znamy, Jacques-Louis David – odezwał się człowiek siedzący przy drugim końcu stołu.

David obrócił się w jego kierunku i dech mu zaparło. Mireille również spojrzała w tamtą stronę i widok, jaki ujrzała, sprawił, że krew ścięła się jej w żyłach. Taką twarz widywała jedynie w najgorszych koszmarach, właśnie taką twarz wyobrażała sobie, słysząc ostrzeżenia przeoryszy. Było to oblicze najczystszego zła.

Mężczyzna ów był przerażający. Jego ciało składało się z masy blizn i ropiejących ran. Czoło przewiązane miał brudną szmatą, z której kapał jakiś wstrętny płyn, który ściekał mu po szyi i wsiąkał w tłuste włosy. Gdy wyszczerzył zęby do Davida, Mireille pomyślała sobie, że te krostowate rany pokrywające jego skórę są wydzielinami drzemiącego w nim zła, bo oto siedział przed nią wcielony diabeł.

– Ach, to ty – wyszeptał David. – Myślałem, że jesteś...

– Chory? – dokończył mężczyzna. – Tak, lecz nigdy na tyle chory, by nie móc służyć ojczyźnie, obywatelu.

David przepchnął się w jego kierunku, choć zdawało się, że boi się podchodzić zbyt blisko. Ciągnąc Mireille za sobą, szepnął jej do ucha:

– Nie odzywaj się ani słowem. Jesteśmy w niebezpieczeństwie.

Znalazłszy się wreszcie przy końcu stołu, David pochylił się nad sędzią:

– Przychodzę na polecenie Dantona, by pomóc w pracy trybunału – powiedział.

– Nie potrzebujemy tu żadnej pomocy, obywatelu – warknął tamten. – To więzienie to dopiero początek. Wrogowie państwa znajdują się w każdym z więzień. Gdy wykonamy tu wszystkie wyroki, pójdziemy do następnego. Tam, gdzie chodzi o wymierzanie sprawiedliwości, nigdy nie brakuje ochotników. Idź i powiedz obywatelowi Dantonowi, że ja tu jestem. Sprawa znajduje się w dobrych rękach.

– Świetnie – rzekł David, niezobowiązująco poklepując obrzydliwca po ramieniu. Na dziedzińcu podniósł się kolejny wrzask. – Wiem, że jesteś szacownym obywatelem i członkiem Zgromadzenia. Mam jednak pewien problem i myślę, że mógłbyś mi pomóc. – Przy tych słowach David ścisnął ramię Mireille, która stała, wstrzymując oddech. – Tak się składa, że moja bratanica przechodziła tędy dziś po południu i w tym całym zamieszaniu została wciągnięta do środka. Wierzymy... mam nadzieję, że nic się jej nie stało, gdyż jest to prosta dziewczyna, nie mająca pojęcia o polityce. Muszę kazać jej poszukać wewnątrz więzienia.

– Twoja bratanica?

Tamten spojrzał na niego złośliwie. Sięgnął do wiadra z wodą stojącego tuż obok i wyciągnął mokrą szmatę. Następnie zdarł tę, którą miał na głowie, i tym ociekającym łachmanem obwiązał sobie czoło. Woda popłynęła po jego twarzy, obmywając ropę sączącą się z otwartych ran. W nozdrzach Mireille smród rozkładu bijący od tego człowieka zagłuszał odór krwi oraz lęk napełniający cały dziedziniec. Zrobiło się jej słabo i pomyślała, że zemdleje, gdy za nią zagrzmiał kolejny okrzyk. Próbowała nie myśleć, co oznaczają wiwaty tłumu.

– Nie trać czasu na poszukiwania – powiedział ten przerażający człowiek. – Ona za chwilę stanie przed trybunałem. Wiem, kim są twoje podopieczne, David. Także ta. – Skinął głową w kierunku Mireille, nie podnosząc nawet wzroku. – To arystokratki, w ich żyłach płynie krew rodu de Remy. Przybyły z opactwa Montglane. Już przesłuchaliśmy twoją „bratanicę".

– Nie! – krzyknęła przeraźliwie Mireille, wyrywając się Davidowi. – Valentine! Co jej zrobiłeś? – Wyciągnęła ręce, by schwycić tego potwornego człowieka, lecz David powstrzymał ją w ostatniej chwili.

– Oszalałaś? – wysyczał.

Znów próbowała się wyrwać, gdy przerażający sędzia uniósł dłoń. Na schodach zrobiło się poruszenie i przez drzwi więzienia wyrzucono na ziemię dwie osoby. Mireille rzuciła się do przodu, widząc jasne włosy Valentine i jej delikatną postać leżącą obok młodego księdza. Ksiądz zaraz się podniósł i pomógł wstać Valentine, a Mireille chwyciła ją w ramiona.

– Valentine, Valentine – płakała Mireille, spoglądając na posiniaczoną twarz i poorzynane wargi kuzynki.

– Figury – wyszeptała Valentine, rozglądając się dzikim

wzrokiem po dziedzińcu. – Claude powiedziała mi, gdzie są. Jest ich sześć...

– Nie martw się o to – powiedziała Mireille, tuląc ją w ramionach. – Nasz stryj jest tutaj. Zaraz cię uwolnimy...

– Nie! – krzyknęła Valentine. – Oni mnie zabiją, kuzynko. Wiedzą o figurach... pamiętaj ducha! De Remy, de Remy – bełkotała, powtarzając bezmyślnie swoje nazwisko, podczas gdy Mireille próbowała ją uspokoić.

W tej chwili Valentine chwycił jakiś żołnierz i mimo iż szamotała się rozpaczliwie, nie wypuszczał jej z uścisku. Spojrzała nieprzytomnym wzrokiem w kierunku Davida, który – pochylony nad stołem – mówił coś gorączkowo do tego strasznego sędziego. Mireille wierzgała, próbując ugryźć trzymającego ją żołnierza, podczas gdy dwóch innych chwyciło Valentine i pociągnęło ją przed drewniany stół. I oto Valentine stanęła przed trybunałem, między dwoma żołnierzami. Po chwili spojrzała na Mireille, a na jej bladej i przerażonej twarzy rozbłysnął uśmiech. Ten uśmiech był jak promień słońca przebijający się przez czarne chmury. Mireille uspokoiła się na chwilę, odwzajemniając uśmiech. Nagle usłyszała głos człowieka siedzącego za stołem. Wypowiedziane przez niego słowo padło jak trzaśnięcie bicza i odbiło się echem od więziennych murów.

– Śmierć!

Mireille znów zaczęła się wyrywać żołnierzowi, wrzeszcząc i wyjąc dzikim głosem w kierunku Davida, który niemal leżał na stole z twarzą zalaną łzami. Żołnierze powlekli Valentine po brukowanym dziedzińcu na trawiasty placyk. Mireille walczyła jak tygrys, usiłując za wszelką cenę wyrwać się z żelaznego uścisku. W tym momencie coś uderzyło ją z boku i razem z trzymającym ją żołnierzem upadła na ziemię. To był ów młody ksiądz, który przedtem pomógł wstać Valentine. Teraz przybył jej w sukurs, wpadając na żołnierza z całym impetem. Podczas gdy obaj mężczyźni szarpali się na ziemi, Mireille wyrwała się i popędziła w kierunku stołu, gdzie stał David, pogrążony w rozpaczy. Schwyciła obrzydliwą koszulę sędziego i wrzasnęła mu prosto w twarz:

– Wstrzymaj wyrok!

Zerknąwszy przez ramię, zobaczyła leżącą na ziemi Valentine

i dwóch krzepkich mężczyzn, którzy zdjąwszy surduty, zakasywali rękawy swych koszul. Nie było ani chwili do stracenia:

– Uwolnij ją!

– Dobrze – powiedział mężczyzna. – Pod warunkiem że powiesz mi to, czego nie chciała powiedzieć twoja kuzynka. Powiedz mi, gdzie ukryte są figury kompletu szachowego z Montglane. Wiem dobrze, z kim rozmawiała twoja przyjaciółka tuż przed aresztowaniem...

– Jeśli ci powiem – wtrąciła śpiesznie Mireille, spoglądając nerwowo na Valentine – to czy uwolnisz moją kuzynkę?

– Muszę je mieć! – ryknął dziko, spoglądając na nią bezlitosnym, zimnym wzrokiem

To oczy szaleńca, pomyślała Mireille. Aż skurczyła się w środku, lecz nie spuściła wzroku.

– Jeśli ją uwolnisz, powiem ci, gdzie są.

– Mów! – zawył.

Mireille czuła na twarzy jego smrodliwy oddech. Obok David coś jęczał, lecz nie zwracała na niego uwagi. Biorąc głęboki oddech i w duchu błagając Valentine o wybaczenie, powiedziała:

– Są zakopane w ogrodzie, za pracownią naszego stryja.

– Aha! – krzyknął. Oczy płonęły mu nieludzkim blaskiem, gdy zerwał się na równe nogi i pochylił w stronę Mireille. – Nie odważyłabyś się mnie okłamać. A jeślibyś to zrobiła, ścigałbym cię aż po krańce ziemi. Te figury muszą być moje!

– Monsieur, błagam cię! – krzyknęła Mireille. – Powiedziałam szczerą prawdę.

– W takim razie wierzę ci – rzekł.

Uniósł rękę i spojrzał w kierunku trawnika, gdzie dwóch mężczyzn trzymało Valentine przy ziemi, czekając na rozkaz. Mireille wpatrywała się w straszliwą twarz, zniekształconą ponad wszelkie wyobrażenie, i poprzysięgła sobie, że póki żyć będzie i póki on żyć będzie, nigdy nie zapomni. Ta twarz będzie wyryta w jej pamięci, twarz człowieka, który trzymał w swoim bezlitosnym ręku życie jej ukochanej kuzynki. Nigdy go nie zapomni.

– Kim jesteś? – spytała, podczas gdy on patrzył na trawnik.

Usłyszawszy pytanie, powoli odwrócił się w jej stronę, a jarząca się w jego oczach nienawiść zmroziła ją do szpiku kości.

– Jestem gniewem ludu – wyszeptał. – Upadnie arystokracja, upadnie kler, upadnie mieszczaństwo. Zadepczemy ich wszystkich. Plwam na was, a cierpienia, których przez was doświadczyłem, teraz zwrócą się przeciwko wam. Zniszczę cały wasz świat. I zdobędę komplet z Montglane! Będę go miał! Będzie mój! Jeśli nie znajdę go tam, gdzie powiedziałaś, znajdę ciebie – i zapłacisz!

Jego jadowity głos huczał w uszach Mireille.

– Kontynuować egzekucję! – krzyknął, a tłum zawył raz jeszcze. – Śmierć! Wyrok brzmi: śmierć!

– Nieee! – wrzasnęła rozpaczliwie Mireille.

Jakiś żołnierz próbował ją chwycić, lecz wyrwała mu się błyskawicznie. W dzikim zapamiętaniu ruszyła pędem przez dziedziniec, rozpryskując kałuże krwi, która powoli wsiąkała w szpary między kamieniami. Przez morze wyjących twarzy widziała, jak ostry topór unosi się nad rozciągniętym na ziemi ciałem Valentine, której jasne włosy, wysrebrzone w letnim słońcu, rozlewały się gęstą falą na trawniku.

Mireille rzuciła się przez plątaninę ciał otaczających miejsce kaźni, zbliżających się, by nie uronić nic z tego śmiertelnego spektaklu. Dała potężnego susa w stronę Valentine, dokładnie w chwili, gdy lśniący topór spadł ze świstem.

WARIANT ALTERNATYWNY

Trzeba się zawsze ustawić w takiej pozycji, by można było wybierać między dwiema możliwościami.

Talleyrand

W środowy wieczór siedziałam w taksówce, pędząc przez miasto na spotkanie z Lily Rad. Umówiła się ze mną na Czterdziestej Siódmej Ulicy, między Piątą i Szóstą Aleją, w miejscu o nazwie Gotham Book Mart, o którym nigdy wcześniej nie słyszałam.

Poprzedniego popołudnia, we wtorek, Nim zawiózł mnie do miasta i udzielił mi przyśpieszonej lekcji na temat tego, jak zabezpieczyć drzwi mojego mieszkania, aby się przekonać, czy nikt niepowołany tam nie wchodził. Ponadto dał mi specjalny numer telefonu, dzięki któremu można się było bezpośrednio połączyć z jego domowym komputerem Centrex (cóż za poświęcenie dla kogoś, kto nie był zwolennikiem używania telefonów!).

Okazało się, że Nim zna w Algierze pewną kobietę, niejaką Minnie Renselaas, wdowę po konsulu holenderskim. Była to osoba zamożna i znająca odpowiednich ludzi, więc mogła mi pomóc w znalezieniu informacji na interesujące mnie tematy. W związku z tym dość niechętnie poinformowałam Llewellyna, że spełnię jego prośbę i spróbuję zlokalizować dla niego szachy z Montglane. Czułam się podle z tego powodu, gdyż wiedziałam, że kłamię, ale Nim zapewnił mnie, iż nie osiągnę spokoju ducha, póki nie znajdę tego przeklętego kompletu szachowego. Nie wspominając już o długości mojego życia.

Lecz od trzech dni zamartwiałam się czymś innym niż moje zagrożone życie czy też (prawdopodobnie nie istniejący) komplet szachowy. Zamartwiałam się Saulem. Prasa nic nie pisała o jego śmierci.

We wtorkowych gazetach znalazłam trzy artykuły o Organizacji Narodów Zjednoczonych, lecz dotyczyły one głodu na świecie albo wojny w Wietnamie. Ani jednej wzmianki o tym, że na kamiennej płycie znaleziono czyjeś ciało. Kto wie, może w Sali Medytacji nigdy nie sprzątano? Jednak takie przypuszczenie wydawało się jeszcze dziwniejsze. Co więcej, choć pojawiła się krótka wzmianka o śmierci Fiskego i o przerwaniu na tydzień turnieju szachowego, nikt nawet nie napomknął o tym, że wcale nie była to śmierć naturalna.

Na środę wieczór zaplanowane było przyjęcie u Harry'ego. Nie rozmawiałam z Lily od niedzieli, lecz byłam pewna, że cała rodzina zdążyła się już dowiedzieć o śmierci Saula. Przecież pracował u nich przez dwadzieścia pięć lat. Myśl o tym, że będę musiała spojrzeć im w oczy, napełniała mnie przerażeniem. Znając Harry'ego, mogłam sobie wyobrazić, że będzie to raczej stypa aniżeli przyjęcie – swoich pracowników traktował jak rodzinę. Zastanawiałam się, jak mogłabym zataić to wszystko, co wiem.

Gdy taksówka skręciła w Szóstą Aleję, zobaczyłam, że sprzedawcy opuszczają właśnie metalowe żaluzje. Ekspedienci zdejmowali z wystaw drogocenną biżuterię. Uświadomiłam sobie, że znajduję się w samym centrum diamentowej dzielnicy. Wysiadłszy z taksówki, spostrzegłam na chodnikach grupki mężczyzn w sztywnych, czarnych płaszczach i wysokich pilśniowych kapeluszach z płaskimi rondami. Niektórzy z nich mieli ciemne, poprzetykane siwizną brody, tak długie, że opadały im aż na piersi.

Gotham Book Mart wznosił się trzy budynki od miejsca, gdzie wysiadłam. Żeby wejść do środka, musiałam przebić się przez ciżbę mężczyzn. Wyłożony dywanami hall i schody prowadzące na drugie piętro przywodziły na myśl dom z epoki wiktoriańskiej. Po lewej stronie znajdowała się księgarnia, do której schodziło się po dwóch schodkach.

Podłogi wykonane były z drewna, a wzdłuż niskich sufitów, przez całą długość sali, biegły cienkie metalowe rurki rozprowadzające gorące powietrze. Z tyłu widać było wejścia do innych pomieszczeń, wypchanych książkami od sufitu do podłogi. Ich stosy zdawały się grozić runięciem przy najmniejszym ruchu, a w wąskich przejściach stały grupy czytelników, którzy z dużym ociąganiem przepuszczali mnie dalej, po czym wracali na swoje miejsca, przypuszczalnie nie tracąc ani linijki.

Lily, ubrana w olśniewające futro z rudych lisów i ażurowe pończochy, stała w głębi pokoju, tocząc ożywioną rozmowę z jakimś starym, pomarszczonym i dużo od niej niższym dżentelmenem. Miał on na sobie takie samo czarne ubranie jak owi mężczyźni na ulicy, ale jego ciemna twarz, pokryta gęstą siatką zmarszczek, była gładko ogolona. Oczy za okularami w grubych złotych oprawkach wydawały się duże i niezwykle skupione. Dość dziwna była z nich para.

Spostrzegłszy mnie, Lily położyła rękę na ramieniu owego mężczyzny i coś do niego powiedziała. Odwrócił się w moją stronę.

– Cat, chciałabym ci przedstawić Mordechaja – powiedziała. – To mój stary dobry przyjaciel, który dużo wie na temat szachów. Myślę, że możemy mu zadać kilka pytań na nurtujące nas tematy.

Założyłam, że chodzi jej o Solarina. Lecz w ciągu ostatnich dni sama dowiedziałam się wielu rzeczy i przede wszystkim chciałam porozmawiać z nią o Saulu, zanim przyjdzie mi stanąć oko w oko z najważniejszymi osobami w całej rodzinie.

– Mordechaj jest wielkim mistrzem, choć już nie gra – mówiła Lily. – Uczy mnie gry na turniejach. Jest sławny. Napisał wiele książek o szachach.

– Pochlebiasz mi – powiedział Mordechaj ze skromnym uśmiechem. – Prawdę mówiąc, żyję z handlu diamentami. Szachy są moim antypowołaniem.

– Cat była ze mną w niedzielę na turnieju – dodała Lily.

– Aa. – Mordechaj przyjrzał mi się uważnie zza okularów. – Rozumiem. W takim razie jest pani naocznym świadkiem wydarzeń. Zapraszam obie panie na filiżankę herbaty. Niedaleko stąd jest takie miejsce, gdzie możemy porozmawiać.

– Ale... nie chciałabym się spóźnić na kolację. Ojciec Lily byłby rozczarowany.

– Jednak będę nalegał – rzekł Mordechaj z ujmującą stanowczością. Wziął mnie pod rękę i skierował w stronę drzwi. – Sam jestem umówiony na ważne spotkanie tego wieczoru, ale przykro by mi było, gdyby ominęły mnie pani spostrzeżenia w związku z tajemniczą śmiercią mistrza Fiskego. Dobrze go znałem. Żywię nadzieję, że pani wersja będzie znacznie mniej nieprawdopodobna niż to, co usłyszałem z ust mojej... przyjaciółki Lily.

Gdy usiłowaliśmy przejść przez pierwszy pokój, natknęliśmy się na poważne przeszkody, w czego efekcie Mordechaj musiał puścić moje ramię i ruszyliśmy dalej gęsiego. Lily torowała szlak. Po tej zaśmieconej księgarni wyjście na świeże powietrze było prawdziwą ulgą. Mordechaj znów wziął mnie pod rękę. Handlarze diamentów w większości już się porozchodzili, a wnętrza sklepów były ciemne.

– Lily opowiadała, że jest pani ekspertem od komputerów – powiedział Mordechaj, prowadząc mnie chodnikiem.

– Interesuje się pan komputerami? – spytałam.

– Niezupełnie. Natomiast interesują mnie ich możliwości. Można rzec, że z upodobaniem studiuję różne wzory – to powiedziawszy, zaśmiał się wesoło. – Czy Lily pani mówiła, że zajmowałem się kiedyś matematyką? – Obejrzał się na Lily, która słysząc jego pytanie, potrząsnęła głową. – W Zurychu przez jeden semestr miałem zaszczyt uczęszczać na wykłady profesora Einsteina. Był tak inteligentny, że nikt z nas nie pojmował ani słowa z tego, co mówił! Zdarzało się, że zapominał, o czym mówi, i wychodził z sali, ale nikt się nigdy nie śmiał. Wszyscy ogromnie go szanowaliśmy. – Przerwał, by wziąć pod rękę również Lily, ponieważ przechodziliśmy właśnie jednokierunkową ulicę. – Kiedyś, gdy byłem chory – ciągnął – zjawił się u mnie z wizytą profesor Einstein. Usiadł przy moim łóżku i rozmawialiśmy o Mozarcie. Był zafascynowany Mozartem. Profesor Einstein był znakomitym skrzypkiem. – Mordechaj znów uśmiechnął się do mnie, a Lily ścisnęła go za ramię.

– Mordechaj wiele przeżył – wtrąciła. Zauważyłam, że przy nim Lily zachowuje się bardzo grzecznie; nigdy przedtem nie widziałam jej tak wyciszonej.

– Jednak nie zdecydowałem się na karierę matematyka – powiedział Mordechaj. – Mówią, że do tego trzeba mieć powołanie, tak samo jak do kapłaństwa. Zamiast tego postanowiłem być kupcem. Nie oznacza to, że przestałem się interesować kwestiami dotyczącymi matematyki. Ale oto jesteśmy na miejscu.

Przepuścił mnie i Lily w drzwiach i ruszyliśmy w górę po schodach. W pewnym momencie Mordechaj rzekł:

– Tak, zawsze uważałem komputery za ósmy cud świata! – po czym raz jeszcze zaniósł się tym swoim rechotliwym śmiechem.

Wchodząc na górę, zastanawiałam się, czy to przypadek, że Mordechaj wyraził swoje zainteresowanie wzorami. Gdzieś w głowie pobrzmiewało mi echo słów: „Czwartego dnia czwartego miesiąca nadejdzie ósemka".

Mała kafejka położona była na półpiętrze, skąd rozciągał

się widok na ogromny bazar pełen sklepików z biżuterią. Na dole wszystko zostało już pozamykane, lecz tutaj było wielu starych mężczyzn, którzy nie więcej jak pół godziny temu rozprawiali w grupkach na ulicy. Byli bez kapeluszy, a na czubkach głów dostrzegłam jarmułki. Niektórzy mieli kręcone loki opadające po obu stronach twarzy, tak samo jak Mordechaj.

Znaleźliśmy wolny stolik, a Lily zaoferowała się, że pójdzie po herbatę. Mordechaj podsunął mi krzesło, po czym usiadł po przeciwnej stronie stolika.

– Patrzy pani na pejsy. To tradycja religijna – wyjaśnił. – Żydom nie wolno golić bród ani obcinać pejsów, ponieważ, jak mówi Księga Kapłańska: „Ani w koło będziecie strzyc włosów, ani brody golić będziecie"*.

– Ale pan nie ma brody – zauważyłam.

– Nie – odrzekł Mordechaj smutno. – W innym miejscu Biblia mówi: „Wiesz, iż Ezaw, brat mój, jest człowiek kosmaty, ja zaś goły"**. Chciałbym zapuścić brodę, gdyż wyglądałbym dużo bardziej oszałamiająco, lecz – tu błysnął okiem – jedyne, co udaje mi się wyhodować, to przysłowiowe pole chwastów.

Akurat nadeszła Lily z herbatą i postawiła na stoliku parujące filiżanki.

– W pradawnych czasach Żydzi podczas żniw zostawiali nietknięte rogi swoich pól, tak samo jak końce bród, dla starszych ludzi z wioski i dla wędrowców. U Żydów wędrowcy cieszyli się szczególną estymą. Wędrowanie ma w sobie element pewnego mistycyzmu. Moja przyjaciółka Lily wspominała, że i pani wyrusza w drogę.

– Zgadza się – potwierdziłam. Nie byłam jednak pewna, jak zareaguje, gdy dowie się, że zamierzam spędzić rok w kraju arabskim.

– Czy pani pije herbatę ze śmietanką? – spytał Mordechaj. Skinęłam głową i już miałam się podnieść, lecz on wstrzymał mnie gestem ręki. – Pani pozwoli, że sam pójdę.

Gdy tylko oddalił się od stolika, odwróciłam się do Lily.

– Szybko, póki jesteśmy same – wyszeptałam. – Jak twoja rodzina przyjęła wieści o Saulu?

– Naprawdę są na niego nieźle wkurzeni – odparła, rozda-

---

* Kpł 19, 27.
** Rdz 27, 11.

jąc łyżeczki. – Zwłaszcza Harry. Nazywa go niewdzięcznym sukinsynem.

– Wkurzeni? – powtórzyłam. – Chyba to nie jego wina, że go sprzątnęli, co?

– O czym ty mówisz? – spytała Lily, patrząc na mnie dziwnym wzrokiem.

– Chyba nie myślisz, że Saul zaaranżował własne morderstwo?

– Morderstwo? – Lily spojrzała na mnie wielkimi oczami. – Wiem, że trochę poniosła mnie wyobraźnia i ubzdurałam sobie, że ktoś go porwał. Ale on po tym wszystkim wrócił do domu. Po prostu wypiął się i poszedł. Po dwudziestu pięciu latach pracy!

– Mówię ci, że on nie żyje – powtórzyłam. – Widziałam go. W poniedziałek rano leżał na kamiennej płycie w Sali Medytacji w UN Plaza. Ktoś go zamordował!

Lily znieruchomiała z szeroko otwartymi ustami i łyżeczką w uniesionej dłoni.

– To wszystko jest bardzo dziwne – ciągnęłam.

Lily uciszyła mnie syknięciem i zerknęła przez ramię. Do stolika zbliżał się Mordechaj, niosąc saszetki ze śmietanką.

– Nie mogłem się o nie doprosić – powiedział, siadając między mną a Lily. – Obsługa w tym lokalu już dawno przestała być uprzejma. – Zerknął na Lily, a potem na mnie. – Cóż się tutaj wydarzyło? Obydwie wyglądacie, jakbyście właśnie zobaczyły upiora.

– Coś w tym rodzaju – wymamrotała Lily zduszonym głosem, z twarzą białą jak prześcieradło. – Wygląda na to, że szofer mojego ojca właśnie... odszedł.

– Ogromnie mi przykro – rzekł Mordechaj. – Chyba długo u was pracował, prawda?

– Zaczął jeszcze przed moim urodzeniem. – W oczach Lily lśniły łzy, a myślami zdawała się być miliony mil stąd.

– A więc był to niemłody człowiek. Mam nadzieję, że nie miał rodziny na utrzymaniu? – Mordechaj przyglądał się dziwnie Lily.

– Powiedz mu. Powiedz mu wszystko, co mi powiedziałaś – odezwała się do mnie.

– Ale nie sądzisz chyba, że...

– On wie o Fiskem. Opowiedz mu o Saulu.

Mordechaj spojrzał na mnie z uprzejmym wyrazem twarzy.
– Rozumiem, że wydarzyło się coś dramatycznego – powiedział lekkim tonem. – Moja przyjaciółka Lily uważa, że mistrz Fiske nie umarł śmiercią naturalną. Czy pani również podziela jej opinię? – Zza grubych okularów patrzyły na mnie jego smutne oczy. – Czy to prawda?

Odwróciłam się do Lily.

– Słuchaj, naprawdę nie sądzę, że...

Lecz Mordechaj przerwał nam łagodnie.

– Dlaczego tak dziwnie się składa, że to pani pierwsza się o tym dowiaduje, podczas gdy Lily i jej rodzina nic o tym nie wiedzą? – spytał mnie.

– Ponieważ tam byłam – odrzekłam.

Lily chciała coś powiedzieć, lecz Mordechaj ją uciszył.

– Moje drogie panie – zwrócił się do mnie – może zaczniemy od początku? Byłybyście tak dobre?

Tak więc zaczęłam raz jeszcze opowiadać wszystko to, co niedawno opowiadałam Nimowi. Ostrzeżenie Solarina na turnieju szachowym, śmierć Fiskego, tajemnicze zniknięcie Saula, dziury od kul w samochodzie i wreszcie zwłoki Saula w UN Plaza. Oczywiście opuściłam pewne fragmenty, jak na przykład wróżkę, mężczyznę na rowerze i opowieść Nima o komplecie szachowym z Montglane. Co do tego ostatniego, to poprzysięgłam dochować tajemnicy, a reszta brzmiała zbyt dziwacznie, by ktokolwiek mógł w to uwierzyć.

– Bardzo ładnie pani wszystko wyjaśniła – powiedział Mordechaj, gdy skończyłam. – I chyba możemy spokojnie założyć, że śmierć Fiskego i śmierć Saula są jakoś ze sobą powiązane. Teraz musimy ustalić, co lub kto je łączy, i znaleźć jakąś prawidłowość.

– Solarin – rzuciła Lily. – Wszystkie poszlaki wskazują na niego. Rozwiązanie jest oczywiste.

– Ależ moje drogie dziecko, dlaczego Solarin? – spytał Mordechaj. – Jakiż motyw miałby nim kierować?

– Chciał sprzątnąć wszystkich, którzy mogli go pokonać. Wtedy nie musiałby im zdradzić tego wzoru dotyczącego tajnej broni.

– Solarin nie jest fizykiem zajmującym się bronią – wtrąciłam. – To specjalista od akustyki.

Mordechaj spojrzał na mnie dziwnym wzrokiem. Potem zaczął:

– Tak, to prawda. Prawdę mówiąc, znam Aleksandra Solarina, choć nigdy o tym nie wspominałem. Lily siedziała w milczeniu z rękoma na kolanach, najwyraźniej urażona, że istnieje coś, co ten wielki mistrz szachowy trzymał przed nią w tajemnicy.

– Było to wiele lat temu, gdy jeszcze czynnie zajmowałem się handlem diamentami. Wracając z Amsterdamu, postanowiłem odwiedzić przyjaciela w Rosji. Przedstawiono mi wówczas pewnego chłopca, miał może szesnaście lat. Przychodził do mojego przyjaciela na lekcje gry w szachy...

– Ale przecież Solarin uczył się gry w pałacu pionierów! – wtrąciłam.

– Tak – powiedział Mordechaj, znów obrzucając mnie dziwnym spojrzeniem. Stawało się zbyt oczywiste, że głębiej interesuję się całą sprawą, więc postanowiłam się zamknąć. – Ale w Rosji wszyscy grają w szachy. Zresztą tam nie ma nic innego do roboty. Tak więc zgodziłem się na partyjkę z Aleksandrem Solarinem, sądząc w naiwności ducha, że nauczę go tego czy owego, i oczywiście poniosłem sromotną klęskę. Nigdy w całej karierze nie spotkałem lepszego gracza niż ten chłopiec. Moja droga – zwrócił się do Lily – to, że ty albo mistrz Fiske pokonalibyście Solarina, jest oczywiście możliwe. Lecz mało prawdopodobne.

Na chwilę zapadła cisza. Niebo za oknami zrobiło się czarne, a kafejka opustoszała. Mordechaj spojrzał na swój kieszonkowy zegarek, po czym dopił resztkę herbaty.

– No więc, co dalej? – spytał radosnym tonem. – Czy macie na podorędziu inny motyw dla kogoś, komu zależałoby na śmierci tylu osób?

Lily i ja potrząsnęłyśmy głowami w kompletnym zamroczeniu.

– Żadnych rozwiązań? – spytał, wstając i podnosząc kapelusz. – No cóż, jestem już dość spóźniony na moją kolację i panie zresztą też. Zastanowię się nad tym wszystkim w nieco spokojniejszej chwili, lecz chciałbym już teraz przedstawić pewne wstępne sugestie. Przemyślcie to sobie. Otóż w moim mniemaniu śmierć Fiskego miała niewiele wspólnego z Solarinem, a jeszcze mniej z szachami.

– Ale jedynie Solarin był za każdym razem na miejscu zbrodni, zanim znaleziono zwłoki! – wykrzyknęła Lily.

– Niezupełnie. – Mordechaj uśmiechnął się tajemniczo. – Za każdym razem była tam jeszcze jedna osoba. Twoja przyjaciółka Cat!

– Chwileczkę – zaczęłam. Ale Mordechaj nie dał mi dojść do słowa.

– Czy nie dziwi was to, że turniej szachowy został przełożony na przyszły tydzień „w związku z nieszczęśliwą śmiercią mistrza Fiskego", lecz nikt nie wspomina ani słowem, że podczas gry doszło do oszustwa? I czy nie widzicie nic dziwnego w tym, że to właśnie pani widziała zwłoki Saula dwa dni temu w miejscu tak publicznym, jak gmach UN Plaza, a mimo to media nie wspomniały o tym ani słowem? Jak można wytłumaczyć podobne wydarzenia?

– Ktoś chce zatuszować sprawę! – wykrzyknęła Lily.

– Niewykluczone – powiedział Mordechaj, wzruszając ramionami. – Ale zarówno ty, jak i twoja przyjaciółka Cat też próbowałyście ukryć pewne kwestie. Czy możecie mi na przykład wyjaśnić, co powstrzymało was przed udaniem się na policję w momencie, gdy ktoś strzelał do waszego samochodu? Dlaczego Cat nie doniosła policji, że natknęła się na zwłoki, które następnie się zdematerializowały?

Lily i ja zaczęłyśmy mówić jednocześnie:

– Ależ przecież powiedziałam ci, że chciałam... – wymamrotała.

– Bałam się... – wyjąkałam.

– Bardzo was proszę. – Mordechaj podniósł rękę. – To mamrotanie nie brzmi przekonująco nawet dla mnie, nie mówiąc już o policji. A to, że twoja przyjaciółka Cat znajdowała się za każdym razem na miejscu, czyni całą sprawę jeszcze bardziej podejrzaną.

– Co pan chce przez to powiedzieć? – spytałam. A cały czas dzwoniły mi w uszach słowa Nima: „Nie można wykluczyć, skarbie, że w czyimś odczuciu ty naprawdę coś wiesz".

– Śmiem twierdzić – powiedział Mordechaj – że choć wy nie macie z tym nic wspólnego, to ma coś wspólnego z wami.

Powiedziawszy to, pochylił się, by pocałować Lily w czoło. Potem odwrócił się do mnie i ściskając oficjalnie moją rękę, zrobił coś najprzedziwniejszego. Puścił do mnie oko! A potem szybko zszedł po schodach i zniknął w mroku.

PIONEK RUSZA NAPRZÓD

Potem przyniosła szachownicę i grała z nim; jednakże Szerkan, zamiast przyglądać się jej ruchom, nie odrywał wzroku od jej kształtnych ust, stawiając skoczka w miejsce wieży, a wieżę w miejsce skoczka.

Zaśmiała się i rzekła doń:

– Jeżeli w taki sposób nadal grać będziesz, znaczy to, że nie znasz się na tej grze.

– To dopiero pierwsza partia – odparł na to. – Nigdy nie sądź po początkach.

Opowieści z tysiąca i jednej nocy

Paryż
3 września 1792

W foyer domu Dantona, w małym, mosiężnym świeczniku, płonęła tylko jedna świeczka. Równo z wybiciem północy jakiś zakapturzony człowiek pociągnął za sznur. Rozległ się dzwonek u drzwi. Odźwierny powlókł się przez hall i zerknął przez judasza. Stojący na schodach człowiek miał kapelusz z miękkim rondem, który zasłaniał mu całą twarz.

– Na miłość boską, Louis – odezwał się mężczyzna. – Otwórz. To ja, Camille.

Rozległ się szczęk rygla i po chwili odźwierny uchylił drzwi.

– Ostrożności nigdy za dużo, monsieur – odezwał się przepraszająco stary.

– Rozumiem – powiedział poważnie Camille Desmoulins, przechodząc przez próg. Zdjął kapelusz i przejechał dłonią po gęstych, kręconych włosach. – Wracam z więzienia La Force. Wiesz, co się stało... – Desmoulins zatrzymał się raptownie, dostrzegłszy jakiś ruch w ciemnym kącie foyer. – Kto tam jest? – spytał z przerażeniem.

Z mroku wyłonił się wysoki, blady i – mimo potwornego gorąca – elegancko odziany człowiek. Podszedłszy bliżej, wyciągnął rękę do Desmoulinsa.

– Mój drogi Camille – powiedział Talleyrand – mam nadzieję, że zbytnio cię nie przestraszyłem. Czekam na powrót Dantona z zebrania Komitetu.

– Maurice! – wykrzyknął Desmoulins, potrząsając jego ręką. – Cóż sprowadza cię do naszego domu o tak późnej porze? – Jako sekretarz Dantona od lat dzielił mieszkanie z rodziną swego pracodawcy.

– Danton był tak miły, że obiecał mi przepustkę na wyjazd z Francji – wyjaśnił spokojnie Talleyrand. – Abym mógł powrócić do Anglii i wznowić negocjacje. Jak ci zapewne wiadomo, Anglicy nie chcą uznać naszego nowego rządu.

– Na twoim miejscu nie traciłbym dzisiaj czasu, czekając na niego – powiedział Camille. – Słyszałeś, co się wydarzyło dzisiaj w Paryżu?

Talleyrand potrząsnął głową i rzekł:

– Słyszałem o odparciu Prusaków, którzy rozpoczęli odwrót. Rozumiem, że wracają do kraju, gdyż jak jeden mąż zapadli na dyzenterię. – Zaśmiał się. – Nie ma na świecie takiej armii, która potrafiłaby maszerować przez trzy dni, pijąc wyłącznie wina z Szampanii.

– To prawda z Prusakami – potwierdził Desmoulins, ale nie wtórował mu śmiechem. – Lecz chodzi mi o tę masakrę. – Po twarzy Talleyranda widać było, że nie zna najświeższych wieści. – Zaczęła się dziś po południu w więzieniu L'Abbaye. Potem przeniosła się do La Force i La Conciergerie. Zgodnie z naszymi rachubami zamordowano już ponad pięćset osób. Dochodzi do masowych mordów, a nawet aktów kanibalizmu, a Zgromadzenie nie jest w stanie nad tym zapanować...

– Nic o tym nie słyszałem! – wykrzyknął Talleyrand. – Lecz jakie przedsięwzięto kroki?

– Danton udał się do La Force i chyba nadal tam jest. Komitet podjął decyzję o zorganizowaniu sądów doraźnych, aby choć trochę opanować sytuację. Zgodzili się płacić sędziom i katom po sześć franków dziennie plus posiłki. Tylko w taki sposób można było przejąć kontrolę nad wszystkim. Maurice, w Paryżu zapanowała anarchia. Ludzie nazywają to terrorem.

– To niemożliwe! Jeżeli wieść o tym przedostanie się za granicę, znikną wszelkie szanse na zbliżenie z Anglią. Będziemy mogli sobie poczytywać za szczęście, jeśli nie wypowiedzą nam wojny, przyłączając się jednocześnie do Prusaków. Tym bardziej powinienem wyjechać jak najrychlej.

– Bez przepustki niczego nie wskórasz – powiedział Desmoulins, chwytając go za ramię. – Nie dalej jak dziś po południu madame de Staël została aresztowana za próbę opuszczenia kraju bez względu na immunitet dyplomatyczny. Miała szczęście, że znalazłem się akurat pod ręką, by ocalić jej szyję od gilotyny. Początkowo zabrali ją do siedziby Komuny Paryskiej. – Wyraz twarzy Talleyranda wskazywał, iż pojmuje powagę sytuacji. Desmoulins kontynuował: – Nie lękaj się, siedzi już sobie bezpiecznie w swojej ambasadzie. Ty również powinieneś siedzieć w domu. W taką noc arystokraci i duchowni nie powinni chodzić po ulicach. Jesteś w podwójnym niebezpieczeństwie, mój przyjacielu.

– Rozumiem – powiedział cicho Talleyrand. – Tak, naprawdę rozumiem.

Talleyrand wrócił do siebie około pierwszej w nocy, przemierzywszy pieszo ciemne zaułki Paryża. Nie chciał brać powozu, by nie wzbudzać niczyjego zainteresowania. Wędrując zmęczony przez słabo oświetlone ulice, natykał się na grupki teatromanów wracających z wieczornych spektakli i ostatnich maruderów z kasyn. Mijały go otwarte powozy pełne birbantów i szampana, a dobywający się z nich śmiech odbijał się głośnym echem od ścian domów.

Tańczycie na skraju przepaści, pomyślał Maurice. Wszystko jest kwestią czasu. Już teraz widział mroczną otchłań chaosu, w który osuwał się kraj. Trzeba uciekać, i to szybko.

Zbliżywszy się do furty swojego ogrodu, z przerażeniem dostrzegł migoczące na dziedzińcu światełko. Przecież wydał jasne rozkazy: okiennice miały być zamknięte, a zasłony opuszczone, by nikt nawet się nie domyślał, że jest w domu. Przebywanie w domu stało się bowiem niebezpieczne. Lecz gdy chciał wsunąć klucz do zamka, brama natychmiast się otworzyła. Stał tam lokaj Courtiade, a owo migoczące światełko pochodziło od trzymanej przezeń świecy.

– Na miłość boską, Courtiade – wyszeptał Talleyrand. – Mówiłem przecież, żeby nie palić żadnych świateł. Śmiertelnie mnie przestraszyłeś.

– Proszę mi wybaczyć, monseigneur – odezwał się Courtiade, który zawsze zwracał się w ten sposób do swego pana. – Mam nadzieję, że nie przekroczyłem moich uprawnień, lekceważąc jeszcze jedno pańskie polecenie.

– A cóż takiego zrobiłeś? – spytał Talleyrand, wchodząc przez bramę, którą lokaj natychmiast zamknął.

– Ma pan gościa, monseigneur. Pozwoliłem sobie zezwolić tej osobie, by zaczekała tutaj na pana.

– To już naprawdę poważne przewinienie. – Talleyrand zatrzymał się, chwytając lokaja za ramię. – Dziś rano motłoch zatrzymał madame de Staël i zabrał ją do siedziby Komuny Paryskiej. Omal nie straciła życia! Nikt nie może wiedzieć, że zamierzam opuścić Paryż. A teraz powiedz mi, kogo wpuściłeś do środka.

– To mademoiselle Mireille, monseigneur – odpowiedział lokaj. – Przyszła tu sama, i to zupełnie niedawno.

– Mireille? Sama, o tej porze? – Talleyrand ruszył pośpiesznie przez dziedziniec.

– Monseigneur, zjawiła się tu z kufrem i w mocno zniszczonej sukni. Prawie nie mogła mówić. Ponadto trudno mi było nie zauważyć, że chyba... że na ubraniu miała ślady czegoś, co wyglądało jak krew. Dużo krwi.

– Dobry Boże – wymamrotał Talleyrand.

Pokuśtykał za Courtiade'em przez ogród tak szybko, jak to było możliwe, i wszedł do wielkiego, zaciemnionego hallu. Courtiade wskazał ręką gabinet, a Talleyrand popędził przez hall i wpadł w wielkie drzwi. Wewnątrz gabinetu stały skrzynki z książkami, które spakowano przed planowanym wyjazdem. Na środku, na aksamitnej kozetce brzoskwiniowego koloru leżała Mireille. W blasku małej świecy, ustawionej tam przez Courtiade'a, jej twarz była niezwykle blada.

Talleyrand przyklęknął z niejaką trudnością i zaczął masować jej bezwładną dłoń.

– Czy mam przynieść sole, sire – spytał Courtiade z niepokojem w głosie. – Wprawdzie cała służba została odesłana, jako że rano mamy wyruszać w drogę...

– Tak, tak – odparł jego pan, nie odrywając wzroku od Mireille. W sercu czuł lęk. – Ale Danton nie zjawił się z przepustkami. A teraz to... – Zerknął na Courtiade'a, który nadal stał w miejscu, trzymając wysoko świecę. – W porządku, idź po sole, Courtiade. Gdy tylko ją docucimy, trzeba będzie zajść do Davida. Musimy wszystko wyjaśnić, i to szybko.

Talleyrand usiadł w milczeniu przy kozetce, spoglądając na Mireille, a w głowie kłębiły mu się setki straszliwych myśli. Po chwili sięgnął po świeczkę i zbliżył ją nieco bardziej do jej nieruchomej postaci. W jej rudych włosach dostrzegł zakrzepłą krew, która – wraz z brudem – pokrywała także jej policzki. Delikatnie odsunął jej włosy z twarzy i pochylił się, by złożyć na jej czole pocałunek. Gdy tak na nią patrzył, coś w nim drgnęło. To dziwne, pomyślał sobie. Zawsze była taka poważna i trzeźwa.

Courtiade wrócił i podał swemu panu małą szklaną fiolkę. Talleyrand uniósł głowę Mireille i poruszał odkorkowaną buteleczką, aż dziewczyna zaczęła kaszleć.

Po chwili otworzyła oczy i wbiła w obu mężczyzn przerażone spojrzenie. Naraz zdała sobie sprawę, gdzie jest, i usiadła raptownie. W nagłym przerażeniu chwyciła Talleyranda za rękaw.

– Jak długo byłam nieprzytomna? – krzyknęła. – Nie powiedzieliście nikomu, że tutaj jestem? – Zbielała na twarzy jak prześcieradło i ściskała go za ramię z siłą dziesięciu mężczyzn.

– Nie, nie, moja droga – powiedział Talleyrand uspokajająco. – A jesteś tu od niedawna. Gdy tylko poczujesz się lepiej, Courtiade przygotuje ci na uspokojenie gorącą brandy, a potem poślemy po twojego stryja.

– Nie! – Mireille niemal wrzasnęła. – Nikt nie może wiedzieć, że tu jestem! A już najmniej mój stryj! Jeśli zaczną mnie szukać, najpierw pójdą właśnie tam. Grozi mi straszliwe niebezpieczeństwo. Przysięgnij, że nikomu nie powiesz! – Próbowała się zerwać na nogi, lecz przestraszony Talleyrand i Courtiade przytrzymali ją. – Gdzie jest mój kufer?! – krzyknęła.

– Tutaj – odparł Talleyrand. – Tuż przy sofie. Moja droga, musisz się uspokoić i położyć jeszcze na chwilę. Nabierz sił, a wtedy porozmawiamy. Jest bardzo późno. A może posłalibyśmy po Valentine, żeby wiedziała, że jesteś bezpieczna?

Gdy Talleyrand wypowiedział imię Valentine, na twarzy Mireille pojawił się wyraz takiego przerażenia i bólu, że cofnął się skamieniały.

– Nie – powiedział cicho. – Nie. To niemożliwe. Nie Valentine. Powiedz, że nic jej się nie stało. Powiedz! – Złapał Mireille za ramiona i zaczął nią potrząsać. Wreszcie podniosła nań wzrok, a to, co wyczytał w jej oczach, zmroziło go do szpiku kości. Znów szarpnął ją z całą siłą, powtarzając chrapliwym głosem: – Proszę, proszę, powiedz, że nic się jej nie stało. Musisz mi powiedzieć, że nic się jej nie stało!

Mireille spoglądała na niego suchymi oczyma. Talleyrand zdawał się być w jakimś transie. Courtiade powoli wyciągnął rękę i położył ją na ramieniu swego pana.

– Sire... – powiedział łagodnie – sire...

Lecz Talleyrand patrzył na Mireille jak człowiek, który postradał zmysły.

– To nie może być prawda. – Każde słowo wychodziło z jego ust z wielkim trudem. Mireille wpatrywała się weń w milczeniu. Powoli rozluźnił uchwyt i opuścił ręce. Jego twarz pozbawiona była wszelkiego wyrazu. Był otępiały z bólu wywołanego czymś, w co absolutnie nie mógł uwierzyć.

Wreszcie odsunął się od niej, wstał i podszedł do kominka. Otworzył swój unikatowy zegar z pozłacanego brązu, wsunął w odpowiednie miejsce złoty klucz i zaczął go powoli nakręcać. Po chwili w ciemności rozległo się ciche tykanie.

Słońce jeszcze nie wstało, lecz pierwsze, blade światło przesączało się przez jedwabne zasłony w sypialni Talleyranda.

Pół nocy nie mógł zasnąć, przeżywając koszmar. Wciąż nie dopuszczał do siebie myśli, że Valentine nie żyje. Miał wrażenie, jakby ktoś wydarł mu serce, i zupełnie nie wiedział, jak sobie z takim uczuciem poradzić. Nie miał żadnej rodziny i nigdy tak naprawdę nie potrzebował drugiego człowieka. Może to i lepiej, pomyślał z goryczą. Nie zaznawszy miłości, nie można zaznać poczucia straty.

Wciąż miał przed oczami jasne włosy Valentine, połyskujące w ogniu kominka, gdy pochyliła się, by pocałować jego stopę, a on delikatnie gładził jej twarz. Przypomniały mu się wszystkie jej śmieszne powiedzenia, które czasami bywały szokujące. Jak to możliwe, że ona nie żyje? Jak?

Mireille nie mogła wykrztusić ani słowa na temat okoliczności śmierci swojej kuzynki. Courtiade przygotował jej gorącą kąpiel i przyniósł gorący koniak z korzeniami, do którego dodał nieco laudanum, żeby mogła zasnąć. A Talleyrand odstąpił jej olbrzymie łoże w swej sypialni – łoże, nad którym wisiał błękitny jedwabny baldachim. Taki kolor miały oczy Valentine.

Sam przesiedział pół nocy na stojącej nieopodal otomanie. Mireille wielokrotnie zapadała w ciężki sen, lecz budziła się przerażona, z otwartymi szeroko oczyma, wykrzykując imię Valentine. Wtedy próbował ją pocieszać, a gdy znów zapadała w sen, wracał na swoje zaimprowizowane łóżko, przygotowane przez Courtiade'a.

Jednak nie było przy nim nikogo, kto mógłby go pocieszyć. Niebo za oszklonymi drzwiami przybrało już kolor różowy, a Talleyrand wciąż przewracał się z boku na bok. Jego zazwyczaj starannie uczesane loki były w nieładzie, a pod oczami miał ciemne sińce.

Raz w środku nocy Mireille krzyknęła: „Pójdę razem z tobą do L'Abbaye, kuzynko. Przenigdy nie zgodzę się, byś sama szła do Cordelières". Słysząc te słowa, Talleyrand czuł, jak przerażający chłód pełznie powoli wzdłuż jego kręgosłupa. Mój Boże, czyż to możliwe, że zginęła w L'Abbaye? Nawet nie chciał o tym myśleć. Postanowił, że gdy tylko Mireille przyjdzie nieco do siebie, wydobędzie z niej całą prawdę – bez względu na ból, jaki to sprawi im obojgu.

W pewnym momencie usłyszał cichy hałas, a potem kroki bosych stóp.

– Mireille? – szepnął, lecz nikt nie odpowiedział. Odsunął zasłony. Łoże było puste.

Unosząc fałdy koszuli nocnej, Talleyrand pokuśtykał w kierunku garderoby. Jednak gdy mijał oszklone drzwi, przez grube jedwabne zasłony ujrzał zarys ludzkiej postaci na tle różowiejącego nieba. Pociągnął zasłony i znieruchomiał.

Tyłem do niego, wpatrzona w ogród i niewielki sad za kamiennym murem stała Mireille. Była zupełnie naga, a w różowym świetle poranka jej kremowa skóra miała jedwabisty połysk. Od razu przypomniał sobie chwilę, gdy ujrzał je po raz pierwszy na podium w pracowni Davida. Valentine i Mireille. Wstrząs wywołany tym wspomnieniem był tak gwałtowny, że graniczył wręcz z bólem. Jednocześnie jednak poczuł coś innego. Coś, co powoli wynurzało się z jego otępiałego, obolałego wnętrza. A gdy wreszcie się wynurzyło, okazało się straszniejsze, niż przypuszczał. Gdyż w tym właśnie momencie czuł pożądanie. Namiętność. Chciał ją chwycić tam, na tarasie, w wilgotnym powietrzu poranka, rzucić na ziemię, wejść w nią, gryźć jej usta, miażdżyć ciało, przelać przepełniający go ból do mrocznego, niezgłębionego wnętrza jej istoty. I w momencie, gdy myśl taka przeszła mu przez głowę, Mireille – wyczuwając jego obecność – odwróciła się ku niemu. Jej twarz pokrył szkarłatny rumieniec. Talleyrand czuł się upokorzony i próbował ukryć zmieszanie.

– Moja droga – powiedział, zdejmując pośpiesznie szlafrok i podchodząc, by okryć jej ramiona – przeziębisz się. O tej porze roku wszystko pokryte jest rosą. – Zdawał sobie sprawę, że te słowa brzmią idiotycznie. A nawet gorzej. I gdy – okrywając jej ramiona jedwabną szatą – delikatnie dotknął jej skóry, przeszyło go uczucie, jakiego dotychczas jeszcze nie doświadczył. Chciał się prędko odsunąć, lecz zapanował nad sobą. Widząc uważne spojrzenie Mireille, spuścił wzrok. Nie może odgadnąć jego myśli. To żałosne. Spróbował zmusić się do myślenia o czymkolwiek, byle tylko oddalić od siebie to, co tak gwałtownie w nim wezbrało.

– Maurice – powiedziała, odgarniając z jego czoła niesforny kosmyk jasnych włosów – chcę teraz mówić o Valentine. Czy mogę mówić o Valentine?

Poranny wietrzyk lekko rozwiewał jej rude włosy, które delikatnie muskały jego pierś, parząc niczym ogień. Stał tak blisko, że czuł wyraźnie słodką woń jej skóry. Przymknął powieki, za wszelką cenę próbując się opanować, niezdolny spojrzeć jej w oczy, bojąc się tego, co tam wyczyta. Ból, który w nim rósł, stawał się nieznośny. Jak mógł być takim potworem?

Z ogromnym wysiłkiem otworzył oczy i spojrzał na nią. Zmusił się do uśmiechu, choć czuł, że usta wykrzywiają mu się w dziwny grymas.

– Powiedziałaś do mnie „Maurice", a nie „wujku Maurice" – rzekł z tym samym uśmiechem.

Była niewiarygodnie piękna, z tymi lekko rozwartymi ustami jak płatki róży... Wziął się w garść. Valentine. Chciała mówić o Valentine. Położył ręce na jej ramionach, łagodnie, lecz zdecydowanie. Przez cienki materiał szlafroka czuł ciepło jej ciała. Widział niebieską żyłę pulsującą na białej szyi. A poniżej dostrzegał cień między jej młodymi piersiami...

– Valentine głęboko cię kochała – zaczęła Mireille zdławionym głosem. – Znałam wszystkie jej myśli i uczucia. Wiem, że chciała, byś robił z nią wszystko to, co mężczyźni robią z kobietami. Czy wiesz, o czym mówię? – Znów patrzyła mu w oczy, jej usta były tak blisko, jej ciało tak... Zdawało mu się, że się przesłyszał.

– Nie... nie jestem... pewien, to znaczy... tak, oczywiście, że wiem – wyjąkał, wpatrując się w nią wielkimi oczami. – Ale nigdy nie przypuszczałem... – Przeklinał swoją głupotę. O czym ona u licha mówi? – Mireille – powiedział twardo. Chciał być dobroduszny, ojcowski. Mimo wszystko dziewczyna, która przed nim stała, była tak młoda, że mogłaby być jego córką. Prawdziwe dziecko. – Mireille – powtórzył, usiłując sprowadzić rozmowę na nieco bezpieczniejszy grunt.

Lecz ona uniosła dłonie i wsunęła mu palce we włosy. Potem przyciągnęła ku sobie jego głowę i zbliżyła usta do jego ust. Mój Boże, pomyślał, chyba zwariowałem, przecież to niemożliwe.

– Mireille – powiedział, dotykając jej ust – nie mogę... nie możemy... – Całując ją, czuł, że pękają w nim wszelkie bariery. Żądza potężniała z każdą chwilą. Nie. Nie można. Nie tak. Nie teraz.

– Nie zapominaj, że ja też ją kochałam – szeptała Mireille, wodząc rękoma po jego ciele. – Jęknął i zsunąwszy szlafrok z jej ramion, przytulił ją mocno do siebie.

Tonął, tonął. Zapadał się w ocean mrocznej namiętności, wędrując niecierpliwymi dłońmi po długich, jedwabistych nogach Mireille. Leżeli w pogniecionej pościeli, w łóżku, do którego Talleyrand przyniósł ją z tarasu, i teraz czuł, że zapada się coraz głębiej. Gdy spotkały się ich usta, miał wrażenie, że krew wzbiera w całym jego ciele i łączy się z jej krwią. Gwałtowność tego uczucia była wręcz niewiarygodna. Próbował uświadomić sobie, co właściwie robi i dlaczego nie powinien tego robić, lecz pragnął tylko jednego: zapomnienia. Namiętność Mireille była dziksza i mroczniejsza od jego namiętności. Czegoś takiego doświadczał po raz pierwszy. Chciał, żeby to trwało bez końca.

Mireille spojrzała na niego swymi ciemnozielonymi oczyma i zrozumiał, że czuje to samo. Z każdym dotknięciem, każdą pieszczotą zdawała się zapadać w niego coraz głębiej, jak gdyby ona również chciała znaleźć się w jego wnętrzu, wypełniając sobą każdą jego kość, każdy nerw i każde ścięgno. Jak gdyby chciała pociągnąć go głęboko, na samo dno ciemnego jeziora, gdzie mogliby razem utonąć w odmętach namiętności. W odmętach Lete, rzeki zapomnienia. Tonąc w jej zielonych oczach, czuł namiętność wzbierającą w nim na kształt burzy, słyszał śpiew syren wabiących go ku największym głębinom.

Maurice Talleyrand kochał się już z wieloma kobietami, tak wieloma, że nie byłby w stanie ich zliczyć, lecz teraz, leżąc w delikatnej, zmiętoszonej pościeli swojego łoża, opleciony długimi nogami Mireille, zapomniał o wszystkich. Wiedział, że nigdy nie uda mu się odtworzyć tego, czego właśnie doświadczył. Była to całkowita ekstaza, jakiej rzadko jest dane człowiekowi doznać. Teraz jednak odczuwał przede wszystkim ból. I wyrzuty sumienia.

Wyrzuty sumienia. Albowiem gdy wynurzyli się ze skłębionych kołder, spleceni w namiętnym uścisku, wyszeptał jedno słowo: „Valentine". Valentine. Właśnie w tej chwili, gdy wygasł największy ogień pasji. A Mireille szepnęła: „Tak".

Spojrzał na nią. Jej kremowa skóra i zmierzwione włosy pięknie odcinały się od pościeli, na której leżała. Ona też podniosła na niego wzrok, a na jej ustach pokazał się uśmiech.

– Nie wiedziałam, jak to będzie – powiedziała.

– A dobrze było?

– Tak, dobrze – odparła, nie przestając się uśmiechać. Po chwili dostrzegła, że coś go gryzie.

– Przepraszam – mówił łagodnie. – Nie chciałem. Ale ty jesteś tak piękna. I tak bardzo cię pragnąłem. – Pocałował jej włosy, a potem wargi.

– Nie chcę, żebyś przepraszał – odezwała się Mireille, siadając na łóżku i patrząc nań poważnie. – Dzięki temu, chociaż przez chwilę, zdawało mi się, że ona żyje. Jakby tamto wszystko było tylko złym snem. Gdyby Valentine żyła, kochałaby się z tobą. Więc nie przepraszaj mnie za to, że nazwałeś mnie jej imieniem. – Czytała w jego myślach.

Spojrzał na nią i uśmiechnął się. Kładąc się, przyciągnął Mireille ku sobie. Jej długie, wdzięczne ciało było przyjemnie chłodne. Fala rudych włosów rozlewała się po jej ramionach. Wdychał jej woń. Zapragnął raz jeszcze kochać się z nią, lecz całym wysiłkiem powstrzymał rosnące pożądanie. Było przecież coś, o czym chciał się dowiedzieć. Najpierw.

– Mireille, chciałbym, żebyś coś zrobiła – powiedział stłumionym głosem. Podniosła głowę, by spojrzeć na niego. – Wiem, że będzie to dla ciebie bolesne, lecz chciałbym, żebyś opowiedziała mi o Valentine. Chcę się wszystkiego dowiedzieć. Musimy się skontaktować z waszym stryjem. W nocy, przez sen, mówiłaś coś o więzieniu L'Abbaye...

– Mój stryj nie może się dowiedzieć, gdzie jestem – przerwała mu Mireille, siadając gwałtownie na łóżku.

– Oprócz tego musimy godnie pochować Valentine – dodał.

– Nawet nie wiem, czy uda nam się znaleźć jej ciało – wykrztusiła Mireille z trudem. – Jeśli przysięgniesz, że mi pomożesz, opowiem ci, jak zginęła Valentine. I dlaczego.

Talleyrand spojrzał na nią dziwnym wzrokiem.

– Jak to „dlaczego"? Sądziłem, że stało się to podczas zamieszania pod więzieniem L'Abbaye. Na pewno...

– Zginęła przez to... – powiedziała wolno Mireille.

Wstała z łóżka i podeszła do kufra, który Courtiade ustawił przy drzwiach. Podniosła go nie bez trudu i położyła obok siebie na łóżku. Otworzyła wieko i skinęła na Talleyranda, by spojrzał do środka. A tam, pokryte brudem, pośród ziemi i trawy, leżało osiem figur z Montglane.

Talleyrand sięgnął do wnętrza zniszczonego, skórzanego kufra i wyjął jedną z figur, po czym usiadł na łóżku obok Mireille. Był to duży, złoty słoń, wysoki na długość jego dłoni. Siodło, które dźwigał na grzbiecie, było gęsto wysadzane wyszlifowanymi rubinami i czarnymi szafirami. Jego trąba i kły były uniesione w pozycji bojowej.

– Alfil – wyszeptał. – Dziś ta figura nosi nazwę gońca, doradcy króla i królowej.

Wyjął wszystkie figury po kolei i ułożył je na łóżku. Srebrny wielbłąd, potem złoty. I jeszcze jeden złoty słoń, stojący dęba arabski dzianet oraz trójka posłańców długości jego palca, każdy z innym uzbrojeniem i każdy wysadzany ametystami, cytrynami, turmalinami, szmaragdami i jaspisami.

Talleyrand sięgnął powoli po rumaka i obrócił go w palcach.

Wytarłszy porządnie podstawę, dostrzegł jakiś symbol wyryty w ciemnym złocie i przyjrzał mu się z uwagą. Następnie pokazał go Mireille. Było tam koło z ostrzem strzały wbitym z boku.

– Mars, czerwona planeta – powiedział. – Bóg wojny i zniszczenia. *I oto pojawił się kolejny koń, a kolor jego również był czerwony: i władza dana została temu, kto tamże zasiadał, by ziemię pozbawił pokoju i aby jedni drugich o śmierć przyprawiali: i wielki miecz jemu dano.*

Jednak Mireille jakby go nie słyszała. Siedziała nieruchomo, wpatrzona w symbol wyryty na podstawie trzymanej przez Talleyranda figury. Nie odezwała się ani słowem, była jakby w transie. Wreszcie dostrzegł, że jej usta zaczęły się poruszać, i pochylił się, by usłyszeć, co mówi.

– A imię tego miecza jest sar – wyszeptała. Po czym zamknęła oczy.

Talleyrand siedział w milczeniu przez godzinę, owinięty luźno szlafrokiem, podczas gdy Mireille spoczywała naga na stosie pościeli i opowiadała mu dokładnie całą historię.

Zrelacjonowała opowieść przeoryszy, starając się odtworzyć wszystkie szczegóły, i opisała, w jaki sposób zakonnice wydobyły komplet z murów opactwa. Potem opowiedziała, jak rozrzuciły figury po całej Europie i że ona i Valentine miały stworzyć w Paryżu punkt zborny dla wszystkich zakonnic, które mogły potrzebować pomocy. Następnie opowiedziała mu o siostrze Claude i o tym, jak Valentine pobiegła jej na spotkanie przed więzieniem.

Gdy Mireille doszła do momentu, gdy trybunał skazał Valentine na śmierć, gdy David padł z rozpaczy na ziemię, Talleyrand jej przerwał. Po twarzy Mireille spływały łzy, miała czerwone, zapuchnięte oczy i ściśnięte gardło.

– To znaczy, że Valentine nie zginęła z rąk tłumu? – krzyknął.

– Skazali ją! Ten straszliwy człowiek! – załkała Mireille. – Nigdy nie zapomnę jego twarzy. I ten ohydny grymas! On się rozkoszował tym, że ma władzę nad życiem i śmiercią. Niech zgnije w tych krostowatych ranach, którymi był pokryty...

– Co powiedziałaś? – Talleyrand chwycił ją za ramię i mocno potrząsnął. – Jak on się nazywał? Musisz pamiętać!

– Pytałam go, jak się nazywa, ale nie chciał powiedzieć – odparła Mireille, patrząc nań przez łzy. – Powiedział tylko: „Jestem gniewem ludu!"

– Marat! – krzyknął Talleyrand. – Powinienem był się domyślić. Lecz nie wierzę...

– Marat! – powtórzyła Mireille. – Teraz znam jego nazwisko i nigdy go nie zapomnę. Powiedział, że jeśli nie znajdzie figur w miejscu, które mu wskazałam, będzie mnie ścigał do upadłego. Ale to ja będę jego ścigała do upadłego.

– Moja droga – powiedział Talleyrand – zabrałaś figury z kryjówki. Teraz Marat poruszy niebo i ziemię, żeby cię znaleźć. Lecz jak udało ci się uciec z więziennego dziedzińca?

– Stryj Jacques-Louis – tłumaczyła Mireille – był bardzo blisko tego straszliwego człowieka, gdy wydano rozkaz, i skoczył na niego w przypływie wściekłości. Ja chciałam się rzucić na ciało Valentine, lecz odciągnęli mnie właśnie wtedy, gdy... gdy... – Mireille nie mogła mówić. – A potem usłyszałam, jak stryj krzyczy moje imię i woła, żebym uciekała. Pobiegłam na oślep i nie potrafię ci teraz powiedzieć, w jaki sposób przedostałam się przez bramę. To wszystko przypomina jakiś straszny sen. W końcu ponownie znalazłam się w *allée* i co sił w nogach popędziłam do ogrodu Davida.

– Jesteś niezwykle odważna, moje drogie dziecko. Wątpię, czy ja bym się zdobył na to wszystko.

– Valentine zginęła przez te figury – załkała Mireille, starając się opanować – więc nie mogłam pozwolić, by wpadły w jego ręce! Miałam je, zanim jemu udało się opuścić więzienie. Z pokoju Davida wzięłam trochę ubrań, ten kufer i uciekłam...

– Ale przecież niemożliwe, żebyś wyszła od Davida później niż o szóstej wieczór. Gdzie więc byłaś, zanim dotarłaś do mnie?

– W ogrodzie Davida były tylko dwie figury – odparła Mireille. – Te, które wraz z Valentine przywiozłyśmy z Montglane: złoty słoń i srebrny wielbłąd. Pozostałe sześć przywiozła z innego klasztoru siostra Claude, która, o ile mi wiadomo, przybyła do Paryża dopiero wczoraj rano. Nie miała dużo czasu na ich ukrycie, a z kolei przynosić je na spotkanie z nami było zbyt dużym ryzykiem. Lecz siostra Claude zmarła i powiedziała tylko Valentine, gdzie są ukryte.

– Ale przecież je masz! – Talleyrand wskazał ręką wysadzane klejnotami figury, które cały czas spoczywały rozrzucone w pościeli. Zdawało mu się, że bije od nich wyraźne ciepło. – Mówiłaś, że wszędzie byli żołnierze, członkowie trybunału i różni inni ludzie, więc w jaki sposób Valentine wskazała ci miejsce ich ukrycia?

– Jej ostatnie słowa brzmiały: „Pamiętaj ducha". A potem kilkakrotnie powtórzyła swoje nazwisko.

– Ducha? – spytał osłupiały Talleyrand.

– Od razu wiedziałam, o co jej chodzi. Miała na myśli twoją opowieść o duchu kardynała Richelieu.

– Jesteś pewna? No cóż, chyba tak, skoro masz te figury. Ale trudno mi sobie wyobrazić, jak udało ci się je znaleźć, mając tak skąpe informacje.

– Opowiadałeś nam, że byłeś księdzem w biskupstwie St Remy, skąd udałeś się na Sorbonę. Tam zaś, w kaplicy, zobaczyłeś ducha kardynała Richelieu. Jak wiesz, nazwisko Valentine brzmiało de Remy. Ale natychmiast przypomniało mi się, że pradziad Valentine, Gericauld de Remy, był pochowany w kaplicy w Sorbonie, blisko grobu kardynała Richelieu! To właśnie chciała mi przekazać! Tam były ukryte figury! Ruszyłam więc ciemnymi zaułkami do kaplicy, gdzie, przy grobie przodka Valentine, płonęła świeca wotywna. Przy świetle tej jedynej świecy przeszukałam dokładnie całą kaplicę. Minęło kilka godzin, nim natknęłam się na luźną płytkę w posadzce, tuż za chrzcielnicą. Uniósłszy ją, wydobyłam ukryte tam figury. Potem, ile sił w nogach, popędziłam na rue de Beaune. – Tu Mireille przerwała, najwyraźniej zmęczona całą opowieścią. – Maurice – powiedziała, kładąc mu głowę na piersi. – Sądzę, że był jeszcze inny powód, dla którego Valentine wspomniała tego ducha. Chciała mi powiedzieć, żebym się zwróciła o pomoc do ciebie, żebym tobie zaufała.

– Lecz cóż ja takiego mogę, kochanie? – spytał Talleyrand. – Póki nie dostanę przepustki, sam jestem więźniem we Francji. I chyba zdajesz sobie sprawę, że posiadanie tych figur naraża nas na znacznie większe niebezpieczeństwo.

– Ale wcale tak nie jest, jeśli poznamy sekret, sekret potęgi w nich zawarty. Gdyby udało się nam go poznać, to my bylibyśmy górą. Nieprawdaż?

Miała tak dzielną i skupioną minę, że trudno mu było zachować powagę. Pochylił się i złożył pocałunek na jej nagim ramieniu. I jakby wbrew sobie znowu poczuł narastającą w nim żądzę. Właśnie wtedy rozległo się ciche pukanie do drzwi.

– Monseigneur – powiedział Courtiade zza zamkniętych drzwi. – Nie chciałbym przeszkadzać, ale na dziedzińcu ktoś czeka.

– Nie ma mnie w domu, Courtiade – odparł Talleyrand. – Dobrze o tym wiesz.

– Ale, monseigneur – rzekł lokaj – to jest posłaniec od monsieur Dantona. Przyniósł przepustki.

Tego wieczoru, o dwudziestej pierwszej, Courtiade leżał na podłodze w gabinecie. Jego sztywny surdut był złożony na krześle, a on sam, zakasawszy rękawy nakrochmalonej koszuli, przybijał młotkiem ostatnie fałszywe przepierzenie w skrzyniach na książki porozkładanych po całym pokoju. Pośród tych stosów siedzieli Mireille z Talleyrandem i popijali brandy.

– Courtiade – powiedział Talleyrand – jutro pojedziesz do Londynu z tymi skrzyniami. Gdy znajdziesz się na miejscu, poszukasz pośredników madame de Staël, którzy dadzą ci klucze do domu, w którym się zatrzymamy. Ale pamiętaj: obojętnie, co by się działo, nikt prócz ciebie nie może ruszać tych skrzyń. Nie spuszczaj ich z oka i nie rozpakowuj ich przed przyjazdem mademoiselle Mireille i moim.

– Już ci mówiłam, że nie mogę pojechać z tobą do Londynu – powiedziała zdecydowanie Mireille. – Chcę tylko, by te figury wyjechały z Francji.

– Najdroższa – odparł Talleyrand, gładząc jej włosy – tyle razy już o tym rozmawialiśmy. Nalegam, byś wykorzystała moją przepustkę; ja niebawem dostanę następną. Nie możesz zostać w Paryżu ani chwili dłużej.

– Moim najważniejszym zadaniem było dopilnować, by szachy z Montglane nie dostały się w ręce tego strasznego człowieka ani nikogo innego, kto mógłby je wykorzystać w niecnych zamiarach – rzekła Mireille. – To samo zrobiłaby Valentine. W Paryżu mogą pojawić się kolejne osoby szukające schronienia. Muszę tu zostać, aby im pomóc.

– Jesteś bardzo dzielna – przyznał Talleyrand. – Niemniej jednak nie pozwolę ci zostać samej w Paryżu, zwłaszcza że nie możesz wrócić do domu twego stryja. Zanim znajdziemy się w Londynie, musimy ustalić, co zrobimy z figurami...

– Niczego nie rozumiesz – przerwała mu chłodno Mireille. – Wcale nie powiedziałam, że zamierzam pozostać w Paryżu. – Ze skórzanej torby leżącej niedaleko jej krzesła wyjęła figurę od kompletu z Montglane, wstała i podała ją lokajowi. Był to koń, ów złoty rumak stojący dęba, którego tak uważnie badała tego ranka. Courtiade ostrożnie wziął figurę. Gdy wręczała mu ją, zdawało mu się, że parzy. Umieścił ją starannie za przepierzeniem w skrzynce i owinął słomą.

– Mademoiselle, pasuje jak ulał. – Zwykle poważny Courtiade powiedział te słowa z błyskiem w oku. – Przysięgam na moje życie, że książki dojadą bezpiecznie do Londynu.

Mireille wyciągnęła rękę, którą Courtiade serdecznie uścisnął, po czym odwróciła się do Talleyranda.

– Zupełnie nic z tego nie rozumiem – odezwał się z irytacją w głosie. – Najpierw nie zgadzasz się na wyjazd do Londynu, ponieważ musisz tu zostać. A potem stwierdzasz, że wcale nie zamierzasz tu zostać. Czy mogłabyś wyrażać się nieco jaśniej?

– Ty pojedziesz z figurami do Londynu – powiedziała tonem zdumiewająco autorytatywnym. – Lecz ja mam inną misję. Napiszę do przeoryszy, informując ją o moich planach. Mam swoje pieniądze, a Valentine i ja byłyśmy sierotami. Zgodnie z prawem jej majątek i akty własności muszą przejść na mnie. Potem zażądam, by wysłała do Paryża jakąś inną zakonnicę, bym ja mogła wykonać swe zadanie.

– Ale dokąd pojedziesz? Dokąd ty pojedziesz? – pytał Talleyrand. – Jesteś młodą kobietą, samotną, bez rodziny...

– Tak wiele powiedziałam ci od wczoraj – odrzekła Mireille. – Muszę załatwić pewne sprawy, zanim będę mogła powrócić do Francji. Dopóki nie zrozumiem sekretu, jaki kryje się w tym komplecie, moje życie jest zagrożone. A zrozumieć go mogę tylko w jeden sposób: udając się do miejsca, skąd pochodzą.

– Na Boga! – wykrzyknął z gniewem Talleyrand. – Opowiadałaś mi, że był to prezent dla Karola Wielkiego od mauretańskiego gubernatora Barcelony! Ale przecież to wszystko działo się tysiąc lat temu. Przypuszczam, że ślad zdążył się już nieco zatrzeć od tamtej pory. A Barcelona to nie przedmieścia Paryża! Nie pozwolę, byś sama rozbijała się po Europie!

– Nie zamierzam udawać się do żadnego europejskiego kraju – odparła z uśmiechem Mireille. – Maurowie nie przybyli z Europy, lecz z samego serca Sahary. Chcąc poznać znaczenie czegokolwiek, trzeba zacząć od źródła... – mówiąc to, spojrzała na zdumionego Talleyranda swymi ciemnozielonymi oczyma. – Pojadę do Algieru – oznajmiła. – Gdyż tam właśnie zaczyna się Sahara.

ŚRODKOWA SZACHOWNICA

Wewnątrz orzechów kokosowych nierzadko znaleźć można mysie szkieleciki, gdyż chudej i wygłodniałej myszy łatwiej się tam dostać, aniżeli wydostać, gdy już jest najedzona, lecz gruba.

Wiktor Korcznoj
rosyjski arcymistrz
Szachy – moje życie

Taktyka polega na tym, że człowiek wie, co robić, gdy jest coś do zrobienia. Strategia – na tym, że człowiek wie, co robić, gdy nic zrobić się nie da.

Sawieli Tartakower
polski arcymistrz

Jadąc taksówką do Harry'ego, czułam, że w głowie mam potężny mętlik. Podkreślając fakt mojej obecności podczas obydwu tragicznych wydarzeń, Mordechaj sprawił, że mocniej niż kiedykolwiek przedtem opanowało mnie obrzydliwe przeczucie, że ten cały cyrk ma jednak coś wspólnego ze mną. Dlaczego otrzymałam ostrzeżenie i od wróżki, i od Solarina? Dlaczego właśnie ja namalowałam jakiegoś mężczyznę na rowerze, który potem pojawiał się w moim życiu na gościnnych występach?

Żałowałam, że nie zadałam Mordechajowi innych pytań; odnosiłam wrażenie, iż wie więcej, niż chce wyjawić. Powiedział na przykład, że wiele lat temu spotkał się z Solarinem. A skąd czerpać pewność, że on i Solarin nie pozostają w kontakcie?

Gdy wreszcie znalazłyśmy się na miejscu, odźwierny pośpieszył, by otworzyć nam drzwi. W czasie jazdy nie zamieniłyśmy prawie ani słowa. W pewnym momencie Lily powiedziała:

– Mam wrażenie, że przypadłaś Mordechajowi do gustu.

– Niezwykle złożona osobowość.

– Wyobraź sobie tylko – ciągnęła dalej, gdy drzwi windy rozsunęły się cicho – nawet wtedy, gdy pokonuję go w szachy, zawsze zastanawiam się, jaką taktykę mógł był obrać. Nikomu chyba nie ufam tak jak jemu, choć muszę przyznać, że ma sporo tajemnic. À propos tajemnic, pamiętaj: ani mru-mru o śmierci Saula, póki nie dowiemy się czegoś więcej.

– Naprawdę powinnam pójść na policję.

– I na pewno zaczną się zastanawiać, dlaczego tak długo z tym zwlekałaś – zauważyła Lily. – Jeszcze skończy się na tym, że zamiast w Algierii wylądujesz na dziesięć lat w więzieniu...

– Chyba nie przyjdzie im do głowy, że ja...
– A dlaczegóż by nie? – spytała, gdy stanęłyśmy przed drzwiami Llewellyna.
– Nareszcie! – wykrzyknął Llewellyn, gdy wraz z Lily weszłyśmy do wielkiego, marmurowego hallu i wręczyłyśmy pokojówce nasze płaszcze. – I jak zwykle spóźnione. Gdzieście się podziewały? Harry siedzi w kuchni i wariuje.

Podłoga hallu wyłożona była czarno-białymi kwadratami przypominającymi szachownicę. Wokół wznosiły się łagodnie marmurowe kolumny kryjące między sobą włoskie pejzaże w szarozielonej tonacji. W środku wytryskała niewielka fontanna obramowana bluszczem.

Po obu stronach biegły szerokie marmurowe schody, ozdobione ślimacznicami. Te z prawej prowadziły do jadalni, gdzie na ciemnym, mahoniowym stole czekało pięć nakryć. Po lewej mieścił się salon, gdzie na wielkim krześle obitym ciemnoczerwonym brokatem siedziała już Blanche. Przeciwległy kraniec pokoju zajmował okropny chiński sekretarzyk z miedzianymi uchwytami szuflad, pokryty czerwoną laką. Cały pokój upstrzony był kosztownymi drobiazgami ze sklepu Llewellyna, który właśnie szedł w naszym kierunku, by się przywitać.

– Co się z wami działo? – spytała Blanche, gdy zeszłyśmy po schodach. – Koktajle i przystawki podano już godzinę temu.

Llewellyn cmoknął mnie lekko w policzek i poszedł poinformować Harry'ego o naszym przybyciu.

– Gawędziłyśmy sobie – odparła Lily. Wcisnęła swoje obfite kształty w sąsiednie krzesło i sięgnęła po jedno z czasopism.

Harry wypadł z kuchni jak bomba, niosąc wysoko wielką tacę z przystawkami. W swoim imponującym fartuchu i miękkiej, białej czapie wyglądał jak gigantyczna reklama mąki samorosnącej.

– Słyszałem, że przyjechałyście – powiedział radośnie. – Wszystkim pomocnikom dałem wolne, żeby mi nie kibicowali przy gotowaniu. Dlatego sam wniosłem przystawki.

– Lily twierdzi, że one cały czas g a w ę d z i ł y, wyobrażasz sobie? – odezwała się Blanche, gdy Harry położył tacę na bocznym stoliku. – Mogły nam zepsuć kolację.

– Daj im spokój – rzucił Harry i ponieważ stał tyłem do Blanche, puścił do mnie oko. – Dziewczęta w tym wieku powinny trochę poplotkować. – Harry łudził się, że dzięki obcowaniu ze mną Lily choć trochę się utemperuje. – Słuchaj – powiedział, ciągnąc mnie w kierunku tacy – tutaj masz kawior ze śmietaną, tutaj jajko z cebulą, a tu coś specjalnego, według tajnego przepisu, który matka przekazała mi na łożu śmierci: siekana wątróbka ze smalcem.

– Pachnie wspaniale – zauważyłam.

– A to jest wędzony łosoś z serkiem kremowym, na wypadek gdyby nie smakował ci kawior. Zanim wrócę, taca ma być do połowy pusta. Kolacja za pół godziny. – Znów uśmiechnął się do mnie promiennie i zniknął w kuchni.

– Łosoś wędzony, mój Boże – powiedziała Blanche, jakby czuła zbliżający się ból głowy. – Podaj mi, proszę.

Spełniłam jej prośbę i przy okazji sama się poczęstowałam. Lily zbliżyła się do tacy i pochłonęła sporą część przystawek.

– Masz ochotę na odrobinę szampana, Cat? A może chciałabyś coś innego?

– Niech będzie szampan – zdecydowałam się akurat w momencie, gdy wrócił Llewellyn.

– Naleję – rzekł, stojąc za barem. – Szampan dla Cat, a czego życzy sobie moja urocza siostrzenica?

– Whisky z wodą sodową – odparła Lily. – A gdzie jest Carioca?

– Nasze słodkie maleństwo zostało umieszczone w bezpiecznym miejscu. Przecież nie musi się tarzać w przystawkach.

Nietrudno było zrozumieć uczucia Llewellyna, któremu przy każdej wizycie Carioca nieodmiennie ogryzał kostki u nóg. Lily się nadąsała, a Llewellyn wręczył mi wysoki kieliszek z musującym płynem. Potem wrócił do baru, by zmieszać whisky z wodą sodową.

Dokładnie po godzinie, gdy wiele przystawek zdążyło już zniknąć, z kuchni wyłonił się Harry ubrany w ciemnobrązową aksamitną marynarkę i dał znak ręką, byśmy usiedli. Lily i Llewellyn siedzieli po jednej stronie stołu, Blanche i Harry na dwóch przeciwległych krańcach. Reszta należała do mnie. Gdy zajęliśmy miejsca, Harry napełnił kieliszki.

– Wypijmy za wyjazd naszej najdroższej przyjaciółki Cat, za jej pierwszy długi wyjazd od czasu, gdy ją poznaliśmy. –

Trąciliśmy się delikatnie kieliszkami, a Harry ciągnął: – Zanim wyjedziesz, damy ci spis najlepszych restauracji w Paryżu. Jeśli pójdziesz do Maxima albo Tour d'Argent i powołasz się na mnie, obsłużą cię jak księżniczkę.

Musiałam mu powiedzieć. Teraz albo nigdy.

– Prawdę mówiąc, Harry, w Paryżu będę tylko przez kilka godzin. Potem wyjeżdżam do Algieru.

Harry zastygł z uniesionym kieliszkiem. Po chwili odstawił go powoli na stół.

– Algieru? – powtórzył.

– Jadę tam do pracy – wyjaśniłam. – I zostanę przez rok.

– Będziesz mieszkała z Arabami?

– Cóż, jadę do Algierii. – Wszyscy przy stole milczeli i byłam im szczerze wdzięczna, że nie drążą tematu.

– Ale dlaczego jedziesz do Algierii? Oszalałaś? A może jest jakiś powód, niepojęty dla mojego ptasiego móżdżku?

– Mam opracować system komputerowy dla OPEC – wyjaśniłam. – To Organizacja Krajów Eksportujących Ropę Naftową. Jeden z oddziałów znajduje się w Algierze.

– A cóż to może być za organizacja – prychnął Harry. – Kieruje nią banda facetów, którzy nie wiedzą, jak się wierci dziury w ziemi. Przez cztery tysiące lat Arabowie szwendali się po pustyni, pozwalali swoim wielbłądom srać, gdzie popadło, i nie produkowali absolutnie nic! Jak możesz...

Pokojówka Valérie weszła do pokoju w najodpowiedniejszym momencie, wwożąc na niewielkim wózeczku wielką wazę z rosołem. Podjechała do Blanche i zaczęła nalewać.

– Co ty wyprawiasz, Valérie? – spytał Harry. – Nie teraz!

– Panie Rad – odparła spokojnie Valérie, która pochodziła z Marsylii i doskonale wiedziała, jak postępować z mężczyznami – biłam u panstwa już dziesieńć lat. I cały ten czas nigdy nie pozwoliłam panu mówić mi, kiedy mam podać zupę. Więc cziemu teraz mam panu pozwalać? – Po czym z zimną krwią kontynuowała nalewanie.

Gdy doszła do mnie, Harry odzyskał kontenans.

– Valérie – zaczął – skoro upierasz się przy tej zupie, to chociaż chciałbym usłyszeć twoją opinię w pewnej kwestii.

– Bardzo dobrze – powiedziała, nadęła usta i zaczęła nalewać Harry'emu.

– Znasz dobrze pannę Velis, prawda?

– Dość dobrze – zgodziła się Valérie.

– Czy wiesz, że panna Velis przed chwilą poinformowała mnie, że wyjeżdża do Algierii, gdzie będzie żyła wśród Arabów? Co o tym sądzisz?

– Agierie to fantasticzni kraj – rzekła, podchodząc z zupą do Lily. – Mój brat też tam mieszka. Często go wizituję. – Kiwnęła głową w moim kierunku. – Będzie się pani podobało.

Po tych słowach napełniła talerz Llewellyna i wyszła.

Przy stole zapadła cisza. Słychać było tylko cichy zgrzyt łyżek o dna talerzy. Wreszcie Harry przemówił:

– Smakuje ci zupa?

– Jest wspaniała – odparłam.

– Mogę cię zapewnić, że w Algierii nie dostaniesz niczego podobnego.

W ten sposób Harry przyznał się do porażki. Było niemal słychać, że wszyscy obecni odetchnęli z ulgą.

Kolacja była wyborna. Harry przygotował naleśniki ziemniaczane z domowym sosem jabłkowym, który był lekko kwaskowy i smakował pomarańczami. Do tego ogromna pieczeń, wręcz rozpływająca się we własnym sosie i tak delikatna, że do krojenia wystarczał sam widelec. Potem zapiekany makaron, na który mówił „kugel", z chrupiącym wierzchem, a na dodatek mnóstwo warzyw i cztery rodzaje chleba z kwaśną śmietanką. Na deser najlepszy strudel jabłkowy, jaki kiedykolwiek jadłam, gorący i pełen rodzynek.

Przy stole Blanche, Llewellyn i Lily byli dziwnie małomówni, tylko od czasu do czasu silili się na uprzejmą konwersację, co nie wychodziło im zbyt przekonująco. Wreszcie Harry zwrócił się do mnie i powiedział, napełniając mój kieliszek:

– Jeśli wpadniesz w jakieś tarapaty, to na pewno do mnie zadzwonisz, prawda? Martwię się, jak tam sobie poradzisz, skarbie, mając pod ręką samych Arabów i tych gojów, którzy cię zatrudniają.

– Dzięki – odparłam. – Ale uświadom sobie, Harry, że jadę w interesach do cywilizowanego kraju. To coś zupełnie innego niż wędrówka przez dżunglę...

– Bzdury opowiadasz – przerwał mi Harry. – Arabowie w dalszym ciągu obcinają dłonie za kradzież. Zresztą dziś nawet cywilizowane kraje wcale nie gwarantują bezpieczeństwa. Nie pozwalam Lily jeździć samej nawet po Nowym Jorku, żeby ktoś jej nie napadł. Pewnie słyszałaś, że Saul zrobił nas na szaro i odszedł? Niewdzięcznik.

Spojrzałyśmy na siebie z Lily i spuściłyśmy wzrok. Harry kontynuował:

– Lily wciąż upiera się z tym swoim turniejem jak jakaś meszugene, a ja nie mam nikogo, kto by ją tam odwoził. Aż słabo mi się robi na myśl, że będzie sama chodziła po tych ulicach... A teraz słyszałem nawet o tym, że podczas turnieju zmarł jeden z graczy.

– Przestań się wygłupiać – powiedziała Lily. – To bardzo ważny turniej. Jeśli się zakwalifikuję, dostanę się do rozgrywek międzynarodowych, gdzie będę mogła stawić czoło najlepszym szachistom na świecie. I naprawdę nie zamierzam się wycofać tylko dlatego, że jakiś stary frajer dał się załatwić!

– Załatwić? – powtórzył Harry i spojrzał na mnie tak szybko, że moja twarz nie zdążyła przybrać wyrazu świętej naiwności. – Wspaniale! Fantastycznie! Właśnie tego najbardziej się obawiałem. A tymczasem nic innego nie robisz, tylko latasz co pięć minut na Czterdziestą Szóstą Ulicę na partyjkę szachów do tego starego, stetryczałego durnia. W taki sposób nigdy nie wyjdziesz za mąż!

– Mówicie o Mordechaju? – spytałam Harry'ego.

Przy stole zapadła głucha cisza. Harry skamieniał. Llewellyn zamknął oczy i mechanicznie skubał serwetkę. Blanche spoglądała na Harry'ego z nieprzyjemnym uśmieszkiem, a Lily patrzyła tępo w talerzyk i stukała łyżeczką o blat stołu.

– Czy powiedziałam coś nie tak? – spytałam.

– Absolutnie nic – wymamrotał Harry. – Nie przejmuj się. – Ale nie zdobył się na nic więcej.

– Wszystko w porządku, skarbie – odezwała się Blanche z wymuszoną słodyczą. – Jest to po prostu sprawa, o której nie rozmawiamy zbyt często, i już. Mordechaj jest ojcem Harry'ego. Lily go uwielbia. To on nauczył ją grać w szachy, kiedy jeszcze była mała. Zapewne po to, żeby zrobić mi na złość.

– Nie opowiadałabyś takich bzdur, mamo – wtrąciła się Lily. – Dobrze wiesz, że sama go o to poprosiłam.

– Wtedy dopiero co wyszłaś z pieluch – zaprzeczyła Blanche, nie odrywając ode mnie wzroku. – Dla mnie to po prostu okropny staruch. Nie był w tym mieszkaniu ani razu przez te dwadzieścia pięć lat, kiedy jesteśmy małżeństwem. Jestem zdumiona, że Lily zaprowadziła cię do niego.

– To mój dziadek – powiedziała Lily.

– Mogłaś mnie chociaż uprzedzić – zawtórował Harry. Z jego psich oczu biło takie przygnębienie, że myślałam, iż za moment się rozpłacze.

– Strasznie mi przykro. To moja wina... – tłumaczyłam się.

– Wcale nie twoja wina – odezwała się Lily. – Więc po prostu się zamknij. Problem polega na tym, że nikt z obecnych w tym pokoju nigdy nie zrozumiał, że ja c h c ę g r a ć w s z a c h y. Nie zamierzam być aktorką ani wychodzić bogato za mąż. Nie chcę żerować na innych jak Llewellyn... – W tym momencie Llewellyn rzucił jej mordercze spojrzenie, po czym spuścił wzrok. – Chcę po prostu grać w szachy i tylko Mordechaj to rozumie.

– Za każdym razem, gdy pada imię tego c z ł o w i e k a, dochodzi między nami do spięć – powiedziała Blanche, po raz pierwszy lekko podniesionym głosem.

– Doprawdy, nie rozumiem, dlaczego miałabym wymykać się chyłkiem jak złoczyńca, żeby spotkać się z moim...

– O czym ty opowiadasz? – Harry wpadł jej w słowo. – Kazałem ci się kiedykolwiek wymykać? Za każdym razem wysyłałem cię tam samochodem. Nikt nigdy nie kazał ci się wymykać.

– A może ona c h c i a ł a się wymknąć – odezwał się Llewellyn. – Może nasza kochana Lily chciała się wymknąć razem z Cat, żeby omówić kwestie turnieju, n a k t ó r y m b y ł y r a z e m w ubiegłą niedzielę, tego samego, na którym zamordowano Fiskego. Bo przecież Mordechaj to stary poplecznik Fiskego, choć może raczej powinienem powiedzieć, były poplecznik.

Llewellyn uśmiechał się, jakby wreszcie znalazł miejsce do zadania śmiertelnego ciosu. Nie wiedziałam, jakim cudem znalazł się tak blisko celu, jednak postanowiłam zablefować.

– Nie wygłupiaj się. Przecież wiesz, że Lily nie chodzi na turnieje.

– A właściwie, dlaczego miałabym kłamać? – spytała Lily. –

I tak pewnie pisali o tym w gazetach; cały czas kręcili się tam różni dziennikarze.

– Zawsze dowiaduję się o wszystkim ostatni! – ryknął Harry, czerwieniejąc na twarzy. – Cóż, u diabła, się tutaj wyprawia? – Zmarszczył brwi i spojrzał na nas piorunującym wzrokiem. Po raz pierwszy widziałam go tak zdenerwowanego.

– Byłam na turnieju w niedzielę razem z Cat. Fiske grał z jakimś Rosjaninem. Potem umarł, a Cat i ja wyszłyśmy. To wszystko, więc nie widzę powodu, by robić z tego wielkie halo.

– A kto tu w ogóle robi jakieś halo? – spytał Harry. – Wyjaśniłaś mi całą sprawę i jestem zadowolony. Mogłaś to zrobić nieco wcześniej, to wszystko. Ale nie będziesz jeździć na żadne turnieje, gdzie trup ściele się gęsto.

– Postaram się dopilnować, żeby wszyscy przeżyli – odparła Lily.

– A cóż o śmierci Fiskego powiedział nasz genialny Mordechaj? – włączył się Llewellyn, najwyraźniej nie zamierzając zmieniać tematu. – Nie wątpię, iż ma swoje zdanie w tej kwestii. Jak zresztą we wszystkich innych.

Blanche położyła rękę na ramieniu Llewellyna, jakby uznała, że już wystarczy.

– Mordechaj uważa, że Fiske został zamordowany – powiedziała Lily, wstając. Odsunęła krzesło i rzuciła serwetkę na stół. – Może przejdziemy teraz do salonu na odrobinkę poobiedniego arszeniku?

Po tych słowach wyszła z pokoju. Zapanowała kłopotliwa cisza. Harry dotknął mojego ramienia.

– Przepraszam cię, skarbie. To twoje przyjęcie pożegnalne, a my tu wydzieramy się na siebie jak banda zwariowanych swatów. Napij się koniaku i porozmawiajmy o czymś miłym.

Przyjęłam tę propozycję z radością. Wszyscy opuścili jadalnię i przeszli do salonu na kieliszek czegoś mocniejszego. Po chwili jednak Blanche poskarżyła się na ból głowy i opuściła towarzystwo. Llewellyn wziął mnie na stronę i rzekł:

– Pamiętasz moją propozycję na temat Algieru? – Skinęłam głową, a on dodał: – Chodź, porozmawiamy w gabinecie.

Ruszyłam za nim tylnym korytarzem do wielkiego gabinetu oświetlonego łagodnym światłem i pełnego wyściełanych, brązowych mebli. Llewellyn zamknął za nami drzwi.

– Czy naprawdę chcesz to zrobić? – spytał.

– Słuchaj, wiem, że to dla ciebie bardzo ważne – odparłam. – Dlatego wszystko przemyślałam. Spróbuję znaleźć te figurki. Lecz nie zamierzam robić nic, co jest sprzeczne z prawem.

– A jeśli prześlę ci pieniądze, będziesz w stanie je kupić? No wiesz, mógłbym skontaktować cię z kimś, kto... wywiezie je z kraju.

– To znaczy przeszmugluje.

– Po co od razu takie mocne słowo?

– Pozwól, że zapytam cię o jedno – powiedziałam. – Skoro masz kogoś, kto wie, gdzie są te figurki, i masz kogoś, komu za to zapłacisz, a na dodatek masz jeszcze inną osobę, która przeszmugluje wszystko do kraju, to do czego ja ci jestem potrzebna?

Llewellyn milczał przez chwilę. Widać było, że się zastanawia nad odpowiedzią. Wreszcie rzekł:

– Bądźmy szczerzy. Już próbowałem to zrobić. Lecz właściciel nie chce ich sprzedać moim ludziom. Nawet odmawia spotkania z nimi.

– A co daje ci pewność, że on zechce spotkać się ze mną?

Llewellyn uśmiechnął się dziwnie i powiedział tajemniczo:

– To nie on. To ona. I mam uzasadnione podstawy do podejrzeń, że będzie rozmawiać jedynie z kobietą.

Llewellyn był dość oszczędny w słowach, lecz nie zamierzałam na niego naciskać, gdyż miałam swoje plany, z którymi mogłam się nieopatrznie zdradzić w trakcie rozmowy.

Gdy wróciliśmy do salonu, Lily siedziała na sofie, trzymając Ciocę na kolanach. Harry stał przy tej ohydnej skrzyni w odległym kącie pokoju i rozmawiał przez telefon. Mimo iż był odwrócony do mnie tyłem, wyczułam, że coś jest nie tak. Zerknęłam na Lily, która potrząsnęła głową. Gdy Carioca dostrzegł Llewellyna, postawił czujnie uszka i groźnie zawarczał. Llewellyn pospiesznie się pożegnał, cmoknął mnie na pożegnanie w policzek i wyszedł.

– Dzwonili z policji – powiedział Harry, odkładając słuchawkę z wyrazem rozpaczy na twarzy. Stał zgarbiony i zdawało się, że za moment wybuchnie płaczem. – Wyłowili jakieś ciało z East River. Chcą, żebym pojechał do kostnicy zidentyfikować zwłoki. Zmarły... – Harry z trudem przełknął ślinę – miał przy sobie portfel Saula i jego prawo jazdy. Muszę tam pojechać. Zzieleniałam na twarzy. A więc Mordechaj miał rację. Ktoś próbował wszystko zatuszować, lecz w jaki sposób ciało Saula znalazło się w East River? Nawet nie miałam odwagi spojrzeć na Lily. Żadna z nas nie odezwała się ani słowem, a Harry niczego nie zauważył.

– Wiecie co – mówił dalej – ja czułem w tamtą niedzielę, że coś jest nie tak. Wtedy, kiedy Saul wrócił, zamknął się w swoim pokoju i nie chciał z nikim rozmawiać. Nawet nie zszedł na kolację. Chyba nie popełnił samobójstwa, co? Powinienem był się uprzeć i zmusić go do rozmowy... Teraz czuję się winny.

– Ale przecież nie masz pewności, że to są zwłoki Saula – odezwała się Lily. Spojrzała na mnie błagalnym wzrokiem, ale nie wiedziałam, czy błaga mnie, żebym powiedziała prawdę czy żebym nie odzywała się ani słowem. Czułam się po prostu okropnie.

– Chcesz, żebym pojechała z tobą? – zaproponowałam.

– Nie, skarbie – odparł Harry z westchnieniem. – Miejmy nadzieję, że Lily ma rację i że to wielka pomyłka. Lecz jeśli to jest Saul, będę musiał tam chwilę zostać. Chciałbym domagać się... Chciałbym poczynić ustalenia w związku z jego pogrzebem.

Harry pocałował mnie na pożegnanie, raz jeszcze przeprosił za nastrój całego wieczoru, po czym wyszedł.

– O Boże, czułam się po prostu okropnie – rzekła Lily, gdy zostałyśmy same. – Harry kochał Saula jak syna.

– Sądzę, że powinnyśmy powiedzieć mu prawdę – wyznałam.

– Dobrze, odpuść sobie tę cholerną szlachetność – odparła Lily. – Ciekawe, jak byś wytłumaczyła, że dwa dni temu widziałaś zwłoki Saula w UN Plaza i jakoś zapomniałaś o tym powiedzieć przy kolacji? Pamiętaj, co mówił Mordechaj.

– Mordechaj jakoś przeczuwał, że ktoś chce zatuszować te morderstwa – powiedziałam Lily. – Myślę, że powinnam z nim porozmawiać.

Poprosiłam Lily o numer Mordechaja. Przesadziła Cariocę na moje kolana, poszła do sekretarzyka i zaczęła szukać jakiejś kartki. Carioca liznął mnie po ręce, którą szybko wytarłam.

– Co za straszne gówno ten Lulu znosi do domu – westchnęła, mając na myśli ohydny, czerwono-złoty sekretarzyk. Lily zawsze mówiła na Llewellyna „Lulu", gdy była na niego zła. – Szuflady nie wchodzą do końca, a te miedziane uchwyty to chyba drobna przesada. – Wręczyła mi kawałek papieru z numerem Mordechaja. – Kiedy wyjeżdżasz? – spytała.

– Do Algierii? W sobotę, więc chyba nie uda się nam wiele porozmawiać.

Wstałam i rzuciłam jej Cariocę. Pies próbował się wyrywać, lecz Lily chwyciła go i potarła nosem o jego nos.

– I tak nie byłabym w stanie zobaczyć się z tobą wcześniej niż w niedzielę. Będę siedzieć z Mordechajem i ćwiczyć aż do wznowienia turnieju. Ale gdybym dowiedziała się czegoś o Fiskem albo... albo o Saulu... jak się z tobą skontaktuję?

– Jeszcze nie znam nowego adresu. Najlepiej wyślij telegram do mnie do pracy, a oni przekażą dalej.

I na tym stanęło. Zjechałam na dół, a odźwierny przywołał mi taksówkę. Gdy siedziałam już w samochodzie, mknąc przez ciemną noc, próbowałam dokonać rekapitulacji tego, co do tej pory się wydarzyło, jakoś uporządkować następujące po sobie wydarzenia. Jednak wszystkie wątki w mojej głowie przypominały gęsto splątany motek włóczki, a żołądek kurczył mi się co chwilę ze strachu. Z rosnącym przerażeniem dotarłam do frontowych drzwi mojego domu.

Rzuciwszy taksówkarzowi pieniądze, wpadłam pędem do budynku i pobiegłam przez hall. Z szaleństwem w oczach wcisnęłam guzik windy. Nagle poczułam czyjąś dłoń na ramieniu i omal nie podskoczyłam aż pod sam sufit.

Był to na szczęście tylko jeden z portierów, trzymał w ręku pocztę.

– Bardzo mi przykro, że panią przestraszyłem, panno Velis – powiedział ze skruchą w głosie. – Ale chciałem, żeby dostała pani swoją korespondencję. Rozumiem, że w ten weekend pani nas opuszcza?

– Tak, przekazałam zarządcy adres mojego biura. Od piątku można już tam przekazywać wszystkie listy.

– Doskonale – rzekł i życzył mi dobrej nocy.

Nie pojechałam bezpośrednio do mieszkania. Wcisnęłam guzik na dach. Tylko mieszkańcy tego budynku wiedzieli o istnieniu specjalnej klapy w dachu pozwalającej wyjść na szeroki, wykafelkowany taras, skąd widać było cały Manhattan. Pode mną, jak okiem sięgnąć, rozciągało się migotliwe morze świateł miasta, które miałam niebawem opuścić. Powietrze było rześkie i czyste. W oddali lśnił Empire State Building i budynek Chryslera.

Stałam tam przez dziesięć minut, czekając, aż wszystko się we mnie uspokoi, po czym zjechałam windą na swoje piętro.

Pojedynczy włos, który zostawiłam w drzwiach, był nienaruszony, co oznaczało, że nikt nie próbował dostać się do środka. Lecz gdy otworzyłam wszystkie zamki i weszłam do hallu, wyczułam, że coś jest nie tak. Jeszcze nie zdążyłam włączyć żadnego światła w hallu, a zauważyłam jakiś blask dochodzący z pokoju. Nigdy nie zostawiałam włączonego światła, wychodząc z domu.

Zapaliłam wszystkie lampy, wzięłam głęboki oddech i ruszyłam przez hall. Na fortepianie stała mała lampka z abażurem w kształcie stożka, której używałam do odczytywania nut. Ustawiono ją tak, że rzucała światło na ozdobne lustro zawieszone nad fortepianem. Nawet stąd, z odległości dwudziestu pięciu stóp, widziałam, na co pada jej światło. Na lustrze była kartka.

Jak we śnie przeszłam przez pokój, lawirując wśród roślin. Cały czas zdawało mi się, że za drzewami coś szeleści. Mała lampka świeciła jak reflektor, nieustannie wskazując mi drogę. Okrążyłam fortepian i stanęłam przed lustrem. Czytając wiadomość, poczułam znajomy dreszcz przebiegający mi wzdłuż kręgosłupa.

Na moje ostrzeżenia odpowiedziałaś lekceważeniem
i na pewno nie wierzysz moim słowom. Na swojej
drodze spotkasz wiele niebezpieczeństw.
Słuchaj mnie, bądź czujna i nie chowaj
głowy w piasek – gdyż dużo jest piasku
w Algierii.

Stałam tam przez dłuższą chwilę, wpatrując się w kartkę. Nawet gdyby na końcu nie było figurki małego skoczka i tak rozpoznałabym pismo. Należało do Solarina. Ale w jaki sposób wszedł do mojego mieszkania, nie naruszając pułapki? A może potrafił się wspiąć po ścianie na jedenaste piętro i wejść przez okno?

Zachodziłam w głowę, próbując jakoś to wszystko połączyć. Czego Solarin mógł ode mnie chcieć? Dlaczego decydował się na ryzyko, jakim niewątpliwie było włamanie do mojego mieszkania, żeby tylko skontaktować się ze mną? Już dwukrotnie zadawał sobie trud, żeby pomówić ze mną, aby ostrzec mnie, a za każdym razem, w niedługi czas potem, ktoś umierał. Ale cóż to wszystko ma wspólnego ze mną? Ponadto, jeśli byłam w niebezpieczeństwie, to co niby miałam w tej sprawie zrobić?

Wróciłam do hallu, zamknęłam drzwi od wewnątrz i założyłam łańcuch. Potem przeszłam całe mieszkanie, zaglądając za każde drzewko, do przechowalni naczyń i do szafy, aby mieć pewność, że nikogo prócz mnie tam nie ma. Potem cisnęłam listy na podłogę, rozłożyłam łóżko i usiadłam na brzegu, by ściągnąć buty i pończochy. Dopiero wtedy to zauważyłam.

Po drugiej stronie pokoju, w łagodnym świetle lampki, widać było tę kartkę. Lecz snop światła nie padał na środek kartki, oświetlał jej bok. Znów wstałam i z pończochami i butami w rękach podeszłam bliżej, żeby raz jeszcze się jej przyjrzeć. Światło było wycelowane dokładnie na bok kartki – lewy bok – przez co oświetlało pierwsze słowo w każdej linijce. A te słowa składały się na nowe zdanie:

Na pewno spotkasz mnie w Algierii.

O drugiej w nocy wciąż leżałam bezsennie na łóżku ze wzrokiem wbitym w sufit. Nie mogłam zasnąć. Mój mózg pracował niezmordowanie jak komputer. Coś było nie tak, czegoś w tym wszystkim brakowało. Ta łamigłówka miała wiele elementów, ale najwyraźniej nie potrafiłam ich złożyć. A mimo to byłam pewna, że jakoś do siebie pasują. Po raz chyba tysięczny dokładnie wszystko przeanalizowałam.

Wróżka ostrzegła mnie o grożącym mi niebezpieczeństwie.

To samo uczynił Solarin. Wróżka zostawiła w swojej przepowiedni zaszyfrowaną wiadomość. To samo uczynił Solarin. A może istniał jakiś związek między Solarinem i wróżką? Była jeszcze jedna rzecz, którą zlekceważyłam, ponieważ nie widziałam w tym sensu. Zaszyfrowana wiadomość od wróżki brzmiała: „J'adoube CV". W opinii Nima oznaczało to, że chce się w jakiś sposób ze mną skontaktować. Jeśli to prawda, to dlaczego tego jeszcze nie zrobiła? Minęły trzy miesiące, a ona zniknęła bez śladu.

Zwlokłam się z łóżka i znów włączyłam światło. Skoro nie jestem w stanie zasnąć, to przecież mogę się zająć rozwiązywaniem tej cholernej łamigłówki. Poszłam do szafy i zaczęłam przetrząsać ubrania, aż wreszcie znalazłam zmiętą serwetkę i kartkę, na której Nim wypisał cały tekst. Potem poszłam do przechowalni naczyń, nalałam sobie zdrową porcję brandy i rozsiadłam się na podłodze wśród sterty poduszek.

Sięgnąwszy do słoika po pierwszy lepszy ołówek, zaczęłam odliczać litery i oznaczać je zgodnie ze wskazówkami Nima. Jeśli ten babsztyl naprawdę tak bardzo chciał się ze mną skontaktować, to może już to uczynił. Może w jej proroctwie ukryte było coś więcej. Coś, czego przedtem nie dostrzegłam?

Skoro pierwsze litery każdego wersu składały się na wiadomość, to może tak samo ostatnie? Sprawdziłam to, lecz wyszła zupełna bzdura: ąyyyyąyą.

Ta klęska nie zraziła mnie i zaczęłam próbować z pierwszymi literami najpierw każdego drugiego słowa w wersie, potem trzeciego i tak dalej. Za każdym razem jednak otrzymywałam nonsensowne ciągi dźwięków w rodzaju: „tsbjmbwst" lub „ljmgpncld". Dostawałam furii. Spróbowałam z pierwszą literą pierwszego zdania, drugą drugiego, trzecią trzeciego i tak dalej. Wyszło z tego: „jsdjubesv". Wszystko na próżno. Wypiłam duży łyk brandy i brnęłam dalej.

Dopiero około trzeciej trzydzieści nad ranem przypomniała mi się jeszcze jedna metoda, o której kiedyś słyszałam od Nima. Jest. Przynajmniej natrafiłam na coś, co wyglądało na słowo. Sprawdziłam jeszcze raz i oto miałam: „JeremiaszH". Nie tylko słowo, ale nawet imię. Zaczęłam krążyć po pokoju, ryjąc w rozmaitych stosach, aż wreszcie natknęłam się na starą, zakurzoną Biblię. Przebiegłam wzrokiem spis treści i znalazłam Jeremiasza, dwudziestą czwartą księgę Starego Testamentu. Lecz mój napis brzmiał „JeremiaszH". Po co to „H"? Zastanawiałam się przez dłuższą chwilę, zanim dotarło do mnie, że H jest ósmą literą alfabetu. I co z tego?

Potem zauważyłam, że ósmy wers przepowiedni brzmi: „Ciągle szukaj liczby trzydzieści i trzy jak ci, co ziemię orzą". Niech mnie diabli, jeśli tutaj nie chodzi o rozdział i wers. Sprawdziłam więc Jeremiasza, rozdział trzydziesty trzeci, wers trzeci. Strzał w dziesiątkę.

„Wołaj do mnie, a wysłucham cię, i oznajmię ci wielkie i pewne rzeczy, których nie wiesz".

Więc miałam rację. W przepowiedni ukryta była jeszcze jedna wiadomość. Jedyny problem polegał na tym, że w obecnej sytuacji ta wiadomość była dla mnie zupełnie bezużyteczna. Jeśli ta stara jędza chciała „oznajmić" mi rzeczy, które są wielkie i pewne, to gdzie one są? Nie wiedziałam.

Miło jednak było się przekonać, że osoba, która nigdy nie była w stanie rozwiązać do końca krzyżówki w „New York Timesie", mogła poszczycić się rozszyfrowaniem zagadki zapisanej na papierowej serwetce. Z drugiej jednak strony rosła we mnie frustracja. Mimo iż z każdą kolejną warstwą odsłaniało mi się coś, co miało jakieś znaczenie – to znaczy było napisane po angielsku i zawierało jakąś wiadomość – każda z tych wiadomości prowadziła donikąd. Co najwyżej do innych wiadomości.

Westchnęłam, jeszcze jednym spojrzeniem obrzuciłam ten przeklęty wiersz, dopiłam brandy i postanowiłam zacząć od nowa. Bez względu na to, co to było, musiałam to znaleźć w tym wierszu. I nigdzie indziej.

Dopiero około piątej rano dotarło do mojej tępej głowy, że może powinnam już przestać zajmować się literami. Może wiadomość ukryta była w słowach, tak samo jak w kartce od Solarina. W momencie, gdy przyszło mi to do głowy – niewykluczone, iż za sprawą trzeciego kieliszka brandy – mój wzrok padł na pierwsze zdanie przepowiedni.

Jako te linie, które łączą się i klucz tworzą...

Wypowiadając te słowa, wróżka patrzyła na linie mojej ręki. Nie należało jednak wykluczać, że same linie wiersza kryją w sobie rozwiązanie. Ponownie zerknęłam na kartkę. Gdzie kryje się klucz? Odtąd postanowiłam dosłownie traktować wszystkie te tajemnicze wskazówki. Wróżka powiedziała, że to linie tworzą klucz tak samo jak rymy, dające po zsumowaniu 666, czyli liczbę apokaliptycznej bestii.

Trudno mówić o jakimś nagłym oświeceniu, skoro spędziłam nad tą cholerną zagadką ponad pięć godzin, lecz odnosiłam wrażenie, że właśnie czegoś takiego udało mi się dostąpić. Pomimo senności oraz zawartości alkoholu we krwi miałam pewność, że oto znalazłam odpowiedź.

To, że rymy w wierszu dawały w sumie liczbę 666, było dopiero początkiem. One stanowiły klucz do ukrytej wiadomości. Moja kartka była teraz tak popisana, że przypominała międzygalaktyczną mapę wszechświata, więc przepisałam cały wiersz i układ rymów. Wyglądał następująco: 1-2-3, 2-3-1, 3-1-2. Z każdego wersu wybrałam słowo odpowiadające tym cyfrom. Powstało z tego zdanie: JAK – GRA – PRAWDZIWA – TA – BITWA – NIESKOŃCZONA – TRWA.

I wiedziałam, na tyle, na ile pozwalało mi na to moje pijackie zamroczenie, wiedziałam aż zbyt dobrze, co to oznacza. Czyż Solarin nie powiedział mi, że rozgrywamy partię szachów? Lecz wróżka ostrzegła mnie trzy miesiące wcześniej.

J'adoube. Dotykam ciebie. Poprawiam cię, Catherine Velis. Wołaj do mnie, a wysłucham cię, i oznajmię ci wielkie i pewne rzeczy, których nie wiesz. Gdyż toczy się gra, a ty jesteś pionkiem w tej grze. Figurą na szachownicy Życia.

Uśmiechnęłam się, wyprostowałam nogi i sięgnęłam po telefon. Choć bezpośredni kontakt z Nimem nie był możliwy, mogłam jednak zostawić mu wiadomość na komputerze. Nim był mistrzem rozszyfrowywania, chyba czołowym autorytetem światowym w tej dziedzinie. Przecież wykładał i pisał książki, prawda? Nic dziwnego, że gdy tylko wspomniałam o układzie rymów, od razu wyrwał mi kartkę z ręki. Od razu zgadł, że tam się kryje klucz. Ale ten sukinsyn odczekał, aż sama na to wpadnę. Wykręciłam numer i zostawiłam pożegnalną wiadomość: „Pionek przesuwa się w kierunku Algieru".

Niebo za oknem powoli jaśniało, więc postanowiłam iść spać. Mój mózg dawał mi wyraźnie do zrozumienia, że już dłużej nie jest w stanie myśleć. Kopnęłam stos listów, które rzuciłam wcześniej na podłogę, i zauważyłam jakąś kopertę bez znaczka i bez adresu. Najwyraźniej ktoś dostarczył ją osobiście. Moje imię wypisane było dziwnym pismem, pełnym skomplikowanych zakrętasów. Szybko podniosłam list, rozerwałam kopertę i wyciągnęłam dużą kartkę grubego papieru. Usiadłszy na łóżku, zaczęłam czytać.

Moja droga Catherine!

Nasze krótkie spotkanie sprawiło mi wielką przyjemność. Niestety, nie będę się w stanie z panią spotkać przed odlotem, ponieważ sam wyjeżdżam na kilka tygodni.

Po naszej rozmowie postanowiłem wysłać Lily, by dołączyła do pani w Algierze. Co dwie głowy, to nie jedna, zwłaszcza gdy chodzi o rozwiązywanie problemów, prawda?

A właśnie, byłbym zapomniał... jak się pani podobało spotkanie z moją przyjaciółką wróżką? Prosiła, bym przekazał pani to pozdrowienie: Witaj w Grze.

Z wyrazami szacunku
Mordechaj Rad

ROZGRYWKA

W dawnym piśmiennictwie natrafiamy tu i ówdzie na legendy o mądrych, magicznych grach, wynajdywanych i uprawianych przez uczonych, mnichów lub na życzliwych umysłowym igraszkom dworach książęcych – na przykład w postaci szachów, których figury i pola miały, oprócz potocznych, także tajemne znaczenie.

Herman Hesse
Gra szklanych paciorków

Gram dla samej gry.

Sherlock Holmes

Algier
kwiecień 1973

Zapadał zmierzch – jeden z tych błękitnych zmierzchów, w którym wyczuwa się drżenie rozkwitającej wiosny. Zewsząd zdawał się dochodzić cichy pomruk, a samolot, którym leciałam, krążył wśród lekkiej mgły unoszącej się nad brzegami Morza Śródziemnego. W dole rozciągał się Algier. Nazywano go „Al-Dżazair", czyli „biała wyspa". Przypominał jakieś bajkowe miasto-miraż, które ociekając wodą, wynurza się z morskich fal. Na legendarnych siedmiu szczytach stały białe, ciasno stłoczone budynki, które jakby spływały jedne na drugie, przypominając ozdobny lukier na weselnym torcie. Nawet drzewa miały w sobie jakiś mistyczny czar, a ich kształty i kolory nie przypominały niczego, co do tej pory znałam.

Tak więc znalazłam się nad tym białym miastem mającym oświetlić moją drogę w głąb Czarnego Lądu. Przeleciałam niemal pół świata, żeby odnaleźć rozrzucone figury, które kryły się gdzieś pod tą błyszczącą fasadą. Gdy mój samolot zaczął zniżać lot nad powierzchnią wody, wydawało mi się, że zamiast na lotnisku wyląduje na pierwszym polu szachownicy: polu, z którego wyruszę w sam środek gry.

Krótki pas startowy lotniska Dar-el-Beida („biały pałac") położonego na samym skraju Algieru prawie obmywały pieniste języki fal Morza Śródziemnego.

Od wody ciągnęła stęchła bryza, szarpiąc pierzaste liście palm rosnących w szeregu przed dwupiętrowym budynkiem, a powietrze przepełniała woń kwitnącego jaśminu. Fronton przeszklonego budynku lotniska zdobiła wstęga materiału pełna przedziwnych wzorków – zakrętasów, punkcików i kreseczek – przywodzących na myśl japońskie rysunki pędzelkiem. Było to moje pierwsze zetknięcie z klasycznym pismem arabskim. Pod spodem przeczytałam tłumaczenie: *Bienvenue en Algérie.*

Wszystkie bagaże wyłożono na chodnik i każdy z pasażerów mógł poszukać swoich rzeczy. Ruszyłam w ślad za grupą udającą się do budynku, a bagażowy wrzucił moje walizki na metalowy wózek.

Stojąc w kolejce do kontroli paszportów, uświadomiłam sobie, jak daleką drogę przebyłam od chwili, gdy zaledwie tydzień temu zabrałam się do rozszyfrowania przepowiedni wróżki. I całą tę drogę przebyłam sama.

Nie miałam jednak wyboru. Owego ranka, kiedy udało mi się rozszyfrować ten wiersz, podjęłam rozpaczliwą próbę skontaktowania się z którymś z moich przyjaciół, lecz odniosłam wrażenie, iż zapadła jakaś zmowa milczenia. Gdy zadzwoniłam do mieszkania Harry'ego, pokojówka Valérie poinformowała mnie, że Lily zaszyła się gdzieś razem z Mordechajem, by studiować sekrety szachów, natomiast Harry wyjechał z miasta, by przekazać zwłoki Saula jakimś dalekim krewnym, których odnalazł w Ohio czy Oklahomie – gdzieś w głębi kraju. Korzystając z nieobecności Harry'ego, Llewellyn i Blanche wyskoczyli do Londynu, by nakupić przeróżnych antyków.

Nim był nadal, że tak powiem, zamknięty w klasztorze i nie odpowiadał na moje telefony. Lecz w sobotni ranek, gdy zmagałam się z firmą od przeprowadzek, której pracownicy uwijali się jak w ukropie, pakując cały mój dobytek, w drzwiach stanął Boswell; w rękach trzymał pudełko „od tego czarującego dżentelmena, który był tutaj dwa dni temu".

Całe pudełko wypełniały książki, do których dołączona była karteczka: *Módl się o wskazówki i myj uszy.* I podpis: *Siostry miłosierdzia.* Wepchnęłam je do torby podróżnej i od razu o nich zapomniałam. Skąd mogłam wiedzieć, że te książki, tykające w mojej torbie jak bomba zegarowa, będą mieć tak ogromny wpływ na najbliższe wydarzenia? Jednak Nim wiedział o wszystkim. Może nawet od zawsze. Nawet zanim położył mi ręce na ramionach i powiedział: J'adoube.

W tej iście eklektycznej mieszance znalazło się stare, kieszonkowe wydanie *Legendy Karola Wielkiego* oraz książki o szachach, kwadratach magicznych tudzież wszelkiego rodzaju wyprawach do krainy matematyki. Ponadto znalazłam tam nudną książkę zatytułowaną *Liczby Fibonacciego*, której autorem był – proszę, proszę – doktor Ladislaus Nim.

Bynajmniej nie zamierzam twierdzić, że w ciągu sześciogodzinnego lotu z Nowego Jorku do Paryża stałam się ekspertem szachowym, lecz wiele dowiedziałam się o szachach z Montglane i roli, jaką odegrały w upadku cesarstwa Karola Wielkiego. I choć nazwa kompletu nigdzie wyraźnie się nie pojawia, w tajemniczy sposób wiąże się on ze śmiercią około tuzina królów, książąt i dworaków, których żywot zakończyły figury ze „szczerego złota". Skutkiem tych morderstw niejednokrotnie były wojny, a po śmierci Karola Wielkiego jego synowie, walcząc o te tajemnicze szachy, doprowadzili do rozbicia kraju. W tym miejscu Nim zapisał na marginesie: *Szachy – najniebezpieczniejsza gra.*

W tygodniu poprzedzającym wyjazd udało mi się znaleźć to i owo na temat szachów, dzięki czemu wiedziałam chociaż, czym różni się strategia od taktyki. Posunięcia obliczone dla doraźnych korzyści to taktyka. Natomiast strategia pozwala wygrać całą partię. Ta informacja miała się okazać przydatna w momencie przyjazdu do Paryża.

Patyna praktykowanej przez lata przebiegłości i korupcji w dalszym ciągu grubą warstwą okrywała szacowną firmę Fulbright, Cone. Chociaż zmianie uległ używany przez nią język, posunięcia pozostały dokładnie takie same. Gdy tylko pojawiłam się w paryskim biurze, oznajmiono mi, że cała wyprawa może nie dojść do skutku. Wyglądało na to, że próba podpisania kontraktu z chłopcami z OPEC zakończyła się fiaskiem. Dowiedziałam się, że trzymano ich całymi dniami w różnych ministerstwach, że musieli latać ciągle do Algieru i wracać z pustymi rękami, co narażało firmę na niebagatelne wydatki.

Teraz do akcji zamierzał się włączyć jeden z głównych partnerów, Jean Philippe Petard. Przestrzegłszy mnie, bym siedziała jak mysz pod miotłą i czekała na jego przyjazd do Algieru pod koniec tygodnia, Petard zapewnił mnie, że gdy tylko sytuacja na miejscu nieco się uspokoi, francuscy partnerzy z pewnością znajdą mi coś do roboty. Z jego lekkiego tonu mogłam wywnioskować, że owo „coś" obejmować może maszynopisanie tudzież mycie okien, podłóg i ewentualnie jeszcze kilku ubikacji. Miałam jednak inne plany.

Francuscy partnerzy mogli sobie nie podpisać kontraktu ze swoim klientem, lecz ja miałam w kieszeni bilet lotniczy do Algieru, a przed sobą perspektywę spędzenia tam tygodnia bez żadnej opieki.

Gdy po wyjściu z paryskiej filii Fulbright, Cone zatrzymałam taksówkę i ruszyłam z powrotem na Orly, pomyślałam sobie, że Nim miał rację, mówiąc o wyostrzeniu się mojego instynktu zabójcy. Taktyka od tak dawna skupiała całą moją uwagę, że straciłam z oczu szachownicę. Może nadszedł już najwyższy czas, by usunąć te wszystkie figury, które zasłaniają mi widok?

W kolejce do kontroli paszportów na lotnisku Dar-el-Beida musiałam odstać niemal pół godziny. Do celu wiodła wąska droga wyznaczona przez metalowe barierki, a my posuwaliśmy się naprzód w iście żółwim tempie.

Wreszcie stanęłam przed oszkloną budką, a urzędnik kontrolujący paszporty zaczął w skupieniu studiować moją algierską wizę z oficjalnym, małym, czerwono-białym znaczkiem i zamaszystym podpisem zajmującym niemal całą niebieską stroniczkę. Przez chwilę badał ją uważnie, a potem obrzucił mnie dość dziwnym spojrzeniem.

– Pani podróżuje sama – powiedział po francusku. To nie było pytanie. – Ma pani wizę na *affaires*, madame. Dla kogo pani będzie pracować?

Affaires znaczy „interesy". Cali Francuzi – byle tylko upiec dwie pieczenie na jednym ogniu.

– Będę pracować dla OPEC... – zaczęłam wyjaśnienia w mojej kulawej francuszczyźnie, lecz zanim zdążyłam skończyć, urzędnik pospiesznie przybił w paszporcie stempelek z napisem „Dar-el-Beida", dając jednocześnie znak głową bagażowemu, który stał w nonszalanckiej pozie, oparty o ścianę. Gdy przekartkował pospiesznie cały paszport i podał mi przez okienko formularze celne wraz z wizą, do okienka zbliżył się bagażowy.

– OPEC – powtórzył urzędnik. – Bardzo dobrze, madame. Proszę wpisać w formularzu złoto albo pieniądze, które pani wwozi...

Wypełniając wskazane rubryki, dostrzegłam, że wskazując na mnie, mruknął coś bagażowemu, który skinął głową i odwrócił wzrok.

– A gdzie zamierza się pani zatrzymać? – spytał urzędnik, gdy zwróciłam mu wypełnione dokumenty.

– W hotelu El Riadh – odparłam.

Tymczasem bagażowy podszedł do niewielkiego biura i oglądając się na mnie przez ramię, zapukał do drzwi z matowego szkła. W drzwiach stanął krzepko zbudowany mężczyzna. Teraz obaj patrzyli na mnie i bynajmniej nie było to złudzenie. A ten krzepki facet miał przy boku pistolet.

– Pani dokumenty są w porządku, madame – poinformował mnie cicho urzędnik. – Może się pani teraz udać do odprawy celnej.

Wymamrotałam coś na kształt podziękowania, zabrałam dokumenty i ruszyłam wąskim przejściem w kierunku napisu *Douanier*. Już z dala widać było mój bagaż, spiętrzony na pasie transmisyjnym. Gdy ruszyłam w tamtą stronę, zbliżył się bagażowy, który przez cały czas nie spuszczał ze mnie oka.

– Bardzo panią przepraszam, madame – powiedział to głosem cichym i łagodnym, żeby nikt nie dosłyszał. – Czy zechce się pani udać za mną? – Mówiąc to, wskazał drzwi z matowego szkła.

Ów krzepki mężczyzna wciąż tam stał, gładząc od niechcenia kaburę z pistoletem. Żołądek podjechał mi do gardła.

– Wykluczone! – odparłam głośno po angielsku, po czym odwróciłam się do niego plecami, by zająć się moim bagażem.

– Niestety, muszę nalegać – rzekł bagażowy, chwytając mnie zdecydowanie za ramię.

Powtarzałam sobie w myślach, że przecież w świecie interesów słynę z żelaznych nerwów, lecz mimo to czułam wzbierającą panikę.

– Nie rozumiem, o co chodzi – odezwałam się, tym razem po francusku, uwalniając się jednocześnie z jego uchwytu.

– *Pas de problème* – odpowiedział cicho, wciąż bacznie mnie obserwując. – *Chef de la Sécurité* chciałby zadać pani kilka pytań, to wszystko. To zajmie tylko chwilę. Pani bagaż będzie całkowicie bezpieczny. Sam go dopilnuję.

Bynajmniej nie martwiłam się o bagaż. Po prostu nie zachwycała mnie perspektywa opuszczenia jasno oświetlonego hallu i dołączenia do mężczyzny z pistoletem rezydującego w nie oznakowanym pomieszczeniu. Najwyraźniej jednak nie miałam wielkiego wyboru. Bagażowy odeskortował mnie na miejsce, a potężny ochroniarz przepuścił mnie w drzwiach.

Pokoik był tak maleńki, że ledwie mieściło się w nim metalowe biurko i dwa krzesła. Gdy weszłam, siedzący za biurkiem mężczyzna podniósł się z miejsca.

Miał około trzydziestki, był przystojny, dobrze zbudowany, opalony. Poruszał się zwinnie jak kot, a przy każdym ruchu pod nienagannie skrojonym, czarnym garniturem widać było grającą muskulaturę. Z tymi czarnymi, zaczesanymi do tyłu włosami, oliwkową cerą, wyraźnie zarysowanym nosem i pełnymi ustami przypominał włoskiego żigolaka albo francuskiego amanta filmowego.

– Na razie ci dziękuję, Ahmet – powiedział łagodnie do uzbrojonego zbira, który nadal stał w drzwiach.

Tamten wycofał się bezszelestnie.

– Mam chyba przyjemność z mademoiselle Velis – odezwał się mój gospodarz, wskazując mi miejsce naprzeciwko siebie. – Spodziewałem się pani.

– Słucham? – Nie skorzystałam z zaproszenia i wciąż stojąc, patrzyłam mu prosto w oczy.

– Przepraszam, nie chciałem być taki tajemniczy – uśmiechnął się. – Pracownicy mojego biura przeglądają wszystkie wydane wizy. Szczerze mówiąc, niewiele kobiet ubiega się u nas o wizę pracowniczą. Tak naprawdę, pani jest chyba pierwsza. Muszę wyznać, że nie mogłem poskromić ciekawości.

– No cóż, mam nadzieję, że pańska ciekawość została już dostatecznie zaspokojona – powiedziałam, kierując się ku drzwiom.

– Mademoiselle – powiedział, uprzedzając mój ruch – proszę, żeby pani usiadła. Naprawdę nie jestem potworem i nie zamierzam pani pożreć. Stoję na czele służby bezpieczeństwa. Ludzie nazywają mnie Szarrif. – Błysnął w moją stronę olśniewająco białymi zębami. Odwróciłam się od drzwi i usiadłam niechętnie na trzykrotnie mi już oferowanym krześle. – Pozwoli pani zauważyć, że w tym stroju do safari jest pani niezwykle do twarzy. Jest on nie tylko szykowny, ale również jak najbardziej odpowiedni w naszym pustynnym kraju. Czy zamierza pani zobaczyć Saharę w czasie swego pobytu, mademoiselle? – spytał od niechcenia, siadając po drugiej stronie biurka.

– Udam się wszędzie tam, dokąd wyśle mnie mój klient – odrzekłam.

– Ach, tak, pani klient – ciągnął mój gładysz. – Doktor Kader, Emile Kamel Kader, minister do spraw ropy. Stary przyjaciel. Proszę go serdecznie ode mnie pozdrowić. O ile mnie pamięć nie zawodzi, to właśnie on pokrywa koszta pani pobytu. Czy mógłbym zobaczyć paszport? – spytał, wyciągając rękę. Na rękawie koszuli błysnęła złota spinka. Na pewno zarekwirował ją komuś podczas kontroli celnej. Niewielu znanych mi urzędników na lotniskach mogło sobie pozwolić na coś takiego. – Czysta formalność. Z każdego lotu wybieramy losowo kilka osób, które poddajemy znacznie dokładniejszej kontroli. Na pewno przez następne dwadzieścia lub sto razy nie trafi pani na coś takiego...

– W moim kraju tego typu sytuacje przydarzają się wyłącznie osobom, które podejrzewane są o przemyt – odparowałam.

Doskonale zdawałam sobie sprawę, że ryzykuję, lecz nie zamierzałam dać się zwieść jego zgrabnej historyjce, złotym spinkom i olśniewającemu uśmiechowi hollywoodzkiego amanta. Byłam jedyną osobą, której przytrafiło się coś takiego. Na dodatek widziałam twarze urzędników lotniska, którzy szeptali coś na mój temat. To wszystko było z góry zaplanowane. I to bynajmniej nie dlatego, że byłam kobietą, która przyjechała w interesach do muzułmańskiego kraju.

– Ach, więc pani się zdaje, że biorę ją za przemytniczkę? – powiedział. – Na nieszczęście dla mnie, prawo tego kraju wymaga, by w razie podejrzenia o kontrabandę kobiety przeszukiwane były przez urzędniczki. Ja natomiast chciałbym zobaczyć pani paszport, przynajmniej na razie. – Z wielkim zainteresowaniem zaczął przerzucać kartki. – Nigdy bym się nie domyślił, ile pani ma lat. Wygląda pani najwyżej na osiemnaście, a tu widzę, że właśnie miała pani urodziny. I to dwudzieste czwarte. To doprawdy fascynujące. Czy wie pani, że dzień pani urodzin, czyli czwarty kwietnia, to muzułmańskie święto?

W tym momencie przypomniały mi się słowa wróżki. Gdy mówiła, żebym nie wspominała nikomu o mojej dacie urodzin, nie przyszło mi do głowy, że dotyczy to również paszportu, prawa jazdy i tak dalej.

– Czyżbym panią czymś przestraszył? – spytał, patrząc na mnie dziwnie.

– Absolutnie nie – odparłam obojętnym tonem. – A teraz, jeśli pan skończył...

– Może ma pani ochotę dowiedzieć się czegoś więcej – ciągnął, gładki jak kot, po czym sięgnął przez stół i wziął moją torebkę.

Choć niewątpliwie była to następna „formalność", czułam się coraz bardziej nieswojo. *Jesteś w niebezpieczeństwie* – mówił mi jakiś wewnętrzny głos. *Nie ufaj nikomu, zawsze oglądaj się za siebie, albowiem jest napisane: czwartego dnia czwartego miesiąca przyjdzie Ósemka.*

– Czwarty kwietnia – mruczał pod nosem Szarrif, wyciągając z torebki szminkę, grzebień i szczotkę do włosów i rozkładając to wszystko na blacie biurka, jak ponumerowane dowody w procesie o morderstwo. – W islamie nosi on nazwę Dnia Ozdrowienia. Czas liczymy na dwa sposoby: mamy rok muzułmański, będący rokiem księżycowym, i rok słoneczny, rozpoczynający się dwudziestego pierwszego marca według kalendarza zachodniego. Z każdym z nich wiążą się liczne tradycje. Mahomet – ciągnął, wyjmując z mojej torby notesy, pióra i ołówki i układając je w równych rządkach – przykazał nam, byśmy w pierwszym tygodniu roku słonecznego dziesięć razy dziennie recytowali Koran. W drugim tygodniu musimy wstawać codziennie, dmuchać na miskę z wodą i pić z tej miski przez siedem dni. Potem ósmego dnia... – Tu Szarrif spojrzał na mnie gwałtownie, jakby zamierzał przyłapać mnie na dłubaniu w nosie. Uśmiechnął się jak gdyby nigdy nic, a ja próbowałam odwdzięczyć mu się tym samym, mając nadzieję, że robię to przekonująco. – A zatem ósmego dnia, w drugim tygodniu tego magicznego miesiąca, każdy, kto spełnił wszystkie zalecenia Mahometa, zostaje uleczony, bez względu na trapiące go do tej pory przypadłości. I jest to dzień czwarty kwietnia. Panuje przekonanie, że osoby urodzone tego dnia mają niezwykły dar uzdrawiania... zupełnie jakby... Ale oczywiście Europejczyków nie interesują te wszystkie historie.

Być może to tylko wynik mojego przewrażliwienia, ale miałam wrażenie, iż bawi się mną jak kot myszą. Akurat w momencie, gdy starałam się zapanować nad mięśniami twarzy, mój rozmówca wydał cichy okrzyk, który sprawił, że aż podskoczyłam.

– Oo! – powiedział i szybkim ruchem wyjął coś z torby i położył tak, aby znalazło się dokładnie przede mną. – Widzę, że interesuje się pani szachami!

Była to podręczna szachownica Lily, która cały czas leżała zapomniana w jakimś zakamarku mojej torby. Po niej Szarrif wyciągnął kolejno wszystkie książki, ułożył je w stos i zaczął oglądać jedną po drugiej.

– Szachy, gry matematyczne, ach, *Liczby Fibonacciego*! – wykrzyknął z uśmiechem, tak jakby na czymś mnie przyłapał. Jednocześnie stukał palcami w tę nudną książkę, którą napisał Nim. – Więc interesuje się pani matematyką? – spytał, wbijając we mnie czujny wzrok.

– Niezupełnie – odparłam, już stojąc i próbując układać w torbie wszystkie przedmioty wyjęte przez Szarrifa. Trudno było pojąć, że jedna chuda dziewczyna mogła dźwigać taki śmietnik przez pół świata. A jednak.

– A co tak naprawdę wie pani o liczbach Fibonacciego? – spytał, przyglądając się, jak pakuję torbę.

– Wykorzystuje się je do projekcji rynku giełdowego – wymamrotałam. – Przy ich użyciu teoretycy „fali Eliotta" przewidują hossę i bessę... Teorię tę rozwinął w latach trzydziestych facet nazwiskiem R. N. Eliott.

– Więc nie zna pani autora? – przerwał mi Szarrif.

Gdy podniosłam wzrok, z ręką zesztywniałą na książce, czułam, że zielenieję na twarzy.

– Oczywiście mówię o Leonardzie Fibonaccim – wyjaśnił z powagą. – Był to Włoch, urodzony w XII wieku w Pizie, który jednak kształcił się tutaj, w Algierze. Był to wybitny uczony ze szkoły matematyków działającej w duchu Alkwarizmiego, od którego nazwiska powstał termin „algorytm". Fibonacci wprowadził do Europy cyfry arabskie, które zastąpiły dawne rzymskie...

Niech to diabli. Powinnam się była domyślić, że Nim nie dawałby mi książki ot tak dla rozrywki, nawet jeśli sam był jej autorem. Teraz plułam sobie w brodę, że nawet do niej nie zajrzałam. Gdzieś w środku migała mi jakaś lampka, lecz niestety nie byłam w stanie zrozumieć komunikatu.

Czyż Nim nie nalegał, bym nauczyła się czegoś o magicznych kwadratach? Czyż Solarin nie wymyślił metody na obieg skoczka? Czyż przepowiednia wróżki nie zawierała mnóstwa liczb? Dlaczego więc byłam taką debilką, że nie umiałam powiązać tego wszystkiego w jedną całość?

Przypomniało mi się wtedy, że człowiek, który podarował szachy z Montglane Karolowi Wielkiemu, był Maurem. Choć daleko mi do matematycznego geniuszu, to jednak wystarczająco długo pracowałam z komputerami, by wiedzieć, że to właśnie Maurom, którzy pojawili się w Sewilli w ósmym stuleciu, Europa zawdzięcza wszystkie ważniejsze odkrycia matematyczne. Niewątpliwie poszukiwania owego legendarnego kompletu szachowego wiązały się w jakiś sposób z matematyką – ale jak? Szarrif powiedział mi znacznie więcej niż ja jemu, ale nie potrafiłam znaleźć między tym wszystkim żadnego logicznego połączenia. Wyrwałam mu z ręki ostatnią książkę i umieściłam ją na powrót w skórzanej torbie.

– Skoro zamierza pani zostać przez rok w Algierze, to może umówimy się kiedyś na partyjkę – zaproponował. – Kiedyś walczyłem nawet o tytuł mistrza juniorów...

– Jest takie zachodnie wyrażenie, które może się panu przydać – rzuciłam przez ramię, kierując się do wyjścia. – „Proszę do nas nie dzwonić, sami zadzwonimy".

Otworzyłam drzwi. Ahmet spojrzał ze zdumieniem na mnie, a potem na Szarrifa, który podnosił się z krzesła. Zatrzasnęłam za sobą drzwi z takim impetem, że aż zadrżały szyby. Nawet się nie obejrzałam.

Ruszyłam szybkim krokiem do miejsca, gdzie odbywała się odprawa celna. Otworzyłam walizki, lecz po lekkim nieładzie w środku oraz po obojętności celnika domyśliłam się, że już zdążył tam zajrzeć. Zaraz więc je zamknął i zrobił na wierzchu znak kredą.

Budynek lotniska zdążył już niemal zupełnie opustoszeć, lecz na szczęście kantor był nadal czynny. Wymieniwszy trochę pieniędzy, pomachałam na bagażowego i wyszłam na zewnątrz w poszukiwaniu taksówki. W powietrzu unosiła się woń jaśminu.

– Do hotelu El Riadh – rzuciłam, wskoczywszy do samochodu, który ruszył bursztynowym bulwarem prowadzącym do Algieru. W lusterku widziałam twarz kierowcy, starą i pomarszczoną jak pień sekwoi.

– Czy madame była już kiedyś w Algierze? – spytał. – Bo jeśli nie, to proponuję krótką przejażdżkę po mieście za cenę stu dinarów. Oczywiście łącznie z jazdą do El Riadh.

Zgodziłam się, ponieważ od El Riadh, położonego po drugiej stronie Algieru, dzieliło nas trzydzieści kilometrów, a sto dinarów dawało po przeliczeniu dwadzieścia pięć dolarów. W godzinie szczytu więcej zapłaciłabym za jazdę z centrum Manhattanu na lotnisko Kennedy'ego.

Jechaliśmy głównym bulwarem. Z jednej strony wznosił się majestatyczny szereg grubych palm daktylowych, natomiast z drugiej – zwróconej w kierunku portu w Algierze – ciągnął się sznur budynków w stylu kolonialnym, których frontony zdobiły arkady. Tutaj wyraźnie czuło się wilgotną, słonawą woń morskiej wody.

W samym centrum portu, naprzeciwko imponującego hotelu Aletti, skręciliśmy w stromy, szeroki bulwar, biegnący na szczyt wzgórza. Taksówka wjeżdżała coraz wyżej i wyżej, a ja odnosiłam nieodparte wrażenie, iż budynki mijane po obu stronach rosną i stopniowo blokują przejazd. Imponujące, śnieżnobiałe ściany kolonialnych domostw wzniesionych tu jeszcze przed wojną, majaczące w ciemnościach jak duchy, zdawały się coś szeptać nad naszymi głowami. Ich dachy niemal stykały się ze sobą, zupełnie zasłaniając rozgwieżdżone niebo.

Wokół zapanowała ciemność i cisza. Droga prowadząca do Al-Dżazairu robiła się coraz węższa i coraz bardziej kręta, a od czasu do czasu powyginane fantastycznie drzewa, oświetlone z rzadka przez latarnie, rzucały pokraczne cienie na białe płaszczyzny ścian.

Mniej więcej w połowie wzgórza droga stała się nieco mniej stroma i wjechaliśmy na okrągły plac, którego środek zdobiła otoczona zielenią fontanna. Wydawała się centralnym punktem tego pnącego się pionowo miasta. Kiedy objeżdżaliśmy plac, moim oczom ukazał się splątany labirynt uliczek górnej części Algieru. Gdy skręcaliśmy, spostrzegłam reflektory samochodu, który jechał przez cały czas za nami. Słabe światła taksówki z trudem przebijały się przez gęstą ciemność.

– Ktoś nas śledzi – powiedziałam do kierowcy.

– Tak, madame. – Spojrzał na mnie, a w lusterku zobaczyłam jego nerwowy uśmiech i dwa złote zęby błyszczące w świetle reflektorów. – Jadą za nami od samego lotniska. Może pani jest szpiegiem?

– Niech się pan nie wygłupia.

– Widzi pani, to auto, które za nami jedzie, należy do *chef de la sécurité.*

– Szefa służby bezpieczeństwa? Rozmawiał ze mną na lotnisku. Niejaki Szarrif.

– Właśnie on – potwierdził kierowca, którego nerwowość rosła z każdą minutą.

Znajdowaliśmy się już w wyższej części miasta, a wygodna dotąd droga zmieniła się w cieniutką wstążkę biegnącą niebezpiecznie blisko krawędzi stromego wzgórza, skąd rozciągał się widok na Algier. Kierowca popatrzył w dół na długi, czarny samochód, który w tej chwili brał zakręt dokładnie pod nami.

Miasto leżało przed nami na poszarpanych wzgórzach, istny labirynt nieprawdopodobnie krętych uliczek biegnących jak strumyki lawy w kierunku rozświetlonego półksiężyca portu. Dalej od ciemnej wody odbijały się sylwetki statków, kołyszących się łagodnie na spokojnym morzu.

Kierowca docisnął pedał gazu. Samochód wjechał w zakręt, Algier znikł nam nagle z oczu, a my pogrążyliśmy się w kompletnych ciemnościach. Niebawem droga przeszła w czarny tunel gęstego lasu, gdzie zapach morza zastąpiła woń sosnowego igliwia. Splątane korony drzew nie przepuszczały nawet słabego, wodnistego światła księżyca.

– Teraz już niewiele możemy zrobić – rzekł kierowca, nie przestając oglądać się przez ramię i co chwilę zerkając w lusterka. Zdecydowanie wolałabym, żeby skupił się na prowadzeniu samochodu. – Jedziemy przez okolicę zwaną Les Pins. Od El Riadh oddziela ją tylko sosnowy las. To właśnie nazywam skrótem.

Droga wśród sosen biegła raz w górę, raz w dół, zupełnie jak kolejka w lunaparku. Kierowca jeszcze bardziej przyśpieszył, a gdy pokonywaliśmy ostre wzniesienia, kilkakrotnie zdawało mi się, że taksówka wręcz odrywa się od ziemi. Wokół panowała nieprzenikniona ciemność.

– Aż tak się nie śpieszę – odezwałam się, chwytając się podłokietnika, żeby nie rozbić sobie głowy o dach. – Może więc zwolniłby pan trochę? – Za każdym wzgórzem pojawiały się za nami reflektory samochodu.

– Ten Szarrif – rzekł taksówkarz drżącym głosem – czy pani wie, w jakim celu przesłuchiwał panią na lotnisku?

– Wcale mnie nie przesłuchiwał – odparłam, przyjmując postawę obronną. – Po prostu chciał mi zadać kilka pytań. W końcu niewiele kobiet przyjeżdża do Algierii w interesach, prawda? – Mój śmiech był odrobinę wymuszony. – W końcu urzędnik kontroli paszportów może chyba przepytywać każdego wedle uznania.

– Madame – powiedział kierowca, potrząsając głową i patrząc na mnie dziwnie w lusterku, w którym co chwilę odbijały się reflektory depczącego nam po piętach samochodu – Szarrif nie pracuje w kontroli paszportów i jego praca nie polega na witaniu przybyszów w Algierze. Nie kazał pani śledzić tylko dlatego, żeby mieć pewność, że zajechała pani bezpiecznie na miejsce. – Pozwolił sobie na żart, choć głos mu drżał. – Ten człowiek piastuje znacznie bardziej odpowiedzialne stanowisko.

– Naprawdę? – spytałam zdumiona.

– Pewno tego pani nie powiedział – ciągnął kierowca, patrząc na mnie z przerażeniem. – Ten Szarrif jest szefem tajnej policji.

Owa tajna policja, sądząc po opisie taksówkarza, była połączeniem FBI, CIA, KGB i Gestapo. Gdy wreszcie znaleźliśmy się na miejscu, kierowca westchnął z wyraźną ulgą. Hotel El Riadh, ukryty w malowniczym lasku, był niskim, eleganckim budynkiem z fontanną przed rzeźbionym wejściem i basenem o nieregularnym kształcie. Prowadził do niego długi podjazd ozdobiony barwnymi światełkami.

Wysiadając z taksówki, zobaczyłam, że tamten samochód zatrzymał się, cofnął i wjechał w ciemny las. Taksówkarz chwycił moje bagaże trzęsącymi się rękami i wniósł je do hotelu. Weszłam za nim, by mu zapłacić. Gdy wyszedł, podałam moje nazwisko recepcjoniście. Zegar wskazywał dwudziestą pierwszą pięć.

– Bardzo mi przykro, madame – powiedział recepcjonista – lecz nie mam dla pani rezerwacji. W hotelu jest komplet gości. – Uśmiechnął się do mnie, wzruszył ramionami, po czym odwrócił się i zagłębił w przerwaną wcześniej papierkową robotę.

Zdążyłam zauważyć, że przed hotelem El Riadh bynajmniej nie stoi sznur taksówek, a wcale nie uśmiechało mi się cwałować z powrotem do centrum przez sosnowe lasy, w których aż roiło się od policji.

– To na pewno jakaś pomyłka – zwróciłam się głośno do recepcjonisty. – Ponad tydzień temu potwierdzałam tę rezerwację.

– W takim razie był to inny hotel – odparł z uprzejmym uśmiechem, który chyba był ich grymasem narodowym. I niech go diabli, jeśli znów nie odwrócił się do mnie plecami.

Pomyślałam sobie, że może to być doskonała lekcja dla sprytnej menedżerki. Trudno wykluczyć ewentualność, że cała ta ostentacja, to demonstracyjne odwracanie się plecami jest jedynie rozgrzewką, preludium do targowania się, w którym przecież Arabowie się lubują. Być może tutaj trzeba targować się o wszystko: nie tylko o kontrakty konsultingowe, lecz nawet o zwykłą rezerwację w hotelu. Stwierdziłam, że warto sprawdzić, czy mam rację, w związku z tym wysupłałam z kieszeni banknot pięćdziesięciodinarowy i położyłam przed nim.

– Czy byłby pan łaskaw wstawić moje torby za kontuar? Szarrif, *chef de la Sécurité*, spodziewa się mnie tu zastać, więc proszę mu powiedzieć, że czekam w sali klubowej. – I nie było to zupełne kłamstwo, gdyż on naprawdę spodziewał się mnie tu zastać, skoro wysłał w ślad za mną swoich zbirów. Ponadto mogłam mieć pewność, że ktoś taki jak zwykły recepcjonista nie będzie wydzwaniał do Szarrifa, żeby sprawdzić, jakie ma plany na wieczór.

– Ach, proszę o wybaczenie, madame! – wykrzyknął recepcjonista. Zerknął do księgi gości i, co nie uszło mojej uwagi, zręcznym ruchem schował banknot do kieszeni. – Dopiero teraz zauważyłem, że istotnie mamy rezerwację na pani nazwisko. – Zrobił znaczek ołówkiem i podniósł na mnie wzrok z tym samym czarującym uśmiechem. – Czy kazać zanieść pani bagaż do pokoju?

– Byłabym wdzięczna – odparłam i wręczyłam kilka banknotów bagażowemu, który natychmiast przyczłapał. – Tymczasem chciałabym się rozejrzeć. Gdy bagaże będą już w pokoju, proszę przynieść mi klucz do sali klubowej.

– Oczywiście, madame – rzekł recepcjonista z promiennym uśmiechem.

Zarzuciwszy torbę na ramię, ruszyłam w kierunku sali klubowej. W pobliżu wejścia hall był niski i nowoczesny, lecz tuż za zakrętem rozrastał się nieoczekiwanie, tworząc coś na kształt atrium. Białe, fantazyjnie rzeźbione ściany, zwieńczone ogromną kopułą, wznosiły się na wysokość pięćdziesięciu stóp. W kopule umieszczono otwory, pozwalające nocą podziwiać rozgwieżdżone niebo.

Po przeciwnej stronie tego oszałamiającego hallu, na tarasie położonym na wysokości około trzydziestu stóp, znajdowała się sala klubowa, która robiła wrażenie, jakby unosiła się w powietrzu. Z tarasu spływał wodospad – struga wody rozpryskiwała się na osadzonych w ścianie kamieniach i kończyła swój żywot w dużym zbiorniku umieszczonym w marmurowej podłodze hallu.

Po obu stronach wodospadu wznosiły się otwarte klatki schodowe prowadzące z hallu, które zwijały się jak podwójna ślimacznica. Przecięłam hall i zaczęłam się wspinać po schodach. Z otworów w ścianach wyrastały egzotyczne kwitnące drzewa. Bajecznie kolorowy kobierzec przewieszony przez poręcz schodów opadał piętnaście stóp w dół, gdzie był zebrany w urokliwe fałdy.

Posadzki, zrobione z połyskliwego marmuru o przeróżnych odcieniach, ułożono w niezwykłe wzory. Tu i ówdzie widać było przytulne kąciki pełne grubych perskich dywanów, miedzianych tac, obitych skórą otoman, wielkich, futrzanych narzut i mosiężnych samowarów. Mimo znacznych rozmiarów i wielkich okien wychodzących na morze cała sala robiła wrażenie przytulnej.

Usiadłam na skórzanej otomanie i zamówiłam świeżo warzone piwo – miejscową specjalność poleconą mi przez kelnera. Na twarzy czułam wilgotną bryzę, wpadającą od strony kamiennego tarasu przez szeroko otwarte okna. Morskie fale łagodnie obmywały brzeg, a ich cichy plusk miał dziwnie kojące działanie. Po raz pierwszy od opuszczenia Nowego Jorku poczułam się naprawdę odprężona.

Pojawił się kelner z piwem na tacy. Obok szklanki leżał klucz.

– Madame znajdzie swój pokój za zewnętrznymi ogrodami – powiedział, wskazując ciemną przestrzeń na tyłach tarasu, ledwie widoczną w nikłej poświacie księżyca. – Należy iść przez labirynt krzewów, aż dojdzie się do krzewu kapryfolium o bardzo wonnych kwiatach. Pokój czterdzieści cztery znajduje się tuż za drzewem. To pokój z osobnym wejściem.

Piwo miało smak kwiatów i było nie tyle słodkie, ile aromatyczne, z lekko leśnym posmakiem. Stwierdziwszy, że wypiłam wszystko, zamówiłam jeszcze jedno. Sącząc powoli chłodny napój, spróbowałam wrócić myślą do Szarrifa i jego dziwnych pytań, lecz uznałam, że wszelkie przypuszczenia muszę odłożyć do czasu, gdy przetrawię temat, na jaki Nim – co uświadomiłam sobie dopiero teraz – próbował mnie przygotować. Usiłowałam więc skupić się na swojej pracy. Jaką strategię zastosuję jutro rano, gdy, zgodnie z planem, udam się z wizytą do budynku ministerstwa? Przypomniałam sobie, co przytrafiło się partnerom firmy Fulbright, Cone, gdy próbowali doprowadzić do podpisania kontraktu. Cała historia była wielce osobliwa.

Otóż tydzień wcześniej minister przemysłu i energii, Abdelsalam Belaid, ustalił z nimi termin spotkania. Miała to być oficjalna uroczystość podpisania kontraktu, w związku z czym sześciu partnerów, nie żałując pieniędzy, z wielką pompą przyleciało do Algieru, wioząc ze sobą skrzynkę Dom Pérignon. Na miejscu jednak dowiedzieli się, że minister Belaid „wyjechał za granicę w sprawach służbowych". Wtedy zgodzili się, aczkolwiek dość niechętnie, na spotkanie z drugą osobą w hierarchii – Emile'em Kamelem Kaderem (tym samym Kaderem, który – jak zauważył Szarrif – podpisał moją wizę).

Czekając w jednym z nie kończących się szeregów przedpokoi na Kadera, spostrzegli nagle grupę japońskich bankierów zmierzającą w kierunku windy. Między nimi szedł... minister Belaid, ten sam, który rzekomo wyjechał za granicę w sprawach służbowych.

Partnerzy Fulbright, Cone nie byli przyzwyczajeni, że ktoś ich wystawia do wiatru. Zwłaszcza gdy coś takiego spotykało całą szóstkę jednocześnie i to w sposób tak rażąco niedelikatny. Dlatego też postanowili, że gdy tylko zostaną wpuszczeni do środka, natychmiast złożą skargę na ręce Emile'a Kamela Kadera. Lecz gdy wreszcie otwarto im drzwi, oczom ich ukazał się Kader, ubrany w krótkie, sportowe spodenki i koszulkę polo. Krążąc po swoim gabinecie i wymachując rakietą, zwrócił się do nich w te słowa:

– Tak mi przykro, ale dziś mamy poniedziałek, a w poniedziałki zawsze gram w tenisa z moim kumplem ze studiów. Byłby rozczarowany, gdybym się nie zjawił. – I już go nie było, a partnerzy Fulbright, Cone zostali w gabinecie z szeroko otwartymi ustami.

Z prawdziwą niecierpliwością oczekiwałam na spotkanie z ludźmi, którzy potrafili zrobić taki numer szefom mojej wielce szacownej firmy. Założyłam jednocześnie, że był to niewątpliwie kolejny przykład polityki targowania się, tak typowej dla Arabów. Lecz jeśli tej ważnej szóstce nic nie wyszło, to w jaki sposób ja sama miałabym spisać się lepiej?

Wzięłam szklankę z piwem i wyszłam na taras. W dole, między hotelem i morzem, rozciągał się mroczny ogród, rzeczywiście przypominający labirynt. Między klombami egzotycznych sukulentów, krzewów oraz przeróżnych roślin tropikalnych i pustynnych biegły wąskie ścieżki wysypane białym żwirem.

Tam, gdzie ogród stykał się z plażą, widać było marmurowy taras z ogromnym, podświetlonym basenem, którego woda mieniła się turkusowym blaskiem. Basen oddzielały od morza białe, fantastycznie powyginane, rzeźbione ściany, gdzieniegdzie zdobne w łuki, przez które majaczyły niewyraźne zarysy piaszczystej plaży. Dalej były już tylko białe grzywy fal sunące przed siebie i rozbijające się o brzeg. Na szczycie przypominającej pajęczynę ściany wznosiła się wysoka wieża z cegły, zwieńczona kopułą w kształcie cebuli. Z takich to właśnie wież muezzini zwoływali wiernych na wieczorną modlitwę. Wodziłam wzrokiem po całym ogrodzie, gdy nagle to zobaczyłam. Trwało to krótką chwilę. Promyk światła z basenu odbił się w szprychach koła roweru, który zaraz znikł w gęstwinie liści.

Zamarłam w bezruchu na stopniu schodów, przeczesując wzrokiem cały ogród, basen i plażę oraz czujnie nasłuchując najlżejszych dźwięków. Lecz niczego nie usłyszałam. Nic nigdzie nawet nie drgnęło. Nagle poczułam na ramieniu czyjąś dłoń i o mało co nie wyskoczyłam ze skóry.

– Przepraszam, madame – powiedział kelner, dziwnie mi się przyglądając. – Recepcjonista życzył sobie, bym powiadomił panią o poczcie, która przyszła na pani nazwisko jeszcze przed pani przyjazdem. Zapomniał pani wcześniej o tym powiedzieć. – Wręczył mi gazetę opakowaną w szary papier i kopertę, która najprawdopodobniej zawierała teleks. – Życzę przyjemnego wieczoru – dodał i odszedł.

Jeszcze raz rzuciłam okiem na ogród; zapewne to moja wyobraźnia płatała mi figle. Lecz nawet jeśli to, co widziałam, było prawdą, to przecież w Algierii ludzie też jeżdżą na rowerach.

Wróciłam do oświetlonego klubu i usiadłam przy stoliku. Teleks brzmiał następująco: *Przeczytaj część G5*. Podpisu nie było, lecz gdy otworzyłam gazetę, od razu domyśliłam się, kto jest nadawcą. Było to niedzielne wydanie „New York Timesa", które jakimś cudem pokonało w krótkim czasie tak wielką odległość. Drogi sióstr miłosierdzia są doprawdy dziwne i tajemnicze.

Poszukałam części G5, poświęconej sportowi, gdzie znalazłam artykuł o turnieju szachowym.

TURNIEJ SZACHOWY ODWOŁANY
SAMOBÓJSTWO ARCYMISTRZA
KWESTIONOWANE

Nowojorski Wydział Zabójstw zajął się badaniem okoliczności samobójstwa arcymistrza szachowego, Anthony'ego Fiskego, którego śmierć wywołała zaskoczenie w świecie szachowym. Biuro koronera wydało dziś oświadczenie, w którym stwierdza się, że niemożliwością jest, by sześćdziesięciosiedmioletni arcymistrz brytyjski targnął się na swoje życie. Śmierć nastąpiła w wyniku „przerwania odcinka szyjnego kręgosłupa wywołanego jednoczesnym naciskiem na szyję i siódmy kręg szyjny". Doktor Osgood, oficjalny lekarz turnieju, który jako pierwszy zbadał denata i wyraził podejrzenia co do okoliczności jego śmierci, stwierdził, iż spowodowanie takich obrażeń możliwe jest tylko, pod warunkiem że ofiara „stanie wcześniej z tyłu i własnoręcznie skręci sobie kark".

Radziecki arcymistrz Aleksander Solarin już w trakcie pojedynku zauważył „dziwne zachowanie" Fiskego. Ambasada radziecka zażądała immunitetu dyplomatycznego dla kontrowersyjnego arcymistrza, który nie zgodził się na jego przyjęcie, ponownie wywołując duże poruszenie (Patrz: Artykuł A6). Solarin jako ostatni widział Fiskego i podpisał na policji odpowiednie oświadczenie.

Sponsor turnieju John Hermanold wydał oświadczenie, w którym wyjaśnia decyzję zawieszenia turnieju. Dzisiaj stwierdził, jakoby Fiske od dawna borykał się z narkomanią, i zasugerował policji, by zajęła się tym środowiskiem, co może doprowadzić do wyjaśnienia nie wytłumaczonego zabójstwa.

Aby udzielić pomocy w śledztwie, organizatorzy turnieju przekazali policji nazwiska i adresy sześćdziesięciu trzech osób, zarówno sędziów, jak i graczy, obecnych na zamkniętej sesji w niedzielę w Metropolitan Club.

(W przyszłym tygodniu w niedzielnym wydaniu „Timesa" znajdzie się artykuł „Anthony Fiske – życie arcymistrza".)

Tak więc wszystko wyszło na jaw, a nowojorska policja węszy w poszukiwaniu tropu. Trochę się przeraziłam, uświadomiwszy sobie, że manhattańskie gliny mają teraz i moje nazwisko, lecz uspokoiła mnie myśl, że przecież niewiele mogą, co najwyżej zażądać mojej ekstradycji z Afryki Północnej. Ciekawe, czy i Lily udało się wyrwać z rąk inkwizycji. W tej kwestii Solarinowi nie powiodło się najlepiej. Aby dowiedzieć się czegoś więcej, otworzyłam gazetę na stronie A6.

Ku mojemu zaskoczeniu znalazłam tam „wyjątkowy wywiad" na dwie kolumny, pod prowokacyjnym tytułem: ROSJANIE TWIERDZĄ, ŻE NIE MAJĄ NIC WSPÓL-

NEGO ZE ŚMIERCIĄ BRYTYJSKIEGO ARCYMI-STRZA. Przebiegłam wzrokiem co bardziej plotkarskie frag-menty, gdzie opisywano Solarina za pomocą takich epitetów jak „charyzmatyczny" i „tajemniczy" oraz wspominano o jego bogatym życiorysie i nagłym odwołaniu z Hiszpanii. Udało mi się jednak wyłowić pewne fakty, które uświadomiły mi kil-ka spraw.

Po pierwsze Solarin nie zaprzeczał, że ma coś wspólnego z całą sprawą. Dopiero teraz dowiedziałam się, że rozmawiał z Fiskem tuż przed jego śmiercią. Jednak Rosjanie wcześniej się zorientowali i narobili strasznego zamieszania, żądając im-munitetu dyplomatycznego i waląc butem w stół.

Solarin odmówił przyjęcia immunitetu (niewątpliwie znał całą procedurę) i podkreślił swoją wolę współpracy z miej-scową policją. Rozbawiła mnie jego odpowiedź na pytanie o rzekomą narkomanię Fiskego: „Może John (Hermanold) ma jakieś własne źródła informacji? Przecież sekcja zwłok nie wykazała obecności żadnych środków chemicznych we krwi", co miało sugerować, że Hermanold kłamie albo jest dilerem.

Jednak z niebywałym zdumieniem przeczytałam opis mor-derstwa z perspektywy Solarina. Wynikało z niego, że prak-tycznie nie było szansy, by ktokolwiek – prócz niego samego – mógł wejść do toalety i zabić Fiskego. Nie było na to ani czasu, ani możliwości, ponieważ Solarin i sędziowie blokowa-li jedyną drogę ucieczki. Teraz naprawdę żałowałam, że przed wyjazdem z Nowego Jorku nie zdobyłam więcej szczegółów na temat rozkładu pomieszczeń w całym budynku. Szansa jeszcze istniała, pod warunkiem jednak że złapałabym Nima. Mógłby pójść do klubu i wyświadczyć mi tę przysługę.

Tymczasem poczułam, że opanowuje mnie senność. Mój ze-gar wewnętrzny mówił, że w Nowym Jorku jest teraz czwar-ta po południu i że nie spałam już od dwudziestu czterech godzin. Zabrawszy ze stołu pocztę i klucze, wyszłam na ze-wnątrz i ruszyłam schodami do ogrodu. Przy najbliższej ścia-nie natrafiłam na górujące nad ogrodem oszałamiająco wonne kapryfolium z czarnymi, błyszczącymi liśćmi. Jego nawosko-wane kwiaty w kształcie trąbek przywodziły na myśl odwró-cone do góry nogami narcyzy. Otwierały się przy świetle księ-życa i wydzielały ciężką, zmysłową woń.

Po chwili byłam już na górze i otwierałam drzwi. W środku paliły się lampki. Był to duży pokój, wyłożony terakotą, z ozdobionymi sztukaterią ścianami, a przez oszklone drzwi, ponad wierzchołkiem krzewu kapryfolium, widać było morze. Łóżko przykrywała wełniana narzuta. Podłogę pokrywał gruby dywan.

W łazience znalazłam dużą wannę, umywalkę, ubikację i bidet. Prysznicu niestety nie było. Gdy odkręciłam kran, popłynęła z niego zimna, czerwonawa woda. Poczekałam jeszcze kilka minut, lecz ani kolor, ani temperatura owej cieczy nie uległy zmianie. Wspaniale. Kąpiel w lodowatej rdzy, to dopiero atrakcja!

Zostawiwszy odkręcony kran, wróciłam do pokoju i otworzyłam szafkę. Moje ubrania były starannie rozpakowane i równiutko powieszone, a wszystkie torby złożone na dnie. Pomyślałam, że tutaj naprawdę uwielbiają grzebać w cudzych rzeczach. Nie miałam jednak nic do ukrycia, a przynajmniej nic takiego, co można by ukryć w torbie podróżnej. Przygoda z aktówką była dla mnie nauczką.

Podniosłam słuchawkę i gdy zgłosiła się centrala hotelowa, podałam numer komputera Nima w Nowym Jorku. Poprosiłam, by oddzwoniono do mnie natychmiast po uzyskaniu połączenia. Zdjęłam ubranie i wróciłam do łazienki – wanna była już wypełniona trzycalową warstwą metalowych opiłków. Z ciężkim westchnieniem weszłam do środka i ostrożnie usiadłam.

Właśnie zdrapywałam z siebie pieniste mydło, gdy zadzwonił telefon. Owinąwszy się podniszczonym ręcznikiem, poczłapałam do sypialni i podniosłam słuchawkę.

– Jestem wręcz przybity, madame – powiedział strapionym tonem telefonista – ale pani numer nie odpowiada.

– Jak to „nie odpowiada"? Przecież w Nowym Jorku jest teraz środek dnia. Zresztą podałam panu numer służbowy. – Komputer Nima był włączony dwadzieścia cztery godziny na dobę.

– Nie, madame, m i a s t o nie odpowiada.

– Miasto? M i a s t o Nowy Jork nie odpowiada? – Przecież od mojego wyjazdu Nowy Jork nie zapadł się pod ziemię. – Pan chyba żartuje. Przecież w Nowym Jorku jest dziesięć milionów ludzi.

– Może telefonista poszedł spać – odpowiedział z miażdżącą logiką. – A może, skoro jest tak wcześnie, właśnie wyszedł na obiad.

Bienvenue en Algérie, pomyślałam sobie. Wyraziwszy telefoniście wdzięczność za jego trud, odłożyłam słuchawkę na widełki i obeszłam pokój, gasząc wszystkie lampki. Potem podeszłam do oszklonych drzwi i otworzyłam je na oścież, a do środka buchnęła oszałamiająca woń kapryfolium.

Stałam wpatrzona w gwiazdy migoczące nad taflą morza. Z tego miejsca wydawały się zimne i dalekie jak kamyki przyczepione do ciemnogranatowego sukna. Zdałam sobie sprawę, jak bardzo daleko jestem od znajomych mi ludzi i miejsc i jak – nawet tego nie czując – zanurzyłam się w całkowicie nowy świat.

W końcu weszłam do środka, wczołgałam się między wilgotne prześcieradła i zasnęłam, wpatrzona w gwiazdy świecące nad wybrzeżem Czarnego Lądu.

Gdy usłyszałam pierwszy dźwięk i otworzyłam oczy w całkowitych ciemnościach, zdawało mi się, że śnię. Błyszczący cyferblat budzika przy łóżku wskazywał dwadzieścia minut po północy. Ale przecież w moim mieszkaniu w Nowym Jorku nie ma budzika. Powoli uświadomiłam sobie, gdzie jestem, i odwróciłam się na drugi bok, lecz właśnie wtedy ponownie usłyszałam za oknem ten sam dźwięk: lekki, metaliczny brzęk rowerowego łańcucha.

Jak zupełna idiotka nie zamknęłam okien wychodzących na morze. Tam właśnie, w cieniu drzewa, rysowała się postać mężczyzny z rowerem, oświetlona od tyłu bladą poświatą księżyca. A więc to nie był sen!

Choć serce waliło mi w piersi, zeszłam cicho z łóżka i przeczołgałam się po podłodze, by zamknąć okna. Jednak natychmiast uświadomiłam sobie dwa problemy: po pierwsze, nie miałam pojęcia, gdzie umieszczone są klamki (jeżeli w ogóle istniały), a po drugie, nic na sobie nie miałam. Niech to diabli. Trudno, żebym teraz zaczęła tańczyć po całym pokoju, szukając bielizny. Gdy dotarłam do celu, rozpłaszczyłam się przy ścianie i zaczęłam macać ręką, próbując znaleźć te przeklęte klamki.

Naraz usłyszałam chrzęst żwiru – owa tajemnicza postać, oparłszy rower o ścianę, ruszyła w kierunku okna.

– Nie wiedziałem, że pani sypia nago – wyszeptał. Od razu rozpoznałam ten miękki, słowiański akcent. To był Solarin. Poczułam w mroku, że się czerwienię, i przez całe moje ciało przeszła fala gorąca. Sukinsyn.

Po chwili już wspinał się na parapet. Boże święty, on chce wejść do środka! Dałam susa w kierunku łóżka, zdarłam prześcieradło i błyskawicznie się nim owinęłam.

– A cóż, u diabła, pan tutaj robi? – krzyknęłam.

Solarin wskoczył do pokoju, zsunął okna i zamknął je.

– Czyżby nie znalazła pani mojej kartki? – spytał, opuszczając rolety i robiąc kilka kroków w moją stronę.

– Czy zdaje sobie pan sprawę, która jest godzina? – bełkotałam, widząc, że podchodzi coraz bliżej. – Jak pan się tu dostał? Przecież jeszcze wczoraj był pan w Nowym Jorku...

– Pani też – powiedział Solarin i zapalił światło. Obrzuciwszy mnie uważnym spojrzeniem, uśmiechnął się, po czym rozsiadł się na łóżku, jakby był u siebie. – Lecz teraz oboje jesteśmy tutaj. Sami. W tym uroczym, nadmorskim otoczeniu. Czyż to nie romantyczne? – Jego srebrnozielone oczy lśniły w świetle lampy.

– Romantyczne? – powtórzyłam wściekle, owijając się z godnością prześcieradłem. – Nie mogę powiedzieć, że przepadam za pańskim towarzystwem. Za każdym razem, gdy pana widzę, ktoś w pobliżu żegna się z tym światem...

– Proszę uważać – rzekł – te ściany mogą mieć uszy. Niech się pani ubierze. Pójdziemy tam, gdzie można normalnie porozmawiać.

– Pan zwariował. Nie ruszę się stąd nawet na krok, a zwłaszcza z p a n e m! A oprócz... – On jednak postawił mnie na nogi i chwycił jedną ręką za prześcieradło, jakby zamierzał je odwinąć.

– Niech się pani ubiera albo sam to zrobię – powiedział z krzywym uśmiechem.

Czułam, jak krew napływa mi do twarzy. Wyrwałam się i ruszyłam z godnością w kierunku garderoby, chwytając po drodze jakieś części odzieży. Potem pobiegłam do łazienki, żeby spokojnie się przebrać. Gdy zatrzaskiwałam drzwi, aż się we mnie gotowało z wściekłości. Co on sobie wyobraża, że może mnie nachodzić, kiedy mu się żywnie podoba, wyrywać mnie ze snu i zmuszać, żebym... Tylko że przystojny jest jak cholera. Ale czego on chce? Dlaczego tak za mną jeździ, gotów przemierzyć pół świata? I co tak naprawdę robił z tym rowerem?

Włożyłam dżinsy, miękki, czerwony, kaszmirowy sweter i moje stare, poszarpane espadryle. Gdy wróciłam do pokoju, Solarin siedział na brzegu rozkopanego łóżka i grał w szachy na kieszonkowej szachownicy Lily, którą niewątpliwie znalazł, przeszukując moje rzeczy. Podniósł na mnie wzrok i uśmiechnął się.

– Kto wygrywa? – spytałam.

– Ja – odparł poważnie. – Ja zawsze wygrywam. – Wstał, obrzucił ostatnim spojrzeniem ustawienie figur na szachownicy, po czym wyjął z mojej garderoby marynarkę i podał mi ją. – Bardzo ładnie pani wygląda. – I choć nie jest pani tak elegancka jak za pierwszym razem, sądzę, że jest to najodpowiedniejszy strój na nocny spacer po plaży.

– Jeśli sądzi pan, że wybiorę się na wędrówkę po pustej plaży, to chyba pan zwariował.

– To niedaleko – powiedział, ignorując moje słowa. – Zabieram panią do kabaretu. Serwują tam herbatę miętową i taniec brzucha. Ogromnie się pani spodoba.

Potrząsnęłam głową i wyszłam za nim z pokoju. Solarin zamknął drzwi skonfiskowanym mi kluczem, który zaraz włożył do kieszeni.

W silnym świetle księżyca jego włosy nabierały srebrzystej barwy, a oczy stawały się półprzezroczyste. Idąc wąską plażą, zobaczyłam rozświetloną linię wybrzeża. Fale z cichym pluskiem obmywały piasek.

– Czytała pani gazetę, którą przysłałem? – spytał.

– To pan ją przysłał? Ale dlaczego?

– Chciałem panią poinformować, że wykryto, iż Fiske został zamordowany. Tak jak mówiłem.

– Śmierć Fiskego nie ma nic wspólnego ze mną – powiedziałam, wytrząsając piasek z butów.

– Ależ jak najbardziej ma, co też usiłuję pani wytłumaczyć. Czy sądzi pani, że podróżowałem sześć tysięcy mil po to tylko, żeby zerknąć do pani sypialni? – spytał zniecierpliwiony. – Mówiłem, że jest pani w niebezpieczeństwie. Mój angielski jest może daleki od doskonałości, lecz przecież nie mówię tak źle, żeby nie mogła mnie pani zrozumieć.

– Jeżeli grozi mi jakieś niebezpieczeństwo, to chyba wyłącznie z pańskiej strony – odpaliłam. – Skąd mam wiedzieć, że to nie pan zabił Fiskego? Jeśli pan sobie przypomina, to przy okazji naszego poprzedniego spotkania ukradł pan moją teczkę i zostawił w towarzystwie zwłok szofera mojej koleżanki. Skąd mogę mieć pewność, że to nie pan zabił również Saula i nie zostawił mnie w tej całej sytuacji?

– To ja zabiłem Saula – powiedział cicho Solarin. Gdy stanęłam jak wryta, spojrzał na mnie z zaciekawieniem. – A któż inny mógł to zrobić?

Zamurowało mnie. Stałam jak skamieniała, a krew dosłownie ścięła mi się w żyłach. Oto spacerowałam sobie po pustej plaży w towarzystwie mordercy.

– Powinna mi pani być wdzięczna za to, że wziąłem pani teczkę – ciągnął Solarin. – Mogła panią wplątać w to całe morderstwo. Miałem niezłe przejścia, żeby ją pani zwrócić.

Nie wytrzymałam nerwowo; wciąż jeszcze miałam przed oczami bladą twarz Saula na tej kamiennej płycie, a teraz już wiedziałam, że to Solarin go tam położył.

– Wielkie dzięki – wybuchnęłam z wściekłością. – Co pan, do cholery, opowiada: że zabił pan Saula? Jak pan śmie przyprowadzać mnie tutaj, a potem przyznawać się do zabójstwa niewinnego człowieka?!

– Proszę tak nie krzyczeć – rzekł Solarin, chwytając mnie za ramię i wbijając we mnie zimny wzrok. – A może wolałaby pani, żeby to on mnie zabił?

– Saul? – spytałam, starając się z całych sił, żeby zabrzmiało to jak pogardliwe prychnięcie. Potem wyrwałam się z jego uścisku i ruszyłam z powrotem plażą. Jednak Solarin dopadł mnie raz jeszcze i obrócił twarzą do siebie.

– Staram się panią chronić, lecz ten cały interes, jak by to ujęli Amerykanie, staje się coraz bardziej upierdliwy – powiedział.

– Obejdę się bez pańskiej ochrony, wielkie dzięki – odpaliłam. – A już tym bardziej, jeśli otrzymuję ją od mordercy. Więc niech pan sobie wraca i powie tym, którzy pana wysłali...

– Niech pani posłucha – rzucił Solarin z furią. Złapał mnie za ramiona, ściskając je jak w potwornym imadle. Jednocześnie patrzył gdzieś w górę i głęboko oddychał. Niewątpliwie liczył do dziesięciu. – Niech pani posłucha. – Tym razem zabrzmiało to nieco spokojniej. – A gdybym tak zdradził pani, że to właśnie Saul zabił Fiskego? I że to ja byłem jedyną osobą mogącą o tym zaświadczyć i że dlatego właśnie Saul chciał mnie zabić? Czy wtedy zechciałaby mnie pani wysłuchać?

Wpatrywał się we mnie swoimi bladozielonymi oczami, ale nie potrafiłam nawet zebrać myśli. Wszystko mi się plątało. Saul mordercą? Zamknęłam oczy i próbowałam myśleć, lecz nic mi nie wychodziło.

– Dobra, niech pan strzela – palnęłam, by za chwilę pożałować swoich słów.

Solarin uśmiechnął się do mnie. Nawet przy świetle księżyca wyczuwało się, że to uśmiech promienny.

– W takim razie musimy iść – powiedział. Wciąż trzymając dłoń na moim ramieniu, prowadził mnie wzdłuż plaży. – Kiedy się nie poruszam, zupełnie nic mi nie wychodzi: ani myślenie, ani mówienie, ani gra w szachy.

Przez chwilę szliśmy w milczeniu, a Solarin zbierał myśli.

– Chyba najlepiej będzie, jeśli zacznę od początku – odezwał się wreszcie. Tylko skinęłam głową. – Przede wszystkim powinna pani zrozumieć, że ten turniej, na którym mnie pani spotkała, zupełnie mnie nie interesował. Mój rząd stwierdził, iż będzie to doskonały pretekst, aby przyjechać do Nowego Jorku, gdzie miałem ważne sprawy do załatwienia.

– A jakież to sprawy?

– O tym później. – Szliśmy powoli brzegiem, brodząc w falach, gdy naraz Solarin pochylił się i wygrzebał z piasku małą, ciemną muszelkę opalizującą w blasku księżyca. – Wszędzie jest życie – zadumał się i podał mi tę delikatną muszlę. – Nawet na dnie mórz. I wszędzie niszczy je głupota człowieka.

– Temu mięczakowi nikt nie skręcił karku – zauważyłam. – Czy jest pan kimś w rodzaju zawodowego mordercy? Jak można przebywać z człowiekiem w pokoju przez pięć minut, a potem go sprzątnąć? – mówiąc to, rzuciłam muszelkę w morze, najdalej jak mogłam.

Solarin westchnął i poszliśmy dalej.

– Gdy zdałem sobie sprawę, że Fiske oszukuje podczas turnieju – zaczął wreszcie, a w jego głosie wyczuwało się wyraźne napięcie – chciałem wiedzieć, kto go wynajął i dlaczego. Więc Lily miała rację, pomyślałam sobie. Nie odezwałam się jednak ani słowem.

– Domyśliłem się, że stoi za tym ktoś inny, dlatego przerwałem grę i poszedłem za nim do toalety. Przyznał się do tego i jeszcze kilku innych spraw. Dał mi do zrozumienia, kto za tym stoi i dlaczego.

– A kto to jest?

– Nie powiedział jednoznacznie. Zresztą sam do końca nie wiedział. Zdradził jednak, że człowiek, który mu groził, wiedział, że będę na tym turnieju. Tylko jedna osoba wiedziała o moim przyjeździe: ta, z którą mój rząd poczynił wszystkie ustalenia. Sponsor tego turnieju...

– Hermanold! – wykrzyknęłam.

Solarin skinął głową i kontynuował:

– Fiske powiedział mi również, że Hermanold albo jego współpracownicy chcieli zdobyć wzór, o który założyłem się dla żartu w Hiszpanii. Powiedziałem wtedy, że temu, kto mnie pokona, wyjawię tajemny wzór, a ci durnie, łudząc się, że oferta nadal jest aktualna, wystawili Fiskego przeciwko mnie i tak nim kierowali, żeby nie mógł przegrać. A gdyby cokolwiek w grze miało pójść nie po ich myśli, Hermanold ustalił z Fiskem, że spotkają się w męskiej toalecie w Canadian Club, gdzie nikt nie będzie ich słyszał...

– Ale Hermanold wcale nie zamierzał się z nim tam spotykać – dokończyłam. Fragmenty zaczynały powoli do siebie pasować, choć nie byłam jeszcze w stanie dostrzec całości. – Ustalił, że ktoś inny będzie tam na niego czekał, a przynajmniej tak wynika z tego, co pan mówi. Ktoś, kogo nieobecności wśród uczestników nikt nie zauważy.

– Właśnie – potwierdził Solarin. – Ale nie spodziewali się, że ja pójdę tam za Fiskem. Cały czas deptałem mu po piętach. Morderca, który czaił się w korytarzu, na pewno słyszał każde nasze słowo. Wtedy jednak sprawy zaszły tak daleko, że nie wystarczyło już zagrozić Fiskemu. Gra była skończona. Trzeba go było niezwłocznie zlikwidować.

– Perfekcyjne zakończenie sprawy – powiedziałam.

Spojrzałam w zamyśleniu na ciemną powierzchnię morza. To wszystko było jak najbardziej prawdopodobne, przynajmniej w teorii. Ponadto dysponowałam kilkoma elementami tej układanki, o których Solarin nie miał najmniejszego pojęcia. Na przykład Hermanold nie spodziewał się, że na turnieju pojawi się Lily, która z zasady nigdy tego nie robi. Jednak gdy przybyłyśmy do Metropolitan Club, nalegał, żeby została, a gdy zagroziła, że opuszcza lokal (razem z samochodem i szoferem), wpadł w prawdziwą panikę. Jego zachowanie można było wytłumaczyć tylko w jeden sposób, a mianowicie taki, że liczył w pewnej kwestii na Saula. Ale dlaczego na Saula?... Może Saul wiedział więcej o szachach, niż ktokolwiek przypuszczał? A może to on, siedząc w limuzynie, grał za Fiskego przez nadajnik! Jeśli to prawda, to nikt chyba tak naprawdę nie znał szofera Harry'ego.

Teraz Solarin uzupełniał wszystkie luki w mojej wiedzy, mówiąc o tym, jak po raz pierwszy spostrzegł sygnet na palcu Fiskego, jak poszedł za nim do toalety, jak dowiedział się o jego wspólnikach w Anglii i o tym, czego szukają. I potem jeszcze o tym, jak uciekał, gdy Fiske wrzucił sygnet do umywalki, gdyż myślał, że jest w nim materiał wybuchowy. Mimo iż wiedział o tym, że za przyjazdem Fiskego na turniej kryje się Hermanold, to nie Hermanold był osobą, która zamordowała Fiskego i usunęła sygnet z umywalki. Przecież widziałam na własne oczy, że ani na chwilę nie opuścił Metropolitan Club.

– Gdy wróciłyśmy z Lily do samochodu, Saula tam nie było – przyznałam niechętnie. – Więc rzeczywiście miał okazję, choć trudno mi się domyślić motywów tego kroku... Ale tak naprawdę, sądząc po tym, co pan mówi, nawet nie miał jak wydostać się z Canadian Club i wrócić do samochodu, ponieważ pan wraz z sędziami zablokował jedyną drogę ucieczki. To by wyjaśniało, dlaczego nie mogłyśmy go nigdzie znaleźć. – To by zresztą wyjaśniało znacznie więcej, pomyślałam. Na przykład te kule w karoserii samochodu!

Jeśli opowieść Solarina miała sens, a Hermanold wynajął Saula, żeby zabił Fiskego, to nie mógł dopuścić do sytuacji, w której Lily i ja wracamy do klubu, by szukać szofera! Jeżeli poszedł na górę do sali i zobaczył, że stoimy przy samochodzie, zastanawiając się, co począć, musiał nas jakoś nastraszyć!

– A więc to Hermanold poszedł na górę do sali, gdy nikogo tam nie było, wyjął pistolet i zaczął strzelać do naszego samochodu! – wykrzyknęłam, chwytając Solarina za ramię.

Wpatrywał się we mnie zdumiony, pewnie zastanawiał się, jak na to wpadłam.

– To by również wyjaśniało, dlaczego Hermanold powiedział dziennikarzom, że Fiske był narkomanem – dodałam. – W ten sposób odwrócił uwagę od siebie i skierował ją na jakiegoś anonimowego handlarza narkotyków!

Solarin wybuchnął śmiechem.

– Znam faceta, nazwiskiem Brodski, który z rozkoszą by panią zatrudnił – powiedział. – Ma pani umysł stworzony do pracy wywiadowczej. A teraz, skoro wie pani wszystko to, co ja wiem, chodźmy się czegoś napić.

W tej chwili dostrzegłam na krańcu plaży wielki namiot rozbity na piasku i ozdobiony sznurami błyszczących światełek.

– Nie tak szybko – rzekłam, znów łapiąc go za ramię. – Nawet jeśli przyjmiemy, że to Saul sprzątnął Fiskego, i tak pozostaje kilka spraw do wyjaśnienia. Jaki wzór miał pan w Hiszpanii i dlaczego tak bardzo chcieli go zdobyć? W jakich sprawach przyjechał pan do Nowego Jorku? Jak to się stało, że zwłoki Saula wylądowały w UN Plaza?

W oddali majaczył wielki namiot w czerwono-białe pasy, wysoki na jakieś trzydzieści stóp. Przy wejściu stały dwie palmy w mosiężnych donicach, a między nimi biegł długi chodnik w niebiesko-złote zakrętasy, osłonięty płócienną markizą. Ruszyliśmy w tamtą stronę.

– Miałem umówione spotkanie w UN Plaza – powiedział Solarin. – Nie zdawałem sobie sprawy, że Saul depcze mi po piętach, dopóki pani nie zjawiła się między nami.

– Więc to pan był tym człowiekiem na rowerze! – wykrzyknęłam. – Ale przecież pana ubranie...

– Spotkałem się z naszym człowiekiem – przerwał mi. – Ona zorientowała się, że pani mnie śledzi, a za panią podąża Saul... – (A więc ta stara kobieta z gołębiami była tym „naszym człowiekiem"!) – Spłoszyliśmy te ptaki dla kamuflażu – ciągnął Solarin. – Dałem susa pod schody za gmachem UN Plaza i poczekałem, aż pani mnie minie. Potem zawróciłem i ruszyłem za Saulem. Zdążył już wejść do budynku, ale nie byłem pewien gdzie. Jadąc windą na dół, przebrałem się; pod spodem miałem inne ubranie. Gdy wróciłem na górę, zobaczyłem, że wchodzi pani do Sali Medytacji. Nie zdawałem sobie sprawy z obecności Saula, który słyszał każde nasze słowo.

– W Sali Medytacji?

Od wejścia do namiotu dzieliły nas jardy. Mimo iż byliśmy ubrani w dżinsy i swetry i nie wyglądaliśmy elegancko, weszliśmy do środka tak dumnym krokiem, jakbyśmy właśnie zajechali limuzyną pod hotel El Marocco.

– Moja droga – powiedział Solarin, gładząc mnie po włosach dokładnie tak samo, jak robił to Nim – jest pani ogromnie naiwna. Wprawdzie pani mogła nie zrozumieć przekazywanych przeze mnie ostrzeżeń, lecz Saul z pewnością je zrozumiał. Gdy pani opuściła salę, on wyskoczył zza kamiennej płyty i rzucił się na mnie. Wiedziałem, że dowiedział się wystarczająco wiele, żeby i panią wpędzić w tarapaty. Usunąłem jedynie tę teczkę, żeby jego poplecznicy nie domyślili się, że pani tam była. Później nasz człowiek przekazał mi wiadomość do hotelu, informując mnie, jak ją zwrócić.

– Ale skąd ona wiedziała... – zaczęłam.

Solarin uśmiechnął się i raz jeszcze zmierzwił moje włosy. W tej samej chwili do stolika podszedł majordomus, żeby nas powitać. Solarin wręczył mu sto dinarów napiwku. Zarówno majordomus, jak i ja otworzyliśmy szeroko oczy. W tym kraju pięćdziesiąt centów stanowiło przyzwoity napiwek, więc mogliśmy być pewni, że taka suma zapewni nam najlepszy stolik w całym lokalu.

– W głębi serca jestem kapitalistą – szepnął mi do ucha Solarin, gdy ruszyliśmy za majordomusem do wnętrza ogromnej gospody.

Jak okiem sięgnąć, całą podłogę pokrywały słomiane maty położone bezpośrednio na piasku. Na nich dopiero ułożono wielkie perskie dywany o głębokich kolorach, a na nich z kolei rozrzucono puchate poduszki wyszywane błyszczącymi nićmi. Funkcję parawanów między stolikami pełniły gęste palmy w donicach, zmieszane z grubymi kępami pawich i strusich piór połyskujących w łagodnym świetle. Tu i ówdzie ze słupów podtrzymujących namiot zwisały mosiężne latarnie z otworami tworzącymi przeróżne desenie, które rzucały dziwne cienie na połyskujące poduszki. Czułam się, jakbym weszła do kalejdoskopu.

Na samym środku mieściła się duża, okrągła scena, oświetlona reflektorami, na której jakiś zespół grał dziwną, szaloną muzykę, jakiej nigdy wcześniej nie słyszałam. Wśród instrumentów dostrzegłam długie, owalne bębny o mosiężnych bokach, wielkie dudy ze zwierzęcych skór, flety, klarnety i rozmaitej maści dzwoneczki. Grając, muzycy wykonywali jakiś dziwny taniec, posuwając się powolnym, kolistym ruchem.

Solarin i ja dostaliśmy miejsca na stosie miękkich poduszek, przy miedzianym stole umieszczonym nieopodal sceny. Było tak głośno, że nie mogłam go o nic zapytać, więc pogrążyłam się w myślach, gdy tymczasem mój towarzysz wywrzaskiwał zamówienia do ucha przechodzącego kelnera.

Co to był za wzór, który Hermanold tak bardzo pragnął zdobyć? Kim była ta kobieta z gołębiami i skąd wiedziała, gdzie Solarin może mnie znaleźć, by oddać mi moją aktówkę? Co też sprowadzało Solarina do Nowego Jorku? Jeśli Saula widziano po raz ostatni na kamiennej płycie w UN Plaza, to jakim sposobem znalazł się w końcu w East River? I wreszcie, co to wszystko, u diabła, ma wspólnego ze mną?

Drinki podano akurat w momencie, gdy orkiestra zrobiła sobie przerwę. Do dwóch dużych kieliszków amaretto, podgrzanych jak brandy, zaserwowano herbatę w dzbanku z długim dzióbkiem. Kelner wlał z dużej wysokości parującą ciecz do filiżanek ustawionych na maleńkich spodeczkach, nie uroniwszy przy tym ani kropli. Gdy zostaliśmy sami, Solarin wzniósł toast filiżanką miętowej herbaty.

– Za Grę – powiedział z tajemniczym uśmiechem.

Zesztywniałam.

– Nie mam pojęcia, o czym pan mówi – skłamałam, usiłując przypomnieć sobie rady Nima na temat wykorzystywania ataków przeciwnika. A cóż on, u diabła, wie o tej całej grze?

– Moja droga – rzekł miękko, podnosząc mój kieliszek i przystawiając mi go do ust – gdyby pani naprawdę nie wiedziała, nie siedzielibyśmy tu w tej chwili.

Bursztynowy płyn wlał mi się powoli do gardła, a kilka kropli pociekło mi po brodzie. Solarin uśmiechnął się, wytarł je palcem, po czym odstawił kieliszek na tacę. Nie patrzył na mnie, lecz głowę trzymał tak blisko, że dokładnie słyszałam każde wyszeptane przez niego słowo.

– To najniebezpieczniejsza gra na świecie – zamruczał tak miękko, że nikt nie mógł go usłyszeć. – Zostaliśmy wybrani, oboje, i musimy odegrać swoje role...

– Jak to „wybrani"? – spytałam, lecz nim zdążył odpowiedzieć, uderzono w cymbały i kotły, a na scenę wbiegli truchtem muzycy. Za nimi pojawił się pułk tancerzy w ubraniach z bladoniebieskiego aksamitu, przypominających stroje kozackie, i bufiastych spodniach wciśniętych w cholewy wysokich butów. W pasie przewiązani byli grubymi sznurami, a chwosty na końcach odbijały się w tańcu od ich bioder i podskakiwały w powolnym, egzotycznym rytmie. Klarnety i fujarki grały miękką, falującą melodię, przypominającą tę, na której dźwięk skręcone kobry wysuwają się ospale ze swoich koszy.

– Podoba się pani? – szepnął Solarin. Skinęłam głową. – To muzyka Kabylów – wyjaśnił. Melodia wiła się w powietrzu krętą linią. – Pochodzi z Atlasu Wysokiego, pasma gór biegnącego przez Algierię i Maroko. Niech pani zwróci uwagę na tego tancerza w środku: ma jasne włosy i blade oczy, sokoli nos i mocno zarysowany podbródek, jak postacie na rzymskich monetach. To charakterystyczne cechy Kabylów – w niczym nie przypominają Beduinów...

Od jednego ze stolików wstała starsza kobieta i weszła tanecznym krokiem na scenę, ku uciesze pozostałych gości zachęcających ją okrzykami. Mimo pełnej godności postawy, długiej, szarej szaty z wstawkami i sztywnej, lnianej woalki, poruszała się lekko i zwinnie, a zmysłowość jej ruchów nie uszła uwagi tancerzy. Zaczęli krążyć wokół niej, kręcąc biodrami, a chwosty opasujących ich sznurów raz po raz muskały ją pieszczotliwie.

Temperatura na sali, i tak już bardzo wysoka, wzrosła jeszcze bardziej, gdy kobieta zbliżyła się giętko do głównego tancerza, wyjęła kilka banknotów z fałdów swej sukni i wsunęła je dyskretnie za opasujący go sznur, bardzo blisko pachwiny. Następnie, wyraźnie pod publiczkę, przewróciła znacząco oczami, uśmiechając się przy tym szeroko.

Wszyscy wstali z miejsc, klaszcząc szaleńczo w takt muzyki, która narastała, w miarę jak kobieta zbliżała się w tańcu do krawędzi sceny. Stanęła na samym jej skraju, oświetlona z tyłu reflektorem i wyklaskując pożegnalny rytm, odwróciła się w naszą stronę... a mnie zamurowało.

Spojrzałam prędko na Solarina, który przyglądał mi się z uwagą. Potem zerwałam się na równe nogi, a w tej samej chwili tańcząca kobieta, której sylwetka rysowała się wyraziście w srebrnym świetle, zeszła ze sceny i wmieszała się w gęstą mieszaninę ludzi, strusich piór i palmowych liści. Rosnące w donicach palmy mieniły się w blaskach odbitych świateł.

Na ramieniu poczułam żelazny uchwyt Solarina. Stał tuż obok, przywarłszy do mnie całym ciałem.

– Proszę mnie puścić – wycedziłam przez zaciśnięte zęby, gdy kilka osób obrzuciło nas obojętnym spojrzeniem. – Powiedziałam: proszę mnie puścić! Czy pan wie, kto to był?

– A pani? – syknął mi do ucha. – Zwraca pani na siebie uwagę. – Gdy jednak nadal się wyrywałam, otoczył mnie ramionami i trzymał z całej siły, co dla obserwatorów miało wyglądać na czułe przytulenie. – Naraża nas pani na niebezpieczeństwo – szeptał mi do ucha, a był tak blisko, że czułam jego oddech, pachnący migdałami i miętą. – Tak samo jak wtedy, gdy zjawiła się pani na turnieju szachowym; i wtedy, gdy poszła pani za mną do UN Plaza. Nie zdaje sobie pani sprawy, jak wiele ona ryzykuje, przybywając tutaj. Ani jak beztrosko igra pani z życiem innych ludzi.

– Nie, nie zdaję sobie sprawy! – niemal wykrzyknęłam, gdyż jego uścisk stawał się wręcz bolesny. Tancerze wciąż poruszali się w rytm dzikiej muzyki, która zdawała się uderzać w nas falami. – Ale to była ta wróżka i ja muszę ją znaleźć!

– Wróżka? – spytał Solarin ze zdziwieniem, lecz nie poluźnił uchwytu. Wpatrywał się we mnie z napięciem, a jego oczy były teraz ciemnozielone jak najgłębsze morze. Postronny obserwator bez wątpienia wziąłby nas za kochanków. – Nic mi nie wiadomo o tym, by przepowiadała przyszłość – powiedział. – Lecz niewątpliwie dużo o niej wie. To ona wezwała mnie do Nowego Jorku. To ona kazała mi jechać za panią do Algieru. To ona wybrała panią...

– Wybrała! – przerwałam mu. – Wybrała do czego? Nawet nie znam tej kobiety!

Ku memu zdumieniu Solarin rozluźnił uchwyt. Muzyka krążyła wokół nas jak pulsująca mgła. Złapał mnie za nadgarstek, obrócił moją dłoń wnętrzem do góry, uniósł ją i przycisnął usta do miejsca, gdzie krew pulsuje tuż pod skórą. Zrobiło mi się gorąco. Po chwili Solarin podniósł głowę i spojrzał mi w oczy. Odwzajemniając jego spojrzenie, czułam, że miękną mi nogi.

– Spójrz na to – wyszeptał, a wtedy zdałam sobie sprawę, że przesuwa lekko palcem po moim nadgarstku, rysując jakiś kształt.

Nie miałam ochoty w takiej chwili odrywać od niego wzroku.

– Spójrz na to – powtórzył, a ja wreszcie go posłuchałam.

W tym miejscu, gdzie pod skórą pulsuje grubsza żyła, zobaczyłam dwie linie, które łącząc się w wężowym splocie, tworzyły cyfrę osiem.

– Zostałaś wybrana, by odkryć tajemnicę wzoru – powiedział miękko, niemal nie poruszając wargami.

Wzoru! Gdy spojrzał mi w oczy, wstrzymałam oddech.

– Jakiego wzoru? – spytałam szeptem.

– Wzoru Ósemki... – zaczął, lecz nagle zesztywniał, a twarz mu stężała. Zerknął szybko ponad moim ramieniem, skupiony na jakimś punkcie. Puścił mój nadgarstek i zrobił krok w tył, a ja obejrzałam się przez ramię.

Muzycy nadal wybijali swój pierwotny rytm, a tancerze wirowali w egzotycznym zapamiętaniu. Po drugiej stronie sceny w jaskrawym świetle reflektorów stała jakaś postać, wyraźnie nas obserwując. Jeden z reflektorów, obmywając łuk sceny, oświetlił ją na krótką chwilę. To był Szarrif!

Zanim strumień światła popłynął dalej, zauważyłam, że skinął mi głową i uśmiechnął się przyjaźnie. Obejrzałam się na Solarina. Tam, gdzie stał jeszcze przed chwilą, teraz kołysał się powoli liść palmy.

WYSPA

Pewnego dnia tajemnicza grupa ludzi opuściła Hiszpanię i osiedliła się na tym cyplu, który zamieszkuje po dziś dzień. Przybyła z nie znanych nikomu terenów i mówiła nie znanym językiem. Jeden z jej przywódców, rozumiejący trochę po prowansalsku, błagał komunę w Marsylii, by dano im ten nagi i jałowy przylądek, gdzie przybyli, i jak dawni żeglarze, wciągnęli łodzie na brzeg...

Aleksander Dumas,
opisując Korsykę
Hrabia Monte Christo

Przeczuwam, że ta mała wyspa zadziwi kiedyś Europę.

Jan Jakub Rousseau,
opisując Korsykę
Umowa społeczna

Paryż
4 września 1792

Właśnie mijała północ, gdy Mireille pod osłoną ciemności opuściła dom Talleyranda i wtopiła się w duszący aksamit upalnej paryskiej nocy.

Gdy Talleyrand pojął, że nie namówi Mireille, by zmieniła zdanie i została, podarował jej mocnego, zdrowego rumaka i sakiewkę napełnioną monetami – znalazły się tam wszystkie pieniądze, jakie akurat mieli. Przyodziała się w naprędce skompletowany przez Courtiade'a strój mający jej służyć za przebranie, splotła włosy w warkocz, na chłopięcą modłę posypała je pudrem, po czym wyjechawszy dyskretnie przez dziedziniec dla służby, ruszyła ciemnymi ulicami Paryża w kierunku barykad w Lasku Buloński – w drogę do Wersalu.

Nie mogła się zgodzić, by Talleyrand jej towarzyszył – każdy paryżanin znał jego arystokratyczny profil. Ponadto odkryli, że wystawione przez Dantona przepustki uzyskają ważność dopiero czternastego września, a od tego dnia dzieliły ich prawie dwa tygodnie. Zatem ustalili, iż najlepiej będzie, jeśli Mireille wyjedzie sama, Maurice zostanie w Paryżu jak gdyby nigdy nic, natomiast Courtiade wyruszy tej samej nocy ze skrzyniami pełnymi książek i będzie czekać nad kanałem La Manche do momentu, aż ich przepustki nabiorą ważności, umożliwiając wyjazd do Anglii.

Teraz, gdy jej koń przedzierał się przez plątaninę mrocznych uliczek, Mireille mogła nareszcie w spokoju przemyśleć tę karkołomną misję, której się podjęła. Od momentu, gdy zatrzymano powóz u bram więzienia L'Abbaye, wir wydarzeń wciągnął ją do tego stopnia, iż zdana była jedynie na instynkt. Przerażająca egzekucja Valentine, dławiący lęk o własne życie, gdy przemykała się uliczkami płonącego Paryża, mina Marata i wykrzywione twarze obserwatorów masakry – miała wrażenie, jakby niespodziewanie pękła cienka skorupka cywilizacji i odsłoniła na chwilę dno ludzkiego zezwierzęcenia.

Odtąd czas się zatrzymał, a lawina wydarzeń ogarnęła ją jak rozszalały ogień. Wszystkie niosły taki ładunek emocji, jakiego w dotychczasowym życiu jeszcze nie doświadczyła. Uczucia te nadal paliły się w niej ciemnym płomieniem – płomieniem, który po krótkich chwilach spędzonych w ramionach Talleyranda rozbłysnął jeszcze wyraźniej. To ten płomień nade wszystko pchał ją do jak najszybszego zdobycia figur kompletu z Montglane.

Zdawało jej się, że wieki minęły od chwili, gdy ujrzała promienny uśmiech Valentine na więziennym dziedzińcu. Tymczasem wydarzyło się to zaledwie trzydzieści dwie godziny temu. Trzydzieści dwie, powtarzała sobie Mireille, wędrując przez opustoszałe ulice, tyle przecież jest figur na szachownicy. Tyle właśnie musi zebrać, żeby rozwiązać zagadkę – i pomścić śmierć Valentine.

Jadąc wąskimi uliczkami Paryża w kierunku Lasku Bulońskiego, nie spotkała wielu ludzi. Nawet tutaj, poza miastem, w mlecznym blasku pełnego księżyca, drogi były puste, choć od barykad dzieliła ją jeszcze znaczna odległość. Większość paryżan dowiedziała się już o trwających nadal masakrach w więzieniach i postanowiła dla bezpieczeństwa pozostać w swoich domostwach.

Mimo iż jej celem był port w Marsylii, dokąd mogła dotrzeć, jadąc na wschód, do Lyonu, Mireille nie bez powodu skręciła na zachód, w kierunku Wersalu. Tam mieścił się klasztor Saint--Cyr: szkoła klasztorna, ufundowana w poprzednim stuleciu przez madame de Maintenon, małżonkę Ludwika XIV, która miała kształcić dziewczęta z rodzin arystokratycznych. Właśnie tam, w Saint-Cyr, zatrzymała się przeorysza z Montglane w drodze do Rosji.

Może cenzorka z tej szkoły użyczy jej tam schronienia, pomoże skontaktować się z przeoryszą z Montglane, od której potrzebowała pieniędzy, umożliwi ucieczkę z Francji. Sława, jaką cieszyła się przeorysza z Montglane, stanowiła dla Mireille jedyną przepustkę do wolności. Modliła się, by dzięki niej stał się cud. Barykady w Lasku Bulońskim wzniesiono ze stosów kamieni, worków z ziemią i kawałków porąbanych mebli. Mireille wciąż miała przed oczami to miejsce – wypełnione skłębioną mieszaniną ludzi, chłopskich wozów zaprzężonych w woły, powozów i zwierząt wyczekujących tylko na otwarcie bram, by czym prędzej stąd uciec. Zbliżywszy się, Mireille zsiadła z konia i skryła się w jego cieniu, aby w migotliwym świetle kagańców nikt nie poznał, że jest przebrana.

Przy barykadzie panowało jakieś poruszenie. Chwyciwszy konia za uzdę, Mireille wmieszała się w tłum wypełniający plac. Nieco dalej, w świetle pochodni, dostrzegła żołnierzy wspinających się na barykadę. Ktoś z zewnątrz usiłował się tamtędy dostać.

Nieopodal Mireille kręciła się grupa młodych ludzi, wyciągających szyje, by lepiej widzieć, co też właściwie się dzieje. Było ich tam ponad tuzin, wszyscy ubrani w koronkowe stroje, aksamity i buty na wysokich obcasach, ozdobione kolorowymi kamykami przypominającymi klejnoty. To była owa *jeunesse dorée*, czyli „złota młodzież", którą Germaine de Staël tak często Mireille pokazywała w gmachu Opery. Teraz skarżyli się głośno w tłumie, w którym wieśniacy zmieszani byli z arystokratami.

– Ta rewolucja robi się po prostu nieznośna! – wykrzyknął jeden z nich. – Nie rozumiem, dlaczego więzi się obywateli Francji, skoro wypędziliśmy już tych plugawych Prusaków.

– Hej, żołnierzu! – krzyknął inny, wymachując koronkową chusteczką w stronę wojaka stojącego w górze na barykadzie. – Śpieszymy się na przyjęcie do Wersalu. Jak długo mamy to wszystko znosić? – Żołnierz skierował bagnet w stronę powiewającej chusteczki, która natychmiast znikła.

Tłum obserwował z zaniepokojeniem, kto też zamierza przedostać się przez barykadę. Wszystkim doskonale było wiadomo, że na leśnych drogach grasują bandy rozbójników. „Nocniki" – grupy samozwańczych inkwizytorów – przemierzały gościńce w pojazdach dziwnego kształtu, od którego zresztą wzięły swoją nazwę. Choć nie działali w sposób całkowicie legalny, przepełniała ich rewolucyjna gorliwość obywateli nowej Francji, w związku z czym zatrzymywali podróżnych, obsiadali ich powozy na kształt szarańczy, żądali dokumentów, a nawet – gdy otrzymane odpowiedzi nie całkiem ich satysfakcjonowały – dokonywali „obywatelskiego aresztowania". Aby oszczędzić sobie kłopotów, niejednokrotnie wieszali zatrzymanych na najbliższym drzewie jako przestrogę dla innych.

Wreszcie otwarto barykady, a do środka wjechały zakurzone dorożki i kabriolety. Zgromadzony na placu tłum otoczył powozy, chcąc dowiedzieć się czegoś od przybyszy. Nie puszczając uzdy, Mireille ruszyła w kierunku pierwszej karety pocztowej, której drzwiczki właśnie otwierano.

Ze środka wyskoczył młody żołnierz w szkarłatno-niebieskim mundurze. Znalazłszy się na ziemi, zaczął razem z woźnicą ściągać z dachu skrzynie i kufry.

Mireille była dostatecznie blisko, by zauważyć jego niezwykłą urodę. Długie, kasztanowe kędziory opadały mu miękko na ramiona, a duże, niebieskoszare oczy w ciemnej oprawie podkreślały bladość jego skóry. Miał wąski, lekko opadający, rzymski nos i pięknie zarysowane wargi, które teraz wykrzywiał wyraz pogardy. Krótkim spojrzeniem obrzucił zebrany tłum, po czym odwrócił głowę.

Po chwili zobaczyła, że pomaga wysiąść z powozu przepięknemu dziecku, liczącej nie więcej niż piętnaście wiosen dziewczynie, której bladość zdawała się aż chorobliwa. Jej podobieństwo do żołnierza było tak uderzające, iż nie ulegało najmniejszej wątpliwości, że są rodzeństwem. Przypuszczenie to potwierdzała delikatność, z jaką mężczyzna traktował swoją młodą towarzyszkę. Oboje byli niewysocy, lecz pięknie zbudowani. Mogliby tworzyć romantyczną parę, pomyślała Mireille, niczym bohaterowie jakiejś baśni.

Wysiadający z pojazdów podróżni, wyraźnie udręczeni i przepełnieni lękiem, strzepywali niespiesznie kurz ze swego odzienia. Nikt jednak nie był chyba bardziej przerażony niż owa młoda dziewczyna stojąca obok Mireille. Kredowobiała na twarzy, wyglądała, jakby za chwilę miała zemdleć. Jej towarzysz usiłował pomóc jej przedostać się przez tłum, gdy jakiś stary człowiek złapał go za ramię.

– Jak przedstawia się droga do Wersalu, przyjacielu? – spytał.

– Nie radziłbym dziś tamtędy jechać – odparł żołnierz uprzejmie, jednak na tyle głośno, by usłyszeli go również inni. – Nocników wszędzie moc, a moja siostra jest wręcz sparaliżowana przerażeniem. Podróż zajęła nam niemal osiem godzin, gdyż zatrzymano nas pewnie ze dwanaście razy, odkąd opuściliśmy Saint-Cyr...

– Saint-Cyr! – wykrzyknęła Mireille. – Przybywacie z Saint-Cyr? Ależ ja właśnie tam zmierzam!

Na dźwięk tych słów żołnierz i jego siostra spojrzeli na Mireille szeroko otwartymi oczami.

– Przecież to jest dama! – krzyknęła dziewczyna, wpatrując się z osłupieniem w strój Mireille i jej przypudrowane włosy. – Dama w męskim przebraniu!

Żołnierz spojrzał na nią z podziwem.

– A więc udajesz się, pani, do Saint-Cyr? Mam nadzieję, że nie zamierzasz wstąpić do zakonu!

– Przybywacie ze szkoły klasztornej w Saint-Cyr? – spytała. – Muszę tam dotrzeć jeszcze dziś w nocy. To sprawa ogromnej wagi. Musicie mi opowiedzieć, jak przedstawia się sytuacja.

– Nie możemy tu zmitrężyć całego wieczoru – powiedział żołnierz. – Moja siostra nie czuje się dobrze. – Chwyciwszy ciężkie sakwojaże, ruszył przez tłum.

Mireille podążyła w ślad za nim, ciągnąc konia za uzdę. Gdy wreszcie udało się im przebić przez ciżbę, dziewczyna spojrzała na Mireille swoimi ciemnymi oczyma.

– Niewątpliwie miałaś, pani, poważny powód, by wyruszyć do Saint-Cyr jeszcze dziś w nocy – rzekła. – Gościńce są niebezpieczne. Kobieta potrzebuje wielkiej odwagi, by podróżować w takich czasach bez nijakiej kompanii.

– Nawet z takim dzianetem – dodał żołnierz, poklepując konia po zadzie. – I nawet w przebraniu. Gdyby nie to, że zwolniłem się z armii, gdy zamknęli szkołę klasztorną, by odeskortować Marię Annę do domu...

– Zamknęli Sain-Cyr?! – krzyknęła Mireille, chwytając go kurczowo za ramię. – A więc straciłam ostatnią nadzieję!

Maria Anna próbowała ją pocieszyć, dotykając lekko jej dłoni.

– Masz, pani, przyjaciół w Saint-Cyr? – spytała z troską w głosie. – A może rodzinę? Może to ktoś, kogo znam...

– Miałam nadzieję znaleźć tam schronienie – zaczęła Mireille, niepewna, ile może wyjawić tej parze obcych ludzi. Jednak nie miała wyjścia. Jeśli zamknięto szkołę, jej plan legł w gruzach i trzeba było pomyśleć o czymś innym. Czy to istotne, przed kim się otworzy, skoro sytuacja jest tak rozpaczliwa? – Choć nie znałam tamtejszej cenzorki – ciągnęła – liczyłam na to, że pomoże mi skontaktować się z przeoryszą mego dawnego klasztoru. Z madame de Roque.

– Madame de Roque! – powtórzyła dziewczyna, chwytając ją za ramię z nieoczekiwaną siłą. – Przeorysza z Montglane! – Zerknęła pośpiesznie na brata, który postawił sakwojaże na ziemi i przyglądał się uważnie Mireille.

– Zatem przybywasz, pani, z opactwa Montglane? – Gdy Mireille z niejaką rezerwą skinęła głową, dodał prędko: – Nasza matka zna przeoryszę z Montglane; przyjaźnią się już od lat. Prawdę mówiąc, to właśnie za radą madame de Roque moją siostrę wysłano osiem lat temu do Saint-Cyr.

– Tak – wyszeptało dziewczę. – Ja sama dobrze znam przeoryszę. Odwiedziwszy Saint-Cyr przed dwoma laty, kilkakrotnie rozmawiała ze mną na osobności. Lecz nim powiem cokolwiek więcej, pozwolisz, pani, że spytam... czy byłaś jedną z ostatnich.... które zostały w opactwie Montglane? Jeśli tak, to rozumiesz powód, dla którego zadaję ci to pytanie.

Mireille czuła, jak krew gwałtownie pulsuje jej w skroniach. Czyżby to miał być przypadek, że natknęła się na tych dwoje, którzy akurat znali przeoryszę? Czy mogła żywić nadzieję, że powierzyła im swoje sekrety? Nie, nie można wysnuwać zbyt pochopnych wniosków. Jednak dziewczyna zdawała się wyczuwać jej obawy.

– Domyślam się, pani, że wolisz nie omawiać tych kwestii w takim miejscu. I, rzecz jasna, masz absolutną rację. Sądzę wszelako, iż dalsza rozmowa może okazać się obopólnie korzystna. Otóż widzisz, nim przeorysza opuściła Saint-Cyr, powierzyła mi specjalną misję. Prawdopodobnie domyślasz się jej charakteru. Proponuję, byś towarzyszyła nam, pani, do pobliskiej oberży, gdzie mój brat zamówił już nocleg; tam będziemy mogli porozmawiać w bardziej sprzyjających warunkach...

Mireille nadal czuła łomot krwi w skroniach, a tysiące myśli kłębiły jej się w głowie. Nawet jeśli na tyle zaufa tym dwojgu, że uda się razem z nimi, to i tak będzie uwięziona w Paryżu. A Marat przewróci miasto do góry nogami, byle tylko ją znaleźć. Z drugiej jednak strony nie miała żadnej pewności, że uda jej się opuścić Paryż bez niczyjej pomocy. A gdzie zwróci się o pomoc, skoro zamknięto klasztor?

– Moja siostra ma rację – powiedział żołnierz, wciąż przyglądając się Mireille. – Nie możemy tu pozostać. Pozwolisz, pani, że ofiarujemy ci naszą ochronę.

Mireille ponownie uderzyła jego uroda, te bujne, kasztanowe włosy i wielkie, smutne oczy. Mimo szczupłej budowy ciała i równego jej wzrostu, czuła bijącą od niego wielką siłę i pewność siebie. W końcu Mireille postanowiła, że może mu zaufać.

– Dobrze – zgodziła się z uśmiechem. – Udam się z wami do oberży i tam porozmawiamy.

Na te słowa dziewczyna, z rozjaśnioną twarzą, położyła rękę na ramieniu brata, po czym oboje spojrzeli sobie czule w oczy. Następnie żołnierz dźwignął z ziemi bagaże i chwycił konia za uzdę, a dziewczyna wzięła za rękę Mireille.

– Nie będziesz żałować, pani – powiedziała. – Proszę pozwolić, że się przedstawię: na imię mam Maria Anna, lecz rodzina mówi na mnie Eliza. A to mój brat, Napoleon – z rodziny Buonaparte.

Znalazłszy się w gospodzie, trójka młodych ludzi zasiadła na twardych, drewnianych zydlach przy dużym, sfatygowanym stole oświetlonym samotną świeczką. Za całą wieczerzę musiał im wystarczyć bochen twardego, ciemnego chleba i dzban piwa.

– Pochodzimy z Korsyki – opowiadał Napoleon – wyspy, która nie poddaje się łatwo jarzmu tyranii. Już dwa tysiące lat temu Liwiusz powiedział, że my, Korsykanie, jesteśmy równie szorstcy jak nasza ziemia, a krnąbrnością dorównujemy dzikim bestiom. Niespełna czterdzieści lat temu nasz przywódca, Pasquale di Paoli, wygnał z naszego kraju Genueńczyków, wyzwolił Korsykę i wezwał sławnego filozofa, Jana Jakuba

Rousseau, by napisał dla nas konstytucję. Jednak nie było nam dane długo cieszyć się wolnością. W roku 1768 Francja nabyła od Genui wyspę Korsykę, następnej wiosny wysadziła na naszych brzegach trzydzieści tysięcy żołnierzy i utopiła naszą wolność w morzu krwi. Opowiadam ci o tym wszystkim, pani, gdyż w wyniku tych wydarzeń oraz roli, jaką odegrała w nich nasza rodzina, skontaktowaliśmy się z przeoryszą z Montglane.

Mireille, która właśnie zamierzała spytać, czemu służy ta historyczna opowieść, ugryzła się w język i słuchała z niezwykłą uwagą.

– Nasi rodzice stanęli po stronie Paolego, walcząc dzielnie z Francuzami – ciągnął Napoleon. – Moja matka jest wielką bohaterką tej rewolucji. Ciemną nocą wskoczyła na konia i ruszyła na oklep przez poszarpane korsykańskie wzgórza. Nad jej głową gwizdały francuskie kule, a ona wiozła amunicję i zapasy memu ojcu i żołnierzom walczącym w Il Corte, Orlim Gnieździe. Była wtedy w siódmym miesiącu ciąży ze mną! Zawsze powtarzała, że urodziłem się żołnierzem. Niestety, gdy przychodziłem na świat, mój kraj konał.

– Pańska matka była niewątpliwie dzielną kobietą – powiedziała Mireille, usiłując wyobrazić sobie tę dziką rewolucjonistkę na koniu jako zaufaną przyjaciółkę przeoryszy.

– Przypominasz mi ją, pani – uśmiechnął się Napoleon. – Lecz zaniedbuję mą opowieść. Gdy rewolucja upadła, a Paoli został wygnany do Anglii, stara korsykańska arystokracja wybrała mego ojca przedstawiciela do Stanów Generalnych w Wersalu. Był rok 1782, kiedy nasza matka, Letycja, spotkała przeoryszę z Montglane. Nigdy nie zapomnę wspaniałego wyglądu naszej matki i komentarzy kolegów na temat jej urody, gdy wracając z Wersalu, odwiedziła nas w Autun...

– Autun! – wykrzyknęła Mireille, o mały włos nie strącając kielicha z piwem. – Przebywaliście więc w Autun za bytności monseigneur Talleyranda? Gdy był biskupem?

– Nie, to było później, gdyż ja wyjechałem niebawem do szkoły wojskowej w Brienne – odparł. – Lecz to wielki mąż stanu i chciałbym go pewnego dnia poznać. Wielokrotnie czytałem to dzieło, które napisał wraz z Thomasem Paine'em: Deklarację praw człowieka i obywatela, jeden z najwspanialszych dokumentów rewolucji.

– Wróć do tematu – syknęła Eliza, dając bratu kuksańca w żebra – gdyż mademoiselle nie zamierza dyskutować całą noc o polityce.

– Właśnie próbuję. – Napoleon popatrzył na siostrę. – Nie wiemy, w jakich dokładnie okolicznościach doszło do spotkania naszej matki z przeoryszą, wiemy natomiast, że spotkanie odbyło się w Saint-Cyr. Niewątpliwie przeorysza musiała być pod wielkim wrażeniem, gdyż od tamtej pory nigdy nie zawiodła naszej rodziny.

– Musisz bowiem wiedzieć, pani – wyjaśniła Eliza – że jesteśmy ubogą rodziną. Nawet za życia ojca pieniądze przeciekały między palcami. Od momentu, gdy poszłam do Saint-Cyr, przeorysza Montglane opłacała całą moją naukę.

– Wynika z tego, że przeoryszę łączy bardzo silna więź z waszą matką – stwierdziła Mireille.

– To coś znacznie większego – rzekła na to Eliza – gdyż do wyjazdu z Francji kontaktowała się z moją matką niemal co tydzień. Wszystko zrozumiesz, pani, gdy dowiesz się o misji, jaką mi powierzyła.

A więc minęło już dziesięć lat, pomyślała Mireille. Dziesięć lat od momentu spotkania tych dwóch kobiet, tak bardzo różniących się od siebie zarówno pochodzeniem, jak i światopoglądem. Jedna z nich wychowana na dzikiej i prymitywnej wyspie, walcząca w górach u boku małżonka, matka ośmiorga dzieci, druga zaś – żyjąca w zakonie, oddana Bogu, o błękitnej krwi i doskonałym wykształceniu. Cóż takiego zaistniało między nimi, że przeorysza zdecydowała się powierzyć sekret dziecku, które teraz siedziało przed Mireille i które wtedy, gdy przeorysza widziała je po raz ostatni, mogło mieć najwyżej dwanaście lub trzynaście lat?

Lecz Eliza zaczęła wyjaśniać...

– Wiadomość, jaką przeorysza przekazała dla mojej matki, stanowiła tak wielką tajemnicę, że nawet ona sama nie śmiała mi jej powierzyć na piśmie. Miałam ją powtórzyć słowo w słowo przy najbliższym spotkaniu. Wówczas jednak nikt, ani przeorysza, ani ja, nie zdawał sobie sprawy, że nastąpi ono po dwóch długich latach, że rewolucja zniszczy wszystko, co było naszym życiem, i uniemożliwi nam podróże. Lękam się, że przekazałam ją zbyt późno; zapewne była niezwykle ważna. Przeorysza bowiem powiedziała mi, że są ludzie, którzy sprzysięgli się, by wydrzeć jej ten sekretny skarb, skarb znany tylko niewielu, który ukryty był w Montglane!

Głos Elizy przeszedł teraz w szept, choć oprócz tej trójki dokoła nie było żywej duszy. Mireille starała się udawać całkowitą obojętność, lecz serce łomotało jej tak głośno, że tamci z pewnością to słyszeli.

– Przyjechała do Saint-Cyr, tak blisko Paryża – ciągnęła Eliza – aby dowiedzieć się, kim byli ludzie, którzy próbowali go ukraść. Powiedziała mi, że aby go ukryć, kazała go zabrać zakonnicom z opactwa.

– A cóż to był za skarb? – spytała Mireille słabym głosem. – Czy przeorysza wam powiedziała?

– Nie – odpowiedział Napoleon za siostrę, uważnym wzrokiem przyglądając się Mireille. W słabym świetle bladość jego pociągłej, owalnej twarzy kontrastowała z ciemnokasztanowymi włosami. – Na pewno znasz, pani, legendy o opactwach w górach baskijskich, gdzie ponoć zawsze znajdują się jakieś święte przedmioty. Według Chrétiena de Troyes, Święty Graal ukryty jest w Monsalvat, również w Pirenejach...

– Pani – przerwała mu Eliza – o tym właśnie chciałam z tobą pomówić. Gdy powiedziałaś nam, że przybywasz z Montglane, pomyślałam sobie, że być może właśnie ty rozjaśnisz mroki tej tajemnicy.

– A co przekazała ci przeorysza?

Eliza pochyliła się nad stołem, a złote światło na chwilę obrysowało je twarz.

– Ostatniego dnia swego pobytu w Saint-Cyr przeorysza wezwała mnie do swej prywatnej komnaty. Powiedziała wtedy: „Elizo, powierzam ci tajną misję, gdyż wiem, że jesteś dzieckiem Karola Buonapartego i Letycji Ramolino. Czwórka twego rodzeństwa zmarła w niemowlęctwie; ty jesteś pierwszą dziewczynką, która przeżyła. Dlatego właśnie jesteś dla mnie kimś szczególnym. Otrzymałaś imię na pamiątkę wielkiej władczyni, Elissy, która nosiła przydomek «Ruda». Była ona założycielką wielkiego miasta Q'ar, znanego później na wszystkich krańcach świata. Musisz się udać do swojej matki i powiedzieć: «Elissa Ruda powstała – Ósemka powraca». To wszystko, co mam ci do powierzenia, lecz Letycja Ramolino będzie wiedziała, co to oznacza – i co należy zrobić".

Eliza przerwała na chwilę i spojrzała na Mireille. Również Napoleon usiłował odczytać cokolwiek z wyrazu jej twarzy, jednak słowa przeoryszy nic najwyraźniej nie mówiły Mireille. Cóż to była za tajemnica i w jaki sposób była związana z tajemniczym kompletem szachowym? Coś świtało jej w głowie, lecz nie bardzo wiedziała co. Napoleon sięgnął, by napełnić stojący przed nią cynowy kufel, który Mireille opróżniła, nawet nie zdając sobie z tego sprawy.

– Kim była Elissa z Q'ar? – spytała ze zdumieniem. – Nie słyszałam nigdy ani o niej, ani o założonym przez nią mieście.

– A ja słyszałem – odezwał się Napoleon. Odchylony do tyłu, z twarzą ukrytą w cieniu, sięgnął i wyjął z zanadrza mocno sfatygowaną książkę. – Matka zawsze nas napominała: „Poznaj Plutarcha, liźnij Liwiusza" – powiedział z uśmiechem. – Jeśli o mnie chodzi, to postarałem się bardziej, gdyż znalazłem naszą Elissę w *Eneidzie* Wergiliusza, choć Rzymianie i Grecy nazywali ją Dydoną. Pochodziła z Tyru w starożytnej Fenicji, skąd uciekła, gdy jej brat, król Tyru, zamordował jej męża. Znalazłszy się na brzegach Afryki, założyła miasto Q'ar i nazwała je od imienia bogini Kar, która ją chroniła. To miasto znane jest pod inną nazwą: Kartagina.

– Kartagina! – wykrzyknęła Mireille. Próbowała jakoś poskładać wszystkie fragmenty łamigłówki, a jej mózg pracował teraz na najwyższych obrotach. Kartagina, zwana teraz Tunisem, leżała niespełna osiemset mil od Algieru!

– Widzę, że coś ci to jednak mówi, pani – zauważył Napoleon, przerywając tok jej myślenia. – Może zatem podzielisz się tym z nami?

Mireille zagryzła wargi i wbiła wzrok w migoczący płomyk świecy. To prawda, oni się jej zwierzyli, podczas gdy ona nie powiedziała nic. A przecież chcąc zwyciężyć w tej grze, nie mogła się obyć bez sojuszników. Cóż złego w tym, że wyjawi część tajemnicy, jeśli dzięki temu zbliży się do prawdy?

– W Montglane naprawdę był skarb – powiedziała wreszcie. – Wiem o tym, ponieważ sama pomagałam go stamtąd zabrać. – Rodzeństwo Buonaparte wymieniło spojrzenia, po czym znów utkwiło wzrok w Mireille. – Ten skarb miał ogromną wartość, a jednocześnie był bardzo niebezpieczny – ciągnęła. – Ponad tysiąc lat temu przywiozło go do Montglane ośmiu Maurów pochodzących z tych samych wybrzeży północnej Afryki, o których mówiliście. Ja też podążam w tym kierunku, by zgłębić tajemnicę tego skarbu...

– A więc m u s i s z nam, pani, towarzyszyć na Korsykę! – rzekła Eliza z niezwykłym podnieceniem. – Nasza wyspa znajduje się w połowie drogi do punktu twojego przeznaczenia! W drodze masz zapewnioną opiekę mojego brata, a na miejscu schronienia udzieli ci nasza rodzina.

Mireille przyszło na myśl, że dziewczyna ma rację. Jednocześnie uświadomiła sobie, że Korsyka – formalnie należąca do Francji – pozwoli jej się wyrwać z pazurów Marata, który zapewne w tej chwili poluje na nią na ulicach Paryża.

Lecz to nie wszystko. Gdy przyglądała się, jak cienka świeczka, skwiercząc, roztapia się w kałużę gorącego wosku, poczuła, że gdzieś w jej wnętrzu rozpala się ciemny płomień. I usłyszała słowa Talleyranda, które wypowiedział, gdy siedzieli oboje w zmiętoszonej pościeli – gdy trzymała w ręku rozszalałego ogiera z szachów z Montglane: „...A potem pojawił się inny koń, czerwonorudy... i mocą obdarzon został ten, który zasiadł tam, by zniszczyć pokój na ziemi, aby ludzie zabijali się nawzajem... i dan mu był ogromny miecz...”

– A imię tego miecza jest Zemsta – powiedziała głośno Mireille.

– Miecza? – spytał Napoleon. – O jakim mieczu mówisz, pani?

– O czerwonym mieczu odwetu – odparła.

W gęstniejącym mroku Mireille zobaczyła znów te same litery, które jawiły się przed jej oczami dzień po dniu, przez wszystkie lata jej dzieciństwa, wyryte na kamiennym łuku wieńczącym portal opactwa Montglane:

Przeklęty będzie ten, co głazy te rozburzy,
Króla – prócz Wszechmocnego – nikt nie utrzyma w szachu.

– Być może fakt wydobycia tego skarbu z murów opactwa Montglane miał swoje konsekwencje – powiedziała w zamyśleniu. Mimo iż wieczór był gorący, poczuła chłód w sercu, jakby dotknęły go czyjeś lodowate palce. – Być może obudziłyśmy przy tym jakąś pradawną klątwę.

Korsyka
październik 1792

O Korsyce, podobnie jak o Krecie, można powiedzieć słowami poety, że jest położona jak klejnot „w sercu morza ciemnego jak wino". Choć znajdowali się w odległości dwudziestu mil od wybrzeża i choć był to niemal początek zimy, Mireille czuła silny zapach makii, tych zarośli szałwii, janowca, rozmarynu, kopru, lawendy i owych ciernistych krzewów, gęsto porastających całą wyspę.

Dziób małej łodzi rozcinał lekko wzburzone morze, a Mireille, stojąc na jej pokładzie, ogarniała wzrokiem gęste mgły otulające wysokie szczyty poszarpanych gór, zdradliwe, kręte drogi, ledwo stąd widoczne, wachlarzowate wodospady pokrywające cieniutką koronką powierzchnię skał. Welon mgieł był tak gęsty, że z ogromnym trudem można było wypatrzeć linię, gdzie kończyła się woda, a zaczynał brzeg wyspy.

Mireille, owinięta w grube, wełniane szaty, wpatrywała się w majaczącą w oddali wyspę, wdychając ostre, rześkie powietrze. Była chora, poważnie chora, i to bynajmniej nie z powodu wzburzonego morza. Odkąd wyjechali z Lyonu, nawiedzały ją gwałtowne ataki mdłości.

Eliza stała obok niej i trzymała ją pod rękę, a przewoźnicy dwoili się i troili, ustawiając żagle. Napoleon zszedł pod pokład, by zabrać bagaże przed przybiciem do brzegu.

Może to przez wodę w Lyonie, pomyślała Mireille. Albo tę ciężką podróż doliną Rodanu, gdzie wrogie armie toczyły nieustające walki o Sabaudię stanowiącą część królestwa Sardynii. Gdy znaleźli się nieopodal Givors, Napoleon sprzedał żołnierzom z Piątego Regimentu dżaneta Mireille, który do tej pory podróżował przywiązany za uzdę do karety pocztowej. Oddział ten stracił w ogniu walki więcej koni niż ludzi, więc Mireille otrzymała zań sowitą zapłatę, wystarczającą na pokrycie kosztów podróży i znacznie więcej.

Tymczasem stan Mireille poważnie się pogorszył. Eliza regularnie karmiła tę „mademoiselle" i na każdym postoju przykładała jej do czoła zimne kompresy, lecz jej twarz przybierała wyraz coraz większego zafrasowania. Żadna zupa nie zagościła na długo w żołądku mademoiselle, która zaczęła się poważnie martwić, zanim jeszcze ich łódź wyrwała się wreszcie z portu w Tulonie i ruszyła przez wzburzone morza w kierunku Korsyki. Gdy spojrzała w wypukłe szkło na pokładzie, zamiast pogrubionego odbicia ujrzała siebie bladą, wymizerowaną, chudszą o co najmniej dziesięć funtów. Starała się jak najdłużej przebywać na pokładzie, lecz nawet zimne, słone powietrze nie było w stanie przywrócić jej tego zdrowia i wigoru, które dotychczas uważała za coś normalnego.

Teraz, gdy Eliza ściskała jej dłoń i stały przytulone na niewielkim pokładzie, Mireille potrząsnęła głową, by zebrać myśli i powstrzymać kolejną falę mdłości. Nie mogła sobie pozwolić na słabość.

I jakby niebiosa wysłuchały ich próśb, przez ciężkie mgły, które uniosły się nieznacznie, przebiły się promienie słońca, tworząc świetliste kałuże na powierzchni wzburzonego morza. Te plamy światła, niczym złote płyty, wyściełały drogę prowadzącą łódź do portu Ajaccio.

W momencie, gdy burta łodzi dotknęła kamiennego mola, Napoleon, wyczekujący już na pokładzie, skoczył na brzeg, by pomóc zarzucić cumy. W porcie panował ożywiony ruch. Tuż przy nabrzeżu kołysało się wiele okrętów wojennych. Mireille i Eliza z zadziwieniem przyglądały się francuskim żołnierzom, którzy wspinali się po linach i biegali po pokładach.

Rząd Francji nakazał Korsyce zaatakować jej sąsiadkę Sardynię. Wyładowując zapasy z pokładu, Mireille słyszała, jak żołnierze francuscy i członkowie Korsykańskiej Gwardii Narodowej kłócą się o sensowność tego ataku – do którego zresztą mogło dojść w każdej chwili.

Nagle Mireille usłyszała krzyk. Spojrzawszy w dół, ujrzała Napoleona, który przeciskał się przez ciżbę w kierunku niskiej, szczupłej kobiety trzymającej za rękę dwoje dzieci. Gdy Napoleon rzucił się jej w ramiona, Mireille dostrzegła jej rudokasztanowe włosy i białe dłonie głaszczące jego szyję oraz dwie główki kołyszące się obok splecionych w uścisku matki i syna.

– To nasza matka, Letycja – szepnęła Eliza, spoglądając z uśmiechem na Mireille. – Obok niej stoi moja siostra Maria Karolina, która ma dziesięć lat, i mały Hieronim, który był jeszcze niemowlęciem, gdy wyjeżdżałam do Saint-Cyr. Jednak beniaminkiem matki był zawsze Napoleon. Pójdź, pani, przedstawię cię. – I zeszły do zatłoczonego portu.

Letycja Ramolino Buonaparte jest naprawdę malutka, pomyślała Mireille. Mimo iż chuda jak trzcina, sprawiała wrażenie kogoś znacznie większego. Już z daleka obserwowała Mireille i Elizę, patrząc na nie oczyma niebieskimi i przezroczystymi jak lód, z twarzą spokojną jak kwiat unoszący się na nieruchomej powierzchni stawu. Choć wydawała się uosobieniem spokoju, wyczuwało się w niej coś tak władczego, że panowała nawet nad tą splątaną ciżbą. Natomiast Mireille odniosła wrażenie, iż dobrze zna Letycję.

– Madame mère – powiedziała Eliza, obejmując matkę. – Chciałabym wam przedstawić naszą nową przyjaciółkę. Przybywa od madame de Roque, przeoryszy Montglane.

Przez dłuższą chwilę Letycja przyglądała się Mireille w milczeniu. Wreszcie wyciągnęła rękę.

– Tak – rzekła cicho. – Oczekiwałam cię, pani.

– Mnie? – spytała zdumiona Mireille.

– Masz dla mnie wiadomość, nieprawdaż? Ważną wiadomość.

– Madame mère, to my mamy wiadomość – wtrąciła się Eliza, ciągnąc ją za rękaw. Letycja spojrzała na córkę, która, choć piętnastoletnia, już przewyższała ją wzrostem. – Osobiście spotkałam się z przeoryszą w Saint-Cyr i przekazała wam następującą wiadomość... – Po tych słowach nachyliła się do ucha matki.

Nic chyba nie mogło bardziej zmienić tej nieprzeniknionej kobiety aniżeli wyszeptane przez córkę słowa. Jej twarz pociemniała, a wargi zaczęły drżeć. Cofnęła się nieco i wsparła na ramieniu Napoleona, który chwycił ją za rękę i popatrzył na nią z przerażeniem.

– Matko, co się z wami dzieje? – wykrzyknął.

– Madame – powiedziała z naciskiem Mireille – proszę nam powiedzieć, co oznaczają te słowa. Niewykluczone, że moje plany, ba, nawet całe moje przyszłe życie, uzależnione są od tego. Byłam w drodze do Algieru, zatrzymałam się tutaj tylko z powodu przypadkowego spotkania z pani dziećmi. Być może wiadomość ta... – Jednak nie zdołała skończyć, gdyż opanowała ją kolejna fala mdłości. Letycja wyciągnęła ręce, lecz Napoleon był szybszy: postąpił dwa kroki naprzód i złapał ją pod ramię, chroniąc przed upadkiem. – Proszę o wybaczenie – odezwała się słabym głosem Mireille, na której czole perliły się krople zimnego potu. – Obawiam się, iż zmuszona będę się położyć, nie wiem, co się ze mną dzieje.

Letycja z niejaką ulgą przyjęła ten stan rzeczy. Przyłożyła dłoń do jej rozgorączkowanego czoła, po czym starannie zbadała gwałtownie bijące serce Mireille. Następnie z niemal żołnierską surowością zaczęła wydawać rozkazy swoim dzieciom. Napoleon zaniósł Mireille do wozu czekającego na szczycie stromego wzgórza. Gdy Mireille została wreszcie ułożona na wozie, Letycja na tyle doszła do siebie, że mogła znacznie spokojniej poruszyć drażliwy temat.

– Mademoiselle, choć przygotowywałam się na te wieści od trzydziestu lat, okazało się, że wcale nie byłam na nie gotowa – rzekła ostrożnie, rozglądając się przy tym dokoła, czy nikt ich nie podsłuchuje. – Wbrew temu, co mówiłam moim dzieciom dla ich bezpieczeństwa, znam przeoryszę od czasu, gdy byłam mniej więcej w wieku Elizy, a moja matka była jej największą powierniczką. Odpowiem na każde twoje pytanie. Najpierw jednak musimy się skontaktować z madame de Roque, aby przekonać się, jakie miejsce zajmujesz w jej planach.

– Nie mogę tak długo czekać! – wykrzyknęła Mireille. – Muszę jechać do Algieru.

– Niemniej jednak jestem zmuszona podjąć inną decyzję – powiedziała Letycja. Wspięła się na wóz i chwyciła biczysko, po czym skinęła na dzieci, żeby poszły w jej ślady. – Twój stan zdrowia nie pozwala ci na podróż, a podejmując taką próbę, narażasz innych nawet bardziej aniżeli siebie. Nie rozumiesz bowiem ani natury gry, w której uczestniczysz, ani stawki, o jaką wszystko się toczy.

– Jestem z Montglane – warknęła Mireille. – I miałam te figury w rękach.

Letycja odwróciła się, by spojrzeć na nią, a Napoleon i Eliza, którzy pomagali małemu Hieronimowi wspiąć się na wóz, uważnie nadstawili uszu. Dotychczas nie dowiedzieli się, o jaki skarb właściwie chodzi.

– Nic nie wiesz! – wrzasnęła dziko Letycja. – Elissa z Kartaginy też nie słuchała ostrzeżeń. Poniosła śmierć w ogniu. Spłonęła na stosie pogrzebowym jak ów bajeczny ptak, od którego Fenicjanie wywodzą swoją tożsamość.

– Ależ matko – powiedziała Eliza, wciągając na wóz Marię Karolinę – według legendy Elissa rzuciła się na stos, gdy porzucił ją Eneasz.

– Być może – odrzekła tajemniczo Letycja. – A być może istniał inny powód.

– Feniks! – wyszeptała Mireille, nie zauważając, że Eliza i Karolina usadowiły się tuż obok niej. Napoleon usiadł przy matce na koźle. – A czy królowa Elissa powstała potem z popiołów jak ten mityczny ptak pustyni?

– Nie – odparła Eliza. – Gdyż sam Eneasz widział potem jej cień w Hadesie.

Letycja przyglądała się w zamyśleniu Mireille. Wreszcie przemówiła, a Mireille, słysząc te słowa, poczuła dreszcz biegnący po plecach:

– Lecz teraz powstała – jak figury z Montglane. I drżyjmy, wszyscy. Taki bowiem koniec został przepowiedziany.

Po tych słowach odwróciła się, trzasnęła lekko z bicza i wóz ruszył w ciszy.

Dom Letycji Buonaparte był niewielkim, bielonym, dwupiętrowym budynkiem, stojącym przy wąskiej uliczce na jednym ze wzgórz górujących nad Ajaccio. Przed frontem rosły dwa drzewa oliwkowe, a mimo gęstej mgły kilka ambitnych pszczół nadal uwijało się przy gęstym, późno kwitnącym rozmarynie do połowy zarastającym drzwi.

W trakcie podróży nikt nie odezwał się nawet słowem. Przy rozładowywaniu wozu Maria Karolina otrzymała polecenie, by pomóc gościowi rozlokować się w domu, podczas gdy pozostali jęli krzątać się przy kolacji. Mireille, wciąż ubrana w starą, o wiele za dużą koszulę Courtiade'a i za małą spódnicę Elizy, z włosami sztywnymi od kurzu i skórą lepką od potu, wydała głośne westchnienie ulgi, gdy dziesięcioletnia Karolina pojawiła się z dwoma miedzianymi dzbankami gorącej wody.

Mireille, wykąpana i odziana w gruby wełniany strój, który udało się dla niej znaleźć, poczuła się nieco lepiej. Przy kolacji stół wręcz uginał się od miejscowych specjałów: był tam bruccio, czyli kremowy ser kozi, małe kukurydziane ciasteczka, chlebki z kasztanów, powidła z dzikich wiśni rosnących na wyspie, miód szałwiowy, małe, śródziemnomorskie kałamarnice i ośmiornice, które sami łapali, dzikie króliki w specjalnym sosie Letycji oraz nowość na Korsyce – ziemniaki.

Po posiłku, gdy młodsze dzieci znalazły się w łóżkach, Letycja nalała po małym kieliszku calvadosu każdemu z czwórki „dorosłych", którzy usadowili się w jadalni wokół koksownika z rozżarzonymi węglami.

– Przede wszystkim – zaczęła Letycja – chciałabym prosić o wybaczenie za moją nerwowość, mademoiselle. Dzieci opowiadały mi o odwadze, jaką wykazałaś, uciekając z Paryża w czasie terroru, na dodatek czyniąc to nocą i w pojedynkę. Kazałam Napoleonowi i Elizie wysłuchać tego, co za chwilę zamierzam powiedzieć. Chcę, by wiedzieli, czego od nich oczekuję: tego, by podobnie jak ja traktowali cię jak członka naszej rodziny. Bez względu na to, co przyniesie przyszłość, spodziewam się, że bez wahania przyjdą ci z pomocą.

– Madame, przybyłam na Korsykę w jednym tylko celu: by dowiedzieć się od ciebie, co oznacza przesłanie przeoryszy – powiedziała Mireille, trzymając swój kieliszek z calvadosem blisko koksownika. – Misja, której się podjęłam, została mi narzucona przez bieg wydarzeń. Ostatni członek mojej rodziny poniósł śmierć z powodu kompletu szachowego z Montglane, a ja ślubowałam, że póki krew krąży w moich żyłach, powietrze przepływa przez płuca i póki zegar mój jeszcze bije, nie ustanę w poszukiwaniach, by się dowiedzieć, jaki sekret kryją w sobie figury tego kompletu.

Letycja spojrzała na Mireille, której złotorude pukle lśniły w blasku płonących węgli, na jej twarz, której młodość tak bardzo kłóciła się z goryczą wypowiedzianych przed chwilą słów, i na myśl o tym, co postanowiła zrobić, poczuła w sercu ostre ukłucie bólu. Miała nadzieję, że przeorysza z Montglane przyznałaby jej rację.

– Zatem powiem ci to, co pragniesz wiedzieć – odezwała się wreszcie. – Od wielu lat nie mówiłam o tym, co zaraz ci wyjawię. Zachowaj cierpliwość, gdyż historia ta nie jest prosta. Gdy skończę, pojmiesz, jak ogromny ciężar dźwigałam przez te wszystkie lata. Teraz ten ciężar złożę na twoich ramionach.

OPOWIEŚĆ MADAME MÈRE

Gdy Pasquale Paoli wyzwolił tę wyspę, zwyciężając Genueńczyków, miałam lat osiem. Po śmierci mojego ojca matka ponownie wyszła za mąż. Jej małżonek – Szwajcar nazwiskiem Franz Fesch – musiał wszelako wyrzec się wiary kalwińskiej i przejść na katolicyzm, co sprawiło, że rodzina odwróciła się od niego, zostawiając go bez grosza. Dzięki tym wydarzeniom w naszym życiu pojawiła się przeorysza z Montglane.

Mało kto wie, że Hélène de Roque wywodzi się ze starej, znakomitej rodziny sabaudzkiej posiadającej rozliczne włości w wielu krajach i że ona sama wiele podróżowała po świecie. Gdy poznałam ją – a był to rok 1764 – osiągnęła już godność przeoryszy Montglane, choć nie miała jeszcze czterdziestu lat. Znała rodzinę Feschów i mimo iż była katoliczką, ta do szpiku kości mieszczańska rodzina darzyła ją wielką estymą jako arystokratkę, w której żyłach płynie szwajcarska krew. Poznawszy sytuację, wzięła na swoje barki zadanie pogodzenia mojego ojczyma z jego rodziną oraz odnowienia łączących ich więzów. W owym czasie wydawało mi się, że jest to czyn zupełnie bezinteresowny.

Ojczym mój, Franz Fesch, był wysokim, chudym mężczyzną o kościstej, pełnej uroku twarzy. Jak przystało na prawdziwego Szwajcara, mówił miękkim głosem, rzadko wypowiadał opinie na jakikolwiek temat i nie ufał prawie nikomu. Rzecz jasna był wdzięczny madame de Roque, że podjęła się trudu pogodzenia go z rodziną, i zaprosił ją do naszego domu na Korsyce. Trudno nam się było wówczas domyślić, że to właśnie cały czas stanowiło jej cel.

Nigdy nie zapomnę tego dnia, kiedy przybyła do naszego starego kamiennego domu w korsykańskich górach, niemal osiem tysięcy stóp nad poziomem morza. Aby tam dotrzeć, trzeba było przemierzyć skalisty, poszarpany teren pełen zdradzieckich klifów, stromych wąwozów i gęstej plątaniny makii tworzącej grube na sześć stóp poszycie. Jednakże perspektywa takiej podróży nie zrażała przeoryszy. Przywitawszy się ze wszystkimi, przeszła do sedna sprawy.

– Przybyłam tutaj nie tylko w odpowiedzi na pańskie łaskawe zaproszenie, panie Fesch – zaczęła – lecz przede wszystkim, aby omówić sprawę pierwszorzędnej wagi. Chodzi mi o pewnego człowieka – Szwajcara – który, podobnie jak pan, nawrócił się na wiarę katolicką. Lękam się go niezmiernie, albowiem mam podstawy podejrzewać, iż kazał mnie śledzić. Sądzę, że pragnie on przeniknąć sekret, którego strzegę – sekret mający ponad tysiąc lat. Nietrudno się tego domyślić, albowiem w przeszłości ten człowiek studiował muzykę – napisał nawet słownik muzyczny – i skomponował operę wraz ze sławnym André Philidorem. Zaprzyjaźnił się z filozofami Grimmem i Diderotem, którzy utrzymują kontakty z dworem carycy Katarzyny Wielkiej. Ba, korespondował nawet z Wolterem, którym przecież serdecznie gardzi! A teraz, gdy stan zdrowia nie pozwala mu na dłuższe podróże, korzysta z usług szpiega, który zmierza tutaj, na Korsykę. Dlatego proszę o jedno: abyś, panie, wyświadczył mi przysługę i odwdzięczył się za to, co dla niego uczyniłam.

– Kimże jest ów Szwajcar? – spytał Fesch z wielkim zainteresowaniem. – Niewykluczone, iż go znam.

– Może go, panie, znasz, a może nie, lecz z pewnością nieobce ci jest jego imię – odrzekła przeorysza. – To Jan Jakub Rousseau.

– Rousseau! To niemożliwe! – wykrzyknęła matka moja, Angela Maria. – Ależ to wielki człowiek! Przecież to właśnie na jego teorii cnoty naturalnej oparła się korsykańska rewolucja! W rzeczy samej Paoli wynajął go, by napisał naszą konstytucję – to przecież Rousseau powiedział: „Człowiek rodzi się wolnym, lecz wszędzie jest w kajdanach".

– Mówić o zasadach wolności i cnoty to nie to samo, co działać zgodnie z nimi – odparła sucho przeorysza. – Ten człowiek utrzymuje, że wszystkie książki są narzędziem szatana, a sam za jednym posiedzeniem zapisuje sześćset stronic. Najpierw twierdzi, że fizycznym rozwojem dzieci powinny zajmować się matki, intelektualnym zaś ojcowie, a potem zostawia własne potomstwo w domu dla podrzutków! W imię głoszonych przezeń cnót wybuchnie jeszcze niejedna rewolucja, a tymczasem on szuka takiego narzędzia, dzięki któremu w kajdanach znajdą się wszyscy z wyjątkiem tego, który owo narzędzie dzierży!

Oczy przeoryszy lśniły jak rozżarzone węgle. Fesch przyglądał się jej z uwagą.

– Zapewne chciałby pan wiedzieć, o co właściwie mi chodzi – powiedziała przeorysza z uśmiechem. – Doskonale rozumiem Szwajcarów, monsieur. Sama po części jestem Szwajcarką. Zatem przejdę do sedna. Chcę informacji i współpracy. Jednocześnie zdaję sobie sprawę, że nie mogę liczyć na nic, póki nie wyjawię sekretu, którego strzegę i który ukryty jest w opactwie Montglane.

Przez pozostałą część dnia przeorysza snuła długą i cudowną opowieść o legendarnym komplecie szachowym, który rzekomo stanowił niegdyś własność Karola Wielkiego i miał od tysiąca lat spoczywać ukryty w opactwie Montglane. Mówię „rzekomo", gdyż żadna żywa istota nie w i d z i a ł a go nigdy na własne oczy, choć wielu pragnęło go znaleźć i odkryć sekret jego domniemanej mocy. Sama zaś przeorysza – podobnie jak wszystkie jej poprzedniczki – lękała się, że ktoś może odnaleźć skarb za jej życia, czyniąc ją odpowiedzialną za otwarcie puszki Pandory. W efekcie zaczęła przyglądać się podejrzliwie wszystkim, którzy znaleźli się zbyt blisko niej, tak samo jak szachista śledzi wszystkie poruszenia, również własne, i przygotowuje kontrataki z wyprzedzeniem kilku ruchów. Właśnie w tym celu przybyła na Korsykę.

– Prawdopodobnie wiem, czego szuka tutaj Rousseau – powiedziała przeorysza – gdyż dzieje tej wyspy pełne są pradawnych i tajemniczych zdarzeń. Jak już mówiłam, Karol Wielki dostał ów komplet szachowy w darze od Maurów z Barcelony. Lecz w Roku Pańskim 809 – na pięć lat przed śmiercią Karola – Korsykę opanowała inna grupa Maurów. Wbrew powszechnemu mniemaniu, islam dzieli się na prawie tyle samo odłamów co chrześcijaństwo – ciągnęła z krzywym uśmiechem. – Już po śmierci Mahometa między członkami jego rodziny rozpętała się wojna, która doprowadziła do powstania odrębnych sekt. Ci Maurowie, którzy osiedli na Korsyce, należeli do szytów. Byli to mistycy głoszący talim – tajemną doktrynę o nadejściu Odkupiciela. Stworzyli oni mistyczny kult, lożę, tajemne rytuały inicjacyjne – to wszystko, co przejęły od nich współczesne loże wolnomularskie. Dokonali podboju Kartaginy i Trypolisu i założyli tam potężne dynastie. Jeden z jej członków, Pers z Mezopotamii zwany Q'armat – od imienia starożytnej bogini Kar – zebrał armię, z którą zaatakował Mekkę i ukradł zasłonę Kaaby oraz znajdujący się wewnątrz święty kamień. Z nich to właśnie wyłoniła się grupa tak zwanych Haszszaszin – oszołomionych narkotykami politycznych morderców. Stąd zresztą wywodzi się nazwa „asasyni".

A opowiadam wam o tym wszystkim dlatego, że ta bezlitosna szyicka sekta, działająca z pobudek politycznych, wiedziała o istnieniu szachów z Montglane. Członkowie tej sekty studiowali starożytne rękopisy egipskie, babilońskie i sumeryjskie, w których była mowa o mrocznych tajemnicach, do których kluczem – w ich mniemaniu – był właśnie ów komplet. Dlatego też pragnęli go odnaleźć. Przez całe stulecia wojen tym skrytym mistykom nie bardzo się wiodło – ktoś nieustannie krzyżował im szyki, uniemożliwiając lokalizację i przejęcie szachów. W końcu Maurowie zostali na dobre wypędzeni ze swych twierdz na terenie Włoch i Hiszpanii. Osłabieni przez wewnętrzne podziały, przestali być liczącą się siłą.

Przez całą opowieść przeoryszy nasza matka siedziała w niezwykłym milczeniu. Zazwyczaj bezpośrednia i otwarta, teraz była dziwnie czujna i skupiona. Zauważyłam to, tak samo jak mój ojczym, który odezwał się, chyba po to, by wytrącić ją z zamyślenia.

– Cała nasza rodzina jest niewątpliwie pod wrażeniem twej opowieści, pani – powiedział. – Lecz zapewne spodziewasz się, że zaczniemy zachodzić w głowę, czego też monsieur Rousseau poszukuje na naszej wyspie i dlaczego właśnie n a m postanowiłaś powierzyć tę tajemnicę, licząc na to, że udaremnimy jego plany.

– Choć, jak już wspominałam, stan zdrowia Rousseau nie pozwala mu na podróżowanie – odrzekła przeorysza – to z pewnością nają osobę, która odwiedzi jednego z tych kilku Szwajcarów żyjących tu, na wyspie. Jeżeli zaś idzie o sekret, którego poszukuje, to może w tej materii oświeci nas pańska małżonka, Angela Maria. Rodzina jej korzeniami sięga daleko w głąb historii Korsyki. Jeśli się nie mylę, jej przodkowie zamieszkiwali tę wyspę przed przybyciem Maurów...

Nagle wszystko stało się jasne! Matka moja rzuciła krótkie spojrzenie na Fescha i na mnie, a jej słodką, delikatną twarz pokrył szkarłatny rumieniec. Nerwowo splatała palce spoczywających na kolanach dłoni, nie bardzo wiedząc, co właściwie ma zrobić.

– Nie zamierzałam wprawić pani w pomieszanie, madame Fesch – odezwała się przeorysza cichym głosem, w którym jednak dało się wyczuć stanowczość. – Żywiłam wszelako nadzieję, iż zgodnie z zasadami korsykańskiego honoru, wyświadczy mi pani przysługę za przysługę. Przyznam, że użyłam podstępu, by skłonić panią do zrobienia tego, o co nikogo jeszcze nie proszono. Teraz jednak liczę, że moje wysiłki nie będą daremne. – Fesch był nieco zakłopotany, lecz ja nie. Mieszkałam na Korsyce od urodzenia i znałam legendy o rodzinie mojej matki – Pietra-Santas – która zamieszkiwała tę wyspę od zarania jej dziejów.

– Matko – wtrąciłam się – przecież zawsze mówiłaś, że to tylko takie stare mity. Dlatego można je chyba opowiedzieć madame de Roque, skoro tyle dla nas uczyniła? – Przy tych słowach Fesch położył swą dłoń na dłoni mej matki, by dodać jej otuchy.

– Madame de Roque – powiedziała moja matka drżącym głosem – winna ci jestem wdzięczność i rzeczywiście wywodzę się z ludu, który spłaca swoje długi. Lecz twoja opowieść napawa mnie przerażeniem. Jesteśmy bardzo przesądni. Choć większość rodzin na tej wyspie pochodzi z Etrurii, Lombardii lub Sycylii, moi przodkowie byli pierwszymi osadnikami. Wywodzimy się od Fenicjan, ludu zamieszkującego wschodnie wybrzeża Morza Śródziemnego. Skolonizowaliśmy Korsykę szesnaście stuleci przed narodzeniem Chrystusa.

Słuchając słów mej matki, przeorysza kiwała powoli głową.

– Fenicjanie parali się handlem i kupiectwem, a starożytni historycy określali ich mianem „Ludów Morza". Grecy nazywali ich *phoinikes*, czyli „krwistoczerwoni", być może z powodu purpurowego barwnika, który produkowali z muszli, może z powodu legendarnego ognistego ptaka lub drzewa palmowego – oba noszą tę samą nazwę *phfoiniks*: „czerwony jak ogień". Są też tacy, którzy utrzymują, że Fenicjanie przybyli znad Morza Czerwonego, a nadana im nazwa pochodzi od ich ojczyzny. Jednak te wszystkie wyjaśnienia mijają się z prawdą. Chodzi o kolor naszych włosów. Wszystkie późniejsze plemiona fenickie, na przykład Wenecjanie, znane były z jaskraworudych włosów. A rozwodzę się nad tym dlatego, że owi dziwni i prymitywni ludzie oddawali cześć czerwonym przedmiotom, przedmiotom o barwie ognia i krwi.

Choć Grecy mówili na nich *phoinikes*, oni sami stosowali określenie „ludzie z Chna" albo „Knossos", a później „Kanaanejczycy". Wiemy z Biblii, że oddawali cześć wielu bogom, bogom Babilonu. Był wśród nich Bel, którego nazwali Baalem, Isztar, która zmieniła się w Astarte, i Melkart, którą Grecy nazywali Kar, co oznacza „los" bądź też „przeznaczenie", a którego mój lud nazywał Molochem.

– Moloch – wyszeptała przeorysza. – Hebrajczycy żałowali czci, jaką, wedle podania, oddawali temu pogańskiemu bóstwu. Aby je przebłagać, wrzucali swoje dzieci żywcem do ognia...

– Zgadza się – potwierdziła moja matka. – I robili wiele innych, znacznie gorszych rzeczy. Choć wiele ludów starożytnych wyznawało zasadę, iż zemsta należy do bogów, Fenicjanie wierzyli, że zemsta należy do nich. W miejscach, w których się osiedlili, takich jak Korsyka, Sardynia, Marsylia, Wenecja, Sycylia, zdrada stanowi jedynie środek do osiągnięcia celu. Tam odwet to sprawiedliwość. Nawet dziś ich potomkowie grasują po oceanach. Owi piraci berberyjscy nie wywodzą się od Berberów, lecz od Barbarossy: „rudobrodego". Nawet teraz w Tunisie i Algierze trzymają w niewoli dwadzieścia tysięcy Europejczyków, w zamian za okup, na którym robią majątek. To są prawdziwi potomkowie Fenicjan: ludzie, którzy sprawują rządy na morzach, kryjąc się w wyspiarskich fortecach, którzy oddają cześć bogu złodziei, żyją zdradą, a umierają od wendety!

– Tak – powiedziała przeorysza z podnieceniem – to właśnie rzekł ów Maur Karolowi Wielkiemu: ten komplet szachowy dokona sar, czyli zemsty! Ale o co tutaj chodzi? Cóż to za sekret, który pragnęli odkryć Maurowie i który być może znany był Fenicjanom? Jaka moc kryje się w tych figurach –

może niegdyś znana, a dziś stracona na zawsze bez zakopanego klucza?

– Nie wiem – odparła moja matka. – Lecz gdy słucham twoich słów, pani, sądzę, że mogę przedstawić coś na kształt rozwiązania. Powiedziałaś, że szachy przywiozło Karolowi Wielkiemu ośmiu Maurów, którzy nie chcieli się z nimi rozstać i pojechali za nimi nawet do Montglane, gdzie podobno odbywali tajemne rytuały. Otóż wiem, na czym mogły polegać. Moi feniccy przodkowie praktykowali rytuał inicjacyjny bardzo podobny do tego, który opisałaś. Czcili oni święty kamień, czasami stelę albo monolit, według ich wierzeń kryjący w sobie głos bóstwa. Tak jak Czarny Kamień w Kaabie w Mekce, jak kopuła meczetu na Świętej Skale w Jerozolimie, tak w każdej fenickiej świątyni znajdował się *masseboth*.

Wśród naszych legend mamy opowieść o pewnej kobiecie, zwanej Elissą, która pochodziła z Tyru. Brat jej był królem, a gdy zamordował jej męża, ona ukradła święte kamienie i zbiegła do Kartaginy, na brzegach Afryki Północnej. Rzecz jasna, brat ruszył za nią w pościg, jako że ukradła jego bogów. Wedle naszej legendy, poświęciła się na stosie, aby przebłagać bogów i ocalić swój lud. Lecz właśnie wówczas obwieściła, że powstanie jak feniks z popiołów – w dniu, kiedy kamienie śpiewać zaczną, a piaski pustyni zapłaczą krwawymi łzami. I będzie to dzień zemsty dla Ziemi.

Matka skończyła swą opowieść, a przeorysza długi czas siedziała w milczeniu. Ani ojczym mój, ani ja nie śmieliśmy odezwać się słowem. Wreszcie przeorysza zaczęła:

– Tajemnica Orfeusza, który śpiewem budził do życia skały i kamienie. Jego głos był tak słodki, że nawet pustynne piaski płakały krwawymi łzami. Choć niewykluczone, że są to tylko mity, czuję, że dzień zemsty jest już blisko. Niech Bóg ma nas w opiece, jeśli komuś uda się odnaleźć szachy z Montglane, gdyż wierzę, że kryją one w sobie klucz, który otworzy nieme usta Natury i uwolni głosy bogów.

Letycja rozejrzała się po niewielkiej jadalni. W koksowniku tliły się resztki popiołu. Napoleon i Eliza przyglądali się jej w milczeniu, lecz Mireille była bardziej dociekliwa.

– A czy przeorysza powiedziała, w jaki sposób ten komplet może doprowadzić do czegoś takiego? – spytała.

Letycja potrząsnęła głową.

– Nie, lecz jedno z jej podejrzeń niebawem się potwierdziło, to dotyczące Rousseau. Jesienią, tuż po jej wyjeździe, zjawił się tu jego agent: młody Szkot nazwiskiem James Boswell. Pod pretekstem zbierania materiałów do historii Korsyki zaprzyjaźnił się z Paolim i co wieczór gościł u niego na kolacji. Przeorysza błagała nas, byśmy donosili jej o wszystkich jego posunięciach, jak również przestrzegli wszystkich potomków Fenicjan, aby nie opowiadali mu naszych podań. To ostrzeżenie okazało się niepotrzebne, gdyż jesteśmy skryci i niechętnie rozmawiamy z obcymi, chyba że – tak jak w przypadku przeoryszy – mamy wobec nich dług wdzięczności. Zgodnie z przewidywaniami przeoryszy, Boswell skontaktował się z Franzem Feschem, lecz był tak zmrożony chłodnym przyjęciem, że nazwał go typowym Szwajcarem. Gdy później ukazała się drukiem *Historia Korsyki i życie Pasquale Paolego*, trudno było sobie wyobrazić, że jej autor spełnił swoją misję i zawiózł jakieś informacje Rousseau. A teraz, oczywiście, Rousseau nie żyje...

– Ale komplet z Montglane znów żyje – powiedziała Mireille, wstając z miejsca i patrząc Letycji prosto w oczy. – Choć twoja opowieść, pani, tłumaczy znaczenie słów przeoryszy i rzuca światło na waszą przyjaźń, to wiele spraw nadal pozostaje nie wyjaśnionych. Czyżbyś spodziewała się, madame, że zadowolę się historią o śpiewających kamieniach i mściwych Fenicjanach? Być może mam rude włosy jak Elissa z Q'ar, lecz pod tymi włosami kryje się mózg! Przeorysza z Montglane nie jest większą mistyczką niż ja i zapewne tak samo jak ja byłaby niezadowolona z tej opowieści. Ponadto słowa przeoryszy kryją w sobie więcej, niż to wynika z tego, co przed chwilą usłyszeliśmy; ona powiedziała przecież twojej córce, że gdy otrzymasz tę wiadomość, będziesz w i e d z i a ł a, c o r o b i ć! Co przez to rozumiała, madame Buonaparte? I j a k i to wszystko ma związek ze wzorem?

Na dźwięk tych słów Letycja, ze zbielałą twarzą, przyłożyła rękę do piersi. Napoleon i Eliza siedzieli jak przykuci do krzeseł, lecz Napoleon zdołał wyszeptać:

– Z jakim wzorem?

– Wzorem, o którym wiedział Wolter, o którym wiedział kardynał Richelieu, o którym niewątpliwie wiedział Rousseau i o którym wie wasza matka! – krzyknęła Mireille, której głos rósł z każdym słowem. Wpatrywała się w znieruchomiałą Letycję, a jej ciemnozielone oczy żarzyły się niczym szmaragdy. Mireille przebiegła pokój dwoma wielkimi susami, dopadła Letycji i chwyciwszy ją za ramiona, postawiła na nogi. Napoleon i Eliza poderwali się z miejsc, lecz Mireille powstrzymała ich władczym ruchem ręki.

– Odpowiedz mi, madame. Przez te figury już dwie kobiety poniosły śmierć na moich oczach. Widziałam zło i okrucieństwo jednego z tych, którzy ich poszukują – ten człowiek w tej chwili poluje na mnie i jest gotów zabić mnie z powodu tego, co wiem. Puszka została otwarta i śmierć szaleje po świecie. Widziałam ją na własne oczy, tak samo jak widziałam figury kompletu z Montglane oraz wyryte na nich symbole! Wiem, że istnieje wzór. Teraz powiedz mi, proszę, czego przeorysza od ciebie chce! – Wykrzykując te słowa, dosłownie potrząsała Letycją. Na jej twarzy malował się wyraz dzikiej furii, gdyż przed oczyma wciąż miała twarz Valentine – kochanej Valentine, którą zamordowano z powodu tego kompletu.

Usta Letycji drżały. Płakała. Ta kobieta ze stali, która nigdy nie uroniła nawet łzy. Choć Mireille wciąż nie wypuszczała jej z uścisku, Napoleon podszedł bliżej i otoczył matkę ramieniem, a Eliza lekko dotknęła ręki Mireille.

– Matko – rzekł Napoleon – musicie jej powiedzieć. Powiedzcie jej to, co chce wiedzieć. Na Boga, przecież odparliście setkę francuskich żołnierzy z karabinami! Czy to jest aż tak straszliwe, że nie możecie nawet otworzyć ust?

Letycja próbowała coś powiedzieć, powstrzymując łkanie, a po jej spierzchniętych wargach spływały słone łzy.

– Przysięgłam, wszyscy przysięgliśmy, że nigdy nie powiemy o tym ani słowa – wykrztusiła wreszcie. – Hélène, to jest przeorysza, wiedziała, że istnieje wzór, zanim jeszcze zobaczyła komplet. A jeśli miała być pierwszą osobą, której dane będzie wydobyć go z ukrycia po tysiącu lat, to powiedziała mi, że go zapisze, zapisze symbole wyryte na figurach i na szachownicy i jakimś sposobem wyśle je do mnie!

– Do ciebie, pani? – spytała Mireille. – Dlaczego do ciebie? Przecież byłaś wówczas zaledwie dzieckiem.

– Tak, dzieckiem – odparła Letycja, uśmiechając się przez łzy. – Czternastoletnim dzieckiem, które niebawem miało wyjść za mąż. Dzieckiem, które wydało na świat trzynaścioro dzieci i oglądało śmierć pięciorga z nich. Wciąż jestem dzieckiem, ponieważ nie rozumiem niebezpieczeństwa, jakie niesie ze sobą obietnica, którą złożyłam przeoryszy.

– Powiedz mi, pani – odezwała się Mireille łagodnie. – Powiedz, co jej obiecałaś.

– Przez całe życie studiowałam starożytne historie. Obiecałam Hélène, że gdy zgromadzi już wszystkie figury, wówczas udam się do ludu matki mojej w Afryce Północnej, udam się do sędziwego muftiego pustyni i rozszyfruję wzór.

– A zatem znasz tam, pani, ludzi, którzy mogą ci pomóc? – spytała Mireille podniecona. – Ja tam właśnie zmierzam, madame. Och, pozwól mi wyświadczyć ci tę przysługę! To moje jedyne życzenie! Wiem, że ostatnimi czasy nie czułam się zbyt dobrze, ale przecież jestem młoda i szybko wrócę do sił...

– Najpierw muszę porozumieć się z przeoryszą – powiedziała Letycja, której częściowo udało się odzyskać kontenans. – Poza tym jeden wieczór to zbyt mało, by przekazać ci to, czego nauczyłam się przez te wszystkie lata. Choć wydaje ci się, pani, że masz dość sił do podróży, to wiedz, że dość napatrzyłam się na tego rodzaju choroby, żeby przewidzieć, że minie dopiero za jakieś sześć lub siedem miesięcy. Akurat tyle, żebyś się nauczyła...

– Sześć lub siedem miesięcy! – wykrzyknęła Mireille. – Ależ to niemożliwe! Nie mogę tak długo zostać na Korsyce!

– Obawiam się, że będzie to konieczne, moja droga – odparła Letycja z uśmiechem. – Rzecz w tym, że wcale nie jesteś chora. Spodziewasz się dziecka.

Londyn
listopad 1792

Sześćset pięćdziesiąt mil od Korsyki ojciec dziecka Mireille, Charles Maurice de Talleyrand-Périgord, łowił ryby na zamarzniętym brzegu Tamizy.

Siedział na kilku warstwach grubych, wełnianych szali, które na wierzchu okrył ceratą. Spodnie miał zawinięte do kolan i ściśnięte gurtem, a trzewiki i pończochy, starannie złożone, leżały obok. Miał na sobie gruby skórzany kaftan i wysokie buty wykładane futrem, a na głowie kapelusz z szerokim rondem mający chronić kołnierz przed płatkami śniegu.

Z tyłu, pod zaśnieżonymi gałęziami wielkiego dębu, stał Courtiade, w jednym ręku trzymał wiklinowy koszyk pełen ryb, a w drugim starannie złożony aksamitny żakiet swojego pana. Dno koszyka wyścielone było pożółkłymi płachtami francuskiej gazety, mającej wchłaniać rybią krew. Aż do tego dnia owa gazeta wisiała przybita do drzwi gabinetu.

Courtiade wiedział, co tam jest napisane, i z ogromną ulgą przyjął to, że Talleyrand nagle zdarł ją ze ściany, ułożył na dnie kosza i powiedział, że czas iść na ryby. Jego pan był niezwyczajnie cichy, odkąd doszły wieści z Francji. Tekst przeczytali wspólnie:

POSZUKIWANY ZA ZDRADĘ

Talleyrand, były biskup Autun, wyemigrował... spróbujcie wydobyć informacje od przyjaciół lub krewnych, którzy mogą go ukrywać... Jego rysopis... twarz pociągła, niebieskie oczy, nos średni, lekko zadarty. Talleyrand--Périgord kuleje albo na prawą, albo na lewą nogę...

Courtiade śledził wzrokiem ciemne zarysy barek płynących ospale w dół i w górę szarej, ponurej Tamizy. Prąd porywał odpryski lodu, które tańczyły na powierzchni rzeki jak porzucone błyskotki. Linka Talleyranda unosiła się wśród trzcin wyrastających pomiędzy szczelinami w brudnym lodzie. Nawet przy tak niskiej temperaturze Courtiade czuł wyraźnie silny, słony zapach ryb. Ta zima, podobnie jak wiele innych spraw, przyszła zdecydowanie za wcześnie.

Zaledwie dwa miesiące temu, 23 września, Talleyrand przybył do Londynu, by zamieszkać w niewielkim domu na Woodstock Street, przygotowanym dlań przez Courtiade'a. Ten pośpiech wcale nie okazał się przesadny, gdyż nie dalej jak dzień wcześniej członkowie komitetu otworzyli „żelazną szafę" króla w pałacu Tuileries, gdzie znaleźli listy od Mirabeau i LaPorte'a, z których wynikało, że oddani członkowie Zgromadzenia otrzymali niejedną łapówkę z Rosji, Hiszpanii i Turcji, a nawet z rąk samego Ludwika XVI.

Mirabeau ma szczęście, że nie żyje, pomyślał Talleyrand, rozwijając linkę i kiwając ręką na Courtiade'a, by podał mu kolejną przynętę. W pogrzebie Mirabeau uczestniczyło trzysta tysięcy ludzi, a teraz jego popiersie w Zgromadzeniu okryto zasłoną, a prochy usunięto z Panteonu. Jeśli zaś idzie o króla, sprawy miały się znacznie gorzej: życie jego wisiało teraz na włosku. Więziono go wraz z rodziną w wieży Temple.

Talleyranda również osądzono, choć *in absentia*, wyrok brzmiał: winny. Choć nie mieli przeciw niemu żadnych konkretnych dowodów, ze skonfiskowanych listów LaPorte'a wynikało, że jego przyjaciel biskup, jako były przewodniczący Zgromadzenia, gotów był służyć interesom króla – rzecz jasna za odpowiednią opłatą.

Talleyrand nabił na haczyk kawałek baraniego tłuszczu podany mu przez Courtiade'a i z ciężkim westchnieniem cisnął go w ciemne fale Tamizy. Próby wyjazdu z Francji przy użyciu paszportu dyplomatycznego spełzły na niczym. W swojej ojczyźnie poszukiwany był listem gończym, a tu – w Anglii – nie miał szans na uzyskanie brytyjskiego szlachectwa. Nawet przebywający tu emigranci darzyli go nienawiścią za to, że zdradził swoją warstwę, udzielając poparcia rewolucji. Najgorsze ze wszystkiego było jednak to, że jego fundusze stopniały. Nawet te kochanki, które niegdyś wspierały go finansowo, teraz klepały biedę w Londynie, wyrabiając słomiane kapelusze lub pisząc powieści, byle tylko się utrzymać.

Życie jest beznadziejne. Rwący prąd porwał jego trzydzieści osiem lat jak tę przynętę, którą przed chwilą rzucił w fale. Wszystko znikło bez śladu. A jednak nadal trzymał kij. Choć nieczęsto o tym wspominał, dobrze pamiętał, że przodkowie jego pochodzą od Karola Łysego, wnuka Karola Wielkiego. Adalbert z Périgord posadził na tronie francuskim Hugona Kapeta, Taillefer bohatersko walczył pod Hastings, Hélie de Talleyrand doprowadził do tego, że papież Jan XXII zasiadł na Stolicy Piotrowej. Był zatem potomkiem długiej linii „twórców królów", których dewiza brzmiała *Réqué Diou** – Tylko Bóg. Gdy życie stawało się beznadziejne, Talleyrandowie de Périgord nie poddawali się, lecz stawali do walki.

Zwinął linkę, zdjął przynętę i rzucił ją do koszyka. Lokaj pomógł mu wstać.

– Courtiade – powiedział Talleyrand, wręczając mu wędkę – czy wiesz, że za kilka miesięcy przypadają moje trzydzieste dziewiąte urodziny?

– Oczywiście – odparł lokaj. – Czy zatem monseigneur życzy sobie, bym przygotował uroczystość?

Na te słowa Talleyrand odrzucił głowę do tyłu i wybuchnął śmiechem.

– Przed końcem tego miesiąca będę musiał wyprowadzić się z Woodstock Street i przenieść do znacznie skromniejszego domu w Kensington. Jeśli nie znajdę jakiegoś źródła dochodu, to pod koniec roku będę zmuszony sprzedać moją bibliotekę...

– Wydaje mi się, że monseigneur o czymś zapomniał – rzekł uprzejmie Courtiade, pomagając Talleyrandowi się przebrać i trzymając jego aksamitny żakiet. – O czymś, co los zsyła w ciężkim utrapieniu, w jakim niewątpliwie monseigneur się znalazł. Mam tutaj na myśli owe przedmioty ukryte obecnie za książkami w bibliotece na Woodstock Street.

– Nie było dnia, żebym o tym nie myślał – przyznał Talleyrand. – Jednak nie sądzę, by były one przeznaczone do sprzedaży.

– Proszę mi wybaczyć moją śmiałość – ciągnął Courtiade, składając odzież Talleyranda – ale czy monseigneur miał ostatnio jakieś wiadomości od mademoiselle Mireille?

– Nie, lecz bynajmniej nie zamierzam jeszcze pisać jej epitafium. To dzielna dziewczyna i wie, co robi. Chodzi mi o to, że wartość skarbu znajdującego się teraz w moim posiadaniu zapewne wielokrotnie przekracza wartość złota, z którego został wykonany, w przeciwnym bowiem razie nie szukano by go od tak dawna. We Francji skończył się już wiek złudzeń. Króla zważono na szali i okazało się, że jak każdemu królowi, czegoś mu nie dostaje. Jego proces będzie teraz zwykłą for-

---

* *Réqué Diou* – dewiza rodu Talleyrand-Périgord, stara dialektowa forma Rien que Dieu – Tylko Bóg (przyp. red.).

334

malnością. Jednak anarchia nie jest w stanie zastąpić nawet najsłabszej władzy. Dziś Francja nie potrzebuje władcy, lecz przywódcy. A jeśli taki ktoś się zjawi, ja pierwszy go uznam.

– Monseigneur ma zapewne na myśli człowieka, który będzie spełniał wolę Bożą i przywróci pokój na naszej ziemi – powiedział Courtiade i przyklęknął, by włożyć trochę lodu do koszyka z rybami.

– Nie, Courtiade – westchnął Talleyrand. – Gdyby Bóg pragnął pokoju na ziemi, na pewno byśmy go mieli. Zacytuję Zbawiciela, który powiedział kiedyś: „Nie przyszedłem przynieść pokoju, ale miecz". Człowiek, o którym mówię, będzie rozumiał moc drzemiącą w szachach z Montglane, a sprowadza się ona do jednego słowa: władza. To właśnie zaoferuję człowiekowi, który wkrótce stanie na czele Francji.

Gdy Talleyrand i Courtiade szli powoli wzdłuż zamarzniętych brzegów Tamizy, lokaj z pewnym wahaniem zadał pytanie, które krążyło mu po głowie od czasu, kiedy dostali tę francuską gazetę wyścielającą teraz dno koszyka z rybami.

– A w jaki sposób monseigneur zamierza poznać tego człowieka, skoro oskarżenie o zdradę uniemożliwia mu powrót do Francji?

Talleyrand uśmiechnął się, poklepując lokaja po ramieniu w geście rzadkiej poufałości.

– Mój drogi Courtiade – odpowiedział – zdrada jest jedynie kwestią dat.

Paryż
grudzień 1792

Data: 11 grudnia. Wydarzenie: sąd nad Ludwikiem XVI, królem Francji. Zarzut: zdrada.

Klub Jakobinów był napchany po brzegi, gdy Jacques-Louis David dotarł na miejsce. Za nim szli ostatni maruderzy z pierwszego dnia przesłuchań, a niektórzy poklepywali go po ramieniu. Dochodziły go strzępy rozmów – o damach siedzących w swoich lożach podczas procesu i popijających rozmaite trunki, o sprzedawcach lodów krążących po refektarzu, o kochankach księcia orleańskiego, które poszeptywały i chichotały za koronkowymi wachlarzami. I o samym królu, któremu pokazano listy przechowywane w „żelaznej szafie", który udawał, że po raz pierwszy widzi je na oczy, który zaprzeczał autentyczności własnego podpisu i tłumaczył się słabą pamięcią, gdy przedstawiono mu zarzuty o zdradę stanu. Wszyscy jakobini zgodzili się, że to tresowany bufon. A wielu z nich wydało wyrok jeszcze przed wkroczeniem w wielkie, dębowe drzwi Klubu Jakobinów.

David kroczył po wyłożonej kafelkami posadzce dawnego klasztoru św. Jakuba, gdzie odbywały się teraz spotkania jakobinów, gdy ktoś pociągnął go za rękaw. Obróciwszy się na pięcie, zobaczył zimne, lśniące zielone oczy Maksymiliana Robespierre'a.

Jak zwykle nienaganny, ubrany w srebrnoszary surdut z wysokim kołnierzem i ze starannie upudrowanymi włosami Robespierre wydawał się bledszy niż ostatnio i przez to znacznie surowszy. Skinął głową Davidowi, sięgnął do kieszeni surduta i wyjął pudełko pastylek. Wziąwszy sobie jedną, poczęstował Davida.

– Mój drogi David – powiedział – nie widujemy cię od wielu miesięcy. Słyszałem, że pracujesz nad obrazem *Przysięga w sali Jeu de Paume*. Wiem, że jesteś oddanym artystą, lecz naprawdę nie powinieneś aż tak poświęcać się pracy, rewolucja cię potrzebuje.

W taki oto subtelny sposób Robespierre dał mu do zrozumienia, że nawet rewolucjoniście grozi niebezpieczeństwo, gdy zaczyna trzymać się z dala od nurtu wydarzeń. Może to bowiem zostać zinterpretowane jako brak zainteresowania.

– Oczywiście słyszałem o losie jednej z twoich podopiecznych w więzieniu L'Abbaye – dodał po chwili. – Przyjmij moje najszczersze, choć spóźnione wyrazy współczucia. Wiadomo ci zapewne, że Marat został ukarany przez żyrondystów w obecności całego Zgromadzenia. Domagali się dla niego kary, a on, stojąc na górze, wyjął pistolet i zaczął go sobie przykładać do skroni, jakby chciał się zastrzelić! Obrzydliwe widowisko, ale kupił sobie życie. Równie dobrze król mógłby pójść w jego ślady.

– Sądzisz, że Konwencja będzie głosować za śmiercią króla? – spytał David, zmieniając temat, gdyż wciąż jeszcze śmierć Valentine była dlań zbyt bolesnym przeżyciem.

– Żywy król to niebezpieczeństwo – odparł Robespierre. – Choć nie jestem zwolennikiem królobójstwa, to z jego korespondencji wynika ponad wszelką wątpliwość, że winien jest zdrady stanu; tak samo zresztą jak twój przyjaciel Talleyrand! Teraz okazuje się, że moje podejrzenia były całkiem słuszne.

– Otrzymałem wiadomość od Dantona, że chce mnie tu widzieć dziś wieczór. Wygląda na to, że są jakieś wątpliwości, jeśli chodzi o głosowanie w sprawie losu króla – powiedział David.

– Tak, dlatego właśnie się spotykamy – potwierdził Robespierre. – Żyrondyści, ci śmierdzący tchórze, maczają w tym palce. Obawiam się jednak, że jeśli pozwolimy na uczestnictwo wszystkich ich lokalnych przedstawicieli, to grozi nam powrót monarchii miażdżącą przewagą głosów. A propos żyrondystów, chciałbym, żebyś poznał tego oto młodego Anglika, który właśnie zmierza w naszą stronę. To przyjaciel André Chéniera, poety. Zaprosiłem go na dzisiejszy wieczór, by jego romantyczne złudzenia dotyczące rewolucji rozwiały się na widok lewicy w akcji.

David zobaczył wysokiego, niezgrabnego młodzieńca, który zbliżał się w ich stronę. Miał ziemistą cerę, rzadkie włosy, które co chwilę odgarniał z czoła, a na dodatek wyraźnie się garbił. Ubrany był w źle skrojony brązowy anglez przypominający starą szmatę, a na szyi, zamiast fulara, miał czarną, powiązaną w supły chustkę nie bardzo nadającą się już do noszenia. Natomiast spojrzenie miał jasne i żywe, mocny i wyrazisty nos kontrastujący z cofniętą szczęką oraz dłonie pokryte zgrubieniami typowymi dla tych, którzy wychowali się na wsi i od wczesnych lat musieli troszczyć się o siebie.

– To jest młody poeta, William Wordsworth – powiedział Robespierre, a obaj mężczyźni uścisnęli sobie dłonie. – W Paryżu jest od ponad miesiąca, lecz jest to jego pierwsza wizyta w Klubie Jakobinów. Chciałbym przedstawić obywatela Jacquesa-Louisa Davida, byłego przewodniczącego Zgromadzenia.

– Monsieur David! – wykrzyknął Wordsworth, ściskając gorąco dłoń Davida. – Miałem ten wielki zaszczyt oglądać pański obraz w Londynie, gdy przyjechałem z Cambridge; to była *Śmierć Sokratesa*. Jest pan prawdziwym natchnieniem dla kogoś takiego jak ja, kto pragnie uwiecznić narodziny historii.

– A więc jest pan pisarzem? – spytał David. – W takim razie przyjechał pan w samą porę, aby być świadkiem wielkiego wydarzenia: upadku francuskiej monarchii.

– W ubiegłym roku brytyjski poeta narodowy, mistyk William Blake, opublikował wiersz zatytułowany *Rewolucja francuska*, w którym przedstawia, podobnie jak w Biblii, wizjonerską przepowiednię o upadku królów. Może zna pan ten wiersz?

– Niestety, ograniczam się do Herodota, Plutarcha i Liwiusza – odparł David z uśmiechem – gdyż nie będąc ani mistykiem, ani poetą, tam odnajduję stosowne tematy do moich prac.

– To dziwne, ponieważ my, Anglicy, wierzymy, że twórcami rewolucji francuskiej są wolnomularze, których niewątpliwie należy zaliczyć do mistyków.

– To prawda, że większość z nas jest członkami tego stowarzyszenia – przyznał Robespierre. – W rzeczy samej, Klub Jakobinów został założony przez Talleyranda jako loża wolnomularska. Lecz tutaj, we Francji, wolnomularze nie są mistykami...

– Z drobnymi wyjątkami – wtrącił David. – Na przykład Marat.

– Marat? – Robespierre uniósł brwi ze zdumienia. – Wolne żarty. A skąd ci to przyszło do głowy?

– Szczerze mówiąc, zjawiłem się tutaj nie tylko na polecenie Dantona – wyznał niechętnie David. – Chciałem zobaczyć się z tobą, gdyż sądziłem, że mógłbyś mi pomóc. Wspomniałeś o tym... wypadku... jaki przytrafił się mojej podopiecznej w więzieniu L'Abbaye. Przecież wiesz, że jej śmierć nie była przypadkiem. Marat celowo ją przesłuchał, a potem skazał na śmierć, gdyż myślał, że wie coś o... Czy słyszałeś kiedyś o komplecie szachowym z Montglane?

Na dźwięk tych słów Robespierre pobladł. Wordsworth patrzył to na jednego, to na drugiego, nic z tego nie rozumiejąc.

– Czy ty wiesz, o czym mówisz? – wyszeptał Robespierre, odciągając Davida na bok, choć Wordsworth ruszył za nimi, teraz przysłuchując się uważnie. – A cóż twoja podopieczna mogła o tym wiedzieć?

– Obie moje podopieczne były nowicjuszkami w opactwie Montglane... – zaczął David, lecz Robespierre znowu mu przerwał.

– Dlaczego nie powiedziałeś mi o tym wcześniej? – spytał Robespierre drżącym głosem. – Ależ oczywiście, teraz rozumiem, dlaczego biskup Autun otoczył je taką opieką od chwili ich przybycia do Paryża. Szkoda, że dowiaduję się o tym dopiero teraz, na pewno by mi się nie wymknął!

– Nigdy nie wierzyłem w tę opowieść, Maksymilianie – powiedział David. – Myślałem, że to tylko legenda, przesąd. Ale Marat był odmiennego zdania. A Mireille, próbując ocalić życie swej kuzynki, powiedziała mu, że ten bajkowy skarb naprawdę istnieje! Powiedziała, że wraz z kuzynką są w posiadaniu jego części, którą zakopały w moim ogrodzie. Lecz gdy następnego dnia pojawił się tam wraz z deputacją, aby przekopać ogród...

– Tak, tak? – pytał gwałtownie Robespierre, niemal miażdżąc w uścisku ramię Davida.

Wordsworth wsłuchiwał się teraz w każde słowo.

– Mireille już nie było, znikła... – wyszeptał David. – A nieopodal małej fontanny w moim ogrodzie ziemia była świeżo rozkopana.

– Gdzie jest teraz twoja podopieczna?! – Robespierre niemal krzyczał z podniecenia. – Musimy ją przesłuchać. Niezwłocznie.

– Myślałem, że właśnie w tej sprawie będziesz mógł mi pomóc. Straciłem nadzieję, że w ogóle powróci. Sądziłem, że dzięki swoim kontaktom zdołasz ją wyśledzić i sprawdzisz, czy coś się jej nie przytrafiło.

– Znajdziemy ją, choćbym miał przewrócić Francję do góry nogami – zapewnił go Robespierre. – Ale musisz mi ją dokładnie opisać, ze wszystkimi szczegółami.

– Mam coś lepszego. W mojej pracowni wisi jej portret – odparł David.

Korsyka
styczeń 1793

Los jednak chciał inaczej i modelka – natchnienie do tego portretu nie miała długo zabawić na francuskiej ziemi.

Było już dobrze po północy, pod koniec stycznia, gdy Letycja Buonaparte wyrwała Mireille z głębokiego snu. Mireille dzieliła z Elizą mały pokoik w ich domu na wzgórzach wznoszących się nad Ajaccio. Upływał już trzeci miesiąc pobytu Mireille na Korsyce i dowiedziała się od Letycji wielu rzeczy, które musiała wiedzieć, choć wiele spraw wciąż jeszcze czekało na wyjaśnienie.

– Ubierajcie się prędko – powiedziała przyciszonym głosem do obu dziewcząt, które przecierały zaspane oczy. Obok Letycji, w ciemnościach, stała dwójka młodszych dzieci – Karolina i Hieronim – podobnie jak Letycja gotowych do drogi.

– Co się stało? – krzyknęła Eliza.

– Musimy uciekać – odparła Letycja spokojnym głosem. – Byli tu żołnierze Paolego. Król Francji nie żyje.

– Niemożliwe! – zawołała Mireille, siadając gwałtownie.

– Jego egzekucja odbyła się w Paryżu dziesięć dni temu – tłumaczyła Letycja, wyjmując ubrania z szafy. – A tutaj, na Korsyce, Paoli zebrał oddziały, które połączą się z siłami Sardynii i Hiszpanii i wspólnie podejmą próbę obalenia rządu francuskiego.

– Ależ matko – jęknęła Eliza, najwyraźniej nie mając ochoty opuszczać ciepłego łóżka – co to wszystko ma wspólnego z nami?

– Dziś po południu na Zgromadzeniu Korsykańskim twoi bracia Napoleon i Lucjan wypowiadali się przeciwko Paolemu – rzekła Letycja z krzywym uśmiechem. – A teraz Paoli ogłosił przeciw nim *vendetta traversa*.

– A cóż to takiego? – spytała Mireille, która zeszła z łóżka i wkładała rzeczy, które podawała jej Letycja.

– Zemsta równoczesna – szepnęła Eliza. – Jest taki zwyczaj na Korsyce, że jeśli ktoś cię skrzywdzi, możesz mścić się na całej jego rodzinie! Lecz gdzie są teraz moi bracia?

– Lucjan ukrywa się u mojego brata, kardynała Fescha – odrzekła Letycja, podając Elizie ubrania. – A Napoleon uciekł z wyspy. A teraz słuchajcie, nie mamy tylu koni, żeby dojechać dzisiaj do Bocognano, nawet jeśli posadzimy dwójkę dzieci na jednym koniu. Dlatego będziemy musieli ukraść kilka i dotrzeć na miejsce przed świtem. – Wyszła z pokoju, popychając dzieci przed sobą. Te zaczęły popłakiwać, przestraszone ciemnością, a po chwili rozległ się surowy głos Letycji: – Ja nie płaczę, prawda? Więc jaki wy wymyśliliście sobie powód?

– Co to jest Bocognano? – rzuciła Mireille do Elizy, gdy wybiegały z pokoju.

– Tam mieszka moja babka, Angela Maria di Pietra-Santa – odparła Eliza. – To znaczy, że sytuacja jest naprawdę poważna.

Mireille była oszołomiona. Wreszcie zobaczy tę staruszkę, o której tak wiele słyszała – przyjaciółkę przeoryszy z Montglane.

Eliza objęła Mireille i ruszyły w ciemnościach nocy.

– Angela Maria mieszka na Korsyce od urodzenia. Jej bracia, kuzyni, bratankowie mogliby stworzyć armię zdolną zniszczyć pół tej wyspy. Dlatego właśnie matka zwraca się do niej – oznacza to, że przyjęła zemstę równoczesną.

Wioska Bocognano była otoczoną murami fortecą, wybudowaną pośród wysokich i poszarpanych skalnych szczytów ponad osiem tysięcy stóp nad poziomem morza. Niebo powoli bladło, gdy przejechali gęsiego przez ostatni most, pod którym pieniły się rozszalałe wody. Gdy wreszcie dotarli na szczyt ostatniego wzgórza, przed oczyma Mireille rozciągnął się błękit Morza Śródziemnego, malutkie wysepki – Elba, Pianosa i Montecristo, które zdawały się unosić na niebie, a hen, w oddali, lśniące wybrzeże Toskanii wynurzające się z mgieł.

Angela Maria di Pietra-Santa nie była uszczęśliwiona ich widokiem.

– No tak! – powiedziała mała kobieta, która wynurzyła się z kamiennego domku, by przywitać zmęczonych przybyszy. Gdy tak stała, z rękami na biodrach, przywodziła na myśl gnoma. – Ci synowie Karola Buonaparte znowu wpadli w tarapaty.

Jeśli nawet Letycja była zdumiona tym, że matka zna powód ich przybycia, to nie dała tego po sobie poznać. Z chłodną, nieprzeniknioną twarzą zeskoczyła z siodła, by uścisnąć swoją żylastą, zagniewaną matkę i ucałować ją w oba policzki.

– No, dobrze, dobrze – mruknęła staruszka. – Dość już tych formalności. Każ dzieciakom zsiąść z koni, bo widzę, że okrutnie zmęczone. Czy ty je w ogóle karmisz? Wyglądają jak oskubane kurczaki. – I ruszyła energicznie przed siebie, po drodze chwytając dzieci za nogi, by schodziły z koni. Gdy doszła do Mireille, zatrzymała się. Potem podeszła bliżej, chwyciła ją mocno za podbródek i obróciła jej twarz w jedną i w drugą stronę, by lepiej się jej przyjrzeć. – A więc to ta, o której mi mówiłaś – rzuciła przez ramię do Letycji. – Ta z dzieckiem? Ta z Montglane?

Mireille była już w piątym miesiącu ciąży i – jak przewidywała Letycja – czuła się znacznie lepiej.

– Matko, trzeba ją wywieźć z wyspy. Nie jesteśmy już w stanie zapewnić jej bezpieczeństwa, choć przeorysza zapewne życzyłaby sobie, byśmy ją jeszcze zatrzymały.

– Jak wiele się nauczyła? – spytała staruszka.

– Tyle, ile było możliwe w tak krótkim czasie – odparła Letycja, spoglądając krótko na Mireille swymi bladoniebieskimi oczami. – Lecz nie tyle, ile trzeba.

– No dobrze, nie stójmy tak tutaj, gdacząc jak najęte! – krzyknęła staruszka. Potem obróciła się do Mireille i objęła ją pomarszczonymi rękami. – Ty pójdziesz ze mną, młoda damo. Może Hélène de Roque przeklnie mnie za to, co zamierzam zrobić, lecz jeśli tak, to powinna nieco szybciej odpowiadać na moją korespondencję! Milczy już od trzech miesięcy. Dziś w nocy – ciągnęła tajemniczym szeptem, prowadząc Mireille w stronę domu – pod osłoną ciemności zabierze cię stąd statek, którym popłyniesz do mojego przyjaciela. Tam będziesz bezpieczna, póki nie skończy się *traversa*.

– Ależ madame – powiedziała Mireille – przecież twoja córka nie nauczyła mnie jeszcze wszystkiego. Jeśli będę musiała pozostawać w ukryciu, aż rozstrzygnie się ta walka, moja misja jeszcze bardziej się opóźni. Nie mogę czekać tak długo.

– A któż każe ci czekać? – Staruszka poklepała ją z uśmiechem po krągłym brzuszku. – Zresztą posyłam cię tam, gdzie będę cię potrzebować, i chyba nie będziesz mieć nic przeciwko temu. Ten przyjaciel, który zapewni ci bezpieczeństwo, wie o twoim przyjeździe, choć pewnie nie spodziewa się, że nastąpi to tak szybko. Na imię ma Szahin, bardzo piękne imię. Po arabsku znaczy to „sokół wędrowny". On właśnie dokończy twej edukacji w Algierze.

ANALIZA POZYCJI

Szachy są sztuką analizy.

Michaił Botwinnik
radziecki arcymistrz, mistrz świata

Szachy to wyobraźnia.

Dawid Bronstein
radziecki arcymistrz

Wenn ihr's nicht fühlt, ihr werdet's nicht erjagen.
(Jeśli nie czujecie, nigdy nie pojmiecie.)

Johann Wolfgang Goethe
Faust

Nadmorska droga wiła się długą wstęgą, a każdy jej zakręt odsłaniał zapierające dech w piersiach widoki spłukiwanych falami poszarpanych skał. Porastały je małe, kwitnące sukulenty i porosty. Kwitły tam również oszałamiające fuksje i jaskry, a kolczaste liście przypołudnika tworzyły na słonych skałach koronkowy wzór. Połyskujące fale były metalicznie zielone – jak oczy Solarina.

Jednak myśli kotłujące się od wczorajszej nocy w mojej głowie nie pozwalały mi rozkoszować się tym widokiem. Taksówka pędziła w kierunku Algieru, a ja usiłowałam jakoś uporządkować tę mieszaninę.

Za każdym razem, gdy próbowałam dodać dwa do dwóch, wychodziła mi ósemka. Właściwie wszędzie były same ósemki. Najpierw ta wróżka, która wskazała na datę moich urodzin. Potem Mordechaj, Szarrif i Solarin przywoływali ją jak magiczny znak. Potem była ósemka wyryta w mojej dłoni, ba, mało tego, Solarin powiedział, że istnieje wzór Ósemki – choć nie bardzo wiedziałam, co to może oznaczać. To były jego ostatnie słowa, nim zniknął w mrokach nocy, zostawiając mnie z Szarrifem w charakterze eskorty i bez klucza do mojego pokoju hotelowego, gdyż przy wyjściu schował go do kieszeni.

Rzecz jasna Szarrif nie posiadał się z ciekawości, kim też był mój przystojny towarzysz i dlaczego zniknął tak raptownie. Wyjaśniłam, iż ogromnie pochlebia mi fakt, że tuż po wylądowaniu na nowym kontynencie taką zwyczajną dziewczyną jak ja zainteresowało się z miejsca aż dwóch mężczyzn – resztę zostawiłam jego domyślności. W czasie podróży do hotelu w towarzystwie Szarrifa oraz jego zbirów nie odezwałam się ani słowem.

W recepcji czekał na mnie mój klucz, a po rowerze Solarina nie było nawet śladu. Ponieważ mogłam się pożegnać ze spokojnie przespaną nocą, postanowiłam spędzić ją w sposób produktywny.

Teraz wiedziałam już, że istnieje jakiś wzór i że nie jest to obieg skoczka. Zgodnie z przypuszczeniami Lily był to zupełnie odmienny rodzaj wzoru, którego nie udało się rozszyfrować nawet Solarinowi. Ponadto byłam pewna, że ma coś wspólnego z szachami z Montglane.

Przecież Nim próbował mnie ostrzec, prawda? Zaopatrzył mnie w wystarczającą liczbę książek o matematyce i różnych grach. Zdecydowałam, że zacznę od tego, czym Szarrif wykazywał najżywsze zainteresowanie i o czym pisał Nim – od liczb Fibonacciego. Przesiedziałam nad tą książką prawie do świtu i czułam, że moja wytrwałość się opłaciła, choć nie bardzo byłam pewna jak. Okazało się bowiem, że liczby Fibonacciego mają nieco szersze zastosowanie aniżeli przewidywanie wahań na giełdzie. A oto, co wywnioskowałam:

Leonardo Fibonacci zajął się liczbami, zaczynając od jedynki. Dodając każdą liczbę do poprzedniej, otrzymał ciąg liczb o bardzo ciekawych właściwościach. Tak więc jeden dodać zero równa się jeden, jeden dodać jeden – dwa, dwa dodać jeden – trzy; trzy dodać dwa – pięć, pięć dodać trzy – osiem... i tak dalej.

Fibonacci był kimś w rodzaju mistyka, ponieważ studiował wśród Arabów, którzy wierzą w magiczne właściwości wszystkich liczb. Odkrył on, że wzór opisujący związek pomiędzy wszystkimi jego liczbami – jedna druga pierwiastka kwadratowego z pięciu minus jeden ($\frac{1}{2}\sqrt{5} - 1$) – opisuje również strukturę wszystkich spiralnych form występujących w naturze.

Według książki Nima botanicy przekonali się niebawem, iż każda roślina, której płatki bądź też łodygi tworzą spiralę, mieści się w zapisanym przez Fibonacciego wzorze. Astronomowie utrzymywali, że liczby Fibonacciego opisują związki między planetami w Układzie Słonecznym, a nawet kształt Drogi Mlecznej. Ja jednak dostrzegłam coś innego, zanim jeszcze to wyczytałam. I to nie dlatego, że wiedziałam cokolwiek o matematyce, lecz po prostu z tego powodu, że studiowałam muzykę. Chodzi o to, że autorem tego wzoru wcale nie był Leonardo Fibonacci – został on odkryty dwa tysiące lat wcześniej przez faceta, który nazywał się Pitagoras. Grecy mówili na to *sectio aurea*, czyli złoty podział.

Nie komplikując problemu, można powiedzieć, że złoty podział opisuje każdy punkt na prostej, gdzie stosunek mniejszej części do większej jest taki sam jak stosunek większej części do całości. Stosunek ten był wykorzystywany przez starożytne cywilizacje w architekturze, malarstwie i muzyce. W opinii Platona i Arystotelesa był to stosunek doskonały, za pomocą którego można było określić, czy dany przedmiot jest estetycznie piękny. Jednak dla Pitagorasa wzór ten miał znacznie istotniejsze zastosowanie.

Mistycyzm Pitagorasa był tak głęboki, że Fibonacci nawet nie mógł się z nim równać. Wśród Greków nosił miano „Pitagorasa z Samos", ponieważ przybył na Krotonę z wyspy Samos, uciekając przed kłopotami natury politycznej. Jednak zdaniem współczesnych urodził się w Tyrze, mieście położonym w starożytnej Fenicji (obecnym Libanie), i wiele podróżował. Mieszkał w Egipcie przez dwadzieścia jeden lat, a w Mezopotamii – dwanaście, a gdy przybył do Krotony, miał ponad pięćdziesiąt lat. Tutaj założył mistyczne towarzystwo, pod przykrywką szkoły przekazywał uczniom sekrety, które poznał w czasie licznych podróży. Koncentrowały się one wokół dwóch dziedzin: matematyki i muzyki.

To właśnie Pitagorasowi zawdzięczamy odkrycie, że podstawą zachodniej skali muzycznej jest oktawa, ponieważ uderzona struna podzielona na pół dałaby dźwięk dokładnie osiem tonów wyższy niż struna dwa razy dłuższa. Tak więc częstotliwość drgań struny jest odwrotnie proporcjonalna do jej długości. Jedno z jego odkryć polegało na tym, że jeśli muzyczną kwintę (pięć nut diatonicznych albo inaczej złoty podział oktawy) powtórzymy dwanaście razy w ciągu rosnącym, powinna powrócić do pierwotnego dźwięku osiem oktaw wyżej. Jednakże okazało się, że gdy tam dochodzi, brakuje jej jednej ósmej tonu – a więc skala wznosząca również tworzy spiralę.

Lecz największą rewelacją była teoria Pitagorasa, według której wszechświat zbudowany jest z liczb, a każda liczba ma boskie właściwości. Owe magiczne stosunki między liczbami występują w całej naturze, nawet – według Pitagorasa –

w dźwiękach wydawanych przez planety obracające się w czarnej pustce. „W dźwięku strun jest geometria – napisał – i jest muzyka w obrotach sfer".

Jaki jednak to wszystko miało związek z szachami z Montglane? Wiedziałam, że komplet szachowy ma dwa zestawy po osiem pionków i osiem figur, a szachownica składa się z sześćdziesięciu czterech pól – czyli ośmiu do kwadratu. Był tu więc pewien wzór. Solarin nazwał go wzorem Ósemki. Czyż można wymyślić dlań lepsze miejsce niż zestaw szachowy, w całości złożony z ósemek? Podobnie jak złoty podział, jak liczby Fibonacciego, jak nieustannie wznosząca się spirala – komplet szachowy z Montglane był czymś więcej niż sumą jego części składowych.

Jadąc taksówką, wyjęłam z teczki kartkę i narysowałam ósemkę. Potem odwróciłam kartkę i otrzymałam symbol nieskończoności. Patrząc nań, słyszałam w głowie dudniący głos: *Jak gra prawdziwa... ta bitwa nieskończona trwa.*

Jednak przed włączeniem się do walki musiałam rozwiązać znacznie poważniejszy problem: aby móc w ogóle zostać w Algierze, musiałam być pewna, że mam pracę, i to taką, która pozwoli mi być panią swego losu. Zasmakowałam już północnoafrykańskiej gościnności ze strony mojego kumpla Szarrifa i chciałam mieć pewność, że w razie jakiejkolwiek przepychanki będę mogła walczyć jak równy z równym. Jak mogłam wyruszyć na poszukiwanie kompletu szachowego z Montglane, skoro pod koniec tygodnia mój szef, Petard, miał mi się zwalić na kark?

Potrzebowałam przestrzeni, a istniała tylko jedna osoba, która była w stanie mi ją zapewnić. Jednak żeby się z nią spotkać, musiałam wysiedzieć dziesiątki krzeseł w różnych poczekalniach. Człowiek, który zatwierdził moją wizę, lecz nie stawił się na spotkanie z zarządem Fulbright, Cone z powodu meczu tenisowego, ten człowiek gotów był zapłacić za wielki kontrakt komputerowy, pod warunkiem że uda się podsunąć mu właściwy świstek. A ja wyczuwałam jakimś szóstym zmysłem, że jego poparcie będzie nieodzowne do realizacji moich zamiarów, choć – rzecz jasna – nie domyślałam się nawet, do jakiego stopnia. Człowiek ten nazywał się Emile Kamel Kader.

Taksówka jechała do centrum Algieru wzdłuż szerokiego zakola otwartego portu, gdzie ciągnęły się białe łuki zdobiące frontony gmachów rządowych. Zatrzymaliśmy się przed Ministerstwem Przemysłu i Energii.

Gdy weszłam do ogromnego, zimnego marmurowego hallu, oczy potrzebowały dłuższej chwili, by przyzwyczaić się do półmroku. Wokół mnie stały gromadki mężczyzn ubranych w garnitury, białe lub czarne dżellaby – długie szaty z kapturami, które doskonale chronią przed drastycznymi zmianami pustynnego klimatu. Kilku z nich miało na głowach turbany w czerwono-białą kratkę, przypominające włoskie obrusy. Gdy weszłam do środka, wszystkie oczy zwróciły się na mnie, a ja od razu zrozumiałam dlaczego. Po prostu byłam jedną z niewielu osób ubranych w spodnie.

Nigdzie nie było żadnego planu budynku ani informacji, a przy każdej windzie stały tłumy mężczyzn. Ponieważ nie uśmiechało mi się jeździć windą w górę i w dół pod lepkimi spojrzeniami facetów – nie wiedziałam nawet, do którego wydziału powinnam się skierować – ruszyłam prosto ku marmurowym schodom wiodącym na piętro. Drogę zastąpił mi jakiś ogorzały mężczyzna w eleganckim garniturze.

– Czym mogę pani służyć? – spytał obcesowo, zastąpiwszy wejście na schody.

– Mam umówione spotkanie – odparłam, próbując się przecisnąć. – Z monsieur Kaderem. Emile'em Kamelem Kaderem. Właśnie mnie oczekuje.

– Z ministrem do spraw ropy? – Patrzył na mnie z niedowierzaniem, lecz ku memu przerażeniu skinął uprzejmie głową i powiedział: – Oczywiście, madame. Zaraz panią zaprowadzę.

Niech to szlag. Chcąc nie chcąc, ruszyłam z nim do windy. Facet trzymał mnie pod rękę, torując mi drogę przez tłum, zupełnie jakbym była Królową Matką. Zastanawiałam się, jak zareaguje, gdy okaże się, że wcale nie jestem umówiona.

Na domiar złego nagle uświadomiłam sobie – gdy prowadził mnie do prywatnej windy – że moja francuszczyzna bynajmniej nie dorównuje angielszczyźnie. Oczywiście całą strategię miałam przemyśleć podczas długich godzin w poczekalniach, które – zdaniem Petarda – były tu czymś normalnym. Wtedy miałam wszystko obmyślić.

Gdy wyszliśmy z windy na najwyższym piętrze, otoczył mnie tłum odzianych w białe szaty mieszkańców pustyni. Kłębili się wokół recepcji, czekając, aż mały recepcjonista w turbanie przeszuka ich teczki w poszukiwaniu broni. Tymczasem recepcjonista siedział sobie za ladą, słuchając ryczącego radia, kwitując każdą kontrolę niedbałym ruchem ręki. Zebrany wokół tłum bezsprzecznie robił duże wrażenie. Choć ich szaty przypominały prześcieradła, to złote pierścienie z wielkimi rubinami, które nosili na palcach, przyprawiłyby samego Louisa Tiffany'ego o natychmiastowe omdlenie.

Mój opiekun przeciskał się przez tłum, przepraszając stojących mu na drodze ludzi. Powiedział coś po arabsku do recepcjonisty, który poderwał się z miejsca i ruszył z nami, po czym rzucił kilka słów żołnierzowi z karabinem na ramieniu. Obydwaj obrócili się, przyjrzeli mi się uważnie, po czym żołnierz zniknął za rogiem. Po chwili wrócił i skinął na mnie. Facet, który przyprowadził mnie tutaj z hallu, pokiwał głową i zwrócił się do mnie:

– Minister oczekuje pani.

Zerknąwszy na otaczający mnie Ku-Klux-Klan, podniosłam teczkę i ruszyłam przed siebie.

Gdy doszłam do końca korytarza, żołnierz skinął, bym dalej szła za nim. Znów skręciliśmy za róg i ruszyliśmy następnym korytarzem, kończącym się olbrzymimi rzeźbionymi drzwiami, wysokimi chyba na dwanaście stóp.

Żołnierz zatrzymał się, stanął na baczność i czekał, aż wejdę. Wzięłam głęboki oddech i uchyliłam drzwi. Ujrzałam gigantyczny hall z ciemnoszarymi, marmurowymi podłogami z wielką, różową gwiazdą na środku, a za nim były otwarte drzwi prowadzące do wielkiego biura wyłożonego miękkim, czarnym dywanem w kwadraty z różowymi chryzantemami. Tylna ściana była cała przeszklona, część jej stanowiły szklane drzwi prowadzące na balkon. Wszystkie okna były pootwierane, a szarpane wiatrem firanki fruwały z trzepotem. Czubki rosnących za oknem palm daktylowych częściowo zasłaniały wodę.

O kutą w metalu poręcz balkonu opierał się jakiś mężczyzna. Stał tyłem do mnie, był szczupły i miał włosy barwy piasku. Słysząc moje kroki, obrócił się.

– Mademoiselle – powiedział serdecznie, obchodząc biurko z wyciągniętą dłonią – pozwoli pani, że się przedstawię. Jestem Emile Kamel Kader, minister do spraw ropy. Oczekiwałem pani.

Całe to przemówienie zostało wygłoszone po angielsku. Cóż za ulga.

– Dziwi panią moja angielszczyzna – zauważył z uśmiechem, tym razem szczerym, a nie tym „oficjalnym", którym wielokrotnie mnie tu raczono. Chyba nikt w całym moim życiu nie obdarzył mnie równie ciepłym uśmiechem. Zauważyłam natomiast, że trochę zbyt długo ściskał moją dłoń. – Wychowałem się w Anglii i studiowałem w Cambridge. Prawie każdy, kto pracuje w tym ministerstwie, zna choć trochę angielski. Jest to przecież język przemysłu naftowego.

Również jego głos był ciepły, głęboki i złoty jak spływający na łyżeczkę miód. Zresztą cały był w barwie miodu: miał bursztynowe oczy, jasnopopielate włosy układające się w fale i oliwkowozłotą cerę. Gdy się uśmiechał, a czynił to często, wokół jego oczu pojawiała się cieniutka siateczka zmarszczek – konsekwencja częstego przebywania na słońcu. Przypomniał mi się ów słynny mecz tenisowy i uśmiechnęłam się w odpowiedzi.

– Proszę spocząć – powiedział i wskazał mi cudownie rzeźbione krzesło z palisandru. Podszedłszy do swego biurka, wcisnął guzik interkomu i powiedział coś po arabsku. – Kazałem przynieść herbatę. Z tego, co wiem, zatrzymała się pani w hotelu El Riadh. Bardzo przyjemne miejsce, choć serwują tam głównie konserwy, co chyba nie należy do smakołyków. Po rozmowie, jeśli nie ma pani innych planów, zabiorę panią na lunch. Potem możemy przejechać się po mieście.

Byłam mocno zaskoczona tak serdecznym przyjęciem i chyba zdradzał to wyraz mojej twarzy, gdyż mój gospodarz dodał:

– Zapewne zachodzi pani w głowę, dlaczego tak szybko wpuszczono panią do mnie.

– Muszę przyznać, że byłam przygotowana na nieco dłuższe oczekiwanie.

– Widzi pani, mademoiselle... czy mogę mówić do pani Catherine?... Świetnie, a teraz pani musi mówić do mnie Kamel, czyli, jak to się mówi, po imieniu. W naszej kulturze odmówienie kobiecie czegokolwiek uważane jest za grubiaństwo. Właściwie za zachowanie niegodne mężczyzny. Jeśli jakaś kobieta twierdzi, że ma umówione spotkanie z ministrem, to nie każe się jej więdnąć w poczekalniach, tylko od razu się ją wprowadza! – Po tych słowach zaśmiał się ciepło. – Teraz, gdy zna pani tę tajemnicę, wszystko ujdzie pani na sucho, nawet morderstwo!

Jego długi rzymski nos i wysokie czoło przywodziły na myśl profil z monety. Niewątpliwie było w nim coś znajomego.

– Czy pan jest Kabylem? – spytałam nagle.

– Oczywiście, że tak! – Wyglądał na zadowolonego. – A skąd pani wie?

– Strzeliłam.

– Celny strzał. Duża część pracowników ministerstwa to Kabylowie. Mimo iż stanowimy zaledwie piętnaście procent społeczeństwa Algierii, zajmujemy osiemdziesiąt procent oficjalnych stanowisk. Zawsze zdradzają nas te złote oczy. Zrobiły nam się takie od ciągłego patrzenia na pieniądze. – Zaśmiał się znowu.

Był w tak dobrym nastroju, że postanowiłam poruszyć dość drażliwy temat – choć prawdę mówiąc, nie bardzo wiedziałam, jak zacząć. Przecież zarząd firmy został wyrzucony z biura tylko za to, że chciał pokrzyżować plany związane z meczem tenisowym. Cóż stoi na przeszkodzie, bym tym razem ja wyleciała stąd na zbity pysk? Jednak znajdowałam się w samym sanktuarium, a taka sytuacja mogła się już nie powtórzyć. Postanowiłam zatem skorzystać z okazji.

– Proszę posłuchać, mam pewną sprawę, którą muszę załatwić przed końcem tygodnia, zanim zjawi się tutaj mój współpracownik – zaczęłam.

– Współpracownik? – spytał, zajmując miejsce za biurkiem.

Czy to tylko moje przywidzenie, czy naprawdę zaczął się trochę mieć na baczności?

– Mówiąc precyzyjniej, mój szef. Moja firma postanowiła, że skoro jeszcze nie podpisano nam tej umowy, ten człowiek przyjedzie, by nadzorować całą sprawę. Prawdę mówiąc, moje pojawienie się dzisiaj w tym miejscu jest sprzeczne z otrzymanymi zaleceniami. Jednak znam treść tej umowy – w tym momencie szybkim ruchem wyjęłam dokumenty z teczki i położyłam je na blacie biurka – i szczerze mówiąc, nie rozumiem, dlaczego robi się taki ruch w tej sprawie.

Kamel zerknął na umowę, a potem na mnie. Następnie złożył ręce jak do modlitwy i pochylił głowę w zamyśleniu. Teraz dotarło do mnie, że posunęłam się zbyt daleko. Wreszcie przemówił:

– Więc jest pani zwolenniczką łamania reguł? To interesujące. Chciałbym się jednak dowiedzieć d l a c z e g o.

– Jest to kontrakt ramowy dotyczący usług jednego konsultanta – odparłam, wskazując ręką wciąż jeszcze nietknięty plik dokumentów, który wyjęłam z teczki. – Zgodnie z jego treścią mam przeprowadzić analizę zasobów ropy naftowej, zarówno wydobytej, jak i tej, która znajduje się pod ziemią. Potrzebuję jedynie komputera i podpisu pod tą umową. Szef by mi tylko przeszkadzał.

– Rozumiem – odparł Kamel bez uśmiechu. – Udzieliła mi pani wyjaśnienia, nie odpowiadając jednocześnie na moje pytanie. Może więc zadam inne. Czy słyszała pani kiedyś o liczbach Fibonacciego?

Zdecydowałam nie puszczać pary z ust.

– Coś niecoś – odrzekłam. – Stosowane są przy przewidywaniu wahań na rynku walorów. Czy mogę zapytać, dlaczego interesuje się pan tak specjalistycznym tematem?

– Oczywiście – powiedział Kamel i wcisnął guzik na biurku. Po chwili zjawił się jakiś urzędnik ze skórzaną teczką. Wręczywszy ją Kamelowi, opuścił pokój.

– Rząd algierski – zaczął, wręczając mi jakiś dokument – uważa, że kraj nasz posiada ograniczone zapasy ropy naftowej, które wystarczą na najbliższe osiem lat. Być może uda nam się znaleźć ropę na pustyni, ale poszukiwania mogą zakończyć się także fiaskiem. Ropa to podstawa naszego eksportu; pieniądze za nią uzyskane dają nam środki na cały import, w tym również import żywności. Jak się pani sama przekona, posiadamy bardzo niewiele ziem uprawnych. Sprowadzamy z zagranicy mleko, mięso, produkty zbożowe, drewno, nawet... piasek.

– Importujecie piasek? – spytałam zdumiona, podnosząc oczy znad dokumentu. Przecież Algieria ma setki tysięcy kilometrów kwadratowych pustyni.

– Chodzi o piasek odpowiedniej jakości, przeznaczony do celów przemysłowych. Piasek z Sahary zupełnie się do tego nie nadaje. Tak więc jesteśmy całkowicie uzależnieni od ropy. Nie mamy żadnych rezerw, lecz posiadamy ogromne zasoby naturalnego gazu. Tak wielkie, że z czasem staniemy się zapewne jednym z największych eksporterów tego surowca; oczywiście pod warunkiem że znajdziemy sposób na jego transport.

– A cóż to wszystko ma wspólnego z moim projektem? – spytałam, przebiegając wzrokiem cały dokument. Choć napisany był po francusku, nigdzie nie natknęłam się na wzmiankę o ropie ani *gas naturel*.

– Algieria jest członkiem OPEC. Obecnie każde państwo członkowskie odrębnie negocjuje umowy i tak samo ustala ceny, przy czym każdy kraj traktowany jest na innych zasadach. Jednak w przeważającej większości wypadków jest to wysoce subiektywny i prymitywny handel wymienny. Jako gospodarz Konferencji chcemy zaproponować państwom członkowskim przyjęcie wspólnego frontu. Pozwoliłoby to nam osiągnąć dwa cele: po pierwsze, cena jednej baryłki wzrosłaby wprost dramatycznie przy zachowaniu tych samych kosztów wydobycia, a po drugie, moglibyśmy zainwestować te pieniądze w rozwój technologii, tak jak to zrobił Izrael z pieniędzmi otrzymanymi z Zachodu.

– Chodzi panu o broń?

– Nie – odparł Kamel z uśmiechem. – Choć rzeczywiście można odnieść wrażenie, iż ten sektor pochłania ogromne kwoty. Chodzi mi o rozwój przemysłu, a nawet więcej. Możemy doprowadzić wodę do pustyni. Jak pani doskonale wiadomo, sztuczne nawadnianie stanowi podstawę każdej cywilizacji.

– Jednak w tym dokumencie nie widzę niczego, co odzwierciedlałoby pańskie słowa – zauważyłam.

W tym właśnie momencie w biurze pojawił się lokaj w białych rękawiczkach pchający przed sobą wózek z herbatą. Zbliżył się do nas i zaczął nalewać znaną mi już miętową herbatę, która z sykiem napełniła filiżanki.

– Jest to tradycyjny sposób podawania herbaty miętowej – wyjaśnił Kamel. – Trzeba najpierw zmiażdżyć liście mięty, a potem namoczyć je we wrzątku. Napój zawiera bardzo dużo cukru. W niektórych częściach kraju uważa się go za napój zdrowotny, a w innych za afrodyzjak. – Zaśmiał się.

Wypiliśmy po łyku niezwykle wonnej herbaty.

– Teraz możemy kontynuować naszą rozmowę – powiedziałam, gdy lokaj zniknął za drzwiami. – Ma pan tu nie podpisaną umowę z moją firmą, z której wynika, że chcecie obliczyć rezerwy ropy; jest też dokument stwierdzający, że potrzebujecie analizy importu piasku oraz innych surowców. Z pewnością w grę wchodzi ustalenie pewnych trendów, w przeciwnym wypadku nie wspominałby pan o liczbach Fibonacciego. Skąd tyle różnych wątków?

– Jest tylko jeden wątek – odparł Kamel. Odstawił filiżankę na spodek i wbił we mnie wzrok. – Minister Belaid i ja dokładnie przestudiowaliśmy pani życiorys. Ustaliliśmy, że będzie pani dobrą osobą. To, co znaleźliśmy w dokumentach, wskazuje, że nie zawsze trzyma się pani niewolniczo wszystkich przepisów. – Tu uśmiechnął się szeroko. – Widzi pani, moja droga Catherine, właśnie dziś rano nie wydałem zgody na udzielenie wizy pani szefowi, monsieur Petardowi.

Sięgnął po moją niezwykle ogólnikową umowę, wyjął pióro i złożył zamaszysty podpis na dole kartki.

– Teraz ma pani podpisaną umowę, która tłumaczy cel pani pobytu w tym kraju – powiedział, wręczając mi dokument.

Przez chwilę wpatrywałam się w jego podpis, po czym uśmiechnęłam się. Kamel odwzajemnił się tym samym.

– Świetnie, szefie. A teraz może ktoś mi wyjaśni, na czym ma polegać moja praca?

– Potrzebujemy modelu komputerowego – powiedział cicho. – Lecz przygotowanego w całkowitej tajemnicy.

– A jakie będzie jego zadanie? – Przycisnęłam do piersi podpisaną umowę, żałując, że nie będę mogła zobaczyć miny Petarda, gdy otworzy list i znajdzie w nim to, czego nie mógł dokonać cały zarząd.

– Chcielibyśmy przewidzieć, co zrobi świat, gdy odetniemy mu dostawy ropy – powiedział spokojnie Kamel.

Wzgórza Algieru są znacznie bardziej strome aniżeli wzgórza Rzymu czy San Francisco. Są tam nawet miejsca, gdzie trudno postawić stopę. Byłam już nieco zmęczona, gdy dotarliśmy wreszcie do restauracji, niewielkiego pomieszczenia na drugim piętrze budynku, którego okna wychodziły na duży plac. Restauracja nazywała się El Baçour, co – jak wyjaśnił Kamel – znaczy „wielbłądzie siodło". Przy wejściu oraz obok baru leżały twarde, skórzane wielbłądzie siodła, wszystkie wyszywane w różnobarwne, kwieciste wzory.

W sali jadalnej stały stoliki nakryte białymi, sztywno nakrochmalonymi obrusami, a koronkowe firanki poruszały się lekko w podmuchach wiatru. Liście rosnących na zewnątrz dzikich akacji stukały w szyby otwartych okien.

Usiedliśmy przy stoliku obok okna, w półokrągłej niszy, a Kamel zamówił *pastilla au pigeon*, czyli chrupkie ciasto z cynamonem i cukrem, nadziewane smakowitą mieszanką mielonego gołębiego mięsa, jajecznicy, rodzynek, prażonych migdałów i egzotycznych przypraw. Gdy przedzieraliśmy się przez tradycyjny, pięciodaniowy śródziemnomorski lunch, zapijając go obficie młodym krajowym winem, Kamel zabawiał mnie opowieściami o Afryce Północnej.

Nawet nie zdawałam sobie sprawy z niezwykłej wręcz historii tego kraju, który na pewien czas miał być moim domem. Najpierw przybyli tu Tuaregowie, Kabylowie i Maurowie – starożytne plemiona berberyjskie, które osiedliły się na wybrzeżu – a potem Minojczycy i Fenicjanie, tworzący tu swoje garnizony. Później powstały tu kolonie rzymskie; po nich przyszli Hiszpanie, którzy odzyskawszy własne ziemie, zdobyli też ziemie Maurów. Potem było imperium osmańskie, przez trzy stulecia trzymające w ryzach piratów wybrzeża berberyjskiego. Od 1830 roku rządzili tu Francuzi, a kres ich rządom położyła – dziesięć lat przed moim przyjazdem – rewolucja algierska.

Przez ten cały okres w kraju panowały niezliczone dynastie dejów i bejów o egzotycznych nazwiskach i jeszcze bardziej egzotycznych obyczajach. Wielożeństwo i kara śmierci przez ścięcie były tam na porządku dziennym. Teraz, gdy w kraju zapanował islam, sytuacja nieco się uspokoiła. Choć Kamel – jak zauważyłam – wypił sporo czerwonego wina do polędwicy wołowej i ryżu z szafranem, a potem białym winem popił sałatkę, nadal uważał się za wyznawcę islamu.

– Islam – powiedziałam, gdy podano gęstą, czarną kawę i deser – oznacza chyba „pokój", prawda?

– Coś w tym rodzaju – odrzekł Kamel. Rozcinał akurat na kostki rachatłukum, czyli galaretowatą masę posypaną cukrem pudrem oraz doprawioną ambrozją, jaśminem i migdałami. – Znaczy ono to samo, co w hebrajskim „szalom": pokój niech będzie z tobą. Słowo to po arabsku brzmi „salam"; towarzyszy mu głęboki ukłon z dotknięciem ziemi głową. Oznacza to całkowite przyjęcie woli Allaha, całkowite poddanie. – Z uśmiechem podał mi kawałek rachatłukum. – Czasem poddanie się woli Allaha oznacza pokój, a czasem nie.

– Zazwyczaj nie – zauważyłam.

Kamel spojrzał na mnie poważnym wzrokiem.

– Niech pani nie zapomina, Catherine, że wielu było proroków w dziejach świata: Mojżesz, Budda, Jan Chrzciciel, Zaratustra, Chrystus, lecz jeden tylko Mahomet zebrał wojsko, czterdziestotysięczną armię, i poprowadziwszy ją konno, uderzył na Mekkę. I ją odzyskał!

– A co powie pan na Joannę d'Arc? – spytałam z uśmiechem.

– Ona nie stworzyła żadnej religii – odparł. – Lecz drzemał w niej właściwy duch. Jednak dżihad to nie jest to, co się wam, Europejczykom, zdaje. Czytała pani Koran? – Gdy potrząsnęłam głową, kontynuował: – Każę wysłać pani dobrą wersję, angielską. Na pewno panią zaciekawi. Jest całkiem inna, niż się pani zdaje.

Kamel podniósł się z miejsca i wyszliśmy na ulicę.

– A teraz obiecana wycieczka po Algierze – powiedział. – Chciałbym zacząć od Poczty Głównej.

Skierowaliśmy się ku dużemu budynkowi pocztowemu przy promenadzie.

– Wszystkie linie telefoniczne biegną przez Pocztę Główną. Jeden z systemów, które odziedziczyliśmy po Francuzach, u których wszystko kieruje się do środka, lecz nic stamtąd nie wychodzi – tak jak ulice. Połączenia międzynarodowe wykonuje się ręcznie. Na pewno się to pani spodoba, zwłaszcza że będzie pani mieć często do czynienia z tym archaicznym systemem, próbując stworzyć model komputerowy, o którym mowa w kontrakcie. Większość danych, które będą pani potrzebne, otrzyma pani przez telefon.

Nie bardzo wiedziałam, dlaczego model, który opisywał, ma

mieć cokolwiek wspólnego z telefonami, lecz skoro ustaliliśmy, że nie będziemy o tym mówić w miejscach publicznych, nie podejmowałam tematu. Powiedziałam tylko:

– Tak, miałam wczoraj pewne kłopoty z zamówieniem rozmowy międzynarodowej.

Weszliśmy na schody Poczty Głównej. Podobnie jak większość budynków publicznych i ten był wielki i mroczny, z marmurowymi posadzkami i wysokimi sklepieniami. Kunsztowne żyrandole zwisające z sufitu wyglądały jak przeniesione żywcem z lat dwudziestych. Na wszystkich ścianach wisiały portrety prezydenta Algierii Huariego Bumediena. Jego podłużną twarz o wielkich, smutnych oczach zdobił sumiasty wiktoriański wąs.

Większość budynków, które do tej pory odwiedziłam, była niezwykle przestronna i ten bynajmniej nie był wyjątkiem. Choć Algier jest wielkim miastem, odnosiło się wrażenie, iż jego mieszkańcy nigdy nie są w stanie wypełnić jego pustych przestrzeni. Dotyczyło to również ulic. Na przybyszu z Nowego Jorku coś takiego robiło duże wrażenie. Idąc przez budynek, słyszeliśmy głośne echo naszych kroków. Ludzie mówili szeptem, jakby to była biblioteka publiczna.

Daleko w rogu, zupełnie nie odgrodzona, stała maleńka centralka, która zdawała się pamiętać czasy Alexandra Grahama Bella. Siedząca tam kobieta była niska, miała malutką, ściągniętą twarz i liczyła ponad czterdzieści wiosen. Głowę jej zdobiła imponująca mieszanina rozjaśnionych henną włosów. Na jej usta składała się kreska krwistoczerwonej szminki, której zapewne nie produkowano od zakończenia drugiej wojny światowej, a jej kwiecista, przezroczysta sukienka była chyba równie antyczna. Przed nią leżało rozpakowane pudełko czekoladek.

– Niech mnie kule biją, jeśli to nie minister! – wykrzyknęła kobieta, wstając na przywitanie. Wyciągnęła ręce, które Kamel serdecznie uścisnął. – Dostałam twoje czekoladki – powiedziała, wskazując na pudełko. – Szwajcarskie. Nigdy nie schodzisz poniżej pewnego poziomu. – Miała niski, nieco chrypliwy głos, jak kabaretowa piosenkarka z Montmartre'u. Mówiła po francusku jak ci marynarze z Marsylii, których Valérie, pokojówka Harry'ego, tak świetnie potrafiła naśladować.

– Thérèse, poznaj mademoiselle Catherine Velis – przedstawił mnie Kamel. – Będzie się zajmować opracowywaniem systemu komputerowego dla ministerstwa; właściwie dla OPEC. Pomyślałem sobie, że dobrze by było, gdyby cię poznała.

– Ach, OPEC! – powtórzyła Thérèse, wytrzeszczając oczy i przebierając palcami. – Duża sprawa. Bardzo ważna. Na pewno jakaś zmyślna osóbka. – To o mnie. – Zobaczysz, że ten OPEC zrobi niezłe pieniądze, i to już niebawem.

– Thérèse wie wszystko – zaśmiał się Kamel. – Słucha wszystkich rozmów międzykontynentalnych. Wie nawet więcej niż całe ministerstwo.

– Oczywiście, oczywiście. Gdyby nie ja, któż by się wszystkim zajął?

– Thérèse jest *pied noire* – wtrącił Kamel.

– To znaczy „czarna stopa" – wyjaśniła po angielsku, po czym ciągnęła po francusku: – Urodziłam się w Afryce, lecz nie należę do tych Arabów. Moja rodzina wywodzi się z Libanu.

Czułam, że już chyba zawsze będę się gubić w tych genetycznych zawiłościach, które tu – w Algierii – miały najwyraźniej duże znaczenie.

– Miss Velis miała wczoraj niejakie kłopoty z zamówieniem rozmowy – powiedział Kamel.

– O której godzinie? – dopytywała się.

– Około jedenastej wieczór – odparłam. – Usiłowałam dodzwonić się do Nowego Jorku z hotelu El Riadh.

– Ale przecież ja tutaj byłam! – wykrzyknęła. A potem, potrząsając głową, wyjaśniła: – Te typy, które pracują w hotelowych centralach, są strasznie leniwe. Przerywają połączenia. Czasem znowu na połączenie trzeba czekać osiem godzin. Następnym razem tylko da mi pani znać, a ja wszystko załatwię. Chciałaby pani zadzwonić dziś wieczór? Powie pani kiedy i będzie zrobione.

– Chciałabym wysłać wiadomość do komputera w Nowym Jorku, aby dać znać, że jestem na miejscu – powiedziałam. – Jest to odbiornik głosowy, to znaczy mówi pani wiadomość, a maszyna zapisuje ją cyfrowo.

– Cóż za nowoczesność! – wykrzyknęła Thérèse. – Jeśli pani chce, nagram ją po angielsku.

Napisałam więc treść depeszy do Nima, w której informowałam go, że szczęśliwie przybyłam na miejsce i że niebawem udam się w góry. Będzie wiedział, co to znaczy: że jadę na spotkanie z handlarzem antyków od Llewellyna.

– Doskonale – stwierdziła Thérèse, składając kartkę. – Wyślę to niezwłocznie. Teraz, skoro się znamy, pani połączenia będą mieć pierwszeństwo. Proszę mnie odwiedzać.

Gdy znaleźliśmy się przed budynkiem, Kamel powiedział:

– Thérèse jest najważniejszą osobą w Algierii. Może pomóc komuś w karierze politycznej albo doprowadzić do jego upadku, po prostu odcinając mu telefon. Odnoszę wrażenie, że panią polubiła. Kto wie, może nawet kiedyś zrobi z pani prezydenta! – Po tych słowach wybuchnął śmiechem.

Gdy szliśmy bulwarem w kierunku ministerstwa, Kamel rzucił od niechcenia:

– Zauważyłem, że w tej depeszy mówiła pani coś o wyjeździe w góry. Ma pani zaplanowane jakieś konkretne miejsce?

– Mam się spotkać z przyjacielem – odparłam jakby nigdy nic. – I chciałam się trochę rozejrzeć po kraju.

– Pytam tylko dlatego, że Kabylowie wywodzą się właśnie z gór. Wychowałem się tam i doskonale znam te okolice. Mógłbym zaproponować pani samochód lub nawet pojechać z panią.

Choć propozycja Kamela wydawała się równie niezobowiązująca jak oferta pokazania mi Algieru, wyczułam coś w jego głosie, czego jednak nie potrafiłam do końca rozszyfrować.

– Przecież mówił pan, że wychował się w Anglii.

– Pojechałem tam w wieku piętnastu lat, by zacząć edukację w prywatnej szkole. Wcześniej biegałem na bosaka po górach Kabylii jak kozica. Naprawdę przydałby się pani przewodnik. To wspaniały region, lecz łatwo się tam zgubić. Algierskie mapy pozostawiają niestety wiele do życzenia.

Używał dość mocnych argumentów i zrozumiałam, że odrzucenie tej propozycji byłoby nierozsądne.

– Rzeczywiście, chyba byłoby najlepiej, żebym pojechała z panem – odparłam. – Wie pan, gdy opuściłam lotnisko, jechała za mną tajna policja. Facet nazwiskiem Szarrif. Czy myśli pan, że coś się za tym kryje?

Kamel zatrzymał się jak wryty. Staliśmy przy nabrzeżu, a gigantyczne statki parowe kołysały się łagodnie na falach.

– Skąd pani wie, że to był Szarrif? – zapytał gwałtownie.

– Poznałam go. To znaczy... ściągnął mnie do swojego biura na lotnisku, gdy przechodziłam przez odprawę celną. Zadał mi kilka pytań, był niezwykle uroczy, a potem pozwolił mi odejść. Ale kazał mnie śledzić...

– Cóż to były za pytania? – przerwał mi Kamel. Twarz miał szarą.

Próbowałam wszystko sobie dokładnie przypomnieć i opowiedziałam Kamelowi. Nawet powtórzyłam mu komentarz taksówkarza.

Milczał przez chwilę, zatopiony w myślach. Wreszcie powiedział:

– Byłbym wdzięczny, gdyby pani nikomu o tym nie wspominała. Zajmę się tą sprawą, choć nie sądzę, by miało to być coś poważnego. Zapewne chodziło mu o kogoś innego.

Znów ruszyliśmy przed siebie. Gdy stanęliśmy przed frontonem ministerstwa, Kamel powiedział:

– Gdyby Szarrif skontaktował się z panią, proszę mu powiedzieć, że wiem o wszystkim. – Potem położył mi rękę na ramieniu. – I niech mu pani powie, że ja zabieram panią do Kabylii.

GŁOS PUSTYNI

Albowiem pustynia słyszy, choć ludzie nie słyszą, i przyjdzie dzień, gdy zmienią się w pustynię dźwięku.

Miguel de Unamuno y Jugo

Sahara
luty 1793

Mireille stała na ergu, obejmując wzrokiem rozległą czerwień pustyni.

Na południu rozciągały się wydmy Ez-Zemul Al Akbar, wzdęte w fale o wysokości ponad stu stóp. Z tej odległości i w porannym świetle przypominały wielkie, krwawoczerwone litery S, rozlewające się na piasku jak kręgi na wodzie.

Za nią wznosiły się góry Atlas, wciąż fioletowe od mgły i otulone niskimi, śnieżnymi chmurami. Zdawały się trwać w zadumie nad tym pustkowiem – chyba największym na ziemi – tysiącami mil głębokich piasków o barwie pokruszonej cegły, gdzie wszystko trwało nieporuszone prócz kryształów zrodzonych z oddechu Boga.

– „Sahra": tak to nazywano. Południe. Ziemia jałowa. Królestwo Aroubi, Arabów, wędrowców pustyni.

Jednakowoż ten, który ją tu przywiódł, nie był Arabem. Szahin miał jasną karnację, a jego włosy i oczy miały kolor starego brązu. Jego lud mówił językiem starożytnych Berberów, którzy od pięciu tysięcy lat sprawowali rządy na tych pustkowiach. Przybyli, jak jej powiedział, z tych gór i ergów – tego majestatycznego łańcucha płaskowyżów, który oddzielał wznoszące się za nią góry od rozciągających się przed nią piasków. Ten łańcuch płaskowyżów nosił w ich języku nazwę „Areg", czyli „wydma". A oni sami nazywali się Tou-Areg – Tuaregami, czyli tymi, którzy są związani z Aregiem. Owi Tuaregowie znali sekret tak dawny jak ich pochodzenie, sekret zagrzebany wśród piasków czasu. I właśnie po to, aby odkryć ten sekret, Mireille wędrowała długimi miesiącami, pokonując wiele mil.

Zaledwie miesiąc minął od tej nocy, kiedy wraz z Letycją uciekły do korsykańskiej kryjówki jej matki. Stamtąd, na pokładzie niewielkiej rybackiej łodzi, wyruszyła na wzburzone morze, by dopłynąć do Afryki, gdzie w porcie Dar-el-Beida czekał już jej przewodnik, Szahin – „sokół" – z którym miała się udać do Maghrebu. Miał on na sobie długi, czarny haik, twarz okrywał mu czarczaf koloru indygo – podwójna zasłona, zza której widział, sam nie będąc widzianym. Albowiem Szahin był jednym z „błękitnych ludzi", członkiem jednego z owych świętych plemion Ahadżar, gdzie tylko mężczyźni osłaniali sobie twarze przed uderzeniami pustynnego wiatru nadającego ich skórze przedziwny, niebieskawy odcień. Nomadowie określali ich mianem maghribi (czarownicy) – czyli ci, którzy potrafią odkryć tajemnice Maghrebu – „krainy zachodzącego słońca". Oni właśnie wiedzieli, gdzie szukać klucza do zagadki szachów z Montglane.

Z tego to właśnie powodu Letycja i jej matka wysłały ją do Afryki, dlatego właśnie Mireille, smagana mroźnym wiatrem, przewędrowała tą zimową porą trzysta mil, pokonując zdradziecki łańcuch Atlasu Wysokiego. Wiedziała bowiem, że gdy tylko pozna sekret, będzie jedyną osobą na ziemi posiadającą figury i znającą klucz do ich potęgi.

Jednak ów sekret nie był ukryty pod jakimś głazem wśród piasków pustyni. Ani też nie krył się we wnętrzu starej biblioteki. Można go było znaleźć w przekazywanych miękkim szeptem opowieściach tych nomadów. Przemieszczając się nocą po piaskach, przechodząc z ust do ust, sekret ów rozprzestrzeniał się jak iskry gasnącego ogniska, które – roznoszone przez wiatr po bezbrzeżnych pustkowiach – giną w ciemnościach. Ów sekret krył się w głosie pustyni, w opowieściach jej mieszkańców – w tajemniczych szeptach skał i kamieni.

Szahin leżał na brzuchu w zamaskowanym gałęziami rowie, który sami wcześniej wykopali w piasku. W górze, nad ich głowami, kołował leniwie sokół, wypatrując ofiary. Obok Szahina przykucnęła Mireille, wstrzymując oddech i bacznie obserwując jego napięty profil: długi, wąski nos, zagięty jak dziób sokoła wędrownego, od którego dostał imię, bladożółte oczy, ponure usta i miękki turban, spod którego opadały na plecy splecione włosy. Zdjął tradycyjny, czarny haik i miał na sobie, podobnie jak Mireille, jedynie delikatną, wełnianą dżellabę z kapturem, pofarbowaną sokiem z krzewu abal na jaskrawordzawy kolor – kolor pustyni. Krążący w górze sokół nie mógł odróżnić ich od piasku i maskujących ich krzewów.

– To jest hurr, sokół Sakr – szepnął Szahin do Mireille. – Nie tak szybki i agresywny jak sokół wędrowny, lecz sprytniejszy i obdarzony lepszym wzrokiem. Będziesz miała dobrego ptaka.

Zanim przekroczyli Ez-Zemul Al Akbar na krańcu Wielkiego Ergu Wschodniego – najszerszego i najwyższego łańcucha wydm na kuli ziemskiej – Szahin powiedział Mireille, że musi złapać i wytresować sokoła. I nie chodziło tu wyłącznie o zwyczajowy sprawdzian wartości u Tuaregów, których kobiety polowały i brały udział w rządach – był to warunek przetrwania.

Albowiem czekało ich piętnaście, a może dwadzieścia dni wędrówki przez wydmy, gdzie za dnia panuje straszliwy upał, a noce są mroźne. Wielbłądy mogły posuwać się naprzód z prędkością mili na godzinę wśród ciemnoczerwonych piasków, które usuwały się im spod kopyt. Zapasy zrobili w Khardaji – kupili kawę i mąkę, miód i figi oraz torby śmierdzących, suszonych sardynek jako karmę dla wielbłądów. Teraz jednak, gdy zostawili już za sobą słone mokradła i kamienną hamadę z ostatnimi kroplami wysychających źródeł, mogli liczyć jedynie na to, co uda się im upolować. Tymczasem pod względem wytrwałości, doskonałego wzroku, uporu i instynktu łowieckiego żadne stworzenie na ziemi nie może się równać z sokołem. I żadne nie sprawdza się lepiej na tych dzikich pustkowiach.

Mireille obserwowała sokoła, który szybował po niebie na pozór zupełnie bez wysiłku, unoszony podmuchami gorącego, pustynnego wiatru. Szahin sięgnął do torby i wyjął oswojonego gołębia. Do jego łapki przywiązał cienki sznurek, którego drugi koniec przymocował do dużego kamienia. Potem wypuścił ptaka. Gołąb zamachał skrzydłami i wzbił się w powietrze. Sokół spostrzegł go natychmiast i zastygł w powietrzu, zbierając siły. Potem zaś pomknął w kierunku gołębia i trafił weń jak pocisk. Obydwa ptaki spadły na ziemię. W powietrzu fruwały pióra.

Mireille chciała się podnieść, lecz Szahin powstrzymał ją ruchem ręki.

– Pozwól mu skosztować krwi – szepnął. – Krew przesłania pamięć i gasi ostrożność.

Sokół był już na ziemi, szarpiąc gołębia dziobem, gdy Szahin delikatnie pociągnął za sznurek. Ptak zatrzepotał skrzydłami, lecz został na miejscu, nieco zaskoczony. Szahin znów szarpnął i odnosiło się wrażenie, że okaleczony gołąb trzepocze skrzydłami na piasku. Zgodnie z przewidywaniami, sokół znów zaczął rozrywać dziobem ciepłe mięso.

– Podejdź jak najbliżej – Szahin zwrócił się do Mireille. – Gdy znajdziesz się niedaleko od niego, schwyć go za nogę.

Mireille spojrzała nań, jakby postradał zmysły, lecz zbliżyła się do krawędzi krzaków, wciąż przykucnięta i gotowa do skoku. Serce łomotało jej w piersiach, gdy widziała, że Szahin przyciąga gołębia coraz bliżej i bliżej. Sokół znajdował się teraz w odległości kilku stóp od niej, w dalszym ciągu szarpiąc swoją ofiarę. Szahin lekko dotknął ramienia Mireille. Zanurkowała przez krzaki i chwyciła ptaka za nogę. Próbował się poderwać, bijąc ją skrzydłami, a potem z przenikliwym piskiem wbił ostry dziób w jej nadgarstek.

W okamgnieniu Szahin znalazł się przy jej boku. Chwycił ptaka sprawnym ruchem, nałożył mu kaptur na oczy i jedwabnym sznurkiem przywiązał go do skórzanego paska owiniętego wcześniej wokół jej lewej ręki.

Mireille ssała krew tryskającą z prawego nadgarstka, plamiącą jej włosy i ubranie. Mlaskając cicho, Szahin kawałkiem materiału obwiązał miejsce, skąd sokół wyrwał kawałek ciała. Dziób ptaka znalazł się niebezpiecznie blisko jednej z żył.

– Złapałaś go, żeby móc jeść – powiedział z krzywym uśmiechem. – Lecz on o mały włos byłby zjadł c i e b i e. – Umieścił obandażowaną dłoń tuż obok zakapturzonego ptaka, który teraz przywarł pazurami do skórzanego paska na jej lewej ręce. – Pogłaszcz go – poradził. – Niech wie, kto jest panem. Aby złamać hurra, potrzeba jednego i trzech czwartych księżyca, lecz jeśli będziesz z nim żyć, jadać, głaskać go, mówić do niego, a nawet spać z nim, będzie twój przed nadejściem następnej pełni. Jakie imię mu nadasz, imię, którego będzie się mógł nauczyć?

Mireille spojrzała dumnie na to dzikie stworzenie, które

z drżeniem przywarło do jej ręki. Na chwilę zapomniała o bólu w zranionej ręce.

– Charlot – odparła. – Mały Karol. Albowiem dziś złapałam małego Karola Wielkiego przestworzy.

Szahin spoglądał na nią w milczeniu swymi żółtymi oczyma, po czym powoli naciągnął na twarz zasłonę o barwie indygo. Gdy mówił, zasłona poruszała się w suchym powietrzu pustyni.

– Dziś wieczór umieścisz na nim swój znak – powiedział – gdyż musi wiedzieć, że jest tylko twój.

– Mój znak?

Szahin zsunął pierścień z palca i włożył go jej do ręki. Był to ciężki złoty pierścień, którego wierzch zdobiła cyfra osiem.

W milczeniu podążyła za Szahinem do małego wąwozu pośród wydm, gdzie czekały ich wielbłądy, leżąc na piasku z podkulonymi nogami. Patrzyła, jak Szahin wkłada stopę w strzemię, a zwierzę podnosi się jednym ruchem, unosząc go jak piórko. Potem uczyniła to samo, trzymając na ręku sokoła, po czym ruszyli przez rdzawoczerwone piaski.

Szahin pochylił się, by umieścić pierścień w żarze dogasającego ogniska. Mówił bardzo niewiele, a uśmiechał się rzadko. Podczas tego miesiąca, który spędzili razem, Mireille wiele się o nim nie dowiedziała. Całą energię skupili na przetrwaniu. Wiedziała tylko tyle, że przed narodzinami jej dziecka dotrą do Ahdżar – tych gór wulkanicznych, skąd wywodzili się Tuaregowie Kel Dżanat. W pozostałych sprawach Szahin był niezwykle powściągliwy, na wszystkie jej pytania odpowiadał: „Niebawem się przekonasz".

Zatem nie bez zdumienia przyjęła fakt, że gdy tak siedzieli wpatrzeni w żarzące się węgle, odsłonił twarz i zaczął mówić:

– W naszym języku jesteś *thajjib*, czyli kobietą, która raz tylko zaznała mężczyzny, a mimo to stała się brzemienną. Może zauważyłaś, jak patrzono na ciebie podczas postoju w Khardaji. Wśród mego ludu krąży taka opowieść. Otóż siedem tysiącleci przed hidżrą ze wschodu przybyła pewna kobieta. Przemierzyła samotnie tysiące mil słonych piasków, aż dotarła do Kel Rela Tuareg. Wygnał ją jej własny lud, ponieważ spodziewała się dziecka. Włosy jej miały barwę pustyni, tak samo jak twoje. Na imię było jej Daia, co znaczy „źródło". Szukała schronienia w jaskini. W dniu, kiedy przyszło na świat jej dziecko, ze skały w jaskini wytrysnęło źródło. Płynie ono do dziś, w Q'ar Daia – jaskini Dai, bogini studni.

A więc owa Khardaja, gdzie zatrzymali się, by wymienić wielbłądy i uzupełnić zapasy, została nazwana na cześć tej dziwnej bogini Kar, tak samo jak Kartagina, pomyślała Mireille. Czy legenda o Dai i Dydonie to ta sama legenda? A może to ta sama osoba?

– Czemu opowiadasz mi o tym wszystkim? – spytała Mireille, głaszcząc siedzącego na jej ramieniu Charlota i wpatrując się w ogień.

– Jest zapisane, że Nabi, czyli Prorok, przybędzie pewnego dnia z Bahr al-Azraq, czyli z Lazurowego Morza. Kalim, czyli osoba, która rozmawia z duchami i kroczy mistyczną ścieżką prawdy, zwaną tarikat. Mężczyzna ów będzie tym wszystkim, a jednocześnie będzie za'ar – osobą o jasnej cerze, niebieskich oczach i czerwonych włosach. To znak dla moich ludzi, dlatego właśnie tak badawczo ci się przyglądali.

– Przecież nie jestem mężczyzną – zaoponowała Mireille, wstając z miejsca – a moje oczy są zielone, a nie błękitne.

– Nie mówię o tobie – odrzekł Szahin. Pochyliwszy się nad ogniem, wziął swój bousaadi, długi, cienki nóż i wyciągnął z ognia pierścień. – Oczekujemy twojego syna. On narodzi się na oczach bogini. Tak właśnie brzmi przepowiednia.

Mireille nawet nie pytała, skąd wie, że jej dziecko będzie chłopcem. Przyglądała się, jak Szahin owija rozżarzony pierścień paskiem skóry, a w głowie miała mętlik. Pomyślała przez chwilę o dziecku wewnątrz wzdętego brzucha. Miało już sześć miesięcy i niejednokrotnie czuła jego poruszenia. Jakiż los mu pisany – jemu, urodzonemu wśród tych rozległych pustkowi, z dala od swoich? Dlaczego Szahin wierzył, że właśnie jej dziecko spełni tę prymitywną przepowiednię? Dlaczego opowiedział jej tę historię o Dai i co to wszystko miało wspólnego z sekretem, który próbowała odkryć? Ocknęła się, gdy Szahin podał jej rozpalony pierścień.

– Przyciśnij go do jego dzioba: krótko, lecz mocno. O, tutaj – poinstruował ją, gdy wzięła pierścień. – Nie będzie go bolało, ale zapamięta...

Mireille patrzyła na sokoła z kapturem na oczach, który siedział ufnie na jej ramieniu, wbijając pazury w gruby, skórzany pasek. Pierścień znajdował się w odległości kilku cali od dzioba. Zawahała się.

– Nie potrafię – powiedziała, cofając rękę. Rozżarzony pierścień jarzył się wśród mroków nocy.

– Musisz – odparł twardo Szahin. – Jeśli brak ci odwagi, by oznakować ptaka, to skąd znajdziesz w sobie siłę, żeby zabić człowieka?

– Zabić człowieka? – powtórzyła. – Nigdy!

Na te słowa Szahin uśmiechnął się, w jego oczach pojawił się dziwny blask. Tak, Beduini mieli rację, mówiąc, że w uśmiechu jest coś przerażającego.

– Nie mów mi, że nie zabijesz tego człowieka – powiedział łagodnym głosem. – Znasz jego imię, co noc powtarzasz je przez sen. Bije od ciebie chęć zemsty; czuję to tak wyraźnie, jak zwierzę czuje wodę. Zemsta: to właśnie cię tu przywiodło i to trzyma cię przy życiu.

– Nie – odrzekła Mireille, czując krew pulsującą pod powiekami i zaciskając palce na sygnecie. – Przybyłam tu, by odkryć pewien sekret. Mimo iż dobrze o tym wiesz, zabawiasz mnie opowieściami o jakiejś rudowłosej kobiecie, która nie żyje od tysięcy lat...

– Wcale nie powiedziałem, że nie żyje – przerwał jej gwałtownie Szahin, choć na jego twarzy nie malowały się żadne emocje. – Ona żyje, tak samo jak śpiewające piaski pustyni. Ona przemawia, jak przemawiają starożytne tajemnice. Bogowie nie mogli znieść myśli o jej śmierci i dlatego zmienili ją w żywy kamień. I tak czeka od ośmiu tysięcy lat, gdyż ty właśnie jesteś narzędziem jej zemsty – ty i twój syn – tak jak zostało przepowiedziane.

Powstanę jak feniks z popiołów – w dniu, kiedy kamienie śpiewać zaczną, a piaski pustyni zapłaczą krwawymi łzami – będzie to dzień zemsty dla Ziemi....

W głowie Mireille rozbrzmiewał szept Letycji. I odpowiedź przeoryszy: komplet z Montglane kryje w sobie klucz, który może otworzyć nieme usta Natury i uwolnić głosy bogów.

Ogarnęła wzrokiem piaski, blade i dziwnie różowe w świetle ogniska, kołyszące się pod morzem niezliczonych gwiazd.

W jej dłoni spoczywał rozżarzony pierścień. Mrucząc coś łagodnie do sokoła, wzięła głęboki oddech i przycisnęła do jego dzioba rozpalony metal. Ptak wzdrygnął się, lecz pozostał na miejscu. Nozdrza Mireille wypełniła gryząca woń palonej chrząstki. Zrobiło się jej słabo i upuściła pierścień. Przemogła się jednak i zaczęła głaskać grzbiet sokoła i jego złożone skrzydła. Teraz jego dziób zdobiła idealna ósemka.

Szahin wyciągnął rękę i położył ją na ramieniu Mireille. Nigdy przedtem jej nie dotykał. Spojrzawszy jej w oczy, powiedział:

– Gdy przybyła do nas z pustyni, nazywaliśmy ją Daia. Teraz mieszka w Tasili, dokąd właśnie cię zabieram. Stoi, wysoka na dwadzieścia stóp, górując nad doliną Dżabberen i panując nad gigantami ziemi. Nazywamy ją Białą Królową.

W̄ędrówka przez wydmy trwała długo. Co pewien czas wypuszczali jednego z sokołów, by mógł zapolować. Było to ich jedyne świeże pożywienie. Do picia mieli tylko wielbłądzie mleko, gęste i słonawe.

W południe osiemnastego dnia Mireille dotarła do wzniesienia i po raz pierwszy dostrzegła *zauba'ah* – dzikie słupy trąby powietrznej szalejącej po pustyni. W odległości niespełna dziesięciu mil kolumny piasku o barwie czerwieni i ochry rosły tysiąc stóp w niebo, uginając się nieznacznie w podmuchach wiatru. Piasek u ich podstawy, na wysokości około stu stóp, wzbijał się w powietrze, mieszając się z morzem skał i roślin w dzikim kalejdoskopie przywodzącym na myśl barwne konfetti. Całość wieńczyła na wysokości trzech tysięcy stóp gigantyczna, czerwona chmura tworząca łuk nad potężnymi kolumnami i zasłaniająca południowe słońce.

Przymocowane do wielbłądziego siodła lekkie rusztowanie – coś na kształt namiotu chroniącego ją przed żarem pustyni – trzepotało w suchym wietrze jak żagiel łodzi płynącej wolno przez bezkres pustyni. Ten suchy łopot był jedynym dźwiękiem rozbrzmiewającym w uszach Mireille, która obserwowała, jak hen, w oddali, pustynia powoli rozdziera się na strzępy.

Później do jej uszu dobiegł ten dźwięk – cichy pomruk, niski i przerażający niczym jakiś tajemniczy, orientalny gong. Wielbłądy, czując, że piasek usuwa się spod ich kopyt, zaczęły nerwowo tańczyć, szarpać za uprząż i dziko młócić powietrze nogami.

Szahin zeskoczył na ziemię, chwycił lejce wierzgających wielbłądów.

– Boją się śpiewających piasków! – krzyknął do Mireille, przytrzymując lejce i pomagając jej zdjąć konstrukcję namiotu z grzbietu wielbłąda.

Szahin zasłonił oczy zwierząt, nie zważając na ich nerwowe, chrapliwe ryki. Następnie unieruchomił je przy użyciu *ta'kil* – wiązania krępującego ich przednie nogi nad kolanami – i zmusił do przyklęknięcia, podczas gdy Mireille ściągała cały bagaż na ziemię. Gorący, pustynny wiatr przybierał na sile, a śpiew piasków stawał się coraz głośniejszy.

– Są dziesięć mil od nas! – zawołał Szahin, przekrzykując szum wiatru. – Lecz przemieszczają się bardzo szybko i dojdą tutaj za jakieś dwadzieścia, może trzydzieści minut.

Zaczął wbijać w ziemię kołki namiotu, rozciągając płótno na bagaże. Wielbłądy ryczały z przerażeniem. Mireille przecięła jedwabne paski o nazwie *sibaks*, którymi przywiązane były sokoły, po czym złapała ptaki, wcisnęła je do juków, a juki wepchnęła pod namiot. Potem oboje z Szahinem wczołgali się pod płótno namiotu, już do połowy zasypane ciężkim, ceglastym piaskiem.

Gdy znaleźli się w środku, Szahin zaczął owijać muślinową zasłoną jej głowę i twarz. Nawet tutaj, mimo osłaniającego ją grubego płótna, czuła kłujący piasek na skórze – wciskał się jej do ust, nosa i uszu. Rozpłaszczyła się na piasku i próbowała jak najrzadziej nabierać powietrze. Śpiew piasku stawał się coraz głośniejszy, upodabniając się do ryku wzburzonego morza.

– Wężowy ogon – powiedział Szahin, obejmując Mireille, by ochronić ją przed naporem piasku. – Podnosi się, by strzec wejścia. Oznacza to – jeśli taka jest wola Allaha – że jutro dotrzemy do Tasili.

Sankt Petersburg
marzec 1793

Przeorysza z Montglane siedziała w olbrzymim salonie przydzielonego jej apartamentu w pałacu cesarskim w Sankt Petersburgu. Ciężkie tkaniny okrywające drzwi i okna nie przepuszczały światła, przez co pokój sprawiał wrażenie przytulnego i bezpiecznego. Jeszcze tego ranka przeorysza była przekonana, iż jest bezpieczna, że przygotowała się doskonale na wszelkie ewentualności. Teraz jednak zdała sobie sprawę, że była w błędzie.

Otaczało ją już pół tuzina *femmes de chambre* przydzielonych jej przez carycę Katarzynę. Siedząc w milczeniu, pochylone nad tamborkami, obserwowały ją cały czas kątem oka, by móc donieść carycy o każdym jej ruchu. Poruszała wargami, mrucząc pod nosem Akt wiary i Skład Apostolski, by myślały, że jest pogrążona w modlitwie.

Tymczasem, siedząc przy inkrustowanym francuskim sekretarzyku, przeorysza otworzyła swą oprawną w skórę Biblię i po raz trzeci przeczytała list, który francuski ambasador przemycił jej tego ranka. Było to jego ostatnie posunięcie, gdyż niedługo potem przyjechały po niego sanie, które miały go zawieźć do Francji.

Nadawcą listu był Jacques-Louis David. Mireille zniknęła – uciekła z Paryża podczas terroru, a nie można wykluczyć, że w ogóle wyjechała z Francji. Ale Valentine, słodka Valentine, nie żyje. A cóż się stało z figurami, zachodziła w głowę przeorysza. Rzecz jasna w liście nie było o tym ani słowa.

W tym właśnie momencie na zewnątrz rozległ się hałas – jakiś metaliczny szczęk i głośne okrzyki, nad którymi górował stentorowy głos carycy.

Przeorysza złożyła list i zamknęła Biblię. *Femmes de chambre* rzuciły na siebie zaniepokojone spojrzenia. Po chwili drzwi otwarły się na oścież, a zerwana tkanina spadła na podłogę wśród grzechotu miedzianych kółek.

Gdy Katarzyna wtoczyła się do komnaty, prowadząc za sobą tłum oszołomionych strażników, pokojówki zerwały się z miejsc. Wokół rozsypały się koszyczki, tamborki, nici i kawałki materiałów.

– Precz! Precz! Precz! – krzyczała, idąc przez komnatę i stukając w dłoń zwojem pergaminu.

Pokojówki rozpierzchły się na wszystkie strony i przepychając się jedna przez drugą, ruszyły ku drzwiom. W przejściu doszło do małego zamieszania, gdyż zderzyły się ze strażnikami, którzy, podobnie jak one, usiłowali uciec przed monarszym gniewem. Wreszcie drzwi zatrzasnęły się z hukiem, akurat w momencie gdy caryca podeszła do sekretarzyka.

Przeorysza, trzymając przed sobą zamkniętą Biblię, obdarzyła ją łagodnym uśmiechem.

– Moja droga Sophie – zaczęła słodko – cieszę się, że po tylu latach przyszłaś do mnie na poranną modlitwę. Proponuję, byśmy zaczęły od Aktu skruchy...

Caryca uderzyła z trzaskiem w Biblię trzymanym w ręku zwojem pergaminu. Z oczu ciskała błyskawice.

– Sama zacznij od Aktu skruchy! – ryknęła. – Jak ś m i e s z mi się sprzeciwiać? Jak ś m i e s z? W tym kraju moja wola jest prawem! Mija już rok, odkąd jesteś tu pod moją opieką, choć moi doradcy nie są tym zachwyceni, a ja sama nie jestem przekonana o słuszności tego kroku. Jak śmiesz lekceważyć mój rozkaz? – Po tych słowach złapała pergamin i rozwinęła go przed oczyma przeoryszy. – Podpisuj! – wrzasnęła. Trzęsącą się ręką wyjęła pióro z kałamarza, tak że atrament rozchlapał się po blacie sekretarzyka. Jej twarz była biała z wściekłości. – Podpisuj!

– Moja droga Sophie – powiedziała przeorysza ze spokojem, wyjmując pergamin z dłoni Katarzyny – nie mam pojęcia, o czym mówisz. – Po tych słowach obejrzała dokument, jakby nigdy wcześniej go nie widziała.

– Płaton Zubow twierdzi, że odmówiłaś złożenia podpisu! – krzyknęła Katarzyna, patrząc na przeoryszę, która przebiegała wzrokiem dokument. Nadal trzymała w palcach kapiące pióro. – Chcę znać powód twojej odmowy, zanim wtrącę cię do więzienia!

– Jeśli masz mnie wtrącić do więzienia, to nie rozumiem, co ci da znajomość powodu mojej odmowy, choć przyznaję, że moja odpowiedź mogłaby zaspokoić twoją ciekawość – odparła przeorysza z uśmiechem i raz jeszcze zerknęła na dokument.

– Co masz na myśli? – spytała caryca, odkładając pióro do kałamarza. – Doskonale wiesz, czym jest ten dokument, a odmowa jego podpisania jest równoznaczna ze zdradą stanu. Każdy emigrant, który chce pozostać pod moją opieką, musi podpisać tę przysięgę. Ten naród rozpustnych łajdaków zabił swojego króla! Dlatego wypędziłam z dworu ambasadora

Geneta, zerwałam wszystkie stosunki z tym marionetkowym rządem głupców i wydałam zakaz wpuszczania francuskich statków do rosyjskich portów!

– Tak, tak – powiedziała przeorysza z lekkim zniecierpliwieniem. – Lecz cóż to wszystko ma wspólnego ze mną? Nie jestem emigrantką; wyjechałam z kraju, nim jeszcze to wszystko na dobre się zaczęło. Dlaczegóż miałabym zrywać wszelkie stosunki z moim krajem, w tym nawet przyjazną korespondencję, która nikomu przecież nie szkodzi?

– Twoja odmowa znaczy, że sprzymierzyłaś się z tą diabelską bandą! – krzyknęła ze zgrozą Katarzyna. – Czy zdajesz sobie sprawę, że oni g ł o s o w a l i przed egzekucją króla? Kto dał im prawo do czegoś takiego? Te uliczne szumowiny zamordowały go z zimną krwią, jak pospolitego bandytę! Obcięli mu włosy, rozebrali go do koszuli i powieźli drewnianym wozem przez ulice miasta, a motłoch pluł nań i złorzeczył. A na rusztowaniu, gdy próbował zabrać głos, by przebaczyć swemu ludowi grzechy, nim zarżnęli go jak krowę, zmusili go do przyklęknięcia i pochylenia głowy, po czym kazali uderzyć w werble...

– Wiem – rzekła cicho przeorysza. – Wiem. – Odłożyła pergamin na blat sekretarzyka i wstała. – Jednakże mimo wszelkich twoich ukazów nie mogę zerwać kontaktu z Francją. Stało się bowiem coś gorszego, coś znacznie bardziej przerażającego aniżeli śmierć króla, może nawet bardziej przerażającego niż śmierć w s z y s t k i c h królów.

Caryca spojrzała na nią ze zdumieniem. Tymczasem przeorysza otwarła z ociąganiem swoją Biblię i wyciągnąwszy spomiędzy jej stronic list, podała go przyjaciółce.

– Prawdopodobnie zaginęła część figur z kompletu z Montglane – powiedziała.

Katarzyna II, caryca Wszechrosji, siedząc przy czarno-białej szachownicy naprzeciwko przeoryszy, sięgnęła po skoczka i przestawiła go na środek. Wyglądała na chorą i zmęczoną.

– Nic nie rozumiem – odezwała się cicho. – Skoro przez cały czas znane ci było miejsce ukrycia figur, to dlaczego mi nie powiedziałaś? Czyżby przez brak zaufania? Myślałam, że zostały rozproszone...

– I były rozproszone – odparła przeorysza, przyglądając się badawczo figurom na szachownicy. – Rozproszone rękami, nad którymi sądziłam, że mam kontrolę. Okazuje się jednak, iż byłam w błędzie. Jeden z graczy zniknął, a z nim część figur. Muszę teraz je odzyskać.

– Oczywiście, że musisz – zgodziła się z nią caryca. – Teraz chyba zrozumiałaś, że od razu powinnaś była zwrócić się do mnie w tej sprawie. Mam agentów we wszystkich krajach. Jeżeli ktokolwiek jest w stanie je odzyskać, to tylko ja.

– Nie bądź śmieszna – powiedziała przeorysza i zbiła pionka hetmanem. – Gdy ta młoda kobieta zniknęła, w Paryżu znajdowało się osiem figur. Wiem tylko, że miała dość rozsądku, by nie nosić ich ze sobą. Ona jedna znała miejsce ich ukrycia i powiedziałaby o tym wyłącznie zaufanej osobie, mojemu wysłannikowi. Dlatego napisałam do mademoiselle Corday, która zarządzała niegdyś klasztorem w Caen. Poprosiłam ją w tym liście, by udała się w moim imieniu do Paryża i znalazła tam ową dziewczynę, zanim będzie za późno. Jeśli umrze, wszystkie informacje zabierze do grobu. A teraz, gdy wygnałaś mojego listonosza, ambasadora Geneta, nie jestem w stanie bez twojej pomocy nawiązać kontaktu z Francją. Zdążyłam mu jeszcze wręczyć mój ostatni list.

– Hélène, twój spryt naprawdę mnie zaskakuje – powiedziała caryca, uśmiechając się mimo woli. – Powinnam się była domyślić, w jaki sposób dociera do ciebie to, czego nie udawało mi się skonfiskować.

– Skonfiskować! – powtórzyła przeorysza, gdy Katarzyna zbiła jej gońca.

– Nie było tam nic ciekawego – odparła caryca. – Teraz jednak, skoro w dowód zaufania pozwoliłaś mi zapoznać się z treścią tego listu, może posuniesz się o krok dalej i przyjmiesz moją pomoc w odnalezieniu figur. Choć przypuszczam, że jedynie wyjazd Geneta skłonił cię do tych wynurzeń, nadal jestem twoją przyjaciółką. Chcę mieć szachy z Montglane. Muszę je mieć, nim wpadną w ręce osoby mającej nieporównanie mniejsze skrupuły. Przybywając tutaj, oddałaś się w moje ręce, choć jednocześnie nigdy nie zdradziłaś mi tego, co wiesz. Dlaczego miałabym nie konfiskować twoich listów, skoro ty sama nie masz do mnie zaufania?

– A skąd niby mam czerpać to zaufanie?! – krzyknęła gniewnie przeorysza. – Przecież nie jestem ślepa: sprzymierzyłaś się wszak z Prusami, które są twoim wrogiem, aby dokonać rozbioru twojego s o j u s z n i k a: Polski. Na twoje życie czyhają tysiące nieprzyjaciół, i to nawet tutaj, na tym dworze. Przecież wiesz dobrze, że w swojej posiadłości w Gatczynie twój syn, Paweł, musztruje oddziały w pruskich mundurach, planując zamach stanu. Każdy twój ruch w tej niebezpiecznej grze wskazuje, że potrzebujesz szachów z Montglane w jednym tylko celu: zdobycia władzy. Skąd mogę mieć pewność, że mnie nie zdradzisz, tak jak zdradziłaś wielu innych? I choć może jesteś po mojej stronie – w co gorąco pragnę wierzyć – to co by się stało, gdybym przyjechała tu z całym kompletem? Moja droga Sophie, nawet twoja władza nie sięga poza grób. Boję się choćby myśleć, do jakich celów twój syn wykorzystałby te figury!

– Pawłem nie zaprzątaj sobie głowy – prychnęła pogardliwie imperatorowa, gdy przeorysza robiła roszadę. – Jego władza rozciąga się tylko na te żałosne pułki w idiotycznych mundurach, którym każe maszerować tam i z powrotem. Po mojej śmierci carem zostanie mój wnuk, Aleksander. Sama go do tego przygotowałam i zrobi to, co mu każę...

W tym momencie przeorysza przyłożyła palec do ust i w milczeniu wskazała ogromny gobelin wiszący na ścianie w odległym kącie komnaty. Caryca podniosła się bezszelestnie z krzesła i ruszyła w tamtą stronę. Obie kobiety nie spuszczały wzroku z tkaniny, a przeorysza nie przestawała mówić.

– Ach, cóż za interesujące posunięcie. Mogą z tego wyniknąć poważne problemy...

Katarzyna posuwała się naprzód wielkimi krokami. Zbliżywszy się do gobelinu, zerwała go jednym, silnym ruchem. Stał za nim książę Paweł, zawstydzony i czerwony jak burak. Zerknął z przerażeniem na matkę, po czym spuścił wzrok.

– Matko, właśnie zamierzałem złożyć ci wizytę... – zaczął, lecz nie mógł spojrzeć jej w oczy. – To znaczy, Wasza Wysokość, zamierzałem... szedłem, by odwiedzić wielebną matkę w kwestii... – bąkał te słowa, mnąc poły surduta.

– Widzę, że jesteś równie błyskotliwy jak twój ojciec – warknęła imperatorowa. – Jakaż to radość dla matki wydać na świat księcia, który największy talent przejawia w podsłuchiwaniu cudzych rozmów! A teraz zejdź mi z oczu! Twój widok budzi we mnie wstręt.

Po tych słowach odwróciła się do niego plecami, lecz przeorysza dostrzegła na jego twarzy pełną zacięcia nienawiść. Katarzyna prowadziła z tym chłopcem niebezpieczną grę, a on wcale nie był takim głupcem, za jakiego go uważała.

– Upraszam Waszą Wysokość oraz wielebną matkę o wybaczenie, iż w tak niestosownym momencie zakłóciłem ich spokój – powiedział łagodnie Paweł, po czym skłoniwszy się nisko, zrobił krok w tył i opuścił komnatę.

Caryca stała w drzwiach bez słowa, wpatrując się w szachownicę. Wreszcie spytała, czytając chyba w myślach przeoryszy:

– Jak myślisz, ile zdołał podsłuchać?

– Musimy przyjąć, że wszystko – odparła przeorysza. – Dlatego nie wolno nam zwlekać.

– Tylko dlatego, że ten głupek dowiedział się, że nie będzie władcą? – parsknęła Katarzyna. – Niewątpliwie już dawno się tego domyślił.

– Nie. Dlatego, że dowiedział się o komplecie.

– Ten komplet jest bezpieczny, przynajmniej do czasu, aż poweźmiemy jakieś postanowienie – powiedziała imperatorowa. – A przywieziona przez ciebie figura jest bezpieczna w mojej kryjówce. Możemy ją jednak przenieść w inne miejsce, gdzie nikomu nigdy nie przejdzie przez myśl jej szukać. Robotnicy wylewają kolejną betonową podstawę pod ostatnie skrzydło Pałacu Zimowego. Budowa trwa już pięćdziesiąt lat i zimno mi się robi na myśl o tych wszystkich szkieletach, które muszą tam leżeć!

– A może same byśmy to zrobiły? – spytała przeorysza, gdy caryca odeszła od drzwi.

– Chyba żartujesz. – Katarzyna znów usiadła przy szachownicy. – Jak sobie to wyobrażasz? Że wymkniemy się pod osłoną nocy, aby ukryć figurę szachową wielkości sześciu cali? Nie widzę powodów do takiej paniki.

Uwaga przeoryszy jednak skupiona była na czymś innym. Siedziała, nie odrywając wzroku od leżącej między nimi szachownicy z porozstawianymi figurami, wbudowanej w duży stolik do gry, który przywiozła tu z Francji. Podniosła rękę i powolnym ruchem strąciła wszystkie figury na miękki, astrachański dywan.

Potem uderzyła pięścią w blat. Rozległ się cichy, tępy dźwięk, jakby znajdowało się tam coś miękkiego, oddzielającego czarne i białe kwadraty od czegoś pod spodem. Caryca dotknęła szachownicy, a jej oczy zrobiły się okrągłe ze zdumienia. Wstała od stołu z bijącym sercem i podeszła do kominka, w którym powoli dogasał żar. Chwyciwszy ciężki, żelazny pogrzebacz, uniosła go nad głową i z całej siły opuściła na powierzchnię szachownicy. Kilka płytek pękło od razu. Imperatorowa cisnęła pogrzebacz i oderwała roztrzaskane płytki. Gdy wyjęła leżący tam bawełniany materiał, spod spodu zajaśniał dziwny blask. Przeorysza siedziała bez ruchu, z ponurą i poszarzałą twarzą.

– Szachownica z Montglane! – wyszeptała caryca, wpatrując się w rzeźbione kwadraty ze srebra i złota, które pojawiły się w szczelinie. – Miałaś ją przez cały czas. Nic dziwnego, że nie chciałaś mówić. Musimy teraz usunąć wierzchnią warstwę, bym mogła skąpać oczy w tym blasku. Nawet nie wiesz, jak pragnę ją zobaczyć!

– Wielokrotnie wyobrażałam ją sobie w moich snach – powiedziała przeorysza – lecz kiedy wreszcie wydobyłyśmy ją na światło dzienne, gdy ujrzałam jej blask w półmroku opactwa, gdy końcami palców wyczułam te wszystkie kunsztowne wzory, przeszła przeze mnie jakaś przerażająca moc, coś, czego nigdy przedtem nie doświadczyłam. Teraz chyba rozumiesz, dlaczego pragnę ją zakopać jeszcze dziś w nocy, tam, gdzie nikt jej nie odnajdzie, dopóki nie zgromadzimy wszystkich figur. Czy możemy komuś zaufać w tej kwestii?

Katarzyna obrzuciła ją przeciągłym spojrzeniem. Po raz pierwszy odczuła z całą mocą tę samotność, którą kiedyś wybrała. Imperatorowa nie ma przyjaciół ani nikogo, komu mogłaby zaufać.

– Nie – odparła ze złośliwym, dziewczęcym uśmiechem – lecz nieraz przecież płatałyśmy różne figle, prawda, Hélène? Dziś o północy zjemy razem kolację, a potem wybierzemy się na przechadzkę po ogrodach. Co ty na to?

– Sądzę, że przyda się nam kilka przechadzek – rzekła przeorysza. – Zanim poleciłam wbudować tę szachownicę w stolik, kazałam ją pociąć na cztery części, aby można ją było przenosić bez niczyjej pomocy. Jak widzisz, przewidziałam ten dzień...

Podniósłszy z posadzki ciężki pogrzebacz, Katarzyna odłupywała płytki. Przeorysza usuwała je, odsłaniając kolejne fragmenty niezwykłej tablicy. Na każdym polu wyryto jakiś dziwny, mistyczny symbol, na przemian w srebrze i złocie. Krawędzie zdobiły duże kamienie szlachetne, wypolerowane i ułożone w dziwne kształty.

– Może po kolacji poczytamy... te skonfiskowane listy? – spytała przeorysza, patrząc na przyjaciółkę.

– Oczywiście. Każę ci je przynieść – odrzekła Katarzyna, wpatrując się rozjaśnionym wzrokiem w szachownicę. – Nie były zbyt interesujące. Wszystkie od jakiejś przyjaciółki sprzed lat. Dotyczyły głównie pogody na Korsyce...

Tasili
kwiecień 1793

Mireille znajdowała się już tysiąc mil od wybrzeży Korsyki. Gdy przekroczyła ostatnie wielkie wzniesienie Ez-Zemul Al Akbar, ujrzała przed sobą piaszczyste Tasili – krainę Białej Królowej.

Tasili wan Ahdżar, czyli „równina otchłani", wyrastała z pustyni. Poczynając od Algierii, biegła wstęgą niebieskich kamieni na długości trzystu mil, okalała góry Al Hadżdżar i bujne od roślinności oazy wyrastające tu i ówdzie pośród piasków pustyni i kończyła się w królestwie Trypolisu. Tu właśnie, w wielkich kanionach Tasili wan Ahdżar, krył się klucz do starożytnej tajemnicy.

Gdy Mireille, podążając za Szahinem, opuściła ponure piaski pustyni i weszła w ten wąski wąwóz, poczuła nagły spadek temperatury, a nozdrza jej – pierwszy raz od miesiąca – napełnił silny zapach świeżej wody. Na wysokich skałach okalających wąwóz dostrzegła wąskie paski wilgoci. Po bokach rosły gęsto różowe oleandry, cicho szeleszcząc w cieniu, a pierzaste liście nielicznych palm daktylowych okalających koryto rzeki delikatnie poruszały się na tle błękitnego nieba.

Gdy wielbłądy pokonały wąską gardziel niebieskich skał, oczom Mireille i Szahina ukazała się żyzna kotlina, porośnięta sadami brzoskwiń, fig i moreli, które zasilał strumień płynącej tamtędy rzeki. Mireille, która od tygodni żywiła się jedynie pieczonym w żarze ogniska mięsem jaszczurek, salamander i myszołowów, łapczywie wbijała zęby w soczyste brzoskwinie, a wielbłądy pochłaniały ogromne ilości ciemnozielonych liści. Każda dolina otwierała się na tuzin innych dolin oraz krętych wąwozów, z których każdy miał własny klimat i roślinność. Miliony lat temu głębokie podziemne rzeki przebiły się przez wielobarwne skały, tworząc dzisiejsze Tasili, wyrzeźbione na podobieństwo jaskiń i otchłani podziemnego morza. Nurty rzek wyżłobiły tu wąwozy, których koronkowe, różowobiałe ściany wbijające się w niebo wielkimi, spiralnymi iglicami nieodparcie przywodziły na myśl rafy koralowe. Niebieskoszare masywy skał, wystrzeliwujące z posad pustyni na wysokość mili, otaczały – na kształt murów obronnych – te zamkopodobne wzniesienia z czerwonego, skamieniałego piasku.

Mireille i Szahin nie spotkali żywego ducha, dopóki nie dotarli do Tamrit – „wioski namiotów", położonej wysoko nad płaskowyżami Aabaraka Tafelalet. Tutaj gałęzie tysiącletnich cyprysów kładły głębokie cienie na rwących nurtach głębokiej rzeki, a temperatura spadła tak raptownie, że Mireille trudno było uwierzyć, iż jeszcze niedawno wędrowała przez suche i rozgrzane piaski.

W Tamrit mieli zostawić wielbłądy i ruszyć dalej pieszo, zabierając z sobą tylko tyle, ile będą w stanie unieść. Albowiem teraz wkroczyli w tę część Labiryntu, gdzie – według słów Szahina – przejścia i występy były tak zdradzieckie, że nawet kozice i muflony zapuszczały się tu z dużą niechęcią.

Ich wielbłądy miały pozostać pod opieką „ludzi namiotów". Wielu z nich przychodziło, by spoglądać wytrzeszczonymi oczami na rude pukle Mireille, które teraz – w promieniach zachodzącego słońca – zdawały się płonąć żywym ogniem.

– Musimy tu odpocząć przez noc – powiedział Szahin. – Próbę wejścia do Labiryntu można podjąć jedynie za dnia. Zaczniemy więc jutro. W sercu Labiryntu znajduje się klucz... – Podniósł rękę, by wskazać na wylot wąwozu, gdzie skały wznosiły się łagodnym łukiem kryjącym się powoli w czarnoniebieskim półmroku, jako że słońce prawie schowało się za krawędzią kanionu.

– Biała Królowa – wyszeptała Mireille, wpatrując się w pokrzywione cienie, które sprawiały wrażenie, że wielki blok skalny nieznacznie się porusza. – Szahin, ty chyba nie myślisz, że tam stoi kamienna kobieta, to znaczy żywa osoba? – Po plecach przebiegł jej dreszcz.

Brzeg słonecznej tarczy zupełnie skrył się za horyzontem i od razu zrobiło się dużo chłodniej.

– Wiem, że tak jest – odpowiedział Szahin szeptem, zupełnie jakby ktoś ich podsłuchiwał. – Opowiadają, że czasami o zachodzie słońca, gdy wokół było pusto, słyszano z oddali jej śpiew... jakąś dziwną melodię. Może... ona zaśpiewa dla ciebie.

Powietrze w Sefarze było zimne i czyste. Tu właśnie natknęli się na pierwsze rzeźby skalne, choć nie należące do najstarszych. Były to małe diabełki z koźlimi rogami, brykające na skalnej płaskorzeźbie, pochodzące mniej więcej z 1500 roku przed Chrystusem. W miarę wspinaczki droga stawała się coraz trudniejsza, a malowidła, na które się natykali, coraz starsze, coraz bardziej tajemnicze i skomplikowane.

Wspinając się na strome występy jakby wyrzeźbione w skalnych ścianach, Mireille miała odczucie, że cofa się w czasie. Za każdym zakrętem kanionu ogromne malowidła opowiadały dzieje ludu, którego los splótł się nierozłącznie z tymi skalnymi rozpadlinami. Oglądali kolejne fale cywilizacji, jedną po drugiej, cofając się osiem tysięcy lat w przeszłość.

Zewsząd otaczała ich sztuka. Jak okiem sięgnąć, tysiące malowideł – feeria karminu, czerwonej ochry, czerni, żółci i brązu – pokrywających całe połacie skał rysunkami i rzeźbami, wciskających się we wszystkie szczeliny i kryjących się w mrocznych przepaściach jaskiń. Stworzone tutaj, w tej dzikiej krainie, na wysokościach dostępnych chyba tylko doskonałym i doświadczonym wspinaczom albo – jak mówił Szahin – kozicom, opowiadały nie tylko historię ludzi, ale również historię życia.

Drugiego dnia dotarli do rydwanów Hyksosów – ludu morskiego, który dwa tysiąclecia przed narodzeniem Chrystusa dokonał podboju Egiptu i Sahary i którego doskonała broń – pojazdy ciągnięte przez konie i pancerze chroniące ciało – pomogła im pokonać miejscowe ludy walczące na wielbłądach. Malarska historia ich podbojów stanowiła fascynującą lekturę

dla nich obojga, przemierzających te pustkowia jak para dra-
pieżników. Mireille uśmiechnęła się w duchu, zastanawiając
się, co by powiedział stryj Jacques-Louis, widząc owoc pracy
tych anonimowych artystów, których imiona zaginęły w mrokach niepamięci, lecz których dzieła przetrwały długie tysiąclecia.

Każdego wieczoru, gdy słońce kryło się za krawędzią kanionu, musieli szukać schronienia. Gdy w pobliżu nie było żadnej
jaskini, owijali się oboje w grube koce, które Szahin przymoco-
wywał kołkami do podłoża, żeby przypadkiem któreś z nich
nie sturlało się nocą w przepaść.

Na trzeci dzień dotarli do jaskiń Tan Zaumaitok – tak głębokich i ciemnych, że poruszać się mogli jedynie przy świetle pochodni, które Szahin zrobił z zeschniętych krzewów rosnących w szczelinach skał. Na ścianach znaleźli doskonale
zachowane malowidła przedstawiające mężczyzn bez twarzy
z podłużnymi głowami, którzy rozmawiali z rybami wędrują-
cymi na nogach w pozycji wyprostowanej. Według wyjaśnień
Szahina, te starożytne plemiona wierzyły, że ich przodkami
były ryby, które opuściły morskie fale i wyszły na brzeg z pierwotnego mułu. Tutaj także przedstawiono magiczne sposoby,
za pomocą których próbowali przebłagać duchy natury – spi-
ralny taniec wykonywany przez dżinna, ducha robiącego wrażenie opętanego, który poruszał się w kierunku przeciwnym
do ruchu wskazówek zegara, zataczając coraz ciaśniejsze kręgi wokół ustawionego na środku świętego kamienia. Mireille
długo wpatrywała się w to malowidło. Szahin stał obok niej,
nie odzywając się ani słowem. Wreszcie ruszyli dalej.

Rankiem czwartego dnia zbliżyli się do szczytu płaskowyżu. Gdy wynurzyli się zza zakrętu, znaleźli się w głębokiej,
szerokiej dolinie, całej pokrytej malowidłami. Każda skalna
ściana pomalowana była na jakiś kolor. Wchodzili do Doliny
Olbrzymów. Na ogromnych skałach, pokrytych barwnikami
od podnóża aż po szczyt, znajdowało się ponad pięć tysięcy
malowideł. Był to widok zapierający dech w piersiach i Mireille stała przez dłuższą chwilę, rozglądając się dookoła w zachwycie. Były to najstarsze malowidła, jakie dotąd widziała.
Wędrowała wzrokiem od jednego do drugiego, podziwiając
ich czystość i prostotę rysunku, zaskoczona świeżością barw,

jakby ktoś namalował je nie dalej niż wczoraj. Były ponadczasowe – tak samo jak freski dawnych mistrzów.

Długo tam stała. Odnosiła wrażenie, iż malowidła wciągają ją w wir tamtych wydarzeń, pierwotnych i tajemniczych. Pomiędzy niebem a ziemią nie było nic prócz kolorów i kształtów – kolorów, które ją oszałamiały, krążąc w jej żyłach jak narkotyk. I właśnie tam – stojąc wysoko na skalnej półce – usłyszała ten dźwięk.

Początkowo zdawało się jej, że to wiatr – wysoki pomruk jak gwizd powietrza w wąskiej szyjce butelki. Zadarłszy głowę, ujrzała – około tysiąca stóp wyżej – wysokie urwisko wystające nad suchym, dzikim wąwozem. Na skalnej ścianie pojawiła się nagle głęboka szczelina. Mireille zerknęła na Szahina. On też patrzył na skałę, próbując dociec, skąd dobiega ten dźwięk. Owinął sobie dokładniej twarz i skinął, by ruszyła przed nim po wijącej się, wąskiej wstążce ścieżki.

Szlak piął się ostro w górę. Niebawem stał się tak stromy, a występ skalny tak wąski, że Mireille – będąca w siódmym miesiącu ciąży – miała duże kłopoty z jednoczesnym utrzymaniem oddechu i równowagi. Raz nawet stopa jej się obsunęła i upadła na kolana. Kamyki, które wypadły spod jej nogi, poleciały w dół, na samo dno wąwozu. Przełknęła ślinę, czując suchość w ustach, podniosła się powoli i nie patrząc w dół, ruszyła dalej. Występ skalny, po którym szli, był tak wąski, że Szahin nie byłby w stanie jej pomóc. Dźwięk stawał się coraz głośniejszy.

Składał się on z trzech nut powtarzanych bezustannie, choć w różnych kombinacjach – coraz wyżej i wyżej. Im bliżej była tej szczeliny, tym mniej ów dźwięk przypominał wiatr. Ten piękny, czysty ton upodabniał się coraz bardziej do ludzkiego głosu. Mireille nie przestawała się wspinać po kruszącym się występie.

Półka skalna położona była pięć tysięcy stóp nad dnem doliny. Dopiero tutaj to, co z dołu wydawało się wąskim pęknięciem, okazało się gigantyczną szczeliną szerokości dwudziestu stóp i wysokości pięćdziesięciu – najwyraźniej wejściem do jaskini. Mireille poczekała, aż Szahin zrówna się z nią, po czym wzięła go za rękę i weszła do środka.

Dźwięk stał się ogłuszający, otaczał ich ze wszystkich stron i odbijał się od ścian. Idącej w półmroku Mireille zdawało się, że przenika każdą cząstkę jej ciała. Przed sobą dostrzegła błysk jakiegoś światła. Dała nurka w ciemność, a muzyka zdawała się ją pochłaniać. Wreszcie doszła do końca, cały czas nie wypuszczając dłoni Szahina, i wyszła na zewnątrz.

To, co w jej mniemaniu było jaskinią, okazało się kolejną małą doliną. Padające z góry światło oblewało wszystko niesamowitą bielą. Przy powyginanych, wklęsłych ścianach stały rzeźby olbrzymów. Wysokie na dwadzieścia stóp, unosiły się nad nią, pomalowane na blade, nieziemskie kolory. Posągi bożków z baranimi rogami, ludzi w strojach robiących wrażenie nadmuchiwanych, z rurkami biegnącymi od ust do piersi i twarzami skrytymi w kopułach okrągłych hełmów, z kratkami w miejscu, gdzie powinny być rysy twarzy. Siedzieli na krzesłach z dziwnymi oparciami, które podtrzymywały ich głowy; przed nimi wyrastały drążki i okrągłe przedmioty, przypominające tarcze zegarów bądź też barometry. Wszyscy wykonywali jakieś dziwne czynności, a w samym środku znajdowała się Biała Królowa.

Muzyka urwała się. Być może była to tylko sztuczka wiatru, a może wytwór jej imaginacji. Posągi świeciły, oblane białym światłem. Mireille spojrzała na Białą Królową.

Wysoko na ścianie majaczyła dziwna i przerażająca postać, rozmiarami przewyższająca wszystkie pozostałe. Na kształt boskiej Nemezis wznosiła się nad urwiskiem spowita w biały obłok. Nie miała twarzy, raczej jej zarys w postaci kilku ostrych linii, i zakrzywione rogi przypominające znaki zapytania, które zdawały się wyrastać ze ściany. Usta miała otwarte, jak ktoś, kto lamentuje, jak pozbawiony języka człowiek, który z ogromnym wysiłkiem próbuje coś powiedzieć. Lecz milczała.

Mireille patrzyła na nią w odrętwieniu graniczącym z lękiem. Otoczona ciszą bardziej przerażającą niż zgiełk, zerknęła na Szahina, który stał nieruchomo obok niej. Owinięty ciemnym haikiem i błękitnymi zasłonami on również wydawał się wyrzeźbiony z ponadczasowej skały. W oślepiającym blasku światła, otoczona zimnymi ścianami wąwozu, Mireille znów przeniosła wzrok na skałę, przepełniona lękiem i niepewnością. I wtedy właśnie to zobaczyła.

W podniesionej dłoni Biała Królowa trzymała długą laskę

owiniętą splotami węży. Podobnie jak kaduceusz, tworzyły one cyfrę osiem. Mireille zdawało się, że słyszy jakiś głos, lecz głos ten nie dobiegał ze skały. On wydobywał się z wnętrza. I głos ten powiedział: *Spójrz jeszcze raz. Spójrz uważnie. Patrz.* Mireille spojrzała na postacie ustawione wzdłuż ściany. Byli tam sami mężczyźni – z wyjątkiem Białej Królowej. I wtedy właśnie – jakby opadły jej łuski z oczu – zobaczyła wszystko całkiem inaczej. Teraz nie była to już grupa mężczyzn zajęta jakimiś niezrozumiałymi czynnościami – to był jeden człowiek. Jak ruchomy obraz, który zaczyna się w jednym miejscu, a kończy w innym, te posągi ukazywały ruch tego człowieka w poszczególnych fazach – transformacja z jednego stanu w drugi.

Kierowany magiczną różdżką Białej Królowej człowiek ów przemieszczał się wzdłuż ściany, przechodząc kolejne etapy, tak samo jak ci ludzie z okrągłymi głowami, którzy wyszli z morza jako ryby. Ubierał się w strój rytualny, prawdopodobnie dla celów ochronnych. Poruszał drążkami jak kapitan kierujący statkiem albo cyrulik rozgniatający coś w moździerzu. I wreszcie, gdy po wielu zmianach i po wykonaniu pracy powstał ze swego krzesła i przyłączył się do Białej Królowej, został ukoronowany za swoje wysiłki skręconymi rogami Marsa – boga wojny i zniszczenia. Stał się bogiem.

– Rozumiem – powiedziała głośno Mireille, a głos jej odbił się echem od ścian i dna otchłani, gasząc światło słoneczne.

W tej właśnie chwili poczuła pierwszy ból. Był tak przeszywający, że aż zgięła się wpół, a Szahin chwycił ją za ramię i pomógł usiąść. Na czoło wystąpił jej zimny pot, a serce biło jak oszalałe. Szahin odsłonił twarz i położył dłoń na jej brzuchu, gdy ciałem dziewczyny wstrząsnął kolejny skurcz.

– Już czas – rzekł łagodnie.

Tasili
czerwiec 1793

Z wysokiego płaskowyżu ponad wioską Tamrit Mireille widziała wydmy w promieniu dwudziestu mil. Podmuchy wiatru były tak mocne, że jej rudoczerwone włosy trzepotały jak chorągiew. Miękki kaftan miała rozpięty, a przy piersi trzymała niemowlę. Tak jak przewidział Szahin, dziecko urodziło się na oczach bogini i był to chłopiec. Nazwała go Charlot – tak jak sokoła. Teraz miał sześć tygodni.

Na horyzoncie dostrzegła miękkie, czerwone pióropusze podnoszącego się piasku, sygnalizujące jeźdźców z Bahr-al-Azrak. Gdy zmrużyła oczy, zobaczyła czterech mężczyzn na wielbłądach zjeżdżających w dół olbrzymiej wydmy, przypominających kawałki drewna wciągane silnymi falami oceanu. Upał sprawiał, że obserwowanie jeźdźców było niezwykle trudne.

Minie cały dzień, zanim uda się im dotrzeć do Tamrit, ukrytej wśród wąwozów Tasili, lecz Mireille wcale nie musiała czekać na ich przyjazd. Wiedziała, że jadą właśnie po nią. Czuła to od wielu dni. Ucałowała swojego synka w główkę, owinęła go i przewiesiła torbę z nim przez plecy, po czym ruszyła w dół, by czekać na list. Jeśli nie przyjdzie dziś, na pewno stanie się to niedługo. Będzie to list od przeoryszy z Montglane, w którym każe jej wracać.

CZARODZIEJSKIE GÓRY

Czymże jest przyszłość? Czymże jest przeszłość? Kim my je-
steśmy? Cóż to za czarodziejski płyn, który nas otacza i ukrywa
przed nami to, co akurat najbardziej chcemy wiedzieć? Żyjemy
i umieramy, a wokół nas dzieją się cuda.

Napoleon Bonaparte

Kabylia
czerwiec 1973

A więc wyruszyliśmy w te Czarodziejskie Góry – Kamel i ja. W podróż do Kabylii. Im bardziej zagłębialiśmy się w te przedziwne rejony, tym bardziej czułam, że tracę kontakt ze wszystkim, co stanowiło dla mnie rzeczywistość.

Nikt nie wie dokładnie, gdzie Kabylia się zaczyna ani gdzie się kończy. Te olbrzymie łańcuchy Atlasu Wysokiego – przypominająca labirynt plątanina wysokich szczytów i głębokich wąwozów wciśnięta między górami Medjerda na północ od Konstantyny i Hodna poniżej Bouiry – ciągną się na przestrzeni trzydziestu tysięcy kilometrów i wpadają do morza w okolicy Bidżaji.

Jechałam z Kamelem jego czarnym, ministerialnym citroenem krętą, polną drogą, szpalerem starych eukaliptusów, a nad nami wznosiły się błękitne wzgórza – majestatyczne, ośnieżone i tajemnicze. W dole rozpościerały się Tizi-Wuzu – „wąwozy janowców" – gdzie dziki, algierski wrzos zalewał całą dolinę jaskrawym fioletem przypominającym kolor fuksji, a jego kwiaty poruszały się niczym morskie fale poruszane lekką bryzą. Ich oszałamiająca woń wisiała w powietrzu jak ciężka chmura.

Wśród wysokich wrzosów rosnących przy drodze chlupotała czysta, błękitna woda. Rzeka, zasilana przez topniejące wiosną śniegi, wiła się krętym korytem trzysta mil do Cap Begnut, dostarczając wodę Tizi-Wuzu przez długie, gorące lato. Aż trudno było sobie wyobrazić, że znajdujemy się zaledwie trzydzieści mil od zamglonego Morza Śródziemnego, a dziewięćdziesiąt mil na południe rozciąga się największa pustynia świata.

Kamel – odkąd przyjechał po mnie do hotelu – zachowywał cały czas dziwne milczenie. Spełnienie danej mi kiedyś obietnicy zajęło mu dość dużo czasu, bo prawie dwa miesiące. Przez ten czas wysyłał mnie na najprzeróżniejsze misje, z których część przypominała wyprawę z motyką na słońce. Oglądałam więc rafinerie, wciągarki i młyny. Widziałam bose kobiety z zasłoniętymi twarzami, które siedziały na podłodze pokrytej grubą warstwą manny i robiły z niej kuskus; poparzyłam sobie oczy oparami farby w fabryce tekstylnej, a płuca – wyziewami w hucie stali. Podczas inspekcji rafinerii weszłam na prowizoryczne rusztowanie i omal nie wpadłam prosto do kadzi z płynnym metalem. Wysyłał mnie w różne punkty na zachodzie kraju – do Oranu, Tilimsan, Sidi-Bu-l-Abbas – abym mogła zebrać dane niezbędne do mojej pracy. Lecz ani razu nie wysłał mnie na wschód, gdzie leżała Kabylia.

Przez siedem tygodni zbierałam dane na temat wszystkich gałęzi przemysłu, wrzucając je do wielkich komputerów w Sonatrach. Mało tego, wciągnęłam do tej pracy nawet Thérèse z centrali telefonicznej, której zadanie polegało na gromadzeniu oficjalnych danych dotyczących produkcji i zużycia ropy w innych krajach, bym mogła je porównać i stwierdzić, kto sprowadził najwięcej. Jak jednak powiedziałam Kamelowi, dość trudno tworzy się system w kraju, gdzie połowa informacji przechodzi przez centralkę telefoniczną z czasów pierwszej wojny światowej, a druga połowa dochodzi na grzbietach wielbłądów. Mimo to robiłam, co w mojej mocy.

Z drugiej jednak strony cały czas oddalała się realizacja mojego głównego planu, którym było odnalezienie śladów kompletu z Montglane. Nie miałam żadnych wiadomości ani od Solarina, ani od jego pomocnicy – tajemniczej wróżki. Thérèse wysłała wszelkie możliwe wiadomości do Nima, Lily i Mordechaja, jednak bez rezultatu. Kompletna cisza. A Kamel wysyłał mnie tak daleko, że podejrzewałam, iż wie o moich planach. Tymczasem dziś rano pojawił się u mnie w hotelu, proponując „tę podróż, którą mi obiecał".

– Wychował się pan w tym regionie? – spytałam i opuściłam przyciemnianą szybę, by mieć lepszy widok.

– W tylnym paśmie gór – odparł Kamel. – Większość tutejszych wiosek jest położona na wzgórzach, skąd rozciągają się piękne widoki. Szuka pani jakiegoś konkretnego miejsca, Catherine, czy mam pani zafundować ogólną przejażdżkę?

– Szczerze mówiąc, szukam pewnego handlarza antykami, znajomego mojego przyjaciela z Nowego Jorku. Obiecałam, że zajadę do jego sklepu, jeśli oczywiście nie będę musiała specjalnie nadkładać drogi. – Pomyślałam, że najlepiej mówić o tym wszystkim jak gdyby nigdy nic, ponieważ o człowieku wskazanym przez Llewellyna wiedziałam raczej niewiele. Wioski, w której mieszkał, nie potrafiłam znaleźć na żadnej mapie; potwierdzała się opinia Kamela, że algierskie *cartes géographiques* pozostawiają wiele do życzenia.

– Antykami? – zdziwił się Kamel. – Wiele ich nie zostało. Wszelkie wartościowe przedmioty dawno przekazano do muzeów. A jak nazywa się ten sklep?

– Nie wiem. Natomiast wiem, że mieści się w wiosce Ajn Ka'abah – odparłam. – Llewellyn powiedział, że jest tam tylko jeden taki sklep.

– To doprawdy niezwykłe – powiedział Kamel, wciąż wpatrzony w drogę. – Ajn Ka'abah to moja rodzinna wioska. Jest maleńka, położona z dala od głównych szlaków, lecz nie ma tam żadnego sklepu z antykami, tego jestem absolutnie pewny.

Wyciągnęłam z torby mój notes i przekartkowałam go szybko, usiłując znaleźć nagryzmolony kiedyś adres, który otrzymałam od Llewellyna.

– O, mam. Nie ma ulicy, sklep położony jest w północnej części wioski. Wygląda na to, że specjalizuje się w antycznych dywanach. Właściciel nazywa się El-Marad.

Może to tylko przywidzenie, lecz zdawało mi się, że usłyszawszy te słowa, Kamel pozieleniał lekko na twarzy. Zacisnął zęby, a gdy zaczął mówić, w jego głosie wyczułam napięcie.

– El-Marad – powtórzył. – Znam tego człowieka. Jest jednym z największych handlarzy w tym regionie. Czyżby była pani zainteresowana kupnem dywanu?

– Szczerze mówiąc, to nie – odparłam, już teraz z nieco większą ostrożnością. Kamel nie powiedział mi wszystkiego, lecz wyczuwałam, że coś jest nie tak. – Mój przyjaciel z Nowego Jorku prosił, bym zatrzymała się tam na pogawędkę. Jeśli to jakiś problem, Kamel, zawsze mogę tam pojechać sama, przy innej okazji.

Kamel milczał przez pewien czas, najwyraźniej nad czymś myśląc. Dojechaliśmy tymczasem do końca doliny i droga powoli zaczęła piąć się w górę. Na zielonych łąkach kwitły tu i ówdzie drzewa owocowe. Na obrzeżu drogi siedzieli mali chłopcy sprzedający dzikie szparagi, grube, czarne grzyby i bukieciki pachnących narcyzów. Kamel zatrzymał samochód i przez chwilę targował się w jakimś dziwnym języku – zapewne dialekcie berberyjskim, przypominającym miękki świergot ptaków. Wreszcie wsunął głowę do samochodu i wręczył mi bukiecik wonnych kwiatów.

– Jeśli udaje się pani do El-Marada, Catherine – powiedział ze swoim zwykłym uśmiechem – to mam nadzieję, że potrafi się pani targować. Jest on bezlitosny jak Beduin, ale dziesięć razy bogatszy. Nie widziałem go od czasu śmierci mego ojca; zresztą od tamtej pory nie byłem w domu. Z tą wioską wiąże się dla mnie wiele wspomnień.

– Naprawdę nie musimy tam jechać – powtórzyłam.

– Oczywiście, że pojedziemy – odparł twardo, choć w jego głosie bynajmniej nie wyczuwałam entuzjazmu. – Beze mnie nigdy by tam pani nie dotarła. Zresztą El-Marad zdziwi się na mój widok. Od śmierci mojego ojca stoi na czele wioski. – Kamel znów zamilkł, a wyraz twarzy miał dość ponury. Nie bardzo wiedziałam, o co w tym wszystkim chodzi.

– A więc jaki jest ten handlarz? – spytałam, by przerwać milczenie.

– W Algierii imię dużo mówi o człowieku – powiedział, prowadząc z maestrią samochód po coraz bardziej krętej drodze. – Na przykład „Ibn" znaczy „syn". Niektóre imiona związane są z miejscem, jak „jamini" – „człowiek z Jemenu" albo „Dżabal--Tarik" – „góry Tarik" albo „Gibraltar". Słowa „El", „Al" i „Bel" odnoszą się do Allaha albo Ba'ala, to znaczy Boga, jak „Hanniba'al": „Boży asceta", „Al'a-ddin": „sługa Allaha" i tak dalej.

– A więc co znaczy „El-Marad"? „Boży maruder"? – spytałam ze śmiechem.

– Jest pani bliższa prawdy, niż się pani wydaje – odparł Kamel, uśmiechając się z zakłopotaniem. – To nie jest ani arabskie imię, ani berberyjskie. Pochodzi z akkadyjskiego, języka starożytnej Mezopotamii. Skrót od al-Nimarad albo Nemrod, jeden z pierwszych władców Babilonu. To on był budowniczym wieży Babel, która miała się wznieść aż do słońca, aż do bram niebieskich. Gdyż to właśnie oznacza nazwa Bab-el: „brama boga". A Nemrod znaczy „buntownik", ten, który sprzeciwia się bogom.

– Niezłe imię dla handlarza dywanami – zaśmiałam się. Zauważyłam jednak podobieństwo do nazwiska innej znanej mi osoby.

– Tak – przyznał. – Pod warunkiem że nie byłby nikim więcej.

Kamel nie chciał wyjaśnić, o co chodzi z tym El-Maradem, lecz z pewnością nie było przypadkiem, że wychował się właśnie w tej wiosce, w której mieszkał ów handlarz dywanami.

Przed drugą, gdy dotarliśmy do niewielkiego kurortu Beni Jenni, mój żołądek głośno domagał się jedzenia. Maleńkiej gospodzie na szczycie góry daleko było do jakiegokolwiek wykwintu, niemniej jednak ciemne cyprysy włoskie rosnące na tle ochrowych ścian oraz czerwona dachówka przydawały temu miejscu niezwykłego uroku.

Zjedliśmy lunch na niewielkim tarasie, który otaczało białe ogrodzenie umocowane bezpośrednio w skale. W dolinie pod nami powietrze przecinały majestatyczne orły. Gdy przelatywały przez cienką warstwę błękitnej mgiełki wznoszącej się nad Wad Assi, na ich skrzydłach migotały złote plamki. Teren wokół był dość zdradliwy: wijące się drogi jak poszarpane wstążki, które lada chwila mogą się zsunąć ze stromych stoków i runąć w przepaść, wioski, które przypominały kruszące się, czerwone głazy usadowione niepewnie na szczytach wysokich wzgórz. Był już czerwiec i choć miałam na sobie sweter, wcale nie było mi za ciepło. Odkąd tego ranka opuściliśmy wybrzeże, temperatura spadła o jakieś trzydzieści stopni. Po przeciwnej stronie doliny widziałam białe czapy śniegu zdobiące szczyty Masywu Dżurdżura oraz niskie chmury o podejrzanie ciemnej barwie, podążające w tym samym kierunku co my.

Byliśmy jedynymi osobami na tarasie, a kelner, który przyniósł nam z kuchni zamówione dania, był nieco gburowaty. Zastanawiałam się, czy ktoś w ogóle zatrzymuje się w tej gospodzie, którą utrzymywało państwo na użytek członków rządu. Ruch turystyczny w Algierii był tak skromny, że nawet dostępne ośrodki, położone w rejonie przybrzeżnym, były dość ubogie.

Siedzieliśmy w rześkim powietrzu, pijąc gorzki, czerwony napój z cytryną i kruszonym lodem. Posiłek zjedliśmy w milczeniu. A podano nam gorącą zupę z ziemniakami purée, chrupkie bagietki i pieczonego kurczaka z majonezem i galaretą. Kamel był wciąż zamyślony.

Zanim opuściliśmy Beni Jenni, otworzył bagażnik i wyciągnął kilka grubych, wełnianych pledów. Podobnie jak ja, nieco obawiał się spodziewanej zmiany pogody. Droga robiła się coraz bardziej niepewna, lecz skąd mogłam wiedzieć, że to wszystko nic w porównaniu z tym, co nas dopiero czekało.

Następny odcinek drogi pokonaliśmy mniej więcej w godzinę, lecz dla mnie to była wieczność. Cały czas jechaliśmy w milczeniu. Najpierw droga schodziła na samo dno doliny, przecinała niewielką rzeczkę, a potem wspinała się z powrotem na niskie, łagodne wzgórze. Jednak niebawem okazało się, że im wyżej, tym droga bardziej stroma. Z ogromnym wysiłkiem nasz citroen dotarł wreszcie na szczyt. Spojrzałam w dół. Pod nami ziała przepaść o głębokości dwóch tysięcy stóp – plątanina ostrych, poszarpanych wąwozów przecinających powierzchnię skał. A nasza droga – a raczej jej pozostałości – była kruszącą się warstwą oblodzonego żwiru, który przy każdym ruchu osypywał się w przepaść. Jakby tego było mało, ten skalny występ wycięty w popękanej skale, skręcony jak żeglarski węzeł, dodatkowo opadał kilkanaście stopni w kierunku przepaści na całej długości drogi do Tikjda.

Gdy Kamel wjechał dużym citroenem na tę kruszącą się ścieżkę, zacisnęłam powieki i odmówiłam modlitwę. Gdy zdecydowałam się wreszcie otworzyć oczy, właśnie minęliśmy zakręt. Teraz zdawało się, że droga, którą jedziemy, nie jest w ogóle z niczym połączona i najzwyczajniej w świecie wisi sobie w przestworzach wśród chmur. Po obu stronach ściany wąwozu opadały stromo ponad tysiąc stóp, a ośnieżone szczyty górskie wyrastały wokół jak stalagmity. Szalejący wiatr smagał ze świstem ściany parowów, przesypując śnieg po naszej ścieżce i utrudniając widoczność. Byłam skłonna zaproponować, byśmy zawrócili, lecz nie było jak.

Ściskałam drżące ze strachu nogi, spodziewając się, że lada moment stracimy równowagę i samochód runie w przepaść. Kamel zwolnił do trzydziestu mil na godzinę, potem do dwudziestu, a wreszcie do dziesięciu.

Najdziwniejsze jednak było to, że im niżej zjeżdżaliśmy, tym więcej było śniegu. Od czasu do czasu, za zakrętami, widzieliśmy porzucone wozy z sianem albo ciężarówki.

– Na miłość boską, przecież mamy czerwiec! – powiedziałam do Kamela, gdy mijaliśmy szczególnie wysoką zaspę.

– Jeszcze dobrze nie sypie. Dopiero trochę pada – odrzekł spokojnie

– Co to znaczy „jeszcze”?

– Mam nadzieję, że spodobają się pani jego dywany – powiedział Kamel z krzywym uśmiechem. – Ponieważ mogą kosztować więcej niż pieniądze. Nawet jeśli się nie rozpada, jeśli droga się nie zawali, nawet jeśli dotrzemy do Tikjda przed zmrokiem, i tak będziemy jeszcze musieli przejechać przez most.

– Przed zmrokiem? – spytałam, rozkładając moją wielką i zupełnie nieporęczną mapę Kabylii. – Z tej mapy wynika, że od Tikjda dzieli nas zaledwie trzydzieści mil, a most jest tuż obok.

– Tak – zgodził się Kamel. – Lecz mapa pokazuje jedynie odległości poziome. Przedmioty, które w dwóch wymiarach zdają się być blisko siebie, w rzeczywistości mogą być bardzo oddalone.

Do Tikjda dotarliśmy dokładnie o siódmej. Słońce, które na koniec dnia litościwie zechciało nam się jeszcze pokazać, powoli szykowało się do snu. Trzydzieści mil pokonaliśmy w trzy godziny. Kamel oznaczył Ajn Ka'abah na mapie nieopodal Tikjda i wynikało z tego, że odległość między nimi jest naprawdę niewielka. Jednak rzeczywistość tego nie potwierdziła.

Wyjechaliśmy z Tikjda, uzupełniwszy tylko zapas benzyny i nawdychawszy się świeżego, górskiego powietrza. Pogoda wyraźnie się poprawiła – niebo było brzoskwiniowe, powietrze jak jedwab, a hen, w oddali, za ostrymi czubkami sosen widać było błękitną dolinę. W samym jej środku, może jakieś siedem mil dalej, wznosiła się gigantyczna, kwadratowa góra, ścięta u szczytu jak stół. Ostatnie promienie zachodzącego słońca oblewały ją gęstym sosem złota i purpury. Było to jedyne wzniesienie w całej dużej dolinie.

– Ajn Ka'abah – powiedział Kamel, wskazując ją przez okno.

– Tam, u góry? – spytałam. – Ale nie widzę tam żadnej drogi...

– Bo tam nie ma drogi, tylko ścieżka – odparł. – Najpierw siedem mil po rozmokłym terenie, a potem szlakiem. Jednak zanim się tam dostaniemy, musimy przejechać przez most.

Ów most oddalony był od Tikjda zaledwie o pięć mil, lecz położony był cztery tysiące stóp niżej. O zmroku wysokie skały rzucają fioletowe cienie, a widoczność robi się nie najlepsza. Mimo to dolina leżąca po naszej prawej stronie w dalszym ciągu była cudownie oświetlona, a góra Ajn Ka'abah przypominała gigantyczną bryłę złota. Jednak to, co zobaczyłam przed nami, zaparło mi dech w piersiach. Ścieżka spadała gwałtownie niemal na samo dno doliny, a pięćset stóp nad skałami i korytem rozszalałej rzeki wisiał most. Kamel zatrzymał się tuż przed nim.

Był to lichy, rozklekotany most, przypominający zabawkę zbudowaną z klocków lego. Mógł mieć pięć lat, a mógł i sto. Był tak wąski, że mogło po nim jechać tylko jedno auto, a niewykluczone było, że nasze będzie ostatnie. Pod nami rwące odmęty rzeki płynącej w wąwozie biły i szarpały niewidoczne stąd podpory mostu.

Kamel powoli wjechał długą, czarną limuzyną na nierówną powierzchnię mostu, który zadrżał pod nami.

– Być może trudno będzie pani to sobie wyobrazić – powiedział szeptem, jakby bał się, że nawet drżenie jego strun głosowych może spowodować katastrofę – ale w środku lata rzeka ta zupełnie wysycha, pozostawiając tylko ślad biegnący przez mokradła. W porze gorącej jest tu tylko żwir i karłowata roślinność.

– Jak długo trwa pora gorąca, piętnaście minut? – spytałam, czując, że ze strachu zasycha mi w ustach.

Chyba wjechaliśmy na jakąś belkę lub kłodę, bo cały most zadrżał jak podczas trzęsienia ziemi. Z przerażenia złapałam się uchwytu.

Gdy przednie koła citroena wjechały na twardy grunt, znowu zaczęłam oddychać. Zaciśnięte kciuki rozluźniłam dopiero, gdy tylne koła również dotknęły ziemi. Kamel zatrzymał samochód i uśmiechnął się do mnie z zadowoleniem.

– Kobiety zawsze proszą mężczyzn o same drobnostki.

Dno doliny było zbyt miękkie do jazdy, więc zostawiliśmy samochód na ostatnim kamiennym występie pod mostem. Przez podmokłe trawniki biegły przecinające się kozie ścieżki. W miękkim błocie wyraźnie było widać ślady ich kopyt.

– To prawdziwe szczęście, że wzięłam odpowiednie obuwie – stwierdziłam, patrząc ze smutkiem na moje złote sandały, całkowicie tutaj bezużyteczne.

– Trochę wysiłku dobrze pani zrobi – powiedział Kamel. – Kobiety Kabylów wędrują każdego dnia, a na dodatek dźwigają na plecach toboły o wadze sześćdziesięciu funtów. – Po tych słowach obdarzył mnie uśmiechem.

– Ma pan miły uśmiech i chyba tylko dlatego mam do pana zaufanie – westchnęłam. – W przeciwnym razie trudno by było znaleźć jakieś wytłumaczenie dla tego, co robię.

– Jak można odróżnić Beduina od Kabyla? – spytał, gdy brnęliśmy przez gęste trawy.

Zaśmiałam się.

– To jakiś dowcip?

– Nie, pytam całkiem poważnie. Beduina można poznać po tym, że śmiejąc się, nie pokazuje zębów. Pokazywanie tylnych zębów jest nieuprzejme, ba, przynosi nawet pecha. Niech się pani przyjrzy El-Maradowi.

– Czyżby nie był Kabylem? – spytałam.

Szliśmy krętą drogą biegnącą przez ciemne dno doliny. Nad nami wznosiła się góra Ajn Ka'abah, rozświetlona ostatnimi promieniami słońca. W miejscach, gdzie trawy były wydeptane, mogliśmy dostrzec różnokolorowe kwiaty zamykające na noc kielichy.

– Tego nie wie nikt – odparł idący przede mną Kamel. – El-Marad przyjechał do Kabylii przed laty nie wiadomo skąd i osiadł w Ajn Ka'abah. To tajemniczy człowiek.

– Wyczuwam, że niespecjalnie pan za nim przepada – zauważyłam.

Przez chwilę Kamel nie odzywał się ani słowem.

– Trudno lubić człowieka, którego obarcza się odpowiedzialnością za śmierć własnego ojca – powiedział wreszcie.

– Śmierć?! – krzyknęłam, próbując go dogonić. Tymczasem zgubiłam w trawie jeden sandał i zatrzymałam się, żeby go poszukać. – Co chce pan przez to powiedzieć? – spytałam, zanurzona w gęstwinie traw.

– Mój ojciec prowadził interesy wspólnie z El-Maradem, mieli spółkę – powiedział, gdy wreszcie znalazłam zgubę. – Ojciec pojechał do Anglii na negocjacje. Jacyś bandyci obrabowali go i zabili na ulicy w Londynie.

– Więc ten El-Marad bezpośrednio nie maczał w tym palców? – spytałam, zrównując się z Kamelem.

– Nie. Prawdę mówiąc, to on właśnie opłacał moją naukę pieniędzmi z kasy firmy, dzięki czemu mogłem zostać w Londynie. Samą firmę jednak zatrzymał. Nigdy nie wysłałem mu nawet listu z podziękowaniem. Dlatego właśnie, jak mówiłem, będzie zdziwiony na mój widok.

– Dlaczego obarcza go pan odpowiedzialnością za śmierć ojca? – naciskałam. Wyraźnie widziałam, że Kamel nie chce o tym mówić. Każde słowo wypowiadał z wysiłkiem.

– Nie wiem – odparł cicho, jakby żałując, że w ogóle poruszył temat. – Może myślę, że powinien był pojechać zamiast niego.

Od tej chwili oboje zamilkliśmy. Droga do Ajn Ka'abah wiła się serpentyną dookoła góry. Dojście na sam szczyt zajmowało około pół godziny, a ostatnie pięćdziesiąt jardów tworzyły szerokie stopnie wykute w skale i wydeptane wieloma stopami.

– Z czego żyją tutejsi ludzie? – spytałam, gdy stanęliśmy na szczycie, łapiąc oddech. Cztery piąte Algierii zajmowała pustynia, nie było żadnego drewna, a jedyny w całym kraju obszar ziemi uprawnej o powierzchni dwustu kilometrów kwadratowych leżał w rejonie nadmorskim.

– Tkają dywany – odparł Kamel – i wykonują srebrną biżuterię, którą handlują. W górach można znaleźć kamienie półszlachetne – karneol, opal i trochę turkusu. Całą resztę sprowadza się z wybrzeża.

Przez środek wsi Ajn Ka'abah biegła długa droga, otoczona z dwóch stron szeregiem ozdobionych stiukami budynków. Weszliśmy na ścieżkę prowadzącą do dużego, krytego strzechą domu. Na kominie dostrzegliśmy gniazdo bocianów, kilka z nich siedziało na dachu.

– To dom tkaczy – wyjaśnił Kamel.

Idąc uliczką, zauważyłam, że słońce całkiem już zaszło. Wokół panował uroczy lawendowy zmierzch, było tylko trochę zbyt chłodno.

Na drodze stało kilka wozów załadowanych sianem, parę osłów i małe stadka kóz. Przypuszczalnie łatwiej było wciągnąć wóz na górę za pomocą osła, niż wjechać citroenem.

Gdy doszliśmy do końca ulicy, Kamel zatrzymał się przed wielkim domem, który wyglądał dość staro. Chociaż – podobnie jak inne budynki – został pokryty stiukiem, był od nich dwukrotnie szerszy, a od frontu miał długi balkon. Stała tam jakaś kobieta i trzepała dywan. Miała ciemną skórę i kolorowe ubranie. Obok niej siedziało małe dziecko ze złotymi loczkami, ubrane w białą sukienkę i fartuszek. Włosy dziecka były związane w warkoczyki opadające luźno wokół głowy. Na nasz widok dziewczynka zbiegła na dół i zbliżyła się do mnie.

Kamel zawołał coś do jej matki, która przez chwilę przyglądała mu się w milczeniu. Potem zobaczyła mnie i uśmiechnęła się szeroko, pokazując kilka złotych zębów, a następnie weszła do domu.

– To jest dom El-Marada – powiedział. – Ta kobieta jest jego najstarszą żoną. Dziecko przyszło na świat bardzo późno, gdy sądzono, że kobieta już od dawna nie jest w stanie urodzić. Coś takiego uważane jest za znak od Allaha, to dziecko jest „wybrane".

– Skąd zna pan te wszystkie szczegóły, skoro nie było pana tutaj od dziesięciu lat? – spytałam. – Ta mała ma przecież nie więcej niż pięć lat.

Kamel wziął ją za rękę, a idąc do domu, spojrzał na nią czule.

– Dzisiaj zobaczyłem ją pierwszy raz – przyznał. – Lecz w miarę możności staram się śledzić wszystkie ważniejsze wydarzenia w wiosce. Narodziny tego dziecka były czymś naprawdę niezwykłym. Prawdę mówiąc, powinienem był jej coś przywieźć. Przecież to nie jej wina, że sprawy między mną a jej ojcem tak się poukładały.

Zaczęłam grzebać w torbie, licząc, że natrafię na coś odpowiedniego. Znalazłam plastikową figurę z kompletu szachowego Lily – białą królową. Wyglądała jak miniaturowa lalka.

Wręczyłam ją zatem dziecku, które pełne podniecenia pobiegło do środka, by pochwalić się prezentem. Kamel uśmiechnął się do mnie z wdzięcznością.

Matka dziewczynki wyszła na zewnątrz i zaprosiła nas do domu. Trzymała ową figurę w ręku, paplała coś do Kamela po berberyjsku i cały czas przyglądała mi się rozjarzonym wzrokiem. Być może dopytywała się o mnie, a od czasu do czasu dotykała mnie delikatnie czubkami palców.

Kamel powiedział coś i kobieta wyszła.

– Powiedziałem, żeby przyprowadziła męża – wyjaśnił. – Możemy wejść do sklepu i tam poczekać. Jedna z jego żon przyniesie nam kawę.

Sklep był ogromny, zajmował chyba większą część piętra. Dywanów było mnóstwo – złożone w sterty, zwinięte w rulony i oparte o ściany. Podłoga wyścielona była grubymi, miękkimi dywanami, obwieszone były nimi ściany, część przewieszono nawet przez balustradę balkonu. Usiedliśmy po turecku na podnóżkach. Po chwili zjawiły się dwie młode kobiety: jedna przyniosła tacę z samowarem i filiżankami, a druga stojak do tacy. Ustawiły wszystko i nalały nam kawę. Spoglądając na mnie, chichotały, po czym szybko uciekały wzrokiem. Po chwili wyszły.

– El-Marad ma trzy żony – poinformował mnie Kamel. – Islam dopuszcza posiadanie czterech żon, lecz biorąc pod uwagę wiek El-Marada, raczej nie zanosi się na czwartą. Już chyba dobiega osiemdziesiątki.

– A pan nie ma ani jednej żony – zauważyłam.

– Prawo państwowe pozwala ministrowi na posiadanie tylko jednej żony – odparł Kamel. – Więc muszę być bardzo ostrożny. – Przy tych słowach uśmiechnął się do mnie, choć cały czas wydawał się wyciszony. Było oczywiste, że jest bardzo spięty.

– Widzę, że wyjątkowo rozbawiam te kobiety; gdy patrzą na mnie, nie mogą powstrzymać chichotu – powiedziałam, żeby przerwać ciszę.

– Być może po raz pierwszy widzą Europejkę – rzekł Kamel. – A może nigdy dotąd nie widziały kobiety w spodniach. Zapewne jest wiele pytań, które chciałyby pani zadać, lecz są na to zbyt nieśmiałe.

W tym właśnie momencie rozsunęły się zasłony w drzwiach balkonowych i stanął w nich wysoki, imponujący mężczyzna. Miał ponad sześć stóp wzrostu, długi, wyrazisty nos zakrzywiony jak sokoli dziób, krzaczaste brwi, czarne, przenikliwe oczy i czarną czuprynę poprzetykaną gdzieniegdzie siwizną. Ubrany był w długi, wschodni kaftan z delikatnej wełny w czerwono-białe pasy, a ruchy miał niezwykle sprężyste. Nie wyglądał na więcej niż pięćdziesiąt lat. Kamel wstał, by go powitać – ucałowali się w policzki, a potem jeden drugiemu dotknął palcami czoła i klatki piersiowej. Kamel powiedział do niego kilka słów po berberyjsku, a on zwrócił się do mnie. Mówił dużo wyższym i bardziej miękkim głosem, niż się spodziewałam, niemal szeptał:

– Jestem El-Marad. Każdy przyjaciel Kamela Kadera jest mile widziany w moim domu. – Następnie wskazał gestem, bym usiadła, i sam też zajął miejsce naprzeciwko mnie, ze skrzyżowanymi nogami. Nie widziałam żadnego napięcia między obydwoma mężczyznami, którzy przecież nie widzieli się od dziesięciu lat. El-Marad ułożył wygodnie fałdy swego stroju i spojrzał na mnie z zaciekawieniem.

– Chciałbym przedstawić mademoiselle Catherine Velis – powiedział Kamel poważnie i uroczyście. – Przyjechała z Ameryki i pracuje dla OPEC.

– OPEC – powtórzył El-Marad, kiwając głową. – Na szczęście tu, w górach, nie ma pokładów ropy, gdyż w przeciwnym wypadku my także musielibyśmy zmienić tryb życia. Mam nadzieję, że spodoba się pani w tym kraju i że dzięki wykonywanej przez panią pracy nasz kraj, jeśli taka wola Allaha, będzie prosperował.

Uniósł rękę i weszła matka dziewczynki, którą już poznaliśmy. Prowadziła małą za rękę. Kobieta podała mężowi figurkę szachową, a on wyciągnął ją w moim kierunku.

– Rozumiem, że wręczyła pani mojej córce prezent – powiedział do mnie. – Tym samym jesteśmy pani dłużnikami. Proszę sobie zatem wybrać dywan, który chciałaby pani zabrać ze sobą. – Po tych słowach znów uniósł rękę, a kobieta i dziecko znikły tak cicho, jak się pojawiły.

– Dziękuję bardzo – odparłam. – Ale to tylko plastikowa zabawka.

On tymczasem wpatrywał się w figurkę i zdawał się zupełnie mnie nie słyszeć. Po chwili popatrzył na mnie przenikliwie.

– Biała królowa! – wyszeptał. Obrzucił Kamela szybkim spojrzeniem. – Kto panią przysłał? I dlaczego przyjechała pani z nim? – pytał natarczywie.

Te słowa zaskoczyły mnie tak bardzo, że spojrzałam na Kamela. Wtedy, rzecz jasna, wszystko zrozumiałam. On wiedział, dlaczego tutaj jestem – być może ta figurka była jakimś sygnałem od Llewellyna, o którym on nigdy mi nie wspomniał.

– Strasznie mi przykro – powiedziałam, by jakoś załagodzić sprawę – ale jeden z moich nowojorskich przyjaciół, handlujący antykami, poprosił, bym spotkała się z panem. A Kamel był tak miły, że przywiózł mnie tutaj.

El-Marad milczał przez chwilę, patrząc na mnie groźnie spod krzaczastych brwi. Cały czas poruszał trzymaną w ręku figurą, jakby to był paciorek różańca. Wreszcie zwrócił się do Kamela i powiedział kilka słów po berberyjsku. Kamel skinął głową i wstając z miejsca, powiedział do mnie:

– Sądzę, że pójdę zaczerpnąć świeżego powietrza. El-Marad chyba chciałby porozmawiać z panią na osobności. – I uśmiechnął się do mnie, jakby dając mi do zrozumienia, iż nie ma nic przeciwko grubiaństwu tego dziwnego człowieka. Przed wyjściem powiedział jednak do El-Marada: – Ale proszę pamiętać, że Catherine jest *dakhil-ak...*

– Niemożliwe! – krzyknął El-Marad, zrywając się na równe nogi. – Przecież to jest kobieta!

– O co chodzi? – spytałam, gdy Kamel zniknął za drzwiami i zostałam sam na sam z tym sprzedawcą dywanów.

– Powiedział, że znajduje się pani pod jego opieką – odparł El-Marad, gdy upewnił się, że Kamel oddalił się od drzwi. – Taki beduiński zwyczaj. Ścigany mężczyzna może dotknąć szaty innego człowieka spotkanego na pustyni. Wówczas na nim spoczywa obowiązek wzięcia w obronę tamtego, nawet jeśli nie należy do jego plemienia. Tej ochrony nigdy się nie oferuje – udziela się jej wyłącznie na czyjąś prośbę, i n i g d y kobiecie.

– Może uznał, że pozostawienie mnie samej z panem wymaga zastosowania najpoważniejszych środków – zasugerowałam.

El-Marad spojrzał na mnie zdumiony.

– Trzeba niezwykłej odwagi, by w takiej chwili pozwalać sobie na żarty – powiedział wolno, krążąc cały czas wokół mnie. – Czyż nie mówił pani, że wychowałem go jak własnego syna? – El-Marad zatrzymał się w miejscu i popatrzył na mnie ze zmęczeniem. – Jesteśmy *nahnu malihin*, to znaczy, że łączy nas bardzo wiele. Jeśli ktoś na pustyni podzieli się z innym solą, to jest to dar największy, gdyż sól jest cenniejsza od złota.

– A więc jest pan Beduinem – podsumowałam. – Zna pan obyczaje pustyni, nigdy się pan nie śmieje. Ciekawa jestem, czy Llewellyn Markham wie o tym wszystkim? Będę musiała napisać do niego kilka słów, informując go, że Beduini nie są tak uprzejmi jak Berberowie.

Na dźwięk nazwiska Llewellyna El-Marad poszarzał na twarzy.

– A więc pani rzeczywiście przybywa od n i e g o – rzekł. – Ale dlaczego nie jest pani sama?

Westchnęłam i spojrzałam na figurkę, którą wciąż trzymał w dłoniach.

– Dlaczego po prostu nie powie mi pan, gdzie one są? – spytałam. – Przecież wie pan, po co przyjechałam.

– Doskonale – powiedział. Usiadł, nalał sobie trochę kawy z samowara i podniósł filiżankę do ust. – Zlokalizowaliśmy te figury i podjęliśmy próbę ich zakupienia, lecz wszystko na próżno. Ich właścicielka nawet nie chciała z nami rozmawiać. Mieszka w Algierze, w kasbie, choć jest bardzo zamożna. Wprawdzie nie ma całego kompletu, lecz sądzimy, że posiada większość figur. Jesteśmy w stanie zebrać odpowiednie fundusze, pod warunkiem że pani uda się na miejsce i dokona zakupu.

– A dlaczego nie chciała się z wami widzieć? – spytałam, powtarzając pytanie, które kiedyś zadałam Llewellynowi.

– Mieszka w haremie – odparł. – Żyje w odosobnieniu; słowo „harem" oznacza „zakazane sanktuarium". Jedyną osobą, której wolno tam wchodzić, jest ich pan.

– A może porozmawiać z jej mężem? – zaproponowałam.

– Nie żyje – rzekł El-Marad i z niecierpliwością odstawił filiżankę. – On nie żyje, a ona jest bogata. Strzegą jej jego synowie, choć nie są oni jej synami. Nawet nie wiedzą, że ona ma te figury. Nikt tego nie wie.

– Więc skąd pan o tym wie? – podniosłam głos. – Proszę

posłuchać, zgodziłam się wyświadczyć drobną przysługę mojemu koledze, a pan wcale nie chce mi ułatwić zadania. Nawet nie podał mi pan nazwiska i adresu tej kobiety.

– Nazywa się Mokhfi Mokhtar. W kasbie ulice nie mają nazw, ale to nie jest duży obszar; na pewno ją pani znajdzie. A gdy już się spotkacie, sprzeda pani te figury, pod warunkiem że powtórzy jej pani tajną wiadomość, którą teraz pani przekażę.

– No dobrze – rzuciłam niecierpliwie.

– Proszę jej powiedzieć, że urodziła się pani w świętym dniu islamu, Dniu Uzdrowienia. Proszę jej powiedzieć, że według kalendarza zachodniego dzień pani urodzin to czwarty kwietnia...

Teraz ja wbiłam w niego wzrok. Krew ścięła mi się w żyłach, a serce waliło jak oszalałe. Nawet Llewellyn nie znał daty moich urodzin.

– A dlaczego mam jej to powiedzieć? – spytałam z największym spokojem, na jaki mnie było stać.

– Gdyż jest to dzień urodzin Karola Wielkiego – odparł łagodnie. – Tego dnia komplet ten wydobyto z ziemi, a więc jest to dzień w sposób istotny związany z poszukiwanymi przez nas figurami. Powiedziane jest, że osoba, której pisane jest zebrać ponownie wszystkie figury, urodzi się właśnie tego dnia. Mokhfi Mokhtar na pewno zna tę legendę i zgodzi się spotkać z panią.

– A pan widział ją kiedyś?

– Tak, wiele lat temu... – powiedział, a twarz mu złagodniała.

Jaki naprawdę jest ten mężczyzna – człowiek, który prowadził interesy z takim gagatkiem jak Llewellyn; człowiek podejrzewany przez Kamela o to, że zagarnął firmę jego ojca i być może wysłał go na śmierć, lecz który opłacał naukę Kamela, dając mu tym samym szansę zostania jednym z najbardziej wpływowych ministrów w kraju. Żył tutaj jak odludek, miliony mil od cywilizacji, z gromadką żon, a mimo to miał kontakty handlowe z Londynem i Nowym Jorkiem.

– Była wtedy piękna – rzekł. – Teraz jest już osobą leciwą. Nasze spotkanie trwało bardzo krótko. Oczywiście wtedy nie wiedziałem, że ma figury i że pewnego dnia będzie... Lecz jej oczy podobne były do oczu pani. To pamiętam wyraźnie. – Nagle oprzytomniał. – Czy coś jeszcze chciałaby pani wiedzieć?

– Nawet jeśli będę mogła kupić te figury, to skąd wezmę pieniądze? – spytałam konkretnie.

– Już my się tym zajmiemy – powiedział szorstko. – Niech się pani skontaktuje ze mną drogą pocztową.

Wręczył mi pasek papieru z wypisanym numerem skrzynki. Właśnie wtedy jedna z żon El-Marada wsunęła głowę w drzwi, a z tyłu ujrzeliśmy twarz Kamela.

– Skończyliście? – spytał, wchodząc do środka.

– Prawie – odparł El-Marad, wstając i podając mi rękę. – Twoja przyjaciółka to trudny partner. W związku z *al-basharah* ma prawo zażądać jeszcze jednego dywanu. – Podszedł do ściany i wybrał dwa dywany z nie czesanej wielbłądziej wełny. Miały przepiękne kolory.

– Czegoż to niby zażądałam? – spytałam z uśmiechem.

– Prezentu dla tego, kto przynosi dobrą nowinę – odpowiedział Kamel, zarzucając sobie dywany na ramię. – Jakież to dobre nowiny pani przywiozła? A może to też jest tajemnica?

– Przyniosła wiadomość od mego przyjaciela – odparł gładko El-Marad. – Wyślę z wami chłopca z osłem, jeśli chcecie – dodał.

Kamel powiedział, że byłby niezmiernie wdzięczny, więc posłano po chłopca. El-Marad odprowadził nas na drogę.

– *Al-safar zafar!* – zawołał, machając ręką.

– To stare arabskie przysłowie, które znaczy: „Podróżowanie to zwycięstwo" – wytłumaczył Kamel. – Znaczy, że dobrze ci życzy.

– Nawet nie taki z niego gbur, jak mi się początkowo zdawało. Lecz mimo wszystko nie mam do niego zaufania – powiedziałam.

Kamel zaśmiał się. Teraz wydawał się naprawdę odprężony.

– Dobrze rozgrywa pani tę partię – stwierdził.

Serce stanęło mi w piersiach, lecz szłam dalej. Na szczęście nie widział mojej twarzy.

– Co pan ma na myśli?

– Chodzi mi o to, że dostała pani za darmo dwa dywany od najchytrzejszego handlarza w Algierii. Wieść o tym nadszarpnęłaby jego reputację.

Przez pewien czas szliśmy w milczeniu, wsłuchując się w skrzypienie kół wózka ciągniętego przez osiołka.

– Myślę, że powinniśmy pojechać na noc do kwater ministerialnych w Buirze – odezwał się Kamel. – To jest dziesięć mil stąd drogą. Są tam bardzo przyjemne pokoje, a jutro możemy wrócić do Algieru, chyba że woli pani wracać dziś wieczór przez góry.

– Nigdy w życiu – powiedziałam.

Przypuszczałam, że w kwaterach ministerialnych będą gorące kąpiele i inne luksusy, którymi nie było mi się dane rozkoszować od miesięcy. Choć hotel El Riadh był przemiłym miejscem, po dwóch miesiącach kąpania się w zimnych opiłkach marzyła mi się jakaś odmiana.

Dopiero gdy wróciliśmy do samochodu z naszymi dywanami, zapłaciliśmy chłopcu z osiołkiem i ruszyliśmy drogą prowadzącą do Buiry, wyjęłam słownik arabski i sprawdziłam słowa, które nie dawały mi spokoju.

Tak jak przypuszczałam, Mokhfi Mokhtar wcale nie było nazwiskiem. Znaczyło „tajemnicza wybrana".

ROSZADA

Alicja: Rozgrywa się tu ogromna partia szachów... wielka jak świat... Och, cóż to za zabawa! Jakbym chciała być jedną z tych figur! Mogłabym być nawet Pionkiem, gdyby tylko dano mi do nich dołączyć... chociaż, oczywiście, najbardziej chciałabym być Królową.

Czerwona Królowa: Można to zrobić bez trudności. Możesz być Pionkiem Białej Królowej, jeżeli zechcesz, bo Lily jest za mała, żeby brać udział w grze. Na początek znajdujesz się w Drugim Kwadracie: gdy dotrzesz do Ósmego Kwadratu, zostaniesz Królową...

Lewis Carroll
O tym, co Alicja odkryła po drugiej stronie lustra

W poniedziałkowy ranek, po naszej wycieczce do Kabylii, rozpętało się piekło. Wszystko zaczęło się w momencie, gdy Kamel zostawił mnie w hotelu, na odchodne podrzucając mi bombę. Okazało się bowiem, że wkrótce ma się odbyć konferencja OPEC, podczas której zamierza przedstawić „odkrycia" mojego modelu komputera – modelu, który jeszcze nie istniał. Thérèse zgromadziła dla mnie ponad trzydzieści taśm z danymi dotyczącymi liczby baryłek zużywanych miesięcznie w kraju. Musiałam to wszystko sformatować oraz wprowadzić własne dane, by móc przygotować prezentację tendencji dotyczących produkcji, spożycia i dystrybucji. Potem zaś miałam napisać programy, będące w stanie to analizować – a wszystko to przed rozpoczęciem konferencji.

Z drugiej jednak strony, z OPEC nigdy nie było wiadomo, co oznacza słowo „wkrótce". Termin i miejsce każdej konferencji trzymane były w najściślejszej tajemnicy aż do ostatniej chwili – co najwidoczniej wynikało z założenia, iż ten rodzaj planowania w większym stopniu pokrzyżuje plany terrorystów niż ministrów krajów członków OPEC. W niektórych kręgach trwał sezon polowań na OPEC i w ciągu ostatnich miesięcy kilku ważnych ministrów pożegnało się z życiem. O znaczeniu mojego modelu miało świadczyć to, że Kamel w ogóle wspomniał o zbliżającej się konferencji. Wiedziałam, że muszę przygotować te dane.

Na domiar złego, po przyjeździe do centrum danych Sonatrach, mieszczącego się na szczycie najwyższego wzgórza w Algierze, znalazłam adresowane do mnie oficjalne pismo. Wysłało mi je Ministerstwo Spraw Mieszkaniowych – wreszcie znaleźli mi prawdziwe mieszkanie i mogłam wprowadzić się jeszcze tego wieczoru; właściwie musiałam wprowadzić się jeszcze tego wieczoru, w przeciwnym bowiem razie wszystko przepadnie. Trudno znaleźć jakieś zakwaterowanie w Algierze – czekałam na to ponad dwa miesiące. Musiałam więc pognać do hotelu, spakować się i przeprowadzić, a czas nie stał w miejscu. Jak miałam z tym wszystkim osiągnąć mój cel – wyśledzić w kasbie Mokhfi Mokhtar?

Chociaż w Algierii biura są czynne od siódmej rano do siódmej wieczór, wszystko jest zamykane na trzygodzinny lunch i sjestę. Postanowiłam wykorzystać te właśnie godziny na moje poszukiwania.

Podobnie jak we wszystkich arabskich miastach, kasba jest najstarszą dzielnicą, która kiedyś, ze względów obronnych, była ufortyfikowana. Algierska kasba była istnym labiryntem wąskich, brukowanych uliczek i prastarych, rozsypujących się domostw, oblepiających jedno z najbardziej stromych wzgórz. Choć całość zajmowała nieledwie dwa i pół tysiąca jardów kwadratowych, mieściły się tam dziesiątki meczetów, cmentarzy, łaźni tureckich i mnóstwo przyprawiających o zawrót głowy kamiennych stopni, które rozchodziły się na wszystkie strony niczym arterie. Z miliona mieszkańców Algieru jedna czwarta zamieszkiwała tę właśnie dzielnicę: postacie w długich szatach i z zasłoniętymi twarzami pojawiały się i znikały w mrocznych wejściach i przejściach. W kasbie można się wspaniale ukryć – co ma ogromne znaczenie dla osoby nazywającej siebie „tajemną wybraną".

Na nieszczęście można się tam również wspaniale zgubić. Choć z mojego biura do głównej bramy kasby jechało się około dwudziestu minut, następną godzinę spędziłam jak szczur w labiryncie. Bez względu na to, ile krętych uliczek zdołałam przemierzyć, nieodmiennie robiłam pętlę i wracałam przed Cmentarz Księżniczek. Bez względu na to, ile osób pytałam o miejscowe haremy, otrzymywałam zawsze te same odpowiedzi – bezmyślne spojrzenia (niewątpliwie wpływ narkotyków), kilka potwornych obelg albo jakieś niestworzone historie. Na dźwięk imienia Mokhfi Mokhtar ludzie wybuchali śmiechem.

Gdy „sjesta" dobiegła końca, zmęczona i zdesperowana wstąpiłam na Pocztę Główną, by odwiedzić Thérèse. Istniało niewielkie prawdopodobieństwo, że nazwisko mojej ofiary jest wyszczególnione w książce telefonicznej – w kasbie nie dostrzegłam żadnych linii telefonicznych, lecz Thérèse znała przecież wszystkich w Algierze. Wszystkich oprócz tej, której szukałam. – Skąd ludzie biorą takie idiotyczne imiona? – spytała. Przełączyła coś na konsolecie i poczęstowała mnie cukierkami w pastelowych papierkach. – Moje dziecko, jak dobrze, że dzisiaj przyszłaś! Mam dla ciebie teleks... – Zaczęła grzebać w stercie kartek na półce. – Ci Arabowie... – mruczała – dla nich wszystko jest *b'ad ghedua*, później niż jutro. Gdybym wysłała go do El Riadh, dotarłby do ciebie najwcześniej za miesiąc. – Wreszcie znalazła to, czego szukała, i wręczyła mi wytwornym ruchem. A szeptem dodała: – Chociaż przyszedł z klasztoru, przypuszczam, że napisany jest szyfrem!

Oczywiście teleks był od siostry Marii Magdaleny ze zgromadzenia św. Ladislausa w Nowym Jorku. Niewątpliwie sporo się nabiedziła nad treścią. Przebiegłam wzrokiem całość. Że też Nim nigdy nie zmądrzeje!

PROSZĘ POMÓŻ Z KRZYŻÓWKĄ Z NY TIMESA STOP WSZYSTKIE ROZWIĄZANE OPRÓCZ NASTĘPNEJ STOP PORADA HAMLETA DLA NARZECZONEJ STOP KTO STOI W PAPIESKICH BUTACH STOP GRANICE CESARSTWA TAMERLANA STOP CO ROBI ELITA KIEDY JEST GŁODNA STOP ŚREDNIOWIECZNY ŚPIEWAK NIEMIECKI STOP ODSŁONIĘTE JĄDRO REAKTORA STOP DZIEŁO CZAJKOWSKIEGO STOP CYFRY 9-9-7-4-5-8-9
PROSZĘ O ODPOWIEDŹ
SIOSTRA MARIA MAGDALENA
ZGROMADZENIE ŚW. LADISLAUSA NJ

Cudownie – krzyżówka. Nim doskonale wie, że nienawidzę krzyżówek. Specjalnie mi to przysłał, żeby mnie dręczyć. Właśnie takiego prezentu potrzebowałam od tego króla dowcipów.

Podziękowałam Thérèse za wytrwałość i zostawiłam ją przy jej skomplikowanej konsolecie. Chyba mój współczynnik rozszyfrowalności wyraźnie wzrósł ostatnimi czasy, gdyż kilka odpowiedzi znalazłam na miejscu. Rada Hamleta dla Ofelii brzmiała: „Idź do klasztoru". A gdy elita była głodna „spotykała się, żeby jeść". Teraz musiałam podzielić całość depeszy, by dopasować ją do podanych liczb, lecz niewątpliwie zagadka skrojona była na miarę umysłu tak prostego jak mój.

Lecz gdy wróciłam wieczorem do hotelu, czekała na mnie kolejna niespodzianka. W półmroku, przed wejściem, stał jasnobłękitny rolls corniche mojej przyjaciółki Lily, otoczony tłumem podnieconych bagażowych, kelnerów i chłopców pokojowych, którzy głaskali chromowane wykończenia i miękką skórzaną tapicerkę.

Przebiegłam obok, udając, że niczego nie zauważyłam. Przecież wysłałam chyba dziesięć telegramów do Mordechaja, błagając go, by za żadne skarby nie wysyłał Lily do Algierii. Ale przecież auto samo tu nie przyjechało.

Gdy podeszłam do recepcji, by wziąć klucz i poinformować recepcjonistę, że się wyprowadzam – kolejna niespodzianka. Stał tam ktoś, oparty niedbale o marmurowy blat i pogrążony w rozmowie z recepcjonistą. I był to przystojny, choć budzący grozę Szarrif – szef tajnej policji. Oczywiście dostrzegł mnie, zanim zdążyłam uciec.

– Mademoiselle Velis! – wykrzyknął, błyskając czarującym uśmiechem. – Przybyła pani w odpowiedniej chwili, by pomóc nam w małym dochodzeniu. Być może spostrzegła pani przed chwilą samochód swojej rodaczki?

– Wyglądał mi na brytyjską markę – odpaliłam lekko, biorąc klucz od recepcjonisty.

– Ale ma nowojorską rejestrację! – Szarrif uniósł brwi.

– No cóż, Nowy Jork jest dużym miastem... – Ruszyłam leniwie w kierunku mojego pokoju, ale Szarrif jeszcze nie skończył.

– Gdy samochód przechodził przez kontrolę celną dzisiejszego popołudnia, ktoś zarejestrował go na p a n i ą i na ten właśnie adres. Czy mogłaby pani wytłumaczyć ten fakt?

Niech to diabli. Zamorduję Lily, gdy ją znajdę. Prawdopodobnie zdążyła już przekupić obsługę hotelu i siedzi sobie w moim pokoju.

– Ojej, to świetnie – odparłam. – Anonimowy prezent od jakiegoś nowojorczyka. Strasznie potrzebowałam samochodu, a z wynajęciem u was są spore kłopoty. – Szłam w stronę ogrodu, lecz Szarrif nie rezygnował.

– W tej właśnie chwili Interpol sprawdza dla nas numery rejestracyjne – powiedział, biegnąc obok mnie, by dotrzymać mi kroku. – Trudno mi sobie wyobrazić, że właściciel zapłacił cło w gotówce, wynosi ono sto procent wartości samochodu, i dostarczył go zupełnie nieznajomej osobie. Zresztą poza panią nie ma żadnych Amerykanów w tym hotelu.

– W ogóle żadnych nie ma – powiedziałam, wchodząc na wysypaną żwirem ogrodową ścieżkę. – Za pół godziny opuszczam ten lokal i przenoszę się do Sidi-Fredż, o czym został pan już niewątpliwie poinformowany przez swoich *jawasis*.

Jawasis to byli szpiedzy na usługach tajnej policji. Szarrif zrozumiał moją aluzję. Zmrużył oczy i złapał mnie gwałtownie za ramię. Zatrzymałam się, spojrzałam z bezbrzeżną pogardą na rękę trzymającą mój łokieć, po czym uwolniłam się od niej.

– Moi a g e n c i – powiedział, najwyraźniej wyczulony na punkcie semantycznych niuansów – już sprawdzili, czy w pani pokoju nie ma gości. Przejrzeli również listy osób, które przybyły w tym tygodniu do Algieru i Oranu. Teraz czekamy na podobne dokumenty z pozostałych portów. Jak pani doskonale wiadomo, graniczymy z siedmioma państwami, plus strefa przybrzeżna. Bardzo ułatwiłaby nam pani pracę, gdyby zechciała nas pani poinformować, do kogo należy ten samochód.

– A po co to całe halo? – spytałam, ruszając przed siebie. – Jeśli cło jest zapłacone, a dokumenty są w porządku, to dlaczego miałabym darowanemu koniowi zaglądać w zęby? Poza tym, jakie znaczenie ma dla pana tożsamość właściciela tego samochodu? Nie ma chyba ustalonego kontyngentu na importowane samochody w kraju, gdzie nie produkuje się żadnych, prawda?

Nie wiedział, co odpowiedzieć. Nie mógł też zaprzeczyć, że jego *jawasis* chodzą za mną krok w krok i donoszą mu o każdym moim kichnięciu. Szczerze mówiąc, chodziło mi tylko o to, by uprzykrzyć mu życie do czasu, aż znajdę Lily – lecz to nastręczało pewne trudności. Jeżeli nie było jej w moim pokoju i nie zarejestrowała się w hotelu, to gdzież mogła być?

I właśnie w tym momencie życie udzieliło odpowiedzi na dręczące mnie pytanie.

Po drugiej stronie basenu znajdował się ozdobny, ceglany minarecik, oddzielający ogród od plaży. Stamtąd właśnie doszedł mnie podejrzanie znajomy dźwięk – odgłos pazurków małego pieska drapiącego drewniane drzwi i charakterystycznie mlaszczący warkot, którego nie sposób zapomnieć.

W gasnącym powoli świetle ujrzałam, jak drewniane drzwiczki lekko się uchylają, a ze szczeliny – jak wystrzelona z katapulty – wypada dziko wyglądająca, włochata kulka. Przemknąwszy obok basenu z maksymalną prędkością, to coś pognało w naszym kierunku. Nawet w wyraźnym świetle trudno się było domyślić, że Carioca jest psem, i Szarrif patrzył osłupiały, jak zwierzak z całym impetem dopada jego kostki, wbijając maleńkie, ostre ząbki w odzianą w jedwab kończynę. Zaatakowany wydał okrzyk bólu i podskakując na drugiej nodze, próbował strząsnąć wczepioną weń bestię. Chwyciłam psiaka, oderwałam go jednym ruchem i przycisnęłam go mocno do piersi. Zamerdał ogonkiem i polizał mnie w brodę.

– Cóż to jest, na litość boską? – krzyknął Szarrif, patrząc wściekle na wijącego się w mych ramionach puchatego potworka.

– Należy do właścicielki tego samochodu – odparłam, czując z ulgą, że prawda wyszła na jaw. – Czy ma pan ochotę poznać tę lepszą połowę?

Szarrif, kulejąc, ruszył za mną. Wcześniej podniósł nogawkę i obejrzał ranę.

– Przecież to zwierzę może być wściekłe – jęknął, gdy doszliśmy do minaretu. – Chore zwierzęta często atakują ludzi.

– Ten pies nie jest wściekły – uspokoiłam go. – Ma po prostu dobrze rozwinięty zmysł krytyczny.

Przeszliśmy przez szeroko otwarte drzwi i po ciemnych schodach wspięliśmy się na piętro. Mieścił się tam wielki pokój, cały wyłożony poduszkami. Pośród nich, jak pasza, siedziała Lily. Nogi miała ułożone wysoko, między palcami umieściła waciki i starannie nakładała na paznokcie krwistoczerwony lakier. Ubrana była w mikroskopijną spódniczkę w tańczące, różowe pudle. Obrzuciła mnie lodowatym spojrzeniem spod burzy blond loczków opadających jej na oczy.

– Najwyższy czas – odezwała się z oburzeniem. – Nawet nie uwierzysz, jakie miałam tu problemy! – Przy tych słowach spojrzała na stojącego za mną Szarrifa.

– Ty miałaś problemy? – spytałam. – Pozwól, że przedstawię ci moją eskortę: Szarrif, szef tajnej policji.

Lily westchnęła ciężko.

– Ile razy mam ci powtarzać, że nie potrzebujemy policji? – spytała. – Same możemy się wszystkim zająć...

– Ale on nie jest z policji – przerwałam jej. – Tylko z tajnej policji.

– A co to niby ma oznaczać: że nikt nie wie, iż on jest policjantem? A niech to szlag trafi, rozmazałam sobie lakier – powiedziała Lily, kręcąc stopą. Położyłam jej Cariocę na kolanach, a ona spojrzała na mnie z wściekłością.

– Wnioskuję z tego, że zna pani tę kobietę – zwrócił się do mnie Szarrif. Wyciągnął rękę do Lily. – Czy mógłbym prosić panią o dokumenty? Pani wjazd do tego kraju nie został nigdzie odnotowany, zarejestrowała pani drogi samochód pod przybranym nazwiskiem, a ponadto jest pani właścicielką psa, który stanowi zagrożenie dla otoczenia.

– Idź się leczyć, człowieku – prychnęła Lily, spychając Cariocę z kolan i podnosząc się z miejsca, by stawić czoło Szarrifowi. – Po pierwsze, wyłożyłam cholernie dużą sumę za transport mojego samochodu do tego kraju, a po drugie, skąd ma pan pewność, że wjechałam tu nielegalnie? Nawet nie wie pan, kim jestem! – Chodziła po pokoju na piętach, z kłębkami waty między palcami, żeby nie rozmazać sobie lakieru. Po chwili sięgnęła do jednej z drogich, skórzanych toreb, wyjęła z niej plik papierów i zaczęła nimi machać przed nosem Szarrifowi, który szybko wyrwał je z jej ręki. Carioca warknął.

– Zatrzymałam się w waszym nędznym kraju w drodze do Tunezji – poinformowała go. – Tak się składa, że jestem mistrzem szachowym i mam tam wziąć udział w ważnym turnieju.

– Najbliższy turniej szachowy w Tunezji odbędzie się we wrześniu – powiedział Szarrif, przeglądając jej dokumenty. W pewnej chwili uniósł głowę i znieruchomiał. – Nazywa się pani Rad. Czy pani jest przypadkiem spokrewniona z...

– Tak – warknęła Lily. Przypomniało mi się, że Szarrif miał

fioła na punkcie szachów. Najprawdopodobniej więc słyszał o Mordechaju, a niewykluczone, że znał jego książki.

– W pani paszporcie brak wizy wjazdowej do Algierii. – W związku z tym zabieram go z sobą do wyjaśnienia całej sprawy. Mademoiselle, nie wolno pani opuszczać tego budynku.

Poczekałam, aż zamknie za sobą drzwi.

– Szybko znajdujesz sobie przyjaciół w nowym kraju – powiedziałam, gdy Lily znów usiadła na swoim miejscu. – Co teraz zrobisz bez paszportu?

– Mam drugi – odparła ponuro, wyciągając watę spomiędzy palców. – Urodziłam się w Londynie, z angielskiej matki. Przecież wiesz, że obywatele brytyjscy mogą mieć podwójne obywatelstwo.

Nie wiedziałam, lecz miałam teraz większe zmartwienia na głowie.

– Dlaczego zarejestrowałaś ten cholerny samochód akurat na mnie? I jak, u licha, zjawiłaś się tutaj, omijając kontrolę celną?

– Wyczarterowałam wodolot z Palma de Mallorca – odpowiedziała. – Wysadzili mnie niedaleko na plaży. Musiałam podać nazwisko kogoś, kto tu mieszka, gdyż wysyłałam samochód. Mordechaj powiedział, żebym nie zwracała na siebie uwagi.

– No, to niewątpliwie ci się udało – uśmiechnęłam się krzywo. – Wątpię, czy ktokolwiek zgadł, że zjawiłaś się tutaj, może z wyjątkiem celników na wszystkich przejściach granicznych, tajnej policji i ewentualnie samego prezydenta! Po jaką cholerę właściwie przyjechałaś? Czyżby Mordechaj zapomniał, jak to miało wyglądać?

– Powiedział, żebym przyszła ci z pomocą, i oprócz tego poinformował mnie, że Solarin będzie grał w tym miesiącu w Tunezji, cholerny kłamca! Konam z głodu. Może znajdziesz mi cheeseburgera lub coś konkretnego do jedzenia. Obsługa hotelowa tu nie funkcjonuje, nawet nie mam telefonu.

– Zobaczę, co się da zrobić – obiecałam. – Ale musisz wiedzieć, że wyprowadzam się z tego hotelu. Dostałam nowe mieszkanie w Sidi-Fredż, pół godziny marszu plażą. Przewiozę rzeczy samochodem i za godzinkę skombinuję ci jakąś kolację. Wyjdziesz z hotelu po zmroku i przemkniesz się plażą. Ruch dobrze ci zrobi.

Lily przytaknęła bez większego entuzjazmu, a ja poszłam po

moje rzeczy, z kluczykami od rollsa w kieszeni. Byłam pewna, że Kamel zajmie się kwestią nielegalnego wjazdu Lily, i pocieszałam się, że choć zwaliła mi się na głowę, to przynajmniej będę mieć samochód. Zresztą Mordechaj milczał od czasu tej tajemniczej wiadomości o wróżce i grze. W związku z tym musiałam poinformować Lily o wszystkim, co się do tej pory wydarzyło.

Ministerialne mieszkanie w Sidi-Fredż było po prostu wspaniałe – dwa pokoje ze sklepionymi sufitami i marmurowymi posadzkami, z kompletem mebli, a nawet pościeli, i balkonem, z którego rozciągał się widok na port i Morze Śródziemne. Zapłaciłam w mieszczącej się na dole restauracji, by przynieśli mi wino i coś do jedzenia, po czym usiadłam na balkonie, by – czekając na Lily – spróbować rozszyfrować krzyżówkę Nima. Wiadomość brzmiała następująco:

Porada Hamleta dla narzeczonej	(9)
Kto stoi w papieskich butach	(9)
Granice cesarstwa Tamerlana	(7)
Co robi elita, kiedy jest głodna	(4)
Średniowieczny śpiewak niemiecki	(5)
Odsłonięte jądro reaktora	(8)
Dzieło Czajkowskiego	(9)

Nie zamierzałam spędzać nad tym tyle czasu, ile nad tekstem wróżki na serwetce, lecz w tym wypadku pomogło mi moje wykształcenie muzyczne. Były tylko dwa rodzaje niemieckich trubadurów: meistersingerzy i minnesingerzy. Oprócz tego znałam wszystkie dzieła Czajkowskiego, a niewiele z nich miało dziewięcioliterowe tytuły.

Po pierwszym podejściu wyszło mi: „Idź do, Rybak, Kaspijskie, Spotyka, Minnie, Awaria, *Joanna d'Arc*. Można więc było strzelać. W wyniku odsłonięcia jądra reaktora atomowego powstawała sytuacja „awaryjna" – mam więc osiem liter. Łącząc w jedną całość wszystko to, co do tej pory udało mi się odkryć, otrzymałam: „Idź do Rybaka, spotkaj Minnie, awaryjna". I choć nie wiedziałam, co z tym wszystkim ma wspólnego Joanna d'Arc, przypomniało mi się, że przecież jest w Algierze miejsce o nazwie Escaliers du Pêcheur – Schody Rybaka. Po chwili szybki rzut oka do mojego notesu upewnił mnie, że przyjaciółka Nima, Minnie Renselaas, wdowa po konsulu holenderskim – do której w razie potrzeby miałam się zwrócić o pomoc – mieszkała pod numerem pierwszym właśnie przy Schodach Rybaka. Choć wedle mojego rozeznania nie potrzebowałam akurat pomocy, Nim uznał, że sytuacja jest awaryjna i że powinnam się z nią spotkać. Próbowałam przypomnieć sobie fabułę *Joanny d'Arc*, lecz pamiętałam jedynie, że spłonęła na stosie. Liczyłam tylko, że Nim nie szykuje dla mnie podobnych przyjemności.

Znałam Schody Rybaka – nie kończący się ciąg stopni biegnących między Bulwarem Anatole'a France'a i ulicą o nazwie Bab el Wad albo Brama Rzeki. Meczet Rybaka wznosił się na samym szczycie, nieopodal wejścia do kasby, lecz nie było tam niczego, co przypominałoby konsulat holenderski. *Au contraire*, wszystkie ambasady położone były dalej, w dzielnicy willowej. Wróciłam więc do siebie i wykręciłam numer Thérèse, która miała tego dnia nocny dyżur.

– Oczywiście, że znam madame Renselaas! – ryknęła tym swoim chrypliwym głosem. Dzieliło nas zaledwie kilka mil suchego lądu, lecz jej głos brzmiał, jakby znajdowała się w głębinach morskich. – Cały Algier ją zna, to niezwykle urocza kobieta. Kiedyś przynosiła mi holenderskie czekoladki i te malutkie słodycze z kwiatkiem w środku. Była przecież żoną konsula Holandii.

– Co to znaczy „była"?! – odwrzasnęłam.

– Och, moje dziecko, to było przed rewolucją. Jej mąż nie żyje od dziesięciu, a może piętnastu lat. Ona jednak nadal tu mieszka; a przynajmniej tak mówią. Jednak nie ma telefonu, gdyż inaczej na pewno bym o tym wiedziała.

– Jak mogę się z nią skontaktować?! – wrzeszczałam, gdyż ze słuchawki dobywały się coraz dziwniejsze dźwięki. Nie trzeba było podsłuchu, wszystko było doskonale słyszalne, nawet po drugiej stronie portu. – Mam tylko jej adres: Schody Rybaka, numer jeden. Ale przecież wokół meczetu nie ma żadnych domów.

– Zgadza się! – krzyknęła Thérèse. – Nie ma tam numeru jeden. Jesteś pewna, że się nie pomyliłaś?!

– Może to przeczytam: *Wahad*, Escaliers du Pêcheur.

– Wahad! – zaśmiała się Thérèse. – Tak, to znaczy „numer jeden", ale to nie adres, to osoba. Jest przewodnikiem po kasbie.

Wiesz, gdzie jest budka z kwiatami przy meczecie? Zapytaj o niego sprzedawcę; pięćdziesiąt dinarów i masz przewodnika. Na imię ma Wahad, coś takiego jak *numero uno*, wiesz? Zanim zdążyłam spytać, dlaczego muszę mieć przewodnika, żeby znaleźć Minnie, Thérèse odłożyła słuchawkę. Najwyraźniej w Algierze wiele spraw wyglądało inaczej.

Właśnie układałam sobie plan działania na następne popołudnie, gdy usłyszałam chrobot psich pazurków o marmurową posadzkę hallu. Rozległo się krótkie pukanie do drzwi i do pokoju wtoczyła się Lily. Oboje z Cariocą podążyli prosto do kuchni, wciągając z rozkoszą zapachy przygotowanych potraw: *rouget* z grilla, ostryg na parze i kuskus.

– Muszę coś zjeść – rzuciła Lily przez ramię. Zanim podeszłam do niej, zdążyła już podnieść pokrywkę i włożyć rękę do środka. – Talerzy nie potrzeba – powiedziała, rzucając kawałki Carioce, który pożerał je w mgnieniu oka.

Westchnęłam, patrząc, jak Lily się opycha, co zawsze odbierało mi apetyt.

– A właściwie dlaczego Mordechaj cię tutaj przysłał? Pisałam do niego przecież, żeby trzymał cię od tego z dala.

Lily spojrzała na mnie swymi wielkimi, szarymi oczami. Z kawałka baraniny, który trzymała w ręce, ściekał sos.

– Powinnaś być podniecona – poinformowała mnie. – Tak się składa, że pod twoją nieobecność rozwiązaliśmy całą zagadkę.

– No to opowiadaj – rzuciłam bez przekonania. Wstałam, by otworzyć butelkę doskonałego, czerwonego algierskiego wina, i napełniłam kieliszki.

– Mordechaj usiłował kupić te stare, bezcenne figury szachowe w imieniu jakiegoś muzeum, gdy Llewellyn dowiedział się o wszystkim i zaczął mieszać. Mordechaj podejrzewa, że to Llewellyn przekupił Saula, żeby ten dowiedział się o nich trochę więcej. Gdy więc Saul zagroził, że o wszystkim powie, Llewellyn spanikował i najął kogoś, żeby go sprzątnął! – Lily najwyraźniej wystarczało to wyjaśnienie.

– Albo Mordechaj ma informacje, albo rozmyślnie wprowadza cię w błąd – powiedziałam. – Llewellyn nie ma nic wspólnego ze śmiercią Saula. To robota Solarina. Sam mi powiedział. Jest tu, w Algierii.

Lily akurat wkładała ostrygę do ust, lecz z wrażenia upuściła ją na kuskus. Sięgnęła po kieliszek z winem i wypiła duży łyk.

– Powiedz to jeszcze raz.

Więc jej powiedziałam. Tym razem całą historię, kawałek po kawałku, niczego nie tając. O tym, jak Llewellyn poprosił, żebym mu znalazła figury, jak wróżka ukryła wiadomość w swojej przepowiedni, jak Mordechaj napisał o tym, że zna wróżkę, jak Solarin pojawił się w Algierze i powiedział, że Saul zabił Fiskego, a potem próbował zabić jego. A wszystko przez te figury. Że rzeczywiście istnieje jakiś wzór, tak jak podejrzewała Lily. Ukryty jest w tym komplecie szachowym, którego wszyscy szukają. Zakończyłam opowieścią o wizycie u kumpla Llewellyna, handlarza dywanami, i jego historii o tajemniczej Mokhtar z kasby.

Gdy skończyłam, Lily stała z otwartymi ustami – od momentu, gdy zaczęłam mówić, nie zjadła ani kęsa.

– Dlaczego nic mi wcześniej o tym nie mówiłaś? – spytała.

Carioca leżał na grzbiecie z łapkami do góry, w pozycji „zdechł pies". Chwyciłam go szybko, wstawiłam do zlewu i puściłam trochę wody, by mógł się napić.

– Dowiedziałam się tego po przyjeździe tutaj – odparłam. – A mówię ci o tym tylko dlatego, że jest coś, w czym mogłabyś mi pomóc. Wszystko wskazuje na to, że toczy się jakaś partia szachów, ale ktoś inny wykonuje ruchy. Nie mam pojęcia, jakie są zasady gry, lecz wiem, że jesteś ekspertem w tej dziedzinie. Żeby znaleźć figury, muszę to wiedzieć.

– Chyba żartujesz – powiedziała Lily. – Prawdziwy mecz szachowy? Ludzie jako figury? To znaczy, że gdy kogoś zabijają, to tak, jakbyś zbiła figurę?

Podeszła do zlewu, żeby opłukać rękę, i pochlapała Ciocę wodą. Wziąwszy mokrego psa pod pachę, ruszyła w zamyśleniu do salonu, a ja poszłam za nią, niosąc wino i kieliszki. Najwyraźniej Lily całkiem zapomniała o jedzeniu.

– Wiesz co – odezwała się, wciąż chodząc tam i z powrotem – gdybyśmy mogły dojść do tego, kto jest którą figurą, sytuacja zaraz by się wyjaśniła. Wystarczy, że wezmę szachownicę, nawet w środkowej fazie gry, i mogę bez trudu odtworzyć wszystko, co się do tej pory wydarzyło. Na przykład myślę, że możemy spokojnie przyjąć, że Saul i Fiske byli pionkami...

419

– Tak samo jak ja i ty – dodałam.

Oczy Lily płonęły dziwnym blaskiem, zupełnie jak oczy charta, który złapał woń lisa. Nigdy wcześniej nie widziałam jej tak podnieconej.

– Llewellyn i Mordechaj też mogą być pionkami...

– I Hermanold – dodałam szybko. – On przecież strzelał do naszego samochodu.

– Nie zapominajmy o Solarinie – powiedziała. – On na pewno jest graczem. Wiesz, gdybyśmy odtworzyły całość, krok po kroku, mogłybyśmy poustawiać figury na szachownicy i coś by z tego wyszło.

– Może zostaniesz tu dzisiaj na noc – zaproponowałam. – Gdy tylko Szarrif znajdzie dowód twojego nielegalnego wjazdu do kraju, zaraz wyśle swoich chłopców, żeby cię aresztowali. Jutro przeszmugluję cię do miasta. Mój klient, Kamel, użyje swoich wpływów, żebyś nie poszła do więzienia. A tymczasem popracujemy nad tą zagadką.

Siedziałyśmy do późnej nocy, odtwarzając wydarzenia, przesuwając figury po szachownicy Lily, używając zapałki jako brakującej białej królowej. Lily była zdesperowana.

– Przydałoby się więcej informacji – jęknęła, widząc, że niebo za oknem przybiera barwę lawendową.

– Myślę, że jest pewien sposób na ich uzyskanie. Mam bardzo bliskiego przyjaciela, który pomaga mi w rozwiązaniu tej zagadki, oczywiście, gdy uda mi się go złapać. To spec od komputerów, gra także dużo w szachy. Jego przyjaciółka w Algierze, wdowa po konsulu holenderskim, ma rozległe kontakty. Myślę, że wybiorę się do niej jutro. Możesz iść ze mną, jeśli oczywiście wyjaśni się kwestia z wizą.

Na tym stanęło, po czym położyłyśmy się do łóżek, by choć na trochę zmrużyć oczy. Nawet nie przypuszczałam, że za kilka godzin wydarzy się coś, co sprawi, że z biernego obserwatora przekształcę się w jednego z głównych graczy.

La Darse było nabrzeżem w północno-zachodniej części portu w Algierze, gdzie cumowały kutry. Było to długie, kamienne molo, łączące ląd z niewielką wysepką Al-Dżazair, od której pochodziła nazwa Algierii.

Tam właśnie mieścił się ministerialny parking. Ponieważ nie było samochodu Kamela, wjechałam tam rollsem corniche'em i zostawiłam kartkę za wycieraczką. Jasnoniebieski wóz Lily natychmiast rzucał się w oczy wśród czarnych, ministerialnych limuzyn, lecz uznałam, że lepiej zaparkować go tu, niż zostawiać na ulicy.

Poszłyśmy z Lily Bulwarem Anatole'a France'a i przeszłyśmy Aleją Ernesta Che Guevary do schodów prowadzących do Meczetu Rybaka. Nie pokonałyśmy nawet jednej trzeciej drogi, gdy Lily opadła na zimne, płaskie stopnie, ociekając potem, choć w powietrzu wciąż jeszcze unosił się chłód poranka.

– Chyba chcesz mojej śmierci – wydyszała z trudnością. – Cóż to za miejsce? Przecież te ulice są prawie pionowe. Powinni zrównać wszystko buldożerami i zacząć od początku.

– A moim zdaniem to jest urocze – powiedziałam, stawiając ją na nogi. Carioca leżał obok niej zmordowany, z wywieszonym językiem. – Zresztą obok kasby nie ma żadnego parkingu. Ruszaj się.

Po nie ustających skargach i wielu przystankach na odpoczynek dotarłyśmy wreszcie na szczyt, gdzie biegnąca łukiem ulica Bab el Oued oddzielała Meczet Rybaka od kasby. Po lewej stronie znajdował się Place des Martyrs, obszerny plac pełen staruszków na ławkach. Był tam też stragan z kwiatami. Lily radośnie opadła na pierwszą wolną ławkę.

– Szukam przewodnika Wahada – zwróciłam się do ponurego sprzedawcy kwiatów.

Zmierzył mnie spojrzeniem od stóp do głów i kiwnął ręką. Na ten gest podbiegł jakiś mały, brudny chłopak w łachmanach ulicznika. W kąciku bezbarwnych ust zwisał mu śmierdzący haszyszem papieros.

– Wahad, klientka do ciebie – rzucił kwiaciarz chłopcu.

Omal nie padłam trupem.

– To ty jesteś przewodnikiem? – spytałam zdumiona.

Ten mały, brudny stwór nie mógł mieć więcej niż dziesięć lat, lecz już był zniszczony i pomarszczony. Nie wspominając o tym, że był zawszony. Poskrobał się, zgasił papierosa i wetknął go sobie za ucho.

– Za wycieczkę po kasbie minimum pięćdziesiąt dinarów – oznajmił. – A za stówkę pokażę pani całe miasto.

– Nie potrzebuję wycieczki – powiedziałam, odciągając go na bok za postrzępiony rękaw. – Szukam pani Renselaas, Minnie Renselaas, wdowy po konsulu holenderskim. Przyjaciel powiedział mi...

– Wiem, kto to jest – przerwał mi, patrząc na mnie chytrym wzrokiem.

– To zaprowadź mnie tam, zapłacę. Ile mówiłeś? Pięćdziesiąt dinarów? – Zaczęłam grzebać w torebce.

– Nikt nie może tam pójść, jeśli ona nie pozwoli – odparł. – Ma pani jakieś zaproszenie?

Zaproszenie? Czułam się jak idiotka, lecz wyjęłam teleks Nima i pokazałam go dzieciakowi, licząc, że mi się uda. Przyglądał się kartce przez dłuższą chwilę, obracając ją pod różnymi kątami.

– Nie umiem czytać – powiedział wreszcie. – A co tu jest napisane?

Musiałam więc wyjaśnić temu obrzydliwemu dzieciakowi, że jest to list wysłany szyfrem. Przekazałam mu jeszcze treść: „Idź do Rybaka, spotkaj Minnie, awaryjna".

– I to wszystko? – spytał, jakbyśmy toczyli najzwyklejszą rozmowę. – Nie ma tam jeszcze czegoś? Jakiegoś tajemniczego słowa?

– Joanna d'Arc – odparłam. – Tu jest napisane jeszcze Joanna d'Arc.

– To nie jest właściwe słowo – rzekł, po czym wyciągnął papierosa zza ucha i zapalił.

Spojrzałam w rozpaczy na Lily siedzącą na ławce. Z jej wzroku wyczytałam, że chyba mi odbiło. Łamałam sobie głowę, usiłując przypomnieć sobie jakiś inny utwór Czajkowskiego na dziewięć liter, gdyż zapewne o to właśnie chodziło, lecz wszystko na próżno. Wahad wciąż wpatrywał się w kartkę.

– Umiem czytać cyfry. Tutaj jest numer telefonu – oznajmił.

Opanowało mnie podniecenie.

– To jej numer! – krzyknęłam. – Możemy więc zadzwonić do niej i zapytać...

– Nie – odparł tajemniczo Wahad. – To nie jest jej numer. To mój.

– Twój! – znów krzyknęłam. Teraz oprócz Lily przyglądał nam się również kwiaciarz, a moja przyjaciółka ruszyła w naszą stronę. – Ale czy to nie dowód...

– To dowód na to, że ktoś wie, że potrafię znaleźć tę damę – powiedział. – Ale nie zrobię tego, jeśli nie poda pani właściwego słowa.

Uparty gówniarz. Zaczęłam w myślach przeklinać Nima za jego tajemniczość, gdy nagle mnie olśniło. Jeszcze jedna opera Czajkowskiego na dziewięć liter – przynajmniej po francusku. Lily była tuż-tuż, gdy gwałtownie chwyciłam Wahada za kołnierz.

– *Dame Pique!* Dama Pik!

Wahad wyszczerzył krzywe zęby.

– To jest to, psze pani. Czarna królowa. – Po czym rzucił papierosa na ziemię, zdusił go stopą i kiwnął ręką, byśmy szły za nim.

Wahad prowadził nas stromymi uliczkami kasby, których przenigdy nie odkryłabym sama. Lily ciągnęła się za mną, sapiąc i dysząc, a ja w końcu wzięłam od niej Cariocę i wcisnęłam do torby, żeby przestał skowyczeć. Po półgodzinnej wędrówce przez ten kręty labirynt doszliśmy do ślepej uliczki otoczonej tak wysokimi ścianami, że z góry nie dochodziło prawie żadne światło. Wahad zaczekał chwilę, by dać szansę Lily, a ja nagle poczułam chłód biegnący wzdłuż kręgosłupa. Miałam wrażenie, że znam to miejsce. Potem zdałam sobie sprawę, że to samo przeżyłam u Nima, kiedy obudziłam się z koszmarnego snu, zlana zimnym potem. Przerażona złapałam Wahada za ramię i krzyknęłam:

– Dokąd nas prowadzisz?

– Idźcie za mną – odpowiedział i otworzył ciężkie, drewniane drzwi ukryte w grubym murze.

Spojrzałam na Lily, po czym wzruszyłam ramionami i weszłam do środka. Za drzwiami były mroczne schody, które najwyraźniej prowadziły do jakiegoś lochu.

– Czy ty naprawdę wiesz, co robisz? – krzyknęłam za chłopakiem, który zginął gdzieś w tym mroku.

– Skąd wiesz, że nas nie porwą? – wyszeptała za mną Lily, gdy zaczęłyśmy iść w dół. Trzymała mnie za ramię, a Carioca popiskiwał w mojej torbie. – Słyszałam, że handlarze niewolników płacą duże sumy za blondynki...

Biorąc pod uwagę twoje gabaryty, z pewnością zapłacą podwójnie, pomyślałam. Głośno zaś powiedziałam:

– Zamknij się i przestań szurać. – Lecz ja także się bałam.
Wiedziałam dobrze, że sama przenigdy bym stąd nie wyszła.
Wahad czekał na dole, a ja wpadłam na niego w ciemnościach. Lily cały czas nie puszczała mojego ramienia. Tymczasem usłyszałyśmy, że Wahad wkłada klucz do zamka i otwiera jakieś drzwi. Uchylił je, a w szparze pojawiło się światło.
Weszłyśmy za nim do dużej, ciemnej piwnicy, gdzie na podłodze, wśród miękkich poduszek, kilkunastu mężczyzn grało w kości. Gdy szłyśmy przez to zadymione pomieszczenie, kilku z nich podniosło na nas kaprawe oczy, ale nikt nie próbował nas zatrzymać.

– Co to za ohydny smród? – spytała Lily szeptem. – Cuchnie jak gnijące mięso.

– Haszysz – odpowiedziałam szeptem, zerkając na duże naczynia napełnione wodą, porozstawiane w różnych miejscach i na tych mężczyzn ssących cybuchy fajek i rzucających kości.

Na Boga, gdzie ten Wahad nas prowadzi? Przeszłyśmy za nim przez pokój, za którym mieściło się ciemne przejście, położone na tyłach jakiegoś sklepu. Wnętrze owego sklepu wypełniały klatki, w których hałasowały dziesiątki dzikich ptaków.

Światło wpadało do środka przez jedno jedyne okienko, obrośnięte dzikim winem. Szklane kuleczki na żyrandolach rzucały złote, zielone i niebieskie cętki na ściany oraz na włosy i zakwefione twarze poruszających się tam kobiet. Podobnie jak ci mężczyźni na dole, one także zupełnie nas zignorowały, jakbyśmy stanowili tylko wzór na tapecie.

Wahad przeprowadził nas przez plątaninę drzew i klatek do niewielkiego przejścia na końcu sklepu, skąd wychodziło się w wąską alejkę. Za nią zobaczyłyśmy brukowany placyk, otoczony murem z omszałych cegieł, a w murze potężne drzwi.

Wahad przeszedł przez placyk i pociągnął wiszący przy drzwiach sznur. Długo nie było reakcji. Spojrzałam na Lily, która nadal nie puszczała mojego ramienia. Zdołała już złapać oddech, lecz twarz miała kredowobiałą, tak samo zresztą jak ja. Moja niepewność powoli zmieniała się w przerażenie.

W zakratowanym otworze w drzwiach pojawiła się twarz jakiegoś mężczyzny. Popatrzył na Wahada bez słowa. Potem przeniósł wzrok na Lily i na mnie. Nawet Carioca nie wydał z siebie głosu. Wahad coś wymamrotał i mimo iż stałyśmy oddalone o dwadzieścia stóp, usłyszałam jego słowa:

– Mokhfi Mokhtar – wyszeptał. – Przyprowadziłem tę kobietę.

Za tymi masywnymi drewnianymi drzwiami krył się niewielki ogródek otoczony murem z cegły. Pod nogami miałyśmy płytki o tak różnorodnych wzorach, że chyba żaden z nich nie powtórzył się ani razu. Cicho pluskała fontanna wśród zielonych liści, a z gęstwiny drzew poplamionych cętkami światła dochodziło gruchotanie i ćwierkanie ptaków. Na końcu ogrodu widać było oszklone drzwi porośnięte dzikim winem. Przez szyby dostrzegłam pokój pełen marokańskich dywanów, chińskich waz oraz mnóstwo tłoczonych skór i rzeźb.

Wahad prześlizgnął się z powrotem przez drzwi. Lily obróciła się na pięcie i wrzasnęła:

– Nie pozwól, żeby ten mały gad się wymknął, bo nigdy stąd nie wyjdziemy!

Lecz Wahada już nie było. Mężczyzna, który nas wpuścił, również zniknął. Stałyśmy więc same w ciemnym i chłodnym ogrodzie. W powietrzu unosiła się delikatna woń perfum i słodkich traw. Jak przez mgłę słyszałam melodyjny szum fontanny odbijający się echem od omszałych ścian.

Za oszklonymi drzwiami, obok ciężkiej kurtyny jaśminu i wisterii, mignął czyjś cień. Lily chwyciła mnie za rękę. Stałyśmy jak wmurowane przy fontannie, obserwując srebrną postać, która przeszła przez łukowatą bramę do ogrodu, płynąc w zielonkawym świetle. Była to szczupła, piękna kobieta w przezroczystych szatach, które zdawały się szeptać przy każdym jej ruchu. Miękkie włosy otaczały zasłoniętą do połowy twarz na kształt srebrzystych ptasich skrzydeł. Gdy przemówiła, jej słodki, niski głos brzmiał jak chłodna woda pluszcząca na wygładzonych kamieniach:

– Jestem Minnie Renselaas – powiedziała, stając przed nami w migoczącym świetle niczym zjawa. Lecz jeszcze zanim zdjęła zasłonę kryjącą jej twarz, ja już wiedziałam. To była moja wróżka.

ŚMIERĆ KRÓLÓW

Na miłość boską, usiądźmy na ziemi
I powtarzajmy smętne opowieści
O śmierci królów. O tym, jak niektórych
Strącono z tronów, inni w boju padli,
A innych duchy ofiar zadręczyły,
Innych otruły żony; lub ich we śnie
Zabito. Wszystkich ich zamordowano –
Gdyż wewnątrz kręgu, którym otoczyła
Korona skronie śmiertelnego władcy,
Śmierć dwór swój trzyma (...) i maleńką szpilką
Przebija mury twierdzy. Żegnaj, królu!

W. Szekspir, *Tragedia króla Ryszarda II*
Akt III, sc. 2

Paryż
10 lipca 1793

Mireille stała pod kasztanowcami przy bramie prowadzącej na dziedziniec domu Jacquesa-Louisa Davida i zerkała przez metalowe pręty. W swoim długim, czarnym haiku i muślinowym kwefie osłaniającym połowę twarzy wyglądała jak jedna z wielu modelek pozujących malarzowi do jego egzotycznych obrazów. Co istotniejsze, nikt nie mógł jej rozpoznać w tym stroju. Śmiertelnie zmęczona i brudna po ciężkiej podróży pociągnęła za sznur, a wewnątrz rozległ się dźwięk dzwonu.

Niespełna sześć tygodni wcześniej otrzymała list od przeoryszy pełen gorączkowych napomnień. List ów przebył długą drogę, gdyż został najpierw wysłany na Korsykę, skąd przekazała go dalej jedyna osoba z rodziny Napoleona i Elizy, która nie uciekła z wyspy – zasuszona staruszka, Angela Maria di Pietra-Santa.

W liście przeorysza nakazywała Mireille bezzwłocznie wracać do Francji.

Dowiedziawszy się o twojej nieobecności w Paryżu, zaczęłam się lękać nie tylko o ciebie, lecz również o los tych, których Bóg polecił twojej opiece, z bólem przyjmując fakt, że unikasz tej odpowiedzialności. Rozpacz mnie ogarnia na samą myśl o tych wszystkich siostrach, które być może przybyły do tego miasta, by szukać twojej pomocy, lecz cię tam nie znalazły. Chyba doskonale mnie rozumiesz.

Przypominam ci, że stoimy twarzą w twarz z potężnymi przeciwnikami, którzy dla osiągnięcia swoich celów nie cof-

ną się przed niczym i którzy – podczas gdy nas los rozrzucił po świecie – zorganizowali doskonałą opozycję. Nadszedł czas, by przejąć ster, odwrócić bieg wydarzeń i zjednoczyć na powrót to, co los rozłączył.

Wzywam cię, byś jak najrychlej powróciła do Paryża.

Zgodnie z moimi wskazówkami ktoś, kogo znasz, został wysłany, by cię znaleźć, oraz otrzymał szczegółowe wskazówki dotyczące twojej misji, która znajduje się w punkcie krytycznym.

Łączę się z tobą w bólu po stracie twojej drogiej kuzynki. Niechaj Bóg wspomaga cię w tym dziele.

Nie było ani daty, ani podpisu. Mireille rozpoznała pismo przeoryszy, lecz nie miała pojęcia, kiedy list został wysłany. Choć zabolały ją słowa o unikaniu odpowiedzialności, doskonale pojęła, o co przeoryszy chodzi. Pozostałe figury znajdowały się w niebezpieczeństwie, życie kilku zakonnic było zagrożone, a wszystkiemu winne były te same złowrogie siły, które zabiły Valentine. Musiała wrócić do Francji.

Szahin zgodził się jej towarzyszyć aż do morza. Jednakże jej synek – Charlot – był jeszcze za mały na tak męczącą podróż. W Dżanacie ludzie Szahina ślubowali, iż zaopiekują się dzieckiem do jej powrotu, gdyż uważali to rudowłose niemowlę za przepowiadanego proroka. Po bolesnym rozstaniu Mireille zostawiła go pod opieką mamki i odjechała.

Przez dwadzieścia pięć dni wędrowali przez Deban Ubari, zachodni skraj Pustyni Libijskiej, omijając góry i zdradzieckie wydmy i wędrując na skróty do Trypolisu. Tam Szahin wsadził ją na pokład dwumasztowego szkunera płynącego do Francji. Te statki, najszybsze na ziemi, potrafiły przy sprzyjającym wietrze rozwinąć prędkość nawet do czternastu węzłów, dzięki czemu podróż z Trypolisu do Saint-Nazaire u ujścia Loary zajmowała zaledwie dziesięć dni. Mireille znalazła się znowu we Francji.

Teraz, stojąc przed bramą domu Davida, brudna i wyczerpana, obrzuciła spojrzeniem to podwórze, z którego uciekła prawie rok temu. Miała uczucie, jakby cały wiek minął od tej chwili, kiedy – chichocząc z podniecenia na myśl o własnej śmiałości – wraz z Valentine przeszły przez mur ogrodu i wyruszyły do dzielnicy Cordelières, by spotkać się z siostrą Claude. Próbując otrząsnąć się z tych wspomnień, Mireille raz jeszcze pociągnęła za sznur.

Wreszcie ze stróżówki wyłonił się leciwy sługa, Pierre, i podszedł, człapiąc butami, do żelaznej bramy, gdzie w cieniu rozłożystego kasztanowca stała Mireille.

– Madame, pan nie przyjmuje nikogo przed obiadem. I bez zaproszenia – powiedział, nie poznając jej.

– Ależ Pierre, na pewno zgodzi się m n i e przyjąć – rzekła Mireille, odsłaniając twarz.

Pierre otworzył szeroko oczy, a podbródek mu zadrżał. Zaczął się mocować z ciężkimi kluczami, by otworzyć bramę.

– Mademoiselle, dzień w dzień modliliśmy się za panią – wyszeptał. Gdy wreszcie otworzył bramę, po policzkach spływały mu łzy.

Mireille objęła go na powitanie, po czym pośpiesznie weszli do środka.

David był sam w swojej pracowni, obskrobując duży kawał drewna – rzeźbę wyobrażającą Ateizm, którą miał przedstawić za miesiąc na Festiwalu Najwyższej Istoty. W powietrzu unosiła się woń świeżego drewna. Podłoga zasypana była wiórkami, a aksamitny surdut artysty pokryty był grubą warstwą pyłu. Obrócił się na dźwięk otwieranych drzwi, po czym poderwał się raptownie na nogi, przewracając taboret, na którym siedział. Dłuto wypadło mu z ręki.

– Albo śnię, albo zwariowałem! – wykrzyknął, biegnąc ku nim i wzbijając tumany pyłu. Chwyciwszy Mireille w ramiona, powiedział: – Dzięki Bogu nic ci się nie stało! – Potem odsunął ją na odległość ramienia, by lepiej jej się przyjrzeć. – Gdy wyjechałaś, zjawił się Marat z deputacją, wszystkimi swoimi delegatami i ministrami, po czym przeryli mój ogród do ostatniego skrawka, jak stado świń poszukujące trufli! Nie przypuszczałem, że te figury naprawdę istnieją! Gdybyś mi zaufała, mógłbym ci wówczas pomóc...

– Możesz mi pomóc teraz – powiedziała Mireille i opadła wyczerpana na fotel. – Czy ktoś mnie szukał? Spodziewam się przybycia posłańca od przeoryszy.

– Moje drogie dziecko, podczas twej nieobecności było tu kilka młodych kobiet, które szukały kontaktu z tobą lub

Valentine – odparł David smutnym głosem. – Ale ja umierałem z lęku o ciebie. Przekazałem ich listy Robespierre'owi, sądząc, że to może nam pomóc w odnalezieniu ciebie.

– Robespierre'owi? – krzyknęła Mireille. – Na Boga, cóżeś ty uczynił?

– To przyjaciel, któremu można zaufać – wyjaśnił pośpiesznie David. – Nazywają go „Nieprzekupnym". Gdy postanawia osiągnąć jakiś cel, nic i nikt nie jest w stanie go od tego odwieść. Mireille, mówiłem mu o twoich poszukiwaniach kompletu z Montglane. On też cię szukał...

– Nie! – wrzasnęła Mireille. – Nikt nie może wiedzieć, że tutaj jestem ani że mnie widziałeś! Czyż nie rozumiesz, Valentine została zamordowana właśnie z powodu tych figur. Moje życie jest również zagrożone. Teraz powiedz, ile było zakonnic, których listy przekazałeś temu człowiekowi.

David z przerażeniem na twarzy próbował sobie przypomnieć. Czy to możliwe, że ona ma rację? Zaraz, chyba się pomylił...

– Było ich pięć. Mam to gdzieś zapisane.

– Pięć zakonnic – wyszeptała Mireille. – Następne trupy na moim koncie. A wszystko dlatego, że mnie tu nie było. – Patrzyła pustym wzrokiem przed siebie.

– Trupy! – zawołał David. – Ależ jemu nie udało się ich przesłuchać. Powiedział, że wszystkie gdzieś znikły.

– Pozostaje nam jedynie się modlić, żeby to było prawdą – powiedziała, patrząc na niego. – Stryjku, nawet sobie nie wyobrażasz, jak groźne są te figury. Musimy się dowiedzieć czegoś więcej o zaangażowaniu Robespierre'a w tę sprawę, oczywiście utrzymując fakt, że wróciłam, w całkowitej tajemnicy. A gdzie jest Marat? Bo jeśli on się dowie, że tu jestem, to nawet modlitwy niewiele nam pomogą.

– Przebywa w domu, jest poważnie chory – odparł David. – Bardzo chory, bardziej niż kiedykolwiek przedtem. Przed trzema miesiącami żyrondyści postawili go w stan oskarżenia za popieranie mordów i dyktatury, za sprzeniewierzenie się głównym tezom rewolucji: wolności, równości i braterstwu. Jednak przerażony sąd uniewinnił Marata, któremu motłoch włożył na głowę wieniec laurowy, zaniósł go na rękach przez ulice Paryża i wybrał na przewodniczącego Klubu Jakobinów. Teraz jest w domu i potępia tych wszystkich żyrondystów, którzy zaleźli mu za skórę. Większość aresztowano, reszta zbiegła na prowincję. Siedzi sobie w wannie i rządzi państwem za pomocą strachu. Prawdą jest to, co mówią o naszej rewolucji: że ogień, który niszczy, nie potrafi budować.

– Lecz może go pochłonąć jeszcze większy płomień – rzekła Mireille. – Ten płomień to komplet szachowy z Montglane. Gdy uda się zebrać wszystkie figury, pochłonie nawet Marata. Wróciłam do Paryża, aby uwolnić tę moc. I spodziewam się, że mi pomożesz.

– Czy ty nie rozumiesz moich słów?! – wykrzyknął David w rozpaczy. – To właśnie mściwość i zdrada sprawiają, że kraj nasz pozostaje rozdarty. Kiedy to się wreszcie skończy? Jeśli wierzymy w Boga, musimy wierzyć w boską sprawiedliwość, która w odpowiednim czasie sama wszystko uzdrowi.

– Nie mam czasu – odparła twardo Mireille. – Nie będę czekać na Boga.

11 lipca 1793

W tym czasie w kierunku Paryża podążała jeszcze jedna zakonnica, która nie mogła czekać.

Charlotte Corday przybyła do miasta karetą pocztową o dziesiątej rano. Znalazłszy sobie miejsce w małym hoteliku, ruszyła prosto do budynku Zgromadzenia Narodowego.

List przeoryszy, przemycony do Caen przez ambasadora Geneta, wędrował długo, lecz jego treść była jasna. Figury wysłane do Paryża we wrześniu ubiegłego roku zginęły wraz z siostrą Claude. Razem z nią, w okresie terroru, zginęła inna zakonnica – Valentine. Natomiast kuzynka Valentine – Mireille – znikła bez śladu. Charlotte skontaktowała się więc najpierw z żyrondystami, dawnymi delegatami Konwencji, przebywającymi obecnie w Caen, w nadziei, że dowie się, kto był w więzieniu L'Abbaye, ostatnim miejscu, gdzie widziano Mireille przed jej zniknięciem.

Żyrondyści nic nie wiedzieli na temat rudowłosej dziewczyny, która zginęła pośród tego szaleństwa, lecz ich przywódca, przystojny Barbaroux, współczuł byłej zakonnicy, która poszukiwała swojej przyjaciółki. W związku z tym załatwił jej przepustkę włącznie z krótką rozmową z deputowanym Lauze'em Duperretem, który czekał na nią w gmachu Zgromadzenia w przedsionku dla gości.

– Przybywam z Caen – zaczęła Charlotte, gdy ów ważny deputowany zasiadł przed nią przy lśniącym stole. – Szukam przyjaciółki, która zniknęła podczas zamieszek więziennych we wrześniu ubiegłego roku. Podobnie jak ja, była zakonnicą, której klasztor został zamknięty.

– Charles Jean Marie Barbaroux bynajmniej nie wyświadczył mi przysługi, przysyłając panią tutaj – rzekł deputowany, unosząc brew z cyniczną miną. – Chyba wie pani, że jest poszukiwany? Może chce, żeby za moją głowę również wyznaczono nagrodę? Mam dosyć własnych kłopotów, proszę mu to powiedzieć, gdy pani powróci do Caen, co – mam nadzieję – uczyni pani rychło. – Po tych słowach zaczął podnosić się z miejsca.

– Proszę – powiedziała Charlotte, wyciągając rękę. – Moja przyjaciółka była w L'Abbaye, gdy zaczęły się masakry. Jej ciała nie odnaleziono. Mamy powody, by przypuszczać, że uciekła, choć nie wiadomo dokąd. Musi mi pan powiedzieć, kto z członków Zgromadzenia przewodniczył tym procesom?

Duperret zatrzymał się z uśmiechem. Nie był to przyjemny uśmiech.

– Nikomu nie udało się uciec z L'Abbaye – odezwał się szorstko. – Kilka osób uniewinniono, lecz te mógłbym policzyć na palcach moich rąk. Jeśli była pani na tyle głupia, żeby zjawić się tutaj, to może zdobędzie się pani na jeszcze większą głupotę i porozmawia z człowiekiem, który jest odpowiedzialny za terror, choć osobiście bym tego nie polecał. Ten człowiek nazywa się Marat.

12 lipca 1793

Mireille, teraz ubrana w białą suknię w czerwone kropki i słomkowy kapelusz z kolorowymi wstążkami, wyszła z otwartego powozu Davida i kazała woźnicy zaczekać. Następnie pośpieszyła w kierunku ogromnego, zatłoczonego targu Les Halles, jednej z najstarszych części miasta.

Do Paryża przybyła zaledwie dwa dni temu, lecz dowiedziała się już wystarczająco wiele, by zacząć działać. Nie musiała czekać na instrukcje od przeoryszy. Jakby mało tego, że pięć zakonnic zginęło wraz z figurami, to na dodatek, jak twierdził David, wiele osób w mieście wiedziało o komplecie szachowym z Montglane, jak również o jej zaangażowaniu w tę sprawę. Zbyt wiele osób wiedziało: Robespierre, Marat i André Philidor, ów mistrz szachowy i kompozytor, którego operę oglądała wraz z madame de Staël. Philidor, jak poinformował ją David, uciekł do Anglii. Jednak tuż przed wyjazdem opowiedział Davidowi o swoim spotkaniu z wielkim matematykiem Leonhardem Eulerem i kompozytorem o nazwisku Bach. Bach wziął w swoje ręce wzór Eulera na obieg skoczka i zmienił go w muzykę. Ci wszyscy ludzie uważali, że tajemnica szachów z Montglane jest związana z muzyką. Komu oprócz nich udało się zajść równie daleko?

Mireille szła przez rynek, mijając wielobarwne kompozycje z warzyw, mięs i owoców morza, na które pozwolić sobie mogli jedynie najzamożniejsi. Serce waliło jej w piersiach, a w głowie kłębiły się myśli. Musiała działać bezzwłocznie, korzystając z tego, że wiedziała, gdzie ich szukać, a oni nie. Przypominali pionki na szachownicy, które jakaś niewidzialna siła, niczym los, prowadzi nieubłaganie ku przeznaczeniu. Przeorysza miała rację, mówiąc, że muszą przejąć kontrolę w swoje ręce. Teraz Mireille musiała to zrobić. Albowiem uświadomiła sobie, że teraz wie znacznie więcej o komplecie z Montglane niż sama przeorysza, ba, więcej niż ktokolwiek inny.

Opowieść Philidora stanowiła potwierdzenie słów Talleyranda i Letycji: komplet n a p r a w d ę zawiera tajemniczy wzór. Coś, o czym przeorysza nie wspomniała ani słowem. Lecz Mireille wiedziała. Wciąż miała przed oczyma postać Białej Królowej trzymającej w dłoni różdżkę w kształcie ósemki.

Mireille zeszła do labiryntu, czyli tej części Les Halles, gdzie ongiś mieściły się rzymskie katakumby, pełniące dziś funkcję podziemnego targu. Były tam stoiska z miedzianymi naczyniami, wstążkami, przyprawami i jedwabiami ze Wschodu. Minęła niewielką kawiarenkę w wąskim przejściu, gdzie grupka rzeźników w roboczych strojach zajadała kapuśniak, grając w domino. Prześlizgnęła się po nich spojrzeniem, a widząc ich białe fartuchy i obnażone ramiona, zacisnęła powieki i ruszyła dalej.

W drugim przejściu mieścił się sklep ze sztućcami. Przeglądając wyłożony towar, zbadała twardość i ostrość każdego noża, zanim wybrała ten najlepszy – duży nóż stołowy o sześciocalowym ostrzu, podobny do *bousaadi*, którego tak zręcznie używała na pustyni. Kazała sprzedawcy go naostrzyć, by był ostry jak brzytwa.

Pozostawało tylko jedno pytanie: jak wejdzie do środka? Patrzyła, jak kupiec owija nóż w brązowy papier. Zapłaciła mu dwa franki, wsunęła zawiniątko pod ramię i wyszła.

13 lipca 1793

Odpowiedź na to pytanie otrzymała następnego popołudnia, gdy siedziała w niewielkiej jadalni obok pracowni, kłócąc się zawzięcie z Davidem. Jako delegat Konwencji, to właśnie on mógł jej umożliwić wejście do mieszkania Marata. Lecz on odmawiał – wyraźnie ze strachu. Ich niezwykle ożywioną rozmowę przerwało wejście służącego Pierre'a.

– Jakaś dama czeka u wejścia, sire. Pyta o ciebie, gdyż szuka informacji o mademoiselle Mireille.

– A kto to jest? – spytała Mireille, zerkając krótko na Davida.

– Dama, tak wysoka jak pani, mademoiselle – odparł Pierre. – Ma rude włosy i twierdzi, że nazywa się Corday.

– Wpuść ją tutaj – zadysponowała Mireille, ku zdumieniu Davida.

A więc przybyła emisariuszka, pomyślała Mireille, gdy Pierre znalazł się za drzwiami. Doskonale pamiętała tę chłodną towarzyszkę Alexandrine de Forbin, która trzy lata temu przybyła do Montglane z wiadomością, że owe figury są w niebezpieczeństwie. Tym razem przysłała ją przeorysza – lecz przybyła za późno.

Gdy Charlotte Corday została wprowadzona do pokoju, stanęła jak wryta, patrząc z niedowierzaniem na Mireille. Wreszcie usiadła z wahaniem na krześle podsuniętym jej uprzejmie przez Davida, ani na chwilę nie odrywając oczu od Mireille. Oto kobieta, której wieści wydobyły komplet na światło dzienne, pomyślała Mireille. Choć czas nieco je zmienił, wciąż były podobne – obie wysokie, grubokościste, z puklami rudych włosów okalających owalne twarze. Tak podobne, że można je było wziąć za siostry. A jednak tak różne.

– Przybywam w rozpaczy – zaczęła Charlotte – gdyż nigdzie nie mogłam natrafić na twój ślad, wszystkie drzwi były zamknięte. Muszę porozmawiać z tobą na osobności. – Po tych słowach zerknęła niepewnie na Davida, który skłonił się i wyszedł. Gdy już były same, spytała: -- Figury, czy są bezpieczne?

– Figury – powtórzyła gorzko Mireille. – Zawsze tylko figury. Doprawdy bezbrzeżnym zdumieniem napawa mnie nieustępliwość naszej przeoryszy, której Bóg powierzył dusze pięćdziesięciu kobiet, odgrodzonych od świata, ślepo jej wierzących. To prawda, powiedziała nam, że figury te są niebezpieczne, lecz nie uprzedziła, że z ich powodu będziemy ścigane i zabijane! Cóż to za pasterz, który prowadzi owczarnię swoją na rzeź?

– Doskonale rozumiem. Jesteś wstrząśnięta po śmierci swojej kuzynki – powiedziała Charlotte. – Lecz to był tylko przypadek! Wciągnął ją tłum, razem z moją ukochaną siostrą Claude. Jednak wydarzenia takie nie mogą zachwiać twoją wiarą. Przeorysza wybrała cię do pewnej misji...

– Teraz ja sama wybieram swoje misje! – krzyknęła Mireille, a jej zielone oczy płonęły gniewem. – Moim pierwszym zadaniem jest stanąć twarzą w twarz z człowiekiem, który zamordował moją kuzynkę – gdyż to nie był przypadek! W ubiegłym roku zaginęło pięć zakonnic. Sądzę, że ich losy są mu doskonale znane, jak również losy figur, które miały ze sobą. I mam rachunki do wyrównania.

Charlotte przyłożyła dłonie do piersi. Patrzyła na Mireille, a twarz miała białą jak kreda.

– Marat! – wyszeptała drżącym głosem. – Dowiedziałam się o jego udziale, lecz to słyszę po raz pierwszy! Przeorysza nie wie o zaginionych zakonnicach.

– Wygląda na to, że nasza przeorysza nie wie o wielu rzeczach – rzekła Mireille. – Lecz ja wiem. Choć nie zamierzam pokrzyżować jej planów, rozumiesz jednak, że są sprawy, które muszę załatwić w pierwszej kolejności. Jesteś więc ze mną czy przeciwko mnie?

Charlotte spojrzała na Mireille, a w jej błękitnych oczach widać było wielkie napięcie. Wreszcie wyciągnęła rękę i położyła ją na dłoni Mireille.

– Pokonamy ich – powiedziała Charlotte z wielką mocą. – Cokolwiek postanowisz, będę po twojej stronie, tak jak życzyłaby sobie tego przeorysza.

– Dowiedziałaś się zatem o udziale Marata – odezwała się Mireille z napięciem w głosie. – Co jeszcze wiesz o tym człowieku?

– Szukając ciebie, próbowałam się z nim zobaczyć – odparła Charlotte, ściszając głos. – Jednak odźwierny oddalił mnie od jego drzwi. Lecz napisałam do niego z prośbą o spotkanie dziś wieczór.

– Czy on mieszka sam? – spytała podniecona Mireille.

– Dzieli mieszkanie ze swoją siostrą Albertine i Simonne Évrard, swoją „naturalną" żoną. Ale chyba nie chcesz powiedzieć, że sama tam pójdziesz? Jeśli podasz im swoje imię albo zgadną, kim jesteś, od razu cię aresztują...

– Nie zamierzam podać im mojego imienia – odpowiedziała Mireille z uśmiechem. – Podam im twoje.

Słońce już zachodziło, gdy Mireille i Charlotte przybyły wynajętym powozem na niewielką *allée* naprzeciwko domu Marata. W ostatnich promieniach słońca szyby robiły się krwistoczerwone, a chodnik wyglądał jak odlany z miedzi.

– Muszę znać powód, jaki podałaś, prosząc o spotkanie – powiedziała Mireille.

– Napisałam, że przybywam z Caen – odparła Charlotte – aby donieść o antyrządowych knowaniach żyrondystów. Napisałam, że wiem o kilku spiskach, które tam szykują.

– Daj mi swoje dokumenty – poprosiła Mireille, wyciągając rękę. – Mogę potrzebować jakiegoś dowodu, żeby dostać się do środka.

– Modlę się za ciebie – rzekła Charlotte, wręczając jej papiery, które Mireille wsunęła za stanik obok noża. – Będę tutaj czekać na twój powrót.

Mireille przeszła ulicę i weszła po schodkach do nędznego, kamiennego domku. Do drzwi przyczepiono postrzępioną kartkę:

JEAN PAUL MARAT – LEKARZ

Wzięła głęboki oddech i zastukała metalową kołatką. Dźwięk rozniósł się echem wśród pustych ścian. Wreszcie usłyszała czyjeś kroki i drzwi zostały otwarte.

W progu stanęła wysoka kobieta z dużą, bladą twarzą pociętą siecią zmarszczek. Wierzchem dłoni odgarnęła kosmyk skudlonych włosów, który opadł jej na czoło. Wycierając umączone ręce w ścierkę przytroczoną do obfitej talii, obrzuciła wzrokiem stojącą przed drzwiami dziewczynę – jej plisowaną sukienkę w kropki, ozdobiony wstążkami kapelusik i miękkie loki opadające na kremowe ramiona.

– Czego chcesz? – prychnęła pogardliwie.

– Nazywam się Corday. Obywatel Marat oczekuje mnie – powiedziała Mireille.

– Jest chory – warknęła kobieta. Chciała zamknąć drzwi, lecz Mireille je popchnęła, zmuszając kobietę, by cofnęła się o krok.

– Ale ja muszę się z nim zobaczyć!

– O co chodzi, Simonne? – spytała inna kobieta, która pojawiła się na końcu korytarza.

– Gość, Albertine. Do twojego brata. Ale powiedziałam jej, że jest chory...

– Obywatel Marat na pewno chciałby się ze mną zobaczyć – zawołała Mireille, specjalnie podnosząc głos. – Gdyby wiedział, że przynoszę mu wieści z Caen... i z Montglane!

Wtedy zza wpółotwartych drzwi dobiegł męski głos:

– Gość, Simonne? Wprowadź natychmiast!

Simonne wzruszyła ramionami i kiwnęła na Mireille, żeby szła za nią.

Weszła do dużego, wyłożonego kaflami pokoju z jednym tylko małym okienkiem, przez które widać było skrawek czerwonego nieba powoli przechodzącego w szarość. W całym pomieszczeniu unosiła się silna woń medykamentów i odór rozkładu. W rogu stała miedziana wanna w kształcie buta. Tam, w półmroku rozjaśnionym blaskiem jedynej świeczki, umocowanej na desce do pisania, z głową owiniętą mokrą szmatą i krostowatą skórą połyskującą chorobliwie w tym mdłym świetle, siedział Marat. Na desce piętrzyły się papiery, w których czegoś szukał i coś zapisywał.

Mireille nie odrywała od niego wzroku. Nawet nie podniósł głowy, gdy Simonne wprowadziła ją do pokoju, tylko wskazał gestem, by usiadła na drewnianym zydlu przy wannie. Nie przerywał pisania, a Mireille przyglądała mu się z bijącym sercem. Z trudnością powstrzymała się, by nie rzucić się na niego, wcisnąć mu głowę pod tę letnią wodę i trzymać tak długo, aż... Ale tuż za nią stała Simonne.

– Nie mogłaś przybyć w bardziej stosownym momencie – powiedział Marat, wciąż pochylony nad papierami. – Właśnie przygotowuję listy żyrondystów, którzy są podejrzani o agitację na prowincji. Jeśli przybywasz z Caen, potwierdzisz moje wiadomości. Ale jeśli, jak mówisz, przynosisz także wieści z Montglane...

Tu podniósł wzrok na Mireille i wytrzeszczył w zdumieniu oczy. Milczał przez chwilę, po czym zwrócił się do Simonne:

– Możesz zostawić nas samych, moja droga przyjaciółko.

Przez chwilę Simonne nie ruszała się z miejsca, lecz wreszcie, nie wytrzymując przenikliwego spojrzenia Marata, obróciła się, wyszła i zamknęła za sobą drzwi.

Mireille w milczeniu wpatrywała się w Marata. To dziwne, pomyślała. Oto żywe wcielenie zła – człowiek, którego ohydna twarz prześladowała ją w najpotworniejszych koszmarach – siedzi przed nią w miedzianej wannie wypełnionej cuchnącymi solami, rozkładając się jak kawał gnijącego mięsa. Wyczerpany starzec, umierający w oparach swego zła. Mogłaby mu współczuć, gdyby w jej sercu była choć odrobina współczucia. Ale niczego takiego tam nie było.

– A więc przyszłaś wreszcie – wyszeptał, nie spuszczając z niej wzroku. – Wiedziałem, że gdy okaże się, że brakuje figur, na pewno się zjawisz! – Jego oczy błyszczały w migotliwym płomieniu świecy.

Mireille czuła, że krew ścina jej się w żyłach.

– Gdzie one są? – spytała.

– Zamierzałem właśnie zadać ci to samo pytanie – odparł spokojnie. – Popełniłaś ogromny błąd, mademoiselle, przychodząc tutaj, nieważne, czy pod przybranym nazwiskiem czy też nie. Nie wyjdziesz stąd żywa, chyba że powiesz mi, gdzie są te figury, które wykopałaś w ogrodzie Davida.

– Ty też nie wyjdziesz żywy – rzekła Mireille z nagłym spokojem, wyciągając nóż. – Pięć moich sióstr przepadło bez wieści. Chcę się dowiedzieć, czy zginęły tak samo jak moja kuzynka.

– Ach, więc przyszłaś mnie zabić – powiedział Marat z przerażającym uśmiechem. – Nie sądzę jednak, że to uczynisz. Widzisz, ja już umieram. I nie potrzebuję lekarzy, żeby to wiedzieć, sam jestem lekarzem.

Mireille dotknęła palcem czubka noża.

Marat sięgnął po pióro i przyłożył je do gołej piersi.

– Radzę wbić ostrze o, tutaj, po lewej stronie, między drugim a trzecim żebrem. Przebijesz wtedy aortę. Szybko i pewnie. Ale zanim umrę, zapewne chciałabyś się dowiedzieć, że mam figury, i to nie pięć, jak zapewne przypuszczałaś, lecz osiem. Ty i ja, mademoiselle, moglibyśmy opanować połowę szachownicy.

Mireille z całych sił starała się zachować kamienną twarz, lecz serce znów zaczęło walić jej w piersiach jak oszalałe. Adrenalina pulsowała w żyłach jak narkotyk.

– Zapytaj swoją przyjaciółkę, mademoiselle de Corday, ile zakonnic zjawiło się u niej podczas twojej nieobecności – powiedział. – Mademoiselle Beaumont, mademoiselle Defresnay, mademoiselle d'Armentières... czy te nazwiska coś ci mówią?

To były zakonnice z Montglane. Co on opowiadał? Przecież żadna z nich nie przybyła do Paryża, żadna z nich nie napisała listów, które David przekazał Robespierre'owi...

– Udały się do Caen – rzekł Marat, czytając w jej myślach. – Zamierzały znaleźć mademoiselle Corday. Smutne, prawda? Rychło przekonały się, że kobieta, która je przechwyciła, wcale nie była zakonnicą.

– Kobieta?! – krzyknęła Mireille.

W tym momencie ktoś zapukał i otworzył drzwi. Weszła Simonne Évrard, niosąc misę dymiących nerek i nerkówki. Przeszła przez pokój, a gdy zerknęła na Mireille, na jej twarzy pojawił się kwaśny grymas. Postawiła misę na parapecie okiennym.

– Niech wystygnie, potem będziemy to mieli na kotlety – rzuciła, znów kierując swe paciorkowate oczka na Mireille, która szybko schowała nóż w fałdy sukni.

– Bardzo cię proszę, żebyś nam więcej nie przeszkadzała – odezwał się z rozdrażnieniem Marat.

Simonne spojrzała na niego wstrząśnięta, po czym wyszła z wyrazem bólu na brzydkiej twarzy.

– Zamknij drzwi na klucz – powiedział Marat do Mireille, która spojrzała nań ze zdumieniem. Na chwilę odchylił się w wannie, oddychając chrypliwie i z dużym wysiłkiem. – Choroba przenika całe moje ciało, droga mademoiselle. Jeżeli chcesz mnie zabić, to nie zostało ci wiele czasu. Sądzę wszakże, iż bardziej jeszcze pragniesz informacji, tak samo jak ja od ciebie. Zamknij więc drzwi na klucz, a ja powiem ci, co wiem.

Mireille podeszła do drzwi, cały czas ściskając w dłoni nóż, i przekręciła klucz, aż usłyszała w zamku zgrzyt. W głowie czuła silne pulsowanie. Kim była ta kobieta, o której mówił – która wzięła figury od niczego nie podejrzewających zakonnic?

– Zabiłeś je. Ty i ta twoja ohydna wszetecznica! – krzyknęła. – Zamordowałeś je dla tych figur!

– Jestem chorym człowiekiem – odparł ze strasznym uśmiechem na białej twarzy. – Lecz podobnie jak król na szachownicy, najsłabsza figura może mieć największą wartość. Zabiłem je, ale tylko przez informacje. Wiedziałem, kim są, i wiedziałem, dokąd umkną, gdy się je wypędzi z kryjówki. Zdumiewa mnie głupota waszej przeoryszy: przecież spis zakonnic opactwa Montglane był powszechnie dostępny. Nie, ja ich osobiście nie zabiłem. Ani Simonne. Powiem ci, kto to uczynił, jeżeli ty powiesz mi, co się stało z figurami, które wtedy zabrałaś. Powiem ci nawet, gdzie są nasze figury, choć na nic ci się to nie przyda...

Wątpliwości i lęk dręczyły Mireille. Jakże mogła mu zaufać, skoro ostatnim razem dał jej słowo, a potem kazał zamordować Valentine?

– Powiedz mi, jak nazywa się ta kobieta i gdzie są figury – rzekła, podchodząc do wanny – albo niczego się nie dowiesz.

– Trzymasz w ręku nóż – wychrypiał Marat. – Lecz moja sojuszniczka jest jednym z największych uczestników tej Gry. Nigdy jej nie zniszczysz, nigdy! Twoja jedyna nadzieja w tym, że przejdziesz na naszą stronę i przyłączysz się ze swoimi figurami. Pojedynczo są niczym. Ale zjednoczone stanowią potęgę. Jeśli nie wierzysz, zapytaj swoją przeoryszę. Ona wie, kim jest ta kobieta. Ona zna jej potęgę. Na imię ma Katarzyna, to jest Biała Królowa!

– Katarzyna! – wykrzyknęła Mireille, a przez głowę przebiegło jej tysiąc różnych myśli. Przeorysza wyjechała do Rosji! Jej przyjaciółka z dzieciństwa... opowieść Talleyranda... kobieta, która kupiła bibliotekę Woltera... Katarzyna II, caryca Wszechrosji! Lecz jak to możliwe, że jest ona jednocześnie przyjaciółką przeoryszy i sojuszniczką Marata? – Łżesz – odezwała się wreszcie. – Gdzie ona teraz jest? I gdzie są figury?

– Powiedziałem ci, jak ma na imię! – krzyknął Marat, a jego twarz była biała z wściekłości. – Lecz zanim powiem ci więcej, musisz dotrzymać słowa. Gdzie są figury, które wykopałaś z ogrodu Davida? Powiedz!

Mireille wzięła głęboki oddech, ściskając w ręku nóż.

– Wysłałam je poza granice Francji – odparła powoli. – Są bezpieczne w Anglii.

Na dźwięk tych słów twarz Marata zaczęła się zmieniać. Jego rysy wykrzywiały się coraz bardziej, przybierając wyraz, który Mireille pamiętała ze swoich koszmarnych snów.

– Oczywiście! – krzyknął. – Jestem głupcem! Dałaś je Talleyrandowi! Mój Boże, to przechodzi wszystko, czego się spodziewałem! – Próbował dźwignąć się z wanny. – On jest w Anglii! – krzyczał dalej. – W Anglii! Mój Boże, teraz wpadną w jej ręce! – Z ogromnym wysiłkiem próbował zepchnąć z kolan ciężką deskę. Woda w wannie zafalowała. – Moja droga przyjaciółko! Do mnie! Do mnie!

– Nie! – wrzasnęła Mireille. – Miałeś mi powiedzieć, gdzie są figury!

– Ty idiotko! – zaśmiał się.

Wreszcie udało mu się zepchnąć deskę z kolan. Kałamarz uderzył o podłogę, atrament obryzgał suknię Mireille. W hallu rozległ się tupot kroków i czyjaś ręka zaczęła szarpać za klamkę. Mireille wepchnęła go z powrotem do wanny. Potem jedną ręką chwyciła jego tłuste włosy i przytknęła nóż do jego piersi.

– Powiedz, gdzie one są! – krzyknęła przeraźliwie, słysząc łomot pięści walących w drzwi. – Powiedz!

– Jesteś śmierdzącym tchórzem! – wysyczał oślinionymi ustami. – Zrób to albo bądź przeklęta! Spóźniłaś się... spóźniłaś!

Mireille patrzyła na niego, walenie w drzwi nie ustawało. W jej uszach rozbrzmiewał krzyk kobiet, a ona nie odrywała wzroku od tej potwornej twarzy, która spoglądała na nią z pogardą. Nagle uświadomiła sobie z przerażeniem, iż on chce, by go zabiła. *Skąd znajdziesz w sobie siłę, żeby zabić człowieka?... Bije od ciebie chęć zemsty; czuję to tak wyraźnie, jak zwierzę czuje wodę*, usłyszała szept Szahina, który na moment zagłuszył krzyki kobiet i łomotanie do drzwi. O co mu chodziło, gdy mówił „spóźniłaś się"? Czy Talleyrand naprawdę jest w Anglii? Co to znaczy: „Teraz wpadną w jej ręce"?

Drzwi zaczęły ustępować pod naciskiem potężnego ciała Simonne Évrard. Mireille spojrzała w krostowatą twarz Marata, po czym wzięła głęboki oddech i wbiła nóż. Krew bryznęła z rany, plamiąc jej suknię. Wepchnęła ostrze aż po rękojeść.

– Brawo, trafiłaś idealnie – wyszeptał, a ustami wypłynęła mu krew. Głowa opadła mu na ramię, a z każdym skurczem serca z rany buchała kolejna struga. Mireille wyjęła nóż i upuściła go na podłogę.

W tym momencie do pokoju wpadła z impetem Simonne Évrard, a za nią Albertine. Siostra Marata spojrzała na wannę, krzyknęła przeraźliwie i zemdlała. Simone krzyczała, a Mireille, jak we śnie, posuwała się w kierunku drzwi.

– O Boże! Zabiłaś go! Zabiłaś go! – wrzeszczała Simone. Przebiegła obok Mireille i opadła na kolana przy wannie, próbując dużym ręcznikiem jakoś zatamować upływającą krew. Ktoś otworzył frontowe drzwi i do środka weszło kilku sąsiadów. Mireille minęła ich w przedsionku. Szła jak nieprzytomna, w poplamionej krwią sukni. Idąc w kierunku otwartych drzwi, słyszała za sobą krzyki i zawodzenia. O co mu chodziło, gdy powiedział: „Spóźniłaś się"?

Właśnie kładła rękę na klamce, gdy z tyłu otrzymała potężne uderzenie. Poczuła silny ból i usłyszała dźwięk pękającego drewna. Runęła na podłogę. Na podłodze wokół niej leżały kawałki roztrzaskanego krzesła, którym ktoś ją uderzył. W głowie jej pulsowało i próbowała się podnieść. Jakiś człowiek chwycił ją za suknię na piersiach, a postawiwszy ją na nogi, cisnął z całej siły o ścianę. Tym razem uderzenie w głowę było tak mocne, że nie miała siły się podnieść. Słyszała wokół tupot, skrzypienie desek podłogi pod nogami biegających ludzi, przeraźliwe piski, głośne pokrzykiwania mężczyzn i płacz jakiejś kobiety.

Leżała bez życia na brudnych deskach, nie mając siły się

podnieść. Po dłuższym czasie poczuła pod sobą czyjeś ręce – próbowano ją podnieść. Mężczyźni w ciemnych mundurach, którzy pomagali jej wstać. Głowę wypełniał jej pulsujący ból, który promieniował na szyję i kręgosłup. Trzymali ją pod łokcie i ciągnęli w kierunku drzwi.

Przed domem już zebrał się tłum. Widziała tylko zamglone zarysy setek twarzy, falujące morze głów. Wszystko tonie, pomyślała, wszystko tonie. Policjanci odpychali napierający tłum. Do jej uszu dochodziły krzyki: „Morderczyni! Morderczyni!" A gdzieś daleko, w tyle, unosiła się czyjaś biała twarz w okienku powozu. Zmrużyła oczy z wysiłkiem. Przez sekundę widziała przerażone, niebieskie oczy, blade usta i zbielałe pięści zaciśnięte na drzwiczkach powozu – Charlotte Corday. A potem wszystko okrył mrok.

14 lipca 1793

Zegar wybił godzinę ósmą, gdy Jacques-Louis David powrócił zmęczony z posiedzenia Konwencji. Wjeżdżając na swoje podwórze, słyszał wybuchy petard i okrzyki ludzi biegających po ulicach jak pijani głupcy.

Był Dzień Bastylii. Jednak David zupełnie nie czuł świątecznego nastroju. Przybywszy rano na zebranie, dowiedział się, że poprzedniej nocy Marat został zamordowany! A morderczynią, przetrzymywaną obecnie w Bastylii, była kobieta, która wczoraj odwiedziła Mireille – Charlotte Corday!

Mireille nie wróciła na noc do domu i David był śmiertelnie przerażony. Nie był na tyle bezpieczny, by nie mogło dosięgnąć go długie ramię Komuny Paryskiej, gdyby wyszło na jaw, że ów anarchistyczny spisek zawiązał się w jego jadalni. Żeby tylko znaleźć Mireille i wyekspediować ją z Paryża, zanim ludzie skojarzą pewne fakty...

Wysiadł z powozu i strzepnął kurz z kapelusza z trójkolorowymi wstążkami, który sam zaprojektował dla delegatów Konwencji i który miał przedstawiać Ducha Rewolucji. Gdy podszedł do bramy, by ją zamknąć, z cienia wynurzyła się jakaś szczupła postać, która ruszyła w jego kierunku. David zesztywniał z przerażenia, gdy ów człowiek złapał go za ramię.

Akurat w tym momencie na niebie wybuchła petarda, oświetlając na moment bladą twarz i zielone oczy Maksymiliana Robespierre'a.

– Musimy porozmawiać, obywatelu – usłyszał mrożący krew w żyłach szept Robespierre'a, wyraźny nawet w huku wybuchających na niebie fajerwerków. – Nie było cię dziś na procesie...

– Byłem na zebraniu Konwencji! – wykrzyknął z lękiem David, gdyż dobrze wiedział, o jakim procesie mówi Robespierre. – Dlaczego tak wyskakujesz na mnie z cienia? – dodał, próbując ukryć prawdziwą przyczynę swego drżenia. – Jeśli chcesz ze mną porozmawiać, to wejdź do środka.

– Mój przyjacielu, tego, co mam ci do powiedzenia, nie mogą podsłuchać ani słudzy, ani podglądacze – powiedział poważnie Robespierre.

– Moim sługom dałem wolne z okazji Dnia Bastylii – odparł David. – A niby dlaczego sam zamykam bramę. – Trząsł się tak bardzo, że błogosławił otaczające ich ciemności.

Gdy weszli do ciemnego, pustego domu, Robespierre rzekł:

– Wielka szkoda, że nie mogłeś przyjść na przesłuchanie. Widzisz, kobietą, którą dziś sądzono, wcale nie była Charlotte Corday. To była dziewczyna, której portret mi pokazywałeś, dziewczyna, na którą polowaliśmy po całej Francji przez te wszystkie miesiące. Mój drogi David, Marata zamordowała twoja podopieczna, Mireille!

Pomimo lipcowego ciepła Davida przenikał śmiertelny chłód. Siedział w niewielkiej jadalni naprzeciwko Robespierre'a, który zapalił oliwną lampę i nalał mu koniaku ze stojącej na stoliku karafki. David trząsł się tak bardzo, że z ledwością mógł utrzymać kieliszek w obu dłoniach.

– Zanim tu przyszedłem, nie rozmawiałem z nikim na temat tego, co wiem – uspokoił go Robespierre. – Musisz mi teraz pomóc. Twoja podopieczna posiada potrzebne mi informacje. Wiem, dlaczego poszła do Marata. Próbuje rozwiązać zagadkę szachów z Montglane. Muszę wiedzieć, o czym rozmawiali przed jego śmiercią i czy miała sposobność przekazać komukolwiek zdobyte informacje.

– Ależ mówię ci, że nic nie wiedziałem o tych strasznych wydarzeniach! – wykrzyknął David, patrząc z przerażeniem na Robespierre'a. – Nie wierzyłem w istnienie szachów z Montglane aż do dnia, kiedy wyszedłem z Café de la Régence wraz z André Philidorem, przypominasz sobie? To właśnie on opowiedział mi o wszystkim. Lecz gdy powtórzyłem tę opowieść Mireille...

Robespierre wyciągnął rękę przez stół i chwycił Davida za ramię.

– Była tutaj? Rozmawiałeś z nią? Mój Boże, czemu nic mi nie powiedziałeś?

– Nie chciała, żeby ktokolwiek wiedział, że tutaj jest – jęknął David, kryjąc twarz w dłoniach. – Cztery dni temu przyjechała nie wiadomo skąd, ubrana w jakieś długie szaty jak Arabka...

– Była na pustyni! – powiedział Robespierre. Zerwał się na równe nogi i zaczął nerwowo wędrować po pokoju. – Mój drogi David, twoja podopieczna bynajmniej nie jest grzeczną pensjonarką. Ten sekret biegnie w przeszłość do Maurów i pustyni. Ona chce odkryć tajemnicę tych figur. To dla nich z zimną krwią zamordowała Marata. To ona jest w samym centrum tej potężnej i niebezpiecznej Gry! Musisz mi powiedzieć, czego jeszcze się od niej dowiedziałeś, zanim będzie za późno.

– To wszystko właśnie przez to, że powiedziałem ci prawdę! – krzyknął David bliski łez. – A jeśli odkryją, kim jest, to koniec ze mną. Za życia lękano się Marata i darzono go nienawiścią, lecz teraz, gdy nie ma go wśród żywych, umieszczą jego prochy w Panteonie. Jego serce już umieszczono jako świętą relikwię w Klubie Jakobinów.

– Wiem – odezwał się Robespierre tak łagodnym głosem, że Davidowi aż ciarki przeszły po plecach. – Dlatego właśnie przyszedłem. Niewykluczone, że będę w stanie udzielić wam obojgu pomocy... ale najpierw ty musisz pomóc mnie. Wnoszę, iż twoja podopieczna, Mireille, darzy cię zaufaniem i zwierzy się tobie, podczas gdy ze mną nie chciałaby nawet rozmawiać. Gdybym tak potajemnie wprowadził cię do więzienia...

– Błagam, nie proś mnie o to! – Z ust Davida wydobyło się wycie. – Gotów byłbym uczynić wszystko, co w mojej mocy, żeby jej pomóc, lecz to, co proponujesz, może się skończyć tym, że wszyscy stracimy głowy!

– Niczego nie rozumiesz – powiedział spokojnie Robespierre, tym razem siadając obok Davida. Wziąwszy dłoń artysty w swoje ręce, kontynuował: – Mój drogi przyjacielu, wiem, że jesteś oddanym rewolucjonistą. Nie wiesz jednak, że szachy z Montglane znajdują się w samym oku tego cyklonu, który zmiata z tronów wszystkie monarchie Europy i który na zawsze zrzuci z ludzkich barków jarzmo przemocy. – Sięgnął po karafkę, nalał sobie kieliszek porto, po czym ciągnął: – Być może zrozumiesz wszystko, gdy opowiem ci, w jaki sposób ja stałem się uczestnikiem tej Gry. Albowiem Gra trwa, mój drogi David, niebezpieczna i śmiertelna Gra, która w pył rozbija potęgę królów. Szachy z Montglane muszą znaleźć się w rękach ludzi takich jak my, którzy wykorzystają je do realizacji owych szczytnych cnót, których propagatorem był Jan Jakub Rousseau. Gdyż to właśnie Rousseau wybrał mnie do tej Gry.

– Rousseau – wyszeptał David z nabożnym podziwem. – On też poszukiwał szachów z Montglane?

– Philidor znał go dobrze, podobnie zresztą jak ja – odparł Robespierre, wyciągając z notatnika kartkę papieru i rozglądając się za czymś do pisania.

David zaczął grzebać w bałaganie na kredensie, aż wreszcie natrafił na kredkę, a Robespierre zaczął szkicować jakiś diagram.

– Spotkałem go piętnaście lat temu, gdy jako młody prawnik przysłuchiwałem się w Paryżu obradom Stanów Generalnych – ciągnął Robespierre. – Dowiedziałem się wówczas, że przesławny filozof Rousseau, mieszkający niedaleko Paryża, zapadł na poważną chorobę. Umówiwszy się zatem pośpiesznie na spotkanie, wyruszyłem konno, aby odwiedzić człowieka, który przez sześćdziesiąt sześć lat życia stworzył dzieło, które niebawem miało odmienić przyszłość całego świata. To, co powiedział mi owego dnia, bezsprzecznie odmieniło moją przyszłość i niewykluczone, iż odmieni również twoją.

David siedział w milczeniu. W gęstniejącym za oknami mroku wybuchały fajerwerki, rozkwitając na niebie niczym chryzantemy, a Robespierre, pochylony nad rysunkiem, rozpoczął swoją opowieść...

OPOWIEŚĆ ADWOKATA

W odległości trzydziestu mil od Paryża, nieopodal miasteczka Ermenonville, leżała posiadłość markizy de Girardin, gdzie od maja 1778, w małym domku, mieszkał Rousseau ze swoją kochanką, Thérèse Levasseur. Był czerwiec – pogoda była cudowna, a nad szmaragdowymi trawnikami otaczającymi château markizy unosił się aromat świeżo skoszonej trawy i rozkwitłych róż. Na terenie posiadłości znajdowało się jezioro, a na jego środku Wyspa Topoli. Tam właśnie znalazłem Rousseau, przyodzianego w strój mauretański, który, jak mi mówiono, zawsze nosił: luźny, fioletowy kaftan, zieloną chustę ozdobioną mnóstwem frędzli, czerwone, marokańskie ciżmy z zawiniętymi noskami, dużą torbę z zielonej skóry przerzuconą przez ramię i obszytą futrem czapkę zdobiącą jego ciemną, wyrazistą twarz. Ten niezwykły i tajemniczy człowiek poruszał się na tle cętkowanych słońcem drzew, jakby w rytm wewnętrznej muzyki, którą tylko jemu dane było słyszeć.

Przeszedłszy niewielki mostek, pozdrowiłem go, choć z przykrością przerywałem mu głębokie zamyślenie. Nie wiedziałem wówczas, że Rousseau rozmyślał nad swoim spotkaniem z wiecznością, od którego dzieliło go zaledwie kilka tygodni.

– Oczekiwałem cię, panie – powiedział cicho na powitanie. – Słyszałem, monsieur Robespierre, iż pochwalasz owe naturalne cnoty, które osobiście głoszę. Stojąc nad grobem, z przyjemnością konstatuję, że moje poglądy podziela przynajmniej jedna istota ludzka.

Miałem podówczas lat dwadzieścia i byłem prawdziwym wielbicielem Rousseau – człowieka pędzonego od Annasza do Kajfasza, którego wygnano z ojczyzny, zmuszano do życia z dobroczynności innych, mimo jego sławy i bogactwa myśli. Nie wiem, czego oczekiwałem, przybywając do niego – może jakichś głębokich, filozoficznych przemyśleń, pokrzepiającej pogawędki na tematy polityczne, romantycznego wyimka z *Nowej Heloizy*. Jednakże Rousseau, wyczuwając bliskość śmierci, miał wobec mnie inne zamiary.

– W zeszłym tygodniu zmarł Wolter – zaczął. – Nasze żywoty były splecione jak te konie, o których pisze Platon: jeden ciągnący ku ziemi, a drugi ku niebiosom. Wolter ciągnął

Rozum, podczas gdy ja opowiadam się za Naturą. Mówiąc w zaufaniu, nasze systemy filozoficzne rozerwą na części rydwan Kościoła i państwa.

– Odnosiłem wrażenie, iż nie lubiłeś, panie, tego człowieka – rzekłem w pomieszaniu.

– Darzyłem go nienawiścią, a zarazem go kochałem. Żałuję, iż nigdy nie było nam dane się spotkać. Jedno wszak jest pewne: nie zabawię dużo dłużej na tej ziemi. Tragedia polega jednak na tym, że Wolter posiadł klucz do zagadki, nad której rozwiązaniem biedziłem się latami. Przez tę swoją uporczywą wiarę w racjonalizm nigdy nie był w stanie poznać wartości tego, co odkrył. Teraz jest za późno. Nie żyje. A wraz z nim umarła tajemnica kompletu szachowego z Montglane.

Słuchając jego słów, czułem rosnące podniecenie. Komplet szachowy Karola Wielkiego! Każdy uczeń we Francji znał tę opowieść – lecz czy to możliwe, że to coś więcej niż tylko legenda? Wstrzymałem oddech, modląc się, by mówił dalej.

Rousseau tymczasem rozsiadł się na wielkiej kłodzie i zaczął przeszukiwać swą wielką, marokańską torbę ze skóry. Ku memu zaskoczeniu, wyciągnął delikatną tkaninę i zaczął robótkę.

– Jako młodzieniec utrzymywałem się w Paryżu ze sprzedaży własnoręcznie robionych koronek, jako że nikt nie wykazywał zainteresowania pisanymi przeze mnie operami. Choć marzyła mi się kariera wielkiego kompozytora, co wieczór grywałem w szachy z Denisem Diderotem i André Philidorem, którzy, podobnie jak ja, niejednokrotnie oglądali dno własnej sakiewki. W niedługim czasie Diderot znalazł mi dobrze płatną posadę sekretarza hrabiego de Montaigu, ambasadora francuskiego w Wenecji. Nigdy tego nie zapomnę: była to wiosna 1743 roku. Tego właśnie roku w Wenecji miałem być świadkiem czegoś, co dziś jeszcze rysuje mi się przed oczami z niezwykłą wręcz wyrazistością. Najgłębszy sekret szachów z Montglane.

Odniosłem wrażenie, iż Rousseau odpływa w coś na kształt snu. Robótka wypadła mu z rąk. Podniosłem ją z ziemi i podałem mu.

– Powiedziałeś, panie, że byłeś świadkiem czegoś – naciskałem. – Czy to miało coś wspólnego z kompletem szachowym Karola Wielkiego?

Stary filozof powoli wrócił do rzeczywistości.

– Tak... Wenecja nawet wówczas była bardzo starym, pełnym tajemnic miejscem – mówił w rozmarzeniu. – Mimo iż jest otoczona wodą i błyszczy tysiącem świateł, jest w niej coś mrocznego i złowrogiego. Zawsze czułem ten przenikający wszystko mrok, gdy wędrowałem po labiryncie krętych uliczek, mijałem stare kamienne mosty, pływałem gondolami po tajemnych kanałach, gdzie tylko plusk wody zakłócał ciszę moich rozmyślań...

– Zapewne w takim miejscu nietrudno uwierzyć w zjawiska nadprzyrodzone – zasugerowałem.

– Jak najbardziej – odparł ze śmiechem. – Pewnego wieczoru udałem się samotnie do San Samuele – najbardziej czarującego teatru w Wenecji – na nową komedię Goldoniego zatytułowaną *Układna kobieta*. Teatr ów przywodził nieodparcie na myśl miniaturowy klejnot: szeregi lóż wspinających się aż pod samo sklepienie, a każda jasnobłękitna i złota, z wymalowanym ręcznie koszem owoców i kwiatów tudzież zestawem lśniących lampioników, pozwalających oglądać zarówno wykonawców, jak i widownię. W teatrze były tłumy ludzi – wielobarwni gondolierzy, kurtyzany w sukniach przyozdobionych piórami, obwieszona biżuterią burżuazja – publiczność jakże odmienna od tych zblazowanych przemądrzalców zapełniających paryskie teatry. Tutaj wszyscy byli w pełni zaangażowani w rozgrywające się na scenie wydarzenia – posykiwali, wybuchali śmiechem i wiwatowali po niektórych kwestiach, tak że chwilami trudno było zrozumieć aktorów.

Dzieliłem wówczas lożę z pewnym młodzieńcem w wieku André Philidora – miał zapewne około szesnastu lat – o blado umalowanej twarzy, karminowych ustach, w upudrowanej peruce i kapeluszu przyozdobionym piórami, niezwykle modnym w owym czasie w Wenecji. Przedstawił mi się jako Giovanni Casanova. Był on z wykształcenia prawnikiem – tak samo jak ty – lecz oprócz tego posiadał wiele różnych talentów. Był dzieckiem weneckich artystów, aktorów występujących na deskach wszystkich możliwych teatrów od Paryża do Sankt Petersburga, utrzymywał się z gry na skrzypcach w kilku teatrach. Z podnieceniem zatem przywitał osobę, która właśnie przybyła z Paryża – zawsze pragnął odwiedzić owo miasto słynące z bogactwa i dekadencji, które to cechy najbardziej odpowiadały jego usposobieniu. Powiedział mi, iż szczególnym zainteresowaniem darzy dwór Ludwika XV, jako że monarcha ów jest dobrze znany ze swej rozrzutności, niemoralności, licznych kochanek tudzież zainteresowań okultystycznych. To ostatnie było szczególnie bliskie Casanovie, w związku z czym rozpytywał mnie o tak wówczas popularne wśród paryżan towarzystwa wolnomularskie. Ponieważ niewiele wiedziałem o tych sprawach, obiecał, że oświeci mnie w tej materii następnego ranka – w Niedzielę Wielkanocną.

Zgodnie z ustaleniami spotkaliśmy się o świcie przed Porta della Carta – główną bramą Pałacu Dożów. Czekający tam tłum, który zdjął wielobarwne kostiumy noszone podczas *carnevale*, teraz był przyodziany w czerń i z napięciem oczekiwał jakiegoś wydarzenia, które wkrótce miało się rozpocząć.

„Niebawem będziemy świadkami najstarszego wenetyjskiego rytuału – wyjaśnił Casanova. – W każdą Wielkanoc, o świcie, doża Wenecji prowadzi procesję przez *piazzetta* do bazyliki Świętego Marka. Ceremonia ta nosi nazwę «Długi Marsz» i jest tak stara jak sama Wenecja".

„Ale przecież Wenecja jest starsza niż Święta Wielkanocne, nawet starsza niż samo chrześcijaństwo – zauważyłem, gdy staliśmy za ogrodzeniem z aksamitnych lin wśród podnieconego tłumu".

„Przecież wcale nie powiedziałem, że to rytuał chrześcijański. – Casanova uśmiechnął się tajemniczo. – Wenecję założyli Fenicjanie i stąd właśnie jej imię. Cywilizacja fenicka powstała na wyspach, gdzie czczono Kar, boginię księżyca. Jak księżyc kontroluje przypływy i odpływy morza, tak Fenicjanie sprawowali rządy wśród mórz będących kolebką jednej z największych tajemnic: życia".

Fenicki rytuał. Po tych słowach jakieś światełko zapaliło się w mojej pamięci, lecz właśnie w tej chwili tłum ucichł, a na schodach pałacowych pojawiła się grupa trębaczy, którzy odegrali fanfarę. W Porta della Carta pojawił się doża Wenecji, ubrany w purpurę i obwieszony klejnotami, a melodia wygrywana przez muzyków na lutniach, fletach i lirach zdawała się płynąć z jakiegoś boskiego natchnienia. Następnie pojawili się wysłannicy Stolicy Apostolskiej w sztywnych, białych ornatach oraz mitrach wyszywanych złotem i ozdobionych drogimi kamieniami.

Casanova szturchnął mnie, bym bacznie obserwował cały rytuał. Uczestnicy zeszli na *piazzetta*, zatrzymując się na chwilę na „miejscu sprawiedliwości" – przy ścianie ozdobionej scenami biblijnego sądu, gdzie w czasach inkwizycji wieszano heretyków. Stoją tam monolityczne kolumny z Akki, przywiezione podczas wypraw krzyżowych. Czy to, że doża Wenecji i jego towarzysze zatrzymali się właśnie tam na chwilę medytacji, miało jakieś znaczenie?

Wreszcie, wśród dźwięków niebiańskiej muzyki, procesja ruszyła przed siebie. Kordony, które dotychczas trzymały tłum w ryzach, puściły, dzięki czemu mogliśmy swobodnie obserwować całą procesję. Gdy Casanova i ja złapaliśmy się za ręce, by iść równo z tłumem, poczułem coś dziwnego, czego nie jestem w stanie wytłumaczyć. Miałem odczucie, iż uczestniczę w czymś starym jak sam czas, czymś mrocznym i tajemniczym, bogatym w historię i symbolikę. Czymś niebezpiecznym.

Procesja podążała krętym szlakiem przez *piazzetta*, po czym zaczęła wracać przez Kolumnadę, a ja miałem wrażenie, iż posuwamy się coraz głębiej i głębiej do wnętrza mrocznego labiryntu, skąd nie ma już ucieczki. Byłem zupełnie bezpieczny, przemieszczałem się ulicami miasta razem z setkami ludzi, a mimo to odczuwałem lęk. Dopiero po jakimś czasie zrozumiałem, że ów lęk wywołany jest przez muzykę, ruch i samą ceremonię. Za każdym razem, gdy zatrzymywaliśmy się za dożą przy jakiejś rzeźbie bądź też innym dziele sztuki, czułem gwałtowniejsze pulsowanie krwi w żyłach – zupełnie jakby jakaś wiadomość chciała przedostać się z wnętrza mojego organizmu za pomocą tajemniczego kodu, którego jednak nie potrafiłem odczytać. Casanova bacznie mi się przyglądał. Doża znów się zatrzymał.

„To jest posąg Merkurego, wysłannika bogów – powiedział Casanova, gdy podeszliśmy do roztańczonej figury z brązu. – W Egipcie nazywali go Tot – „sędzia". W Grecji nosił imię Hermes – „przewodnik dusz", ponieważ odprowadzał dusze w zaświaty, a czasami przechytrzał nawet samych bogów, pomagając owym duszyczkom wrócić na ziemię. Książę Oszustów, Wesołek, Trefniś – głupiec z talii tarota – był bogiem złodziejstwa i podstępu. To właśnie Hermes podarował Apollinowi lirę o siedmiu strunach, która sprawiała, że bogowie płakali z zachwytu".

Zanim ruszyliśmy dalej, przez dłuższą chwilę przyglądałem się tej rzeźbie. Oto więc ów prędkonogi, który potrafił uratować ludzi z krainy umarłych. Z uskrzydlonymi sandałami na nogach i kaduceuszem – laską ozdobioną dwoma wężami splecionymi w cyfrę osiem – sprawował rządy w krainie marzeń, świecie czarów, dziedzinie szczęśliwego losu, trafu i przeróżnych gier. Czy to tylko przypadek, że ów posąg, z chytrym, zdradliwym grymasem, stoi na drodze tej uroczystej procesji? A może kiedyś, dawno, dawno temu, był to właśnie jego rytuał?

W czasie tej transcendentalnej podróży doża wraz ze swą świtą zatrzymywał się kilkanaście razy, dokładnie szesnaście. W miarę jak się posuwaliśmy, zaczynałem dostrzegać w tym wszystkim jakiś wzór. Dopiero znalazłszy się na dziesiątym przystanku, zacząłem składać wszystko w całość.

Ściana miała dwanaście stóp grubości i pokrywały ją różnobarwne kamienie. Casanova przetłumaczył mi napis wyryty na murze w najstarszym języku wenetyjskim:

Gdyby człowiek mógł powiedzieć i zrobić to, co myśli,
Dostrzegłby, na ile może się zmienić.

Na samym środku owej ściany znajdował się prosty, biały kamień, traktowany przez dożę i jego otoczenie z taką rewerencją, jakby mieszkała w nim jakaś cudowna moc. I nagle poczułem chłód biegnący wzdłuż kręgosłupa. Zupełnie jakby ktoś zdjął zasłonę z moich oczu, dzięki czemu wszystkie elementy połączyły się dla mnie w jedną całość. Nie był to już rytuał, lecz proces odsłaniający się powoli przed nami, gdzie każda przerwa w procesji symbolizowała jeden krok na drodze transformacji z jednego stanu w drugi. Przypominało to jakiś wzór, lecz wzór czego? I wtedy zrozumiałem.

W tym momencie Rousseau przerwał swoją opowieść i wyciągnął z torby jakiś rysunek, wymięty i poszarpany na brzegach. Delikatnie rozwinął kartkę i wręczył mi ją.

– Oto zapis Długiego Marszu, ukazujący drogę złożoną z szesnastu przystanków, czyli tylu, ile jest figur na szachownicy, białych albo czarnych. Zauważysz, panie, iż linia mar-

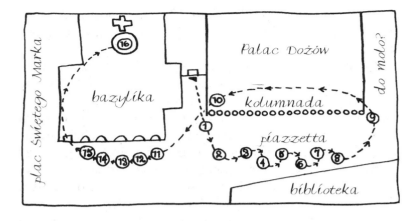

szu tworzy cyfrę osiem, podobnie jak splecione węże na lasce Hermesa, jak Ośmioraka Ścieżka na drodze do nirwany, którą głosił Budda, jak osiem warstw wieży Babel, po których trzeba się było wspiąć, by dojść do bogów. Jak ów wzór, który, wedle podań, przywiozło ośmiu Maurów dla Karola Wielkiego – wzór ukryty w szachach z Montglane...

– Wzór? – spytałem zdumiony.

– Wzór nieograniczonej mocy – odparł Rousseau. – Nawet jeśli ludzie zapomnieli jego znaczenie, jego magnetyzm jest tak silny, iż odtwarzają go w sposób całkowicie nieświadomy, tak jak Casanova i ja owego dnia, trzydzieści pięć lat temu w Wenecji.

– Rzeczywiście, rytuał ów jest piękny i tajemniczy – przyznałem. – Lecz dlaczego kojarzy się go z szachami z Montglane? Przecież w odczuciu wielu ludzi jest to tylko zwykła legenda.

– Czyż naprawdę nic nie pojmujesz, panie? – spytał z irytacją Rousseau. – Przecież cała tradycja tych włoskich i greckich wysp, ich kult kamieni, labirynty: to wszystko wywodzi się z jednego i tego samego źródła.

– To znaczy Fenicji – powiedziałem.

– Raczej Mrocznej Wyspy – odparł tajemniczo. – Wyspy, którą Arabowie nazwali najpierw Al-Dżazair. Wyspy między dwoma rzekami, które splatają się jak węże na lasce Hermesa, tworząc cyfrę osiem, rzekami, które obmywały kolebkę ludzkości. Mam na myśli Eufrat i Tygrys.

454

– Chcesz powiedzieć, panie, że ów rytuał, ten wzór, wywodzi się z Mezopotamii? – krzyknąłem.

– Całe moje życie minęło na próbach jego zdobycia! – rzekł Rousseau. Powstał z miejsca i chwycił mnie raptownie za ramię. – Wysłałem Casanovę, potem Boswella, a wreszcie Diderota: oni wszyscy mieli za zadanie odkryć ów sekret. Teraz wysyłam ciebie, panie. Twoim zadaniem będzie odkrycie tajemnicy tego wzoru, gdyż poświęciłem trzydzieści pięć lat mojego życia, aby go rozszyfrować. Teraz jest już chyba za późno...

– Ależ monsieur, nawet gdybyś odkrył wzór o tak wielkiej mocy, cóż miałby on wspólnego z tobą? Z tobą, który pisałeś o cnotach prostego i niewinnego życia wiejskiego i naturalnej równości wszystkich ludzi. Czemuż służyłaby ta broń w twoich rękach?! – wykrzyknąłem w zupełnym pomieszaniu.

– Nienawidzę królów! – odparł z rozpaczą Rousseau. – Wzór zawarty w szachach z Montglane stanie się przyczyną upadku królów, w s z y s t k i c h królów, na zawsze! Ach, gdybym tylko mógł żyć tak długo, by znaleźć klucz do owej potęgi.

Niejedno pytanie cisnęło mi się na usta, lecz widziałem jego śmiertelną bladość i wielkie krople potu, które perliły mu się na czole. Odłożył robótkę, jakby dając tym samym znak, że rozmowa dobiegła końca. Rzucił mi jeszcze jedno spojrzenie, jakby za chwilę zamierzał zapaść się w jakiś inny wymiar, tam, gdzie nie mogłem za nim podążyć.

– Żył kiedyś wielki król – powiedział miękko. – Najpotężniejszy król na świecie. Mówiono, że nigdy nie umrze, że jest nieśmiertelny. Nazywano go al-Iksandr, czyli dwurożny bóg, i przedstawiano go na złotych monetach z wyrastającymi z czoła baranimi rogami – boskim znakiem. W historii zapisał się jako Aleksander zwany Wielkim, zdobywca świata. Zmarł w wieku trzydziestu trzech lat w Babilonie, szukając tego wzoru. Gdybyśmy posiedli ów sekret, wszyscy królowie pomarliby tak samo...

– Jestem na twe rozkazy, panie – rzekłem, a gdy wsparł się ciężko na moim ramieniu, pomogłem mu przejść przez mostek. – Jeśli szachy z Montglane nadal istnieją, wspólnie je znajdziemy i poznamy znaczenie wzoru.

– Dla mnie jest za późno – odparł Rousseau, potrząsając smutno głową. – Natomiast powierzę ci, panie, ten plan, który jest chyba jedynym kluczem znajdującym się w naszym posiadaniu. Wedle legendy ów komplet szachowy jest zakopany w pałacu Karola Wielkiego w Akwizgranie albo w opactwie Montglane. Twoim zadaniem jest go odnaleźć.

Robespierre nagle przerwał i obejrzał się przez ramię. Przed nim, na stole, leżał ów rysunek dziwnego rytuału, który odtworzył z pamięci. David podniósł znad niego wzrok.

– Słyszałeś ten dźwięk? – spytał Robespierre, a w jego zielonych oczach na moment odbiły się iskry fajerwerków.

– Coś ci się wydawało – odparł gwałtownie David. – Nie dziwię ci się, że po takiej historii robisz się bojaźliwy. Ciekawe tylko, ile w tej opowieści prawdy, a ile starczych bajań.

– Słyszałeś przecież historię Philidora, a teraz opowieść Rousseau – powiedział z irytacją Robespierre. – Twoja podopieczna, Mireille, była w posiadaniu kilku z tych figur, do czego zresztą przyznała się w więzieniu L'Abbaye. Musisz pójść ze mną do Bastylii i zmusić ją, żeby wszystko wyznała. Tylko wtedy będę mógł ci pomóc.

David rozumiał aż za dobrze ukrytą groźbę zawartą w tych słowach: bez pomocy Robespierre'a wyrok śmierci na Mireille był więcej niż pewny; na niego samego zresztą też. Potęga Robespierre'a mogła równie dobrze obrócić się przeciwko nim, co zresztą tamten dał mu wystarczająco wyraźnie do zrozumienia. Teraz po raz pierwszy pojął, że Mireille miała rację, ostrzegając go przed tym „przyjacielem".

– Współpracowałeś cały czas z Maratem! Tak jak obawiała się Mireille! Te zakonnice, których listy ci dałem... co się z nimi stało?

– W dalszym ciągu niczego nie pojmujesz – odparł Robespierre z irytacją w głosie. – Ta Gra przerasta i ciebie, i mnie, tak samo jak twoją podopieczną i te głupie zakonnice. Kobieta, której służę, będzie znacznie lepszym sprzymierzeńcem niż wrogiem. Nie zapominaj o tym, jeśli chcesz zachować głowę na karku. Co natomiast stało się z zakonnicami, trudno mi powiedzieć. Wiem tylko, że ona usiłuje zgromadzić figury z Montglane, podobnie jak Rousseau, dla poprawy losu rodzaju ludzkiego...

– Ona? – spytał David, lecz Robespierre podniósł się, dając znak, że wychodzi.

– Biała Królowa – odpowiedział z tajemniczym uśmiechem. – Niczym bogini obdarza i zabiera wedle swego życzenia. Zapamiętaj moje słowa: jeśli zrobisz to, o co cię proszę, zostaniesz sowicie wynagrodzony. Już ona tego dopilnuje.

– Nie potrzebuję ani sprzymierzeńców, ani wynagrodzenia – rzekł gorzko David, wstając. Cóż z niego za judasz. Nie miał wyboru i musiał ulec, lecz skłonił go do tego tylko lęk. Chwycił lampę oliwną i podszedł z Robespierre'em do drzwi. Zaproponował, że – skoro nie ma służby – odprowadzi go aż do bramy.

– Nie interesuje mnie, czego potrzebujesz, bylebyś zrobił to, co masz zrobić – powiedział krótko Robespierre. – Przedstawię cię jej, gdy tylko wróci z Londynu. Na razie nie mogę wyjawić jej nazwiska, powiem tylko, że nazywają ją „kobietą z Indii"...

Ich głosy ucichły na końcu korytarza. Gdy w pokoju zapanowały całkowite ciemności, w bocznych drzwiach prowadzących do pracowni pojawiła się szczelina. Oświetlana z rzadka błyskami pękających na zewnątrz fajerwerków jakaś postać wślizgnęła się do pokoju i podeszła do stołu, przy którym niedawno siedzieli obaj mężczyźni. Po chwili wyjątkowo jaskrawy wybuch skąpał rzęsistym światłem wysoką postać Charlotte Corday pochylonej nad stołem. Pod pachą trzymała pudełko z farbami i tłumoczek z odzieżą, które ukradła z pracowni.

Przez dłuższy czas wpatrywała się w leżącą na stole kartkę. Potem starannie złożyła plan rytuału i wsunęła go za stanik. Następnie wyszła na korytarz i zniknęła w mrokach nocy.

17 lipca 1793

W celi panował mrok. Przez maleńkie, zakratowane okienko wpadała tylko cieniutka smużka światła, która sprawiała, iż pomieszczenie zdawało się ciemniejsze. Po omszałych ścianach ściekały krople wody, tworząc kałuże wydzielające woń pleśni i uryny. To była Bastylia, której wzięcie cztery lata temu rozpaliło płomień rewolucji. Mireille zamknięto tutaj dokładnie w Dzień Bastylii, czyli 14 lipca – po tym, jak zabiła Marata. Od trzech dni przebywała w tej wilgotnej celi, skąd owego popołudnia wyprowadzono ją jedynie na przesłuchanie i proces. Ogłoszenie werdyktu nie zajęło wiele czasu; brzmiał on: śmierć. Za dwie godziny opuści to pomieszczenie, by nigdy doń nie powrócić.

Siedziała na twardym sienniku, nawet nie tknąwszy zeschłego chleba i metalowego kubka z wodą, które miały stanowić jej ostatni posiłek. Myślami była przy swoim synu – Charlocie – którego zostawiła na pustyni. Nigdy więcej go nie zobaczy. Myślała o gilotynie – co będzie czuła, gdy uderzą w bębny na znak, by opuszczono ostrze. Za dwie godziny będzie już wiedziała. Będzie to ostatnia rzecz, jakiej się dowie. Pomyślała o Valentine.

Po uderzeniu, jakie otrzymała podczas aresztowania, w dalszym ciągu bolała ją głowa. Choć rana się zasklepiła, wciąż czuła pulsującą opuchliznę z tyłu głowy. Proces był nieporównanie brutalniejszy niż aresztowanie. Na oczach całego sądu oskarżyciel rozdarł jej przód sukni, by wyciągnąć papiery Charlotte, które tam schowała. Teraz wszyscy byli przekonani, że ona jest Charlotte Corday, a gdyby chciała to sprostować, naraziłaby na niebezpieczeństwo wszystkie zakonnice z Montglane. Jaka szkoda, że nie mogła przekazać na zewnątrz tego wszystkiego, czego dowiedziała się od Marata na temat Białej Królowej.

Nagle do jej uszu dobiegł zgrzyt odsuwanej zasuwy. Drzwi zostały otwarte, a gdy jej wzrok przywykł do zmiany światła, dostrzegła dwie postacie: jedna była strażnikiem. Obok niego stał ktoś ubrany w *culotte*, jedwabne pończochy, buty z grubego jedwabiu, obszerny płaszcz z fularem i kapelusz o miękkim rondzie, niemal zupełnie zasłaniający twarz. Strażnik wszedł do środka, a Mireille wstała z miejsca.

– Mademoiselle, sąd przysłał portrecistę, który ma wykonać szkic do dokumentów. Powiedział, że wyraziła pani zgodę...

– Tak, tak – powiedziała szybko Mireille. – Proszę go wprowadzić! – Oto prawdziwa szansa, pomyślała podniecona. Gdyby tylko udało jej się przekonać tego człowieka, by zaryzykował życie, wynosząc z więzienia kartkę z wiadomością.

Odczekała, aż strażnik zniknie, po czym podbiegła do artysty, który rozkładał właśnie pudełko z farbami i ustawiał kopcącą lampkę oliwną.

– Monsieur! – krzyknęła Mireille. – Proszę mi dać kartkę i coś do pisania. Muszę przekazać wiadomość komuś na zewnątrz, osobie, której ufam, zanim umrę. Nazywa się tak jak ja: Corday...

– Nie poznajesz mnie, Mireille? – spytał malarz łagodnym głosem.

Mireille wytrzeszczyła oczy. Artysta zdjął płaszcz, a potem kapelusz. Po chwili rude pukle Charlotte Corday rozsypały się na jej ramionach.

– Szybko, nie trać czasu. Jest wiele do zrobienia i omówienia. Musimy natychmiast zamienić się ubraniami.

– Nie rozumiem. Co ty właściwie robisz? – spytała Mireille ochrypłym szeptem.

– Byłam u Davida – powiedziała Charlotte, chwytając ją gwałtownie za ramię. – Sprzymierzył się z tym diabłem, Robespierre'em. Podsłuchałam ich rozmowę. Byli już u ciebie?

– Tutaj? – zdumiała się Mireille.

– Wiedzą, że to ty zabiłaś Marata, i dużo więcej. Za tym wszystkim kryje się jakaś kobieta – mówią na nią kobieta z Indii. To ona jest Białą Królową i pojechała do Londynu...

– Do Londynu! – krzyknęła Mireille. A więc to miał na myśli Marat, gdy mówił, że jest za późno. Nie chodziło tu wcale o Katarzynę II, lecz o pewną kobietę w Londynie, dokąd Mireille wysłała figury! Kobieta z Indii...

– Pośpiesz się – powtórzyła Charlotte. – Musisz się przebrać w rzeczy, które ukradłam Davidowi.

– Oszalałaś? – rzuciła Mireille. – Możesz przekazać te wszystkie wiadomości przeoryszy. Ale czas na sztuczki już minął – nic z tego nie wyjdzie.

– Powiadam, pośpiesz się – powtórzyła uparcie Charlotte. – Mam ci dużo do powiedzenia, a czasu jest niewiele. Spójrz i powiedz, czy ten rysunek coś ci przypomina. – Po tych słowach wręczyła jej narysowany przez Robespierre'a plan, po czym usiadła na sienniku i zaczęła ściągać buty i pończochy.

Mireille bardzo uważnie przyglądała się rysunkowi.

– Wygląda mi to na plan – rzekła, a z tonu jej głosu wynikało, że intensywnie o czymś myśli. – Teraz pamiętam... razem z wykopanymi figurami była jakaś tkanina. Miała błękitny kolor i okrywała szachy z Montglane! A pokrywający ją wzór przypominał właśnie ten plan!

– No właśnie – powiedziała Charlotte. – Do tego jeszcze jest cała opowieść. Rób więc, co mówię, i to szybko.

– Jeśli chcesz się ze mną zamienić, to wykluczone! – wykrzyknęła Mireille. – Za dwie godziny znajdę się na gilotynie. Jeśli odkryją, że to ty, w żaden sposób nie ujdziesz z życiem.

– Słuchaj uważnie – odezwała się Charlotte z powagą, szarpiąc zawiązany na szyi fular. – Przeorysza wysłała mnie tutaj, bym chroniła cię za wszelką cenę. Wiedziałyśmy, kim jesteś, na długo przed tym, nim ryzykując życie, wybrałam się do Montglane. Gdyby nie ty, przeorysza nigdy nie wydobyłaby z ukrycia tych figur. Wysyłając cię do Paryża, wcale nie zamierzała dawać ci do towarzystwa twojej kuzynki Valentine. Wiedziała jednak, że bez niej nigdzie się nie ruszysz, a zależało jej właśnie na tobie – tej, która pomyślnie...

Teraz Charlotte zaczęła rozsznurowywać ubranie Mireille, która nagle schwyciła ją za ręce.

– Co to znaczy, że ona mnie wybrała? – spytała szeptem. – I co to znaczy, że z mojego powodu wydobyła te figury?

– Czy ty jesteś ślepa? – rzuciła Charlotte ze złością. Wzięła Mireille za rękę i przysunęła ją do lampki oliwnej. – Na twojej ręce jest znak! Urodziłaś się czwartego kwietnia! Ty właśnie jesteś tą, którą przepowiedziano, tą, która zgromadzi komplet szachowy z Montglane!

– Mój Boże! – krzyknęła Mireille, wyrywając jej dłoń. – Czy ty zdajesz sobie sprawę z tego, co mówisz? Przez to wszystko zginęła Valentine! A teraz narażasz życie przez jakąś głupią przepowiednię...

– Nie, moja droga – odparła spokojnie Charlotte. – O d d a j ę życie.

Mireille popatrzyła na nią z przerażeniem. Jakże mogła przyjąć tak wielką ofiarę? Znów pomyślała o swoim synu, który został na pustyni...

– Nie! Nie można dopuścić do kolejnej ofiary w imię tych przeklętych figur. Nie po tym wszystkim, do czego już doprowadziły!

– Czy chcesz więc, byśmy obie zginęły? – spytała Charlotte, nadal rozsupłując jej strój i odwracając głowę, by Mireille nie ujrzała jej łez.

Mireille złapała ją pod brodę i przysunęła jej twarz do swojej. Spojrzały sobie głęboko w oczy. Po długiej ciszy Charlotte powiedziała drżącym głosem:

– Musimy ich pokonać. Tylko ty jesteś w stanie to zrobić. W dalszym ciągu niczego nie rozumiesz? Mireille, przecież ty jesteś Czarną Królową!

Po upływie dwóch godzin Charlotte usłyszała zgrzyt odsuwanej zasuwy, co oznaczało, że idą strażnicy, by zabrać ją na gilotynę. Klęczała w ciemnościach obok siennika, pogrążona w modlitwie.

Mireille zabrała oliwną lampkę i kilka portretów Charlotte, które musiała okazać, by móc wyjść z więzienia. Po rozdzierającym pożegnaniu Charlotte zatonęła w myślach i wspomnieniach. Miała poczucie spełnienia, zakończenia. Gdzieś głęboko w jej wnętrzu zakiełkowało ziarenko spokoju, którego nie zniszczy nawet ostrze gilotyny. Niebawem zjednoczy się z Bogiem.

Drzwi za nią otwarły się i zamknęły. W celi panowała ciemność, lecz Charlotte słyszała czyjś oddech. Co to znaczy? Dlaczego jej nie zabierają? Czekała w milczeniu.

Usłyszała uderzenie krzemienia i syk zapalanej oliwy. W celi rozbłysło słabe światełko.

– Pani pozwoli, że się przedstawię – rozległ się głos. Mimo łagodności miał w sobie coś lodowatego. – Nazywam się Maksymilian Robespierre.

Charlotte drżała, nie odwracając twarzy. Światło zbliżyło się i usłyszała szuranie przysuwanego krzesła blisko miejsca, gdzie klęczała. Jednocześnie usłyszała jakiś inny dźwięk. Czy jest tu ktoś jeszcze? Bała się spojrzeć i sprawdzić.

– Nie musi się pani przedstawiać – powiedział spokojnie Robespierre. – Byłem dziś na przesłuchaniu. Te dokumenty, które pani zabrano, należały do kogoś innego.

Wtedy usłyszała, że ktoś po cichu zbliża się do niej. A więc nie byli sami. Poczuła czyjąś rękę na ramieniu i aż podskoczyła, z trudem tłumiąc okrzyk przerażenia.

– Mireille, wybacz mi to, co zrobiłem! – krzyknął David, którego głos rozpoznała od razu. – M u s i a ł e m go tutaj przyprowadzić, nie miałem wyboru. Moje najdroższe dziecko... David przyciągnął ją do siebie i ukrył twarz w zagłębieniu jej szyi. Ponad jego ramieniem zobaczyła podłużną, owalną twarz, upudrowaną perukę i błyszczące, zielone oczy Maksymiliana Robespierre'a. Podstępny uśmieszek na jego twarzy szybko zgasł, przeradzając się w zdumienie, a potem wściekłość, gdy szybko podniósł latarnię, by lepiej się jej przyjrzeć.

– Ty głupcze! – krzyknął piskliwie. Oderwał przerażonego Davida od Charlotte i wycelował w nią palec. – Mówiłem, że się spóźnimy! Ale nie, ty chciałeś czekać na proces! Myślałeś nawet, że ją uwolnią! A teraz nam uciekła, i to z twojej winy!

Cisnął latarnię na stół, tak że rozlało się trochę oliwy, i chwycił Charlotte za ubranie, podrywając ją na nogi. Potem odepchnął Davida i uderzył Charlotte na odlew w twarz.

– Gdzie ona jest?! – zawył. – Co z nią zrobiłaś? Jeśli się nie przyznasz, to klnę się, że bez względu na to, co ci powiedziała, zginiesz!

Charlotte wyprostowała się dumnie i nie ocierając krwi płynącej z rozciętej wargi, spojrzała Robespierre'owi w oczy. Potem się uśmiechnęła.

– Tego właśnie oczekuję – powiedziała spokojnie.

Londyn
30 lipca 1793

Gdy Talleyrand wrócił z teatru, zbliżała się północ. Rzuciwszy pelerynę na stojące w hallu krzesło, skierował się do niewielkiego gabinetu, by nalać sobie kieliszek sherry. Naraz w hallu pojawił się Courtiade.

– Monseigneur – rzekł cicho – ma pan gościa. Poprosiłem, by poczekała na pana w gabinecie. Sprawa wygląda na pilną. Mówi, że przynosi wieści od mademoiselle Mireille.

– Dzięki Bogu, nareszcie – powiedział Talleyrand i pospieszył do gabinetu.

W świetle bijącym od kominka stała jakaś szczupła postać szczelnie owinięta w czarną aksamitną pelerynę i grzała sobie ręce. Gdy Talleyrand wszedł do środka, zrzuciła ciężki kaptur i zsunęła pelerynę z niemal nagich ramion. Pukle jasnoblond włosów rozsypały się, okrywając jej półnagie piersi. Widział jej drżące ciało, profil podświetlony na złoto, lekko zadarty nos i wyrazisty podbródek, mocno wycięty dekolt ciemnej, aksamitnej sukni, opinającej przepiękne kształty. Stanął jak skamieniały w progu i ledwo mógł oddychać, a na jego sercu zacisnęły się szpony bólu.

– Valentine – wyszeptał. – Dobry Boże, jak to jest możliwe? Czyżby wróciła zza grobu?

Gdy odwróciła się do niego z uśmiechem, w jej niebieskich oczach zamigotały iskierki, a blask ognia zaigrał na jej skroniach. Szybkim, płynnym ruchem zbliżyła się do niego, uklękła i przycisnęła twarz do jego dłoni. Talleyrand, który cały czas stał nieruchomo, położył drugą rękę na jej włosach i zaczął je delikatnie głaskać. Zamknął oczy. Serce mu pękało. Jak to możliwe?

– Monsieur, jestem w wielkim niebezpieczeństwie – odezwała się niskim głosem. Lecz nie był to głos Valentine.

Talleyrand otworzył oczy i spojrzał na jej uniesioną twarz, tak piękną, tak podobną do Valentine. Jednak to nie była ona.

Ogarnął spojrzeniem jej złote włosy, gładką skórę, cień między piersiami, nagie ramiona... po czym dostrzegł, co trzyma w rękach, i przeszył go nagły wstrząs. Był to złoty pionek, lśniący od klejnotów – pionek z szachów z Montglane!

– Zdaję się na twoją łaskę, sire – wyszeptała. – Potrzebuję twojej pomocy. Nazywam się Catherine Grand i pochodzę z Indii.

CZARNA KRÓLOWA

Der Hölle Rache kocht in meinem Herzen
Tod und Verzweiflung flammet um mich her!...
Verstossen sei auf ewig, verlassen sei auf ewig,
Zertrümmert zei'n auf ewig alle bande der Natur.

(Piekielna zemsta kipi wciąż w mym sercu,
Rozpacz i śmierć szaleją dookoła!...
Na zawsze porzucona, na zawsze odrzucona,
Na zawsze rozerwane wszystkie więzy Natury.)

Emanuel Schikaneder i Wolfgang Amadeusz Mozart
Czarodziejski flet
partia Królowej Nocy

Tak więc była to Minnie Renselaas – wróżka.

Siedziałyśmy w jej pokoju z przeszklonymi drzwiami, oddzielonymi od podwórza kurtyną winorośli. Jedzenie – prosto z kuchni – przyniosło kilka zakwefionych kobiet, które ustawiły talerze na niskim stole z brązu, po czym znikły równie cicho, jak się pojawiły. Lily, rozłożona wygodnie na stosie miękkich poduszek, skubała owoc granatu. Siedziałam tuż obok niej, zanurzona w skórzanym marokańskim fotelu, żując ciastko z kiwi i daktyli. A naprzeciwko mnie, z nogami na zielonej, aksamitnej otomanie, siedziała Minnie Renselaas.

Wreszcie dotarłam do niej – do wróżki, która sześć miesięcy wcześniej wciągnęła mnie do tej niebezpiecznej gry. Kobieta o wielu twarzach. Dla Nima była koleżanką, żoną świętej pamięci konsula holenderskiego. To ona miała mnie chronić, gdybym znalazła się w tarapatach. Jeśli wierzyć Thérèse, była tu dobrze znana. Dla Solarina była partnerką w interesach. Dla Mordechaja – sprzymierzeńcem i starą przyjaciółką. Lecz zgodnie z tym, co mówił El-Marad, była również Mokhfi Mokhtar z kasby – kobietą, w której posiadaniu znajdowały się figury szachów z Montglane. Tak więc dla każdego była kimś innym, choć przecież była jedną osobą.

– To pani jest Czarną Królową – powiedziałam.

Minnie Renselaas uśmiechnęła się tajemniczo.

– Witaj w Grze.

– A więc to o to chodziło z tą Damą Pik! – wykrzyknęła Lily, prostując się na poduszkach. – Ona jest graczem i zna wszystkie ruchy!

– Głównym graczem – poprawiłam, cały czas bacznie przyglądając się Minnie. – To jest właśnie owa wróżka, z którą twój dziadek zorganizował mi spotkanie. I jeśli się nie mylę, jej wiedza na temat Gry wychodzi poza znajomość wszystkich ruchów.

– Nie mylisz się – rzekła Minnie, w dalszym ciągu uśmiechając się jak kot z Cheshire.

To wprost niewiarygodne, jak inna była za każdym razem, gdy ją widziałam. Ze swoją kremową cerą i w srebrnym stroju na tle ciemnozielonej otomany wyglądała znacznie młodziej niż wówczas, gdy widziałam ją ostatnio – jako tancerkę. A już zupełnie inaczej niż ta obwieszona świecidełkami wróżka w wysadzanych sztucznymi brylantami, rogowych okularach, nie mówiąc o odzianej w czerń leciwej kobiecie z gołębiami przed gmachem UN Plaza. Prawdziwy z niej kameleon. Kim ona w końcu jest?

– Wreszcie się zjawiłaś – powiedziała swoim niskim, chłodnym głosem, najbardziej chyba przypominającym plusk płynącej wody. Mówiła z lekkim akcentem, którego jednak nie potrafiłam umiejscowić. – Tak długo czekałam. Lecz teraz możesz mi pomóc...

Zabrakło mi cierpliwości.

– Pomóc pani? – spytałam. – Proszę posłuchać, nie prosiłam, by „wybierała" mnie pani do tej gry. Zawołałam do pani, a pani mnie wysłuchała, tak jak było w tym tekście. A teraz załóżmy, że „oznajmi mi pani wielkie i pewne rzeczy, których nie wiem". Tylko że ja mam już powyżej uszu wszelkich tajemnic i intryg. Strzelano do mnie, ścigała mnie tajna policja, widziałam dwa trupy. Lily szuka urząd imigracyjny i grozi jej odsiadka w algierskim więzieniu, a wszystko przez tę tak zwaną „Grę".

Aż się zadyszałam ze zdenerwowania, a echo mojego krzyku odbijało się od ścian. Carioca poszukał schronienia na kolanach Minnie, a Lily spojrzała na niego wściekłym wzrokiem.

– Cieszę się, że masz temperament – odezwała się chłodno. Gdy głaskała Cariocę, mały zdrajca mruczał na jej kolanach jak kot angorski. – Jednakże cechą znacznie cenniejszą w szachach jest cierpliwość, co może potwierdzić twoja przyjaciółka Lily. Czekając na ciebie przez ten cały czas, wykazałam dużą cierpliwość. Przyjechałam do Nowego Jorku, ryzykując życie, tylko po to, by spotkać się z tobą. Oprócz tego muszę dodać, że nie opuszczałam kasby od dziesięciu lat, to jest od chwili wybuchu rewolucji algierskiej. W pewnym sensie jestem tutaj więźniem. Lecz ty mnie uwolnisz.

– Więźniem! – powiedziałyśmy jednocześnie z Lily. – Moim zdaniem jest pani całkiem mobilna – dodałam. – Kto trzyma panią w niewoli?

– Nie „kto", ale „co" – odparła, nalewając herbatę i nie płosząc przy tym psa. – Dziesięć lat temu wydarzyło się coś, czego nie mogłam przewidzieć i co zmieniło delikatną równowagę sił. Zmarł mój mąż i wybuchła rewolucja.

– Algierczycy wyrzucili Francuzów w 1962 roku – wyjaśniłam Lily. – Była prawdziwa rzeź. – Potem, zwracając się do Minnie, powiedziałam: – Gdy zamknięto wszystkie ambasady, musiała pani mieć niezłe kłopoty i jedynym miejscem, do którego mogła pani wracać, była Holandia. Z pewnością rząd holenderski mógł panią stąd wyciągnąć. Dlaczego więc nadal pani tutaj siedzi? Rewolucja skończyła się dziesięć lat temu.

Minnie z hukiem postawiła filiżankę na spodku, zepchnęła Cariocę z kolan i wstała.

– Ugrzęzłam tutaj jak nikomu niepotrzebny pionek – rzekła, zaciskając pięści. – Śmierć mojego męża i konsekwencje rewolucji pogorszyły jedynie sytuację zaistniałą w 1962 roku. Otóż dziesięć lat temu w Rosji robotnicy pracujący przy remoncie Pałacu Zimowego znaleźli potrzaskane kawałki szachownicy – szachownicy od kompletu z Montglane!

Lily i ja spojrzałyśmy na siebie z podnieceniem. Pewne elementy powoli łączyły się w jakąś całość.

– Świetnie – rzuciłam. – Lecz skąd pani wie to wszystko? Przecież o tym nie pisze się raczej na pierwszych stronach gazet. I co to wszystko ma wspólnego z pani uwięzieniem?

– Wysłuchaj mnie, to zrozumiesz! – krzyknęła, przemierzając pokój tam i z powrotem. Carioca cały czas chodził za ciągnącym się po podłodze trenem jej długiej sukni, próbując złapać go zębami. – Jeśli znaleźli szachownicę, znaczy to, że mają jedną trzecią wzoru! – Po tych słowach wyrwała rąbek sukni z zębów Carioki i obróciła się w naszą stronę.

– Ma pani na myśli Rosjan? – spytałam. – Lecz skoro oni należą do drużyny przeciwnej, to dlaczego tak się pani skumplowała z Solarinem? – Jednocześnie mój mózg pracował na najwyższych obrotach. Powiedziała: „trzecia część wzoru". To znaczy, że zna dokładną liczbę części!

– Solarin? – zaśmiała się Minnie. – A jak sądzisz, skąd dowiedziałam się o tym wszystkim? Dlaczego wybrałam go do tej Gry? Dlaczego grozi mi niebezpieczeństwo, dlaczego muszę pozostawać w Algierii i dlaczego aż tak bardzo potrzebuję was obu?

– Ponieważ Rosjanie mają jedną trzecią wzoru? – odezwałam się. – Ale z pewnością nie są jedynymi graczami w drużynie przeciwnej.

– Nie są – przyznała Minnie. – Lecz to oni odkryli, że ja mam resztę!

Po tych słowach Minnie wyszła z pokoju, by czegoś dla nas poszukać, a my nie mogłyśmy wytrzymać z podniecenia. Carioca skakał dookoła jak gumowa piłeczka i musiałam przydusić go nogą, żeby się uspokoił.

Lily wyjęła z mojej torby małą szachownicę i postawiła ją na stole z brązu. Kim są nasi przeciwnicy? – zachodziłam w głowę. Skąd Rosjanie wiedzieli, że Minnie jest jednym z graczy, i co takiego trzyma ją tu od dziesięciu lat?

– Pamiętasz, co Mordechaj nam powiedział? – zwróciłam się do Lily. – Mówił, że pojechał do Rosji i grał z Solarinem. To było jakieś dziesięć lat temu, prawda?

– Zgadza się. Chcesz powiedzieć, że wybrał go wtedy na figurę?

– Ale którą? – spytała Lily, przesuwając figury po szachownicy.

– Skoczka! – wykrzyknęłam, coś sobie nagle przypominając. – Solarin umieścił ten symbol na kartce, którą zostawił w moim mieszkaniu!

– A więc skoro Minnie jest Czarną Królową, my wszyscy: ty, ja, Mordechaj i Solarin, jesteśmy w drużynie czarnych. Zatem faceci w czarnych kapeluszach są tym razem dobrzy. Jeśli to Mordechaj wybrał Solarina, to może Mordechaj jest Czarnym Królem, z czego wynikałoby, że Solarin jest Skoczkiem od strony Króla.

– A ty i ja jesteśmy pionkami – dodałam pośpiesznie. – A Saul i Fiske...

– Pionkami, które zbito – powiedziała Lily, strącając z szachownicy dwa pionki. Cały czas przesuwała figury po szachownicy, a ja usiłowałam podążać za jej linią rozumowania. Jednakże coś nieustannie mnie dręczyło od momentu, kiedy zorientowałam się, że Minnie jest ową wróżką. I nagle zrozumiałam. To wcale nie Minnie wciągnęła mnie do tej Gry. To Nim – i nikt inny. Gdyby nie on, przenigdy nie zadałabym sobie trudu, by rozwiązać tę zagadkę, nigdy nie martwiłabym się o datę moich urodzin, nigdy nie zakładałabym, że śmierć jednej czy drugiej osoby ma coś wspólnego ze mną, ani nie zajmowałabym się poszukiwaniem figur kompletu szachowego z Montglane. Teraz uświadomiłam sobie, że to przecież Nim załatwił mi kontrakt z firmą Harry'ego – trzy lata temu, gdy oboje pracowaliśmy dla Triple-M! I to właśnie Nim wysłał mnie do Minnie Renselaas...

Właśnie w tym momencie wróciła Minnie, niosąc dużą, metalową walizę i małą, oprawioną w skórę książkę związaną sztywnym sznurkiem. Obie położyła na stole.

– Nim w i e d z i a ł, że to pani jest wróżką! – powiedziałam. – Nawet gdy pomagał mi odszyfrować depeszę.

– Twój przyjaciel w Nowym Jorku? – spytała Lily. – A którą on jest figurą?

– Wieżą – odparła Minnie, studiując szachownicę leżącą przed Lily.

– Oczywiście! – wykrzyknęła Lily. – Siedzi w Nowym Jorku, by zrobić roszadę...

– Tylko raz widziałam się z doktorem Ladislausem Nimem – rzekła Minnie. – Było to wtedy, gdy wybrałam go do Gry, tak samo jak wybrałam ciebie. Chociaż gorąco cię polecał, nie miał pojęcia, że przyjadę do Nowego Jorku na spotkanie z tobą. Musiałam mieć pewność, że jesteś tą osobą, której potrzebuję, że posiadasz niezbędne umiejętności.

– J a k i e umiejętności? – spytała Lily, wciąż przestawiając figury. – Przecież ona nawet nie potrafi grać w szachy.

– To prawda, ale t y umiesz – odparła Minnie. – I razem stworzycie doskonały zespół.

– Zespół?! – wykrzyknęłam. Dobrze wiedziałam, że pasujemy do jednego zaprzęgu jak wół z kangurem. Choć w szachach Lily niewątpliwie mnie przewyższała, lecz gdy przychodziło do rzeczywistości, była po prostu beznadziejna.

– A więc mamy Królową, Skoczka, Wieżę i kilka pionków – wtrąciła Lily, spoglądając na Minnie swymi szarymi
oczami. – A co z resztą grupy? Co z Johnem Hermanoldem,
który strzelał do mojego samochodu, co z moim wujkiem
Llewellynem albo jego kumplem, tym handlarzem dywanami... jak on się nazywa?
– El-Marad! – powiedziałam. Nagle zrozumiałam, jaką on
grał rolę. Nie było to wcale trudne – facet, który żyje w górach
jak pustelnik, nigdy nie opuszcza swego domu, a mimo to prowadzi interesy na całym świecie i jest znienawidzony przez
wszystkich, którzy go znają... i który szuka figur. – On jest
Białym Królem – zaryzykowałam.
Minnie pobladła, usłyszawszy moje słowa, i usiadła obok
mnie.
– Spotkałaś El-Marada? – spytała szeptem.
– Kilka dni temu, w Kabylii – odparłam. – Wygląda na to,
że wie o pani całkiem sporo. Powiedział, że pani nazywa się
Mokhfi Mokhtar, że mieszka pani w kasbie i że ma pani figury
z Montglane. Powiedział, że da mi je pani, jeśli powiem, że moje
urodziny przypadają na czwarty dzień czwartego miesiąca.
– W takim razie wie znacznie więcej, niż się spodziewałam –
powiedziała Minnie, nieco zdenerwowana. Wyjęła klucz i zaczęła otwierać metalową walizę. – Jednak istnieje coś, o czym
na pewno nie wie, gdyż w przeciwnym razie nigdy nie dopu-
ściłby do waszego spotkania. Nie wie, kim t y j e s t e ś!
– Kim ja jestem? – spytałam w zupełnym pomieszaniu. –
Nie mam nic wspólnego z tą Grą. Mnóstwo ludzi urodziło
się w tym samym dniu co ja, mnóstwo ludzi ma jakieś dziwne
zawijasy na dłoniach. To po prostu czysty absurd. Zupełnie
zgadzam się z Lily i nie pojmuję, jak możemy pani pomóc.
– Wcale nie chcę, żebyś mi pomagała – rzekła twardo Minnie i otworzyła walizę. – Chcę, żebyś zajęła moje miejsce. –
Pochyliła się nad szachownicą, odsunęła dłoń Lily, po czym
chwyciła czarną królową i przesunęła ją do przodu.
Lily wpatrywała się w szachownicę. Nagle złapała mnie za
kolano.
– Otóż to! – Podskoczyła na poduszkach. Carioca skorzystał
z zamieszania, by chwycić małymi ząbkami miękkie, serowe
ciastko i wciągnąć je do swojej norki pod stołem. – Widzisz?

Przy takim układzie czarna królowa może ograniczać możliwości białych, jednocześnie zmuszając króla do wyjścia na środek szachownicy, lecz tylko jeśli sama się odsłoni. Jedynie ten wysunięty pionek może być dla niej jakąś ochroną...

Próbowałam zrozumieć. Na szachownicy osiem czarnych figur stało na czarnych polach, a reszta na białych. Na samym zaś przodzie, na granicy terytorium białych, tkwił samotny czarny pionek, chroniony przez wieżę i skoczka.

– Wiedziałam, że będziecie świetnie współpracować – uśmiechnęła się Minnie. – Jeśli tylko da się wam szansę. Jest to niemal doskonałe odtworzenie aktualnego stanu Gry. A przynajmniej tej rundy. – Spojrzawszy na mnie, dodała: – Dlaczego nie spytasz wnuczki Mordechaja Rada, która z tych figur jest teraz najistotniejsza i wokół której wszystko się teraz obraca?

Zwróciłam się do Lily, która też się uśmiechała i stukała długim paznokciem w ów wysunięty pionek.

– Jedyną figurą, jaka może zastąpić królową, jest inna królowa – odezwała się Lily. – I wygląda na to, że jesteś nią właśnie ty.

– Nie rozumiem – powiedziałam. – Myślałam, że jestem pionkiem.

– No właśnie. Lecz jeśli pionek przedrze się przez pionki drużyny przeciwnej i dojdzie do ósmego pola po przeciwnej stronie, może się przekształcić w dowolną figurę. Nawet w królową. Gdy ten pionek dojdzie do ósmego pola, pola królówek, może zastąpić czarną królową!

– Albo ją pomścić – rzekła Minnie z rozżarzonym wzrokiem. – Pionek, który przeszedł linię, przeniknął Algier: Białą Wyspę. Tak jak przeniknęłaś białe terytorium, tak samo przenikniesz tajemnicę. Tajemnicę Ósemki.

Moje skoki nastrojów przypominały skoki barometru podczas szalejącego monsunu. A więc to ja jestem Czarną Królową? Co to znaczy? Choć Lily twierdziła, że na szachownicy może być więcej niż jedna królowa tego samego koloru, Minnie powiedziała, że mam ją zastąpić. Czy oznacza to, że zamierza odejść z Gry?

A jeśli potrzebowała zastępstwa, to dlaczego nie wybrała Lily? Lily odtworzyła całą Grę na swojej przenośnej szachownicy, tak że każda figura znajdowała się na właściwym miejscu i wszystko odpowiadało biegowi wydarzeń. Lecz ja byłam beznadziejna, jeśli idzie o szachy, gdzie więc te moje umiejętności? Ponadto, żeby dotrzeć do ósmego pola, ów pionek musiał pokonać długą drogę. Choć już żaden z pionków nie był w stanie pokrzyżować mu szyków, to przecież mógł zostać zbity przez każdą z bardziej ruchliwych figur przeciwnika. Nawet ja wiedziałam tyle na temat szachów.

Tymczasem Minnie odsłoniła przed nami zawartość walizy. Wyjęła płachtę ciężkiego materiału, który zaczęła rozkładać na dużym stole z brązu. Tkanina była granatowa, niemal czarna. Ozdobiona była tu i ówdzie kolorowymi kamieniami o różnych kształtach, wielkości mniej więcej ćwierćdolarówki, i obficie wyszywana w różne wzory czymś w rodzaju nici o metalicznym połysku. Owe wzory przypominały znaki zodiaku. Przypominały również coś innego, co trudno mi było określić, lecz co wydawało się znajome. W samym środku tkaniny widniały dwa węże połykające własne ogony i tworzące cyfrę osiem.

– Co to jest? – spytałam, patrząc z ciekawością na tę dziwną tkaninę.

Lily przysunęła się bliżej i zaczęła obmacywać materiał.

– To mi coś przypomina – powiedziała.

– To jest tkanina, która pierwotnie okrywała szachy z Montglane – odparła Minnie, bacznie się nam przyglądając. – Były one zakopane przez tysiąc lat, a w czasach rewolucji francuskiej wydobyły je z ukrycia zakonnice z opactwa Montglane na południu Francji. Tkanina przeszła później przez wiele rąk. Podobno wysłano ją do Rosji za panowania Katarzyny II, razem z rozbitą szachownicą, o której odkryciu już wam mówiłam.

– Skąd pani wie to wszystko? – spytałam, nie mogąc oderwać oczu od tej granatowej tkaniny rozłożonej na stole. Materiał okrywający szachy z Montglane – ma już tysiąc lat i wciąż jest w doskonałym stanie. Zdawało się, w świetle przenikającym przez glicynię, że bije od niego zielonkawy blask. – A skąd pani to ma? – dodałam, wyciągając rękę w stronę kamieni, których Lily zdążyła już dotknąć.

– Wiesz co, u dziadka naoglądałam się różnych kamieni i te wyglądają mi na prawdziwe – powiedziała Lily.

– Bo są prawdziwe – odparła Minnie głosem, który wywołał we mnie bezwiedne drżenie. – Wszystko w tym przerażającym komplecie jest prawdziwe. Jak wam wiadomo, szachy z Montglane zawierają wzór: wzór niezwykłej mocy, siłę zła dla tych, którzy wiedzą, jak go wykorzystać.

– Dlaczego akurat zła? – spytałam. Jednak było coś w tej tkaninie, ponieważ miałam wrażenie, iż podświetla od dołu twarz Minnie.

– Pytanie powinno brzmieć: dlaczego zło jest konieczne? – rzekła chłodno Minnie. – Lecz ono istniało na długo przed powstaniem szachów z Montglane. Tak samo jak wzór. Przyjrzyjcie się z bliska tej tkaninie, a zobaczycie. – Nalewając herbatę, uśmiechnęła się gorzko. Naraz jej piękna twarz wydała mi się surowa i wymęczona. Pierwszy raz zdałam sobie sprawę, ile to wszystko musiało ją kosztować.

Poczułam, że Carioca brudzi serowym ciastkiem moją nogę, więc wyciągnęłam go spod stołu, posadziłam na krześle i zaczęłam uważnie przyglądać się tkaninie.

W łagodnym świetle widać było cyfrę osiem, zbudowaną z węży wijących się na granatowym aksamicie niczym skręcona kometa na nocnym niebie. Dookoła niej widniały symbole – Mars i Wenus, Słońce i Księżyc, Saturn i Merkury... Wtedy pojęłam. Pojęłam, czym są oprócz tego!

– To przecież żywioły! – wykrzyknęłam.

Minnie uśmiechnęła się i skinęła głową.

– Prawo oktawy – powiedziałam.

Teraz wszystko nabrało sensu. Te nie oszlifowane kamienie i złote wyszycia tworzyły symbole używane od niepamiętnych czasów przez filozofów i uczonych do opisywania najbardziej podstawowych cząstek w naturze. Żelazo i miedź, srebro i złoto, siarka, rtęć, ołów i antymon, wodór, tlen, sole i kwasy. Jednym słowem wszystko, co tworzyło materię ożywioną i nieożywioną.

Zaczęłam krążyć po pokoju, próbując złożyć wszystkie elementy w jedną całość.

– Prawo oktawy to prawo, na którym opiera się układ okresowy pierwiastków – wyjaśniłam Lily, która patrzyła na mnie, jakbym postradała zmysły. – W latach sześćdziesiątych dziewiętnastego wieku, przed stworzeniem tego układu przez Mendelejewa, angielski chemik, John Newlands, odkrył, że jeśli ustawi się pierwiastki w porządku rosnącym według ich masy atomowej, każdy ósmy pierwiastek będzie stanowić coś w rodzaju powtórzenia pierwszego – tak jak ósma nuta oktawy. Nazwał ją od teorii Pitagorasa, ponieważ sądził, że molekularne właściwości pierwiastków pozostają ze sobą w takim samym stosunku jak nuty w gamie muzycznej!

– A jest tak? – spytała Lily.

– A skąd miałabym wiedzieć? – odpowiedziałam pytaniem. – Całą wiedzę na temat chemii zdobyłam, z a n i m wylali mnie ze szkoły za wysadzenie w powietrze laboratorium chemicznego.

– Ale nauka nie poszła w las – uśmiechnęła się Minnie. – Czy pamiętasz coś jeszcze?

Co tam jeszcze było? Stałam, wpatrując się w tkaninę, gdy naraz coś mi się przypomniało. Fale i cząsteczki – cząsteczki i fale. Coś o wartościowości i elektronach pobrzmiewało w odległych rejonach mojego mózgu. Lecz Minnie przemówiła:

– Może nieco odświeżę ci pamięć. Ten wzór ma niemal tyle lat co nasza cywilizacja, a wspominają o nim źródła pisane już cztery tysiące lat przed Chrystusem. Pozwólcie, że opowiem wam o tym...

Oparłam się wygodniej, a Minnie pochyliła się do przodu i zaczęła wodzić palcami po cyfrze osiem. Gdy zaczęła mówić, zdawało mi się, że wpadła w jakiś trans.

– Sześć tysięcy lat temu istniały już rozwinięte cywilizacje wzdłuż największych rzek: Nilu, Gangesu, Indusu i Eufratu. Uprawiano tam sztukę tajemną, z której miały się później wyłonić zarówno religia, jak i nauka. Owa sztuka była czymś tak tajnym, że potrzeba było całego życia, aby dostąpić wtajemniczenia i poznać jej prawdziwe znaczenie. Rytuał inicjacyjny bywał nierzadko okrutny, a czasem nawet śmiertelny. Tradycja tego rytuału dotrwała do naszych czasów; pojawia się w katolickiej mszy, w rytuałach kabalistycznych, w ceremoniach różokrzyżowców i wolnomularzy. Jednakże sens tej tradycji dawno już poszedł w niepamięć. Owe rytuały nie są niczym innym, jak tylko odtworzeniem procesu tego wzoru, który znany był ludziom w starożytności, odtworzeniem umożliwiającym przekazanie wiedzy poprzez czyn. Zapisywanie tego wszystkiego było zabronione. – Minnie spojrzała na mnie swymi ciemnozielonymi oczami, a jej wzrok przeniknął mnie do głębi. – Fenicjanie rozumieli sens tego rytuału. Tak samo Grecy. Nawet Pitagoras zabronił swoim uczniom uwieczniać go w piśmie, gdyż zdawał sobie sprawę z jego potężnej mocy. Największy błąd Maurów polegał na tym, że złamali ów zakaz. Symbole owego wzoru zapisali w komplecie szachowym z Montglane. Choć jest on zaszyfrowany, to każdy, kto posiada wszystkie części, może w końcu odczytać jego znaczenie bez konieczności przechodzenia rytuałów inicjacyjnych, zabraniających mu, pod groźbą śmierci, używać go do złych celów.

Nazwa ziem, na których rozwinięto tę tajemną naukę i na których ona rozkwitła, wywodzi się z języka arabskiego. Otóż płynąca tam rzeka każdej wiosny zostawiała na brzegach czarny osad, stąd Arabowie nazwali je „Al-Khem", czyli „czarne ziemie", a ową tajemną naukę nazwano „Al-Khemie" – „czarna sztuka".

– A l c h e m i a? To znaczy zamiana słomy w złoto? – spytała Lily.

– Tak jest, sztuka transmutacji – potwierdziła Minnie z dziwnym uśmiechem. – Twierdzili, że potrafią przemienić metale nieszlachetne, takie jak cyna albo miedź, w metale szlachetne, jak srebro lub złoto.

– To chyba jakieś kpiny – powiedziała Lily. – Chce pani powiedzieć, że podróżowałyśmy tysiące mil i narażałyśmy się na te wszystkie kłopoty tylko po to, by przekonać się, że cała tajemnica tego kompletu to kupa jakichś magicznych bzdur rozdmuchanych kiedyś przez bandy prymitywnych kapłanów?

Nadal przyglądałam się tkaninie i coś zaczęło mi świtać.

– Alchemia to nie magia – rzekłam, czując, że rośnie we mnie podniecenie. – To znaczy pierwotnie nią nie była, to stało się ostatnio. Prawdę mówiąc, dała ona początek nowoczesnej chemii i fizyce. Studiowali ją wszyscy uczeni, zarówno w średniowieczu, jak i w epokach późniejszych. Galileusz pomagał w tajemnych eksperymentach księciu Toskanii i papieżowi Urbanowi VIII. Matki Johannesa Keplera omal nie spalono na stosie jako czarownicy, ponieważ uczyła go mistycznych tajemnic... – Minnie kiwała głową, a ja gorączkowo myślałam. – Podobno Isaac Newton spędzał więcej czasu, mieszając jakieś chemikalia w swoim laboratorium w Cambridge niż nad stronicami księgi *Principia mathematica*. Niewykluczone, że Paracelsus był mistykiem, lecz jest także ojcem nowożytnej chemii. Odkryte przez niego zasady alchemii wykorzystywane są w nowoczesnych hutach i rafineriach. Nie wiesz, jak się produkuje z ropy plastik, asfalt i włókna syntetyczne? Rozbija się cząsteczki przy użyciu ciepła i katalizatorów – tak samo, jak czynili to dawni alchemicy, którzy twierdzili, że potrafią zmieniać rtęć w złoto. Prawdę mówiąc, jest tylko jeden problem w tej całej historii.

– Tylko j e d e n? – spytała jak zwykle sceptyczna Lily.

– Sześć tysięcy lat temu w Mezopotamii nie było akceleratora cząstek, a w Palestynie nie było instalacji do krakingu. Mogli co najwyżej zamienić miedź w brąz.

– Być może i nie było – odparła spokojnie Minnie. – Lecz jeśli owi starożytni kapłani nie znali rzadkiego i niebezpiecznego sekretu, to dlaczego otoczyli go taką tajemnicą? Dlaczego wymagano od kandydatów, by uczyli się przez całe życie, składali litanie ślubów i przyrzeczeń, poddawali się rytuałom bólu i niebezpieczeństwa, a dopiero później dopuszczano ich do Zgromadzenia...

– ...tajemniczych wybrańców? – spytałam.

Minnie się nie uśmiechnęła. Spojrzała na mnie, potem na tkaninę. Długo milczała, a gdy wreszcie otworzyła usta, jej głos przeszył mnie jak ostrze sztyletu.

– Ósemki – powiedziała cicho. – Zgromadzenia tych, którzy słyszą muzykę sfer.

Pstryk. Ostatni element znalazł się na miejscu. Teraz już wiedziałam, dlaczego polecił mnie Nim, dlaczego Mordechaj wszystko ustawił, a Minnie mnie „wybrała". Nie chodziło wcale o moją żywiołową osobowość, datę moich urodzin ani moją dłoń – choć wszyscy chcieli, bym uwierzyła w tę właśnie wersję. Wcale nie mówiliśmy o mistycyzmie, lecz o nauce. A muzyka jest nauką, starszą niż akustyka, którą studiował Solarin, i starszą niż fizyka, najmocniejsza strona Nima. Natomiast ja studiowałam muzykę i doskonale wiedziałam, o co chodzi. Nie było wcale przypadkiem, że Pitagoras traktował muzykę na równi z matematyką i astronomią. Wedle jego teorii fale dźwiękowe obmywały wszechświat, zawierając w sobie wszystko, co istnieje, od największego do najmniejszego. I wcale nie był daleki od prawdy.

– Chodzi o fale – odezwałam się – które spajają cząsteczki, fale, które przenoszą elektron z jednego jądra do drugiego, zmieniając jego wartościowość w taki sposób, by mógł wchodzić w reakcje chemiczne z innymi cząsteczkami.

– Właśnie tak – powiedziała z podnieceniem Minnie. – Chodzi o fale świetlne i dźwiękowe, które składają się na wszechświat. Nie pomyliłam się co do ciebie, już jesteś na właściwym tropie. – Teraz, gdy na jej twarz powróciły rumieńce, znów wyglądała młodo i uświadomiłam sobie, że w swoim czasie musiała być naprawdę piękna. – Lecz na tym samym tropie są nasi wrogowie – dodała. – Powiedziałam ci, że wzór składa się z trzech części: szachownicy, znajdującej się obecnie w rękach przeciwnika, tkaniny, leżącej właśnie przed tobą, no i oczywiście części najważniejszej: figur.

– Myślałam, że pani je ma – wtrąciła Lily.

– W moim posiadaniu znajduje się największa liczba figur, jaką komukolwiek udało się zgromadzić od czasu wydobycia kompletu z kryjówki. Dwadzieścia figur rozrzuconych po różnych schowkach, gdzie, jak sądziłam, przez następne tysiąc lat nikt ich nie odnajdzie. Ale srodze się myliłam. Gdy tylko Rosjanie zdali sobie sprawę, że mam te figury, siły białych natychmiast powzięły podejrzenie, iż część z nich może być ukryta tam, gdzie mieszkam, czyli w Algierii. I na moje nieszczęście mieli rację. El-Marad gromadzi siły. Zapewne już niedługo zjawią się tutaj jego wysłannicy, którzy tak szczelnie mnie otoczą, że nie będę w stanie wywieźć tych figur z kraju.

A więc o to jej chodziło, gdy mówiła, że El-Marad nie wiedział, kim jestem! To oczywiste! Wybrał mnie jako wysłanniczkę, nie zdając sobie sprawy, że już wcześniej zostałam wciągnięta do drużyny przeciwnej. Jednak to nie było jeszcze wszystko.

– A więc pani figury są tutaj, w Algierii? – spytałam. – A kto ma resztę? El-Marad? Rosjanie?

– Istotnie, mają kilka, choć nie jestem pewna ile – odparła. – Reszta została rozproszona bądź też zaginęła podczas rewolucji francuskiej. Mogą się znajdować właściwie wszędzie: w Europie, na Dalekim Wschodzie, nawet w Ameryce.

Być może nigdy nie uda się ich odnaleźć. Zebranie tych, które mam, zajęło mi całe życie. Część ukryłam w bezpiecznych miejscach w innych krajach, lecz osiem z tych dwudziestu ukryłam na pustyni, w Tasili. Musisz znaleźć te osiem figur i przewieźć je tu, zanim będzie za późno. – Gdy chwyciła mnie mocno za ramię, zauważyłam, że z jej twarzy nie schodzi rumieniec podniecenia.

– Tylko spokojnie – pohamowałam ją. – Niech pani spojrzy, przecież to miejsce dzielą setki mil od Tasili. Lily jest tutaj nielegalnie, a ja mam niezwykle pilną sprawę do załatwienia. Czy to nie może zaczekać do czasu...

– Nie ma nic pilniejszego niż to, co ci zlecam! – krzyknęła. – Jeśli nie znajdziesz tych figur, wpadną w niepowołane ręce, a świat stanie się miejscem, które trudno sobie nawet wyobrazić. Czyż naprawdę nie rozumiesz logicznej konsekwencji tego wzoru?

Rozumiałam. Istniał jeszcze inny proces zakładający transmutację pierwiastków – tworzenie transuranowców. Pierwiastków o liczbie atomowej większej od uranu.

– Myśli pani, że przy użyciu tego wzoru ktoś będzie chciał zrobić pluton? – spytałam. Teraz dotarł do mnie sens słów Nima, który twierdził, że fizycy nuklearni powinni przede wszystkim studiować etykę. I rozumiałam, dlaczego Minnie tak nalega.

– Narysuję ci mapę – powiedziała Minnie, jakby sprawa była właściwie przesądzona. – Zapamiętasz ją, a potem ją zniszczę. I jest jeszcze coś, co chciałabym ci powierzyć, dokument o wielkiej wadze i równie wielkiej wartości. – Po tych słowach wręczyła mi książkę, oprawioną w skórę i związaną sznurkiem. Gdy zajęła się rysowaniem mapy, zaczęłam szukać w torbie nożyczek, aby przeciąć sznurek.

Książka była niewielka – formatu kieszonkowej powieści – i na pierwszy rzut oka bardzo stara. Pokrywała ją miękka, marokańska skóra, mocno podniszczona i pokryta znakami, które wyglądały jak wypalone gorącym żelazem, znakami w kształcie ósemek. Patrząc na nią, czułam dotyk chłodu. Przecięłam sztywny sznurek i książka była otwarta.

Okazała się szyta ręcznie. Papier był przezroczysty jak łuska od cebuli, a zarazem gładki i kremowy jak materiał.

W rzeczy samej był tak cienki, że książka okazała się znacznie obszerniejsza, niż początkowo przypuszczałam. Było tam jakieś sześćset, a może siedemset ręcznie zapisanych stron. Litery były małe, mocno ściśnięte i pełne zawijasów, charakterystyczne dla dawnej kaligrafii, w stylu, który spodobałby się Johnowi Hancockowi. Ponieważ kartki były zapisane z obydwu stron, atrament przebijał, co podwójnie utrudniało czytanie. Ale ja czytałam. Była to stara francuszczyzna i nie rozumiałam niektórych słów, lecz szybko zrozumiałam, o co chodzi.

Minnie mruczała coś do Lily, tłumacząc jej szczegóły mapy, a w moim sercu rósł lęk i chłód. Teraz dopiero pojęłam, skąd ona to wszystko wie.

Cette Anno Domini Mille Sept Cent Quatre-Vingt- -Treize, au fin de Juin a Tasili n'Ajjer Saharien, je devient de racontre cette histoire. Mireille ai nun, je suis de France...

Zaczęłam czytać na głos, od razu tłumacząc tekst. Lily podniosła głowę i po chwili dotarło do niej, co czytam. Minnie siedziała w milczeniu, nieomal w transie. Zdawało się, że słyszy głos dochodzący do niej z bardzo daleka, z mroków przeszłości – głos biegnący przez tysiąclecia. Tymczasem dokument napisano niespełna dwieście lat temu.

Jest Rok Pański tysiąc siedemset dziewięćdziesiąty trzeci, koniec czerwca w Tasili wan Ahdżar na Saharze i tu właśnie zaczynam opowiadać moją historię. Nazywam się Mireille i pochodzę z Francji. Spędziwszy osiem lat mej młodości w opactwie Montglane w Pirenejach, ujrzałam wielkie zło, które wypuszczono na świat – zło, które dopiero dziś zaczynam pojmować. Opowiem zatem jego historię. Nosi ono nazwę szachów z Montglane. Wszystko zaczęło się od Karola Wielkiego, wspaniałego monarchy, który założył nasze opactwo...

ZAGUBIONY KONTYNENT

Po następnych dziesięciu dniach marszu spotyka się inny wzgórek solny i wodę; dokoła niego też ludzie mieszkają. Do tego solnego wzgórza przylega góra, która nazywa się Atlas. Jest ona wysoka i zewsząd zaokrąglona, a ma być tak wysoka, że szczytów jej nie można zobaczyć, nigdy bowiem nie są wolne od chmur – ani latem, ani zimą. Krajowcy mówią, że ta góra jest słupem niebios. Od niej też ci ludzie otrzymali nazwę, bo nazywają się A t l a n t a m i. Podobno nie jedzą oni nic żyjącego i nie mają żadnych sennych widzeń.

Herodot
Dzieje (454 rok przed Chrystusem)

Gdy wielki rolls corniche zjechał z ergów i ruszył w kierunku oazy w Ghardaja, ujrzałam przed sobą bezkresne przestrzenie czerwonych piasków rozciągające się we wszystkich kierunkach.

Osobie spoglądającej na mapę geografia Algierii wydaje się niezwykle prosta – przypomina przewrócony dzban. Jego dzióbek, na samym dole granicy z Marokiem, zdaje się wlewać wodę do sąsiednich krain zachodniej Sahary i Mauretanii. Uchwyt tworzą gruby na pięćdziesiąt mil pas nawodnionej ziemi wzdłuż północnego wybrzeża i trzystumilowa wstążka gór położonych na południu. Reszta kraju to pustynia.

Za kierownicą siedziała Lily. Jechałyśmy już od pięciu godzin i pokonałyśmy trzysta sześćdziesiąt mil serpentyn prowadzących na pustynię. Podczas tego wyczynu Carioca leżał wciśnięty pod siedzenie, głośno skomląc. Ja jednak niczego nie dostrzegałam; byłam zbyt zajęta tłumaczeniem na głos dziennika, który podarowała nam Minnie – mrocznej, tajemniczej opowieści o Francji, terrorze i zakonnicy Mireille, która poszukiwała szachów z Montglane. Podobnie jak my.

Teraz wiedziałam, skąd Minnie zna historię tego kompletu – jego tajemniczej mocy, zawartego w nim wzoru i śmiertelnie niebezpiecznej gry. Gry, która ciągnęła się z pokolenia na pokolenie, zagarniając po drodze graczy takich, jak Lily i ja, Solarin i Nim, a nawet samą Minnie. Gry toczącej się na tych obszarach, które właśnie przemierzałyśmy.

– Sahara – powiedziałam, podnosząc głowę znad książki, gdy zaczęłyśmy zjeżdżać w kierunku Ghardaji. – Czy wiesz, że ona wcale nie zawsze była największą pustynią świata? Miliony lat temu Sahara była największym śródlądowym morzem. W ten właśnie sposób powstały owe wielkie złoża ropy i naturalnego gazu – poprzez rozkład maleńkich morskich stworzeń i roślin. Alchemia Natury.

– Naprawdę? – skomentowała sucho Lily. – Mój wskaźnik poziomu paliwa mówi wyraźnie, że trzeba się gdzieś zatrzymać, by napełnić bak płynem z tych morskich żyjątek. Chyba najlepiej zrobić to w Ghardaji. Jeśli wierzyć tej mapie, którą dała nam Minnie, jest to jedyne miasteczko na tej trasie.

– Nie widziałam jej. – Chodziło mi o mapę, którą Minnie narysowała, by zaraz ją zniszczyć. – Liczę na to, że masz dobrą pamięć.

– Jestem szachistką – odparła Lily, jakby to wszystko wyjaśniało.

– To miasto, Ghardaja, nazywało się kiedyś Khardaja – powiedziałam, wracając do dziennika. – Wygląda na to, że nasza przyjaciółka, Mireille, zatrzymała się tutaj w roku 1793. – Zaczęłam czytać:

Zatem przybyliśmy do miejsca zwanego Khardaja, od berberyjskiej bogini Kar – czyli bogini księżyca – którą Arabowie nazywają „Libia", czyli „kapiąca od deszczu". Panowała nad śródlądowym morzem od Nilu aż po Ocean Atlantycki; syn jej, Feniks, założył imperium fenickie; a powiadają, że jej ojcem był sam Posejdon. Znana jest w różnych krajach pod różnymi imionami: Isztar, Astarte, Kali, Kybele. Z niej, jak z morza, wychodzi całe życie. Tutaj zwą ją Białą Królową.

– Mój Boże – rzekła Lily, oglądając się do tyłu przed wjazdem do Ghardaji. – Chcesz powiedzieć, że to miasteczko zostało nazwane imieniem naszego arcywroga? Więc może wylądujemy na białym polu!

Lektura dziennika wciągnęła mnie do tego stopnia, że jadące za nami ciemnoszare renault zauważyłam dopiero wtedy, gdy zahamowało z piskiem i ruszyło naszym śladem przy zakręcie do Ghardaji.

– Czy myśmy już wcześniej nie widziały tego samochodu? – spytałam Lily.

Kiwnęła głową, nie odrywając oczu od drogi.

– W Algierze – odparła spokojnie. – Stał trzy miejsca od nas na ministerialnym parkingu. Ci sami dwaj faceci są w środ-

ku; minęli nas w górach jakąś godzinę temu, więc dobrze się
im przyjrzałam. Cały czas za nami jadą. Myślisz, że nasz dobry druh, Szarrif, ma z tym coś wspólnego?

– Nie – powiedziałam, spoglądając we wsteczne lusterko. –
To samochód z ministerstwa. I nawet wiem, kto go wysłał.

Zdenerwowanie nie opuszczało mnie od chwili, gdy wyjechałyśmy z Algieru. Po wyjściu z kasby zadzwoniłam z budki
do Kamela, by powiadomić go, że wyjeżdżam na kilka dni.
Usłyszawszy to, zapienił się z wściekłości.

– Zupełnie pani oszalała? – wrzasnął przez trzaski na linii. –
Przecież wie pani, że jak najszybciej muszę mieć ten model
komputerowy! Wszystkie dane mają się znaleźć na moim biurku przed końcem tego tygodnia! Projekt, nad którym pani
pracuje, jest superpilny.

– Niech pan posłucha, niedługo wrócę – uspokoiłam go. –
A ponadto wszystko jest gotowe. Zebrałam dane z krajów,
które pan podał, i wprowadziłam je wszystkie do komputerów w Sonatrach. Mogę zostawić panu listę instrukcji, jak
uruchomić program; wszystko jest przygotowane.

– Gdzie pani teraz jest? – przerwał mi Kamel, niemal rzucając się na mnie z drugiego końca linii. – Jest pierwsza godzina. Już od dawna powinna pani być w pracy. Na parkingu
znalazłem ten idiotyczny samochód z kartką za wycieraczką.
Teraz przed moimi drzwiami czatuje Szarrif, licząc, że panią
znajdzie. Powiedział, że przemyca pani samochody, udziela
schronienia nielegalnym imigrantom, i wspomniał coś jeszcze
o złośliwym psie! Czy mogłaby mi pani łaskawie wyjaśnić, co
się właściwie dzieje?

Świetnie. Gdybym wpadła na Szarrifa przed zakończeniem
misji, wszystko by przepadło. Musiałam włączyć w to Kamela – przynajmniej częściowo. Powoli zaczynało brakować mi
sprzymierzeńców.

– W porządku – odparłam. – Moja przyjaciółka wpadła
w tarapaty. Przyjechała do mnie w odwiedziny, lecz nie ma
podstemplowanej wizy.

– Mam jej paszport przed sobą na biurku – prychnął wściekle Kamel. – Szarrif go przyniósł. Ona nawet nie dostała wizy!

– Kwestia czysto techniczna – powiedziałam szybko. – Ma podwójne obywatelstwo i drugi paszport. Przecież mógłby to pan załatwić w taki sposób, że wszystko wyglądałoby tak, jak trzeba. Przy okazji zrobiłby pan idiotę z Szarrifa...

W głosie Kamela zabrzmiał chłód.

– Mademoiselle, bynajmniej nie zależy mi na tym, by zrobić idiotę z szefa tajnej policji! – Po chwili jednak złagodniał. – Choć nie jestem do końca przekonany, postaram się jakoś pomóc. Tak się składa, że wiem, kim jest ta młoda kobieta. Znałem jej dziadka. Był bliskim przyjacielem mojego ojca, grywali wspólnie w szachy.

No cóż – atmosfera się zagęszczała! Skinęłam ręką na Lily, która spróbowała wcisnąć się do budki i przyłożyć ucho do słuchawki.

– Więc pański ojciec grywał w szachy z Mordechajem? – powtórzyłam. – A był poważnym graczem?

– A czy wszyscy nimi nie jesteśmy? – spytał jak gdyby nigdy nic. Przez chwilę w milczeniu zbierał myśli. Gdy zabrzmiały jego następne słowa, Lily zesztywniała przy moim boku, a ja poczułam gwałtowny skurcz żołądka. – Widziała się pani z nią, prawda?

– Z jaką nią? – spytałam z całą niewinnością, na jaką mogłam się zdobyć.

– Niech pani nie udaje wariatki. Jestem przecież pani przyjacielem. Wiem, co El-Marad pani powiedział, i wiem, czego pani szuka. Moje drogie dziecko, uczestniczy pani w niebezpiecznej grze. Ci ludzie to mordercy. Nietrudno zgadnąć, dokąd się pani udaje; dobrze znam te opowieści mówiące, że właśnie tam to ukryto. Chyba łatwo się domyślić, że gdy tylko przekona się, że pani wyjechała, natychmiast zacznie pani tam szukać.

Spojrzałyśmy na siebie z Lily – czy to wszystko nie oznacza, że Kamel również jest jednym z graczy?

– Spróbuję to jakoś zatuszować – ciągnął. – Lecz spodziewam się, że wróci pani pod koniec tygodnia. Bez względu na to, co się będzie działo, proszę nie przyjeżdżać wcześniej ani do swojego, ani do mojego biura. I proszę trzymać się z dala od wszelkich lotnisk. Gdyby musiała się pani ze mną skontaktować w sprawie tego... projektu... najlepiej, jeśli uczyni to pani przez Pocztę Główną.

Z jego tonu wywnioskowałam, o co chodziło: wszystkie wiadomości miałam przekazywać przez Thérèse. Przed wyjazdem mogłam więc zostawić u niej paszport Lily oraz instrukcje dotyczące OPEC.

Przed zakończeniem rozmowy Kamel życzył mi wszystkiego najlepszego i dodał:

– Zrobię, co w mojej mocy, żeby pani pilnować. Lecz jeśli wpadnie pani w prawdziwe tarapaty, będzie pani zdana na siebie.

– A czy wszyscy nie jesteśmy? – odparłam ze śmiechem. Potem zacytowałam El-Marada *Al-safar zafar*. Podróżowanie to zwycięstwo. Miałam nadzieję, że to stare arabskie powiedzenie okaże się prawdą, lecz dręczyły mnie pewne obawy. Gdy odwiesiłam słuchawkę, poczułam się tak, jakby odcięto ostatnią linię łączącą mnie z rzeczywistością.

Tak więc miałam pewność, że samochód ministerialny, który wjechał za nami do Ghardaji, został wysłany przez Kamela. Byli to prawdopodobnie przydzieleni nam ochroniarze. Jednak nie mogłyśmy jechać do celu, ciągnąc ich za sobą przez całą pustynię. Trzeba było coś wymyślić.

Nie znałam tej części Algierii, lecz wiedziałam, że miasto Ghardaja, do którego właśnie wjeżdżałyśmy, należało do pięciu miast M'zab. Gdy Lily krążyła w poszukiwaniu stacji benzynowej, przyglądałam się przycupniętym na fioletowych, różowych i czerwonych urwiskach miasteczkom, które przypominały krystaliczne formacje skalne wyrastające z piasku. Wszystkie książki na temat pustyni o nich wspominały. Le Corbusier powiedział, że płyną „naturalnym rytmem życia". Frank Lloyd Wright nazwał je najpiękniejszymi miastami świata, pisał, że ich czerwone ściany mają „kolor krwi – kolor stworzenia". Lecz w dzienniku zakonnicy Mireille znalazłam coś znacznie ciekawszego:

> *Miasta te przed tysiącem lat wybudowali ibadyci – „opętani przez Boga" – którzy wierzyli, że miasta owe wypełnia duch dziwnej bogini księżyca, i nazwali je od jej imienia: Świetlista, Melika – Królowa...*

– A niech to szlag! – zaklęła Lily, parkując przy stacji benzynowej. Jadące za nami auto zawróciło i zatrzymało się nieopodal. – Jesteśmy w jakiejś dziurze, na karku siedzi nam dwóch zbirów, przed nami miliony mil piasku, a my nie wiemy, czego szukamy, a nawet gdy znajdziemy, to i tak nie będziemy wiedzieć.

Trudno było się nie zgodzić z tymi ponurymi stwierdzeniami. Wkrótce jednak wszystko miało się znacznie pogorszyć.

– Wezmę trochę benzyny – powiedziała i wyskoczyła z samochodu. Wyciągnęła plik banknotów i zapłaciła za dziesięć galonów benzyny i dwa galony wody. Pracownik stacji napełnił bak rollsa.

– To było niepotrzebne – odezwałam się, gdy wróciła do środka, załadowawszy zapasy do bagażnika. – Droga do Tasili prowadzi przez pola naftowe Hasi-Masud. Nic, tylko rury i szyby wiertnicze.

– Ale my tamtędy nie jedziemy – poinformowała mnie, włączając silnik. – Trzeba było popatrzeć na mapę. – Te słowa sprawiły, że zaczęło mi się robić niedobrze.

Stąd do Tasili prowadziły tylko dwie drogi. Jedna biegła na wschód przez pola naftowe w Warkala, a potem skręcała na południe, skąd wchodziła w rejon, do którego zmierzałyśmy. Lecz druga, chyba dwukrotnie dłuższa, biegła przez spieczoną, jałową równinę Tidikilt – najsuchszą i najniebezpieczniejszą część pustyni, gdzie drogi oznaczano za pomocą dziesięciometrowych słupów, by można je było odnaleźć, gdy zasypie je piasek, co nie należało do rzadkości. Być może corniche p r z y p o m i n a ł czołg, lecz brakowało mu zdecydowanie gąsienic, dzięki którym mógłby pokonać te piaski.

– Chyba się wygłupiasz – powiedziałam do Lily, gdy wyjeżdżała ze stacji, z eskortą podążającą za nami krok w krok. – Zatrzymaj się przy najbliższej restauracji. Musimy pogadać.

– I odbyć naradę strategiczną – dodała, spoglądając we wsteczne lusterko. – Ci goście zaczynają mnie denerwować.

Znalazłyśmy niewielką restauracyjkę na skraju Ghardaji. Wchodziło się do niej przez chłodny pub, za którym mieścił się wewnętrzny dziedziniec, gdzie stoliki z parasolami i lepkie palmy daktylowe rzucały głębokie cienie w czerwonawych blaskach zachodzącego słońca. Przy stolikach nie było nikogo – dopiero dochodziła szósta – ale udało mi się znaleźć kelnera i zamówić surówki oraz *tadjin*, czyli ostre ragoût z baraniny, i kuskus.

Lily skubała surowe warzywa polane oliwą, gdy na miejscu zjawili się nasi towarzysze i dyskretnie zajęli stolik w pewnej odległości od nas.

– Jak spławimy tych głupków? – spytała Lily, wrzucając kawałek baraniny w otwarty pyszczek Carioki siedzącego jej na kolanach.

– Najpierw omówmy trasę – odparłam. – Zgaduję, że stąd do Tasili mamy czterysta mil. Lecz jeśli zdecydujemy się na trasę południową, z czterystu zrobi się osiemset. Nie zapominajmy, że na tej drodze nie ma prawie nic: ani jedzenia, ani paliwa, ani miast – tylko piasek i piasek.

– Osiemset mil to małe piwo – powiedziała Lily. – Cała trasa biegnie po równym terenie. Przy mojej jeździe będziemy tam już jutro rano. – Pstryknęła palcami na kelnera i zamówiła sześć dużych butelek Ben Haruna, czyli tutejszego Perriera. – Poza tym, to jedyny sposób, byśmy dotarły do celu. Przecież pamiętasz, że nauczyłam się całej trasy na pamięć.

Zanim zdążyłam zaprotestować, coś zwróciło moją uwagę. Spojrzałam w kierunku drzwi i wydałam stłumiony jęk.

– Nie patrz teraz – mruknęłam pod nosem. – Mamy kolejnych gości.

Przez zasłonę z paciorków weszło dwóch krzepkich mężczyzn, którzy przeszli salę i zajęli miejsca nieopodal. Obrzucili nas obojętnym spojrzeniem, lecz wysłannicy Kamela wyraźnie narażali swój wzrok na szwank. Wpatrywali się w nowo przybyłych z ogromnym natężeniem, po czym spoglądali na siebie, a ja dobrze wiedziałam dlaczego. Gdy ostatnim razem widziałam jednego z nich, zabawiał się na lotnisku głaskaniem swojego pistoletu. Drugi zaś odwoził mnie do domu w moją pierwszą noc w Algierze – gratisowa usługa w wykonaniu tajnej policji.

– Szarrif bynajmniej o nas nie zapomniał – poinformowałam Lily, biorąc do ust kawałek ragoût. – Nigdy nie zapominam twarzy, a on wybrał ich pewnie z tego samego powodu. Już mnie wcześniej widzieli.

– Ale przecież niemożliwe, żeby jechali za nami na tej pustej drodze – powiedziała Lily. – Zauważyłabym ich tak samo jak tamtych.

– Bieganie z nosem przy ziemi wyszło z mody razem z Sherlockiem Holmesem – zasugerowałam.

– Chcesz powiedzieć, że wetknęli coś do naszego samochodu: na przykład nadajnik? – wyszeptała chrypliwie. – A więc mogli jechać za nami niezauważenie?

– Trafione, mój drogi Watsonie – odparłam równie cicho. – Teraz zajmij ich przez dwadzieścia minut, a ja poszukam tej pluskwy i postaram się ją zlikwidować. Elektronika to moja specjalność.

– Ja tam mam swoje sposoby – rzuciła Lily, mrugając do mnie. – Wybaczysz, ale udam się teraz do toalety. – Wstała z uśmiechem na twarzy i rzuciła mi psa na kolana.

Jeden ze zbirów, który już podnosił się z miejsca, usiadł, słysząc, że Lily głośno pyta kelnera o *les toilettes*. Tymczasem zmagałam się z Cariocą, który najwyraźniej zasmakował w *tadjin*. Gdy Lily wreszcie wróciła, chwyciła psa, wcisnęła go do mojej torby, rozdzieliła między nas ciężkie butelki z wodą i ruszyła w kierunku drzwi.

– I jak poszło? – spytałam szeptem.

Wszyscy nasi współbiesiadnicy zerwali się z miejsc i zaczęli pośpiesznie regulować swoje rachunki.

– Bajka – wymamrotała w drodze do samochodu. – Ostry, metalowy pilnik i kawałek kamienia. Przebiłam opony i przewody paliwowe i nie żadne wielkie dziury, tylko tak, żeby powoli ciekło. Pojeździmy chwilę, aż się im skończy paliwo, a gdy padną, damy do dechy i ruszymy przed siebie.

– Niezły pomysł, nie ma co – powiedziałam ciepło, gdy weszłyśmy do corniche'a. – Dobra robota! – Lecz gdy wyjeżdżałyśmy na ulicę, zauważyłam, że na parkingu stoi sześć różnych samochodów należących być może do personelu restauracji albo sąsiednich kafejek. – Skąd wiedziałaś, który z nich należy do tajnej policji?

– Nie wiedziałam – odparła z zadowolonym uśmieszkiem, zjeżdżając w dół ulicy. – Więc dla pewności przedziurawiłam wszystkie.

Myliłam się, przypuszczając, że długość trasy południową drogą wynosi 800 mil. Z tablicy przy wyjeździe z Ghardaji informującej o odległościach do wszystkich punktów na południu (których nie było zbyt wiele) wynikało, że aby dotrzeć do Dżanat przy południowej bramie Tasili, musimy pokonać 1637 kilometrów, czyli ponad 1000 mil. I choć Lily była doskonałym kierowcą, jak szybko da radę jechać, gdy zjedziemy z głównej drogi?

Zgodnie z przewidywaniami Lily, ochroniarze Kamela odpadli z gry po godzinnej jeździe za nami przez ulice M'zab. A zgodnie z moimi przewidywaniami, chłopcy Szarrifa zostali tak daleko w tyle, że nie zauważyłyśmy nawet, jak utknęli gdzieś na poboczu, czym z pewnością zawiedli srodze swego szefa. Gdy tylko uwolniłyśmy się od eskorty, Lily zatrzymała się, a ja wpełzłam pod corniche'a. Po pięciu minutach poszukiwań przy świetle latarki znalazłam pluskwę za tylną osią i rozbiłam ją łomem.

Zatrzymałyśmy się na wzgórzu, skąd rozciągał się widok na rozległy cmentarz. Tam, wdychając czyste, rześkie powietrze, zaczęłyśmy podskakiwać i poklepywać się po plecach: cieszyłyśmy się z naszej przebiegłości, a Carioca tańczył wokół nas z jazgotliwym szczekaniem. Potem wróciłyśmy do samochodu i ruszyłyśmy przed siebie.

Szybko zmieniłam zdanie na temat trasy wybranej przez Minnie. Choć północna droga mogła się wydawać dużo prostsza, tutaj udało się nam całkiem zgubić naszych prześladowców – nie znali nawet kierunku, w którym się udałyśmy. Żaden Arab przy zdrowych zmysłach nie przypuściłby, że dwie samotne kobiety mogą wybrać tę właśnie drogę – i prawdę mówiąc, mnie też coś takiego wydawało się niemożliwe. Próbując wykiwać tych facetów, zmarnowałyśmy jednak tyle czasu, że gdy wyjeżdżałyśmy z M'zab, minęła dziewiąta i było już ciemno. Zbyt ciemno, by czytać, zbyt ciemno, by podziwiać pusty krajobraz. Lily prowadziła, a ja postanowiłam się zdrzemnąć, by móc ją później zmienić.

Zanim minęłyśmy hamadę i przejechałyśmy przez wydmy w Touat, upłynęło dziesięć godzin i niebo powoli jaśniało. Na szczęście dotychczasowa podróż nie obfitowała w przygody, a wręcz przeciwnie. Miałam jakieś niejasne przeczucie, że nasze szczęście powoli się kończy. Zaczęłam myśleć o pustyni.

W górach, które przejechałyśmy dzień wcześniej, temperatura w południe wynosiła zaledwie sześćdziesiąt pięć stopni Fahrenheita. W Ghardaji o zachodzie słońca było może o dziesięć stopni więcej. Natomiast wydmy o północy, nawet o tej porze roku, pokrywała rosa. Teraz jednak wstawał świt nad równiną Tidikilt, skrajem prawdziwej pustyni – tam, gdzie piasek i wiatr zastępują palmy, rośliny i wodę, a przed nami był jeszcze kawał drogi. Jedyne ubrania, jakie miałyśmy, okrywały nasze ciała, a za żywność musiały nam wystarczyć butelki z gazowaną wodą. Ale najgorsze miało dopiero nadejść. Lily wyrwała mnie z zamyślenia.

– Widzisz tamten szlaban? – spytała napiętym głosem, spoglądając przez przednią szybę, upstrzoną ciałami rozmaitych owadów i rozświetloną pierwszymi promieniami słońca. – Wygląda jak przejście graniczne... Ciekawe, co to jest. Zaryzykujemy?

I rzeczywiście, w samym sercu pustyni stała mała budka i szlaban w pasy, jaki zwykle kojarzy się z przejściem granicznym. Wśród tych ogromnych pustkowi wyglądało to co najmniej dziwacznie.

– Chyba nie mamy wyboru – powiedziałam. – Poprzedni przystanek minęłyśmy jakieś sto mil wcześniej. A tu innej drogi nie ma.

– Dlaczego akurat tutaj postawili ten szlaban? – spytała Lily napiętym głosem, ruszając powoli do przodu.

– Może to badanie psychiatryczne? – zażartowałam wisielczo. – W końcu niewielu ludzi przy zdrowych zmysłach decyduje się jechać dalej. Przecież wiesz, co tam jest, prawda?

– Nic? – próbowała zgadnąć.

Wybuchem śmiechu rozładowałyśmy napięcie. I mnie, i Lily prześladowało to samo pytanie: jak wyglądają lokalne więzienia? Gdyż taka właśnie perspektywa rysowała się przed nami, gdyby odkryli, kim jesteśmy i co zrobiłyśmy ze środkami transportu należącymi do ministra i szefa tajnej policji.

– Nie wpadajmy w panikę – odezwałam się, gdy podjechałyśmy do barierki.

Z budki wyszedł strażnik, mały, wąsaty facecik, który wyglądał tak, jakby zapomniały o nim wycofujące się w popłochu oddziały Legii Cudzoziemskiej. Po długich rozmowach przy użyciu mojej dość miernej francuszczyzny okazało się, że zanim puści nas dalej, chce zobaczyć jakieś pozwolenie.

– Pozwolenie?! – wrzasnęła Lily, omal go przy tym nie opluwając. – Więc potrzebujemy pozwolenia, by wjechać w te zafajdane pustkowia?

Odezwałam się grzecznie po francusku:

– Monsieur, a do czego potrzebne jest owo pozwolenie?

– Do Tanzerufu, Pustyni Pragnienia – wytłumaczył. – Pani samochód musi zostać obejrzany przez przedstawicieli rządu i otrzymać specjalny dokument stwierdzający, że wszystko jest w porządku.

– Obawiam się, że samochód tego nie zniesie – powiedziałam do Lily. – Rzućmy mu srebrem na dłoń i niech sobie spojrzy na to i owo. A potem pojedziemy dalej.

Ujrzawszy kolor naszych pieniędzy i łzy Lily, strażnik uznał, iż jest na tyle ważny, że może podjąć decyzję w tej sprawie. Obejrzał nasze kanistry z benzyną i wodą, zachwycił się wielkim, srebrnym ornamentem w kształcie jakiegoś skrzydlatego, tęgawego głupka, cmokał z podziwu na widok naklejek na zderzakach, na których napisane było „Suisse” i „F” – Francja. Wszystko zdawało się być na dobrej drodze, póki nie powiedział nam, że mamy rozkładać dach i ruszać.

Lily spojrzała na mnie niewyraźnie, a ja nie bardzo wiedziałam, w czym tkwi problem.

– Czy po francusku to znaczy to samo, co ja myślę, że znaczy? – spytała.

– Powiedział, że możemy jechać – zapewniłam ją.

– Chodziło mi o to, co mówił o dachu. Czy naprawdę musimy go rozkładać?

– Oczywiście, przecież jesteśmy na pustyni. Za parę godzin temperatura wzrośnie do stu stopni w cieniu; sęk tylko w tym, że tam nie ma cienia! Nie będę tu wspominać o negatywnym wpływie piasku na fryzurę...

– Nie mogę – syknęła. – Ja nie mam żadnego dachu!

– Więc jechałyśmy ponad osiemset mil z Algieru samochodem, który nie nadaje się do jazdy przez pustynię? – podniosłam głos.

Strażnik, który zabierał się właśnie do podnoszenia szlabanu, zawahał się na moment.

– Jak najbardziej się do tego nadaje – stwierdziła Lily z pogardą, wślizgując się na siedzenie kierowcy. – To najlepszy samochód, jaki kiedykolwiek skonstruowano. Tyle tylko, że nie ma dachu. Zepsuł się kiedyś i Harry obiecał, że da go do naprawy, do czego rzecz jasna nigdy nie doszło. Sądzę jednak, że znacznie bardziej palącym problemem...

– Znacznie bardziej palącym problemem jest to, że zamierzasz właśnie wjechać na największą pustynię świata bez rozkładanego dachu! Chyba chcesz nas zabić!

Wprawdzie nasz mały strażnik nie znał angielskiego, lecz niewątpliwie rozumiał, że coś jest nie tak. W tym właśnie momencie stanęła za nami duża ciężarówka i kierowca nacisnął klakson. Lily pomachała ręką, włączyła silnik i zjechała corniche'em na bok, żeby tamten mógł spokojnie przejechać. Strażnik wyszedł, żeby przejrzeć dokumenty ciężarówki.

– Nie rozumiem, dlaczego tak się emocjonujesz – powiedziała Lily. – Samochód ma przecież klimatyzację.

– Klimatyzację! – wrzasnęłam znowu. – Klimatyzację? Niezwykle to pomocne przy porażeniach słonecznych i burzach piaskowych.

Zaczynałam się powoli rozkręcać, gdy strażnik wrócił do swojej budki, by podnieść szlaban dla ciężarówki, której kierowca miał tyle rozsądku, że pozwolił na przegląd swojego samochodu przez wjazdem w ten siódmy krąg piekielny. Zanim się zorientowałam w sytuacji, Lily przycisnęła gaz. Wzbijając chmury piasku, skręciła na drogę, po czym ruszyła przed siebie. Uchyliłam się w ostatniej chwili, gdy metalowy szlaban mignął obok mojej głowy i uderzył z trzaskiem w tył wozu. Potem rozległ się okropny dźwięk miażdżonego metalu, gdy szlaban przejechał po długich zderzakach. Słyszałam, jak strażnik wybiegł ze swojej budki, wrzeszcząc coś wniebogłosy po arabsku, lecz mój ryk zagłuszył wszystko, nawet jego:

– Omal nie ucięło mi głowy!

Samochód zachwiał się niebezpiecznie na poboczu, a siła rozpędu cisnęła mną o drzwi. Potem, ku mojemu przerażeniu, zjechałyśmy z drogi i dałyśmy nurka w głęboki czerwony piasek.

Opanował mnie potworny lęk – oślepłam. Piasek był wszędzie – w moich oczach, nosie, gardle. Jechałyśmy w tumanie czerwonej mgły. Jedynym dźwiękiem, jaki dochodził do moich uszu, był suchy kaszel Carioki i niski, głęboki klakson wielkiej ciężarówki, która zdawała się być niebezpiecznie blisko. Gdy wynurzyłyśmy się na światło dzienne, piasek osuwał się z karoserii corniche'a, koła znajdowały się na twardej nawierzchni, a nasz samochód – jakimś cudem – jechał trzydzieści jardów przed ciężarówką. Byłam wściekła na Lily, a jednocześnie nie posiadałam się ze zdumienia.

– Jak ci się to udało? – spytałam, wyczesując palcami piasek z włosów.

– Nie wiem, dlaczego Harry w ogóle wynajmował mi szofera – powiedziała radośnie Lily, jakby nic się nie stało. Jej twarz, włosy i sukienkę pokrywała gruba warstwa piaskowego pyłu. – Zawsze uwielbiałam prowadzić! Tu jest po prostu cudownie. Idę o zakład, że pobiłam rekord prędkości wśród wszystkich zmotoryzowanych szachistów...

– Czy nie przyszło ci do głowy – przerwałam jej – że nawet jeśli nic się nam nie stanie, ten mały facecik może mieć telefon? A co zrobimy, jeśli na nas doniesie? Jeśli gdzieś zadzwoni?

– Gdzie? – prychnęła Lily z pogardą. – Nie podejrzewasz chyba, że w tej okolicy roi się od patroli drogowych?

Oczywiście, miała rację. Nikt nie będzie nas ścigał wśród tych pustkowi jedynie z tego powodu, że nie zgodziłyśmy się na inspekcję samochodu przy szlabanie.

Wróciłam do dziennika francuskiej zakonnicy Mireille. Zaczęłam od miejsca, gdzie wczoraj przerwałam:

A zatem wyruszyłam na wschód od Khardaji, przez suchą Chebkha i kamienistą płaską hamadę, kierując się w stronę Tasili wan Ahdżar, położonego na skraju Pustyni Libijskiej. A w chwili wyjazdu słońce wzeszło nad czerwonymi wydmami i poprowadziło mnie do tego, czego szukałam...

Na wschód – tam, gdzie słońce wstaje każdego ranka nad granicą Libii, nad kanionami Tasili, dokąd i my zmierzałyśmy. Lecz jeśli słońce wstaje na wschodzie, to dlaczego nie zauważyłam, że teraz wstawało, wielkie i czerwone, tam, gdzie powinna być północ, podczas gdy pędziłyśmy drogą od szlabanu Ajn Salih – ku nieskończoności?

Mijała godzina za godziną, a Lily jechała niestrudzenie nie kończącą się wstążką dwupasmowej drogi, wijącą się jak wąż pośród wydm. Byłam senna z gorąca, a Lily – która siedziała za kierownicą od dwudziestu godzin, a nie spała od dwudziestu czterech – była zielona na twarzy i czerwona na czubku nosa, niewątpliwie w efekcie długiego kontaktu ze słońcem. Od czterech godzin – czyli od momentu, kiedy przekroczyłyśmy szlaban – temperatura nieustannie wzrastała. O dziesiątej rano termometr na desce rozdzielczej wskazywał wręcz nieprawdopodobną temperaturę stu dwudziestu stopni Fahrenheita, a wysokościomierz informował, że znajdujemy się pięćset stóp nad poziomem morza. Coś mi tu nie grało. Przetarłam piekące oczy i spojrzałam raz jeszcze.

– Coś jest nie tak – powiedziałam do Lily. – Te równiny, z których wyjechałyśmy, były zbliżone poziomem do poziomu morza, ale przecież z Ajn Salih wyruszyłyśmy cztery godziny temu. Przecież jedziemy w kierunku pustyni, więc powinnyśmy już być kilka tysięcy stóp nad poziomem morza. Poza tym jest zbyt gorąco jak na tak wczesną porę dnia.

– To nie wszystko – odparła Lily głosem zduszonym od gorąca. – Zgodnie ze wskazówkami Minnie jakieś pół godziny temu powinnyśmy były wjechać w boczną drogę. Ale niczego takiego nie było... – I wtedy zdałam sobie sprawę, skąd świeci słońce.

– Dlaczego ten facet mówił, że potrzebujemy jakiegoś pozwolenia dla samochodu? – spytałam, a w moim głosie zaczynała już pobrzmiewać histeria. – Czy nie mówił o Tanzerufie, Pustyni Pragnienia? Mój Boże... – Choć wszystkie tablice przydrożne były po arabsku, a ja nie znałam się zbyt dobrze na mapach Sahary, w głowie zaczęła mi świtać przerażająca myśl.

– Co się dzieje? – krzyknęła Lily, spoglądając na mnie nerwowo.

– Ten szlaban, który przejechałaś, to wcale nie było Ajn Salih – uświadomiłam sobie nagle. – Musiałyśmy nocą skręcić w jakąś złą drogę. Jedziemy na południe, w kierunku słonej pustyni! Jedziemy do Mali!

Lily gwałtownie zahamowała. Jej twarz, pokryta łuszczącą się skórą, wyrażała najgłębszą rozpacz. Pochyliła się i oparła czoło o kierownicę, a ja położyłam rękę na jej ramieniu. Oby-dwie wiedziałyśmy, że mam rację. Boże, co my teraz zrobimy?

Gdy zażartowałyśmy sobie, że za tym szlabanem nie ma nic, był to niewczesny żart. Znałyśmy opowieści o Pustyni Pragnie-nia – najbardziej przerażającym miejscu na ziemi. Nawet słyn-ny Wielki Nefud można było przejechać na wielbłądzie, lecz to był po prostu koniec świata – pustynia, gdzie nie było nawet śladu życia. W porównaniu z nią te równiny, które przejecha-łyśmy, wydawały się niemal rajem na ziemi. Tutaj temperatu-ry wzrastały podobno tak wysoko, że na piasku można było usmażyć jajko, a woda od razu wyparowywała.

– Myślę, że powinnyśmy zawrócić – powiedziałam do Lily, która w dalszym ciągu siedziała ze spuszczoną głową. – Prze-siądź się, a ja poprowadzę. Może włączymy klimatyzację – nie wyglądasz najlepiej.

– Silnik się jeszcze bardziej nagrzeje – wyszeptała, pod-nosząc głowę. – Nie wiem, jak to się stało, że pomyliłam te cholerne drogi. Możesz poprowadzić, ale wiesz, że jeśli za-wrócimy, nie możemy mieć żadnych złudzeń.

Miała rację, lecz cóż innego nam pozostało? Zauważyłam, że od upału popękały jej wargi. Wysiadłam z samochodu i otworzy-łam bagażnik. Leżały tam dwa koce. Jednym owinęłam sobie głowę i ramiona, a drugim owinęłam Lily. Potem wyciągnęłam spod siedzenia Cariocę, siedział tam z wywalonym języczkiem, niemal zupełnie suchym. Otworzyłam mu pyszczek i wlałam kilka kropel wody, a potem zajrzałam do silnika.

Uzupełniłam szybko benzynę i wodę. Nie chciałam jeszcze bardziej dobijać Lily, ale tą pomyłką ubiegłej nocy dała nie-źle do wiwatu. Widząc, jak błyskawicznie samochód połknął pierwszy kanister z wodą, zdałam sobie sprawę, że daleko nim nie zajedziemy, nawet jeśli od razu zawrócimy. A jeśli tak, to równie dobrze mogłyśmy jechać dalej.

– Za nami jedzie ta ciężarówka, prawda? – odezwałam się, siadając za kierownicą i zapalając silnik. – Może się zatrzyma, jeśli auto nam wysiądzie.

– Jeśli jesteś gotowa, to ja też – powiedziała niepewnie, a po-tem uśmiechnęła się do mnie popękanymi wargami. – Szkoda, że Harry nie może nas teraz zobaczyć.

– O kurczę, wreszcie jesteśmy przyjaciółkami, tak jak sobie

zawsze życzył – rzuciłam z dziarskim uśmiechem, który kosztował mnie sporo wysiłku.

– Tak – zgodziła się Lily. – Ale nie chcę umierać jak ostatni meszuge.

– Do śmierci nam jeszcze daleko – zaoponowałam. Jednak przyglądając się rozżarzonemu słońcu unoszącemu się coraz wyżej na białym niebie, zastanawiałam się, jak długo jeszcze wytrzymamy...

A więc tak wygląda milion mil piasku, pomyślałam, jadąc corniche'em poniżej czterdziestki, żeby nie dopuścić do zagotowania się wody. Wokół nas rozciągał się wielki, czerwony ocean. Dlaczego ta pustynia nie była żółta, biała lub brudnoszara tak jak inne? Sproszkowane skały migotały niczym kryształ w palących promieniach słońca, bardziej błyszczące niż piaskowiec i ciemniejsze od cynamonu. Przysłuchiwałam się szumowi silnika, czułam, jak z każdą chwilą ubywa wody w chłodnicy, i patrzyłam na idący w górę wskaźnik temperatury, a pustynia, jak okiem sięgnąć, czekała niczym ciemnoczerwona wieczność.

Musiałam zatrzymać samochód, by nieco ostygł, lecz zewnętrzny termometr wskazywał temperaturę, która kojarzyła mi się jedynie z wnętrzem rozpalonego pieca. Gdy podniosłam maskę, dostrzegłam, że na przodzie zaczyna się łuszczyć farba. Buty miałam w środku wilgotne, lecz gdy schyliłam się, by zdjąć je na chwilę, okazało się, że to wcale nie pot. Skóra na moich spuchniętych stopach popękała z gorąca i buty pełne były krwi. Poczułam, że robi mi się niedobrze. Wsunęłam je z powrotem, bez słowa wsiadłam do samochodu i pojechałyśmy dalej.

Już dawno temu zdjęłam koszulę, by owinąć kierownicę w miejscu, gdzie skóra zaczęła pękać i odchodzić. Krew gotowała mi się w mózgu, duszący żar palił płuca. Jeśli dotrwamy jakoś do zachodu słońca, będzie to oznaczać, że przeżyłyśmy kolejny dzień. Może ktoś się zjawi i nas uratuje; może ta ciężarówka? Lecz nawet ta gigantyczna ciężarówka, którą mijałyśmy dziś rano, zdawała się teraz jedynie wytworem mojej wyobraźni, pamięciowym mirażem.

Była druga po południu – wskaźnik wskazywał 140 stopni – gdy nagle coś zauważyłam. Początkowo wydawało mi się, że mózg mi się gotuje i mam jakieś halucynacje, że naprawdę widzę coś w rodzaju mirażu. Zdawało mi się, że piaski zaczęły się ruszać.

W powietrzu nie czuło się najmniejszego powiewu, więc w jaki sposób piaski się poruszają? A jednak tak było. Zwolniłam, a potem całkiem się zatrzymałam. Lily spała z tyłu kamiennym snem, owinięta kocem razem z Ciaroką.

Wzięłam głęboki oddech i nasłuchiwałam. Powietrze było ciężkie i gęste jak przed burzą – ta dusząca cisza, ta przerażająca, dźwiękowa próżnia pojawiająca się tylko przed najgorszymi burzami, takimi jak tornado albo... huragan. Coś się zbliżało, ale co?

Wyskoczyłam z samochodu, zdjęłam koc z głowy i położyłam go na rozpalonej masce, by móc wejść i popatrzeć z góry. Ogarnęłam wzrokiem horyzont. Na niebie nie zauważyłam niczego, lecz wszędzie – jak okiem sięgnąć – piaski się poruszały, pełzały jak żywe istoty. Mimo potwornego upału przeszedł mnie zimny dreszcz.

Zeskoczyłam na ziemię i poszłam obudzić Lily, ściągając z niej koc. Usiadła powoli. Twarz miała już nieźle poparzoną od słońca.

– Skończyła się benzyna! – powiedziała z przerażeniem. Głos miała chrapliwy, a wargi i język spuchnięte.

– Samochód jest nadal w porządku – uspokoiłam ją. – Ale coś się zbliża, choć nie bardzo wiem co.

Carioca wypełzł spod koca i zaczął skamleć, widząc ruszający się wokół nas piasek. Lily popatrzyła, po czym podniosła na mnie przerażony wzrok.

– Burza? – spytała.

– Tak sądzę – kiwnęłam głową. – Tutaj nie ma co się łudzić, że spadnie deszcz, więc to na pewno burza piaskowa. Może być nieciekawie.

Nie chciałam pogarszać jej samopoczucia, mówiąc, że to przez nią nie mamy gdzie się schronić. Pewnie gdybyśmy miały, to i tak niewiele by to nam pomogło. W takiej okolicy, gdzie drogi potrafią być zasypane na wysokość trzydziestu stóp, podobny los mógł spotkać i nas. Nawet gdyby to cholerne auto miało jakiś dach, byłybyśmy w równie beznadziejnej sytuacji. Wczołganie się pod samochód również nie było rozwiązaniem.

– Sądzę, że mogłybyśmy spróbować ją prześcignąć – oznajmiłam z takim zdecydowaniem, jakbym wiedziała, o czym mówię.

– A z którego kierunku się zbliża? – spytała Lily.

– A skąd ja mogę wiedzieć? – Wzruszyłam ramionami. – Nie widzę jej, nie słyszę i nie czuję. Nie pytaj mnie skąd, ale wiem, że tam jest.

Tak samo czuł Carioca, który wariował z przerażenia. Oboje nie mogliśmy się mylić.

Ponownie uruchomiłam silnik i przycisnęłam gaz do dechy. Pędząc w tym potwornym upale, czułam, że opanowuje mnie panika. Uciekałam przed burzą, której ani nie słyszałam, ani nie widziałam. Czułam się jak Ichabod Crane próbujący umknąć Jeźdźcowi bez Głowy. Powietrze robiło się ciężkie, coraz cięższe i duszące, otaczało nasze twarze jak rozpalona ściana ognia. Lily siedziała obok mnie z Cariocą na kolanach, wpatrując się w upstrzoną piaskiem szybę, a samochód pędził w samo serce tego czerwonego blasku. I wtedy właśnie usłyszałam ten dźwięk.

Początkowo zdawało mi się, że to omamy słuchowe, jakieś brzęczenie w uszach wywołane przez ciągły zgrzyt piasku o karoserię samochodu, piasku, który zdarł całą farbę z maski aż do gołego metalu. Jednakże ów dźwięk stawał się coraz głośniejszy, przypominał teraz lekkie brzęczenie muchy albo mechanicznej piły. Jechałam dalej, choć się bałam. Lily też to słyszała i spojrzała na mnie, lecz nie chciałam się zatrzymywać, by sprawdzić, co to jest. Chyba wiedziałam.

Dźwięk narastał i zaczął zagłuszać wszystko wokół nas. Piasek po obu stronach drogi unosił się i co chwila osypywał na drogę, a dźwięk potężniał i potężniał, stając się niemal ogłuszający. Zdjęłam raptownie stopę z gazu, a Lily wbiła swoje krwistoczerwone paznokcie w deskę rozdzielczą. Ten ryk rozlegał się teraz tuż nad naszymi głowami i zanim trafiłam w hamulec, samochód niemal zjechał z drogi.

– Samolot! – darła się Lily.

Ja też się darłam. Ściskałyśmy się radośnie, a w piekących oczach pojawiły się łzy. Nad naszymi głowami pojawił się samolot i lądował na naszych oczach jakieś sto jardów dalej na maleńkim pustynnym lądowisku!

Moje panie – powiedział *fonctionnaire* lądowiska Debnane – miałyście szczęście, że natrafiłyście na mnie. Air Algérie prowadzi tutaj tylko jeden lot dziennie. Gdy nie ma zaplanowanych żadnych prywatnych lotów, to miejsce jest zamknięte. Do następnej stacji benzynowej jest sto kilometrów, a tyle byście nie ujechały.

Z pomp niedaleko pasa startowego napełnił nam bak i chłodnicę. Ogromny samolot transportowy, który tak długo buczał nad naszymi głowami, teraz stał spokojnie na lądowisku, a gorące powietrze buchające z jego silników wtapiało się w pustynny żar. Lily stała z Cariocą na rękach i wpatrywała się w naszego małego, muskularnego wybawiciela jak w samego archanioła Gabriela. Był on prawdopodobnie jedyną ludzką istotą w promieniu wielu dziesiątek mil. Zaraz po wylądowaniu pilot poszedł do małego, metalowego pomieszczenia, by uciąć sobie drzemkę w tym straszliwym upale. Po pasie startowym przewalały się kłęby pyłu, a wiatr przybierał na sile. W gardle dławiło mnie od upału i wzruszenia wywołanego nieoczekiwanym ratunkiem. Uznałam, że wierzę w Boga.

– A co robi to lądowisko tutaj, na tym odludziu? – spytała mnie Lily.

Przetłumaczyłam jej pytanie naszemu *fonctionnaire*.

– Przywozimy pocztę dla ekip poszukujących złóż naturalnego gazu, które pracują na zachód stąd. Zatrzymują się tutaj w drodze do Hadżdżar, a potem wracają do Algieru.

Lily zrozumiała.

– Hadżdżar to góry pochodzenia wulkanicznego leżące na południu. Wydaje mi się, że położone są niedaleko Tasili – wyjaśniłam.

– Spytaj go, kiedy to pudło będzie startować – rzuciła do mnie Lily, ruszając w kierunku pomieszczenia, gdzie spał pilot. Carioca dreptał cichutko za nią, zręcznie odrywając łapki od rozpalonego asfaltu.

– Niedługo – odparł po francusku na moje pytanie. Następnie wskazał na pustynię. – Musimy wystartować, zanim uderzą piaskowe diabły. Czyli wkrótce.

A więc miałam rację; nadchodziła burza.

– Gdzie idziesz? – krzyknęłam za Lily.

– Chcę sprawdzić, ile będzie kosztować przewóz samochodu – rzuciła mi przez ramię.

Była czwarta po południu, gdy nasz samochód został opuszczony na płytę lotniska w Tamanrasset. Liście palm daktylowych powiewały w letniej bryzie, a niebiesko-czarne szczyty gór wspinały się ku niebu.

– Nie do wiary, co można kupić za pieniądze – powiedziałam do Lily, gdy zapłaciła wesołemu pilotowi ustaloną sumę i wsiadłyśmy do samochodu.

– Tylko nie zapomnij tej lekcji – odpaliła, manewrując między zasiekami z drutu. – A ten facet nawet dał mi zasraną m a p ę! Na pustyni dorzuciłabym za nią jeszcze jednego tauzena. Teraz, jeśli znów się zgubimy, przynajmniej będziemy wiedzieć, gdzie jesteśmy.

Trudno mi było zdecydować, kto wygląda gorzej – Lily czy corniche. Blada skóra schodziła z niej płatami, a lakier z przedniej części samochodu był zdarty aż do gołej blachy w rezultacie działania piasku i słońca. Najbardziej jednak zdumiewające było to, że silnik w dalszym ciągu mruczał jak kot.

– Tam właśnie jedziemy. – Lily wskazała jakieś miejsce na mapie, którą rozłożyłyśmy na desce rozdzielczej. – Dodaj kilometry i przelicz je dla mnie. Wtedy ustalimy najkrótszą trasę.

Była tylko jedna droga – długości 450 mil – która cały czas biegła przez góry. Na skrzyżowaniu do Dżanat zatrzymałyśmy się w niewielkim, przydrożnym *moulin* na pierwszy od dwudziestu czterech godzin posiłek. Byłam przeraźliwie głodna i pochłonęłam łapczywie dwa talerze kremu z kury z warzywami, w którym maczałam suchą bagietkę. Potem karafkę wina i potężną porcję łososia z ziemniakami, co przyniosło wyraźne ukojenie w cierpieniach natury żołądkowej. Na drogę kupiłyśmy kwartę gęstej, słodkiej kawy.

– Wiesz co, myślę, że powinnyśmy były przeczytać wcześniej ten dziennik – powiedziałam do Lily, gdy wjechałyśmy z powrotem na krętą drogę prowadzącą do Dżanat. – Wygląda na to, że ta zakonnica, Mireille, odwiedziła wszystkie te miejsca i wszystko o nich wiedziała. Wiedziałaś na przykład, że Grecy nazywali te góry „Atlas" dużo wcześniej, niż tamte na północy otrzymały tę nazwę? A według Herodota ludzie, którzy zamieszkiwali te tereny, nazywali się Atlantydami? Jedziemy przez królestwo zaginionej Atlantydy!

– A mnie się zdawało, że ono leży pod wodą – wtrąciła Lily. – Ale nie wspomina ani słowem o ukrytych figurach, prawda?

501

– Nie. Sądzę, że ona wie, co się z nimi stało, lecz wyruszyła, by znaleźć kryjącą się za nimi tajemnicę: wzór.

– Dobrze, czytaj dalej, kochanie. Lecz tym razem powiedz mi, kiedy mam skręcić.

Jechałyśmy przez całe popołudnie i cały wieczór. Gdy dotarłyśmy do Dżanat, była północ, a baterie w mojej latarce powoli zaczynały się wyczerpywać. Tym razem jednak wiedziałyśmy dokładnie, dokąd jedziemy. I dlaczego.

– Mój Boże – westchnęła Lily, gdy odłożyłam książkę. Zatrzymała samochód na poboczu i wyłączyła silnik. Siedziałyśmy w milczeniu, wpatrując się w rozgwieżdżone niebo nad naszymi głowami i tarczę księżyca, oblewającego mlecznym światłem równiny Tasili. – Ta historia jest niewiarygodna! Przemierzyła pustynię na wielbłądzie podczas burzy piaskowej, pokonała pieszo te równiny i urodziła dziecko w samym sercu gór, u stóp Białej Królowej! Co to za kobieta?

– My też właściwie nie idziemy drogą usłaną różami – odparłam ze śmiechem. – Może utniemy sobie małą drzemkę do czasu, aż zrobi się dzień?

– Słuchaj, mamy pełnię. W bagażniku są jeszcze zapasowe baterie do latarki. Pojedźmy tą drogą, aż dotrzemy do wylotu, a potem ruszymy na szlak. Po tej kawie wcale nie jestem śpiąca. Na wszelki wypadek możemy wyjąć koce. Lepiej ruszajmy przed siebie, póki wokoło jest pusto.

Jakieś dwanaście mil za Dżanat dojechałyśmy do skrzyżowania, skąd do kanionów prowadziła długa, boczna droga. Stał tam drogowskaz z napisem „Tamrit" i strzałką, obok widniało pięć odcisków wielbłądzich kopyt i napis *Piste chamelière*. Wielbłądzi szlak. Pojechałyśmy w tamtą stronę.

– Jak daleko jest to miejsce? – spytałam Lily. – Przecież to ty nauczyłaś się drogi na pamięć.

– Jest tam obozowisko. To chyba właśnie Tamrit, czyli „wioska namiotów". Stamtąd turyści wyruszają pieszo, by oglądać prehistoryczne malowidła – powiedziała, że to około dwudziestu kilometrów. Czyli jakieś trzynaście mil.

– Czterogodzinna wyprawa – podsumowałam. – Ale nie w takich butach.

Nie byłyśmy raczej przygotowane na górskie eskapady. Było już jednak za późno, by szukać w książce telefonicznej najbliższego Saksa na Piątej Alei.

Zatrzymałyśmy się przy ścieżce przed wjazdem do Tamrit i zostawiłyśmy samochód przy drodze, obok kępy krzaków. Lily założyła nowe baterie i wzięła koce. Ja wsadziłam Cariocę do torby i poszłyśmy ścieżką. Co pięćdziesiąt jardów natykałyśmy się na niewielkie drogowskazy z ozdobnymi arabskimi napisami i francuskimi tłumaczeniami.

– To miejsce jest lepiej oznakowane niż autostrada – szepnęła Lily.

Choć wokół słychać było jedynie cykanie świerszczy i chrzęst żwiru pod naszymi stopami, obydwie szłyśmy cichutko i mówiłyśmy szeptem, zupełnie jakbyśmy miały za chwilę włamać się do banku. Prawdę mówiąc, sytuacja była bardzo podobna.

Niebo było tak czyste, a światło księżyca tak silne, że nie potrzebowałyśmy latarki, by odczytywać drogowskazy. Skręcając w kierunku południowo-wschodnim, ścieżka powoli opadała. Teraz szłyśmy przez wąski kanion wzdłuż pluszczącego strumyka, gdzie zauważyłam kilka drogowskazów pokazujących różne kierunki.

– I co dalej? – spytałam, puszczając Cariocę, żeby sobie pobiegał. Popędził natychmiast do najbliższego drzewa i obficie je podlał.

– To tutaj! – powiedziała Lily, podskakując w miejscu. – To właśnie to! – Wskazywała ręką drzewa, które obwąchiwał Carioca, wyrastające z samego dna strumyka. Była to ciemniejąca na tle nocnego nieba kępa gigantycznych cyprysów, wysokich na co najmniej szesnaście stóp. – Najpierw gigantyczne drzewa – powiedziała Lily. – A potem powinny być połyskujące jeziora.

I rzeczywiście, niecałe tysiąc pięćset stóp dalej natknęłyśmy się na niewielkie jeziorka, w których idealnie gładkiej tafli odbijało się światło księżyca. Carioca podbiegł do jednego z nich, żeby się napić. Jego malutki języczek poruszył wodę, która zamigotała milionem połyskliwych zmarszczek.

– One wskazują kierunek – powiedziała Lily. – Musimy iść tym kanionem, aż dotrzemy do przełęczy, która nazywa się Kamienny Las...

Ruszyłyśmy raźnym krokiem wzdłuż koryta rzeki, gdy nagle spostrzegłam kolejny drogowskaz pokazujący wąską przełęcz: „La Foret de Pierre".

– Tędy – rzuciłam.

Chwyciłam Lily za rękę i zaczęłyśmy się wspinać. Na ścieżce było mnóstwo żwiru, kruszącego się pod naszymi stopami. Co chwilę jakiś kamyk wbijał się w stopę Lily, która syczała z bólu. A za każdym razem, gdy kamyki staczały się spod naszych stóp, Carioca spadał w dół na łeb, na szyję, aż wreszcie wzięłam go na ręce i wniosłam na samą górę.

Była to długa, wąska droga, która zajęła nam ponad pół godziny. Na szczycie kanion rozszerzał się, tworząc wysoką, płaską równinę – dolinę na szczycie góry. A tam, oblane światłem księżyca, stały spiralnie skręcone, kamienne iglice wyrastające z ziemi jak szkielety dinozaurów.

– Kamienny Las! – wyszeptała Lily. – Dokładnie tam, gdzie miał być. – Dyszała ciężko po tej wspinaczce po luźnym żwirze, a ja też nie czułam się lepiej. Mimo wszystko nie było to aż tak trudne.

Być może jednak za wcześnie się cieszyłam.

Przeszłyśmy przez Kamienny Las, którego piękne, poskręcane skały przybierały niesamowite kolory w świetle księżyca. Na końcu tej równiny dostrzegłyśmy następne drogowskazy.

– I co teraz? – spytałam.

– Mamy poszukać znaku – odparła tajemniczo.

– Proszę bardzo, oto one. – Wskazałam na niewielkie strzałki z napisami.

– Nie chodzi o taki znak. Znak, który powie nam, gdzie leżą figury.

– A jak on niby ma wyglądać?

– Nie jestem pewna – odparła, rozglądając się dookoła. – Miał być zaraz za Kamiennym Lasem...

– Nie jesteś pewna? – spytałam, powstrzymując się z całych sił, żeby jej nie udusić. Miałam za sobą ciężki dzień. – Powiedziałaś, że masz to wszystko zapisane w mózgu jak partię szachów rozgrywaną z zawiązanymi oczami. Krajobraz wyobraźni, tak to określiłaś. Myślałam, że potrafisz sobie wyobrazić każde załamanie terenu.

– Potrafię – rzuciła Lily ze złością. – Przecież doprowadziłam nas aż tutaj, prawda? Lepiej się zamknij i pomyśl, jak rozwiązać ten problem.

– Przyznaj się, że zgubiłaś drogę.

– Nie zgubiłam żadnej drogi! – krzyknęła Lily, a jej głos odbił się echem od błyszczącego lasu monolitycznych skał. – Szukam czegoś, czegoś specyficznego, znaku. Ona powiedziała, że znajdziemy znak, który coś o z n a c z a, zaraz za tym punktem.

– Oznacza dla kogo? – spytałam. Lily spojrzała na mnie tępo. Widziałam łuszczącą się skórę na jej nosie. – Chodzi ci o jakiś znak, na przykład tęczę? Piorun? Napis na ścianie *Mane... mane... tekel...*

Spojrzałyśmy na siebie i ta sama myśl przyszła nam do głowy. Lily włączyła latarkę, skierowała światło na urwisko, które było przed nami – i znalazła.

Całą ścianę zajmowało ogromne malowidło. Przez równiny uciekały dzikie antylopy, a kolory były żywe nawet w sztucznym świetle. A między nimi, w samym środku, pędzący rydwan, a w nim kobieta cała w bieli.

Długo stałyśmy przed malowidłem, wodząc latarką po tej niezwykłej panoramie i przyglądając się dokładnie każdej z wyrysowanych tam postaci. Ściana była wysoka i szeroka, zakrzywiona do wewnątrz niczym złamany łuk. W samym środku tego pędu przez pradawną równinę tkwił rydwan niebios w kształcie księżyca, z dwoma kołami o ośmiu szprychach, ciągnięty przez trójkę roztańczonych rumaków, których boki lśniły trzema kolorami: czerwienią, bielą i czernią. Na przodzie klęczał czarny człowiek z głową ibisa trzymający w rękach lejce, a rumaki mknęły nad niską roślinnością. Z tyłu powiewały dwie kręte wstążki, tworząc cyfrę osiem. W samym środku, górując nad postaciami człowieka i zwierząt, jak uosobienie zemsty, stała biała bogini. Ona jedna tkwiła bez ruchu, podczas gdy wszystko wokół niej poruszało się w szaleńczym pędzie. Stała tyłem do nas, z rozwianym włosem, znieruchomiała jak posąg. Ramiona miała uniesione, jakby chciała komuś zadać cios. Długa włócznia, którą trzymała w ręku, nie była wymierzona w uciekające bezładnie antylopy, lecz skierowana prosto w rozgwieżdżone niebo. Jej ciało miało kształt surowej, złożonej z dwóch trójkątów cyfry osiem, jakby wykutej z kamienia.

– To jest właśnie to – powiedziała Lily, spoglądając z podziwem na malowidło. – Wiesz, co oznacza ten kształt, prawda? Podwójny trójkąt przypominający klepsydrę? – Przejechała strumieniem światła po ścianie, by wyraźniej zaznaczyć ów kształt.

– Odkąd tylko zobaczyłam go u Minnie, próbowałam skojarzyć sobie, co mi przypomina – ciągnęła. – I teraz już wiem. To starożytny topór o dwóch ostrzach, tak zwany labrys, w kształcie cyfry osiem. Używany był na Krecie przez starożytnych minojczyków.

– A co to ma wspólnego z tym, że jesteśmy tutaj?

– Widziałam go w książce o szachach, którą pokazywał mi Mordechaj. Najstarszy odnaleziony komplet szachowy odkryto w pałacu króla Minosa na Krecie, w miejscu, gdzie zbudowano słynny Labirynt, którego nazwa wywodzi się właśnie od tego świętego topora. Ów komplet szachowy pochodzi z drugiego tysiąclecia przed Chrystusem. Był wykonany ze złota, srebra i drogich kamieni, tak samo jak szachy z Montglane. A w samym środku szachownicy wyryty był labrys.

– Tak samo jak na tkaninie, którą miała Minnie! – wykrzyknęłam. Lily kiwała głową, wymachując z podnieceniem latarką. – Zawsze myślałam, że szachy wynaleziono dopiero w szóstym albo siódmym wieku po Chrystusie – dodałam po chwili. – Wszyscy mówią, że pochodzą z Persji lub Indii. Czy to możliwe, że ten kreteński komplet jest taki stary?

– Mordechaj pisał dużo o historii szachów – powiedziała Lily, oświetlając kobietę w bieli stojącą w rydwanie i mierzącą włócznią w niebo. – On uważa, że szachy są dziełem tego samego faceta, który zbudował Labirynt: rzeźbiarza Dedala...

Teraz wszystkie elementy zaczęły mi się łączyć w jedną całość. Wzięłam od niej latarkę i raz jeszcze przebiegłam światłem po ścianie.

– Bogini księżyca – wyszeptałam. – Rytuał labiryntu...
„Jest ziemia zwana Kretą pośrodku ciemnego jak wino morza, piękna i bogata ziemia oblana wodą..." Wyspa, która, tak samo jak inne na Morzu Śródziemnym, została niegdyś zasiedlona przez Fenicjan. Ta kultura, podobnie jak fenicka, była kulturą labiryntu, kulturą otoczoną przez wodę, gdzie czczono księżyc. – Przyjrzałam się kształtom na ścianie. – Dlaczego ten topór był wyryty na szachownicy? – spytałam Lily, choć w głębi duszy znałam odpowiedź na to pytanie. – Co mówił Mordechaj?

Choć byłam przygotowana na jej słowa, przebiegł mnie zimny dreszcz, taki sam jak wtedy, gdy zobaczyłam na ścianie ogromną, białą postać.

– Tutaj chodzi o jedno – powiedziała cicho. – Żeby zabić króla.

Ten święty topór służył do uśmiercania króla. Rytuał ów istniał w nie zmienionej formie od zarania dziejów. Gra w szachy była jedynie odtworzeniem tego czynu. Dlaczego wcześniej nie zdołałam tego pojąć?

Kamel mówił, żebym czytała Koran, a Szarrif w dzień mojego przyjazdu do Algieru wspominał, jak istotny jest dzień moich urodzin w islamskim kalendarzu, który – jak większość jego odpowiedników – jest kalendarzem lunarnym, to znaczy opartym na cyklach księżyca. Wówczas jednak nie byłam w stanie znaleźć żadnego powiązania.

Rytuał ów był dokładnie taki sam we wszystkich cywilizacjach uzależnionych od morza – a zatem od bogini księżyca, która kierowała przypływami i odpływami, na której rozkaz rzeki podnosiły się i opadały. Bogini domagającej się krwawej ofiary. Dla niej właśnie wybierano mężczyznę, który miał ją poślubić i zostać królem, lecz czas jego panowania wyznaczony był ściśle przez rytuał. Król sprawował rządy przez „Wielki Rok", czyli osiem lat – tyle właśnie potrzebują kalendarze słoneczne i księżycowe, by dokonać pełnego przejścia, gdzie sto miesięcy księżycowych równa się ośmiu latom słonecznym.

Pod koniec tego roku król był składany w ofierze, by ułagodzić boginię, a z nadejściem nowej fazy księżyca wybierano następnego króla.

Ten rytuał śmierci i odrodzenia odprawiano zawsze wiosną, gdy słońce znajdowało się dokładnie między zodiakalnymi konstelacjami Byka i Bliźniąt, czyli – przekładając to na współczesne realia – czwartego kwietnia. To właśnie w tym dniu zabijano króla.

Na tym polegał rytuał ku czci potrójnej bogini Kar, której imieniu oddawano hołd od Karkemisz do Carcassonne, od Kartaginy do Chartumu. W dolmenach Karnaku, w jaskiniach Karlsbadu i w Karelii, w łańcuchu Karpat – jej imię pobrzmiewa nawet dziś.

Gdy tak stałam, przyglądając się w świetle latarki ogromnym postaciom wyrastającym przede mną na skalnej ścianie, przypomniały mi się nagle wszystkie nazwy wywodzące się z jej imienia. Dlaczego wcześniej nie przyszło mi to do głowy? Pojawiała się w takich słowach, jak karmin, kardynał, karnawał, karawan i karma – nie kończący się cykl inkarnacji, transformacji i zapomnienia. Ona była ucieleśnionym słowem, drganiem przeznaczenia napiętym jak kundalini w sercu samego życia – siłą tworzącą cały wszechświat. To była właśnie owa moc, którą uwalniały szachy z Montglane.

Zwróciłam się do Lily, latarka drżała w mojej dłoni. Objęłyśmy się w poszukiwaniu odrobiny ciepła w tym chłodzie księżycowej nocy.

– Wiem, co wskazuje ta włócznia – powiedziała słabym głosem, pokazując malowidło na skale. – Ona nie jest skierowana na księżyc, to nie ten znak. Tu chodzi o coś, na co pada światło księżyca, tam na górze.

Perspektywa wspinania się po tej ścianie w środku nocy przerażała ją tak samo jak mnie. Skała miała dobre czterysta stóp.

– Być może – odparłam. – Lecz w moim fachu mamy powiedzenie: „Nie pracuj ciężko, pracuj głową". Mamy wiadomość, że figury są gdzieś w pobliżu. Lecz w tej wiadomości jest coś więcej, a ty zgadłaś, co to jest.

– Ja? – spytała, patrząc na mnie ogromnymi oczami. – A co to takiego?

– Przyjrzyj się tej damie na ścianie – poprosiłam. – Jedzie księżycowym rydwanem przez morze antylop, ale zupełnie ich nie zauważa – patrzy w przeciwnym kierunku, a włócznią pokazuje niebo. Lecz nie p a t r z y na niebo...

– Patrzy prosto na górę! – wykrzyknęła Lily. – Więc to jest tam, w tej skale! – Po chwili jednak jej entuzjazm przygasł. – Ale co niby mamy zrobić, wysadzić tę skałę? Chyba zapomniałam zabrać nitroglicerynę.

– Zachowuj się normalnie – powiedziałam. – Znajdujemy się w Kamiennym Lesie. Jak myślisz, dlaczego te koronkowe, spiralne kamienie tak bardzo przypominają drzewa? Przecież piasek nie jest w stanie tak ich wyrzeźbić, bez względu na to, jak mocny uderza nim wiatr. Piasek tylko wygładza, poleruje. Natomiast kształty tego rodzaju wycina jedynie woda. Ta cała równina powstała dzięki działaniom podziemnych rzek lub oceanów. Nie ma innego wytłumaczenia. Woda drąży dziury w skale... pojmujesz, o co mi chodzi?

– Labirynt! – krzyknęła Lily. – Chcesz powiedzieć, że w tej skale jest labirynt! Dlatego właśnie na jednej stronie wymalowali boginię księżyca jako labrys. To jest wiadomość, taka sama jak znak na drodze. Ale ostrze włóczni jest skierowane w górę. Woda więc działała od g ó r y i w taki też sposób je rzeźbiła.

– Być może – powiedziałam niechętnie. – Ale spójrz, w jaki sposób ta ściana jest wycięta. Zakrzywia się do w e w n ą t r z, jak miska odwrócona do góry dnem. Tak właśnie morze wcina się w urwisko i tak powstają wszystkie morskie groty. Można je znaleźć na każdym skalistym wybrzeżu od Karmelu aż po Capri. Sądzę, że wejście jest właśnie tam. Ale powinnyśmy sprawdzić, zanim się zabijemy, wspinając się na tę skałę.

Lily wzięła latarkę i przez pół godziny posuwałyśmy się wzdłuż urwiska, częściowo po omacku. Natrafiłyśmy na kilka szczelin, lecz żadna nie była na tyle szeroka, byśmy się mogły przez nią przecisnąć. Zaczynałam już podejrzewać, że mój pomysł był niewypałem, gdy nagle zauważyłam, że gładka powierzchnia skały tworzy łagodne zagłębienie. Wsunęłam tam ręce i okazało się, że przednia część skały się rozsuwa. Zdawało mi się, że będzie tak się kręcić jak dookoła osi, aż trafi na drugą część, lecz nie trafiła.

– Chyba znalazłam – zawołałam do Lily i zniknęłam w rozpadlinie.

Poszła za moim głosem, oświetlając sobie drogę latarką. Gdy znalazła się przy mnie, wzięłam od niej latarkę i oświetliłam drogę.

Opadała spiralnie w dół, coraz niżej i niżej. Odnosiło się wrażenie, że obie części skały okręcają się wokół siebie jak spirale muszli, więc podążyłyśmy za nimi. Niebawem zrobiło się tak ciemno, że słabe światło naszej latarki oświetlało drogę zaledwie na kilka stóp przed nami.

Nagle rozległ się dźwięk tak głośny, że aż podskoczyłam. Po chwili dopiero zdałam sobie sprawę, że to szczeknięcie Carioki, który siedział w mojej torbie. Echo wzmocniło je tak bardzo, że zabrzmiało jak ryk lwa.

– Ta jaskinia jest większa, niż się nam wydaje – odezwałam się do Lily, próbując wyjąć psa. – Echo roznosi się bardzo daleko.

– Nie stawiaj go na ziemi, tu mogą być pająki. Albo węże.

– Jeśli myślisz, że pozwolę się mu wysikać do mojej torby, to się grubo mylisz – powiedziałam. – A poza tym, jeśli chodzi o węże, to wolę, żeby ukąsiły jego, a nie mnie.

Lily rzuciła mi mordercze spojrzenie. Postawiłam Ciariocę na ziemi, a on natychmiast zrobił swoje. Spojrzałam na Lily z uniesionymi brwiami, a potem sprawdziłam teren dookoła.

Powoli obeszłyśmy jaskinię; okazało się, że jest niewielka. Niczego jednak nie znalazłyśmy. Po chwili Lily położyła na ziemi koce, które niosłyśmy ze sobą, i usiadła na nich.

– One muszą być gdzieś tutaj – stwierdziła. – To niewiarygodne, że znalazłyśmy to miejsce, choć oczywiście nie mam na myśli labiryntu. – Nagle zesztywniała. – Gdzie jest Carioca?

Rozejrzałam się dookoła, lecz po psie nie było śladu.

– O Boże! – jęknęłam, starając się zachować spokój. – Stąd jest tylko jedno wyjście: tą drogą, którą przyszłyśmy. Może go zawołasz.

Zrobiła to i po długiej, pełnej napięcia przerwie, usłyszałyśmy jego słabe skomlenia. Ku naszej uldze dochodziły z krętego korytarza.

– Przyniosę go – zaproponowałam.

Lily od razu była na nogach.

– Wybij to sobie z głowy! – Jej głos zadudnił echem. – Nie zostawisz mnie samej w tych ciemnościach.

Szła, depcząc mi po piętach. W pewnej chwili potknęła się i obie wpadłyśmy do dziury. Minęła dłuższa chwila, zanim znalazłyśmy się na dnie.

Gdy wreszcie, cała posiniaczona, wydobyłam się spod ciężkiego cielska Lily, skierowałam latarkę w górę. Światło odbijało się od błyszczących ścian i sufitu największej jaskini, jaką widziałam w życiu. Siedziałyśmy, wpatrując się w tę feerię barw, a Carioca skakał sobie radośnie, jakby ten upadek nie zrobił na nim najmniejszego wrażenia.

– Dobra robota – krzyknęłam, klepiąc go po łebku. – Czasem dobrze, że jesteś taki mały, futrzany przyjacielu. – Wstałam i otrzepałam się, a Lily zebrała z ziemi różne drobiazgi, które wypadły mi z torby.

Jaskinia była naprawdę ogromna – bez względu na to, gdzie skierowałyśmy światło, nie było widać końca.

– Chyba jesteśmy w tarapatach – doszedł mnie z ciemności głos Lily. – Zdaje mi się, że ta krzywizna, po której się zsunęłyśmy, jest zbyt stroma, by wspiąć się z powrotem bez pomocy dźwigu. Wydaje mi się też, że możemy tu się genialnie zgubić, jeśli nie zostawimy za sobą śladu z rozsypanych okruszków.

W jednym i drugim miała rację, lecz mój mózg pracował teraz na podwójnych obrotach.

– Usiądź i pomyśl – powiedziałam. Byłam zmęczona. – Ty staraj się sobie cokolwiek przypomnieć, a ja się zastanowię, jak stąd wyjść.

Wtedy usłyszałam jakiś dźwięk – coś jakby niewyraźne szepty przypominające szelest zeschłych liści. Zaczęłam świecić latarką na prawo i lewo, gdy nagle Carioca rozszczekał się histerycznie, usiłując doskoczyć do sklepienia, a w moje uszy uderzył ogłuszający pisk przypominający krzyk tysięcy harpii.

– Koce! – wrzasnęłam do Lily. – Dawaj te pieprzone koce!

Schwyciłam Cariocę, który wciąż odbijał się od ziemi, wcisnęłam go sobie pod pachę i dałam nurka w kierunku Lily. Złapałam koc, nie zważając na jej krzyki, i zarzuciłam go na nas. Ledwo zdążyłam przykucnąć, gdy nietoperze zaatakowały.

Sądząc po dźwięku, były ich tysiące. Przywarłyśmy do ziemi, podczas gdy one uderzały w koc jak małe kamikadze –

puk, puk, puk. Ponad dźwięk ich trzepoczących skrzydełek wzbijał się głos Lily. Dostawała histerii, a Carioca wyrywał mi się szaleńczo. Wyglądało, jakby chciał zaatakować w pojedynkę całą populację saharyjskich nietoperzy. Jego przeraźliwe ujadanie połączone z piskiem Lily odbijało się głośnym echem od ścian jaskini.

– Nienawidzę nietoperzy! – histeryzowała Lily kurczowo uczepiona mojego ramienia. – Nienawidzę ich! Nienawidzę ich!

– One też najwyraźniej za tobą nie przepadają! – wrzasnęłam, przekrzykując hałas. Ale wiedziałam, że nietoperze są niegroźne, pod warunkiem że nie zaplączą się we włosy i nie są chore na wściekliznę.

Nagle Carioca wyrwał mi się z objęć i zeskoczył na ziemię. Nietoperze wciąż śmigały w powietrzu.

– Mój Boże! – krzyknęłam. – Carioca, wracaj! – Trzymając koc nad głową, puściłam Lily i popędziłam za nim, machając latarką, w nadziei, że uda mi się zmylić nietoperze.

– Nie zostawiaj mnie! – zawyła Lily.

Z tyłu słyszałam jej ciężkie kroki. Biegłam coraz szybciej, lecz Carioca skręcił za róg i zniknął.

Znikły również nietoperze. Przed nami rozciągała się długa jaskinia przypominająca wielki hall. Wszystko ucichło – także głosy nietoperzy. Odwróciłam się do Lily, która stała za mną, drżąca, z kocem naciągniętym na głowę.

– On nie żyje – pisnęła żałośnie, rozglądając się dookoła. – Wypuściłaś go, a one go zabiły. Co teraz zrobimy? – W jej głosie brzmiał lęk. – Ty zawsze wiesz, co robić. Harry mówi...

– Mam gdzieś, co mówi Harry – rzuciłam wściekle. Czułam, że zaczyna we mnie narastać panika, lecz opanowałam ją, oddychając głęboko. Przecież nie było sensu wariować. W końcu Huckleberry Finn znalazł wyjście z jaskini, no nie? A może to był Tomek Sawyer? Zaczęłam się śmiać.

– Z czego się śmiejesz? – spytała Lily. – Co teraz zrobimy?

– Przede wszystkim zgasimy latarkę – powiedziałam, naciskając pstryczek. – Bo jeszcze wykończą się nam baterie w tej sakramenckiej... – I wtedy zobaczyłam.

Z samego końca hallu dobiegała słaba poświata. Bardzo słaba, lecz w tych egipskich ciemnościach wydawała nam się jaskrawym światłem latarni oświetlającej morskie odmęty.

– Co to jest? – spytała Lily bez tchu.

Nasza nadzieja, pomyślałam, i chwyciwszy ją za rękę, ruszyłam w tamtym kierunku. Czyżby istniało jeszcze jedno wejście?

Nie jestem pewna, jak długo szłyśmy. W takich ciemnościach człowiek traci poczucie czasu i przestrzeni. Lecz podążałyśmy w kierunku tego blasku, nie używając latarki. Im bliżej byłyśmy celu, tym jaśniejszy stawał się ów blask. W końcu dotarłyśmy do sali o wręcz niezwykłych rozmiarach – sklepienie znajdowało się na wysokości mniej więcej pięćdziesięciu stóp, a ściany ozdobione były dziwnie połyskliwymi kształtami. Z otworu w sklepieniu sączyło się światło księżyca. Lily zaczęła płakać.

– Nigdy nie sądziłam, że widok nieba może mnie tak uszczęśliwić – załkała.

Zgadzałam się z nią całkowicie. Odczułam ogromną ulgę. Gdy jednak zastanawiałam się, w jaki sposób wdrapiemy się na wysokość pięćdziesięciu stóp, by przejść przez ten otwór, usłyszałam jakieś posapywanie, dość jednoznacznie wskazujące na jego źródło. Poświeciłam latarką. W rogu jaskini – ryjąc w ziemi jakby w poszukiwaniu kości – stał Carioca.

Lily chciała się rzucić w jego kierunku, lecz powstrzymałam ją. Co on wyprawia? Stałyśmy, patrząc na psa oświetlonego niesamowitym blaskiem.

Carioca rył szaleńczo w jakimś stosie kamieni. Jednak dziwny to był stos. Zgasiłam latarkę, by tylko blask księżyca oświetlał jasknię, i wtedy dopiero zdałam sobie sprawę, że blask, który przedtem dostrzegłam, wydobywa się właśnie z tego stosu. Tuż nad nim, wyryty na ścianie, widniał gigantyczny kaduceusz z cyfrą osiem, który zdawał się unosić w bladej poświacie księżyca.

W okamgnieniu dołączyłyśmy do Carioki i zaczęłyśmy grzebać w stosie kamieni. Po kilku minutach miałyśmy pierwszą figurę. Wzięłam ją w ręce i podniosłam do góry – był to piękny koń stojący dęba. Miał około pięciu cali wysokości i był znacznie cięższy, niż podejrzewałam. Znów zapaliłam latarkę i podałam ją Lily, by mogła się lepiej przyjrzeć. Wszystkie szczegóły wyrzeźbione były z wręcz niewiarygodną precyzją. Całość wykonano z metalu wyglądającego na najczystsze srebro. Wspaniale rozdęte chrapy i delikatnie wykończone kopyta świadczyły o tym, że figurka wyszła z rąk prawdziwego mistrza. Na ozdobionym frędzlami siodle widać było poszczególne nitki, samo zaś siodło, podstawa figury – a nawet oczy konia – wykonane były z pięknie wypolerowanych kamieni, które lśniły różnymi kolorami.

– To niewiarygodne – wyszeptała Lily w ciszy, w której słychać było jedynie drapanie Carioki. – Wyciągajmy resztę.

Znów więc zaczęłyśmy kopać, aż wydobyłyśmy wszystkie. Osiem figur z Montglane stało wokół nas na piasku, lśniąc w blasku księżyca. Był tam srebrny skoczek, cztery małe pionki, każdy na trzy cale wysoki. Ubrane były w dziwne togi ze wstawkami z przodu, a w rękach dzierżyły włócznie ze skręconymi ostrzami. Był tam również złoty wielbłąd z wieżą na grzbiecie.

Jednak najbardziej zdumiewające były dwie ostatnie figury. Jedna z nich przedstawiała mężczyznę siedzącego na grzbiecie słonia z uniesioną do góry trąbą. Cały był ze złota i przypominał ów rysunek rzeźby z kości słoniowej, który Llewellyn pokazywał mi kilka miesięcy temu – lecz brakowało małych żołnierzyków otaczających podstawę. Twarz tego mężczyzny wydawała się bardziej podobizną jakiejś żyjącej kiedyś osoby niż stylizowaną twarzą, jakie zwykle widzi się na figurach szachowych. Miał dużą, szlachetną twarz z rzymskim nosem, którego wydatne nozdrza przywodziły na myśl negroidalne głowy znalezione w Ife w Nigerii. Na plecy opadały mu długie pukle, niektóre splecione i ozdobione barwnymi kamieniami. Król.

Ostatnia figura miała około sześciu cali wysokości i niemal dorównywała królowi. Była to lektyka okryta draperią opadającą na boki. Wewnątrz siedziała postać w pozycji lotosu. W szmaragdowych oczach o migdałowym kształcie widać było wyraźną dumę, a nawet dzikość. Ta istota – gdyż inaczej tego nazwać nie mogę – miała brodę, a jednocześnie kobiece piersi.

– Królowa – odezwała się Lily łagodnym głosem. – W Egipcie i Persji nosiła brodę, co oznaczało, że posiada władzę. Kiedyś ta figura była dużo słabsza niż obecnie. Lecz urosła w siłę.

Spojrzałyśmy na siebie w blasku księżyca, nad połyskującymi figurami szachów z Montglane. I na naszych twarzach pojawił się uśmiech.

– Udało się – westchnęła Lily. – Teraz trzeba się tylko jakoś stąd wydostać.

Omiotłam ściany snopem światła z latarki. Było to trudne, lecz możliwe.

– Myślę, że znajdziemy jakieś uchwyty w tej ścianie. Jeśli potnę te koce na pasy, zrobimy linę. Wejdę na górę i opuszczę ją. Przywiążesz ją do mojej torby i wciągniemy Ciociocę i figury.

– Świetnie – powiedziała Lily. – A co ze mną?

– Nie dam rady cię wciągnąć. Będziesz musiała się wspiąć – odparłam

Zdjęłam buty, a Lily zaczęła ciąć koce, używając moich nożyczek do paznokci. Nim pocięłyśmy wszystkie, niebo w otworze zdążyło już poszarzeć.

Ściana była na tyle chropowata, że było o co zaczepić palce, a światło padające przez szczelinę oświetlało całą drogę. Wspinaczka zajęła mi około trzydziestu minut. Gdy wreszcie stanęłam na górze, dysząc ze zmęczenia, stwierdziłam, że stoję na szczycie tego samego urwiska, u którego stóp znalazłyśmy wejście do jaskini. Lily przywiązała najpierw Ciociocę, a potem torbę. Gdy wciągnęłam oba ładunki na górę, przyszedł czas na Lily.

– Boję się! – zawołała z dołu. – A co będzie, jeśli spadnę i złamię nogę?

– Będę musiała cię zastrzelić – odrzekłam. – Wchodź i nie patrz na dół.

Zaczęła więc się wspinać, wczepiając się palcami w skalne występy. Gdy doszła do połowy, znieruchomiała.

– No, dalej – pogoniłam ją. – Nie możesz tam tak tkwić.

Tymczasem Lily trwała przyczepiona do ściany jak przerażony pająk i nie odzywała się ani słowem. Poczułam, że ogarnia mnie panika.

– Słuchaj – spróbowałam – wyobraź sobie, że to partia szachów. Tkwisz w jakimś punkcie i nie wiesz, jak z tego wybrnąć. Ale przecież musi być jakieś wyjście, bo inaczej przegrasz! Nie wiem, jak nazywa się sytuacja, kiedy wszystkie figury utkną i nie mają gdzie się ruszyć... ale jeśli nie znajdziesz następnej szczeliny, będziesz właśnie taką figurą.

Po chwili ruszyła ręką. Puściła linę i nieznacznie się zsunęła. A potem powoli podjęła wspinaczkę. Westchnęłam z ulgą, lecz nic nie mówiłam, żeby jej nie rozpraszać. Zdawało mi się, że minęły wieki, nim zobaczyłam jej rękę na krawędzi skały. Złapałam linę, którą kazałam się jej obwiązać w pasie, i wciągnęłam ją na szczyt.

Lily leżała bez tchu. Miała zamknięte oczy i przez długi czas w ogóle nic nie mówiła. Wreszcie otworzyła oczy, spojrzała na mnie, a potem na niebo.

– Na to się mówi zugzwang – wydyszała. – Mój Boże, udało się.

To jednak nie był koniec.

Włożyłyśmy buty i ruszyłyśmy wzdłuż skały, powoli się zsuwając. Potem przeszłyśmy przez Kamienny Las. Dwie godziny zajął nam marsz do wzgórza, skąd widać było nasz samochód.

Byłyśmy obie potwornie wyczerpane i właśnie zaczęłam mówić Lily, jak uwielbiam jajecznicę na śniadanie, gdy nagle złapała mnie za rękę.

– Oczom nie wierzę – powiedziała, wskazując miejsce, gdzie zaparkowałyśmy samochód.

Stały tam dwa wozy policyjne i trzeci, który wydawał mi się dziwnie znajomy. Gdy zobaczyłam Szarrifa i jego zbirów, przeszukujących corniche'a milimetr po milimetrze, przekonałam się, że mam rację.

– Jak oni się tutaj dostali? – Lily była zdumiona. – Przecież zgubiłyśmy ich setki mil stąd.

– A jak myślisz, ile niebieskich corniche'ów jeździ po Algierii? A ile dróg biegnie przez Tasili?

Stałyśmy tam przez chwilę, wpatrując się w drogę.

– Nie przepuściłaś chyba całej forsy od Harry'ego, prawda? – zapytałam Lily, która potrząsnęła przecząco głową. – W takim razie proponuję, byśmy poczłapały do Tamrit, tej wioski namiotów, w której już byłyśmy. Może kupimy tam dwa osły i wrócimy do Dżanat.

– I mam zostawić samochód tym łajdakom? – syknęła Lily.

– Chyba zrobiłam błąd, że nie zostawiłam cię tam na skale – powiedziałam. – W zugzwangu.

ZUGZWANG*

Zawsze lepiej poświęcić figury przeciwnika.

Sawieli Tartakower
polski arcymistrz

---

* Pozycja, w której każde własne posunięcie pogarsza sytuację (przyp. M. K.).

Minęło południe, gdy Lily i ja opuściłyśmy poszarpane wyżyny Tasili i zeszłyśmy na położone tysiąc stóp niżej równiny Admeru i przedmieścia Dżanat.

Po drodze czerpałyśmy wodę z wielu małych rzeczek nawadniających Tasili, a ja zerwałam kilka gałęzi uginających się od świeżych *dhar*, tych lepkich daktyli, które przyklejają się do palców. Był to nasz pierwszy posiłek od kolacji.

Pożyczyłyśmy osły od przewodnika w Tamrit, owej wiosce namiotów, którą minęłyśmy nocą, wjeżdżając do Tasili.

Na ośle jedzie się dużo bardziej niewygodnie niż na koniu. Do moich poranionych stóp i rąk poobdzieranych od wspinaczki mogłam więc niebawem dołączyć całą listę rozmaitej maści cierpień natury fizycznej: obite pośladki, kręgosłup obolały po wielogodzinnym truchcie przez kamieniste wydmy czy pulsujący ból w głowie, spowodowany zapewne porażeniem słonecznym. Mimo wszystko jednak nie upadałam na duchu. W końcu miałyśmy figury – i zmierzałyśmy w kierunku Algieru. Przynajmniej tak mi się wydawało.

Po czterech godzinach jazdy, w Dżanat, zostawiłyśmy nasze osły u wuja ich właściciela, który zawiózł nas drewnianym wozem na lotnisko.

Choć Kamel kazał mi unikać lotnisk, było to w obecnej sytuacji niemożliwe. Samochód nasz został zauważony i był pod strażą, a znalezienie w tym mieście firmy wynajmującej samochody graniczyło z cudem. Więc jak miałyśmy wrócić – balonem?

– Trochę się boję lecieć na lotnisko w Algierze – powiedziała Lily, gdy, otrzepawszy ubrania z siana, weszłyśmy przez przeszklone drzwi lotniska w Dżanat. – Czy mi się tylko zdawało, czy naprawdę mówiłaś, że Szarrif ma tam swoje biuro? – dopytywała się.

– Tuż obok bramki dla przylatujących – odparłam.

Okazało się jednak, że na razie nie musimy się martwić o Algier.

– Dziś nie ma żadnych lotów do Algieru – poinformowała nas kasjerka. – Ostatni samolot wystartował godzinę temu. Następny będzie dopiero jutro rano.

Czegóż można się było spodziewać w mieście, które miało dwa miliony palm i dwie ulice?

– Dobry Boże – westchnęła Lily, odciągając mnie na bok. – Nie możemy tutaj zostać na noc. Jeśli spróbujemy zatrzymać się w którymkolwiek hotelu, zażądają dokumentów, a ja nie mam żadnych. Znaleźli nasz samochód, więc w i e d z ą, że tu jesteśmy. Chyba musimy wymyślić coś innego.

Musiałyśmy wydostać się stamtąd – i to szybko. I zawieźć Minnie te figury, zanim coś się wydarzy. Wróciłam więc do kasy, a Lily podreptała za mną.

– Czy na dzisiejsze popołudnie przewidziane są w ogóle jakieś loty?

– Jedynie czarterowy lot powrotny do Oranu – otrzymałam odpowiedź. – Dla grupy japońskich studentów lecących do Maroka. Start za kilka minut, brama numer cztery.

Lily bezzwłocznie ruszyła w kierunku bramy czwartej, ściskając Cariocę pod pachą jak bochenek chleba, a ja, nie namyślając się wiele, podążyłam za nią. Jeśli ktokolwiek znał wartość pieniędzy, to niewątpliwie Japończycy. A pieniędzy Lily miała dość, by porozumieć się w każdym języku.

Gdy niemal bez tchu dobiegłyśmy na miejsce, przewodnik grupy, elegancki gość w błękitnym blezerze z plakietką „Hiroshi" na piersiach, wypędzał hałaśliwą grupę studentów na pas startowy. Lily wyjaśniła naszą sytuację po angielsku, co natychmiast przetłumaczyłam na francuski.

– Pięćset dolców żywą gotówką – powiedziała Lily. – Prosto do rączki.

– Siedemset pięćdziesiąt – szczeknął.

– Załatwione – odparła Lily, podtykając mu pod nos szeleszczący plik banknotów, które wsunął do kieszeni szybciej niż diler w Las Vegas. I mogłyśmy lecieć.

Wcześniej zawsze sądziłam, że Japończycy to ludzie o nieposzlakowanej kulturze i niezwykłej subtelności, słuchający kojącej muzyki i uczestniczący w spokojnych ceremoniach picia herbaty. Jednak ten trzygodzinny lot sprawił, że zmieniłam zdanie. Ci studenci miotali się po pokładzie, opowiadali sprośne dowcipy i śpiewali Beatlesów po japońsku, co sprawiło, iż gorąco zatęskniłam do skrzeczących nietoperzy, które spotkałyśmy w jaskiniach Tasili.

Lily była zupełnie wyłączona. Usiadła z tyłu samolotu i grała w go z przewodnikiem wycieczki. Pokonała go bezlitośnie w tej grze, która jest japońskim sportem narodowym.

Wyjrzawszy przez okienko, z niekłamaną radością ujrzałam ogromną, różową katedrę wznoszącą się nad górzystym Oranem. W Oranie jest duże lotnisko międzynarodowe, obsługujące nie tylko miasta basenu Morza Śródziemnego, lecz także wybrzeże Atlantyku i południowej Afryki. Gdy opuściłyśmy samolot, uświadomiłam sobie pewien problem, który w Dżanat nie przyszedł mi nawet do głowy: w jaki sposób przejdziemy przez elektroniczne barierki z wykrywaczami metalu?

Gdy tylko znalazłyśmy się na płycie lotniska, ruszyłam od razu do firmy wynajmującej samochody. Miałam doskonałe wytłumaczenie: w pobliskim mieście Arziw mieściła się rafineria ropy naftowej.

– Jestem z Ministerstwa do Spraw Ropy. – Pomachałam moją ministerialną odznaką. – Potrzebuję samochodu, by dostać się do rafinerii w Arziw. To pilna sprawa. Samochód z ministerstwa miał awarię.

– Niestety, mademoiselle. – Agent pokręcił głową. – Samochodu do wynajęcia nie będzie przynajmniej przez tydzień.

– Tydzień! To po prostu niedopuszczalne! Jeszcze dzisiaj muszę mieć samochód, chodzi o kontrolę produkcji. Żądam, by zarekwirował pan dla mnie samochód. Na pańskim parkingu stoi dużo samochodów. Kto je zarezerwował? Kimkolwiek by był, moja sprawa jest znacznie pilniejsza.

– Gdyby tylko ktoś mnie uprzedził – powiedział. – Te samochody na parkingu wróciły dopiero dzisiaj. Niektórzy klienci czekają na nie od tygodnia, a to są same VIP-y. Tak jak ten... – Tu zabrzęczał kluczykami. – Kilka godzin temu telefonowano z konsulatu radzieckiego. Następnym samolotem z Algieru przylatuje ich oficer łącznikowy do spraw ropy.

– Radziecki oficer łącznikowy do spraw ropy? – parsknęłam. – Pan chyba żartuje. Może w takim razie zechce pan zadzwonić do algierskiego ministra do spraw ropy i wyjaśnić mu, że nie mogę dokonać kontroli produkcji w Arziw przez cały tydzień, ponieważ Rosjanie, którzy nic nie wiedzą o ropie, ukradli ostatni samochód...?

Spojrzałam na Lily i pokręciłyśmy z oburzeniem głowami, a zdenerwowanie agenta wyraźnie wzrosło. Było mu głupio, że próbował zrobić na mnie wrażenie swoją klientelą, lecz chyba jeszcze bardziej przez to, że zdradził narodowość jednego z nich.

– Ma pani rację! – wykrzyknął nagle. Wyciągnął spod biurka plik dokumentów i przesunął je w moją stronę. – Jakim prawem ambasada radziecka może żądać samochodu w tak krótkim terminie? Proszę, mademoiselle, pani to podpisze. Zaraz przyprowadzę samochód.

Gdy agent wrócił z kluczykami, spytałam, czy mogę zadzwonić z jego telefonu do Algieru, zapewniając go, że połączenie nic nie będzie go kosztowało. Kiedy zgłosiła się Thérèse, podał mi słuchawkę.

– Moje dziecko! – wykrzyknęła z drugiego końca trzeszczącej linii. – Coś ty zrobiła? Pół Algieru cię szuka! Wiem, bo słyszałam wszystkie rozmowy. Minister powiedział, że gdybym miała wieści od ciebie, mam ci przekazać, że jest nieuchwytny. Podczas jego nieobecności masz nawet nie zbliżać się do ministerstwa.

– Gdzie on jest? – spytałam, zerkając nerwowo na agenta, który przysłuchiwał się każdemu słowu, choć udawał, że zupełnie nie zna angielskiego.

– Jest na konferencji – odparła znacząco. Niech to szlag. Czy to oznacza, że konferencja OPEC już się zaczęła? – Gdzie jesteś, na wypadek, gdyby chciał się z tobą skontaktować.

– Jestem w drodze na kontrolę w rafinerii Arziw – powiedziałam głośno po francusku. – Nasz samochód się zepsuł, lecz dzięki doskonałej pracy agenta wynajmującego samochody na lotnisku w Oranie mamy drugi samochód. Proszę powiedzieć ministrowi, że jutro się do niego zgłoszę.

– Pod żadnym pozorem nie wolno ci t e r a z wracać! – wycedziła Thérèse. – Ten *salaud* z Persji wie, gdzie byłaś i kto cię tam posłał. Wynoś się jak najszybciej z tego lotniska. Tam wszędzie są jego ludzie!

Ten perski łajdak, o którym wspomniała Thérèse, to Szarrif, który oczywiście wiedział o naszej wyprawie do Tasili. Lecz skąd wiedziała o tym Thérèse i – co dziwniejsze – skąd wiedziała, kto mnie tam posłał? Potem jednak przypomniałam sobie, że to przecież Thérèse rozpytywałam o Minnie Renselaas!

– Thérèse, czy to pani powiedziała ministrowi o spotkaniu w kasbie? – spytałam po angielsku, cały czas obserwując agenta.

– Tak – szepnęła do słuchawki. – A zatem spotkałaś się z nią. Niech ci niebiosa sprzyjają, moje dziecko. – Ściszyła głos tak bardzo, że ledwie ją słyszałam. – Oni już zgadli, kim jesteś! – Potem w słuchawce zapanowała cisza, a za chwilę rozległ się sygnał.

Odłożyłam słuchawkę z bijącym sercem i wzięłam kluczyki.

– No cóż – powiedziałam z udawaną radością, ściskając dłoń agenta – minister będzie niezwykle zadowolony, gdy dowie się, że mimo wszystko udało mi się dotrzeć do Arziw! Wprost nie wiem, jak wyrazić moją wdzięczność za pańską pomoc.

Wyszłyśmy z lotniska, Lily z Cariocą wskoczyła do czekającego renault, a ja usiadłam za kierownicą. Docisnęłam pedał gazu i pomknęłyśmy w kierunku drogi przybrzeżnej. Wbrew radom Thérèse jechałyśmy do Algieru. Cóż bowiem innego nam pozostawało? Samochód gnał przed siebie, a mój mózg pracował na najwyższych obrotach. Jeśli Thérèse mówiła poważnie, to moje życie nie było warte złamanego centa. Pędziłam przed siebie z rozpaczliwą determinacją, jakby goniła mnie sfora wściekłych psów, aż wreszcie dotarłyśmy do dwupasmowej szosy prowadzącej do Algieru.

Nadmorska droga do Algieru biegła nad urwiskiem. Minąwszy rafinerie w Arziw, przestałam wpatrywać się nerwowo we wsteczne lusterko i zatrzymałam samochód, by zmienić się z Lily i dokończyć lekturę dziennika Mireille.

Otworzyłam miękką, skórzaną okładkę i ostrożnie odwróciłam delikatne kartki, by znaleźć miejsce, w którym przerwałam. Było już popołudnie, a obramowana purpurą tarcza słoneczna opadała powoli w kierunku ciemnego morza. Fale uderzały w urwisko i w unoszącej się w powietrzu wodnej mgiełce tworzyły się tęcze. Ciemne gałęzie gajów oliwnych tuliły się do stromego stoku w ukośnych promieniach popołudniowego słońca, ich malutkie listki trzepotały na wietrze jak kawałki błyszczącego metalu.

Gdy oderwałam wzrok od krajobrazu, poczułam się, jakbym wracała do dziwnego świata, świata słowa pisanego. To niezwykłe, że ta książka stała się dla mnie bardziej rzeczywista niż wszystkie, jakże realne i bezpośrednie niebezpieczeństwa, które mnie otaczały. Ta francuska zakonnica, Mireille, stała się dla mnie towarzyszką podróży. Jej opowieść rozwijała się przed nami – i w nas – niczym ciemny i tajemniczy kwiat.

Lily jechała w milczeniu, a ja tłumaczyłam. Zdawało mi się, że oto słyszę opowieść o moich poszukiwaniach z ust kogoś, kto siedzi obok mnie – kobiety uczestniczącej w misji, której sens zrozumieć mogę tylko ja – jakby ów szept, który do mnie dochodził, był moim głosem. W pewnym momencie poszukiwanie Mireille stało się moim poszukiwaniem. Czytałam więc dalej...

Drżąca opuściłam więzienne mury. W pudełku z farbami ukryłam list od przeoryszy tudzież znaczną sumę pieniędzy, którą dołączyła, by wspomóc moją misję. Zapewniła mnie, że wystawiona zostanie akredytywa umożliwiająca mi korzystanie z pieniędzy mojej zmarłej kuzynki złożonych w jednym z brytyjskich banków. Wszelako postanowiłam nie udawać się chwilowo do Anglii, gdyż miałam najpierw do wykonania inne zadanie. Na pustyni przebywało moje dziecko – Charlot – którego miałam już nigdy nie ujrzeć. Przyszedł on na świat na oczach Bogini. Urodził się, by wziąć udział w Grze.

Lily zwolniła, a ja podniosłam wzrok znad lektury. Zapadał zmierzch, a oczy bolały mnie od uporczywego czytania w coraz słabszym świetle. Dopiero po chwili zrozumiałam, dlaczego tak gwałtownie zahamowała, gasząc jednocześnie światła. W oddali ujrzałam mnóstwo samochodów policyjnych i wojskowych oraz zatrzymanych pojazdów, które przeszukiwano.

– Gdzie jesteśmy? – spytałam. Nie byłam pewna, czy nas dostrzegli czy nie.

– Od twojego mieszkania i mojego hotelu dzieli nas jakieś pięć mil. Dwadzieścia pięć mil od Algieru. Byłybyśmy tam za jakieś pół godziny. No i co ty na to?

– Na pewno nie możemy tu zostać – powiedziałam. – I nie możemy jechać dalej. Znajdą figury, choćbyśmy nie wiem jak je ukryły. – Zastanawiałam się przez chwilę. – Niedaleko stąd jest niewielki port. Nie ma go na żadnej mapie, ale wiem, bo przyjeżdżałam tu kilka razy po ryby i homary. To jedyne miejsce, gdzie możemy skręcić bez zawracania i wzbudzania podejrzeń. Nazywa się La Madrague. Możemy się tam schronić, zanim ułożymy jakiś plan.

Ruszyłyśmy powoli wijącą się szosą, potem dojechałyśmy do odchodzącej od niej polnej drogi. Zrobiło się już zupełnie ciemno, a cała La Madrague składała się z jednej uliczki i maleńkiego portu. Zatrzymałyśmy się przed jedyną knajpą, marynarską speluną, gdzie podawali dobre bouillabaisse. Przez szpary w okiennicach sączyły się smużki światła, tak samo jak przez drzwi, które były właściwie czymś w rodzaju parawanu.

– To jedyne miejsce w promieniu wielu mil, skąd można zadzwonić – stwierdziłam. Siedziałyśmy obie w samochodzie, patrząc na drzwi wejściowe. – Nie mówiąc już o jedzeniu. Wydaje mi się, że nie jadłam od miesięcy. Spróbujemy się dodzwonić do Kamela, może nas jakoś stąd wyciągnie. Obojętnie jednak, jak na to patrzysz, jesteśmy w zugzwangu. – Uśmiechnęłam się do niej w ciemnościach.

– A jeśli się do niego nie dodzwonimy? – spytała Lily. – Jak długo będą działać ci przeczesywacze? Nie możemy tkwić tu całą noc.

– Jeśli chcesz się pozbyć tego samochodu, to możemy przebiec się po plaży. Przejdziemy na piechotę te kilka mil do mojego mieszkania. Ominiemy tę zaporę na drodze, lecz utkniemy wtedy w Sidi-Fredż bez środka lokomocji.

Postanowiłyśmy zatem zrealizować wariant pierwszy i weszłyśmy do środka. Był to chyba mój najgorszy pomysł w tym roku.

Pub w La Madrague był marynarską knajpą, lecz owi marynarze, którzy odwrócili się w naszym kierunku, gdy stanęłyśmy w drzwiach, przypominali statystów z filmu *Wyspa skarbów*. Carioca wtulił się w ramiona Lily, fukając cicho, jakby chciał się pozbyć z nosa ohydnej woni.

– Właśnie mi się przypomniało, że za dnia La Madrague jest portem rybackim, a nocą stanowi schronienie algierskiej mafii – wyjąkałam, gdy stanęłyśmy w progu.

– Na pewno się wygłupiasz – odparła i dumnie wyprostowana ruszyła w kierunku baru. Po chwili dodała: – Chyba jednak nie.

W tym momencie doznałam gwałtownego skurczu żołądka. W tłumie mignęła mi twarz człowieka, którego na pewno nie chciałam tutaj widzieć. Uśmiechał się i kiwał do barmana, gdy podeszłyśmy do baru. Barman nachylił się do nas.

– Jesteście, panie, zaproszone do stolika w rogu sali – powiedział głosem, który wcale nie brzmiał jak zaproszenie. – Proszę zamówić napoje, a zaraz je przyniosę.

– Same stawiamy sobie drinki – zaczęła butnie Lily, lecz szarpnęłam ją za ramię.

– Siedzimy po uszy w gównie – wyszeptałam jej do ucha. – Nie oglądaj się teraz, ale widzę, że nasz hojny gospodarz, Długi John Silver, bardzo oddalił się od domu.

Poprowadziłam ją przez tłum milczących marynarzy, którzy rozstępowali się przed nami jak fale Morza Czerwonego. Doszłyśmy wreszcie prosto do stolika, gdzie czekał samotny mężczyzna. Handlarz dywanami – El-Marad.

Nie potrafiłam przestać myśleć o tym, co mam w torbie na ramieniu, i o tym, co ten facet by zrobił, gdyby o tym wiedział.

– Przećwiczyłyśmy już numer z puderniczką – szepnęłam do Lily. – Liczę, że masz jeszcze inne sztuczki na podorędziu. Facet, którego zaraz poznasz, to Biały Król i chyba nie ma żadnych złudzeń co do tego, kim jesteśmy i skąd wracamy.

El-Marad siedział przy stoliku, a przed nim leżały rozłożone zapałki. Wyjmował je z pudełka i układał na blacie w coś na kształt piramidy i gdy stanęłyśmy przed nim, nawet nie podniósł wzroku.

– Dobry wieczór paniom – powiedział tym swoim przeraźliwie łagodnym głosem. – Spodziewałem się was. Czy włączą się panie do zabawy o nazwie nim? – Aż drgnęłam, lecz on najwyraźniej nie bawił się w żadne gry słów. – To stara brytyjska gra – ciągnął. – W angielskim slangu słowo „nim" znaczy „zwędzić", „gwizdnąć", czyli „kraść". Może panie o tym nie słyszały? – Po tych słowach spojrzał na mnie tymi czarnymi jak węgiel oczami, które nie miały źrenic. – To naprawdę prosta gra. Każdy z graczy usuwa jedną zapałkę lub kilka z dowolnego rzędu piramidy, ale tylko z jednego. Gracz, któremu przypada w udziale ostatnia zapałka, przegrywa.

– Wielkie dzięki za wytłumaczenie zasad – odezwałam się i przysunęłam sobie krzesło. Lily uczyniła to samo. – To nie pan urządził tę blokadę drogi, prawda?

– Nie, lecz skoro znalazłem się tutaj, to pomyślałem, że wykorzystam sytuację. Było to jedyne miejsce, dokąd mogłyście skręcić z tej drogi.

Oczywiście – ale ze mnie idiotka! Po tej stronie Sidi-Fredż na przestrzeni wielu mil nie było żadnych zabudowań.

– Chyba nie ściągnął nas pan tutaj, żeby z nami zagrać – powiedziałam, patrząc z pogardą na piramidę z zapałek na stole. – Czego pan chce?

– Ależ ja naprawdę sprowadziłem panie tutaj, żeby zagrać w grę – odparł ze złowieszczym uśmiechem. – Albo raczej w tę Grę. A to, jeśli mnie wzrok nie myli, jest wnuczka Mordechaja Rada, jednego z najlepszych graczy wszech czasów, zwłaszcza w kwestiach związanych z kradzieżą! – Patrzył na Lily z nienawiścią w oczach, a jego głos stał się nieprzyjemny.

– Jest także bratanicą pańskiego „partnera w interesach", Llewellyna – dodałam. – A jaka jest j e g o rola w tej Grze?

– Jak się wam podobało spotkanie z Mokhfi Mokhtar? – spytał El-Marad. – Jeśli się nie mylę, to ona wysłała was z tą małą misją, z której właśnie wracacie? – Wyjął jedną z zapałek z górnego rzędu, po czym skinął, sygnalizując, że mój ruch.

– Serdecznie pana pozdrawia – odparłam, biorąc dwie zapałki z następnego rzędu. W głowie kłębiły mi się tysiące myśli, lecz jednocześnie skupiałam się na toczącej się grze – grze nim. Było tam pięć rzędów zapałek – w najwyższym była tylko jedna zapałka, a każdy kolejny miał o jedną zapałkę więcej. Z czym mi się to kojarzyło? Po chwili już wiedziałam.

– Mnie? – spytał El-Marad, jak mi się zdawało, trochę niewyraźnie. – Na pewno się pani myli.

– Przecież to pan jest Białym Królem – powiedziałam spokojnie i patrzyłam, jak bieleje mu twarz. – Złapała cię, złotko. Dziwię się, że opuścił pan te swoje bezpieczne góry i wybrał się w taką podróż. Teraz stoi pan na szachownicy i miota się, szukając schronienia. To był zły ruch.

Lily przyglądała się uważnie El-Maradowi, który głośno przełknął ślinę, spuścił wzrok, a potem wziął kolejną zapałkę. Lily ścisnęła mnie pod stołem – zrozumiała, do czego zmierzam.

– Ten ruch jest też zły – rzekłam, wskazując na zapałki. – Jestem specjalistką od komputerów, a gra nim opiera się na systemie dwójkowym. Oznacza to, że istnieje wzór decydujący o zwycięstwie lub przegranej. A ja właśnie wygrałam.

– To znaczy, że to była pułapka? – wyszeptał z przerażeniem El-Marad. Poderwał się z krzesła, rozsypując zapałki. – Posłała panią na pustynię tylko po to, żeby mnie wyciągnąć? Nie! Nie wierzę!

– W porządku, nie wierzy mi pan. Jest pan nadal bezpieczny u siebie, na ósmym polu, chroniony z obu stron. Nie siedzi pan tutaj, wystawiony jak kuropatwa...

– Naprzeciwko nowej Czarnej Królowej – dorzuciła radośnie Lily.

El-Marad wytrzeszczył na nią oczy, a potem spojrzał na mnie. Wstałam, jakbym chciała odejść, lecz chwycił mnie za rękę.

– Ty! – krzyknął, rzucając dookoła dzikie spojrzenia. – Zatem... ona odeszła z Gry! Oszukała mnie...

Przesuwałam się w kierunku drzwi, a Lily podążała za mną. El-Marad dogonił nas i znów mnie złapał.

– Masz te figury – syknął. – To wszystko sztuczki, bym dał się nabrać. Ale ty je masz. Nie wróciłabyś bez nich z Tasili.

– Pewnie, że mam. Ale są w takim miejscu, gdzie panu nawet przez myśl by nie przeszło ich szukać.

Musiałam wyjść stamtąd, zanim się zorientuje, gdzie je mam. Już prawie stałyśmy w drzwiach.

Właśnie w tym momencie Carioca wyrwał się z ramion Lily, zeskoczył, poślizgnął się na gładkim linoleum, zerwał na łapy i zaczął biegać w kółko, ujadając jak szalony, a potem ruszył ku drzwiom. Z przerażeniem zobaczyłam, że drzwi otwierają się z impetem, a w progu staje Szarrif otoczony zgrają swoich zbirów w eleganckich garniturach.

– Stać w imieniu... – zaczął.

Lecz zanim pomyślałam o jakiejś reakcji, Carioca rzucił się jednym susem i zatopił ząbki w swojej ulubionej kostce. Szarrif zgiął się z bólu, cofnął się i wypadł na zewnątrz, pociągając za sobą kilku swoich ludzi. Dałam nura tuż za nim. Przewróciłam go na ziemię, tak że zostawiłam ślady paznokci na jego twarzy. Lily i ja popędziłyśmy teraz w stronę samochodu, a El-Marad deptał nam po piętach.

– Woda! – wrzasnęłam w biegu przez ramię. – Woda!

Zdałam sobie właśnie sprawę, że nie będzie czasu, by dobiec do samochodu, zapalić i ruszyć. Nie oglądałam się – po prostu biegłam prosto w stronę małego mola. Dookoła kołysały się na falach łodzie rybackie, luźno przycumowane do nabrzeża. Dobiegłszy do końca, obejrzałam się za siebie.

Na brzegu zapanowało istne pandemonium. El-Marad był tuż za Lily. Szarrif oderwał wreszcie ujadającego Cariocę od swojej kostki i nie przestając z nim walczyć, wpatrywał się w ciemność, by znaleźć w niej jakiś ruchomy kształt, do którego można by strzelić. A na dodatek trzech facetów pędziło z tupotem przez molo, w związku z czym zatkałam nos i skoczyłam do wody.

Zanurzając się, dostrzegłam jeszcze Szarrifa, który podniósł Cariocę i cisnął go do wody. Potem poczułam zamykające się nade mną chłodne, ciemne wody Morza Śródziemnego. Ciężkie figury szachów z Montglane ciągnęły mnie w dół, coraz głębiej i głębiej, aż do samego dna.

BIAŁA ZIEMIA

Na ziemiach, gdzie dziś rządzą waleczni Brytowie
I gdzie wzięli imperium sławne i mocarne,
Było ongiś ogromne i dzikie pustkowie
Ludzką ręką nie tknięte, jałowe i marne.
I trwało tak przez lata, niegodne imienia
Do dnia, gdy chrobry żeglarz, ratując swój statek,
Co płynął wprost na ostrza z białego kamienia
(u południowych brzegów wielki ich dostatek)
Tamże kotwicę rzucił, bo szukał schronienia,
A że wciąż żywe były białych skał wspomnienia
Nadał mu imię Albion.

Edmund Spenser
The Faerie Queene (1590)

Ah, perfide, perfide Albion!

Napoleon cytujący
Jacquesa Bénigne'a Bossueta (1692)

Londyn
listopad 1793

Była właśnie czwarta rano, gdy żołnierze Williama Pitta zastukali głośno do drzwi domu Talleyranda w Kensington. Courtiade narzucił szlafrok i pośpieszył sprawdzić, co to za hałas. Otworzywszy drzwi, zobaczył światełka pozapalane w domach sąsiadów, a w odsłoniętych oknach twarze ciekawskich wpatrzonych w stojący na schodach oddział żołnierzy. Courtiade wstrzymał oddech.

Od jak dawna czekali z lękiem na tę chwilę. I oto nadeszła. Talleyrand już schodził po schodach, owinięty w jedwabny szal narzucony na sutannę. Gdy podszedł do stojących w progu żołnierzy, na jego twarzy malowała się lodowata powściągliwość.

– Monsieur Talleyrand? – spytał oficer dowodzący.

– Jak pan widzi. – Talleyrand ukłonił się z zimnym uśmiechem.

– Premier Pitt ubolewa, iż nie jest w stanie osobiście dostarczyć panu tych dokumentów – zwrócił się do niego oficer, jakby recytował wyuczony tekst. Wyjął z kieszeni jakieś papiery, wcisnął je Talleyrandowi do ręki, po czym kontynuował: – Republika Francuska, nielegalna grupa anarchistów, wypowiedziała wojnę królestwu Brytanii. Wszystkim emigrantom, którzy popierają jej tak zwany rząd albo którzy czynili tak w przeszłości, rodzina panująca oraz Jego Wysokość Król Jerzy III niniejszym odmawiają schronienia. Charles'u Maurisie de Talleyrand-Périgord, został pan uznany winnym prowadzenia działalności wywrotowej skierowanej przeciwko królestwu Brytanii, pogwałcenia Aktu o Zdradzieckiej Korespondencji z roku 1793 oraz knowań na stanowisku wiceministra spraw zagranicznych rzeczonego kraju, przeciwko monarsze...

– Mój dobry człowieku, to przecież absurdalne – powiedział Talleyrand ze zjadliwym uśmiechem, podnosząc wzrok znad czytanych dokumentów. – Francja wypowiedziała wojnę Anglii ponad rok temu! A Pitt wie doskonale, że robiłem wszystko, co w mojej mocy, by temu zapobiec. We Francji jestem poszukiwany za zdradę, czy to nie wystarcza?

Jednak słowa te nie zrobiły najmniejszego wrażenia na stojącym w drzwiach oficerze.

– Premier Pitt informuje pana, że ma pan trzy dni na opuszczenie Anglii. Tu są pana dokumenty deportacyjne i zezwolenie na podróż. Żegnam, monseigneur.

Oficer wydał komendę w tył zwrot i odwrócił się na pięcie. Talleyrand przyglądał się w milczeniu maszerującym żołnierzom. Potem wszedł do domu, a Courtiade zamknął drzwi.

– *Albus per fide decipare* – rzekł Talleyrand cicho. – To cytat z Bossueta, mój drogi Courtiade, jednego z największych mówców w historii Francji. Nazwał Anglię „Białą Ziemią, która oszukuje tych, którzy jej ufają": Perfidnym Albionem. Ci ludzie nigdy nie znajdowali się pod rządami swoich: najpierw germańscy Sasi, potem Normanowie i Szkoci, a teraz Niemcy, których tak bardzo nienawidzą i do których tak bardzo są podobni. Przeklinają nas, lecz mają krótką pamięć, bo sami zabili swojego króla w czasach Cromwella. Teraz wypędzają ze swojej ziemi jedynego francuskiego sprzymierzeńca, który nigdy nie chciał nimi rządzić.

Stał z pochyloną głową, a jedwabny szal zwieszał się aż do podłogi. Courtiade odchrząknął.

– Jeśli monseigneur już zdecydował, dokąd się udamy, to rozpocznę przygotowania...

– Nie wystarczą nam trzy dni – powiedział Talleyrand, ocknąwszy się z zamyślenia. – O świcie udam się do Pitta i poproszę o przedłużenie terminu. Muszę zapewnić sobie fundusze i znaleźć kraj, który zechce mnie przyjąć.

– Lecz madame de Staël... – zaczął uprzejmie Courtiade.

– Germaine zrobiła wszystko, by wysłać mnie do Genewy,

lecz tamtejszy rząd nie wyraził zgody. Wydaje się, że wszędzie uważają mnie za zdrajcę. Ach, Courtiade, jakże szybko bukiety możliwości więdną w jesieni życia!

– Przecież monseigneur nie jest jeszcze w jesieni życia – zaoponował Courtiade.

Talleyrand spojrzał na niego niebieskimi, cynicznymi oczami.

– Mam czterdzieści lat i niczego nie osiągnąłem. Czy to nie wystarczy?

– Coś jednak osiągnąłeś – odezwał się łagodny głos z góry. Obydwaj mężczyźni podnieśli wzrok. Na półpiętrze, oparta o balustradę, w cienkiej jedwabnej koszuli nocnej i z jasnymi puklami opadającymi na ramiona, stała Catherine Grand.

– Premier będzie miał cię jutro, to już niedługo – powiedziała ze zmysłowym uśmiechem. – Lecz dzisiaj jesteś mój.

Catherine Grand zjawiła się w życiu Talleyranda cztery miesiące wcześniej – przybyła do jego domostwa o północy, przynosząc ze sobą złotego pionka z szachów z Montglane. I została.

Przyszła tu w desperacji, jak powiedziała. Mireille została posłana na gilotynę, a przed śmiercią ubłagała Catherine, by udała się z tym pionkiem do Talleyranda, by ukrył go tak samo jak pozostałe figury. Tak przynajmniej brzmiały jej słowa.

Drżała w jego ramionach, przyciskając doń ciepłe ciało, a na jej długich rzęsach lśniły łzy. Z jakim bólem mówiła o śmierci Mireille, jaką pociechę przynosiła Talleyrandowi w jego bólu i jakże była piękna, gdy padła przed nim na kolana, gdy błagała go o zmiłowanie.

Maurice zawsze był czuły na piękno – piękno dzieł sztuki, zwierząt czystej krwi, a nade wszystko kobiet. A przecież Catherine Grand była piękna w każdym detalu: miała nieskazitelną cerę, cudowne ciało odziane we wspaniałe stroje i ozdobione biżuterią, pachnący fiołkami oddech i kaskadę jasnoblond włosów. I w każdym calu przypominała Valentine. Z jedną tylko różnicą: była wcieleniem kłamstwa. Lecz jakże pięknym. Jak to możliwe, że coś równie pięknego jest jednocześnie tak niebezpieczne, zdradzieckie i tak bardzo mu obce? Francuzi mówią, że zachowanie cudzoziemca najlepiej poznaje się w łóżku. Maurice zaś nad wszystko przedkładał ten właśnie sposób zdobywania wiedzy.

Im lepiej ją poznawał, tym bardziej przekonywał się, że pasuje do niego pod każdym względem. Właściwie pod zbyt wieloma względami. Uwielbiała wina z Madery, muzykę Haydna i Mozarta i wolała chiński jedwab od francuskiego. Kochała psy tak samo jak on i zażywała kąpieli dwa razy dziennie, czego – jak wcześniej sądził – nie robił nikt oprócz niego. Chwilami wyglądało na to, że wcześniej dokładnie poznała jego upodobania – co zresztą było prawdą. Znała jego obyczaje lepiej niż Courtiade. Lecz gdy mówiła o swojej przeszłości, swoim związku z Mireille albo o szachach z Montglane, w jej słowach pobrzmiewał fałsz. Wtedy właśnie postanowił dowiedzieć się o niej tyle, ile ona dowiedziała się o nim. Napisał do Francji do osób zaufanych i tak rozpoczęło się dochodzenie. Prowadzona przezeń korespondencja okazała się nader owocna.

Przyszła na świat jako Catherine Noël Worlée – cztery lata wcześniej, niżby wynikało to z jej słów – jako córka Francuzów zamieszkujących Trankebar w Indiach. Gdy skończyła piętnaście wiosen, wydano ją za mąż dla pieniędzy za znacznie starszego od niej Anglika – niejakiego George'a Granda. Gdy miała lat siedemnaście, jej kochanek, którego małżonek chciał zastrzelić, dał jej pięćdziesiąt tysięcy rupii, by mogła na zawsze wyjechać z Indii. Pieniądze te umożliwiły jej wystawny żywot w Londynie, a potem w Paryżu.

W Paryżu powstały podejrzenia, że jest brytyjskim szpiegiem. Przed wybuchem terroru jej odźwierny został zastrzelony na progu domu, a sama Catherine znikła bez śladu. Niespełna rok później zaczęła szukać w Londynie Talleyranda – człowieka bez tytułu, pieniędzy i ojczyzny i z niewielkimi perspektywami na jakąkolwiek zmianę. Dlaczego?

Rozsupłując różowe jedwabne wstążki jej nocnej koszuli i zsuwając ją z jej ramion, Talleyrand uśmiechnął się do siebie. Przecież i on zawdzięczał swoją karierę temu, że podobał się kobietom. To kobiety przyniosły mu pieniądze, pozycję i władzę. Jakże więc może winić Catherine Grand, że wyzyskuje swoje niezwykłe atuty do osiągnięcia tych samych celów? Czego jednak ona od niego chce? Talleyrandowi zdawało się, że wie. Miał tylko jedną rzecz, na której mogło jej zależeć – figury z Montglane.

Lecz on chciał mieć j ą. Choć wiedział, że jest zbyt dojrzała na niewinność, zbyt wyrachowana na prawdziwą namiętność i zbyt zdradziecka, by można jej było zaufać – pragnął jej z gwałtownością, nad którą nie był w stanie zapanować. Pragnął jej, mimo że cała była fałszem i obłudą.

Valentine nie żyła. Jeśli nie żyła także i Mireille, oznaczało to, że szachy z Montglane zabrały mu dwie osoby, które darzył największą miłością. Dlaczego więc nie miałyby mu teraz dać czegoś w zamian?

Brał ją w objęcia ze straszliwym pożądaniem, które trawiło go jak ogień. Będzie ją miał – i niech szlag trafi dręczące go upiory.

styczeń 1794

Jednakże Mireille była daleko od śmierci – i całkiem niedaleko od Londynu. Przebywała właśnie na pokładzie statku kupieckiego, który pruł mroczne wody kanału La Manche, uciekając przed nadciągającym sztormem. Gdy płynęli przez wąską cieśninę, przez moment widziała białe skały Dover.

W ciągu tych sześciu miesięcy, które upłynęły od momentu, gdy zostawiła Charlotte Corday w celi w Bastylii, Mireille dużo podróżowała, korzystając z pieniędzy od przeoryszy, które znalazła w pudełku z farbami, wynajęła niewielką łódź rybacką i popłynęła Sekwaną, aż natrafiła w jednym z portów na statek płynący do Trypolisu. Zapłaciła kapitanowi i statek podniósł kotwicę, zanim jeszcze Charlotte opuściła celę.

Gdy brzegi Francji znikły w oddali, Mireille zdawało się, że słyszy skrzyp kół wozu wiozącego Charlotte na gilotynę. W jej mózgu dudniły ciężkie kroki na rusztowaniu, dźwięk werbli, świst spadającego ostrza i wiwaty tłumu zgromadzonego na Place de la Révolution. Mireille czuła, że to zimne ostrze odcina wszystko, co jeszcze zostało z jej dzieciństwa i niewinności, pozostawiając jedynie cel, jaki miała do zrealizowania – zniszczenie Białej Królowej i zebranie wszystkich figur.

Najpierw jednak musiała zrobić coś innego – pojechać na pustynię, by zabrać swoje dziecko. Jeśli to będzie możliwe, przekona nawet Szahina, który upierał się, że chłopiec jest Kalimem, prorokiem jego ludu. Jeśli rzeczywiście jest prorokiem, pomyślała Mireille, to niech jego los splecie się z jej losem.

Teraz jednak, gdy wicher nad Morzem Północnym uderzył w żagle pierwszymi strugami deszczu, Mireille zaczęła mieć wątpliwości, czy dobrze zrobiła, zwlekając tak długo z jazdą do Anglii – do Talleyranda, który miał figury. Siedziała na pokładzie, trzymając malutką rączkę Charlota w swoich dłoniach. Obok nich stał Szahin, przyglądając się jakiemuś statkowi wpływającemu właśnie na wzburzone wody kanału La Manche. Szahin, w długich, ciemnych szatach, który nie chciał się rozstać ze swoim małym prorokiem. Prorokiem, któremu pomógł przyjść na świat. Teraz uniósł rękę i wskazał niskie chmury nad białymi skałami.

– Biała Ziemia – powiedział cicho. – Kraina Białej Królowej. Ona czeka, nawet stąd czuję jej obecność.

– Módlmy się, byśmy się nie spóźnili – odezwała się Mireille.

– Czuję jakieś przeciwności – rzekł Szahin. – One zawsze zjawiają się razem z burzami, niczym zdradziecki dar od bogów... – Nie spuszczał wzroku ze statku, który z rozpostartymi żaglami ginął w mrokach kanału. Statku, który – o czym nie mogli wiedzieć – unosił Talleyranda w stronę rozległych przestrzeni Atlantyku.

Gdy statek Talleyranda kołysał się na wzburzonych wodach, on sam nie myślał wcale o Catherine Grand, lecz o Mireille. Wiek złudzeń dobiegł końca, prawdopodobnie tak samo jak żywot Mireille. Tymczasem on, mając lat czterdzieści, zaczynał życie na nowo.

Przecież czterdzieści lat, myślał Talleyrand, siedząc w swojej kajucie, to nie koniec życia, a Ameryka to nie koniec świata. Zaopatrzony w listy polecające do prezydenta Waszyngtona i sekretarza skarbu Alexandra Hamiltona, na pewno znajdzie w Filadelfii odpowiednie towarzystwo. No i oczywiście znał Jeffersona, który niedawno zrezygnował ze stanowiska sekretarza stanu na czas pełnienia funkcji ambasadora we Francji.

Choć nie miał nic, prócz doskonałego zdrowia i znacznej sumy pieniędzy, którą uzyskał ze sprzedaży swej biblioteki, odczuwał przynajmniej tę satysfakcję, że ma ze sobą dziewięć figur z Montglane. Dziewięć, a nie tak jak na początku osiem. Gdyż mimo wszystkich sztuczek uroczej Catherine Grand zdołał ją przekonać, że w jego kryjówce może również przechować swój złoty pionek, który mu powierzyła. Zaśmiał się na myśl o wyrazie jej twarzy, gdy żegnała go ze łzami w oczach – mimo iż próbował przekonać ją, by pojechała z nim, nie martwiąc się o figury, które są bezpiecznie ukryte w Anglii!

Rzecz jasna, cała dziewiątka była przemyślnie schowana w jego kufrach, dzięki pomysłowości przebiegłego Courtiade'a. Teraz będą mieć nowy dom. Takie myśli przyszły mu do głowy, gdy poczuł pierwsze uderzenie fal.

Ze zdumieniem spojrzał na podłogę gwałtownie ruszającą się pod jego stopami. Właśnie miał pociągnąć za dzwonek, gdy do kabiny wbiegł Courtiade.

– Monseigneur, kazano nam niezwłocznie zejść na niższy pokład – powiedział lokaj ze swoim zwykłym spokojem. Lecz szybkość, z jaką zbierał figury, sugerowała, że sytuacja jest groźna. – Kapitan obawia się, że statek uderzy o skały. Mamy się przygotować do zejścia na łodzie ratunkowe. Górny pokład będzie wolny, by marynarze mogli dopilnować żagli, lecz my musimy być w pogotowiu, gdyby nie udało się nam ominąć mielizny.

– Jakiej mielizny? – Talleyrand poderwał się z przerażeniem, omal nie wywracając stolika z kałamarzem.

– Właśnie minęliśmy Pointe Barfleur – odpowiedział cicho Courtiade. Usiłując utrzymać się na nogach, podał Talleyrandowi płaszcz. – Burza znosi nas w kierunku wybrzeży Normandii. – Po tych słowach pochylił się, by dokończyć pakowanie figur.

– Mój Boże – westchnął Talleyrand, biorąc kufer. Pokuśtykał w kierunku drzwi, wsparty na ramieniu lokaja, który niósł torbę.

Nagle statek przechylił się gwałtownie na prawą burtę, rzucając obu mężczyzn na drzwi. Podnieśli się z trudnością i ruszyli wąskim korytarzem, gdzie zapłakane kobiety histerycznie popędzały marudzące dzieci. Gdy dotarli na dolny pokład, panował tam prawdziwy ścisk – dookoła rozbrzmiewały krzyki, zawodzenia i jęki przestrachu zmieszane z dudnieniem stóp, krzykami marynarzy na górnym pokładzie i rykiem fal uderzających z furią o burty statku.

A po chwili, ku swemu przerażeniu, poczuli, że pokład usuwa się im spod nóg, i wpadli na stojących obok ludzi. Statek spadał i spadał i zdawało się, że nigdy się nie zatrzyma. Wreszcie uderzył w coś, a w powietrzu rozległ się straszliwy odgłos pękającego drewna. Ogromny statek utknął na skale, a przez poszarpaną dziurę do środka wdarła się woda, rozrzucając wszystkich z potężną siłą.

Brukowaną uliczkę w Kensington prowadzącą do furtki ogrodu Talleyranda smagał lodowaty deszcz. Mireille szła ostrożnie, by nie poślizgnąć się na gładkich kamieniach, a za nią, trzymając w objęciach małego Charlota, podążał Szahin w przemokniętych od deszczu szatach.

Mireille nawet przez myśl nie przeszło, że Talleyranda może już nie być w Anglii. Jednak jeszcze zanim otworzyła furtkę, dostrzegła pusty ogród, balkon, okna zabite deskami i ciężką sztabę zamykającą frontowe drzwi. Niemniej otworzyła furtkę i poszła kamienną ścieżką przez kałuże.

Na próżno stukała w drzwi. Gdy krople deszczu spadały na jej odkrytą głowę, słyszała potworny głos Marata szepczący: „Spóźniłaś się, spóźniłaś!” Oparła się o drzwi i stała tak w strugach ulewnego deszczu, aż poczuła, że Szahin wsuwa jej dłoń pod rękę i prowadzi po rozmokniętym trawniku pod balkon.

Zrozpaczona Mireille rzuciła się na drewnianą ławkę, szlochając tak strasznie, iż zdawało się, że serce jej pęknie. Szahin postawił Charlota na ziemi, a chłopczyk podczołgał się do Mireille i chwyciwszy jej mokre ubranie, stanął niepewnie na nóżkach. Potem złapał swą maleńką rączką jej palec i ścisnął go z wielką siłą.

– Ba – powiedział, gdy Mireille spojrzała w jego niebieskie oczka. Chłopczyk marszczył brwi, a po jego mądrej, poważnej twarzy, osłoniętej zmokniętym kapturkiem dżellaby spływały krople deszczu.

Mireille zaśmiała się.

– Ba, *toi* – rzekła. Ściągnęła kapturek i zmierzwiła jego jedwabiste, rude włosy. – Twój ojciec zniknął. Jeśli jesteś prorokiem, to czemu tego nie przewidziałeś?

Charlot spojrzał na nią poważnie.

– Ba – odezwał się znowu.

Szahin przysiadł obok niej. Jego jastrzębia twarz miała charakterystyczny dla ludzi z jego plemienia odcień błękitu, co wyglądało jeszcze bardziej tajemniczo w niesamowitym nocnym świetle.

– Na pustyni człowieka można znaleźć po śladach jego wielbłąda, ponieważ każde zwierzę zostawia odcisk równie łatwy do rozpoznania jak twarz. Tutaj szukanie śladów może być znacznie trudniejsze. Jednakże człowiek, tak samo jak wielbłąd, ma swoje zwyczaje, podyktowane przez wychowanie, formację i sposób poruszania się.

Mireille zaśmiała się w duchu, wyobrażając sobie, że oto szuka śladów utykającego Talleyranda po brukowanych ulicach Londynu. Po chwili jednak zrozumiała, co Szahin ma na myśli.

– Wilk zawsze powraca na swoje terytorium? – spytała.

– A przynajmniej na tyle długo, by zostawić swój zapach – odrzekł Szahin.

Ten wilk, którego zapachu szukali, został usunięty – i to nie tylko z Londynu, lecz także z pokładu statku tkwiącego obecnie na skale. Podobnie jak reszta pasażerów, Talleyrand i Courtiade siedzieli w jednej z otwartych łodzi, płynąc pod wiosłami w kierunku rysujących się w oddali ciemnych zarysów Wysp Normandzkich, które mogły udzielić im schronienia przed szalejącym sztormem.

Talleyrand odczuwał dodatkową ulgę, a to dlatego, że ten łańcuch małych wysepek położonych tak blisko przybrzeżnych wód Francji od czasów Wilhelma Zdobywcy faktycznie należał do Anglii.

Miejscowi w dalszym ciągu używali dawnej odmiany normańskiej francuszczyzny, niezrozumiałej nawet dla samych Francuzów. Choć płacili dziesięciny Anglii, by w ten sposób kupić sobie ochronę przed grabieżami, zachowali pradawne, normańskie prawo oraz zaciętą niezależność ducha, która sprawiała, że byli użyteczni, oraz zapewniała im znaczne zyski w czasach wojen. Wyspy Normandzkie słynęły z wielu morskich katastrof oraz doskonałych stoczni, będących w stanie wyposażyć każdą jednostkę pływającą: od okrętu wojennego do korsarskiego. To właśnie tutaj miłosiernie wyrażono zgodę na naprawę rozbitego statku, który miał zostać przyholowany do tutejszych doków. Przynajmniej nie będzie się musiał obawiać aresztowania ze strony Francuzów, choć na pełny komfort psychiczny nie mógł sobie pozwolić.

Ich łódź długo kluczyła wśród ciemnych, granitowych skał i *grès pourpre*, gęsto rozsianych wokół brzegów wysp, a siedzący w łodziach z ogromnym wysiłkiem napierali na wiosła, aż wreszcie dostrzegli pasek kamienistej plaży. Zmęczeni pasażerowie mogli w końcu wyjść na brzeg, skąd ruszyli w zacinającym deszczu do najbliższego miasteczka, brnąc przez błotniste ścieżki przecinające pola mokrego lnu i wrzosów.

Talleyrand i Courtiade, niosąc cudem uratowaną torbę z figurami, postanowili, że nim pójdą szukać jakiejś kwatery, zajdą do najbliższej oberży, by nieco się rozgrzać przy ogniu i szklaneczce koniaku. Nie wiedzieli, ile tygodni lub nawet miesięcy przyjdzie im spędzić w tym miejscu, zanim będą mogli kontynuować podróż. Talleyrand zapytał oberżystę, jak długo potrwa naprawa statku z tak mocno zniszczonym kadłubem i stępką.

– Proszę zapytać szefa stoczni – odparł. – Właśnie wrócił z doków, gdzie oglądał wasz statek. Siedzi z piwem, tam, w rogu.

Talleyrand wstał i przeszedł salę, podchodząc do czerstwego mężczyzny po pięćdziesiątce, który siedział przy stole, obejmując dłońmi kubek z piwem. Podniósł wzrok, zobaczył Courtiade'a i Talleyranda i dał im znak, by usiedli.

– Jesteście panowie z tego wraku, prawda? – spytał, gdyż słyszał ich rozmowę z oberżystą. – Mówią, że płynął do Ameryki. Niedobre miejsce. Pochodzę właśnie stamtąd. Nigdy nie przestanę się dziwić, że wy, Francuzi, jeździcie tam tłumnie, jakby to była co najmniej ziemia obiecana.

Ze sposobu, w jaki mówił, można było wywnioskować, że pochodził z dobrej rodziny i odebrał staranną edukację, a jego postura sugerowała, że w swoim życiu spędził więcej czasu w siodle niż w stoczni. Z jego władczych manier wynikało, że przywykł dowodzić ludźmi. Bardzo wyraźnie jednak wyczuwało się w nim zmęczenie i głęboką gorycz. Talleyrand zdecydował, że chce dowiedzieć się czegoś więcej.

– Dla nas Ameryka jest ziemią obiecaną – powiedział. – Może dlatego, że nie mam wielkiego wyboru. Jeśli wrócę do ojczyzny, w krótkim czasie zostanę posłany na gilotynę, a za sprawą ministra Pitta zmuszony byłem opuścić również Anglię. Posiadam jednakże listy polecające do pańskich najwybitniejszych rodaków: sekretarza stanu Hamiltona i prezydenta Waszyngtona. Może oni znajdą jakieś zajęcie dla starzejącego się Francuza, który nie ma żadnej pracy.

– Dobrze znam ich obu – rzekł ich towarzysz. – Długo służyłem pod rozkazami Waszyngtona. To on właśnie awansował mnie na brygadiera, a potem na generała, powierzając mi dowództwo Filadelfii.

– Nie do wiary! – wykrzyknął Talleyrand. Jeśli ten człowiek rzeczywiście piastował kiedyś te wszystkie stanowiska, to co, u licha, robi w tym miejscu, naprawiając rozbite statki na Wyspach Normandzkich i handlując z korsarzami? – Może więc także wy, panie, moglibyście napisać kolejny list do prezydenta? Słyszałem, że trudno jest...

– Obawiam się, panie, że moje referencje raczej utrudniłyby wam dostęp do niego – powiedział mężczyzna z ponurym uśmiechem. – Panowie pozwolą, że się przedstawię. Jestem Benedict Arnold.

Opera, kasyna, kluby, salony... takie miejsca mógł odwiedzać Talleyrand, sądziła Mireille. Tam właśnie musi się dostać, by jakoś znaleźć go w Londynie.

Lecz gdy wróciła do swojej oberży, ujrzała na drzwiach ogłoszenie, które sprawiło, że zmieniła wszystkie dotychczasowe plany:

WIĘKSZY OD MESMERA!
Zdumiewający pokaz pamięci!
Chwalony przez francuskich filozofów!
Nie pokonany przez Fryderyka Wielkiego,
Phillipa Stammę i Sire Legala!
Dziś wieczór!
GRA NA ŚLEPO
w wykonaniu sławnego mistrza szachowego
ANDRÉ PHILIDORA
Kawiarnia Parsloego
St James Street

Kawiarnia Parsloego była miejscem, gdzie przede wszystkim grano w szachy. Zasiadała tam śmietanka nie tylko londyńskiego świata szachowego, lecz także całej Europy. A największą atrakcję stanowił André Philidor, francuski szachista o europejskiej sławie.

Gdy Mireille stanęła w ciężkich drzwiach kawiarni, zdawało się jej, że wchodzi do zupełnie innego świata – milczącego świata bogactwa. Wokół błyszczało polerowane drewno, ciemnozielony jedwab i grube indyjskie dywany, oświetlone łagodnym blaskiem lamp oliwnych w kloszach z przydymionego szkła.

W środku było pusto, jedynie kilku odźwiernych krzątało się po sali, stawiając szklanki. Niedaleko drzwi siedział samotny mężczyzna, mniej więcej sześćdziesięcioletni. Był potężny, z wydatnym brzuchem, mocnymi szczękami i drugim podbródkiem opadającym na koronkowy, jedwabny krawat koloru złotego. Silna czerwień jego aksamitnego surduta doskonale pasowała do czerwonych żył na jego nosie. Wypukłe oczy, ukryte w opuchniętych fałdach popatrzyły na Mireille z zainteresowaniem – nawet jeszcze większym niż na dziwnego olbrzyma o błękitnej twarzy, który stał za nią, w długich, fioletowych szatach z jedwabiu, trzymając na ręku rudowłose dziecię.

Wychylił swą szklankę do dna, postawił ją z trzaskiem na stole i zawołał na barmana, by nalał mu jeszcze. Potem podniósł się niepewnie i ruszył w stronę Mireille krokiem, który mógł sugerować, że ma pod stopami rozkołysany pokład statku.

– Rudowłosa dziewoja, i to tak piękna – powiedział nieco bełkotliwie. – Rudozłote pukle, co łamią serce mężczyzny, o które toczyły się wojny jak o Deirdre bolesną. – Zdjął dość głupawo wyglądającą perukę i uczynił nią zamaszysty ruch mający naśladować dworski ukłon. Równocześnie zmierzył Mireille wzrokiem od stóp do głów. Potem, w pijackim zamroczeniu, wcisnął ową perukę do kieszeni, ujął Mireille za rękę i szarmancko ją ucałował.

– Tajemnicza kobieta, na dodatek z egzotycznym totumfackim! Chciałbym się przedstawić: jestem James Boswell z Affleck, prawnik z wykształcenia, historyk z niedokształcenia, potomek dobrych królów Stuartów. – Skinął głową, stłumił czknięcie i wyciągnął rękę.

Mireille zerknęła na Szahina, który stał za nią z kamienną twarzą, gdyż nie rozumiał angielskiego.

– Czyżby to monsieur Boswell, autor słynnej *Historii Korsyki*? – spytała Mireille z tym swoim uroczym akcentem. To wyglądało na niezwykły zbieg okoliczności. Najpierw Philidor, a potem Boswell, o których tyle opowiadała jej Letycja Buonaparte, i to w tym samym klubie. A może to wcale nie żaden zbieg okoliczności.

– We własnej osobie – potwierdził pijak, chwiejąc się na nogach i wspierając na jej ramieniu, jakby to ona miała go podtrzymywać. – Z twojego akcentu, pani, wnoszę, iż jesteś Francuzką i z pewnością nie popierasz tych liberalnych poglądów, które – jako młody człowiek – głosiłem przeciwko twemu rządowi.

– Wręcz przeciwnie, monsieur – zapewniła go Mireille. – Pańskie poglądy są fascynujące. Teraz mamy we Francji nowy rząd, bardziej przypominający to, co wy, panie, mówiliście tak dawno wraz z panem Rousseau. Znaliście go, prawda?

– Znałem ich wszystkich – powiedział od niechcenia Boswell. – Rousseau, Paolego, Garricka, Sheridana, Johnsona, wszystkich wielkich, bez względu na to, co robili. Jak maruder uwiłem sobie gniazdko w błocie historii... – Zaśmiał się pod nosem. – I w innych miejscach także – dodał ze sprośnym śmiechem.

Doszli do stołu, gdzie czekała już na niego pełna szklanka. Podniósł ją i wziął potężny łyk. Mireille patrzyła nań uważnie. Choć pijany, bynajmniej nie był głupcem. A już z pewnością nie był przypadkiem fakt, że dziś wieczór miało się zjawić dwóch ludzi związanych z szachami z Montglane. Musi cały czas mieć się na baczności – przecież mogą się znaleźć i inni.

– A monsieur Philidor, który ma tu grać dziś wieczór, czy jego również znacie, panie? – spytała niewinnie, lecz serce łomotało w jej piersiach jak szalone.

– Każdy, kto tylko interesuje się szachami, interesuje się również panią słynnym rodakiem – odparł Boswell, zastygłszy ze szklanką w ręku. – To jego pierwszy publiczny występ od dłuższego czasu. Nie czuje się zbyt dobrze. Czy z twojej, pani, obecności na tym miejscu mam wnosić, że uczestniczysz w grze? – W jego oczach pojawiła się czujność, a mimo zamroczenia aluzja była aż nazbyt czytelna.

– Właśnie w tym celu przybyłam, monsieur – odpowiedziała Mireille, rezygnując z dziewczęcego czarowania i uśmiechając się doń tępo. – Skoro więc znacie, panie, owego dżentelmena, to może będziecie łaskawi przedstawić mnie, gdy przyjdzie?

– Z największą przyjemnością to uczynię – rzekł Boswell, choć w głosie jego nie było najmniejszego entuzjazmu. – Prawdę mówiąc, już tu jest. Przygotowują wszystko w tylnej sali. – Po tych słowach podał jej ramię i poprowadził do pokoju, którego ściany pokrywała boazeria i oświetlały miedziane żyrandole. Szahin ruszył cicho za nimi.

W środku siedziało kilku mężczyzn. Wysoki, niezgrabny młodzieniec, niewiele starszy od Mireille, o bladej cerze i haczykowatym nosie, układał figury na szachownicach ustawionych na samym środku pokoju. Obok stał niski, krępy mężczyzna dobiegający czterdziestki, z gęstą czupryną piaskowych włosów opadających na ramiona. Mówił coś do jakiegoś starszego, zgarbionego mężczyzny, który stał do nich tyłem.

Mireille i Boswell podeszli do stolików.

– Mój drogi Philidor! – wykrzyknął Boswell, poklepując starszego mężczyznę po plecach. – Przerywam waszą rozmowę, gdyż chciałbym przedstawić tę niezwykłą piękność przybyłą z twojej ojczyzny. – Zignorował Szahina, który stał jak posąg u drzwi, przyglądając się wszystkiemu swoim sokolim wzrokiem.

Ów starszy mężczyzna odwrócił się do Mireille i spojrzał jej w oczy. Po Philidorze – mimo staromodnego i dość mocno znoszonego stroju w stylu Ludwika XV – widać było dumę i arystokratyczne pochodzenie. Mimo swego wzrostu wydawał się delikatny jak zasuszony płatek, a jego przezroczysta skóra bladością dorównywała upudrowanej peruce. Zgiął się w lekkim ukłonie i przytknął usta do jej dłoni. Potem powiedział do niej otwarcie:

– To wielka rzadkość, madame, znaleźć tak niezwykłą piękność obok szachownicy.

– A jeszcze większa rzadkość znaleźć ją uwieszoną na ramieniu tego starego degenerata Boswella – wykrzyknął mężczyzna z piaskowymi włosami, kierując na Mireille spojrzenie ciemnych oczu.

Gdy także on schylił się, by ucałować jej dłoń, wysoki, chudy chłopak z haczykowatym nosem przysunął się bliżej.

– Dopiero przed chwilą miałam przyjemność poznać pana Boswella – powiedziała Mireille. – Przyszłam, by zobaczyć się z monsieur Philidorem, którego ogromnie podziwiam.

– Nie mniej niż my! – przyznał pierwszy mężczyzna. – Nazywam się William Blake, a ten młody kozioł grzebiący w ziemi kopytem to William Wordsworth. Dwóch Williamów za cenę jednego.

– Dom pełen pisarzy – dodał Philidor. – A raczej dom pełen biedaków, gdyż obaj Williamowie są poetami.

Mireille myślała gorączkowo, co też wie o tych dwóch poetach. Młodszy z nich, Wordsworth, był w Klubie Jakobinów, gdzie spotkał się z Davidem i Robespierre'em, którzy również znali Philidora. Tyle wiedziała od Davida. Przypomniała sobie również, że Blake, którego nazwisko było już sławne we Francji, tworzył dzieła mocno zabarwione mistycyzmem, pisał także o rewolucji francuskiej. Czy te elementy jakoś pasowały do siebie?

– Przybyłaś tu, pani, by przyglądać się grze z zawiązanymi oczami? – spytał Blake. – Jest to coś tak niezwykłego, że nawet Diderot opisał to w swojej *Encyklopedii*. Wkrótce się zacznie. Tymczasem wyskrobiemy coś z dna sakiewki i postawimy pani koniak.

– Wolałabym raczej informacje – powiedziała Mireille, zdecydowana wziąć sprawy w swoje ręce. Taka okazja, że oni wszyscy zgromadzą się w jednym pokoju, może się więcej nie trafi, a z pewnością nie zjawili się tutaj bez powodu.

– Otóż toczy się inna partia, którą jestem zainteresowana, jak monsieur Boswell zapewne się domyślił. Wiem, co pragnął odnaleźć wiele lat temu na Korsyce, wiem, czego szukał Jan Jakub Rousseau. Wiem, czego monsieur Philidor dowiedział się w Prusach od wielkiego matematyka Eulera, i wiem, czego pan, monsieur Wordsworth, dowiedział się od Davida i Robespierre'a.

– Nie rozumiem w ogóle, o czym mówisz, pani! – wykrzyknął Boswell, a Philidor zbladł i zaczął się rozglądać za krzesłem.

– Tak, panowie, doskonale wiecie, o czym mówię – stwierdziła Mireille, wykorzystując chwilową przewagę. – Mówię o szachach z Montglane, o których mieliście rozmawiać dziś wieczór... Nie patrzcie na mnie z takim przerażeniem. Czy myślicie, że byłabym tutaj, gdybym nie znała waszych planów?

– Ona nic nie wie – powiedział Boswell. – Za chwilę zjawią się widzowie. Proponuję przerwać tę rozmowę... Wordsworth nalał szklankę wody i podał ją Philidorowi, który wyglądał tak, jakby miał zaraz stracić przytomność.

– Kim jesteś, pani? – spytał stary mistrz, patrząc na Mireille jak na zjawę.

Mireille wzięła głęboki oddech.

– Na imię mam Mireille i jestem z opactwa Montglane. Wiem, że ten komplet szachowy istnieje, gdyż miałam jego figury w rękach.

– Jesteś podopieczną Davida! – wykrzyknął Philidor.

– Tą, która zniknęła! – zawtórował mu Wordsworth. – Tą, której szukano...

– Jest pewna osoba, z którą muszę się porozumieć, zanim sprawy zajdą dalej... – wtrącił Boswell pośpiesznie.

– Nie ma czasu – przerwała mu Mireille. – Jeśli podzielicie się ze mną tym, co wiecie, ja także zdradzę wam to, co wiem. Lecz nie później, teraz.

– Zatem coś w rodzaju transakcji. – Blake, chodząc tam i z powrotem po pokoju, zadumał się głęboko. – Przyznaję, iż ów komplet interesuje mnie z przyczyn najzupełniej prywatnych. Bez względu na to, czego życzą sobie pańskie kohorty, drogi panie Boswell, mnie to nie interesuje. O tym komplecie szachowym dowiedziałem się w inny sposób, od głosu wołającego na pustyni...

– Jesteś, pan, głupcem! – wrzasnął Boswell, waląc pięścią w stół z pijacką wściekłością. – Myślisz, że duch twojego zmarłego brata daje ci jakieś szczególne prawa do tego kompletu. Lecz są też inni, którzy pojmują jego wartość i nie toną w żadnych mistycznych rozważaniach.

– Jeśli uważacie, panie, że motywy moje są nazbyt czyste, to dlaczego zaprosiliście mnie do wzięcia udziału w waszej intrydze? – odpalił Blake, po czym zwrócił się do Mireille z zimnym uśmiechem: – Mój brat, Robert, zmarł kilka lat temu – wyjaśnił. – Był dla mnie najbliższą osobą na tej zielonej ziemi. Gdy duch jego opuścił ciało, przemówił do mnie z westchnieniem i polecił, bym szukał szachów z Montglane, źródła wszelkich tajemnic od początku czasu. Mademoiselle, jeśli wiesz o nich cokolwiek, z chęcią podzielę się z tobą tymi kilkoma faktami. A jeśli się nie mylę, podobnie uczyni Wordsworth.

Boswell, z przerażeniem malującym się na twarzy, wybiegł z sali. Philidor spojrzał ostro na Blake'a i położył mu rękę na ramieniu, jakby chciał go ostrzec.

– Może wreszcie duch mego brata spocznie w spokoju – powiedział Blake.

Zaprowadził Mireille do miejsca w tylnej części sali i poszedł po koniak dla niej, podczas gdy Wordsworth posadził Philidora przy środkowym stoliku. Do sali zaczęli wchodzić goście, a Szahin z Charlotem w ramionach usiadł obok Mireille.

– Pijany wyszedł z budynku – rzekł cicho. – Czuję niebezpieczeństwo. Al-Kalim też je czuje. Musimy natychmiast opuścić to miejsce.

– Jeszcze nie – odparła Mireille. – Najpierw muszę się czegoś dowiedzieć.

Blake wrócił z kieliszkiem i zajął miejsce obok Mireille. Gdy ostatni z gości zajmował swoje miejsce, zjawił się Wordsworth. Jakiś człowiek stojący na środku sali wyjaśniał reguły gry; Philidor, z zawiązanymi oczami, siedział przy szachownicy. Obaj poeci pochylili się ku Mireille, a Blake zaczął cicho opowiadać.

– W Anglii znana jest opowieść o sławnym francuskim filozofie François-Marie Arouecie, zwanym Wolterem. Mniej więcej w czasie świąt Bożego Narodzenia 1725 roku – ponad trzydzieści lat przed moim urodzeniem – Wolter towarzyszył w Comédie Française aktorce Adrienne Lecouvreur. Podczas antraktu kawaler de Rohan Chabot publicznie go obraził, wykrzykując w hallu: „Monsieur de Voltaire, monsieur Arouet – może zdecydujesz się, pan, jak się naprawdę nazywasz!" Wolter, któremu nigdy nie brakowało języka w gębie, odpalił: „Moje imię zaczyna się ode mnie, a pańskie kończy się na panu!" W niedługi czas potem kawaler nasłał nań łotrów, którzy pobili Woltera za tę zniewagę.

Pomimo zakazu pojedynkowania się poeta udał się do Wersalu, gdzie zażądał satysfakcji od kawalera. Został za to wtrącony do Bastylii. Zwrócił się do władz więziennych z propozycją, że zamiast gnić w celi, gotów jest wyjechać na dobrowolne wygnanie – do Anglii.

– Podobno podczas pierwszego pobytu w Bastylii Wolter rozszyfrował tajemny rękopis dotyczący szachów z Montglane – wtrącił Wordsworth. – Potem wpadł na pomysł, że przyjedzie tutaj i przedstawi to jako coś w rodzaju zagadki naszemu słynnemu matematykowi i uczonemu, sir Isaacowi Newtonowi, którego prace podziwiał. Newton był już wówczas stary i zmęczony i stracił zainteresowanie dla pracy, która nie stanowiła żadnego wyzwania. Wolter zaproponował, że dostarczy pożądanej iskry – wyzwania polegającego nie tylko na odczytaniu tego, co jemu udało się już odczytać, lecz także znalezieniu ukrytego znaczenia. Ponieważ mówi się, madame, że rękopis ten opisywał wielką tajemnicę ukrytą w figurach z Montglane: wzór ogromnej potęgi.

– Wiem. – Mireille syknęła z irytacją, gdyż Charlot za mocno pociągnął ją za włosy.

Reszta zebranych z zapartym tchem wpatrywała się w środek sali, gdzie Philidor z zawiązanymi oczyma słuchał notacji wykonywanych przez przeciwnika posunięć, po czym sam dyktował swój ruch.

– A czy sir Isaacowi Newtonowi udało się rozwiązać tę zagadkę? – spytała niecierpliwie, czując, że Szahin chce jak najszybciej stąd wyjść, mimo iż nie widziała jego twarzy.

– Tak – odparł Blake. – To właśnie chciałem ci powiedzieć, pani. To było jego ostatnie osiągnięcie, gdyż następnego roku już nie żył...

OPOWIEŚĆ DWÓCH POETÓW

Wolter dobiegał trzydziestki, a Newton miał osiemdziesiąt trzy lata, gdy spotkali się w Londynie w maju 1726 roku. Jakieś trzydzieści lat wcześniej Newton przeżył załamanie nerwowe i od tej pory nie stworzył żadnego liczącego się dzieła.

Gdy się spotkali, drobny, cyniczny Wolter ze swoim ostrym językiem był niewątpliwie zbity z tropu, widząc Newtona – grubego, różowego mężczyznę z grzywą śnieżnobiałych włosów, na dodatek ociężałego i cichego. Mimo swej niezwykłej popularności Newton był w istocie samotnikiem, który niewiele mówił i zazdrośnie strzegł wszystkich swoich sekretów – zupełne przeciwieństwo młodego Woltera, który już dwukrotnie zdążył trafić do Bastylii za gwałtowność i niewyparzony język. Jednakże Newtona zawsze kusiły problemy matematyczne i mistyczne. Gdy więc Wolter zjawił się ze swoim mistycznym rękopisem, sir Isaac zaprosił go do siebie, po czym zniknął na kilka dni, zostawiając poetę w napięciu. Wreszcie wezwał go do swojej pracowni pełnej instrumentów optycznych i zakurzonych ksiąg.

– Opublikowałem jedynie część mojej pracy – powiedział uczony do filozofa. – Na dodatek ulegając namowom Towarzystwa Królewskiego. Teraz jestem stary i bogaty i mogę robić, co chcę, lecz w dalszym ciągu nie zgadzam się na publikację. Pański rodak, kardynał Richelieu, miał rację, szyfrując swój dziennik.

– A więc odczytałeś go, panie? – spytał Wolter.

– To i znacznie więcej – odparł matematyk z uśmiechem, zapraszając Woltera w kąt gabinetu, gdzie stała wielka, metalowa skrzynia. Wyjął z kieszeni klucz i spojrzał uważnie na Francuza. – Puszka Pandory. Otwieramy? – A gdy Wolter ochoczo skinął głową, przekręcił klucz w zardzewiałym zamku.

W środku leżały stare, liczące wiele setek lat rękopisy, niektóre rozsypujące się ze starości i zaniedbania. Wiele z nich jednak nosiło ślady częstego używania i to najprawdopodobniej przez Newtona. Gdy uczony wyciągał je z czułością ze skrzyni, zdumiony Wolter odczytywał tytuły: *De Occulta Philosophia*, *Musaeum Hermeticum*, *Transmutatione Metallorum*... heretyckie książki Dżabira Ibn Hajjana, Paracelsusa, Villanovy, Agrippy von Nettesheima, Lully. Książki o czarnej magii zakazane przez wszystkie Kościoły chrześcijańskie. Dzieła dotyczące alchemii – całe tuziny – a pod nimi, starannie obwiązane, tysiące kartek zapisków Newtona dotyczących eksperymentów i analiz.

– Przecież jesteście, panie, największym propagatorem racjonalizmu w naszym stuleciu! – wykrzyknął Wolter, patrząc na to wszystko z niedowierzaniem. – Jak możecie się nurzać w tym bagnie mistyki i magii?

– Nie magii, lecz nauki – poprawił go Newton. – Najniebezpieczniejszej ze wszystkich nauk, której celem jest odwrócenie praw natury. Rozum to wynalazek człowieka, który ma mu pomóc w rozszyfrowaniu stworzonych przez Boga wzorów. W każdym zjawisku naturalnym istnieje jakiś szyfr, a do każdego szyfru istnieje klucz. Odtworzyłem wiele eksperymentów starożytnych alchemików, lecz z dokumentu, który mi dałeś, panie, wynika, że ostateczny klucz ukryty jest w szachach z Montglane. Jeśli to prawda, to wszystkie moje odkrycia, wszystkie wynalazki oddałbym za jedną godzinę z tymi figurami.

– A cóż takiego dałby wam ów „ostateczny klucz", czego nie możecie odkryć poprzez badania i eksperymenty? – spytał Wolter.

– Kamień – odparł Newton. – Klucz do wszystkich sekretów.

Gdy poeci przerwali, zdyszani z emocji, Mireille zwróciła się od razu do Blake'a. Pomruki widzów obserwujących z zapartym tchem pojedynek toczący się na środku sali doskonale zagłuszały odgłosy ich rozmowy.

– Co on miał na myśli, mówiąc „kamień"? – spytała, ściskając go za ramię.

– Oczywiście, zapomniałem – zaśmiał się Blake. – Badałem te sprawy, więc zakładałem, że każdy to wie. Celem tych wszystkich alchemicznych eksperymentów jest znalezienie roztworu, który zmienia się w bryłkę suchego, czerwonawego proszku, przynajmniej tak to się opisuje. Czytałem pisma Newtona. Choć nie opublikowano ich ze wstydu – nikt nie chciał uwierzyć, że spędził tyle czasu nad takimi bzdurami – na szczęście ich nie zniszczono.

– A czym jest owa bryłka czerwonego proszku? – naciskała

Mireille, której zdawało się, że zacznie krzyczeć z niecierpliwości. Charlot szarpał ją z tyłu za ubranie. Nie potrzebowała proroka, żeby zdać sobie sprawę, że siedzi tu zbyt długo.

– No właśnie – powiedział Wordsworth, pochylając się do przodu pełen podniecenia. – Ta bryłka to kamień. Jego cząstka, połączona z metalem nieszlachetnym, zamienia go w złoto. Jej roztwór podobno leczy wszelkie choroby. Nazywają to kamieniem filozoficznym...

Umysł Mireille przetwarzał wszystkie fakty. Święty kamień czczony przez Fenicjan, biały kamień opisany przez Rousseau, osadzony w murze w Wenecji: „Gdyby człowiek mógł powiedzieć i zrobić to, co myśli, dostrzegłby, jak bardzo może się zmienić" – głosił napis. Biała Królowa na skale przed jej oczami, zmieniająca człowieka w boga...

Nagle Mireille wstała. Wordsworth i Blake ze zdziwieniem poderwali się na równe nogi.

– Co się stało? – wyszeptał młody Wordsworth.

Kilka osób obejrzało się na nich w zdenerwowaniu.

– Muszę iść – powiedziała Mireille i pocałowała go w policzek. Wordsworth zaczerwienił się jak burak. Następnie zwróciła się do Blake'a i podała mu rękę. – Grozi mi niebezpieczeństwo, nie mogę tu dłużej zostać. Lecz nie zapomnę o was. – Odwróciła się na pięcie, a za nią jak cień ruszył Szahin.

– Może powinniśmy też pójść za nią – zasugerował Blake. – Choć mam jakieś przeczucie, że jeszcze ją spotkamy. Niezwykła kobieta, prawda?

– Tak – odparł Wordsworth. – Już widzę ją w wierszu. – Potem zaśmiał się, widząc niepokój na twarzy Blake'a. – Nie martw się, nie w moim. W twoim...

Mireille i Szahin przeszli szybko przez hall, gdzie nogi wręcz zapadały się w miękki dywan. Odźwierni stojący przy barze nawet ich nie dostrzegli, gdyż przemknęli jak widma. Kiedy znaleźli się na ulicy, Szahin chwycił gwałtownie Mireille i przyciągnął ją do ciemnego muru. Charlot spoglądał w ciemność kocim wzrokiem.

– Co się dzieje? – wyszeptała Mireille, ale Szahin położył jej palec na ustach. Wytężyła wzrok, by coś zobaczyć, ale usłyszała tylko odgłos cichych kroków. Po chwili zobaczyła dwie postacie przesuwające się we mgle.

Postacie te zbliżyły się chyłkiem do samych drzwi kawiarni i zatrzymały kilka stóp od miejsca, gdzie – wstrzymując oddech – stali Mireille i Szahin. Nawet Charlot milczał. Wreszcie drzwi otwarły się i pojawiła się smuga światła, która oświetliła obie postacie. Jedną z nich był pijany Boswell w długiej, ciemnej pelerynie, a drugą... Mireille patrzyła z otwartymi szeroko ustami, jak Boswell obraca się i podaje jej rękę. Była to kobieta, szczupła i piękna, która właśnie zsuwała z głowy kaptur. Na ramionach rozlały się falą długie, jasne włosy Valentine! To była Valentine! Z piersi Mireille wydarł się zduszony szloch i poderwała się, by pobiec w jej kierunku, lecz Szahin powstrzymał ją z żelazną siłą. Odwróciła się do niego z wściekłością, on jednak szybko nachylił się do jej ucha.

– Biała Królowa – wyszeptał.

Mireille odwróciła się z przerażeniem w tamtym kierunku, lecz drzwi klubu właśnie się zamknęły, a na zewnątrz znów zapanował zmrok.

Wyspy Normandzkie
luty 1794

Podczas długich tygodni oczekiwania na naprawę statku Talleyrand miał wiele okazji, by lepiej poznać Benedicta Arnolda, słynnego zdrajcę, który działał na niekorzyść swojego kraju jako szpieg rządu brytyjskiego.

Dziwny był to zaiste widok: tych dwóch mężczyzn, grających przy stoliku w gospodzie w warcaby albo szachy. Każdy z nich miał kiedyś przed sobą obiecującą karierę i zajmował wysokie stanowisko, ciesząc się poważaniem zarówno przełożonych, jak i współpracowników. Zarazem jednak poprzez swoje działania wzbudzili nienawiść, zszargali swoją reputację i przekreślili szanse na normalne życie. Arnold, wróciwszy do Anglii po tym, jak jego rola wyszła na jaw, stwierdził, że nie ma dla niego miejsca w hierarchii wojskowej. Pogardzano nim i musiał walczyć o życie. Dlatego właśnie Talleyrand spotkał go w takim, a nie innym położeniu.

Choć Arnold nie mógł napisać listu polecającego, był jednak źródłem cennych informacji na temat kraju, do którego Talleyrand się udawał. W ciągu tych tygodni wręcz go zasypywał najróżniejszymi pytaniami. Teraz, w ostatnim dniu przed wypłynięciem do Nowego Świata, Talleyrand wciąż zadawał pytania.

– Czym ludzie w Ameryce zajmują się w wolnym czasie? Czy są tam salony, takie same jak w Anglii lub Francji?

– Poza Nowym Jorkiem albo Filadelfią – które pełne są holenderskich imigrantów – znajdziecie, panie, tylko małe miasteczka. Ludzie siedzą tam wieczorami przy kominku, czytając książki albo grając w szachy, tak jak my teraz. Lecz poza wschodnim wybrzeżem nie ma tam właściwie życia towarzyskiego. Ulubioną rozrywką są właśnie szachy. Powiadają, że nawet traperzy wożą ze sobą małe szachownice.

– Doprawdy? – zdziwił się Talleyrand. – Nie przypuszczałem, że w tych do niedawna jeszcze odciętych od świata koloniach istnieje tak wysoki poziom rozwoju intelektualnego.

– Nie intelektualnego, lecz moralnego – sprostował Arnold. – A przynajmniej oni tak na to patrzą. Zapewne znacie tę pracę Bena Franklina, tak popularną w Ameryce? Zatytułowana jest *Moralność szachów* i mówi o tym, jak wiele możemy nauczyć się w życiu, studiując szachy – zaśmiał się z goryczą i podniósłszy wzrok znad szachownicy, spojrzał Talleyrandowi w oczy. – Czy wiecie o tym, panie, że to właśnie Franklin tak gorąco pragnął rozwiązać zagadkę szachów z Montglane?

Talleyrand spojrzał nań ostro.

– O czym wy, u licha, mówicie, panie? – spytał. – Czyżby oznaczało to, że ta idiotyczna legenda żyje nawet po drugiej stronie oceanu?

– Idiotyczna czy nie – powiedział Arnold z uśmiechem, którego Talleyrand nie potrafił zgłębić – w każdym razie Ben Franklin spędził całe życie, próbując rozwiązać tę zagadkę. A gdy piastował funkcję ambasadora we Francji, pojechał nawet osobiście do Montglane. To takie miejsce na południu Francji.

– Wiem, gdzie to jest – rzucił krótko Talleyrand. – Ale czego on tam szukał?

– Jak to czego: szachownicy Karola Wielkiego. Myślałem, że tutaj wszyscy o tym wiedzą. Podobno została ukryta w Montglane. Benjamin Franklin był wyśmienitym matematykiem i szachistą. Opracował obieg skoczka, który, jak twierdził, opisywał układ szachów z Montglane.

– Układ? – powtórzył Talleyrand, czując przerażający chłód biegnący wzdłuż kręgosłupa. Dopiero teraz pojął znaczenie słów tego człowieka. A więc nawet w Ameryce, tysiące mil od tego wszystkiego, co działo się w Europie, nie będzie wolny od spraw związanych z kompletem szachowym, który tak bardzo wpłynął na bieg jego życia.

– Tak – powiedział Arnold. – Musisz spytać Alexandra Hamiltona, kolegę wolnomularza. Podobno Franklin rozszyfrował część wzoru i przed śmiercią przekazał go jemu...

ÓSME POLE

— Och, jak szczęśliwa jestem, że znalazłam się tutaj! A cóż to takiego mam na głowie? zawołała z przestrachem... zdejmując ów przedmiot i kładąc go na kolanach, żeby stwierdzić, cóż to takiego może być.

Była to złota korona.

Lewis Carroll
O tym, co Alicja odkryła po drugiej stronie lustra

Wyszłam z wody prosto na półksiężyc kamienistej plaży, omal nie wymiotując od tej ilości słonej wody, której się opiłam. A jednak żyłam. Ocaliły mnie szachy z Montglane.

Waga tych figur, które miałam w torbie, pociągnęła mnie prosto na dno, dzięki czemu uniknęłam spotkania z tymi niewielkimi kawałkami ołowiu przeszywającymi powierzchnię wody, a wydobywającymi się z luf pistoletów kompanów Szarrifa. Ponieważ głębokość wody nie przekraczała dziesięciu stóp, mogłam iść po piaszczystym dnie, ciągnąc torbę za sobą i trzymając się kadłubów łodzi, raz po raz zaczerpując powietrza. A potem, wykorzystując łodzie jako kamuflaż i torbę z figurami jako kotwicę, mogłam iść przed siebie pośród ciemnej nocy.

Znalazłszy się na plaży, otworzyłam piekące od wody oczy, próbując ustalić, gdzie jestem. Choć było już po dziewiątej, a wokół panowała ciemność, w odległości dwóch mil dostrzegłam kilka połyskujących świateł, które wyglądały jak port Sidi-Fredż. Jeśli mnie nie złapią, dojdę tam na piechotę, tylko gdzie jest Lily?

Wymacałam moją namokniętą torbę i zaczęłam w niej grzebać. Figury były na swoim miejscu. Bóg wie, co zgubiłam, wlokąc za sobą tę torbę po dnie, lecz dwustuletni rękopis leżał w wodoszczelnej saszetce, gdzie trzymałam kosmetyki. Żeby tylko się nie okazało, że zamek nie był zasunięty do końca.

Właśnie zastanawiałam się nad następnym posunięciem, gdy z wody wylazło jakieś stworzenie i zaczęło pełznąć po kamieniach. W purpurowym świetle wyglądało jak świeżo wykluty kurczak, lecz słabe szczeknięcie, które wydało z siebie, zbliżając się do mnie, nie pozostawiało wątpliwości, że to zmoknięty Carioca, który podszedł do mnie chwiejnym krokiem i wdrapał mi się na kolana. Nie miałam jak go wysuszyć, gdyż sama byłam przemoczona do suchej nitki, więc podniosłam go z ziemi, wsadziłam sobie pod pachę i ruszyłam w kierunku lasu sosnowego – na skróty do domu.

Ponieważ w wodzie zgubiłam jeden but, wyrzuciłam teraz drugi i poszłam boso po miękkim, sosnowym igliwiu, licząc, że instynkt zaprowadzi mnie do domu. Po piętnastu minutach marszu usłyszałam niedaleko trzask pękającej gałązki. Znieruchomiałam, głaszcząc Cariocę i modląc się w duchu, by nie zaczął się zachowywać tak samo jak przy nietoperzach. Lecz nie miało to najmniejszego znaczenia. Kilka sekund później oślepiło mnie światło reflektora. Stałam, mrużąc oczy przed blaskiem, a w sercu czułam paraliżujący lęk. Wtedy żołnierz w mundurze khaki podszedł bliżej, trzymając w ręku wielki karabin maszynowy, z którego zwisała nieprzyjemna taśma z nabojami. Lufa była wycelowana prosto w mój brzuch.

– Nie ruszać się! – krzyknął, co było zupełnie zbędne. – Kim jesteś? Wytłumacz się! Co tu robisz?

– Chciałam popływać z psem – powiedziałam. Na dowód, że mówię prawdę, podniosłam do góry zmokłego Cariocę. – Nazywam się Catherine Velis. Zaraz pokażę dokumenty...

Po chwili zdałam sobie sprawę, że dokumenty, które chciałam pokazać, są przemoczone, a ponadto wcale nie uśmiechało mi się przeszukiwanie torby. Zaczęłam więc szybko mówić:

– Szłam z psem na spacer niedaleko Sidi-Fredż, gdy nagle spadł mi z mola. Skoczyłam, żeby go wyciągnąć, ale porwał nas prąd i wyrzucił tutaj... – O Boże, uświadomiłam sobie, że w Morzu Śródziemnym nie ma prądów. Terkotałam więc jak katarynka: – Pracuję dla OPEC, dla ministra Kadera. Zaręczy za mnie. Mieszkam tu niedaleko. – Machnęłam ręką, lecz zobaczyłam przy twarzy lufę karabinu. Spróbowałam więc innej taktyki: „ohydna Amerykanka". – Muszę się niezwłocznie widzieć z ministrem Kaderem! – powiedziałam zdecydowanie, prostując się przy tym z godnością. Musiało to wyglądać zabawnie, biorąc pod uwagę mój przemoczony strój. – Czy zdajecie sobie sprawę, kim jestem?

Żołnierz zerknął przez ramię na niewidocznego kolegę.

– Może jest pani jednym z uczestników konferencji? – spytał, znów odwracając się w moją stronę.

Oczywiście! Przecież dlatego żołnierze patrolowali lasy! Stąd ta blokada na drodze. Dlatego właśnie Kamel tak nalegał, żebym wróciła przed końcem tygodnia. Konferencja OPEC już się rozpoczęła!

– Jak najbardziej – zapewniłam go. – Jestem jednym z ważniejszych delegatów. Na pewno będą się niepokoić, co się ze mną dzieje.

Żołnierz przeszedł za reflektor i zaczął coś mówić po arabsku do kolegi. Po kilku minutach wyłączyli reflektor. Starszy odezwał się przepraszającym tonem:

– Madame, odprowadzimy panią do grupy. Delegaci zbierają się właśnie w Restaurant du Port. Może zechciałaby pani najpierw udać się do swoich apartamentów, by zmienić ubranie?

Był to doskonały pomysł. Po mniej więcej półgodzinie przybyłam wraz z eskortą do mojego mieszkania. Strażnik czekał na zewnątrz, a ja szybko zmieniłam przemoczone ubranie, przesuszyłam włosy i wyczesałam Cariocę najlepiej, jak umiałam.

Ponieważ nie mogłam zostawić figur w mieszkaniu, wyjęłam z szafki bajową torbę i wrzuciłam je do środka wraz z Cariocą. Książka, którą dostałam od Minnie, była trochę wilgotna, lecz dzięki zamkniętej na zamek saszetce nie uległa zniszczeniu. Przekartkowałam ją szybko, dmuchając suszarką, a potem ją również włożyłam do torby i wyszłam do strażnika, który odeskortował mnie do portu.

Restaurant du Port była ogromnym budynkiem z wysokim sklepieniem i marmurowymi posadzkami, gdzie często zachodziłam na lunch, mieszkając jeszcze w El Riadh. Przeszliśmy długą kolumnadę łuków o kształcie kluczy, biegnącą od placu przy porcie, a następnie weszliśmy po szerokich schodach prowadzących od wody aż do jaskrawo oświetlonych, szklanych ścian restauracji. Co trzydzieści kroków stali żołnierze zwróceni twarzą w kierunku portu, z rękami założonymi do tyłu i karabinami przewieszonymi przez plecy. Gdy znaleźliśmy się przy wejściu, zerknęłam przez szybę, próbując wypatrzyć Kamela.

W restauracji stoliki ustawiono w pięciu rzędach długości około stu stóp od wejścia aż do przeciwległej ściany. W samym środku wzniesiono podwyższenie w kształcie litery U, na którym posadzono najznamienitszych gości. Nawet z oddali całość wyglądała imponująco. Zjawili się tutaj nie tylko ministrowie do spraw ropy, lecz także władcy krajów należących do OPEC. Wyszywane złotem uniformy, haftowane i białe szaty, okrągłe czapeczki z lamparciej skóry i popielate garnitury – wszystko to mieszało się ze sobą w kalejdoskopie kolorów.

Potężnie zbudowany strażnik uwolnił mojego żołnierza od karabinu i wskazał gestem marmurowy taras wzniesiony kilka stóp nad tłumem. Żołnierz maszerował ze mną wzdłuż długich rzędów białych stołów, aż doszliśmy do schodków na środku sali. Nawet stąd dostrzegłam przerażenie na twarzy Kamela. Podeszliśmy do jego stołu, żołnierz strzelił obcasami, a Kamel wstał z miejsca.

– Mademoiselle Velis! – powiedział, po czym zwrócił się do żołnierza: – Dziękuję za przyprowadzenie naszej szanownej współpracowniczki do stołu, żołnierzu. Czyżby się zgubiła? – Cały czas patrzył na mnie kątem oka, a ja czułam, że niedługo będę się musiała gęsto tłumaczyć.

– W lesie sosnowym, panie ministrze – odparł żołnierz. – Nieszczęśliwy wypadek związany z psem. Rozumiem, że jest pani oczekiwana przy stole... – Tu zerknął na stół, wokół którego zasiadali sami mężczyźni i gdzie nie było ani jednego wolnego miejsca.

– Doskonale się spisaliście, żołnierzu – włączył się Kamel. – Możecie teraz powrócić na swój posterunek. Wasza przytomność umysłu nie będzie zapomniana.

Żołnierz ponownie strzelił obcasami i odmaszerował.

Kamel zatrzymał ręką przechodzącego kelnera i poprosił o jeszcze jedno nakrycie. Stał obok mnie cały czas, póki nie przyniesiono mi krzesła, i dopiero wtedy usiadł. Po chwili zaczął mnie przedstawiać.

– Minister Jamini – powiedział, wskazując pulchnego, różowego ministra OPEC z Arabii Saudyjskiej o twarzy aniołka, który uniósł się na krześle i skinął mi uprzejmie głową. – Mademoiselle Velis jest amerykańskim ekspertem, który stworzył ten wspaniały system komputerowy i przeprowadził wszystkie analizy, o których dzisiaj mówiłem na popołudniowym zebraniu. – Jamini uniósł jedną brew, co miało oznaczać, że robi to na nim wrażenie. – Na pewno zna pani ministra Belaida – ciągnął Kamel. Abdelsalam Belaid, który podpisał kiedyś moją umowę, podniósł się z błyskiem w oku i uścisnął moją dłoń. Ze swoją gładką, orzechową cerą, lśniącym czołem i skroniami przyprószonymi siwizną przypominał mi eleganckiego mafioso.

Minister Belaid obrócił się w prawo, by zwrócić się do swojego sąsiada, który z kolei rozmawiał z innym współbiesiadnikiem. Tamci dwaj przerwali rozmowę i spojrzeli na niego, a ja zzieleniałam, poznając ich twarze.

– Mademoiselle Catherine Velis, nasz ekspert od komputerów – powiedział Belaid cichym głosem.

Prezydent Algierii, Huari Bumedien, człowiek o pociągłej, smutnej twarzy, spojrzał najpierw na mnie, a potem na swojego głównego ministra, najwyraźniej zachodząc w głowę, co ja, u diabła, właściwie tu robię. Belaid wzruszył ramionami z dyplomatycznym uśmiechem.

– Enchanté – rzekł prezydent.

– Król Fajsal z Arabii Saudyjskiej – kontynuował Belaid, wskazując na skupionego mężczyznę przypominającego sokoła, który przyglądał mi się spod białego turbanu. Nie obdarzył mnie uśmiechem, tylko skinął głową.

Wzięłam stojący przede mną kieliszek i wypiłam spory łyk. Jak miałam powiedzieć Kamelowi o tym, co się działo, i o tym, że muszę się stąd wydostać i uratować Lily? W takim towarzystwie trudno znaleźć jakikolwiek pretekst, nawet po to, by wyjść do ubikacji.

W tym momencie przy wejściu powstało jakieś zamieszanie i wszyscy odwrócili głowy, by zobaczyć, co się dzieje. Sala była zatłoczona, zjawiło się tu ponad sześćset osób. Wszyscy siedzieli na swoich miejscach z wyjątkiem kelnerów, którzy krążyli tam i z powrotem, nosząc koszyki z chlebem, misy z sałatkami oraz wodę i wino. I wtedy właśnie do sali wszedł jakiś wysoki, ciemny mężczyzna w białej szacie, ze szpicrutą w ręce. Kelnerzy zbili się lękliwie w grupki, usuwając się mu z drogi. Patrzyłam z niedowierzaniem, jak mija długi rząd stołów i wymachując z furią szpicrutą, strąca na podłogę butelki z winem. Szedł tak przed siebie, wśród trzasku rozbijanych butelek, a biesiadnicy siedzieli w milczeniu.

Bumedien z westchnieniem wstał od stołu i skinął na majordomusa, który od razu do niego podbiegł. Potem smutnooki prezydent Algierii zszedł po schodkach, gdzie czekał na owego mężczyznę, który sunął naprzód ogromnymi krokami.
– Co to za facet? – szepnęłam do Kamela.
– Muammar Kaddafi. Z Libii – odparł cicho Kamel. – Dziś na konferencji wygłosił mowę, w której powiedział, że wyznawcy islamu nie powinni pić alkoholu. Teraz najwyraźniej czynami potwierdza słowa. To wariat. Podobno wynajął w Europie płatnych morderców, którzy mają zlikwidować ważnych ministrów OPEC.
– Wiem – powiedział cherubinkowaty Jamini. Gdy się uśmiechał, na policzkach pojawiały mu się słodkie dołeczki. – Moje nazwisko jest jednym z pierwszych na liście. – Jednak specjalnie się tym nie przejmował. Poczęstował się kawałkiem selera, który gryzł z zadowoleniem.
– Ale dlaczego? – wyszeptałam znów do Kamela. – Tylko z tego powodu, że piją alkohol?
– Ponieważ my nalegamy, by embargo było raczej ekonomiczne, a nie polityczne – odrzekł. Ściszając głos, rzucił przez zaciśnięte zęby: – A teraz proszę mi powiedzieć, co tu się w ogóle wyrabia? Gdzie pani była? Szarrif przewrócił kraj do góry nogami, żeby panią znaleźć. Tutaj raczej pani nie aresztuje, ale jest pani w poważnych tarapatach.
– Wiem – powiedziałam równie cicho, spoglądając w dół, gdzie Bumedien rozmawiał z Kaddafim. Tak bardzo zwiesił głowę, że nie widziałam wyrazu jego twarzy.
Biesiadnicy podnosili z ziemi strącone butelki i podawali je kelnerom, którzy chyłkiem wymieniali je na nowe.
– Muszę z panem porozmawiać – ciągnęłam. – Pana perski kumpel złapał moją przyjaciółkę. Pół godziny temu płynęłam wzdłuż wybrzeża. W torbie mam zmokłego psa i coś jeszcze, co może pana zainteresować. Muszę się stąd wydostać...
– Mój Boże – rzekł cicho Kamel. – To znaczy, że pani naprawdę je ma? Tutaj? – Rozejrzał się po twarzach zgromadzonych, uśmiechem pokrywając przerażenie.
– A więc jest pan w tej Grze – wyszeptałam z uśmiechem.
– A jak pani myśli, dlaczego panią tu ściągnąłem? – odpowiedział pytaniem Kamel. – Miałem tu niezłe piekiełko, pró-

bując wytłumaczyć pani nagłe zniknięcie przed samą konferencją.

– O tym pomówimy później, teraz muszę się stąd wydostać i uratować Lily.

– Proszę zostawić to mnie, coś zrobimy. A gdzie ona jest?

– La Madrague – wymamrotałam pod nosem.

Kamel otworzył szeroko oczy, lecz w tym właśnie momencie do stołu wrócił Huari Bumedien i zajął swoje miejsce. Wszyscy uśmiechnęli się do niego, a król Fajsal odezwał się po angielsku:

– Nasz pułkownik Kaddafi nie jest taki głupi, na jakiego może wygląda. – Wbił wielkie, wodniste oczy sokoła w prezydenta Algierii. – Pamiętacie zapewne, co mówił na ostatniej konferencji państw niezaangażowanych, gdy ktoś uskarżał się na obecność Castro. – Król zwrócił się do swego ministra Jaminiego siedzącego po prawej stronie. – Pułkownik Kaddafi powiedział, że jeśli otrzymywanie pomocy finansowej od jednego z dwóch supermocarstw miałoby uniemożliwić uczestnictwo w strukturach Trzeciego Świata, wszyscy musielibyśmy się spakować i wrócić do domu. Zakończył w ten sposób, że przeczytał długą listę umów finansowo-zbrojeniowych zawartych przez ponad połowę obecnych tam państw, zresztą całkiem dokładną, muszę powiedzieć. Na pewno nie uznałbym go za religijnego gorliwca. Absolutnie nie.

Bumedien znów spojrzał na mnie. Ten człowiek był tajemnicą. Nikt nie znał jego wieku, pochodzenia, ba, nawet miejsca urodzenia. Odkąd dziesięć lat temu stanął na czele rewolucji, a potem, po „przewrocie wojskowym", został prezydentem kraju, przyczynił się do tego, że Algieria zajmowała jedno z głównych miejsc w organizacji OPEC, stając się niejako Szwajcarią Trzeciego Świata.

– Mademoiselle Velis – po raz pierwszy zwrócił się do mnie bezpośrednio – czy pracując w ministerstwie, zetknęła się pani kiedykolwiek z pułkownikiem Kaddafim?

– Nigdy – odparłam.

– To dziwne – powiedział Bumedien. – On bowiem dostrzegł panią przy naszym stole, gdy rozmawialiśmy przy schodach, i powiedział coś zupełnie innego.

Poczułam, że Kamel sztywnieje i chwyta mnie pod stołem za rękę.

– Naprawdę? – spytałam od niechcenia. – A o co chodziło, panie prezydencie?

– Z pewnością wziął panią za kogoś innego – odparł jak gdyby nigdy nic, zwracając swoje ciemne oczy na Kamela. – Zapytał, czy to właśnie ona.

– Jaka ona? – spytał minister Belaid, najwyraźniej nic nie rozumiejąc. – Co to właściwie ma znaczyć?

– Zapewne chodziło mu o to, czy to właśnie ta osoba, która stworzyła system komputerowy, o którym tak wiele słyszeliśmy od Kamela Kadera. – Po tych słowach prezydent się odwrócił.

Zaczęłam coś szeptać do Kamela, lecz on potrząsał głową i zwrócił się do swojego szefa, Belaida.

– Catherine i ja chcielibyśmy przejrzeć jeszcze raz wszystkie dane przed jutrzejszą prezentacją. Czy moglibyśmy teraz opuścić przyjęcie? W przeciwnym wypadku obawiam się, że spędzimy nad tym całą noc.

Wyraz twarzy Belaida mówił wyraźnie, że nie daje wiary ani jednemu słowu.

– Chciałbym najpierw z panem porozmawiać. – Wstał i odciągnął Kamela na bok.

Ja też wstałam i bawiłam się serwetką. Jamini pochylił się do mnie.

– Pani towarzystwo przy stole było dla mnie prawdziwą przyjemnością, mimo iż trwało tak krótko – zapewnił mnie z uśmiechem ozdobionym jak zwykle przez dwa dołeczki.

Belaid stał przy ścianie, szepcząc coś do Kadera, a obok krążyli kelnerzy z półmiskami dymiących potraw na podniesionych wysoko rękach. Gdy zbliżyłam się do nich, Belaid powiedział:

– Mademoiselle, dziękuję za wszystko, co pani dla nas zrobiła. Proszę nie zatrzymywać długo Kamela Kadera. – Po tych słowach wrócił do stołu.

– Możemy się teraz urwać? – szepnęłam.

– Tak, natychmiast. – Kamel chwycił mnie pod rękę i popchnął w kierunku schodów. – Abdelsalam otrzymał wiadomość od tajnej policji, że jest pani poszukiwana. Mówią, że uciekła pani przed aresztowaniem z La Madrague. Dowiedział się o tym podczas kolacji. Zamiast oddać panią od razu w ich ręce, powierzył panią mnie. Chyba rozumie pani, w jakiej sytuacji postawiłoby mnie pani ponowne zniknięcie?

– Na miłość boską, przecież pan wie, dlaczego wyruszyłam na pustynię – syknęłam, przedzierając się między stolikami. – I wie pan, gdzie teraz idziemy! To ja powinnam zadawać pytania. Dlaczego nie powiedział mi pan, że bierze udział w Grze? Czy Belaid również jest jednym z graczy? A Thérèse? A o co chodziło temu muzułmańskiemu krzyżowcowi z Libii, który twierdzi, że mnie zna?

– Sam chciałbym wiedzieć – westchnął ponuro Kamel. Skinął głową strażnikowi, który ukłonił się w odpowiedzi. – Pojedziemy moim samochodem do La Madrague. Musi mi pani wszystko opowiedzieć, byśmy mogli jakoś pomóc pani przyjaciółce.

Wsiedliśmy do samochodu na słabo oświetlonym parkingu. Opowiedziałam Kamelowi pokrótce o losie Lily, a potem spytałam o Minnie Renselaas.

– Znam Mokhfi Mokhtar od dziecka – powiedział. – To ona wysłała mojego ojca na misję. Miał sprzymierzyć się z El-Maradem, spenetrować terytorium białych, lecz misja ta zakończyła się jego śmiercią. Thérèse pracowała dla mojego ojca. Teraz, choć ma pracę na Poczcie Głównej, faktycznie pracuje dla Mokhfi Mokhtar, tak samo zresztą jak jej dzieci.

– Jej dzieci? – spytałam z niedowierzaniem. Jakoś nie mogłam sobie wyobrazić tej głośnej, żywiołowej kobiety w roli matki.

– Valérie i Michel. Chyba poznałaś Michela. Mówi na siebie Wahad...

Więc Wahad to syn Thérèse! Wokół mnie zbyt dużo było przypadków, w związku z czym zanotowałam sobie, że Valérie to również imię pewnej pokojówki, zatrudnionej w domu Harry'ego Rada. Ale ja ścigałam grube ryby i nie miałam czasu na płotki.

– Nie pojmuję – przerwałam mu. – Jeśli pański ojciec został wysłany z tą misją i poniósł klęskę, oznacza to, że biali zdobyli wszystkie figury, których tak bardzo pragnęli. Więc kiedy ta Gra się kończy? Gdy ktoś zgromadzi w s z y s t k i e figury?

– Czasami zdaje mi się, że nigdy się nie skończy – powiedział gorzko Kamel. Zapalił silnik i wjechaliśmy na drogę biegnącą wzdłuż ściany kaktusów. – Natomiast skończyć się może życie pani przyjaciółki, jeśli nie dojedziemy szybko do La Madrague.

– Czy jest pan dostatecznie grubą rybą, by po prostu wmaszerować do środka i zażądać, by ją wypuścili? Kamel uśmiechnął się zimno. Dojeżdżaliśmy właśnie do blokady, którą widziałyśmy z Lily. Pokazał swoją przepustkę przez okienko i strażnik skinął ręką, by jechać dalej.

– Jedyną rzeczą, której El-Marad pragnie bardziej niż pani przyjaciółki, to pani torba, a raczej jej zawartość – rzekł spokojnie. – I bynajmniej nie chodzi mi o psa. Czy to uczciwa wymiana?

– To znaczy, że mam dać mu figury w zamian za Lily? – spytałam przerażona. Potem jednak zdałam sobie sprawę, iż to chyba jedyny sposób, żeby wyjść z tego cało. – A nie moglibyśmy mu dać tylko jednej figury? – zasugerowałam.

Kamel zaśmiał się, a potem ścisnął mnie za ramię.

– Gdy El-Marad dowie się, że pani je ma, zmiecie nas z szachownicy.

Dlaczego nie wzięliśmy ze sobą grupy żołnierzy albo nawet kilku delegatów na konferencję OPEC? Przydałby mi się teraz ten fanatyk Kaddafi wymachujący szpicrutą i powalający swoich wrogów jak jednoosobowa horda mongolska. Tymczasem miałam obok siebie czarującego Kamela jadącego na śmierć z niezmąconym spokojem i godnością, zapewne tak samo jak jego ojciec dziesięć lat temu.

Zamiast zatrzymać samochód przed oświetlonym pubem, gdzie w dalszym ciągu stał nasz wynajęty wóz, Kamel ruszył w dół portu, przejeżdżając przez opuszczoną część miasteczka. Zatrzymał się przed schodami prowadzącymi na strome zbocza kryjące maleńką zatoczkę. Wokół nie było żywej duszy, a w górze szalał wiatr, pędząc kłęby chmur po szerokiej twarzy księżyca. Wyszliśmy z samochodu, a Kamel wskazał na szczyt wzgórza, gdzie pośród gęstych śródziemnomorskich traw stał mały, uroczy domek. Od strony morza skała opadała ostro sto stóp w dół.

– Letni dom El-Marada – rzucił Kamel.

Wewnątrz paliły się światła, a gdy zaczęliśmy wchodzić po rozchwianych drewnianych schodach, usłyszeliśmy jakiś hałas odbijający się echem od skał.

– Tylko mnie dotknij, ty śmierdzący morderco psów – rozległ się ryk. – A będzie to twój ostatni ruch!

Kamel spojrzał na mnie z uśmiechem.

– Może ona wcale nie potrzebuje pomocy?

– Mówi do Szarrifa – wyjaśniłam. – To właśnie on wrzucił jej psa do wody. – Carioca zaczął wydawać jakieś dźwięki z mojej torby. Włożyłam tam rękę i podrapałam go po łebku. – Czas na ciebie, puchata kuleczko – powiedziałam i wyciągnęłam go na zewnątrz.

– Chyba powinna pani wrócić i uruchomić samochód – wyszeptał Kamel, wręczając mi kluczyki. – Ja zajmę się resztą.

– Nie ma mowy – zaprotestowałam. Czułam rosnącą wściekłość, słysząc odgłosy szarpaniny dochodzące z domku. – Weźmiemy ich przez zaskoczenie. – Postawiłam Cariocę na stopniach, a on podskoczył jak zwariowana piłeczka pingpongowa. Kamel i ja byliśmy tuż za nim. Nie wypuszczałam z rąk kluczyków.

Do domku wchodziło się przez oszklone drzwi od strony morza. Zauważyłam, że prowadząca do nich ścieżka biegnie niebezpiecznie blisko krawędzi, od której oddzielał ją tylko niski, kamienny murek obrośnięty nasturcjami. To mogło się przydać.

Podeszłam szybko do przeszklonej ściany, by zajrzeć do środka, a Carioca już drapał pazurkami w szkło. Trzech zbirów stało opartych o ścianę po lewej stronie. Spod rozpiętych marynarek wystawały im kabury pistoletów. Podłoga zrobiona była ze śliskich, emaliowanych, niebiesko-złotych kafli. Lily siedziała na krześle na środku pokoju, a nad nią stał pochylony Szarrif. Lily aż podskoczyła, słysząc drapanie Carioki, lecz Szarrif pchnął ją z powrotem na krzesło. Z daleka zdawało mi się, że widzę siniaka na jej policzku. W odległym rogu pokoju na stosie poduszek siedział El-Marad i leniwie przesuwał figury na stojącej przed nim szachownicy. Tymczasem Szarrif zbliżył się do okien, gdzie stał oświetlony blaskiem księżyca. Przełknęłam ślinę i przytknęłam twarz do szyby, żeby mógł mnie zobaczyć.

– Ich pięciu, a nas troje i pół – szepnęłam do Kamela, który stał spokojnie obok mnie, podczas gdy Szarrif dał znak swoim ludziom, by nie sięgali po broń. – Pan weźmie na siebie zbirów. Ja zajmę się El-Maradem. Zdaje mi się, że Carioca już sobie upatrzył ofiarę – dodałam, gdy Szarrif uchylił drzwi.

Patrząc na swojego najzajadlejszego wroga, Szarrif powiedział:

– Pani wchodzi, lecz on zostaje na zewnątrz.

Odepchnęłam Cariocę, by Kamel też mógł wejść.

– Uratowałaś go! – krzyknęła Lily, a jej twarz rozjaśnił uśmiech. Potem, zwróciwszy się do Szarrifa, powiedziała zjadliwie: – Ludzie, którzy dręczą bezbronne zwierzęta, próbują jedynie ukryć własną bezsilność...

Szarrif ruszył w jej stronę, jakby znów chciał ją uderzyć, lecz wtedy właśnie odezwał się El-Marad, uśmiechając się złowieszczo.

– Mademoiselle Velis – rzekł. – Jakże się cieszę, że pani wróciła, i w dodatku z obstawą. Można by pomyśleć, że Kamel Kader jest na tyle inteligentny, że nie przyprowadzi pani do mnie po raz drugi. No, ale skoro jesteśmy tutaj w komplecie...

– Darujmy sobie te uprzejmości – powiedziałam, idąc w jego stronę. Gdy mijałam Lily, wcisnęłam jej kluczyki do ręki i wyszeptałam: – Do drzwi, zaraz. Przecież pan wie, po co tutaj jesteśmy – zwróciłam się do El-Marada, nie zatrzymując się.

– A pani wie, czego ja chcę – odparł. – Może ubijemy interes?

Zatrzymałam się tuż przed nim i zerknęłam przez ramię. Kamel stał obok zbirów i prosił jednego z nich o ogień. Lily stała obok przeszklonych drzwi, mając za plecami Szarrifa. Przykucnęła i stukała lekko swoimi długimi paznokciami w szybę, którą Carioca lizał z drugiej strony. Tak więc każdy był na swoim stanowisku – teraz albo nigdy.

– Mój przyjaciel minister uważa, że nie ma pan większych skrupułów, jeśli idzie o interesy – odezwałam się ponownie do handlarza dywanami. Podniósł wzrok i chciał coś powiedzieć, lecz przerwałam mu. – Jeśli chce pan mieć figury, to proszę bardzo!

Zdjęłam bajową torbę z ramienia i zamachnęłam się nią z całej siły. Poszybowała w górę, a potem – zatoczywszy wielki łuk – wylądowała na jego głowie. Oczy uciekły mu w głąb czaszki i zaczął się osuwać na ziemię, a ja chwyciłam torbę i odwróciwszy się na pięcie, ruszyłam w prawdziwe pandemonium. Lily uchyliła oszklone drzwi i wpuściła Cariocę, który pomknął naprzód, ja popędziłam prosto na zbirów Szarrifa, wymachując torbą jak maczugą. Pierwszego z nich trafiłam w momencie, gdy wyciągał broń. Drugi otrzymał potężnego haka w żołądek od Kamela i zgiął się wpół. Wszyscy runęliśmy na ziemię, a trzeci zbir wyciągnął pistolet i wycelował we mnie.

– Tutaj, ty durniu! – wrzasnął Szarrif, broniąc się przed Cariocą krótkimi kopnięciami. Lily nadal była blisko drzwi. Zbir uniósł pistolet, wycelował i gdy naciskał spust, Kamel potężnym pchnięciem powalił go na ziemię.

Szarrif krzyknął i zawirował w miejscu, trzymając się za ramię. Carioca, który wciąż kręcił się wokół jego nogi, próbował wgryźć się w swoje ulubione miejsce. Kamel szarpał się za mną, chcąc wyszarpnąć zbirowi pistolet, gdy drugi z ludzi Szarrifa zaczął się podnosić. Dołożyłam mu torbą. Tym razem na dobre. Potem trzasnęłam przeciwnika Kamela w tył głowy. Gdy poleciał na ziemię, Kamel wyrwał mu pistolet.

Poczułam, że ktoś chwyta mnie za nogę i oswobodziłam się jednym ruchem – był to Szarrif, nadal aktywny mimo wiszącego u jego kostki psa. Ruszył za nami chwiejnym krokiem, a z rany lała mu się krew. Dwaj jego kumple zdołali się podnieść i posuwali się w moim kierunku, a ja puściłam się pędem – jednak nie w stronę schodów, lecz ostrego urwiska. Widziałam Kamela, który dobiegłszy już do połowy schodów, oglądał się za mną. Na dole dostrzegłam Lily biegnącą w kierunku samochodu Kamela.

Nie zastanawiając się ani chwili, skoczyłam przez niski murek i rozpłaszczyłam się na ziemi, podczas gdy Szarrif i jego ludzie rzucili się ku schodom. W jednej ręce trzymałam potwornie ciężką torbę z figurami z Montglane, która zwisała z krawędzi urwiska. O mały włos, a byłabym ją upuściła. W dole, sto stóp pode mną, spienione fale rozbijały się o poszarpane skały. Wstrzymałam oddech i powoli, z najwyższym wysiłkiem, podciągnęłam torbę.

– Samochód! – usłyszałam krzyk Szarrifa. – Oni biegną do samochodu!

Potem rozległ się tupot nóg po rozchwianych schodkach. Gdy nieco przycichł, zaczęłam się powoli podnosić; nagle usłyszałam obok siebie jakiś dźwięk. Zerknęłam przez murek i w tym momencie poczułam na twarzy ciepły języczek Carioki. Właśnie miałam wstać, gdy nagle chmury odsłoniły księżyc, a w jego świetle ujrzałam trzeciego zbira, którego – jak mi się zdawało – załatwiłam na dłużej. Wynurzał się właśnie z domku, rozcierając sobie głowę. Schowałam się szybko, lecz było za późno. Szczupakiem rzucił się w moim kierunku przez niski murek. Przywarłszy do ziemi, usłyszałam przeraźliwy krzyk. Zerknęłam przez palce i zdążyłam zauważyć jego nogę znikającą w przepaści. Przeskoczyłam przez murek, stanęłam na twardym gruncie, wzięłam Ciarocę pod pachę i pobiegłam po schodach. Wiatr przybrał na sile, jakby zbierało się na burzę. Ku memu przerażeniu zobaczyłam, że samochód Kamela rusza z miejsca wśród kłębów pyłu, a za nim pędzą ludzie Szarrifa, strzelając na oślep w opony. Nagle samochód zatrzymał się, włączył reflektory i ruszył na wstecznym biegu, prosto na zaskoczonych zbirów, którzy ledwo zdążyli odskoczyć. Wóz przemknął obok nich i jechał dalej. Lily i Kamel wracali po mnie!

Pędziłam po schodach, skacząc po cztery stopnie, trzymając w jednej ręce Ciarocę, a w drugiej torbę. Gdy byłam na dole, samochód zahamował przede mną z piskiem, drzwi się otworzyły, a ja wskoczyłam do środka. Kamel siedział z tyłu, celując z pistoletu przez okno. Huk był wręcz ogłuszający. Zamykając drzwi, dostrzegłam Szarrifa i jego kompanów, którzy biegli do swojego samochodu zaparkowanego na końcu portu. Jechaliśmy dalej, a gdy mijaliśmy ich wóz, Kamel naszpikował go ołowiem.

Lily zawsze prowadziła tak, że zapierało dech w piersiach, lecz teraz przechodziła samą siebie. Wyjechaliśmy krętymi dróżkami z portu i Lily gnała pełną parą, aż dojechaliśmy do głównej drogi. Wszyscy milczeli. Kamel obserwował drogę za nami. Wskazówka szybkościomierza minęła osiemdziesiątkę, potem dziewięćdziesiątkę i zbliżała się do setki, gdy nagle dostrzegłam w oddali blokadę.

– Wciśnij czerwony guzik na desce! – wrzasnął Kamel, przekrzykując pisk opon.

Pochyliłam się, by zrobić to, co mi kazał, i natychmiast włączyła się syrena oraz małe migające światełko na desce rozdzielczej.

– Dobry sprzęt! – krzyknęłam do Kamela, gdy wartownicy odskoczyli na boki.

Lily przejechała slalomem między samochodami, mignęły nam zdumione twarze kierowców, po czym wszystko zniknęło.

– Bycie ministrem ma pewne zalety – powiedział skromnie Kamel. – Ale jest jeszcze jedna blokada na drugim końcu Sidi-Fredż.

– Do diabła z torpedami i cała naprzód! – krzyknęła Lily, dociskając pedał gazu, a citroen szarpnął do przodu jak pełnej krwi rumak dźgnięty znienacka ostrogą.

Drugą blokadę pokonaliśmy tak samo jak pierwszą, zostawiając wartowników w chmurze pyłu.

– A właśnie, zdaje się, że nikt nas sobie nie przedstawił – Lily zwróciła się do Kamela, spoglądając we wsteczne lusterko. – Jestem Lily Rad. Słyszałam, że zna pan mojego dziadka.

– Patrz na drogę! – krzyknęłam, gdy samochód zjechał niebezpiecznie blisko ostrej krawędzi drogi. Wiatr niemal unosił samochód w powietrze.

– Mordechaj i mój ojciec byli bliskimi przyjaciółmi – rzekł Kamel. – Może powinienem się z nim kiedyś spotkać. Proszę mu przekazać serdeczne pozdrowienia.

W tym momencie Kamel spojrzał w tył. Zbliżały się do nas jakieś światła.

– Dodaj gazu! – powiedziałam do Lily. – Nadszedł czas, byś wprawiła nas w osłupienie swoimi umiejętnościami.

Kamel mruczał pod nosem, trzymając pistolet w pogotowiu, gdy samochód za nami włączył koguta i syrenę. Kamel usiłował dostrzec coś w kłębach pyłu.

– O Boże, to gliny! – jęknęła Lily i trochę przyhamowała.

– Nie zwalniaj! – rzucił Kamel przez ramię.

Lily posłusznie przycisnęła gaz i citroen wpadł w lekki poślizg, po czym nabrał prędkości. Wskazówka pokazywała 200 kilometrów – co po przeliczeniu dało mi jakieś 120 mil na godzinę. Na tych drogach nie da się jechać szybciej, bez względu na to, jaki się ma samochód. Zwłaszcza w tym wietrze, który uderzał w nas z obydwu stron.

– Jest taka boczna droga do kasby – powiedział Kamel, nie spuszczając oka z goniącego nas samochodu. – To dziesięć minut jazdy stąd, lecz trzeba przejechać przez cały Algier. Znam jednak te boczne uliczki lepiej niż nasz przyjaciel Szarrif. Tą drogą wjedziemy do kasby od góry... znam drogę do domu Minnie – dodał po chwili. – Przecież powinienem, to dom mojego ojca.

– Minnie Renselaas mieszka w domu pańskiego ojca?! – krzyknęłam. – Myślałam, że pochodzi pan z gór.

– Tutaj, w kasbie, ojciec miał dom dla swoich żon.
– Swoich ż o n?
– Minnie Renselaas jest moją macochą – rzekł Kamel. –
Mój ojciec był Czarnym Królem.

Porzuciliśmy samochód w jednej z bocznych uliczek tworzących labirynt górnej części Algieru. Miałam ochotę zadać milion różnych pytań, lecz cały czas wypatrywałam samochodu Szarrifa. Byłam pewna, że nie udało się nam ich zgubić, lecz byli tak daleko, że nie widzieliśmy ich świateł. Wyskoczywszy z samochodu, pobiegliśmy dalej. Lily biegła tuż za Kamelem, szarpiąc go za rękaw. Uliczki były wąskie i ciemne.

– Nic nie rozumiem – skrzeczała Lily swoim chrypliwym szeptem, podczas gdy ja oglądałam się, czy nikt nas nie goni. – Jeśli Minnie była żoną tego holenderskiego konsula Renselaasa, to jak mogła być jednocześnie żoną pańskiego ojca? Widać monogamia nie cieszy się dużą popularnością w tych stronach.

– Renselaas zmarł podczas rewolucji – powiedział Kamel. – Musiała zostać w Algierze, a mój ojciec zaoferował jej ochronę. Choć kochali się bardzo jako przyjaciele, przypuszczam, że było to raczej małżeństwo z rozsądku. W każdym razie po niespełna roku już nie żył.

– Skoro on był Czarnym Królem i został zabity, to dlaczego Gra się nie skończyła? Czy to nie tak: szach-mat, król nie żyje?

– Gra toczy się nadal, tak samo jak życie – odparł Kamel, idąc wciąż szybkim krokiem. – Król nie żyje, niech żyje król!

Spojrzałam na niebo w wąskiej szczelinie między budynkami, które właściwie znikało, gdy wchodziliśmy w labirynt uliczek kasby. Choć słyszałam wycie wiatru nad naszymi głowami, prawie nic przed sobą nie widziałam i poruszałam się po omacku po krętych zaułkach kasby. Z góry sączył się na nas drobniutki pył, a tarczę księżyca przesłaniała półprzezroczysta zasłona. Kamel też zadarł głowę.

– Nadchodzi sirocco – stwierdził. – Musimy się pośpieszyć. Mam nadzieję, że nie pokrzyżuje naszych planów.

Jeszcze raz spojrzałam na niebo. Sirocco to wiatr, który wywołuje burze piaskowe, jedne z najsłynniejszych na świecie. Chciałam znaleźć się w pomieszczeniu, zanim się zacznie. Kamel zatrzymał się w małej, ślepej uliczce i wyjął z kieszeni klucz.

– Jaskinia opium! – wyszeptała Lily, przypominając sobie naszą ostatnią wędrówkę. – A może haszyszu?

– To była inna droga – powiedział Kamel. – Do tych drzwi tylko ja mam klucz. – Otworzył je w ciemnościach, wpuścił nas, po czym przekręcił klucz w zamku.

Był to długi, ciemny korytarz, na którego końcu tliło się mdłe światełko. Idąc wzdłuż ścian, czułam pod rękami obicia z chłodnego adamaszku, a pod nogami miękki dywan.

Wreszcie doszliśmy do dużego pokoju, którego podłogi pokrywały wspaniałe perskie dywany, a jedynym źródłem światła był wielki, złoty kandelabr ustawiony na marmurowym stoliku w odległym rogu. Rozsiewane przez niego światło wystarczało jednak, by dostrzec bogactwo wnętrza: niskie stoliki z marmuru kararyjskiego, żółte jedwabne otomany obwieszone złotymi chwostami, sofy z obiciami w połyskliwych kolorach starych likierów i duże rzeźby porozmieszczane na większych i mniejszych postumentach i stołach – wszystko było wspaniałe nawet dla takiego laika jak ja. Oblany złotym światłem pokój wyglądał jak jaskinia skarbów na dnie jakiegoś morza. Gdy szłam powoli przed siebie, mając Lily za plecami, zdawało mi się, że poruszam się w atmosferze dużo gęstszej niż woda.

W odległym kącie pokoju, w blasku świec, ubrana w długą suknię ze złotego brokatu ozdobionego złotymi monetami, stała Minnie Renselaas. A obok niej, z kieliszkiem w ręku – Aleksander Solarin.

Teraz spojrzał na mnie, posyłając mi swój oszałamiający uśmiech. Często myślałam o nim od czasu naszego ostatniego spotkania, gdy zniknął w tym namiocie na plaży, i liczyłam po cichu na to, że jeszcze się spotkamy. Podszedł do mnie, uścisnął moją dłoń, a potem zwrócił się do Lily:

– Nigdy nas chyba sobie nie przedstawiono. – Lily była najeżona, jakby chciała rzucić rękawicę, lub szachownicę, i wyzwać go na pojedynek tu i teraz. – Jestem Aleksander Solarin, a pani jest wnuczką jednego z największych żyjących mistrzów szachowych. Mam nadzieję, iż niebawem będę mógł panią przekazać w jego ręce.

Nieco ułagodzona tym wstępem Lily uścisnęła dłoń Solarina.

– Dość tego – rzekła Minnie, gdy Kamel podszedł, by przyłączyć się do nas. – Zostało nam niewiele czasu. Zakładam, że masz figury.

Na stoliku obok niej zauważyłam metalowe pudełko, w którym – jak pamiętałam – schowana była tkanina. Poklepałam moją bajową torbę i podeszliśmy do stołu, na którym poustawiałam figury. Stały tam, jedna przy drugiej, połyskując swymi drogocennymi kamieniami i emitując ten dziwny blask, który zauważyłam już w jaskini. Wszyscy przyglądaliśmy się im przez pewien czas w milczeniu – wspaniały wielbłąd, koń stojący dęba, oszałamiający król i królowa. Solarin pochylił się, by je dotknąć, a potem zerknął na Minnie, która odezwała się pierwsza.

– Wreszcie! – westchnęła. – Po tak długim czasie dołączą do pozostałych. I tobie należą się za to dzięki. Swoimi czynami odkupiłaś bezowocną śmierć tak wielu ludzi, w ciągu długich lat...

– Do p o z o s t a ł y c h? – spytałam, patrząc na nią.

– W Ameryce – odparła z uśmiechem. – Dzisiaj Solarin zabierze cię do Marsylii, skąd zorganizowaliśmy twój powrót.

Kamel sięgnął do kieszeni, skąd wyciągnął paszport Lily. Wzięła go i obie patrzyłyśmy na Minnie ze zdumieniem.

– Do Ameryki? – powiedziałam. – Ale kto ma pozostałe figury?

– Mordechaj – odparła z uśmiechem. – Ma jeszcze dziewięć. Razem z tkaniną – dodała, wręczając mi pudełko – masz ponad połowę wzoru. Po raz pierwszy od dwustu lat ponownie zostaną połączone.

– A co się wtedy stanie? – dopytywałam się.

– Sama się przekonasz – odparła Minnie, przyglądając mi się poważnie. Potem spojrzała na figury lśniące dziwnym blaskiem. – Teraz twoja kolej... – Odwróciła się od nich powoli i położyła dłonie na twarzy Solarina. – Mój ukochany Sasza – powiedziała ze łzami w oczach. – Uważaj na siebie, moje dziecko. Strzeż ich... – Po tych słowach ucałowała go w czoło.

Ku memu zdziwieniu Solarin objął ją i ukrył twarz w jej ramionach. Patrzyliśmy zdumieni, jak młody arcymistrz i elegancka Mokhfi Mokhtar trwają w długim uścisku. Wreszcie odsunęli się od siebie, a Minnie zwróciła się do Kamela i uścisnęła jego dłoń.

– Dowieź ich bezpiecznie do portu – szepnęła. A potem bez słowa odwróciła się i wyszła z pokoju.

Solarin i Kamel patrzyli za nią w milczeniu.

– Musisz iść – powiedział wreszcie Kamel do Solarina. – Zajmę się nią. Niech cię Allah prowadzi, przyjacielu. – Zebrał figury ze stołu i wrzucił je z powrotem do mojej torby razem z pudełkiem zawierającym tkaninę, którą wyjął mi z ręki. Lily stała, przyciskając Cariocę do piersi.

– Nic z tego nie rozumiem – rzekła słabym głosem. – Czy to znaczy, że to koniec? Wyjeżdżamy? Ale jak dotrzemy do Marsylii?

– Jest już łódź. Chodźcie, nie mamy czasu do stracenia – rzucił Kamel.

– A co z Minnie? – spytałam. – Czy jeszcze ją zobaczymy?

– Nie teraz – odparł szybko Solarin, otrząsnąwszy się z zamyślenia. – Musimy iść, zanim zacznie się burza, i natychmiast wypłynąć na morze. Gdy opuścimy port, wszystko będzie proste.

Ciągle czułam oszołomienie, gdy wraz z Lily i Solarinem znów znalazłam się na ciemnych uliczkach kasby.

Pędziliśmy przez ciche przejścia, gdzie domki przyciskały się do siebie tak bardzo, jakby chciały zupełnie zasłonić światło. Silny zapach ryb, który wypełnił moje nozdrza, wskazywał, że znajdujemy się w pobliżu portu. Naraz wyszliśmy na duży plac niedaleko Meczetu Rybaka, gdzie już tak dawno temu spotkałam się z Wahadem. Dziś zdawało mi się, że od tamtego dnia minęły miesiące. Wiatr przybierał na sile, unosząc tumany piasku. Solarin złapał mnie za ramię i pociągnął przez plac, a Lily z Cariocą w rękach pognała za nami.

Zbiegaliśmy właśnie Schodami Rybaka do portu, gdy nagle złapałam oddech i powiedziałam szybko do Solarina:

– Minnie nazwała pana „dzieckiem". Ona chyba nie jest pańską macochą?

– Nie – odrzekł miękko i pociągnął mnie dwa stopnie w dół. – Modlę się, bym mógł ją jeszcze ujrzeć, zanim umrę. Ona jest moją babcią...

CISZA PRZED BURZĄ

Gdyż wędrowałem samotnie,
Pod cichymi gwiazdami i czułem wówczas
Całą potęgę, co się kryje w dźwięku.
I stałem
Pośród nocy czarnej zbliżającej się burzą,
Pod jakąś skałą, wsłuchany w nuty,
Przerażający język tej pradawnej ziemi,
W odległych wiatrach mając mieszkanie.

Stamtąd właśnie piłem tę wizjonerską moc.

Wordsworth
Preludium

Vermont
maj 1796

Talleyrand kuśtykał przez liściasty las, gdzie strumyki światła, rozedrgane od złotych pyłków, przebijały się przez wiosenne listowie. Tu i ówdzie migały jaskrawozielone kolibry zbierające nektar z przepięknych kwiatów pnączy zwieszających się niczym welon ze starego dębu. Po niedawnym deszczu ziemia była wilgotna, a z drzew kapały krople wody, odbijając światło jak diamenty wśród różnokolorowych liści. Już od dwóch lat był w Ameryce, która spełniła jego oczekiwania – lecz nie jego nadzieje. Ambasador francuski w Ameryce, mierny biurokrata, doskonale rozumiał polityczne ambicje Talleyranda, a jednocześnie wiedział, że w ojczyźnie oskarżono go o zdradę. Zablokował mu zatem dojście do prezydenta Waszyngtona, a drzwi filadelfijskich salonów zamknęły się przed nim równie szybko jak londyńskich. Jego jedynym przyjacielem i sprzymierzeńcem został Alexander Hamilton, lecz nawet on nie był w stanie znaleźć mu pracy. Wreszcie, wyczerpawszy swoje zapasy, Talleyrand był zmuszony sprzedawać po kawałku posiadłość w Vermoncie nowo przybyłym emigrantom francuskim. To przynajmniej trzymało go przy życiu.

Teraz, gdy wędrował z laską po nierównym terenie, odmierzając działki, które zamierzał sprzedać następnego dnia, westchnął i zadumał się nad swoim zmarnowanym życiem. Co on właściwie ratował? W wieku czterdziestu dwóch lat nie mógł poszczycić się niczym prócz pochodzenia i wykształcenia. Amerykanie, z nielicznymi wyjątkami, to dzikusy i przestępcy wyrzuceni z cywilizowanych krajów Europy. Nawet wyższe warstwy w Filadelfii były mniej wykształcone niż tacy barbarzyńcy jak Marat, który był lekarzem, czy Danton, który studiował prawo.

Jednakże większość tych, którzy najpierw stanęli na czele rewolucji, a potem ją podkopali, była martwa. Marat zamordowany; Camille Desmoulins i Georges Danton ścięci na gilotynie, Hérbert, Chaumette, Couthon, Saint-Just; Lebas, który wolał strzelić sobie w łeb, niż pozwolić się aresztować; i bracia Robespierre'owie, Maksymilian i Augustin, których śmierć na gilotynie stanowiła zakończenie terroru. Gdyby został we Francji, i jego na pewno spotkałby ten sam los. Teraz jednak nadszedł czas, by zabrać się do dzieła. Poklepał list schowany w kieszeni i uśmiechnął się w duchu. Właśnie we Francji było jego miejsce, w samym środku oszałamiającego salonu Germaine de Staël, gdzie mógłby intrygować do woli, zamiast wędrować bez końca po tych przeklętych pustkowiach.

Nagle uświadomił sobie, że już od dłuższego czasu nie słyszy nic prócz brzęczenia pszczół. Pochylił się, by wbić miarkę w ziemię, po czym spoglądając w zarośla, krzyknął:

– Courtiade, jesteś tam?

Nikt nie odpowiedział. Zawołał więc ponownie. A wtedy, gdzieś z gęstwiny, doszedł go smutny głos lokaja:

– Tak, monseigneur, niestety tak, jestem.

Courtiade wyłonił się z krzaków i wyszedł na małą polanę. Przez piersi przewieszoną miał ciężką, skórzaną torbę.

Talleyrand objął lokaja i ruszyli przez gęste poszycie w kierunku kamienistej ścieżki, gdzie zostawili konia i wóz.

– Dwadzieścia parceli – dumał. – Chodź, Courtiade. Jeśli jutro to wszystko sprzedamy, wrócimy do Filadelfii z sumą umożliwiającą powrót do Francji.

– Więc z listu od madame de Staël wynika, że może pan powrócić? – spytał Courtiade, a na jego poważnej, kamiennej twarzy pojawiło się coś na kształt uśmiechu.

Talleyrand sięgnął do kieszeni i wyciągnął list, który nosił tam od kilku tygodni. Courtiade spojrzał na charakter pisma i ozdobne stemple z napisem Republika Francuska.

– Jak zwykle Germaine rzuciła się w główny nurt – powiedział Talleyrand, stukając w list. – Natychmiast po powrocie do Francji umieściła swojego nowego kochanka, jakiegoś

Szwajcara nazwiskiem Benjamin Constant, w ambasadzie szwedzkiej, tuż pod okiem męża. Narobiła takiego zamieszania wokół prowadzonych przez siebie działań, że Konwencja oskarżyła ją o knucie promonarchistycznego spisku i surowo skrytykowała za przyprawienie rogów mężowi. Teraz nakazano jej przebywać w odległości dwudziestu mil od Paryża, lecz jej czary działają nawet z takiej odległości. Kobieta o ogromnych wpływach i niezwykłym wdzięku, która na zawsze pozostanie moją przyjaciółką... – Skinął na Courtiade'a, by otworzył list. Szli dalej w kierunku wozu, a lokaj czytał:

Zbliża się twój dzień, mon cher ami. *Wróć i zbierz owoce cierpliwości. Nadal mam przyjaciół, których głowy siedzą mocno na karku i którzy pamiętają zarówno twoje nazwisko, jak i to wszystko, co uczyniłeś dla kraju. Z serdecznymi pozdrowieniami – Germaine.*

Courtiade podniósł wzrok znad listu z nie ukrywaną radością. Dotarli wreszcie do wozu, gdzie stara, zmęczona klacz powoli żuła trawę. Talleyrand poklepał ją po szyi i zwrócił się do Courtiade'a.

– Przyniosłeś figury?

– Oto są – odparł lokaj, klepiąc zawieszoną na ramieniu skórzaną torbę. – Wraz z obiegiem skoczka monsieur Benjamina Franklina skopiowanym dla pana przez sekretarza Hamiltona.

– To możemy zachować, gdyż dla nikogo innego poza nami nie ma to żadnego znaczenia. Lecz zbyt niebezpiecznie byłoby brać te figury do Francji. Dlatego właśnie kazałem przywieźć je tutaj, na to pustkowie, nikt nawet nie przypuści, że mogą tu być ukryte. Vermont to francuska nazwa, prawda? Zielone góry. – Wskazał laską wysoki łańcuch łagodnych, zielonych wzgórz ciągnący się nad nimi. – Tam, na tych szmaragdowozielonych szczytach, blisko Boga. Tam On może je mieć na oku pod moją nieobecność.

Spojrzał na Courtiade'a z błyskiem w oku. Lokaj jednak znów był poważny.

– Co się dzieje? – spytał Talleyrand. – Nie podoba ci się ten pomysł?

– Tyle pan ryzykował dla tych figur, monseigneur – wyjaśnił lokaj. – Kosztowały życie tak wielu osób... A pozostawienie ich tutaj oznaczałoby, że... – Przerwał, szukając odpowiedniego słowa.

– Oznaczałoby, że wszystko było na marne – dopowiedział gorzko Talleyrand.

– Proszę wybaczyć mi śmiałość, monseigneur... gdyby żyła mademoiselle Mireille, uczyniłby pan wszystko, co w pańskiej mocy, by ich strzec, gdyż ona je panu powierzyła, a nie zostawiałby ich pan na tym pustkowiu. – Spojrzał z troską na Talleyranda.

– Przez prawie cztery lata nie otrzymałem żadnej wiadomości, żadnego sygnału – wyznał Talleyrand łamiącym się głosem. – Mimo iż nie było żadnych podstaw do nadziei, nie straciłem jej aż do dzisiaj. Lecz Germaine jest we Francji i dzięki swojej sieci informatorów z pewnością dowiedziałaby się czegoś, gdyby pojawił się jakikolwiek ślad. Jej milczenie w tej materii źle wróży. Może gdy zasadzę te figury w ziemi, moja nadzieja znów ożyje.

Trzy godziny później, gdy położyli ostatni kamień na kupce ziemi w samym sercu zielonych gór, Talleyrand podniósł wzrok na Courtiade'a.

– Teraz chyba możemy być spokojni, że przez następne tysiąc lat nie ujrzą światła dziennego – powiedział, patrząc na usypany wzgórek.

Courtiade obkładał kryjówkę winoroślą i gałęziami krzewów.

– Przynajmniej one przetrwają – rzekł z powagą.

Sankt Petersburg
listopad 1796

Sześć miesięcy później, w przedpokoju pałacu cesarskiego w Sankt Petersburgu, Walerian Zubow i jego przystojny brat, Płaton, kochanek carycy Katarzyny II, stali, coś do siebie szepcząc. Tymczasem przez otwarte drzwi wchodzili i wychodzili dworzanie, ubrani – cokolwiek przedwcześnie – w czarne, żałobne stroje.

– Nie przetrwamy – szeptał Walerian, który, podobnie jak jego brat, miał na sobie czarny, aksamitny kostium, ozdobiony

579

odznaczeniami państwowymi. – Musimy działać natychmiast albo wszystko stracone!

– Nie mogę wyjechać, póki ona żyje – rzucił wściekle Płaton, gdy minęła ich grupka dworzan. – Jak by to wyglądało? Jeśli nieoczekiwanie wydobrzeje, wtedy wszystko będzie stracone!

– Nie wydobrzeje! – rzekł Walerian, próbując maskować rosnące podniecenie. – To jest *hémorragie de la cervelle*. Doktor powiedział mi, że nikt nie wychodzi z życiem z wylewu. A gdy ona umrze, Paweł zostanie carem.

– Przyszedł dziś do mnie z propozycją rozejmu – powiedział Płaton dość niepewnym głosem. – Dziś rano. Zaproponował mi tytuł i majątek. Oczywiście nie tak wspaniały jak Krym. Coś na wsi.

– I ty mu ufasz?

– Nie – odparł Płaton. – Ale cóż mogę zrobić? Nawet gdybym próbował ucieczki i tak nigdy nie dotarłbym do granicy...

Przeorysza siedziała przy łożu wielkiej carycy Wszechrosji. Twarz Katarzyny była biała. Caryca była nieprzytomna. Przeorysza trzymała dłoń Katarzyny, patrząc na jej zbielałą twarz, która od czasu do czasu robiła się purpurowa, gdy monarchini rzęziła w agonii.

Z jakim bólem patrzyła teraz na przyjaciółkę, zawsze tak ruchliwą, tak pełną życia. Żadna władza na świecie nie ocaliła jej od tej potwornej śmierci, która zmieniła jej ciało w blady, poczętkowany, wypełniony płynem worek przypominający zepsuty owoc, który zbyt późno spadł z drzewa. Taki koniec Stwórca przeznaczył wszystkim – bogatym i biednym, świętym i grzesznikom. *Ego te absolvo*, pomyślała przeorysza, jeśli moje rozgrzeszenie może ci w czymkolwiek pomóc. Lecz najpierw musisz się obudzić, moja droga przyjaciółko, gdyż potrzebuję jeszcze twojej pomocy. Jest coś, co musisz zrobić przed śmiercią – powiedzieć mi, gdzie ukryłaś tę figurę, którą ci przywiozłam. Powiedz mi, gdzie jest czarna królowa!

Katarzyna jednak nie wydobrzała. Przeorysza siedziała w swojej zimnej komnacie, patrząc na puste palenisko, w którym nie miała nawet siły rozpalić ognia, i zastanawiała się, co robić dalej. Cały dwór pogrążony był w żałobie, lecz nie tyle w żałobie po carycy, ile raczej po swoich nadziejach. Wszyscy z przerażeniem czekali, co też się wydarzy, gdy szalony książę Paweł zostanie carem.

W momencie, gdy caryca wydała ostatnie tchnienie, Paweł pobiegł do jej komnaty, otworzył szuflady biurka i wrzucił ich zawartość w płonący na kominku ogień, niczego nie otwierając ani nie czytając. Zalękniony, że mogą się tam znajdować dyspozycje dotyczące tego, czym zawsze straszyła – że wydziedziczy go na korzyść jego syna Aleksandra. Pałac zamienił się w koszary. Żołnierze z przybocznej gwardii Pawła, ubrani w pruskie mundury z błyszczącymi guzikami, dniem i nocą tupali po korytarzach, wykrzykując komendy zagłuszające nawet ten łomot. Z więzień wypuszczono wszystkich wolnomularzy i liberałów, których uwięziono z rozkazu Katarzyny. Paweł postanowił bowiem postępować dokładnie odwrotnie niż jego matka. Minie jeszcze trochę czasu, pomyślała przeorysza, a zainteresuje się przyjaciółmi swojej matki...

Rozległ się zgrzyt otwieranych drzwi. Podniósłszy wzrok, przeorysza ujrzała Pawła, którego wyłupiaste oczy zwrócone były na nią. Zachichotał idiotycznie, zacierając przy tym ręce – nie wiadomo, czy z zadowolenia, czy też z przeraźliwego zimna panującego w komnacie.

– Oczekiwałam was, Pawle Piotrowiczu – powiedziała przeorysza z uśmiechem.

– Ma pani mówić do mnie „wasza wysokość" i wstawać, gdy wchodzę do komnaty! – krzyknął. Potem uspokoił się, widząc, że przeorysza podnosi się z krzesła, podszedł i spojrzał na nią z nienawiścią. – Jakże wiele się zmieniło od czasu, gdy po raz ostatni wchodziłem do tej komnaty, nieprawdaż, madame de Roque? – spytał zaczepnie.

– No cóż, chyba tak – odparła spokojnie przeorysza. – O ile mnie pamięć nie zawodzi, wasza matka wyjaśniała mi powody, dla których nie odziedziczycie jej tronu, a jednak wydarzenia przybrały całkiem inny obrót.

– J e j tronu?! – wrzasnął przeraźliwie Paweł, ściskając z wściekłością pięści. – To był mój tron, tron, który mi ukradła, gdy miałem zaledwie osiem lat! Była despotką! – krzyczał z twarzą czerwoną od gniewu. – Wiem, co knułyście za moimi plecami! Wiem, co miałyście! Żądam informacji na temat miejsca ukrycia reszty! – to mówiąc, sięgnął do kieszeni i wyjął stamtąd czarną królową.

Przeorysza cofnęła się z przerażeniem, lecz natychmiast się opanowała.

– To należy do mnie – powiedziała spokojnie, wyciągając dłoń.

– Nic z tego! – krzyknął Paweł z dziką radością. – Chcę mieć je wszystkie, gdyż wiem, co znaczą. Wszystkie będą moje, wszystkie!

– Obawiam się, że nie – rzekła przeorysza, wciąż trzymając wyciągniętą dłoń.

– Może pobyt w więzieniu odświeży pani pamięć – rzucił Paweł, chowając figurę.

– Chyba nie wiecie, co mówicie – powiedziała przeorysza.

– Ale dopiero po pogrzebie – zachichotał Paweł od drzwi. – Nie chciałbym, żeby straciła pani to widowisko. Wydałem rozkaz ekshumowania kości mojego zamordowanego ojca, Piotra III, z monasteru Aleksandra Newskiego i przewiezienia ich do Pałacu Zimowego, gdzie zostaną wystawione obok zwłok kobiety, z której rozkazu go zamordowano. Nad trumnami moich rodziców wystawionymi na widok publiczny znajdzie się napis: „Rozdzieleni w życiu, zjednoczeni w śmierci". Orszak żałobników złożony z jej kochanków będzie nieść ich trumny przez zaśnieżone ulice miasta. Dopilnowałem nawet tego, by trumnę mojego ojca nieśli jego mordercy! – Zaniósł się histerycznym śmiechem, a przeorysza spojrzała na niego z przerażeniem.

– Przecież Potiomkin nie żyje – odezwała się łagodnie.

– Tak, zbyt późno dla Serenissimusa – zaśmiał się znowu. – Jego kości zostaną wyjęte z mauzoleum w Chersoniu i rzucone psom na pożarcie! – Po tych słowach Paweł otworzył szeroko drzwi i rzucił przeoryszy pożegnalne spojrzenie. – A Płaton Zubow, ostatni faworyt mojej matki, otrzyma nową posiadłość. Powitam go tam szampanem i kolacją na złotej tacy. Ale będzie się nią cieszył tylko jeden dzień!

– Może będzie moim towarzyszem w więzieniu? – spytała przeorysza, pragnąc dowiedzieć się jak najwięcej o planach tego szaleńca.

– A po cóż tracić czas dla takiego głupca? Gdy tylko się tam zadomowi, wręczę mu zaproszenie do podróży. Chciałbym zobaczyć jego twarz, gdy jednego dnia straci wszystko to, co zyskał wieloletnią ciężką pracą w jej łóżku!

Gdy tylko zamknęły się za nim drzwi, przeorysza pośpieszyła do swojego sekretarzyka. Mireille żyje, wiedziała o tym na pewno, gdyż akredytywa, którą posłała przez Charlotte Corday, była nie raz, lecz kilkakrotnie wykorzystywana w jednym z londyńskich banków. Jeśli Płaton Zubow zostanie wygnany, będzie jedyną osobą mogącą skontaktować się z Mireille właśnie przez ten bank. To jest szansa, oczywiście jeżeli Paweł nie zmieni zdania. Choć ma jedną figurę szachów z Montglane, reszta nie wpadnie w jego ręce. Przeorysza nadal miała tkaninę i wiedziała, gdzie ukryta jest szachownica.

Gdy pisała list, starannie dobierając słowa, na wypadek gdyby wpadł w niepowołane ręce, modliła się, by Mireille otrzymała go, nim będzie za późno. Skończywszy, schowała go do kieszeni habitu, by przekazać Zubowowi podczas pogrzebu. A potem usiadła, by wszyć w fałdy swego habitu tkaninę z kompletu z Montglane. Może to ostatnia okazja, zanim zostanie uwięziona.

Paryż
grudzień 1797

Kareta Germaine de Staël przejechała wzdłuż szeregów wspaniałych doryckich kolumn prowadzących do Hôtel Galliffet na rue du Bac. Szóstka jej siwych koni, spienionych i stukających kopytami o żwir, zatrzymała się przed głównym wejściem. Lokaj zeskoczył na ziemię i szybko rozstawił schodki, by jego rozzłoszczona pani mogła bez trudu zejść na ziemię. Zaledwie rok temu wyciągnęła Talleyranda z wygnania i zapomnienia do tego wspaniałego pałacu i oto jak się jej teraz odpłaca!

Dziedziniec pełen był ozdobnych drzewek i krzewów w doniczkach. Courtiade chodził tam i z powrotem po śniegu, wydając polecenia i wskazując miejsca na zewnętrznych trawnikach, gdzie mają być ustawione, na tle ogromnego, ośnieżonego parku. Były tam setki kwitnących drzewek, co wystarczyło, by zimowy ogród na chwilę zamienił się w wiosenną krainę z baśni. Lokaj spojrzał niepewnie na madame de Staël, po czym pośpieszył na jej powitanie.

– Nawet nie próbuj mnie uspokajać, Courtiade! – krzyknęła Germaine już z daleka. – Przyjechałam, żeby skręcić kark temu niewdzięcznemu łajdakowi, który jest twoim panem! – I nim Courtiade zdążył ją powstrzymać, wmaszerowała po schodach i weszła do środka przez otwarte przeszklone drzwi.

Talleyrand siedział na górze w słonecznym gabinecie z oknami wychodzącymi na dziedziniec, przeglądając rachunki. Gdy wpadła jak burza do środka, odwrócił się z uśmiechem.

– Germaine, cóż za miła niespodzianka! – powiedział, wstając na powitanie.

– Jak śmiesz urządzać *soirée* dla tego korsykańskiego parweniusza, nie zapraszając mnie?! – wrzasnęła. – Czyżbyś zapomniał, kto ściągnął cię tu z Ameryki? Kto spowodował, że zarzuty przeciw tobie zostały oddalone? Kto przekonał Barrasa, że będziesz lepszym ministrem *relations extérieures* niż Delacroix? Czy tak dziękujesz mi za możność korzystania z wpływów, jakimi dysponuję? Chyba muszę zapamiętać na przyszłość, że Francuzi szybko zapominają o swoich przyjaciołach!

– Moja droga Germaine – zamruczał kojąco Talleyrand, głaszcząc ją po ramieniu – to przecież sam monsieur Delacroix przekonał Barrasa, że jestem lepszy w tych sprawach.

– Rzeczywiście, w tych sprawach jesteś lepszy! – krzyknęła Germaine z gniewem i pogardą. – Cały Paryż dobrze wie, że jego żona nosi w brzuchu twoje dziecko! Zapewne nie omieszkałeś zaprosić ich obojga: twojego poprzednika i kochanki, z którą przyprawiłeś mu rogi!

– Zaprosiłem wszystkie moje kochanki – zaśmiał się. – Łącznie z tobą. Lecz jeśli idzie o przyprawianie rogów, to na twoim miejscu nie rzucałbym pierwszy kamieniem, moja droga.

– Nie otrzymałam zaproszenia – powiedziała Germaine, udając, że nie zauważyła aluzji.

– Oczywiście, że nie – rzekł, patrząc na nią ulegle swymi błyszczącymi, niebieskimi oczami. – Dlaczego marnować zaproszenie dla najlepszej przyjaciółki? Czy wyobrażałaś sobie, że przygotuję takie przyjęcie – dla pięciuset gości – bez twojej

pomocy? Spodziewałem się ciebie już kilka dni temu!
Germaine spojrzała na niego niepewnie.

– Ale przecież przygotowania są już w toku – zauważyła.

– Kilka tysięcy drzewek i krzewów – prychnął Talleyrand. –
To nic w porównaniu z tym, co planuję. – Po czym wziąwszy ją
pod rękę, przeszedł wzdłuż oszklonych okien wychodzących
na dziedziniec. – Co o tym myślisz: dziesiątki jedwabnych
namiotów z powiewającymi sztandarami i proporcami ustawione wzdłuż trawników i na dziedzińcu. Pośród namiotów
żołnierze we francuskich mundurach stojący na baczność... –
Zawrócił z nią do drzwi gabinetu, gdzie marmurowa galeria
otaczała wysoki hall prowadzący do schodów z włoskiego
marmuru. Klęczący robotnicy wykładali wszystko grubym,
czerwonym dywanem. – A tutaj, gdzie wchodzą goście, muzycy będą grać wojskowe melodie, maszerując wzdłuż galerii,
a grając *Marsyliankę*, będą szli w górę i dół schodów!

– Wspaniałe! – wykrzyknęła Germaine, klaszcząc w ręce. –
Kwiaty muszą być czerwone, białe i niebieskie, a na balustra-
dach trzeba powiesić serpentyny w tych samych kolorach...

– Widzisz? – uśmiechnął się Talleyrand, obejmując ją. –
I co ja bym bez ciebie zrobił?

Specjalną niespodzianką przygotowaną przez Talleyranda
było takie ustawienie mebli w jadalni, że krzesła były przeznaczone jedynie dla pań. Każdy z panów miał stać za krzesłem
swojej damy i podawać delikatne kąski z tac roznoszonych
przez służbę w liberii. Sytuacja taka niezwykle pochlebiała da-
mom, a mężczyznom pozwalała spokojnie porozmawiać.

Napoleon był zachwycony repliką swojego obozu włoskiego, którą ujrzał zaraz po wejściu. Ubrany w prosty strój, pozbawiony wszelkich ozdób, wyglądał znacznie dostojniej niż
członkowie rządu, którzy przybyli w bogatych, ozdobnych
strojach, zaprojektowanych przez malarza Davida.

Sam David, ustawiony w odległym końcu sali, miał usługiwać
jasnowłosej piękności, którą Napoleon bardzo chciał poznać.

– Czy ja już jej kiedyś nie widziałem? – wyszeptał do Talleyranda z uśmiechem, spoglądając na długi rząd stołów.

– Być może – odparł chłodno Talleyrand. – W okresie terroru przebywała w Londynie, lecz właśnie wróciła do Francji. Nazywa się Catherine Grand.

Gdy goście wstali od stołów i rozproszyli się po całym pałacu, Talleyrand przyprowadził ową piękność. Generał został właśnie przyparty do muru przez madame de Staël, która zasypywała go pytaniami.

– Proszę mi powiedzieć, generale Bonaparte, jaki typ kobiety najbardziej pan podziwia? – spytała z naciskiem.

– Taki, który jest w stanie urodzić najwięcej dzieci – odrzekł szorstko.

Widząc zbliżającą się Catherine Grand, wspartą na ramieniu Talleyranda, rozjaśnił twarz w uśmiechu.

– A gdzież to się chowałaś, moja ślicznotko? – zwrócił się do niej, gdy już mu ją przedstawiono. – Masz angielski wygląd, lecz francuskie imię. Czy jesteś Brytyjką?

– *Je suis d'Inde** – odparła Catherine Grand ze słodkim uśmiechem. Germaine westchnęła, a Napoleon spojrzał na Talleyranda, unosząc ze zdumienia brew. Albowiem, ze sposobu, w jaki to wymówiła, można było pomyśleć, że powiedziała: „Jestem idiotką".

– Madame Grand wcale nie jest taka głupia, za jaką chciałaby uchodzić w naszych oczach – powiedział Talleyrand, krzywo spoglądając na Germaine. – W rzeczy samej uważam, że jest jedną z najmądrzejszych kobiet w Europie!

– Piękna kobieta nie zawsze jest mądra – zgodził się Napoleon. – Lecz mądra kobieta jest zawsze piękna.

– Czuję się skrępowana, słysząc takie słowa w obecności madame de Staël – odezwała się znów Catherine Grand. – Każdy wie, że to ona jest najbłyskotliwszą kobietą Europy. Przecież nawet napisała książkę!

– Ona pisze książki – powiedział Napoleon, biorąc ją pod rękę – lecz o tobie będą pisać książki.

Podszedł David, witając wszystkich serdecznie. Spojrzawszy na madame Grand, zastygł.

– Podobieństwo jest niezwykłe, prawda? – spytał Talleyrand, zgadując myśli malarza. – Dlatego właśnie wyznaczyłem ci

---

* *Je suis d'Inde* – brzmi jak: *Je suis dinde* („Jestem gąską") lub: *Je suis dingue* („Jestem idiotką").

miejsce za madame Grand. Powiedz mi, co się stało z tym obrazem Sabinek, który kiedyś zacząłeś? Chciałbym go nabyć na pamiątkę, jeżeli oczywiście jest skończony.

– Skończyłem go w więzieniu – rzekł David z nerwowym uśmiechem. – Wkrótce potem wystawiono go w Akademii. Wiesz, że zamknęli mnie na kilka miesięcy zaraz po upadku Robespierre'ów.

– Ja również siedziałem w więzieniu w Marsylii – zaśmiał się Napoleon. – I z tego samego powodu. Brat Robespierre'a, Augustin, był moim gorącym zwolennikiem... lecz o jakim obrazie mówicie? Jeśli pozowała do niego madame Grand, to również pragnąłbym go zobaczyć.

– Nie ona – odparł David drżącym głosem – ale ktoś, do kogo jest bardzo podobna. Moja podopieczna, która... która zginęła w czasie terroru. Były dwie...

– Valentine i Mireille! – wykrzyknęła madame de Staël. – Takie urocze dziewczęta... wszędzie z nami chodziły. Jedna z nich zginęła, lecz nie wiem, co się stało z drugą, tą z rudymi włosami.

– Zapewne również zginęła – powiedział Talleyrand. – A przynajmniej tak twierdzi madame Grand. Byłaś jej bliską przyjaciółką, nieprawdaż, moja droga?

Catherine Grand zbladła, lecz uśmiechnęła się słodko, próbując odzyskać kontenans. David już chciał coś powiedzieć, gdy przerwał mu Napoleon.

– Mireille? Czy to nie ta rudowłosa?

– Istotnie – przyznał Talleyrand. – Obie były zakonnicami w Montglane.

– Montglane! – wyszeptał Napoleon, wpatrując się w Talleyranda. Potem popatrzył na Davida. – Były pańskimi podopiecznymi, tak?

– Aż do śmierci – powtórzył Talleyrand, patrząc na Catherine Grand, która wiła się pod jego wzrokiem. Potem spojrzał na Davida. – Widzę, że coś cię dręczy – powiedział, biorąc go za ramię.

– Jest coś, co mnie niepokoi – odezwał się Napoleon, dobierając starannie słowa. – Panowie, proponuję, byście odprowadzili damy do sali balowej. Chciałbym udać się z wami do gabinetu, ażeby wszystko wyjaśnić.

– Dlaczego, generale Bonaparte? Czy wie pan coś o tych kobietach? – spytał Talleyrand.

– Istotnie, wiem. Przynajmniej o jednej z nich – odparł szczerze. – Jeżeli jest to ta sama kobieta, którą mam na myśli, to właśnie ona omal nie urodziła dziecka w moim domu na Korsyce!

A więc ona żyje... i ma dziecko – powiedział Talleyrand, złożywszy razem elementy opowieści Napoleona i Davida. Moje dziecko, dodał w myślach. Przemierzał długimi krokami gabinet, podczas gdy pozostali siedzieli przy kominku na miękkich fotelach wyścielanych złotym adamaszkiem i popijali maderę. – Ale gdzież ona teraz jest? Była na Korsyce i w Maghrebie, potem wróciła do Francji, gdzie popełniła tę zbrodnię, o której mówiłeś. – Spojrzał na Davida, który siedział drżący, zdawszy sobie sprawę z wymiaru historii, którą dziś opowiedział w całości po raz pierwszy. – Ale Robespierre już nie żyje. We Francji o całej tej historii wiesz jedynie ty – zwrócił się do Davida. – Więc gdzie ona jest? I dlaczego nie wraca?

– Może powinniśmy skontaktować się z moją matką? – zasugerował Bonaparte. – Jak już mówiłem, to właśnie ona zna przeoryszę, od której to wszystko się zaczęło. Wydaje mi się, że nazywa się madame de Roque.

– Ona była w Rosji! – wykrzyknął Talleyrand, nagle zdając sobie sprawę, co to wszystko oznacza. – Katarzyna II zmarła tamtej zimy, prawie rok temu! A co się stało z przeoryszą, gdy na tronie zasiadł Paweł?

– A co z figurami, których miejsce ukrycia zna jedynie ona? – dodał Napoleon.

– Wiem, gdzie jest część z nich – powiedział David. Były to jego pierwsze słowa, odkąd zakończył swą opowieść. Teraz spojrzał w oczy Talleyrandowi, który odpowiedział mu niepewnym wzrokiem.

Czyżby David zgadł, gdzie Mireille spędziła swoją ostatnią noc w Paryżu? Czy Napoleon zgadł, na czyim wspaniałym rumaku jechała, gdy wraz z siostrą spotkał ją na barykadzie? Jeśli tak, to zapewne odgadli też, w jaki sposób pozbyła się figur z Montglane przed opuszczeniem Francji.

Napoleon spojrzał z nieprzeniknioną twarzą na Davida, który kontynuował:

– Przed śmiercią Robespierre powiedział mi o Grze, która ma na celu zdobycie figur. Za wszystkim kryje się jakaś kobieta, Biała Królowa, opiekunka jego i Marata. To właśnie ona zabiła zakonnice, które przybyły tutaj, szukając Mireille, i ona przechwyciła ich figury. Bóg jeden wie, ile ich teraz ma i czy Mireille zdaje sobie sprawę z niebezpieczeństwa, jakie grozi jej z tej strony. Lecz wy powinniście wiedzieć, panowie. Choć w okresie terroru mieszkała w Londynie, Robespierre nazwał ją „kobietą z Indii".

BURZA

Anioł Albionu stał obok Kamienia Nocy i widział
Strach niczym kometę albo planetę czerwoną
Która ongiś zawierała straszliwe wędrujące komety...
Zjawa płonęła na całej swej straszliwej długości
  Barwiąc Świątynię
Promieniami krwi i oto wydobył się Głos
I wstrząsnął Świątynią.

Ameryka – Proroctwo
William Blake

Wędrowałem zatem przez wiele ziem i byłem pielgrzymem
całe moje życie, samotnym i obcym, nigdzie nie czującym się
u siebie. Potem Tyś sprawił, że Twoja sztuka urosła we mnie,
w oddechu straszliwej burzy szalejącej w moim wnętrzu.

Paracelsus

Wiadomość, że Solarin jest wnukiem Minnie Renselaas, stanowiła dla mnie prawdziwy wstrząs. Nie było jednak czasu dopytywać się o jego genealogię, gdy wraz z Lily pędziliśmy po Schodach Rybaka, wśród mroku, który gęstniał przed zbliżającą się burzą. Leżące pod nami morze pokryła tajemnicza czerwonawa mgiełka, a gdy obejrzałam się przez ramię, w niesamowitej poświacie księżyca ujrzałam ciemnoczerwone palce sirocca dźwigającego tony piasku, przeczołgującego się przez szczeliny między górami i próbującego złapać naszą uciekającą grupkę. Dobiegliśmy do doków na odległym krańcu portu, gdzie zacumowane były prywatne jachty. Z największym trudem mogłam rozróżnić kształty ich kadłubów kołyszących się na wodzie. Lily i ja weszłyśmy po omacku na jacht za Solarinem; od razu zeszliśmy pod pokład, żeby ukryć gdzieś Cariocę i figury oraz uciec przed piaskiem, który palił nam skórę i płuca. Kątem oka dostrzegłam, jak Solarin podnosi cumę, po czym zamknęłam drzwi małej kajuty i zeszłam po kilku schodkach do Lily.

Rozległ się odgłos silnika i jacht ruszył naprzód. Zaczęłam macać dookoła, aż natrafiłam na pachnący naftą przedmiot w kształcie lampy. Zapaliłyśmy ją, dzięki czemu mogłyśmy wyraźnie zobaczyć wnętrze naszej kajuty. Była mała, lecz doskonale wyposażona − boazeria z ciemnego drewna, puszyste dywany, skórzane, obrotowe krzesła, piętrowe łóżko przy ścianie, a w rogu hamak pełen zdjęć Mae West. Naprzeciwko mała kuchnia ze zlewozmywakiem i kuchenką. Gdy jednak otworzyłam szafki, okazało się, że są puste. Natomiast barek z alkoholem był wyśmienicie zaopatrzony. Otworzyłam więc butelkę koniaku, znalazłam nieco przybrudzone kieliszki i nalałam każdej z nas do pełna.

– Mam nadzieję, że Solarin wie, jak się tym żegluje – powiedziała Lily, upiwszy duży łyk.

– Nie wygłupiaj się. – Przecież żaglówki nie mają silników, nie słyszysz tego hałasu? – Zakręciło mi się w głowie i zdałam sobie sprawę, że ostatni posiłek jadłam dawno temu.

– No cóż, jeśli to tylko motorówka, to dlaczego ma na środku te wszystkie maszty? Dla urody? – spytała Lily.

Teraz przypomniałam sobie, iż rzeczywiście je widziałam. Niemożliwe jednak, byśmy w czasie burzy wypływali na morze żaglówką. Nawet Solarina trudno byłoby posądzić o taką pewność siebie. Jednak zdecydowałam, że dla pewności sprawdzę.

Wspięłam się więc po wąskich stopniach prowadzących do małego kokpitu otoczonego miękkimi siedzeniami. Zdołaliśmy już wypłynąć z portu i nieznacznie wyprzedziliśmy chmurę czerwonego piasku przesuwającego się nad Algierem. Wiatr był silny, a księżyc czysty i w jego chłodnym blasku mogłam się po raz pierwszy lepiej przyjrzeć naszej nadziei zbawienia.

Jacht był nieco większy, niż mi się wydawało, i miał piękny pokład, zrobiony chyba z ręcznie polerowanego teku. Wokół burt biegły wypolerowane, miedziane poręcze, a kokpit, w którym stałam, pełen był najnowocześniejszych urządzeń. Ku ciemniejącemu niebu wspinał się nie jeden maszt, lecz dwa. Solarin jedną rękę trzymał na kole sterowym, drugą wyciągał z otworu w burcie wielkie zwoje płótna.

– Żaglówka? – spytałam, przyglądając się temu, co robi.

– Kecz – wymamrotał, w dalszym ciągu wyjmując płótno. – Nic lepszego nie mogłem ukraść w tak krótkim czasie, ale to niezły jacht: trzydzieści siedem stóp długości i w doskonałym stanie. Cokolwiek to oznacza.

– Świetnie. Kradziony jacht – powiedziałam. – Lily i ja nie mamy zielonego pojęcia o żeglowaniu. Mam nadzieję, że pan coś wie.

– Oczywiście – prychnął. – Przecież wychowałem się nad Morzem Czarnym.

– No i co z tego? Ja mieszkam na Manhattanie. To wyspa i łodzi tam pełno, co nie oznacza, że wiem, jak płynąć podczas burzy.

– Może uda się nam przechytrzyć tę burzę, jeśli przestanie pani narzekać i pomoże mi postawić żagle. Powiem pani, co trzeba zrobić. Resztą się zajmę, gdy postawimy żagle. Jeśli się pośpieszymy, to w chwili, gdy burza uderzy, miniemy już Minorkę.

Zabrałam się więc do pracy, wykonując jego polecenia. Liny, zwane szotami i fałami, zrobione z szorstkich konopi, raniły mi palce, gdy je naciągałam. Żagle – całe jardy ręcznie zszywanej, egipskiej bawełny – miały takie nazwy, jak „kliwer" albo „bezan". Umocowaliśmy dwa do przedniego masztu i jeden do „rufowego", jak to określił Solarin. Cały czas wywrzaskiwał różne instrukcje, a ja ciągnęłam ile sił najrozmaitsze liny i wiązałam prawidłowe – miałam nadzieję – węzły na metalowych kółkach w pokładzie. Gdy wszystko było już gotowe, zdumiałam się nad pięknem tego jachtu i szybkością, z jaką ruszył naprzód.

– Dobra robota – pochwalił Solarin, gdy przyłączyłam się do niego w kokpicie. – To piękny jacht... – Przerwał i spojrzał na mnie. – Może pójdzie pani na dół i trochę odpocznie? Wygląda pani na zmęczoną. Gra jeszcze się nie skończyła.

Miał rację. Nie zmrużyłam oka od czasu tej drzemki w samolocie do Oranu. Było to dwanaście godzin temu, choć zdawało mi się, że minęło wiele dni. I oprócz tej krótkiej, przymusowej kąpieli w morzu nie miałam też żadnego poważniejszego kontaktu z wodą.

Zanim jednak uległam wobec głodu i zmęczenia, chciałam dowiedzieć się kilku rzeczy.

– Powiedział pan, że płyniemy do Marsylii – zaczęłam. – Czy Szarrif i jego ludzie nie zechcą szukać nas właśnie tam, kiedy tylko przekonają się, że nie ma nas w Algierii?

– Wpłyniemy blisko La Camargue – odparł Solarin, popychając mnie na jedno z siedzeń w kokpicie w momencie, gdy bom przeleciał nad naszymi głowami. – Prywatny samolot Kamela czeka na nas na pobliskim lądowisku. Jednak nie będzie tam czekał w nieskończoność – sprawa nie była łatwa – więc dobrze by było, żeby wiatr nam sprzyjał.

– Dlaczego pan mi nie powie, co właściwie się dzieje? – spytałam. – Dlaczego nigdy pan nie mówił, że Minnie jest pańską babką ani że zna pan Kamela? Jak pan się w ogóle dostał do tej Gry? Myślałyśmy, że to Mordechaj pana zwerbował.

– Bo tak było – powiedział, wpatrując się w ciemniejące morze. – Przed przyjazdem do Nowego Jorku moją babkę widziałem tylko jeden jedyny raz, jako dziecko. Nie mogłem mieć wtedy więcej niż sześć lat, ale niczego nie zapominam... – Przerwał na chwilę, jakby utonął we wspomnieniach. Milczałam, czekając, aż zacznie mówić dalej. – Nie znałem mojego dziadka – podjął powoli – umarł, zanim się urodziłem. Później Minnie wyszła za Renselaasa, a po jego śmierci za ojca Kamela. Spotkałem Kamela dopiero po przyjeździe do Algieru. To Mordechaj przyjechał do Rosji, by wciągnąć mnie do Gry. Nie wiem, jak Minnie go poznała, lecz niewątpliwie jest to najbardziej bezlitosny szachista od czasów Alechina, a zarazem o niebo bardziej czarujący. Graliśmy bardzo krótko, lecz nauczyłem się od niego techniki gry.

– Ale przecież nie przyjechał do Rosji tylko po to, by grać z panem w szachy! – wykrzyknęłam.

– Oczywiście, że nie – uśmiechnął się Solarin. – Szukał szachownicy i myślał, że mogę im pomóc ją znaleźć.

– A pomógł pan?

– Nie – odrzekł Solarin, spoglądając na mnie wzrokiem, którego nie potrafiłam zgłębić. – Pomogłem im znaleźć panią. Czy to nie wystarcza?

Chciałam zadać jeszcze kilka pytań, ale jego wzrok wprawiał mnie w zakłopotanie, choć nie wiedziałam dlaczego. Wiatr niosący twarde, kłujące drobinki piasku przybierał na sile. Nagle poczułam zmęczenie. Chciałam wstać, lecz Solarin raz jeszcze zmusił mnie, bym usiadła.

– Uwaga na bom – powiedział. – Znowu skręcamy. – Przyciągnąwszy żagiel w drugą stronę, wskazał ręką, bym zeszła na dół. – Zawołam, gdy będę pani potrzebował.

Lily siedziała na dolnej koi, karmiąc Cariocę moczonymi w wodzie herbatnikami. Obok niej dostrzegłam otwarty słoik masła orzechowego, który gdzieś wyszperała, a ponadto suchary i tosty. Nagle zdałam sobie sprawę, że Lily jest w zdecydowanie lepszej formie. Jej oparzony nos zrobił się opalony, a pod obrzydliwie brudną mikrospódniczką było jakby mniej galaretowatego tłuszczu.

– Lepiej wrzuć coś na ząb – poradziła mi. – Niedobrze mi od tych ciągłych podskoków; co zjem, wszystko zwracam.

Tutaj, w kajucie, bardzo wyraźnie czuło się ruchy fal. Przełknęłam kilka herbatników, grubo posmarowanych masłem orze-chowym, spłukałam resztką koniaku i wczołgałam się na gór-ną koję.

– Przydałoby się trochę snu – powiedziałam. – Przed nami długa noc i jeszcze dłuższy dzień.

– Już jest jutro – zauważyła Lily, spojrzawszy na zegarek. Potem zgasiła lampę. Z dołu dobiegło mnie jeszcze skrzypie-nie koi – Lily i Carioca układali się do snu – po czym zatonę-łam w objęciach Morfeusza.

Nie wiem dokładnie, kiedy usłyszałam pierwszy trzask. Śni-łam, że znajduję się na dnie morza, brnąc w miękkim piasku, a fale muskają mnie lekko. W moim śnie figury z Montglane ożyły i chciały się wydostać z mojej torby. Z całych sił próbo-wałam wepchnąć je tam z powrotem i jakoś dotrzeć do brze-gu, lecz wpadałam coraz głębiej w trzęsawisko. Musiałam od-dychać. Starałam się dotrzeć do powierzchni, gdy nadpłynęła wielka fala i zepchnęła mnie w głąb.

Otworzyłam oczy, lecz w pierwszej chwili nie wiedziałam, gdzie jestem. Iluminator, przez który patrzyłam, znajdował się całkowicie pod wodą. Po chwili jacht pochylił się na drugą burtę, wyrzucając mnie z koi i ciskając na kuchnię naprze-ciwko. Podniosłam się z podłogi kompletnie przemoczona. Woda sięgała mi do kolan – przelewała się z pluskiem po ka-jucie i dochodziła powoli do koi, na której spała Lily. Carioca siedział sztywno na swojej pani, bojąc się zamoczyć pazurki. Coś było nie tak.

– Obudź się! – wrzasnęłam, lecz mój głos zginął w szumie walącej zewsząd wody i stęknięciach waterwajsów. Próbowałam utrzymać się na nogach. Gdzie są pompy? Czy w takiej sytu-acji nie powinny pracować?

– Mój Boże – jęknęła Lily, próbując wstać. – Chyba zwy-miotuję.

– Nie teraz! – Przytrzymując ją jedną ręką, drugą wyciągnę-łam kamizelki ratunkowe. Wtedy żołądek Lily się zbuntował, chwyciłam plastikowy worek i przystawiłam go jej do twarzy. Wyrzuciła z siebie herbatniki, a potem spojrzała na mnie nie-przytomnym wzrokiem.

– Gdzie jest Solarin? – spytała, przekrzykując huk wichru i fal.

– Nie wiem – powiedziałam. Rzuciłam jej kamizelkę i włożyłam swoją. Woda sięgała nam coraz wyżej. – Włóż to, a ja go poszukam.

Woda spływała po schodach. Drzwiczki nade mną uderzały o ścianę. Gdy wyszłam na zewnątrz, chwyciłam je i z ogromnym wysiłkiem zamknęłam. Potem rozejrzałam się dookoła – i pożałowałam, że to zrobiłam.

Jacht, przechylony głęboko na prawo, zsuwał się do tyłu po skosie. Woda obmywała pokład i napełniała kokpit. Obluzowany bom zwisał z jednej strony, a jeden z przednich żagli, mokry i ciężki, oderwał się od masztu i ciągnął się po wodzie. Nie dalej niż sześć stóp ode mnie leżał Solarin, wychylony do połowy z kokpitu, a ramiona zwisały mu bezwładnie z pokładu. Następna fala, która przewaliła się przez statek, uniosła go lekko i zaczęła ciągnąć za sobą!

Uchwyciłam się koła sterowego i dałam susa w jego kierunku, po czym złapałam go za nogę i zaczęłam ciągnąć z całych sił... lecz woda cały czas go zabierała. W pewnym momencie puściłam nogę Solarina. Woda przeniosła go przez wąski pokład i cisnęła o maszt, a potem uniosła nieznacznie i zaczęła zmywać za burtę!

Przywarłam brzuchem do opadającego pokładu i schodziłam, czepiając się metalowych uchwytów w pokładzie. Wysało nas do brzucha ogromnej fali, gdy tymczasem druga, wielkości czteropiętrowego budynku, już wzbierała po drugiej stronie wąwozu.

Wpadłam z impetem na Solarina i złapawszy go za koszulę, pociągnęłam z całej siły. Bóg jeden wie, w jaki sposób udało mi się dowlec go do kokpitu i wrzucić do środka głową w dół. Tam posadziłam go, wyciągnęłam jego głowę z wody i kilka razy uderzyłam otwartą dłonią po twarzy. Z rany na głowie sączyła się krew i spływała po uchu. Wrzeszczałam głośno, próbując przekrzyczeć ryk wiatru i wody, a statek spadał coraz szybciej i szybciej ze stoku wielkiej fali.

Solarin otworzył oczy, zacisnął je znowu, gdy piana bryznęła mu na twarz.

– Kręcimy się w kółko! – krzyknęłam. – Co trzeba zrobić?!

Solarin chwycił się boku kokpitu i rozejrzawszy się dookoła, ocenił sytuację.

– Natychmiast opuść żagle... – Złapał moje ręce i przystawił je do koła sterowego. – Ster na sterburtę! – rzucił w moją stronę, jednocześnie próbując wstać.

– To znaczy na lewo czy na prawo?! – wrzeszczałam w panice.

– Prawo! – krzyknął jeszcze raz i opadł na siedzenie, obficie krwawiąc.

Woda przelewała się po nas gwałtownie, a ja przywarłam do koła sterowego. Przekręciłam je z całych sił, a statek przechylił się tak gwałtownie, że aż zrobiło mi się niedobrze. Byłam pewna, że się przewrócimy – siła ciężkości ściągała nas coraz niżej i niżej, nad nami majaczyła ściana wody, zasłaniając niebo.

– Fały! – wrzasnął Solarin, chwytając mnie.

Popatrzyłam na niego przez moment, a potem popchnęłam go na koło sterowe, którego kurczowo się uchwycił.

W ustach czułam smak lęku. Solarin, nadal prowadząc jacht prosto ku podnóżu zbliżającej się wodnej góry, złapał siekierę i wcisnął mi ją do ręki. Wspięłam się na kokpit i ruszyłam prosto w kierunku głównego masztu. Fala nad nami zaczęła rosnąć, a jej spieniony brzeg zwijał się do środka. Tysiące ton wody przemieszczały się z ogłuszającym rykiem. Nie myśląc o niczym, czołgałam się w kierunku masztu. Dotarłszy do niego, zaczęłam walić siekierą w fał, aż napięta lina wystrzeliła z trzaskiem. Natychmiast położyłam się na pokładzie, a wodna masa uderzyła w nas jak rozpędzony pociąg. Żagle były wszędzie, a wokół rozlegał się przerażający dźwięk pękającego drewna. Ściana wody rozbiła się nad nami. Mimo iż woda wlewała mi się do gardła, próbowałam powstrzymać się od kaszlu i ciągłego łapania oddechu. Fala oderwała mnie od masztu i rzuciła do tyłu, więc już zupełnie nie wiedziałam, gdzie jest góra, a gdzie dół. Uderzałam o różne przedmioty, lecz nie byłam w stanie niczego się schwycić, a woda wciąż napływała.

Dziób łodzi uniósł się w górę, by znów opaść. Fale kołysały nami gwałtownie, a brudna, szara piana opryskiwała nas co chwilę – lecz w dalszym ciągu utrzymywaliśmy się na powierzchni. Żagle były wszędzie: ciągnęły się za nami w morzu, trzepotały na pokładzie albo leżały nieruchomo pod nogami, ciężkie i sztywne od wody. Ruszyłam do tylnego masztu, chwytając siekierę, która wbiła się w plątaninę żagli kilka stóp ode mnie. Równie dobrze mogła to być moja głowa, pomyślałam, trzymając się kurczowo barierki. Solarin odciągał żagle, próbując dostać się do koła. Krew skapująca po jego mokrych blond włosach przypominała szkarłatną odznakę.

– Przywiąż ten żagiel! – ryknął za mną. – Użyj czegokolwiek, ale przywiąż go z całej siły, zanim uderzy następna fala. Odcięłam tylny fał od kołka. Wiatr był tak silny, że musiałam stoczyć prawdziwą walkę, nim udało mi się ściągnąć żagiel w dół. Gdy wreszcie go przywiązałam, pobiegłam skulona przez pokład, rozchlapując wodę. Byłam przemoczona do suchej nitki, lecz chwyciłam przedni kliwer, który trzepotał na powierzchni wody, i wciągnęłam go na pokład. Solarin próbował umocować główny bom zwisający bezwładnie jak złamana ręka.

Wskoczyłam do kokpitu, a Solarin złapał koło. Jacht cały czas podskakiwał na wodzie jak mały korek w ciemnej, błotnistej próżni. Choć morze nadal było wzburzone – obryzgiwało nas pianą i ciskało z prawa na lewo – nie było już fal podobnych do tej, która niedawno w nas uderzyła. Zupełnie jakby jakiś dziwny dżinn wynurzył się z butelki leżącej na dnie morza, wybuchnął gniewem, a potem zniknął.

Byłam wyczerpana – i jednocześnie zdumiona tym, że mimo wszystko żyję. Trzęsąc się z zimna i strachu, obserwowałam profil Solarina, który przyglądał się falom. Był tak skupiony, jak wtedy przy szachownicy, jakby to była sprawa życia i śmierci. Przypomniałam sobie jego słowa: „Jestem mistrzem w tej Grze". „Kto wygrywa?" – spytałam wtedy. „Ja – odparł poważnie. – Ja zawsze wygrywam".

Solarin w ponurym milczeniu zmagał się z kołem przez całą wieczność, a ja siedziałam bez słowa, zziębnięta i zdrętwiała, nie myśląc o niczym. Wiatr słabł, lecz fale wciąż jeszcze były tak wysokie, że jacht podskakiwał na nich jak szalony. Już wcześniej widziałam podobne burze na Morzu Śródziemnym, kiedy fale o wysokości dziesięciu stóp uderzały w stopnie portu w Sidi-Fredż, a potem nagle znikały, jakby wessane w próżnię. Modliłam się, żeby to było właśnie coś takiego.

Odezwałam się dopiero wtedy, gdy ujrzałam, że niebo zaczęło się przejaśniać.

– Na trochę mamy spokój – powiedziałam. – Chyba zejdę na dół i sprawdzę, czy Lily jeszcze żyje.

– Możesz pójść za chwilę. – Odwrócił się do mnie. Po twarzy ściekała mu krew i woda. – Najpierw jednak chciałbym ci podziękować za uratowanie mi życia.

– To chyba ty uratowałeś moje – odparłam z uśmiechem, choć nadal trzęsłam się z zimna i strachu. – Nie wiedziałabym, co robić...

Solarin patrzył na mnie w skupieniu, z dłońmi na kole sterowym. Zanim zdążyłam zareagować, nachylił się i poczułam jego ciepłe usta. Woda z jego włosów kapała mi na twarz, a o dziób jachtu rozpryskiwały się niewielkie fale, obryzgując nas płatami piany. Solarin przechylił się przez koło i przyciągnął mnie do siebie. W miejscach, gdzie przemoczona koszula przywierała mi do ciała, czułam ciepło jego rąk. Gdy pocałował mnie znów, tym razem dłużej, poczułam dreszcz, jakby przeszedł mnie prąd. Fale wznosiły się i opadały. Na pewno dlatego miałam tak dziwne uczucie w żołądku. Ciepło jego ciała przenikało mnie coraz głębiej. Wreszcie odsunął się nieco i popatrzył na mnie z uśmiechem.

– Jeśli nie przestanę, za chwilę się utopimy – odezwał się, a jego usta znajdowały się zaledwie kilka cali od moich. Z pewnym ociąganiem złapał znów koło i ze zmarszczonym czołem zaczął przyglądać się morzu. – Lepiej idź na dół – powiedział powoli, jakby się nad czymś zastanawiał. Nie obejrzał się na mnie.

– Spróbuję poszukać czegoś, żeby opatrzyć ci głowę. – Byłam zła, że mój głos brzmi tak słabo. Morze nadal było wzburzone, a ciemne mury fal nieustannie przelewały się wokół naszego statku. Lecz nic nie tłumaczyło tego, co czułam, patrząc na jego ociekające wodą włosy i szczupłe, muskularne ciało oblepione mokrą koszulą.

Schodząc do kajuty, wciąż jeszcze drżałam. Oczywiście Solarin objął mnie z wdzięczności, myślałam sobie. Skąd więc to dziwne uczucie w żołądku? Dlaczego nie przestawałam widzieć tych jego świetlistych, zielonych oczu, które przeniknęły mnie na wylot, nim przywarł do mnie w pocałunku?

W mdłym świetle z iluminatora dostrzegłam oderwany od ściany hamak oraz Lily siedzącą w rogu z przemoczonym Cariocą na kolanach. Piesek trzymał łapki na jej piersiach i próbował lizać ją po twarzy. Podniósł łebek, gdy usłyszał, jak człapię na niepewnych nogach po wodzie, odbijając się co chwilę od kuchni i koi. Po drodze podniosłam przedmioty pływające pod nogami i wrzuciłam je do zlewu.

– Dobrze się czujesz? – zwróciłam się do Lily. W kajucie unosiła się woń wymiocin. Nie chciałam zbyt dokładnie przyglądać się wodzie, po której brodziłam.

– Umrzemy – wyjęczała. – Mój Boże, po tym wszystkim, co przeszłyśmy, umrzemy. A wszystko przez te przeklęte figury.

– Gdzie one są? – spytałam w nagłej panice, obawiając się, że mój sen był ostrzeżeniem.

– Tutaj, w torbie – powiedziała, wyciągając dużą torbę z wody, w której siedziała. – Gdy jacht dał tego nura, przeleciały przez kajutę i uderzyły mnie, aż hamak się urwał. Cała jestem posiniaczona... – Po jej twarzy spływały łzy i brudna woda.

– Odłożę je na miejsce. – Włożyłam torbę pod zlew i zamknęłam drzwiczki. – Chyba się uda, burza powoli cichnie. Ale Solarin ma brzydko rozciętą głowę. Muszę znaleźć coś, żeby przemyć mu ranę.

– W kiblu była jakaś apteczka – odezwała się słabym głosem, próbując wstać. – O Boże, znów robi mi się niedobrze.

– Spróbuj się położyć – poradziłam. – Może górna koja jest suchsza od dolnej. Ja wracam na górę, żeby mu trochę pomóc.

Gdy wyszłam z małej ubikacji, ściskając przemoczone pudełko z lekarstwami, które wygrzebałam spośród resztek, Lily zdążyła już wczołgać się na górną koję i leżała na boku, głośno jęcząc. Carioca natomiast usiłował znaleźć przy niej jakieś ciepłe miejsce. Poklepałam oboje po mokrych głowach i zaczęłam się wspinać po trzeszczących schodkach, w dalszym ciągu czując silne kołysanie łodzi.

Niebo pojaśniało, przybierając kolor kakao z mlekiem, a w oddali dostrzegłam coś, co przypominało kałużę światła na wodzie. Czyżby więc najgorsze było już za nami? Z uczuciem ogromnej ulgi wcisnęłam się na siedzenie obok Solarina.

– Na tej łajbie nie ma ani jednego suchego bandaża – powiedziałam, otwierając ociekające wodą pudełko i raz jeszcze przeglądając jego zawartość. – Za to jodyna i nożyczki... Solarin zerknął do środka, wyjął grubą tubę jakiejś maści i wręczył mi ją, nie patrząc na mnie.

– Możesz mi to rozsmarować na głowie. – Mówiąc to, patrzył na morze i jedną ręką rozpinał koszulę. – To zdezynfekuje ranę i trochę zatamuje upływ krwi. Potem możesz podrzeć moją koszulę na pasy...

Pomogłam mu zdjąć mokrą koszulę najpierw z jednej ręki, a potem z drugiej. Ciągle czułam ciepło jego ciała. Starałam się myśleć o czymś innym.

– Burza cichnie – rzekł jakby do siebie. – Ale przed nami znacznie gorsze problemy. Bom pękł, a kliwer jest podarty na strzępy. Nie dopłyniemy do Marsylii. Poza tym zboczyliśmy z kursu – będę musiał ustalić nasze położenie. Gdy mnie opatrzysz, zajmiesz się kołem, a ja zejdę, żeby spojrzeć na mapy.

Patrzył w morze z nieprzeniknioną twarzą, a ja starałam się nie spoglądać na jego nagi tors, oddalony tylko o kilka cali ode mnie. Co się ze mną dzieje? – pomyślałam. Pewnie od tego horroru, który właśnie przeżyliśmy, coś mi się pomieszało w głowie, ale mogłam myśleć jedynie o cieple jego ust i kolorze oczu, gdy nachylił się nade mną...

– Jeśli nie dopłyniemy do Marsylii, to samolot odleci bez nas?

– Tak – odparł Solarin, uśmiechając się dziwnie i nie spuszczając wzroku z morza. – Cóż za straszny los. Może będziemy zmuszeni przybić do jakiegoś odludnego miejsca. Może będziemy tam tkwić całymi miesiącami, czekając, aż ktoś się zmiłuje – mówił, podczas gdy ja rozsmarowywałam mu maść na głowie. – Cóż za straszna perspektywa... co byś robiła ze stukniętym Rosjaninem, który potrafiłby cię zabawiać wyłącznie grą w szachy?

– Pewnie nauczyłabym się grać – powiedziałam, owijając mu głowę.

– Myślę, że bandaże mogą zaczekać. – Złapał mnie za nadgarstki. W rękach miałam lekarstwa i paski jego podartej koszuli. Wziął mnie na ręce i ruszył w stronę wyjścia z kokpitu.

– Co robisz? – zaśmiałam się z twarzą przytuloną do jego pleców. Czułam, że krew napływa mi do twarzy.

Posadził mnie na pokładzie. Przelewająca się po pokładzie woda obmywała nasze gołe stopy.

– Pokażę ci teraz, co jeszcze potrafią robić rosyjscy arcymistrzowie – rzekł. W jego szarozielonych oczach nie było uśmiechu. Przyciągnął mnie tak, że nasze ciała przywarły do siebie. Przez mokry materiał koszuli czułam ciepło jego ciała. Całował mnie po twarzy, oczach, a słona woda ściekała mi do otwartych ust. Zanurzył palce w moich mokrych włosach. Czułam rosnący w środku żar, który roztapiał mnie od wewnątrz, tak jak letnie słońce roztapia bryłkę lodu. Złapałam go za ramiona i przytuliłam twarz do jego piersi. Solarin mruczał mi coś do ucha, a jacht kołysał się w górę i w dół, nadając rytm naszym ciałom...

– Pragnąłem cię już wtedy, w klubie szachowym. – Przyciągnął moją twarz do swojej. – Chciałem cię wziąć tam, na podłodze, na oczach tych wszystkich robotników. Tej nocy, gdy poszedłem do twojego mieszkania, żeby zostawić ci wiadomość, o mało co nie zostałem dłużej, mając nadzieję, że przyjdziesz wcześniej i zastaniesz tam... mnie.

– Aby przywitać mnie w Grze? – uśmiechnęłam się.

– Do diabła z Grą – powiedział gorzko, a w jego ciemnych oczach gorzała namiętność. – Ostrzegali mnie, żebym nie zbliżał się do ciebie, żebym się nie angażował. Nie przespałem żadnej nocy, nie myśląc o tym, nie pragnąc cię. Mój Boże, powinienem był to zrobić wiele miesięcy temu... – Zaczął rozpinać mi koszulę. Jego ręce wędrowały po moim ciele, a ja poczułam, że między nami przepływa potężna fala ciepła, która zmywa ze mnie wszystko, zostawiając tylko jedną, jedyną myśl.

Podniósł mnie i ułożył na stosie mokrych, pogniecionych żagli. Maszty trzeszczały nad nami, z bladego nieba sączyła się żółtawa poświata. Solarin patrzył na mnie, jego dłonie błądziły po mojej nagiej skórze. Nasze ciała gwałtownie stopiły się ze sobą. Przywarłam do jego ramion, czując, jak ogarnia mnie namiętność.

Poruszaliśmy się z siłą tak dziką i pierwotną jak przelewające się wokół nas morze. Czułam, że zapadam się coraz głębiej i głębiej. Czułam jego zęby wbijające się w moje ciało i jego ciało wbijające się we mnie.

Solarin leżał obok mnie na żaglach, z jedną ręką zanurzoną w moich włosach. To niesamowite, pomyślałam, czuję się tak, jakbym go znała całe życie, a przecież spotkaliśmy się zaledwie trzy razy. Ten był czwarty. Znałam go jedynie z plotek Lily i Hermanolda oraz z tego, co Nim wyczytał w czasopismach szachowych. Nie miałam najmniejszego pojęcia, gdzie mieszka, jakie prowadzi życie, jakich ma przyjaciół, czy na śniadanie lubi jajka i czy na noc wkłada piżamę. Nigdy nie pytałam, w jaki sposób pozbył się swoich opiekunów z KGB, a przede wszystkim dlaczego w ogóle z nim byli. Tak samo jak nie wiedziałam, dlaczego tylko raz w życiu spotkał się ze swoją babką.

Nagle zdałam sobie sprawę, dlaczego namalowałam jego portret, zanim jeszcze go poznałam. Może zauważyłam go kiedyś, jak czaił się w okolicach mojego domu, tylko że nie zarejestrowała tego moja świadomość. Jednak nawet to było nieistotne.

Właściwie nie musiałam tego wszystkiego wiedzieć – były to czysto powierzchowne relacje i wydarzenia, wokół których ogniskuje się większość ludzkich biografii. Lecz nie moja. W Solarinie – pod tą tajemnicą, maską, zewnętrzną powłoką – widziałam to, co stanowi samo jądro człowieka. A dostrzegłam tam pasję, nieugaszone pragnienie życia, namiętność prowadzącą do odsłonięcia ukrytej prawdy. Rozpoznawałam tę namiętność, ponieważ doskonale współgrała z moją.

To właśnie dostrzegła we mnie Minnie i tego właśnie we mnie szukała – tej namiętności, którą mogłaby ukierunkować: ukierunkować na odnalezienie figur. Dlatego właśnie przykazała swemu wnukowi, by mnie strzegł, a jednocześnie starał się nie „angażować". Gdy Solarin przewrócił się na bok i pocałował mnie w brzuch, moje ciało przeszedł dreszcz. Dotknęłam jego włosów. Minnie była w błędzie, pomyślałam sobie. W tej alchemicznej miksturze, którą warzyła, by raz na zawsze rozprawić się ze złem, przeoczyła jeden składnik. Tym składnikiem była miłość.

Morze całkiem się uspokoiło, a po jego powierzchni przetaczały się łagodne, brązowe fale. Niebo pojaśniało bardzo jaskrawą – mimo braku słońca – białością. Zaczęliśmy szukać wokół siebie naszych ubrań i próbowaliśmy je włożyć. Bez słowa Solarin podniósł kilka pasków ze swojej koszuli i wytarł miejsca, w których poplamił mnie krwią. Potem spojrzał na mnie i uśmiechnął się.

– Mam złe wieści – powiedział, otaczając mnie ramieniem, a drugim wskazując płaskie, ciemne fale. Tam, w oddali, od błyszczących wód odbijał się jakiś nierealny kształt. – Ziemia – wyszeptał mi do ucha. – Dwie godziny temu dałbym wszystko za ten widok. Teraz jednak wolałbym, żeby to nie była prawda...

Wyspa nazywała się Formentera i leżała w południowym zakolu Balearów, niedaleko południowych wybrzeży Hiszpanii. Oznaczało to, według moich wyliczeń, że znajdujemy się dokładnie w połowie drogi między Gibraltarem a Marsylią. Zatem niemożliwe było dopłynięcie do samolotu czekającego na nas przy La Camargue, nawet gdyby jacht był w doskonałym stanie. Lecz z roztrzaskanym bomem, podartymi żaglami i ogólnymi zniszczeniami na pokładzie musieliśmy się zatrzymać, by uzupełnić zapasy i dokonać niezbędnych napraw. Gdy Solarin dopłynął, przy użyciu naszego niezawodnego silnika, do dalekiej zatoczki na południowym krańcu wyspy, zeszłam do Lily, by naradzić się, co robić w tej sytuacji.

– Nigdy nie sądziłam, że odczuję ulgę z powodu tego, że spędziłam noc, tocząc się z prawa na lewo w tej pływającej trumnie. – Lily aż dech zaparło w piersiach, gdy zobaczyła pokład. – Ale to miejsce to prawdziwe pobojowisko. Dzięki Bogu byłam zbyt chora, by oglądać całą tę katastrofę. – Choć na twarzy wyglądała jeszcze dość mizernie, odniosłam wrażenie, iż ogólnie rzecz biorąc, odzyskała siły. Teraz przemaszerowała po pokładzie pokrytym grubą warstwą różnych szczątków i namokłym płótnem, chciwie wdychając świeże, morskie powietrze.

– Mamy pewien problem – powiedziałam jej, gdy tylko usiedliśmy na naradę z Solarinem. – Nie zdążymy na ten samolot. Teraz trzeba ustalić, jak dotrzemy na Manhattan, omijając kontrolę celną i urząd imigracyjny.

– My, obywatele radzieccy – odezwał się Solarin, widząc pytający wzrok Lily – nie możemy poruszać się wszędzie tam, gdzie byśmy chcieli. Ponadto Szarrif i jego ludzie będą mieć na oku wszystkie lotniska, łącznie z tymi na Ibizie i Majorce.

Ponieważ obiecałem Minnie, że dowiozę was bezpiecznie na miejsce razem z figurami, chciałbym zaproponować pewien plan.

– Niech pan strzela, jestem gotowa na wszystko – rzekła Lily, usiłując rozplątać mokrą sierść Carioki, który bezskutecznie się jej wyrywał.

– Formentera to mała rybacka wyspa. Od czasu do czasu ktoś przypływa z Ibizy na jeden dzień. Ta zatoczka jest odosobniona i nikt nas tutaj nie zauważy. Proponuję udać się do najbliższego miasteczka, kupić jakieś ubrania i coś do jedzenia i zorientować się, czy można tu dostać nowe żagle i jakieś narzędzia. To może trochę kosztować, lecz za jakiś tydzień będziemy mogli wyruszyć w drogę tak cicho, jak się pojawiliśmy, i nikt nawet nie zauważy, że tu byliśmy.

– Brzmi świetnie – powiedziała Lily. – Mam przy sobie jeszcze mnóstwo namokniętych pieniędzy, które możemy wykorzystać. Z pewnością przydałaby mi się zmiana stroju i kilka dni odpoczynku po tej całej histerii. A gdy już wszystko będzie gotowe, to dokąd dalej ruszymy?

– Do Nowego Jorku – odparł Solarin. – Przez Bahamy i wewnętrzną drogą wodną.

– Co?!!! – krzyknęłyśmy unisono.

– To przecież cztery tysiące mil – dodałam z przerażeniem. – Na pokładzie jachtu, który ledwo przepłynął trzysta podczas burzy.

– Prawdę mówiąc, to prawie p i ę ć tysięcy mil, biorąc pod uwagę drogę, którą chciałbym popłynąć – uśmiechnął się Solarin. – Lecz skoro udało się to Kolumbowi, dlaczego nie miałoby się udać nam? Być może jest to najgorszy okres, jeśli chodzi o podróże po Morzu Śródziemnym, lecz Atlantyk jest teraz najłagodniejszy. Przy dobrym wietrze podróż zajmie nam około miesiąca, a gdy przypłyniemy na miejsce, będziecie obie wyśmienitymi żeglarkami.

Byłyśmy zbyt wyczerpane, brudne i głodne, by spierać się z Solarinem. Ponadto miałam wciąż w pamięci to, co zaszło między nami. Nie miałabym nic przeciw temu, żeby to trwało choćby miesiąc. Wyruszyłyśmy zatem w poszukiwaniu miasteczka, a Solarin został, by trochę posprzątać na jachcie.

Dni ciężkiej pracy przy tak wspaniałej pogodzie sprawiły, że uspokoiłyśmy się. Na Formenterze były bielone domki, piaszczyste uliczki, gaje oliwne i ciche źródełka, stare kobiety w czerni i rybacy w pasiastych ubraniach. Wszystko to – na tle bezkresnego, lazurowego nieboskłonu – było rozkoszą dla oka i kojącym balsamem dla duszy. Trzy dni, w czasie których jedliśmy świeże ryby, owoce prosto z drzew, piliśmy dobre, mocne śródziemnomorskie wino i oddychaliśmy zdrowym, słonym powietrzem, zdziałały cuda. Wszyscy byliśmy opaleni; nawet Lily zaczęła chudnąć – zrobiła się szczuplejsza i bardziej umięśniona od ciężkiej pracy, którą wspólnie wykonywaliśmy przy naprawie jachtu. Co wieczór Lily grała z Solarinem w szachy. Choć nigdy nie pozwalał jej wygrać, po każdej grze niezwykle drobiazgowo wyjaśniał błędy, które popełniła. Po pewnym czasie zaczęła przyjmować te klęski bez zmrużenia oka, a potem nawet pytała Solarina o każdy ruch, którego nie rozumiała. Znów zaczęła tak bardzo żyć szachami, że nawet nie zauważyła, iż – począwszy od pierwszej nocy na wyspie – wolałam raczej spać z Solarinem na pokładzie, niż schodzić na noc do naszej kajuty.

– Ona ma w sobie ten dar – powiedział mi pewnego wieczoru Solarin, gdy siedzieliśmy na pokładzie, wpatrzeni w gwiaździste niebo. – Ma wszystko to, co miał jej dziadek, i znacznie więcej. Będzie kiedyś doskonałym szachistą; musi tylko zapomnieć, że jest kobietą.

– A co ma z tym wspólnego kobiecość?

Solarin uśmiechnął się i zmierzwił mi włosy.

– Dziewczynki różnią się od chłopców. Mam ci pokazać?

Zaśmiałam się, spoglądając na niego w bladym świetle księżyca.

– Przekonałeś mnie.

– W inny sposób myślimy – dodał i położył mi głowę na kolanach. Popatrzył na mnie, a ja zrozumiałam, że mówi poważnie. – Na przykład, starając się rozwiązać zagadkę szachów z Montglane, prawdopodobnie zabrałabyś się do tego zupełnie inaczej niż ja.

– Dobrze – uśmiechnęłam się. – A jak ty byś się do tego zabrał?

– Najpierw wyszczególniłbym wszystko, co wiem – powiedział, sięgając po kieliszek brandy. – A potem próbowałbym zobaczyć, jak można połączyć te „dane", by uzyskać rozwiązanie. Przyznaję jednak, że mam niewielką przewagę. Otóż jestem jedyną osobą od tysiąca lat, która widziała tkaninę, figury, a także, przez krótką chwilę, szachownicę. – Spojrzał na mnie, niewątpliwie wyczuwając moje zdumienie. – Gdy odkryto szachownicę – ciągnął – w Rosji znaleźli się tacy, którzy szybko uznali, że na nich spoczywa obowiązek odszukania pozostałych figur. Rzecz jasna byli to członkowie białej drużyny. Przypuszczam, że jednym z nich jest Brodski, oficer KGB, który towarzyszył mi w wyprawie do Nowego Jorku. Podlizałem się wysokim urzędnikom państwowym, sugerując, jak mi polecił Mordechaj, że wiem, gdzie są pozostałe figury, i że będę w stanie je zdobyć. – Po chwili milczenia powrócił do pierwotnej myśli. Patrząc na mnie w srebrzystym świetle, rzekł: – Widziałem tak wiele symboli ukrytych w tym komplecie, że przypuszczam, iż istnieje nie jeden wzór, lecz kilka. Przecież, jak sama zdążyłaś się domyślić, symbole te wcale nie oznaczają tylko planet i znaków zodiaku, ale także pierwiastki układu okresowego. Wydaje mi się, że potrzeba odrębnego wzoru na przekształcenie każdego elementu w inny. Lecz skąd mamy wiedzieć, które symbole połączyć i w jakiej kolejności? Skąd wiemy, że k t ó r y k o l w i e k z tych wzorów w ogóle działa?

– Przy twojej teorii oczywiście, że nie wiemy – odparłam. Upiłam łyk brandy i poczułam, że mój mózg zaczyna pracować. – Jest tu zbyt dużo przypadkowych zmiennych, zbyt wiele permutacji. Nie znam się zbytnio na alchemii, lecz naprawdę rozumiem wzory. Wszystko, czego dowiedzieliśmy się do tej pory, wskazuje, że wzór jest tylko jeden. Jednak wcale nie musi być on taki, jak się nam wydaje...

– Co chcesz przez to powiedzieć?

Od chwili przybycia na wyspę żadne z nas nie wspominało o figurach ukrytych w torbie pod kuchnią. Kierując się jakimś nie wypowiedzianym ustaleniem, postanowiliśmy nie zakłócać tej krótkiej idylli rozmowami na temat wyprawy, która narażała nas wszystkich na tak wielkie niebezpieczeństwo. Teraz, gdy Solarin mnie podrażnił, wywołując ducha, zaczęłam zgłębiać pewną myśl, która – jak ból zęba – pulsowała mi w głowie od wielu tygodni i miesięcy.

– Chodzi mi o to, że jest jeden wzór z jednym, prostym rozwiązaniem. Po co byłoby go kryć za tak skomplikowaną zasłoną, jeśli jest tak trudny, że nikt nie może go zrozumieć? To tak jak z piramidami – przez tysiące lat ludzie rozwodzili się nad tym, jak ciężko było Egipcjanom wciągać na górę dwutonowe bloki granitu przy użyciu tak prymitywnych narzędzi. A jednak im się udało. A co, jeśli oni wcale nie przemieszczali ich w taki sposób? Egipcjanie byli alchemikami, prawda? Na pewno wiedzieli, że można rozpuszczać kamienie w kwasie, wlać płyn do wiadra, a potem skleić wszystko jak cement.

– Mów dalej – poprosił Solarin, patrząc na mnie z dziwnym uśmiechem. Nie po raz pierwszy stwierdziłam, że jest piękny.

– Figury z Montglane świecą w ciemności – powiedziałam, a mózg mój pracował na zwielokrotnionych obrotach. – Czy wiesz, co powstaje, gdy rozbijesz rtęć? Dwa radioaktywne izotopy: jeden w ciągu kilku godzin lub dni zmienia się w tal, a drugi w radioaktywne złoto.

Solarin obrócił się, oparł na łokciach i spojrzał na mnie uważnie.

– Jeśli wolno mi się na moment zabawić w adwokata diabła, to chciałbym zauważyć, że rozumujesz od skutku do przyczyny. Mówisz tak: jeśli istnieją figury, które powstały w procesie transmutacji, musi istnieć wzór umożliwiający coś takiego. Nawet jeśli tak jest, to dlaczego ten wzór? I dlaczego tylko jeden, zamiast pięćdziesięciu albo stu?

– Ponieważ w nauce, podobnie jak w naturze, funkcjonują najprostsze i najoczywistsze rozwiązania – odparłam. – Minnie sądzi, że istnieje tylko jeden wzór. Powiedziała, że składają się nań trzy części: szachownica, figury i tkanina – przerwałam nagle, gdyż coś mi się przypomniało – zupełnie jak kamyk, nożyczki i papier – rzuciłam. Widząc zdumienie na twarzy Solarina, wyjaśniłam: – To taka dziecięca zabawa.

– Sama przypominasz mi dziecko – zaśmiał się i pociągnął kolejny łyk mojej brandy. – Tacy jednak w głębi serca byli wszyscy najwięksi naukowcy. Mów dalej.

– Figury pokrywają szachownicę, tkanina pokrywa figury – zaczęłam, układając sobie wszystko w głowie. – Tak więc pierwsza część wzoru może opisywać c o, druga j a k, a trzecia... wyjaśnia k i e d y.

– Chcesz powiedzieć, że symbole na szachownicy opisują, które surowce, to znaczy pierwiastki, są używane – powiedział

Solarin, masując zabandażowaną ranę na głowie. – Figury mówią, w jakich proporcjach je połączyć, a tkanina wskazuje, w jakiej kolejności?

– Prawie tak – odparłam podniecona. – Jak mówiłeś, symbole te opisują pierwiastki układu okresowego. Zapomnieliśmy jednak o czymś, co już wcześniej zauważyliśmy. One przedstawiają również planety i znaki zodiaku! Część trzecia mówi dokładnie kiedy, o której godzinie, w jakim miesiącu, roku należy wykonać każdy krok! – Zanim jeszcze przebrzmiały te słowa, wiedziałam, że to nie ma sensu. – A cóż za różnica, w jakim dniu albo miesiącu zaczniesz albo skończysz eksperyment?

Solarin milczał przez chwilę. Gdy zaczął mówić, w jego głosie słychać było ten ostry, oficjalny rosyjski akcent, który pojawiał się, gdy był zdenerwowany.

– To bardzo duża różnica, pod warunkiem że rozumiesz, co Pitagoras miał na myśli, używając określenia „muzyka sfer". Chyba coś ci chodzi po głowie. Przyjrzyjmy się więc figurom.

Gdy zeszłam na dół, Lily i Carioca chrapali w osobnych kojach. Solarin został, by zapalić lampę na pokładzie i przygotować małą szachownicę, na której co wieczór grywał z Lily.

– Co się dzieje? – spytała Lily, gdy zaczęłam grzebać pod zlewozmywakiem w poszukiwaniu torby.

– Rozwiązujemy zagadkę – odparłam wesoło. – Chcesz się przyłączyć?

– Oczywiście. – Zaskrzypiały sprężyny i Lily zeszła z koi. – Zastanawiam się od pewnego czasu, kiedy mnie zaprosicie na te wasze nocne sabaty. Co właściwie dzieje się między wami... a może nie powinnam pytać? – Błogosławiłam panujące w kajucie ciemności, gdyż poczułam, że twarz oblewa mi gorący rumieniec. – Nie mówmy o tym – dorzuciła Lily. – Przystojniak z niego jak cholera, ale nie w moim typie. Przyjdzie dzień, że siądziemy do szachownicy i dostanie po tyłku.

Wspięłyśmy się na górę. Lily włożyła sweter na piżamę i usiadła na wyłożonym poduszkami miejscu obok Solarina. Nalała sobie drinka, a ja wyciągnęłam figury z torby i ustawiłam je na podłodze.

Streściłam Lily rezultaty naszych dotychczasowych rozważań, po czym usiadłam i oddałam głos Solarinowi. Jacht kołysał się lekko, fale łagodnie pluskały. Ciepła bryza muskała twarze naszej trójki siedzącej pod rozgwieżdżonym niebem. Lily dotykała tkaniny, patrząc dziwnym wzrokiem na Solarina.

– O co dokładnie chodziło Pitagorasowi, gdy mówił o „muzyce sfer"? – spytała.

– Uważał on, że wszechświat składa się z liczb – powiedział Solarin, patrząc na figury z Montglane. – Sądził, że podobnie jak dźwięki w muzycznej skali powtarzają się oktawa po oktawie, wszystkie zjawiska naturalne tworzą taki sam wzór. On to właśnie dał początek pewnej gałęzi badań matematycznych, w której największe odkrycia przypadają, jak sądzimy, na czasy współczesne. Nazywa się to analizą harmoniczną – jest to podstawa mojej działki, akustyki, jak również istotny czynnik w fizyce kwantowej.

Solarin wstał i zaczął chodzić tam i z powrotem. Przypomniało mi się, co kiedyś powiedział: że musi się ruszać, żeby móc myśleć.

– Główna idea polega na tym, że wszystkie zjawiska powtarzające się periodycznie dają się zmierzyć. To znaczy każda fala – dźwiękowa, cieplna i świetlna, nawet przypływy i odpływy morza. Kepler zastosował tę teorię do odkrycia praw ruchu planetarnego, Newton – by wyjaśnić prawo powszechnej grawitacji i precesję równonocy. Leonhard Euler próbował udowodnić przy jego użyciu, że światło jest falą, której barwa zależy od długości. Lecz dopiero Fourier, wielki matematyk z przełomu XVIII i XIX wieku, odkrył metodę, dzięki której możliwe jest zmierzenie wszelkich fal – w tym nawet fal materii. – Spojrzał na nas w ciemnościach płonącymi oczami.

– A więc Pitagoras miał rację – podsumowałam. – Wszechświat naprawdę składa się z liczb, które powtarzają się z matematyczną dokładnością i które można mierzyć. Czy właśnie na tym, twoim zdaniem, polega tajemnica szachów z Montglane: analiza harmoniczna struktury molekularnej? Pomiar fal w celu dokonania analizy struktury pierwiastków?

– To, co da się zmierzyć, da się zrozumieć – rzekł wolno Solarin. – A co da się zrozumieć, da się zmienić. Pitagoras prowadził badania pod boskim wpływem największego alchemika – Hermesa Trismegistosa, którego Egipcjanie uważali za wcielenie wielkiego boga Tota. To właśnie Pitagoras sformułował pierwszą zasadę alchemii: „Co w górze, to na dole". Fale wszechświata działają w taki sam sposób jak fale najmniejszej cząstki i można wykazać ich interakcje. – Przerwał na chwilę i spojrzał na mnie. – Dwa tysiące lat później Fourier wykazał, w jaki sposób przebiegają owe interakcje. Maxwell i Planck odkryli, że energię można opisać w kategoriach tych właśnie fal. Einstein zrobił ostatni krok, udowadniając, że to, co Fourier uważał za narzędzie analityczne, w istocie nim jest, że materia i energia są formami fal, które mogą przekształcić się jedna w drugą.

Coś zaświtało mi w głowie. Wpatrywałam się w palce Lily wędrujące po wyszytych na tkaninie złotych cielskach splątanych węży tworzących cyfrę osiem. Gdzieś bardzo głęboko wszystko zaczynało mi się łączyć: tkanina – labrys – labirynt opisane kiedyś przez Lily – i to, co Solarin powiedział właśnie na temat fal. Co w górze, to na dole. Makrokosmos, mikrokosmos. Materia, energia. Co to wszystko znaczyło?

– Ósemka – powiedziałam głośno, nadal głęboko zamyślona. – Wszystko prowadzi do Ósemki. Labrys ma formę ósemki. Tak samo ta spirala, którą pokazał Newton, powstała z precesji równonocy. Ten mistyczny marsz, opisany w dzienniku, który Rousseau odbył w Wenecji, to też była ósemka. A symbol nieskończoności...

– W jakim dzienniku? – Solarin był czujny.

Spojrzałam na niego z niedowierzaniem. Czy to możliwe, że Minnie pokazała nam coś, z czego istnienia nie zdawał sobie sprawy jej wnuk?

– Chodzi mi o książkę, którą dostałam od Minnie – wyjaśniłam. – To dziennik francuskiej zakonnicy żyjącej dwieście lat temu. Uczestniczyła w wyciąganiu kompletu z murów opactwa Montglane. Nie miałyśmy jeszcze czasu go skończyć. Mam go tutaj... – Zaczęłam grzebać w torbie, lecz Solarin poderwał się z miejsca.

– Mój Boże, więc ona właśnie to miała na myśli, mówiąc, że to ty masz ostateczny klucz! – wykrzyknął. – Dlaczego wcześniej o tym nie powiedziałaś? – spytał, dotykając miękkiej, skórkowej okładki dziennika.

– Miałam kilka spraw na głowie – powiedziałam.

Otworzyłam dziennik na stronie przedstawiającej długi marsz: ową ceremonię w Wenecji. Pochyliliśmy się we troje, przyglądając się jej w milczeniu przy blasku świecy. Lily uśmiechnęła się i zwróciła na Solarina swoje wielkie, szare oczy.

– To ruchy szachowe, prawda?

Skinął głową.

– Każdy ruch ma ósmą linię na tym diagramie i odpowiada symbolowi w tym samym miejscu na tkaninie; prawdopodobnie symbolowi, który widzieli w czasie tej ceremonii. I jeśli się nie mylę, mówi on nam także, jaka to figura i gdzie zgodnie z logiką powinna stać na szachownicy. Szesnaście kroków, a każdy składa się z trzech informacji. Może to właśnie ta trójka, o której mówiłaś: co, jak i kiedy...

– Jak heksagramy *I-cing*. Z których każdy zawiera pewną porcję informacji – wtrąciłam.

Solarin patrzył na mnie, a potem wybuchnął śmiechem.

– Właśnie tak – powiedział, ściskając mnie za ramię. – Chodźcie, szachistki. Chyba rozgryźliśmy strukturę Gry. Teraz zbierzmy wszystko razem, a odkryjemy bramę do nieskończoności.

Mordowaliśmy się nad tą zagadką przez całą noc. Teraz zrozumiałam, dlaczego matematycy czują, że oblewa ich fala transcendentalnej energii za każdym razem, gdy odkrywają nowy wzór albo dostrzegają nową prawidłowość w czymś, czemu przyglądali się tysiące razy. Jedynie matematyka daje to poczucie poruszania się w innym wymiarze, który nie istnieje w czasie ani w miejscu – to poczucie wchodzenia w zagadkę i przenikania jej, poczucie, że otacza nas ona w sposób niemal fizyczny.

Nie zaliczałam się do wielkich matematyków, lecz rozumiałam Pitagorasa, który powiedział, że matematyka i muzyka to jedno. Gdy Lily i Solarin męczyli się nad ruchami figur na szachownicy i próbowali zapisać wzór na papierze, ja czułam się tak, jakbym s ł y s z a ł a śpiewający dla mnie wzór szachów z Montglane. Było to coś, co płynęło przez moje żyły jak eliksir, porywając mnie swoją cudowną harmonią, podczas gdy łamaliśmy sobie głowy, próbując znaleźć wzór za pomocą figur.

Zadanie nie należało do łatwych. Jak sugerował Solarin, gdy

W		K		G			
P	P	P			P	P	15 W
7 S		5 H			9 S		14 G
		3 P	1 P				11 P
		4 P	2 P				12 P
8 S		6 H			10 S		13 G
P	P	P			P	P	16 W
W		K		G			

ma się do czynienia ze wzorem składającym się z sześćdziesięciu czterech kwadratów, trzydziestu dwóch figur i szesnastu pozycji na tkaninie, liczba możliwych kombinacji przekracza całkowitą liczbę gwiazd w znanym wszechświecie. Choć z naszego rysunku wynikało, że niektóre ruchy są ruchami skoczka, inne – wieży, a jeszcze inne – gońca, pewności mieć nie mogliśmy. Cały wzór musiał pasować do sześćdziesięciu czterech pól szachownicy z Montglane.

Całość dodatkowo komplikowała okoliczność, że nawet gdybyśmy wiedzieli, k t ó r y pionek lub skoczek wykonał ruch na dane pole, nie wiedzielibyśmy, który z nich stał na którym polu w momencie, gdy wymyślono tę Grę.

Niemniej jednak byłam pewna, że nawet do tego istnieje klucz, więc posuwaliśmy się naprzód, wykorzystując te wiadomości, którymi dysponowaliśmy. Białe zawsze wykonują pierwszy ruch, i to zazwyczaj pionkiem. Choć Lily zaprotestowała, twierdząc, że – z historycznego punktu widzenia – nie jest to wcale konieczność, z naszego planu jasno wynikało, że pierwszy ruszył się pionek, jako jedyna figura, która na początku gry może wykonać prosty, pionowy ruch.

Czy ruchy wykonywane były na przemian białymi i czarnymi figurami, czy też powinniśmy przyjąć – jak w obiegu skoczka – że wykonuje je jedna figura skacząca w sposób przypadkowy po całej szachownicy? Wybraliśmy to drugie założenie, ponieważ ograniczało liczbę możliwości. Przyjęliśmy również, jako że miał to być wzór, a nie gra, iż każda figura może wykonać tylko jeden ruch, a każde pole może być zajęte tylko raz. Według Solarina nie była to gra w ścisłym tego słowa znaczeniu, lecz pewien wzór, przypominający to, co widzieliśmy na tkaninie i naszym planie. Co dziwne, całość była zwierciadlanym odbiciem procesji, która odbyła się w Wenecji. Przed świtem otrzymaliśmy rysunek przypominający opisany przez Lily labrys. A gdyby zostawić nie poruszone figury na szachownicy, utworzyłyby one kolejną geometryczną ósemkę na planie pionowym. Wiedzieliśmy, że jesteśmy bardzo blisko.

Nieprzytomnie zmęczeni, spojrzeliśmy na siebie z przyjaźnią silniejszą niż współzawodnictwo. Lily zaczęła się śmiać i tarzać po ziemi, a Carioca skakał po jej brzuchu. Solarin podbiegł do mnie, podniósł mnie do góry i zaczął okręcać dookoła. Powoli wschodziło słońce, zabarwiając morze krwistą czerwienią, a niebo – perłowym różem.

– Teraz musimy jeszcze zdobyć szachownicę i figury – rzuciłam z krzywym uśmiechem. – Bajeczka, nie ma wątpliwości.

– Wiesz przecież, że pozostałe dziewięć znajduje się w Nowym Jorku – odparł pogodnie, a wyraz jego twarzy wskazywał, że ma na myśli coś więcej niż tylko szachy. – Chyba powinniśmy zobaczyć, prawda?

– Aye-aye, kapitanie – przyznała Lily. – Umocujmy reję i ruszajmy w drogę.

– A zatem wodą! – zawołał Solarin radośnie.

– Niech wielka bogini Kar darzy łaską nasze żeglarskie wyczyny – powiedziałam.

– Z tej okazji naciągnę żagiel – zaproponowała Lily. I tak uczyniła.

SEKRET

Newton nie był pierwszym przedstawicielem Wieku Rozumu. Był to ostatni czarnoksiężnik, ostatni Babilończyk i Sumeryjczyk... ponieważ wszechświat i wszystko, co w nim jest, traktował jak zagadkę, sekret, który można odczytać, stosując czystą myśl do określonych dowodów, mistyczne wskazówki, które Bóg rozrzucił po świecie, by umożliwić ezoterycznemu bractwu coś jakby zabawę w filozoficzne poszukiwanie skarbu... Dla niego wszechświat był kryptogramem stworzonym przez Wszechmocnego — tak samo jak on, ukrył odkrycie tabliczki mnożenia w kryptogramie wysłanym Leibnizowi. Wierzył, iż dzięki czystej myśli, koncentracji umysłu, rozwiązanie zagadki samo odsłoni się przed nowicjuszem.

John Maynard Keynes

Wreszcie wróciliśmy do pewnej wersji doktryny Pitagorasa, od której pochodzi matematyka i fizyka matematyczna. Zwrócił on uwagę, że liczby charakteryzują cykliczność dźwięków w muzyce... A dziś, w dwudziestym wieku, fizycy zajmują się cyklicznością atomów.

Alfred North Whitehead

Zatem liczba zdaje się prowadzić do prawdy.

Platon

Sankt Petersburg
październik 1798

Paweł I, car Wszechrosji, chodził tam i z powrotem po swojej komnacie, odziany w ciemnozielony wojskowy mundur, uderzając się szpicrutą po nogawkach spodni. Był dumny z tych mundurów, wykonanych z szorstkiej tkaniny i wzorowanych na uniformach wojsk króla Prus, Fryderyka Wielkiego. Paweł strzepnął coś z klapy wysoko wyciętej kurtki mundurowej i podniósł oczy na swego syna, Aleksandra, który stał cierpliwie po drugiej stronie komnaty. Ten Aleksander to prawdziwy nieudacznik, pomyślał Paweł. Blady, poetyczny i tak przystojny, że uważano go wręcz za ładnego, miał coś mistycznego i nieokreślonego w tych niebieskoszarych oczach, które odziedziczył po babce. Lecz nie odziedziczył jej umysłu. Brakowało mu wszystkich tych cech, których potrzeba przywódcy.

W pewnym sensie to bardzo dobrze, pomyślał Paweł. Gdyż ów dwudziestojednoletni młodzieniec nie tylko nie zamierzał przechwycić tronu, który Katarzyna przeznaczyła dla niego, lecz wręcz oświadczył, że jeśli ktoś spróbuje złożyć na jego barki tę odpowiedzialność, będzie zmuszony abdykować. Stwierdził, iż przedkłada nad władzę ciche życie człowieka pióra, spokojny żywot gdzieś w zapomnieniu, nad Dunajem, i nie znosi niebezpiecznego, choć kuszącego dworu w Petersburgu, gdzie ojciec kazał mu pozostać.

Teraz, gdy stał tu, wpatrzony w jesienny ogród, w jego pustych oczach nie było nic poza rozmarzeniem. Jednak Aleksander bynajmniej nie kontemplował widoków. Pod tymi jedwabistymi lokami krył się umysł, którego Paweł nie był w stanie zgłębić. W tej akurat chwili głowił się nad tym, w jaki sposób poruszyć pewien temat, nie wzbudzając jednocześnie podejrzeń ojca. Był to temat tabu na dworze Pawła, przynajmniej od śmierci Katarzyny dwa lata temu. Chodziło o przeoryszę z Montglane.

Aleksander nie bez powodu usiłował się dowiedzieć, co też stało się z tą staruszką, która znikła bez śladu kilka dni po śmierci jego babki. Zanim jednak zdążył się zastanowić, jak zacząć, Paweł stanął przed nim, uderzając się po nodze tą szpicrutą jak głupkowaty żołnierzyk.

– Wiem, że sprawy państwowe zupełnie cię nie obchodzą – powiedział z pogardą. – Lecz musisz naprawdę wykazać minimum zainteresowania. W końcu całe to imperium będzie kiedyś twoje. Za działanie, które dziś podejmuję, ty jutro będziesz ponosił odpowiedzialność. Zawołałem cię tutaj, aby powiedzieć ci coś w całkowitym zaufaniu, coś, co może zmienić przyszłość Rosji. – Przerwał na chwilę dla uzyskania właściwego efektu. – Postanowiłem podpisać traktat z Anglią.

– Ależ ojcze, przecież nienawidzisz Brytyjczyków! – wykrzyknął Aleksander.

– Tak, w istocie, lecz nie mam wyboru – przyznał. – Francuzi, którym mało tego, że zniszczyli Austrię, opanowali wszystkie przyległe kraje, masakrując połowę ich ludności, by stłumić bunty – teraz wysłali tego krwiożerczego generała Bonaparte, by zajął Maltę i Egipt! – Trzasnął z całej siły szpicrutą o biurko, a na jego twarzy malowała się nieopisana wściekłość.

Aleksander milczał.

– Ja jestem Wielkim Mistrzem Zakonu Maltańskiego! – ryknął Paweł, bijąc się po złotym medalu z szarfą przecinającą mu pierś. – Ja noszę ośmioramienną gwiazdę Krzyża Maltańskiego! Ta wyspa należy do mnie! Przez całe wieki szukaliśmy ciepłego portu, takiego jak Malta, a teraz prawie byśmy ją zdobyli. Gdyby ten francuski morderca nie zjawił się tam z czterdziestoma tysiącami żołnierzy. – Spojrzał na Aleksandra, jakby spodziewał się jakiejś odpowiedzi.

– Dlaczego francuski generał chciałby zająć kraj będący od ponad trzystu lat solą w oku Turków osmańskich? – spytał, zastanawiając się w duchu, dlaczego Paweł chciałby się sprzeciwić takiemu posunięciu. Coś takiego odwróciłoby przecież uwagę tych muzułmańskich Turków, z którymi jego babka przez ponad dwadzieścia lat walczyła o kontrolę nad Stambułem i Morzem Czarnym.

– Nie domyślasz się, o co chodzi Bonapartemu? – wyszeptał Paweł, podchodząc do Aleksandra i spoglądając mu w oczy. Aleksander potrząsnął głową.

– Myślisz, że Brytyjczycy bardziej ci się przysłużą? – spytał. – Mój guwerner, La Harpe, nazywał Anglię Perfidnym Albionem...

– Nie o to tutaj chodzi! – krzyknął Paweł. – Jak zwykle mieszasz politykę z poezją, przynosząc szkodę jednej i drugiej. Ja wiem, dlaczego ten łajdak Bonaparte udał się do Egiptu, bez względu na to, co powiedział tym głupcom w dyrektoriacie, którzy dysponują pieniędzmi, bez względu na to, ile dziesiątek tysięcy żołnierzy zabrał ze sobą! Przywróć władzę Wysokiej Porcie? Pokonaj Mameluków? Bzdura! To wszystko kamuflaż!

Aleksander nie reagował, choć uważnie przysłuchiwał się ojcu.

– Zapamiętaj moje słowa, to wcale nie skończy się na Egipcie. Potem uda się do Syrii i Asyrii, Fenicji i Babilonu: ziem, których zawsze pragnęła moja matka. Dlatego zresztą dała wam imiona Aleksander i Konstantyn, jako dobry znak. – Paweł przerwał i rozejrzał się po komnacie, a wzrok jego padł na tkaninę przedstawiającą scenę polowania. Ranny jeleń, krwawiący i naszpikowany strzałami, biegł z trudem w kierunku lasu, ścigany przez myśliwych z chartami. Paweł zwrócił się do Aleksandra z zimnym uśmiechem. – Ten Bonaparte wcale nie chce ziemi, on chce władzy! Zabrał ze sobą niemal tylu uczonych, ilu żołnierzy: matematyka Monge'a, chemika Bertholleta, fizyka Fouriera... opróżnił całą École Polytechnique i Institut National! Więc pytam, dlaczego, skoro pragnie tylko podbojów?

– Co masz na myśli? – wyszeptał Aleksander, a w jego umyśle zapaliło się pierwsze światełko.

– Tam kryje się sekret szachów z Montglane! – wysyczał Paweł z twarzą wykrzywioną lękiem i nienawiścią. – Tego właśnie szuka.

– Ależ ojcze, chyba nie wierzysz w te stare mity? Przecież sama przeorysza z Montglane... – powiedział Aleksander, starannie dobierając słowa.

– Oczywiście, że wierzę! – wrzasnął Paweł. Potem twarz mu pociemniała i zniżył głos do histerycznego szeptu: – Mam jedną z figur. – Ręce miał zaciśnięte w pięści, a szpicruta upadła na posadzkę. – Tutaj ukrytych jest jeszcze więcej. Wiem o tym. Lecz nawet dwa lata w więzieniu Ropsza nie rozwiązały języka tej kobiety. Jest jak sfinks. Ale pewnego dnia pęknie, a wtedy... Reszty Aleksander nie był już w stanie słuchać. Ojciec mówił coś dalej o Francuzach, Brytyjczykach, swoich planach wobec Malty oraz podstępnym Bonapartem, którego zamierzał zniszczyć. Jednak prawdopodobieństwo realizacji którejkolwiek z tych gróźb było bliskie zeru, gdyż – jak Aleksander dobrze wiedział – oddziały Pawła darzyły go gorącą nienawiścią, podobną do tej, jaką dzieci darzą tyranizującą je guwernantkę.

Aleksander pogratulował ojcu doskonałej strategii politycznej, po czym przeprosił i opuścił jego komnatę. Zatem przeoryszę zamknięto w więzieniu Ropsza, pomyślał, przemierzając długie korytarze Pałacu Zimowego. Zatem Bonaparte wylądował w Egipcie z grupą uczonych, Paweł ma jedną z figur z Montglane. Całkiem owocny dzień. Sprawy wreszcie ruszyły z miejsca.

Prawie pół godziny zajęło Aleksandrowi dotarcie do wewnętrznych stajni zajmujących całe skrzydło na dalekim końcu Pałacu Zimowego – skrzydło niemal tak wielkie jak Galeria Lustrzana Wersalu. Powietrze było tam aż gęste od silnego zapachu zwierząt i paszy. Szedł usłanymi sianem korytarzami, a spod nóg uciekały mu świnie i kury. Rumianolicy służący w kaftanach, białych fartuchach i ciężkich butach odprowadzali wzrokiem młodego księcia, uśmiechając się do siebie, gdy ich mijał. Jego miła twarz, kręcone, kasztanowe włosy i lśniące, niebieskoszare oczy przypominały im młodą carycę Katarzynę, jego babkę, gdy jeździła po ośnieżonych ulicach na swoich wałachach, ubrana w strój wojskowy.

To właśnie jego chcieli jako cara. To wszystko, co tak bardzo denerwowało jego ojca – cichość i mistycyzm, jakaś tajemnica w tych niebieskoszarych oczach – budziło w ich słowiańskich duszach ukryte tęsknoty.

Aleksander poszedł do stajennego, kazał osiodłać konia, po czym wsiadł i odjechał. Służba i stajenni stali i patrzyli. Obserwowali. Wiedzieli, że czas jest bliski. Na niego właśnie czekali, to jego przepowiadano od czasów Piotra Wielkiego. Na cichego, tajemniczego Aleksandra, który był wybrany nie po to, aby ich prowadzić, lecz aby zejść razem z nimi w ciemność. By stać się duszą Rosji.

Aleksander zawsze czuł się nieswojo w towarzystwie wieśniaków. Uważali go niemal za świętego i oczekiwali, że spełni ich oczekiwania, a to było bezsprzecznie groźne. Paweł zazdrośnie strzegł tronu, którego przez tak długi czas mu odmawiano. Teraz, mając władzę, której od dawna pożądał, rozkoszował się nią, używał jej i nadużywał niczym kochanki, której się pragnie, a nad którą nie można zapanować.

Aleksander przekroczył Newę i minął miejskie targowiska, a gdy przejechał pastwiska i rozpostarły się przed nim wilgotne, jesienne pola, puścił się cwałem.

Przez wiele godzin, na pozór bezcelowo, jechał przez las. Żółte liście pokrywały ziemię. Wreszcie dojechał do cichej doliny, gdzie ukryta wśród drzew stała stara chatka kryta darnią. Zeskoczył z konia i ruszył przed siebie.

Trzymając lekko lejce, kroczył po miękkim, wonnym dywanie z liści. Patrząc na jego muskularną sylwetkę, czarny, wojskowy surdut z wysokim kołnierzem niemal sięgającym podbródka, obcisłe, białe spodnie i sztywne, czarne buty, można by go wziąć za zwykłego żołnierza wędrującego po lesie. Z grubych konarów kapnęło kilka kropel wody. Strząsnął je z frędzli złotego epoletu, wyciągnął szablę i dotknął jej od niechcenia, jakby sprawdzał ostrość. Potem rzucił krótkie spojrzenie w kierunku chatki, przy której pasły się dwa konie.

Aleksander rozejrzał się po cichym lesie. Rozległo się trzykrotne kukanie kukułki, a potem zapadła cisza. Tylko szum wody kapiącej z gałęzi. Przywiązał konia i ruszył do wejścia chatki. Pchnął skrzypiące drzwi i otworzył je na oścież. Wewnątrz panował niemal całkowity mrok. Jego oczy potrzebowały czasu, by przyzwyczaić się do nagłej zmiany światła, lecz wyczuł woń ziemi i niedawno zgaszonej łojowej świecy.

Zdawało mu się, że w ciemnościach coś się poruszyło. Serce zabiło mu mocniej.

– Jesteś tam? – wyszeptał Aleksander. Potem błysnęły iskry, rozeszła się woń palącego się siana i zapłonęła świeca. W jej świetle ujrzał piękną, owalną twarz, cudowną gęstwę rudych włosów i wpatrzone w niego błyszczące, zielone oczy.

– Udało ci się? – odezwała się Mireille tak cicho, że z trudem zrozumiał jej słowa.

– Tak. Jest w więzieniu Ropsza – odpowiedział cicho, choć nikt nie mógł ich usłyszeć w promieniu wielu mil. – Mogę cię tam zabrać. Lecz jeszcze jedno. On ma jedną z figur, tak jak się obawiałaś.

– A reszta? – spytała spokojnie Mireille. Zieleń jej oczu była niewiarygodna.

– Nie mogłem się dowiedzieć niczego więcej bez wzbudzania jego podejrzeń. To i tak cud, że powiedział aż tyle. Aha, jeszcze jedno. Wygląda na to, że francuska ekspedycja do Egiptu to coś więcej, niż się nam wydaje, może tylko przykrywka. Generał Bonaparte zabrał ze sobą wielu uczonych.

– Uczonych? – powtórzyła pytająco Mireille, prostując się na krześle.

– Matematyków, fizyków, chemików.

Mireille spojrzała przez ramię w kierunku ciemnego kąta chaty. Wyłoniła się stamtąd wysoka, koścista postać mężczyzny o jastrzębich rysach, całego w czerni. Na rękach trzymał małego, może pięcioletniego chłopca, który obdarzył Aleksandra słodkim uśmiechem. Książę odpowiedział tym samym.

– Słyszałeś? – Mireille zwróciła się do Szahina. Skinął w milczeniu głową. – Napoleon jest w Egipcie, lecz bynajmniej nie na moją prośbę. Co on tam robi? Ile się dowiedział? Chcę, żeby wrócił do Francji. Gdybyś wyruszył zaraz, jak szybko byś do niego dotarł?

– Może jest w Aleksandrii, a może w Kairze – powiedział Szahin. – Jeśli pojadę przez Turcję, dotrę tam za dwa księżyce. Muszę jednak wziąć ze sobą twego syna. Osmańczycy będą wiedzieć, że jest Prorokiem, a Porta da mi przepustkę i doprowadzi do syna Letycji Buonaparte.

Aleksander w zdumieniu przysłuchiwał się tej rozmowie.

– Mówicie o generale Bonapartem, jakbyście go znali – rzekł do Mireille.
– To Korsykanin – odparła szorstko. – Twój francuski jest znacznie lepszy niż jego. Nie mamy jednak czasu do stracenia. Zabierz mnie do więzienia Ropsza, zanim będzie za późno. Aleksander skierował się ku drzwiom, pomagając Mireille nałożyć kaptur, gdy nagle zobaczył obok siebie Charlota.
– Kalim chciał ci coś powiedzieć, Wasza Wysokość. – Szahin zrobił gest w kierunku Charlota. Aleksander spojrzał z uśmiechem na chłopca.
– Wkrótce będziesz wielkim królem – zaczął Charlot swoim piskliwym, dziecinnym głosikiem. Aleksander wciąż się uśmiechał, lecz po następnych słowach jego uśmiech zgasł. – Krew splami twoje ręce, tak jak splamiła ręce twojej babki. Człowiek, którego podziwiasz, zdradzi cię. Widzę mroźną zimę i wielki ogień. Pomogłeś mojej matce. Dlatego zostaniesz uratowany z rąk tego nielojalnego człowieka i będziesz zasiadał na tronie przez dwadzieścia pięć lat...
– Charlot, dosyć już tego! – syknęła Mireille, chwytając go za rękę i rzucając wściekłe spojrzenia na Szahina. Aleksander stał jak skamieniały.
– To dziecko jest jasnowidzem! – wyszeptał.
– Więc niech wykorzysta te umiejętności do czegoś pożytecznego, zamiast wróżyć wszystkim dookoła jak stara czarownica nad talią tarota – warknęła. Pociągnęła Charlota za sobą, zostawiając zdumionego księcia Rosji.
Gdy Aleksander odwrócił się do Szahina i spojrzał w jego nieprzeniknione, czarne oczy, usłyszał głosik Charlota.
– Przepraszam, *maman* – zapiszczał. – Zapomniałem. Przyrzekam, że więcej tego nie zrobię.

W porównaniu z więzieniem Ropsza Bastylia mogła wydawać się pałacem. Panowały tu chłód i wilgoć, a w ścianach nie było nawet najmniejszych okienek, które przepuszczałyby światło. Był to zatem prawdziwy loch rozpaczy. Przeorysza przebywała tutaj od dwóch lat. Piła słonawą wodę i żywiła się jedzeniem niewiele lepszym niż pomyje dla świń. A przez te dwa lata Mireille nie ustawała w wysiłkach, by ją odnaleźć.

Teraz Aleksander wprowadził ją do więzienia; przedtem porozmawiał ze strażnikami, którzy byli gotowi wszystko dla niego zrobić, gdyż kochali go, choć nienawidzili jego ojca. Mireille, trzymając Charlota za rękę, szła przez ciemne korytarze oświetlane latarnią strażnika, a za nią kroczyli Aleksander i Szahin.

Cela przeoryszy, mieszcząca się w głębi więzienia, była małą dziurą zamkniętą grubymi, metalowymi drzwiami. Mireille poczuła straszliwy lęk. Strażnik wpuścił ją do środka, a ona zrobiła krok naprzód. Leżąca tam staruszka przypominała lalkę, której usunięto wszystko ze środka, a jej pomarszczona skóra wydawała się żółta w świetle latarni. Mireille upadła na kolana, wsunęła jej rękę pod plecy i pomogła usiąść. Miała wrażenie, że to, czego dotyka, nie jest ludzkim ciałem – zdawało jej się, że lada moment rozsypie się w proch.

Charlot podszedł bliżej i ujął wyschniętą dłoń staruszki w swoją małą rączkę.

– *Maman* – wyszeptał – ta pani jest bardzo chora. Pragnie, żebyśmy ją zabrali z tego miejsca, zanim umrze...

Mireille spojrzała na niego, a potem na Aleksandra, który stał za nią.

– Zobaczę, co się da zrobić – powiedział, po czym wyszedł na zewnątrz ze strażnikiem.

Tymczasem Szahin podszedł bliżej. Z ogromnym wysiłkiem przeorysza spróbowała otworzyć oczy, lecz na próżno. Mireille przytuliła twarz do jej piersi, czując, że łzy wzbierają w jej oczach i dławią w gardle. Charlot położył jej rączkę na ramieniu.

– Ona chce coś powiedzieć – odezwał się cicho do matki. – Słyszę jej myśli... nie chce być pochowana przy innych... Matko, jest coś w jej sukni! Coś, co musimy mieć, ona chce, żebyśmy to mieli.

– Mój Boże – wymamrotała Mireille, gdy Aleksander wrócił do celi.

– Szybko, bierzmy ją, zanim strażnicy zmienią zdanie – wyszeptał nagląco.

Szahin pochylił się nad łóżkiem i podniósł ją jak piórko. Potem cała czwórka wyszła pośpiesznie z więzienia specjalnym podziemnym korytarzem. Wreszcie wynurzyli się na powierzchnię, niedaleko od miejsca, gdzie uwiązali konie. Szahin, trzymając przeoryszę na rękach, wsiadł na konia i ruszył do lasu. Pozostali pojechali za nim.

Gdy dojechali w ciche, odosobnione miejsce, zsiedli z koni, a Aleksander wziął przeoryszę na ręce. Mireille rozpostarła na ziemi swój płaszcz. Przeorysza, nie otwierając oczu, z wielkim trudem próbowała coś mówić. Aleksander przyniósł jej trochę wody w rękach, lecz była za słaba, żeby pić.

– Wiedziałam... – powiedziała schrypniętym i słabym głosem.

– Wiedziałaś, że przyjadę po ciebie, czcigodna matko – dokończyła Mireille, gładząc jej rozgorączkowane czoło, podczas gdy przeorysza zmagała się z własną słabością. – Obawiam się jednak, że przybyłam za późno. Moja droga przyjaciółko, będziesz mieć chrześcijański pogrzeb. Sama przyjmę twoją spowiedź, jako że nie ma tu nikogo innego. – Klęczała obok przeoryszy, trzymając ją za rękę, a łzy strumieniami płynęły jej po twarzy. Charlot, też na kolanach, obmacywał paluszkami habit okrywający wychudzone ciało starej zakonnicy.

– Matko, to jest tutaj, w tej sukni, między płótnem a podszewką! – krzyknął.

Szahin podszedł bliżej, wyciągnął swój ostry *bousaadi*, by rozciąć tkaninę. Mireille położyła mu rękę na ramieniu, by go powstrzymać, a wtedy przeorysza otworzyła jedno oko i odezwała się chrypliwym szeptem:

– Szahinie! – Gdy próbowała się podnieść, by go dotknąć, na jej twarzy pojawił się uśmiech. – Wreszcie znalazłeś swojego proroka. Spotkam się z tym twoim Allahem... już wkrótce. Zaniosę Mu... twoją miłość... – Opuściła rękę i zamknęła oczy. Mireille zaczęła łkać, lecz usta przeoryszy wciąż się poruszały. Charlot przyłożył wargi do jej czoła. – Nie przecinajcie... tej szaty... – powiedziała. A potem znieruchomiała.

Szahin i Aleksander stali bez ruchu pod ociekającymi deszczem drzewami, a Mireille rzuciła się na ciało martwej przeoryszy i zapłakała. Po kilku minutach Charlot odciągnął matkę na bok. Zręcznymi paluszkami uniósł ciężką szatę okrywającą ciało przeoryszy. Na podszewce, w przedniej części szaty, zobaczyli szachownicę narysowaną krwią – jej własną krwią – teraz mocno startą. Na każdym z pól z niezwykłą starannością wyrysowany był jakiś symbol. Charlot podniósł wzrok na Szahina, który podał mu nóż. Dziecko delikatnie przecięło nitkę łączącą podszewkę z wierzchnią warstwą szaty. Tam, pod szachownicą, spoczywała ciężka, ciemnobłękitna tkanina pokryta połyskującymi kamieniami.

Paryż
styczeń 1799

Charles Maurice Talleyrand opuścił biura dyrektoriatu i pokuśtykał po długich, kamiennych stopniach prowadzących na dziedziniec, gdzie czekał jego powóz. Był to ciężki dzień, pełen oskarżeń i obelg, których nie skąpiło mu pięciu dyrektorów, a które dotyczyły łapówek, jakie rzekomo przyjął od delegacji amerykańskiej. Był jednak zbyt dumny, by usprawiedliwiać się lub tłumaczyć – i zbyt dobrze pamiętał swoją niedawną biedę, by przyznać się do grzechu i zwrócić pieniądze. Siedział więc w milczeniu, patrząc, jak jego oskarżyciele pienią się i wrzeszczą. Gdy już zabrakło im oddechu, po prostu wyszedł, nie próbując nawet niczego tłumaczyć.

Szedł teraz z wyraźnym zmęczeniem przez kamienny dziedziniec w kierunku swego powozu. Zamierzał zjeść samotnie kolację, otworzyć butelkę starej madery i wziąć gorącą kąpiel. O niczym więcej nie marzył. Na widok swego pana woźnica pośpieszył do powozu. Talleyrand machnął do niego, żeby wsiadał, i sam otworzył sobie drzwiczki. Gdy zajął miejsce, usłyszał w ciemnościach jakiś szelest i zesztywniał.

– Nie lękaj się – powiedział łagodny, kobiecy głos, od którego dreszcz przebiegł mu po plecach. Dłoń w rękawiczce zacisnęła się na jego ręce. A gdy powóz ruszył i do środka wpadło na chwilę światło latarni, błysnęła piękna, kremowa cera i burza rudych włosów.

– Mireille! – krzyknął Talleyrand, lecz ona położyła mu palec na ustach. Zanim pomyślał, co robi, był już na kolanach, zasypywał jej twarz pocałunkami, zanurzał ręce w jej włosach i szeptał gorączkowo czułe słowa, a jednocześnie próbował się jakoś opanować. Wydawało mu się, że zwariuje. – Gdybyś wiedziała, jak długo cię szukałem... nie tylko tutaj, lecz wszędzie. Jak mogłaś zostawić mnie tak bez słowa, bez żadnej wieści? Tak się bałem, wychodziłem z siebie... – Mireille uciszyła go, przycisnąwszy usta do jego ust, a on chłonął zapach jej ciała i płakał. Wypłakiwał siedem lat, podczas których powstrzymywał łzy, i spijał słone krople z jej twarzy, gdy przylgnęli do siebie jak dwójka zagubionych na morzu dzieci.

Weszli do jego domu pod osłoną ciemności, przez duże, oszklone drzwi wychodzące na ogród. Nie zamknął nawet okien, nie zapalił światła – chwycił ją w ramiona i zaniósł na otomanę, a jej długie włosy spływały mu po ramionach. Rozebrawszy ją w milczeniu, nakrył jej drżące ciało swoim i zatopił twarz w jej miękkich, jedwabistych włosach.

– Kocham cię – wyznał. Te słowa po raz pierwszy w życiu wyszły z jego ust.

– Twoja miłość dała nam dziecko – wyszeptała Mireille, spoglądając na niego w świetle księżyca wpadającym przez okna. Zdawało mu się, że serce mu pęknie.

– Pozwólmy, by nasza miłość dała nam jeszcze jedno – powiedział, a pożądanie wezbrało w nim z nieopisaną gwałtownością.

Zakopałem je – rzekł Talleyrand, gdy usiedli przy stole w salonie obok sypialni. – W zielonych górach w Ameryce, choć, by oddać mu sprawiedliwość, muszę powiedzieć, że Courtiade odwodził mnie od tego zamiaru. Miał więcej wiary niż ja. Uważał, że wciąż jeszcze żyjesz.

Talleyrand uśmiechnął się do Mireille, która siedziała naprzeciwko z włosami w nieładzie, owinięta w jego sutannę. Była tak piękna, że miał ochotę posiąść ją jeszcze raz. Lecz sztywny Courtiade siedział między nimi, przysłuchując się ich rozmowie i starannie składając serwetkę.

– Courtiade – odezwał się Talleyrand, starając się pohamować targające nim uczucia – wygląda na to, że mam dziecko, syna. Ma na imię Charlot, na moją pamiątkę. – Po tych słowach zwrócił się do Mireille: – Kiedy ujrzę ten cud?

– Niedługo – odparła Mireille. – Pojechał do Egiptu, gdzie przebywa generał Bonaparte. Jak dobrze znasz Napoleona?

– To właśnie ja przekonałem go, żeby tam jechał, a przynajmniej on sam tak twierdzi. – Opisał pokrótce swoje spotkanie z Napoleonem i Davidem. – Wtedy właśnie dowiedziałem się, że żyjesz i że spodziewasz się dziecka – wyjaśnił. – David mówił mi o Maracie. – Przyglądał się jej poważnie, lecz ona potrząsnęła tylko głową, jakby chciała o tym zapomnieć. – Chciałem ci jeszcze o czymś powiedzieć – mówił powoli Talleyrand, zauważając wzrok Courtiade'a. – Chodzi o pewną kobietę, nazywa się Catherine Grand. Jest ona w jakiś sposób zaangażowana w poszukiwania szachów z Montglane. Wiem od Davida, że Robespierre nazywał ją Białą Królową... Mireille gwałtownie pobladła. Jej dłoń zacisnęła się na nożu z taką siłą, jakby chciała wycisnąć zeń sok. Jej usta tak zbielały, że Courtiade sięgnął po szampana, żeby ją pokrzepić. Spojrzała na Talleyranda.

– Gdzie ona teraz jest? – wyszeptała.

Talleyrand patrzył przez chwilę w swój talerz, po czym podniósł wzrok na Mireille.

– Gdybym wczoraj wieczorem nie znalazł cię w powozie – powiedział – byłaby u mnie w łóżku.

Siedzieli w milczeniu. Courtiade nie odrywał wzroku od blatu stołu, a Talleyrand od Mireille. Odłożyła nóż, wstała, odpychając krzesło, po czym podeszła do okna. Talleyrand też się podniósł i zbliżywszy się, objął ją ramionami.

– Miałem tak wiele kobiet – wymruczał jej we włosy. – Myślałem, że nie żyjesz. A potem, gdy dowiedziałem się, że ty... Gdybyś ją zobaczyła, wszystko byś zrozumiała.

– Widziałam ją – odezwała się Mireille drewnianym głosem. Odwróciła się, by spojrzeć na Talleyranda. – Ona stoi za tym wszystkim. Ma osiem figur...

– Siedem – uściślił. – Ja mam ósmą. – Mireille spojrzała nań z osłupieniem. – Zakopaliśmy ją w lesie razem z pozostałymi. Mireille, miałem rację. Zakopując te figury, pragnąłem uwolnić nas od tej klątwy. Kiedyś też chciałem mieć ten komplet. Zabawiałem się z tobą i Valentine w nadziei, że zdobędę wasze zaufanie. Tymczasem jednak to ty zdobyłaś moją miłość. – Chwycił ją za ramiona, nie wiedząc, jakie myśli krążą teraz po jej głowie. – Przecież mówiłem, że cię kocham. Czy musimy znów dać się wciągnąć w ten bezmiar nienawiści? Czy ta Gra nie kosztowała nas już dość?

– Zbyt wiele – odparła Mireille, wyrywając się z jego uścisku. – Zbyt wiele, by przebaczyć, i zbyt wiele, by zapomnieć. Ta kobieta z zimną krwią zamordowała pięć zakonnic. Jest odpowiedzialna za Marata, Robespierre'a i za egzekucję Valentine. Ty już o niej zapomniałeś, a ja widziałam, jak zaszlachtowano ją jak zwierzę! – Wzrok miała nieprzytomny, jak po narkotykach. – Widziałam, jak umiera Valentine, przeorysza, Marat. Charlotte Corday oddała za mnie życie! Zdradzieckie knowania tej kobiety nie ujdą jej na sucho! Zdobędę te figury bez względu na cenę!

Talleyrand cofnął się i patrzył na nią ze łzami w oczach. Nie zauważył, że Courtiade wstał z miejsca, podszedł do niego i położył mu rękę na ramieniu.

– Monseigneur, ona ma rację – powiedział miękko. – Choćbyśmy nie wiem jak pragnęli szczęścia, choćbyśmy nie wiem jak długo przymykali oczy na prawdę, ta Gra się nie zakończy, dopóki nie zbierzemy figur i nie złożymy ich w jakimś miejscu. Wie pan o tym równie dobrze jak ja. Trzeba zatrzymać madame Grand.

– Czy nie dość już rozlano krwi? – spytał Talleyrand.

– Już nie pragnę zemsty – wyznała Mireille, widząc przed oczami przerażającą twarz Marata pokazującego jej, gdzie ma wbić nóż. – Chcę mieć te figury. Gra musi dobiec końca.

– Jedną figurę dała mi z własnej woli – odezwał się Talleyrand. – Lecz żadna ludzka siła nie zmusi jej, by rozstała się z resztą.

– Gdybyś się z nią ożenił, to według prawa francuskiego cała jej własność należałaby do ciebie. I ona sama należałaby do ciebie – powiedziała Mireille.

– Ożenić się z nią! – krzyknął Talleyrand, podrywając się z miejsca jak oparzony. – Ależ ja kocham ciebie! Ponadto zaś jestem biskupem Kościoła katolickiego. Z biskupstwem czy bez biskupstwa, obowiązuje mnie prawo kościelne, a nie francuskie.

Courtiade odchrząknął.

– Monseigneur mógłby otrzymać papieską dyspensę – zasugerował uprzejmie. – Przypuszczam, że istnieją jakieś precedensy.

– Courtiade, proszę cię, żebyś nie zapominał, kim tutaj je-

steś – warknął Talleyrand. – To wykluczone. Jak możesz proponować mi coś takiego po tym wszystkim, co opowiedziałaś mi o tej kobiecie? Za siedem marnych figur sprzedałabyś moją duszę.
– By skończyć tę Grę raz na zawsze, sprzedałabym własną. – W oczach Mireille zapłonął ciemny ogień.

Kair
luty 1799

Szahin zmusił swego wielbłąda do przyklęknięcia obok wielkich piramid w Gizie i pozwolił Charlotowi zsunąć się z siodła. Skoro byli w Egipcie, chciał natychmiast zaprowadzić dziecko do tego świętego miejsca. Patrzył, jak chłopczyk posuwa się po piasku, zbliża do podstawy Wielkiego Sfinksa i zaczyna się wspinać na jego ogromną łapę. Potem on sam zsiadł i ruszył w tamtą stronę, a poły jego czarnych szat łopotały na wietrze.

– To jest Sfinks – powiedział do Charlota, gdy doszli już na miejsce. Rudowłosy chłopiec, niespełna sześcioletni, mówił płynnie po kabylsku, arabsku i francusku, który był jego ojczystym językiem, wobec czego Szahin mógł swobodnie z nim rozmawiać. – To starożytna i niezwykle tajemnicza postać z głową kobiety oraz ciałem lwa. Ujrzysz ją w miejscu, gdzie znajduje się słońce w czasie letniego zrównania dnia z nocą.

– Jeśli to jest kobieta – odezwał się Charlot, spoglądając na wielką kamienną figurę majaczącą w górze – to dlaczego ma brodę?

– To wielka królowa, Królowa Nocy – odrzekł Szahin. – Jej planetą jest Merkury, bóg uzdrowiciel. Ta broda jest znakiem jej ogromnej siły.

– Moja matka też jest wielką królową, tak mi powiedziałeś, ale ona nie ma brody.

– Może nie chce pokazywać swojej siły – odparł Szahin.

Ogarnęli wzrokiem okolicę. W oddali dostrzegli namioty obozowiska, z którego przybyli. Wokół nich, w złotym świetle, wznosiły się ogromne piramidy, przypominając rozrzucone dziecięce klocki. Charlot zwrócił na Szahina swoje wielkie, niebieskie oczy.

– Kto je tutaj zostawił?

– Wielu królów przed tysiącami lat – odpowiedział Szahin. – Ci królowie byli wielkimi kapłanami. W języku arabskim nazywa się ich *kahin*: ci, którzy znają przyszłość. Fenicjanie, Babilończycy i Khabiru, czyli Hebrajczycy, mówią na nich *kohen*. My, w Kabylii, nazywamy ich *kahuna*.

– Czy ja jestem kimś takim? – spytał Charlot, gdy Szahin pomagał mu zejść z lwiej łapy.

Tymczasem od odległego obozowiska zbliżał się do nich orszak jeźdźców, a kopyta ich koni wzbijały tumany pyłu unoszące się w złotym świetle.

– Nie – wyszeptał Szahin. – Ty jesteś kimś więcej.

Konie zatrzymały się nieopodal, a jeden z jeźdźców zeskoczył na ziemię i ruszył ku nim, ściągając przy tym rękawice. Długie, kasztanowe włosy opadały mu luźno na ramiona. Przyklęknął na jedno kolano obok małego Charlota, a reszta orszaku zaczęła zsiadać z koni.

– A więc jesteś – odezwał się młody człowiek. Ubrany był w obcisłe bryczesy i surdut z wysokim kołnierzem, jaki noszono w armii francuskiej. – Dziecko Mireille! Jestem generał Bonaparte, młody człowieku, bliski przyjaciel twojej matki. Dlaczego jednak nie przyjechała z tobą? W obozie powiedzieli mi, że szukałeś mnie sam.

Napoleon zmierzwił jaskrawoczerwone włosy chłopca, wsunął rękawice za pas, powstał z miejsca i ukłonił się sztywno Szahinowi.

– A ty na pewno jesteś Szahin – i nie czekając na odpowiedź dziecka, ciągnął dalej: – Moja babka, Angela Maria di Pietra-Santa, często mówiła mi o tobie jako o wielkim człowieku. To właśnie ona wysłała matkę chłopca do ciebie na pustynię, prawda? Było to na pewno pięć lat temu, a może więcej...

Szahin powoli odsunął z twarzy zasłonę.

– Kalim przynosi niezwykle ważną wiadomość – powiedział cicho. – Tylko dla twoich uszu, panie.

– Chodźcie, chodźcie! – Napoleon przywoływał swoich żołnierzy. – To są moi oficerowie. O świcie wyruszamy do

Syrii. Będzie to ciężki marsz. Bez względu na to, co to jest, może poczekać do jutra. Zapraszam was dziś wieczór do pałacu beja. – Po tych słowach odwrócił się, jakby chciał odejść, lecz Charlot chwycił go za rękę.

– Ta kampania zaczęła się pod złą gwiazdą – rzekł chłopiec. Napoleon odwrócił się ku niemu zdumiony, lecz Charlot jeszcze nie skończył. – Widzę głód i pragnienie. Wielu ludzi umrze, a zdobycze będą żadne. Musisz natychmiast powrócić do Francji. Tam zostaniesz wielkim wodzem. Będziesz miał wielką władzę na całej ziemi. Lecz potrwa to tylko piętnaście lat. Potem się skończy...

Napoleon wyrwał rękę z jego uścisku, a oficerowie stali wokół, nie wiedząc, jak zareagować. Wtedy młody generał odrzucił głowę do tyłu i wybuchnął śmiechem.

– Nazywają cię małym prorokiem – powiedział z uśmiechem do Charlota. – W obozie mówią, że opowiadałeś żołnierzom rozmaite rzeczy: ile będą mieć dzieci, w jakich bitwach zdobędą chwałę lub poniosą śmierć. Żałuję ogromnie, że takie przewidywanie jest niemożliwe. Gdyby generałowie byli prorokami, uniknęliby wielu wypadków.

– Był kiedyś pewien generał, który był jednocześnie prorokiem – rzekł miękko Szahin. – Na imię miał Mahomet.

– Ja również czytałem Koran, drogi przyjacielu – odparł Napoleon, ciągle się uśmiechając. – Lecz on walczył dla chwały Bożej. My, biedni Francuzi, walczymy tylko dla chwały Francji.

– Strzec się muszą jedynie ci, którzy troszczą się o swoją własną chwałę – przemówił Charlot.

Napoleon usłyszał, że oficerowie coś za nim pomrukują, i spojrzał gniewnie na Charlota. Jego uśmiech zgasł. Jego twarz pociemniała z emocji, nad którą nie potrafił zapanować.

– Nie będę tolerował obelg rzucanych przez jakiegoś dzieciaka – mruknął pod nosem. A głośno dodał: – Nie sądzę, by moja sława miała rozbłysnąć aż tak wysokim płomieniem, mój młody przyjacielu, ani by miała tak szybko przygasnąć. O świcie wyruszamy przez Synaj i tylko rozkaz mojego dowództwa może mnie zmusić do powrotu do Francji.

Odwrócił się od Charlota, podszedł do swojego konia i wskoczył na siodło. Wydawszy rozkaz jednemu z oficerów, by na czas przywiózł Charlota i Szahina do pałacu w Kairze, ruszył samotnie przez pustynię.

Szahin powiedział zakłopotanym żołnierzom, że pojadą inną drogą, ponieważ dziecko jeszcze nie przyjrzało się z bliska piramidom. Gdy wreszcie niechętnie odjechali, Charlot wziął Szahina za rękę i ruszyli niespiesznie przez to ogromne pustkowie.

– Szahinie, dlaczego generał Bonaparte był zły za to, co powiedziałem? – zapytał chłopiec w zamyśleniu. – Wszystko to było prawdą.

Szahin nie odpowiadał przez chwilę.

– Wyobraź sobie, że znajdujesz się w ciemnym lesie, gdzie nic nie widzisz – odezwał się wreszcie. – Twoim jedynym towarzyszem jest sowa, która widzi znacznie lepiej, ponieważ jej oczy są przystosowane do ciemności. Właśnie ty masz taki wzrok jak sowa i patrząc w przyszłość, widzisz wszystko, podczas gdy inni widzą jedynie mrok. Czybyś się nie bał, będąc na ich miejscu?

– Być może – przyznał chłopiec. – Lecz na pewno bym nie był zły, gdyby sowa ostrzegła mnie, że za chwilę wpadnę do dołu!

Szahin spojrzał na chłopca, a na jego ustach – rzecz rzadka – pojawił się lekki uśmiech.

– Posiadać coś, czego nie mają inni, jest rzeczą trudną, a nawet niebezpieczną. Czasem lepiej jest zostawić ich w ciemności.

– Jak szachy z Montglane – stwierdził Charlot. – Matka powiedziała mi, że były zakopane w ciemności przez tysiąc lat.

– Tak. Tak samo – zgodził się Szahin.

W tym momencie skręcili za Wielką Piramidę. Przed nimi, na wełnianej szacie rozpostartej na ziemi, siedział jakiś mężczyzna obłożony zwojami papirusów. Choć wpatrzony był w piramidę, obejrzał się i rozpromienił na widok Charlota i Szahina.

– Mały Prorok! – rzekł, wstając z miejsca i otrzepując piasek z bryczesów. Odgarnął włosy z czoła, a jego obwisłe policzki i mały podbródek w kształcie ciasteczka rozciągnęły się w uśmiechu. – Byłem w obozie, żołnierze zakładali się, że generał Bonaparte odrzuci radę powrotu do Francji! On niezbyt wierzy w przepowiednie. Może sądzi, że jego dziewiąta krucjata będzie zwycięska tam, gdzie ósma poniosła klęskę.

– Monsieur Fourier! – wykrzyknął Charlot, wyrywając rękę z uścisku Szahina, by pobiec do słynnego fizyka. – Czy udało się panu odkryć tajemnicę tych piramid? Jest pan tu już tak długo i pracuje tak ciężko.

– Obawiam się, że nie. – Fourier uśmiechnął się i pogłaskał malca po głowie. Szahin przyłączył się do nich. – W tych papirusach tylko cyfry są arabskie. Reszta zapisana jest jakimiś dziwacznymi znaczkami, których ani rusz nie mogę odczytać. Rysunki czy coś takiego. Podobno w Rosetcie znaleziono jakiś kamień, na którym wyryte są teksty w kilku językach. Może to pomoże nam w odczytaniu tych tekstów. Mają to zabrać do Francji, lecz nim to odczytają, równie dobrze mogę już nie żyć. – Zaśmiał się i ujął Szahina za rękę. – Gdyby twój mały towarzysz był naprawdę prorokiem, za jakiego się uważa, odczytałby nam te rysunki i oszczędził wielu kłopotów.

– Szahin niektóre z nich rozumie – oznajmił dumnie Charlot. Podszedł do piramidy i patrzył na pokrywające ją znaki i rysunki. – Na przykład ten człowiek z głową ptaka to wielki bóg Tot. Był to doktor, który mógł wszystko uleczyć. Oprócz tego był wynalazcą pisma. Do jego zadań należało zapisanie wszystkich imion w Księdze Umarłych. Szahin mówi, że każdy człowiek ma tajemne imię otrzymane przy narodzeniu, które zapisywane jest na kamieniu i wręczane mu, gdy umiera. A każdy bóg ma numer zamiast tajemnego imienia...

– Numer! – powtórzył Fourier, spoglądając szybko na Szahina. – Umiesz czytać te rysunki?

Szahin potrząsnął przecząco głową.

– Znam tylko stare opowieści – powiedział w swojej łamanej francuszczyźnie. – Mój lud żywi ogromną cześć dla liczb, którym przypisuje boskie właściwości. Wierzymy, że wszechświat składa się z liczb i aby zjednoczyć się z Bogiem, trzeba jedynie drgać, by osiągnąć rezonans właściwy dla tych liczb.

– Ależ ja wierzę w to samo! – wykrzyknął uczony. – Sam studiuję fizykę drgań. Piszę teraz książkę na temat tego, co nazywam „teorią harmoniczną", która dotyczy ciepła i światła! Wy, Arabowie, odkryliście te wszystkie prawdy dotyczące liczb, na których opierają się nasze teorie...

– Szahin nie jest Arabem – przerwał mu Charlot. – Jest „błękitnym człowiekiem" z Tuaregu.

Fourier spojrzał na niego, a potem znów zwrócił się do Szahina.

– Najwyraźniej znasz to, czego szukam: dzieła Alkwarizmiego przywiezione do Europy przez wielkiego matematyka, Leonarda Fibonacciego, cyfry arabskie i algebra zrewolucjonizowały nasz sposób myślenia! Czy to wszystko nie zrodziło się tutaj, w Egipcie?

– Nie – odparł Szahin, przyglądając się napisom na kamieniach. – Pochodzą z Mezopotamii, są to liczby przywiezione z gór Turkiestanu. Lecz tym, który znał ten sekret i zapisał go ostatni, był Dżabir Ibn Hajjan, nadworny lekarz Haruna al-Raszida, króla tysiąca i jednej nocy. Ten Dżabir był sufickim mistykiem. Zapisał ów sekret i dlatego został przeklęty po wsze czasy. Ukrył go w szachach, które później znalazły się w Montglane.

KOŃCÓWKA

W mrocznych kątach gracze
Przesuwają ciężkie figury. Szachownica
Przytrzymuje ich do samego świtu
Zwężonymi granicami w zderzeniu dwóch kolorów.

Z wnętrza tych figur biją magiczne zasady.
Homerycka wieża, zręczny skoczek,
Opancerzona królowa, zacofany król,
Ukośny goniec i agresywne pionki.

Po odejściu graczy,
Gdy czas już ich pochłonie,
Cały ten rytuał wcale się nie skończy.

W Oriencie tej wojny płomień się rozpali
Jej amfiteatrem teraz cała ziemia.
Tak jak inna gra, ta gra jest nieskończona.

Słaby król, skośny goniec, mięsożerna
Królowa, prosta wieża i szczwany pionek
Szukają swojej ścieżki nad białymi i czarnymi
I rozpoczynają bitwę.

Nie wiedzą jednak, że przemyślna ręka
Gracza rządzi ich przeznaczeniem.
Nie wiedzą, że nieugięta siła
Kontroluje ich autonomię i ich dni.

Lecz gracz również jest więźniem
(określenie Omara) innej szachownicy
Czarnych nocy i białych dni.

Bóg porusza graczem, a on – figurą.
Jakiż bóg, siedząc za Bogiem, zaczyna tkać gęsty splot
Kurzu i czasu, i marzeń, i agonii?

Jorge Luis Borges
Szachy

Nowy Jork
wrzesień 1973

Zbliżaliśmy się do kolejnej wyspy w środku ciemnego jak wino morza – studwudziestomilowego pasa lądu, unoszącego się niedaleko wybrzeża atlantyckiego, znanego pod nazwą Long Island. Na mapie wygląda jak gigantyczny karp, który za chwilę otworzy pysk na Bay of Jamaica i połknie Staten Island, a którego ogon, trzepoczący w kierunku New Haven, rozpryskuje za sobą malutkie wysepki jak kropelki wody. Gdy nasz ciemny kecz mknął w kierunku lądu, a lekki wietrzyk wypełniał rozwinięte żagle, to długie, białe, piaszczyste wybrzeże, pełne maleńkich zatoczek wydawało mi się rajem. Nawet tak dobrze mi znane nazwy miały dziś egzotyczne brzmienie – Quogue, Patchogue, Peconic i Massapequa--Jericho, Babylon i Kismet. Srebrna igła Fire Island trzymała się blisko brzegu, wykutego przez naturę w coś na kształt krenelaży. A gdzieś za zakrętem, niewidoczna dla nas, Statua Wolności wznosiła swoją pochodnię trzysta stóp nad nowojorskim nabrzeżem, pomagając steranym żeglarzom, takim jak my, trafić w złote wrota kapitalizmu i zinstytucjonalizowanego handlu.

Stałyśmy z Lily na pokładzie, z oczami pełnymi łez, i tuliłyśmy się do siebie. Zastanawiałam się, co myśli Solarin o tej krainie słońca, bogactwa i wolności, tak różnej od Związku Radzieckiego, który wyobrażałam sobie jako kraj mroku i strachu. W ciągu tego miesiąca, jaki zajęła nam podróż przez Atlantyk, spędzałyśmy całe dnie na lekturze dziennika Mireille, odczytywaniu wzoru i wiele nocy na rozszyfrowywaniu naszych umysłów i serc. Ani razu jednak Solarin nie wspomniał nawet słowem o przeszłości ani o swoich planach na przyszłość. Każda spędzona z nim chwila przypominała złotą kroplę czasu, zastygłą na wieki niczym klejnoty rozsiane po ciemnej tkaninie – była równie barwna i równie cenna. Ale nie można było przeniknąć otaczającej jej ciemności.

Teraz, gdy zwinęliśmy żagle, a jacht zbliżał się do wyspy, zastanawiałam się, co będzie z nami, gdy Gra dobiegnie końca. Oczywiście Minnie mówiła, że Gra nigdy się nie skończy. Ja jednak wiedziałam w głębi serca, że – przynajmniej dla nas – skończy się, i to już niebawem.

Wszędzie dookoła łodzie podskakiwały na falach jak błyszczące zabawki. Im bardziej zbliżaliśmy się do wybrzeży wyspy, tym ruch wokół nas robił się coraz większy. Wielobarwne flagi i wytargane wiatrem żagle trzepotały na tle spienionej wody, mieszając się z ciemnym połyskiem milczących jachtów i małych motorówek kręcących się z warkotem między nimi jak ważki. Co pewien czas dostrzegałyśmy szare burty jednostek Straży Przybrzeżnej sunących z pyrkotem przed siebie, a także wielkie okręty wojenne zacumowane przy nabrzeżu. Było tego tak wiele, że zaczęłam zachodzić w głowę, co się właściwie dzieje. Lily udzieliła jednak odpowiedzi na moje pytanie.

– Nie wiem, czy to szczęście czy pech – powiedziała do Solarina – ale ci wszyscy ludzie to nie nasz komitet powitalny. Wiesz, co dzisiaj mamy? Święto Pracy!

Oczywiście. I – jeśli się nie myliłam – było to również zamknięcie sezonu żeglarskiego, co tłumaczyło to szaleństwo wokół nas.

Gdy dotarliśmy do Shinnerock Inlet, łodzi wokół nas było tak wiele, że prawie nie można było płynąć. W kolejce do zatoki stało około czterdziestu łodzi, więc popłynęliśmy dziesięć mil dalej do Moriches Inlet. Tamtejsza Straż Przybrzeżna była tak bardzo zajęta holowaniem łodzi i wyciąganiem pijaków z wody, że nie trzeba się było obawiać, iż zauważą coś tak małego jak nasz kecz pełen nielegalnych imigrantów i kontrabandy, który wpłynął sobie cichutko drogą śródlądową, nie wzbudzając nawet ich podejrzeń.

Tutaj zdawało się, że kolejka porusza się szybciej, więc Lily i ja zwinęłyśmy żagle, a Solarin szybko włączył silnik i przywiązał pływaki do burt, by uchronić nas przed uderzeniami przepływających łodzi. Jakiś jacht płynący w przeciwnym kierunku przepłynął bardzo blisko. Jego pasażer w żeglarskim stroju przechylił się przez burtę i podał Lily plastikowy kieliszek szampana z jakąś kartką przyczepioną do nóżki. Było to zaproszenie na drinka na godzinę szóstą w Klubie Jachtowym w Southampton.

Zdawało mi się, że minęło wiele godzin, odkąd znaleźliśmy się w tym tłoku, a stałe napięcie wyciągało z nas wszystkie siły. Wokół nas, na pokładach łodzi ludzie bawili się i dokazywali. Pomyślałam sobie, że tak samo jak na wojnie w życiu ostatnia faza – ostatnia konfrontacja – jest rozstrzygająca. Tak samo z żołnierzem – nierzadko ma już w kieszeni wszystkie dokumenty zwalniające do cywila i dostaje kulkę od snajpera, gdy wchodzi na stopnie samolotu, który ma go zabrać do domu. Choć nie groziło nam nic oprócz 50 000 dolarów cła i dwudziestu lat za przeszmuglowanie radzieckiego szpiega, nie mogłam zapomnieć, że Gra trwa nadal.

Wreszcie wpłynęliśmy do zatoki i popłynęliśmy w kierunku plaży Westhampton. W pobliżu nie było gdzie zacumować, więc Solarin zostawił mnie i Lily na molo z Cariocą, torbą z figurami i kilkoma innymi, które zawierały nasz skąpy dobytek. Następnie zarzucił kotwicę w zatoce, a sam rozebrał się do kąpielówek i popłynął do plaży. Zaszłyśmy do miejscowego pubu, by Solarin mógł włożyć suche ubranie i abyśmy mogli ustalić dalsze plany. Siedzieliśmy oszołomieni, a Lily poszła do budki, by zadzwonić do Mordechaja.

– Nie dodzwoniłam się – poinformowała nas, wróciwszy do stolika, gdzie czekały już trzy Krwawe Mary z patyczkami selera.

Musieliśmy dotrzeć do Mordechaja z tymi figurami. Albo przynajmniej wydostać się stąd, zanim go znajdziemy.

– Mój przyjaciel, Nim, ma dom niedaleko Montauk Point, godzinę jazdy stąd – powiedziałam im. – Tu zatrzymuje się kolejka Long Island Railroad. Moglibyśmy wysiąść w Quogue. Sądzę, że powinniśmy mu zostawić wiadomość, że jedziemy, i bezzwłocznie wyruszyć. Jazda na Manhattan to zbyt wielkie niebezpieczeństwo. – Cały czas myślałam o tym mieście z labiryntem jednokierunkowych ulic: jakże łatwo byłoby tam wpaść w pułapkę bez wyjścia. Po tych wszystkich wysiłkach oznaczałoby to kardynalny błąd.

– Mam pomysł – rzuciła Lily. – A może ja pójdę do Mordechaja? Nigdy nie odchodzi daleko od swojej diamentowej dzielnicy, która nie jest znowu taka długa. Na pewno jest w księgarni, gdzie go poznałaś, lub w jednej z pobliskich restauracji. Mogę pojechać do siebie, wziąć samochód i przywieźć go tutaj na wyspę. Weźmiemy ze sobą te figury, o których mówiła Minnie, i zadzwonimy do was do Montauk Point, gdy przyjedziemy.

– Nim nie ma telefonu – powiedziałam. – Z wyjątkiem tego, który podłączony jest do komputera. Mam nadzieję, że odbiera wiadomości, w przeciwnym razie będziemy tam tkwić w nieskończoność.

– Ustalmy więc, kiedy się spotykamy – zaproponowała Lily. – Może dzisiaj o dziewiątej wieczór? To da mi czas, by znaleźć Mordechaja, opowiedzieć mu o naszych przygodach i moich osiągnięciach szachowych... no wiecie, to przecież mój dziadek. Nie widziałam go od tylu miesięcy.

Zgodziwszy się na ten całkiem rozsądny plan, zostawiłam w komputerze Nima informację, że przyjeżdżamy pociągiem za godzinę. Potem dopiliśmy nasze drinki i poszliśmy piechotą na stację – Lily miała pojechać dalej, na Manhattan do Mordechaja, a ja z Solarinem w przeciwnym kierunku.

Pociąg Lily przyjechał przed naszym. Wsiadłszy z Cariocą pod pachą, powiedziała:

– Gdybym miała jakieś kłopoty z przyjazdem na czas, zostawię wiadomość pod tym numerem komputerowym, który mi dałaś.

Studiowanie rozkładu jazdy na niewiele się zdało. Koleje na Long Island chyba już zwyczajowo ustalają czas odjazdu pociągów, rzucając kości. Siedziałam na ławce z zielonych listewek, patrząc na kłębiące się wokół mnie tłumy pasażerów. Solarin położył torby na ziemi i usiadł obok mnie.

Spojrzał znowu na pusty tor i westchnął sfrustrowany:

– Można by pomyśleć, że to Syberia. Sądziłem, że ludzie na Zachodzie są bardziej punktualni, a pociągi odjeżdżają o czasie.

Poderwał się z miejsca i zaczął krążyć tam i z powrotem jak

zwierzę w klatce. Nie mogłam na to patrzeć, więc zarzuciłam torbę na ramię i też wstałam. W tym momencie zapowiedzieli nasz pociąg.

Choć z Quogue do Montauk Point jest około czterdziestu pięciu mil, podróż trwała całą godzinę. Gdy dodało się do tego przejście na stację w Quogue i czekanie na peronie, zrobiły się dwie godziny od momentu, gdy zostawiłam wiadomość w komputerze. Mimo wszystko jednak wcale się nie spodziewałam, że Nim przyjdzie na stację; czasem sprawdzał wiadomości w komputerze tylko raz w miesiącu.

Dlatego też ogarnęło mnie wielkie zdumienie, kiedy wysiadając z wagonu, dostrzegłam w tłumie pociągłą, chudą twarz Nima, który posuwał się w moim kierunku. Wiatr rozwiewał jego miedziane włosy, a długi, biały szalik trzepotał na wszystkie strony. Ujrzawszy mnie, wykrzywił twarz jak wariat, zamachał rękami, a potem puścił się kłusem, roztrącając ludzi, którzy nerwowo ustępowali mu z drogi, chcąc uniknąć zderzenia. Gdy wreszcie dobiegł, chwycił mnie za ramiona, objął, zanurzył twarz w moich włosach i uścisnął tak mocno, że omal się nie udusiłam. Podniósł mnie i zakręcił dookoła, a potem postawił na ziemi i przyjrzał mi się uważnie. Miał łzy w oczach.

– Mój Boże, mój Boże – szeptał i potrząsał głową. – Myślałem, że nie żyjesz. Nie spałem ani chwili, odkąd dowiedziałem się, jak opuściłaś Algier. Ta burza... potem kompletnie straciliśmy cię z oczu! – Patrzył na mnie i patrzył. – Naprawdę myślałem, że wysłałem cię na pewną śmierć...

– Muszę powiedzieć, że bynajmniej nie wpłynąłeś na poprawę mojego zdrowia – przyznałam.

W dalszym ciągu uśmiechał się do mnie promiennie i przytulał w kolejnym uścisku, gdy nagle poczułam, że cały sztywnieje. Wypuścił mnie powoli z objęć, a ja spojrzałam na niego. Patrzył nad moim ramieniem, a na twarzy malowało się mu coś, co stanowiło mieszankę zdumienia i niedowierzania. A może był to lęk – nie wiem.

Zerknąwszy przez ramię, zobaczyłam, jak Solarin schodzi po stopniach wagonu, dźwigając naszą kolekcję płóciennych toreb. Patrzył na nas, a jego twarz była tą samą nieprzeniknioną, zimną maską, którą widziałam pierwszego dnia w klubie. Wpatrywał się w Nima, a jego ciemnozielone oczy lśniły w promieniach popołudniowego słońca. Odwróciłam się do Nima z wyjaśnieniem, lecz zobaczyłam jego poruszające się bezgłośnie wargi. Stał, patrząc na Solarina, jakby zobaczył potwora albo ducha.

– Sasza? – szeptał zdławionym głosem. – Sasza...

Spojrzałam szybko na Solarina, który stał na stopniach, blokując wyjście stojącym za nim pasażerom. Oczy miał pełne łez, które zaczęły mu spływać po policzkach.

– Sława! – krzyknął łamiącym się głosem. Upuścił torby na ziemię, rzucił się pędem, minął mnie i chwycił Nima w ramiona z taką siłą, że myślałam, iż za chwilę pogruchoczą sobie kości.

Pobiegłam po upuszczoną torbę, w której były figury. Gdy wróciłam, w dalszym ciągu płakali. Nim kurczowo obejmował Solarina, co chwila odsuwał go od siebie, przyglądał mu się i znów miażdżył go w uścisku. Pasażerowie omijali ich jak woda opływająca duży kamień, obojętni jak tylko nowojorczycy to potrafią.

– Sasza, Sasza – powtarzał Nim

Solarin wtulał twarz w jego szyję, a z zamkniętych oczu spływały mu łzy. Jedną ręką trzymał się ramienia Nima, jakby za chwilę miał upaść. Nie wierzyłam własnym oczom.

Gdy zniknął już ostatni pasażer, wróciłam po resztę naszych bagaży.

Kiedy podniosłam wzrok, Nim z Solarinem szli właśnie w moim kierunku, obejmując się i co chwila spoglądając na siebie, jakby nie dowierzali własnym oczom, zaczerwienionym teraz od łez.

– Wygląda na to, że już się kiedyś widzieliście – rzekłam z irytacją w głosie, zastanawiając się, dlaczego wcześniej nikt m i o tym nie powiedział.

– Co najmniej dwadzieścia lat temu – odparł Nim, uśmiechając się do Solarina. Potem spojrzał na mnie swoimi dziwnymi, dwukolorowymi oczami. – Nie uwierzysz, moja droga, jaką radość mi sprawiłaś. Sasza jest moim bratem.

Mały morgan Nima był rzeczywiście za mały, żeby pomieścić całą naszą trójkę, nie mówiąc już o bagażach. W związku z tym Solarin usiadł na torbie z figurami, ja usiadłam mu na kolanach, a reszta naszych toreb została upchnięta we wszystkich możliwych zakamarkach. Gdy odjeżdżaliśmy ze stacji, Nim co chwilę patrzył na Solarina z niedowierzaniem i radością.

Był to dziwny widok: ci dwaj mężczyźni, zwykle tak opanowani, a teraz nie potrafiący powściągnąć emocji, emocji głębokich i ciemnych jak ich rosyjskie dusze, emocji, których siłę nawet ja wyraźnie czułam. Samochód pędził przed siebie, wiatr gwizdał w szczelinach. Bardzo długo jechaliśmy w całkowitym milczeniu. Potem Nim wyciągnął rękę i ścisnął mnie za kolano, które starałam się trzymać z dala od drążka skrzyni biegów.

– Chyba powinienem ci wszystko wyjaśnić – powiedział.

– Byłoby mi bardzo miło – zgodziłam się.

Uśmiechnął się.

– Tylko dla twojego bezpieczeństwa, i naszego, nie zrobiłem tego wcześniej. Aleksander i ja nie widzieliśmy się od dzieciństwa. Gdy nas rozdzielono, on miał sześć lat, a ja dziesięć... – Wciąż miał łzy w oczach i dotknął włosów Solarina, jakby nie mógł powstrzymać się przed tym gestem.

– Może ja opowiem – zaproponował Solarin przez łzy.

– Obaj to opowiemy – rzekł Nim.

I gdy jechaliśmy wzdłuż wybrzeża otwartym samochodem w kierunku posiadłości Nima, usłyszałam opowieść, z której dowiedziałam się po raz pierwszy, ile kosztowała ich Gra.

OPOWIEŚĆ DWÓCH FIZYKÓW

Urodziliśmy się na Krymie – tym słynnym półwyspie nad Morzem Czarnym, opisywanym przez Homera. Rosja zawsze ostrzyła sobie na niego zęby, zwłaszcza od czasów Piotra Wielkiego, i nadal czyniła wszelkie starania, gdy wybuchła wojna krymska.

Nasz ojciec był greckim żeglarzem, który zakochał się w Rosjance i poślubił ją – to była nasza matka. Potem został zamożnym kupcem morskim i miał flotę niewielkich statków.

Po drugiej wojnie światowej wszystko się rozsypało. Świat był jednym wielkim bałaganem, a nigdzie nie czuło się tego wyraźniej niż nad Morzem Czarnym, otoczonym przez państwa, które wciąż uważały, że prowadzą wojnę. Lecz tam, gdzie mieszkaliśmy, życie było piękne. Śródziemnomorski klimat południowego wybrzeża, oliwki, drzewka laurowe i cyprysy chronione przed śniegiem i ostrymi wiatrami przez pobliskie góry, wiśniowe sady. Tysiące razy nasz ojciec zastanawiał się nad wyjazdem. A mimo to – mimo iż znał wielu ludzi pływających po Dunaju i Bosforze, którzy zapewniliby nam bezpieczną podróż – nigdy nie mógł się na to zdobyć. Dokąd pojechać? – pytał. Na pewno nie do Grecji ani do zachodniej Europy, która wciąż dochodziła do siebie po wojnie. I wtedy właśnie wydarzyło się coś, co sprawiło, że zmienił zdanie. Coś, co miało odmienić bieg naszego życia.

Był koniec grudnia 1953 roku. Zbliżała się północ i nadchodziła burza. Leżeliśmy już w łóżkach, okna i okiennice domu były zamknięte, a ogień przygaszony. My jako pierwsi dosłyszeliśmy pukanie w okno. Pod oknem rosło drzewo granatu, którego gałęzie uderzały o okiennice, ale to było stukanie ludzkiej ręki. Otworzyliśmy okno i okiennice – a na zewnątrz, w burzy, stała siwowłosa kobieta odziana w długą, czarną pelerynę. Uśmiechnęła się do nas i weszła do środka. Tam przyklęknęła przed nami na podłodze. Była taka piękna.

– Jestem Minerwa, wasza babka – przedstawiła się. – Ale mówcie na mnie Minnie. Przebyłam długą drogę i jestem zmęczona, lecz nie mam czasu na odpoczynek. Grozi mi niebezpieczeństwo. Idźcie, obudźcie waszą matkę i powiedzcie, że przybyłam. – Objęła nas z wielką godnością, a potem my pomknęliśmy na górę.

– A więc wreszcie przyjechała ta twoja babka – rzekł ojciec do matki, przecierając oczy.

Zdziwiło mnie to, gdyż Minnie powiedziała, że jest naszą babką. Jakże więc mogła być babką naszej matki? Ojciec objął ramionami kobietę, którą kochał, a która teraz stała boso w ciemnościach, drżąc ze strachu. Ucałował jej miedziane włosy, a potem oczy.

– Tak długo czekaliśmy w strachu – wyszeptał. – Teraz nareszcie wszystko się skończyło. Ubierz się. Ja zejdę, by się z nią spotkać. Rzuciliśmy się przed ojcem i zbiegliśmy na dół, gdzie Minnie siedziała przy dogasającym ogniu. Spojrzała swoimi wielkimi oczami na zbliżającego się ojca, po czym wstała, by go uściskać.

– Józefie Pawłowiczu, ścigają mnie – powiedziała płynnie po rosyjsku. – Nie ma czasu. Musimy wszyscy uciekać. Masz dla nas jakiś statek w Jałcie lub Sewastopolu teraz, dzisiejszej nocy?

– Nie jestem przygotowany na coś takiego – zaczął ojciec, kładąc nam ręce na ramionach. – Nie mogę zabrać mojej rodziny w taką noc i w taką pogodę. Powinnaś była jakoś nas ostrzec, dać nam wcześniej znać. Nie możesz żądać ode mnie takich rzeczy, przychodząc w ostatniej chwili i to w samym środku nocy...

– Powtarzam, że wszyscy musimy uciekać! – krzyknęła, odpychając nas i chwytając go za rękę. – Od piętnastu lat wiedziałeś, że nadejdzie ten dzień, i dziś właśnie nadszedł. Jak możesz mówić, że nie otrzymałeś ostrzeżenia? Jechałam tutaj z Leningradu...

– Więc znalazłaś je? – spytał ojciec podnieconym głosem.

– Nie było śladu szachownicy. Lecz te zdobyłam w inny sposób. – Podeszła do stołu, odsunęła pelerynę i wyjęła trzy lśniące figury szachowe ze srebra i złota. – Były ukryte w różnych miejscach Rosji.

Nasz ojciec stał, nie mogąc oderwać oczu od figur, a my – chłopcy – podeszliśmy bliżej, by delikatnie ich dotknąć. Złoty pionek i srebrny słoń wysadzane błyszczącymi kamieniami, i koń ze srebrnego filigranu stojący dęba, z rozdętymi chrapami.

– Musisz iść teraz do portu i znaleźć statek – wyszeptała Minnie. – Przyłączę się do ciebie z moimi dziećmi, gdy będą ubrane i spakowane. Lecz na miłość boską pośpiesz się. I zabierz je ze sobą. – Wskazała na figury.

– To są moje dzieci i moja żona – zaprotestował ojciec. – I muszę być odpowiedzialny za ich bezpieczeństwo.

Minnie zbliżyła się do niego, a jej oczy płonęły silniejszym blaskiem niż figury.

– Jeśli te figury wpadną w niepowołane ręce, nie będziesz w stanie nikomu zapewnić bezpieczeństwa – syknęła.

Nasz ojciec spojrzał jej w oczy i podjął decyzję. Skinął głową.

– Mam szkuner w Sewastopolu. Sława wie, jak go znaleźć. Będę gotów do wypłynięcia najdalej za dwie godziny. Bądźcie tam i niech Bóg sprzyja nam w naszej misji. – Minnie uścisnęła mu rękę, a ojciec pobiegł szybko po schodach na górę. Nasza babka, którą ujrzeliśmy wtedy po raz pierwszy w życiu, kazała się nam natychmiast ubierać. Rodzice zeszli na dół, ojciec raz jeszcze uściskał matkę i wtulił twarz w jej włosy, jakby chciał zapamiętać ich zapach. Później ponownie pocałował ją w czoło i odwrócił się do Minnie, która podała mu figury. Skinął poważnie głową i znikł w ciemnościach nocy.

Matka z zaczerwienionymi oczami stała przed lustrem, czesząc włosy i wydając nam polecenia, posyłając nas na górę lub na dół po różne przedmioty. Gdy szliśmy na górę, usłyszeliśmy jej cichy głos:

– A więc przyszłaś. Niech Bóg pokara cię za to, że znów rozpoczęłaś tę straszną Grę. Myślałam, że skończyła się na zawsze.

– To nie ja ją zaczęłam – odparła Minnie. – Bądź wdzięczna za te piętnaście lat spokoju, piętnaście lat z mężem, którego kochasz, i dziećmi, które zawsze miałaś przy sobie. Piętnaście lat bez ciągłego niebezpieczeństwa. Mnie nie było dane nawet tyle. Nie zapominaj, że to ja przez ten cały czas trzymałam cię z dala od Gry...

Więcej nie usłyszeliśmy, gdyż ich głosy przeszły w szept. Po chwili przed domem rozległ się tupot kroków i łomotanie do drzwi. Spojrzeliśmy na siebie w ciemnościach i wybiegliśmy z pokoju. Nagle w drzwiach stanęła Minnie, a jej twarz płonęła jakimś nieziemskim światłem. Słyszeliśmy kroki naszej matki biegnącej na górę po schodach, trzask pękających drzwi i krzyki mężczyzn.

– Przez okno! – powiedziała Minnie, wystawiając nas na gałęzie figowca porastającego południową ścianę jak winorośl, na który wspinaliśmy się setki razy. Byliśmy w połowie drogi w dół, zwieszając się z gałęzi jak małpy, gdy usłyszeliśmy krzyk naszej matki.

– Uciekajcie! – krzyknęła. – Ratujcie życie! – Potem wszystko ucichło, tylko deszcz lał się na nas strugami, a my zniknęliśmy wśród drzew sadu.

Wielkie żelazne wrota prowadzące do posiadłości Nima otwarły się na oścież. Drzewa rosnące wzdłuż podjazdu połyskiwały delikatnie w ukośnych promieniach popołudniowego słońca. Na końcu podjazdu znajdowała się fontanna, zamarznięta zimą, a teraz otoczona przez jaskrawe dalie i cynie, a cichy plusk tryskającej z niej wody odbijał się wyraźnie od szumu pobliskiego oceanu.

Nim podjechał pod frontowe drzwi i spojrzał na mnie. Ponieważ siedziałam na kolanach Solarina, czułam nerwowe napięcie jego ciała.

– Wtedy widzieliśmy naszą matkę ostatni raz – powiedział Nim. – Minnie skoczyła z okna na pierwszym piętrze na miękką ziemię. Gdy wstała, pociągnęła nas w głąb sadu. Nawet przez szum deszczu słyszeliśmy krzyki naszej matki i tupot nóg w domu. „Przeszukajcie las!" – wrzasnął ktoś, gdy Minnie ciągnęła nas w kierunku urwiska. – Nim przerwał, patrząc na mnie.

– Mój Boże – odezwałam się, czując, że drżę na całym ciele. – Złapali waszą matkę... A jak uciekliście?

– Na skraju sadu były kamienne urwiska, opadające do morza – ciągnął Nim. – Gdy dotarliśmy tam, Minnie pomogła nam skryć się pod osłoną skalnego występu. Widziałem, że trzyma coś w ręce, coś, co przypominało małą, oprawioną w skórę Biblię. Wyjęła nóż i wycięła z książki kilka stron, a potem złożyła je i wsunęła mi za koszulę. Następnie kazała mi uciekać – biec jak najszybciej na statek. Miałem powiedzieć ojcu, by czekał na nią i Saszę, ale tylko godzinę. Jeśli nie dotrą w tym czasie, ojciec i ja mamy uciekać, by uratować figury. Najpierw nie chciałem się zgodzić na rozstanie z moim bratem. – Nim spojrzał poważnie na Solarina.

– Niestety, miałem tylko sześć lat – rzekł Solarin. – I nie potrafiłem biec tak szybko jak Sława, który był starszy o cztery lata i szybki jak wiatr. Minnie obawiała się, że jeśli będę opóźniał ucieczkę, aresztują nas wszystkich. Odchodząc, Sława pocałował mnie w czoło i powiedział, że mam być dzielny... – Spojrzałam na Solarina i zobaczyłam, że wspominając dzieciństwo, ma łzy w oczach. – Zdawało się nam, Minnie i mnie, że całymi godzinami przemierzamy te urwiska w szalejącej burzy. Wreszcie dotarliśmy do doków w Sewastopolu. Lecz okręt mojego ojca już odpłynął.

Nim wysiadł z samochodu z twarzą zastygłą w ponurym grymasie i podszedł z mojej strony, by otworzyć mi drzwi i podać rękę.

– Wiele razy się przewracałem – ciągnął Nim, pomagając mi wysiąść z samochodu. – Ślizgałem się po błocie i kamieniach, ale pędziłem do ojca. Gdy ujrzał mnie samego, był przerażony. Powiedziałem mu, co się stało i co Minnie mówiła o figurach. Ojciec zaczął płakać. Siedział z głową ukrytą w dłoniach i łkał jak dziecko. „A co by się stało, gdybyśmy jednak wrócili i próbowali ich uratować?" – spytałem. Uniósł głowę, a deszcz zmywał płynące mu z oczu łzy. „Przysięgałem twojej matce, że nigdy do tego nie dopuszczę", odparł, „nawet gdyby miało to nas kosztować życie..."

– To znaczy, że odpłynęliście, nie czekając na Minnie i Aleksandra? – spytałam.

Solarin wysiadł z samochodu i zabrał torbę z figurami.

– To nie było takie proste – odparł smutno Nim. – Czekaliśmy długo, dużo dłużej, niż kazała nam Minnie. Ojciec krążył tam i z powrotem po pokładzie w strugach deszczu. Mnóstwo razy wspinałem się na bocianie gniazdo, próbując ich wypatrzyć. Wreszcie zrozumieliśmy, że nie przyjdą. Na pewno ich złapali – tylko takie mogło być wytłumaczenie. Gdy ojciec odbijał od brzegu, błagałem go, by zaczekał jeszcze chwilkę. Potem powiedział mi po raz pierwszy, że czegoś takiego się spodziewali, a nawet to planowali. Nie wyruszaliśmy ot, tak sobie, na morze. Płynęliśmy do Ameryki. Wiedział o Grze od dnia, gdy poślubił moją matkę, a może nawet wcześniej. Wiedział, że może nadejść taki dzień – że nadejdzie dzień – kiedy pojawi się Minnie i moja rodzina będzie zmuszona do złożenia przerażającej ofiary. I oto nadszedł ten dzień, kiedy to w ciągu zaledwie kilku godzin on i jego rodzina zginęli w mrokach nocy. Jednak pierwszą i najważniejszą rzeczą, jaką ślubował naszej matce, było to, że ocali te figury, które są ważniejsze od wszystkiego, nawet od własnych dzieci.

– Mój Boże! – westchnęłam, patrząc na nich dwóch stojących przed domem. Solarin podszedł do fontanny i zanurzył ręce w wodzie. – Dziwi mnie, że zgodziliście się uczestniczyć w Grze, która w jedną noc zniszczyła całą waszą rodzinę.

Nim jakby od niechcenia położył mi rękę na ramieniu i podeszliśmy do jego brata, który w milczeniu wpatrywał się w fontannę. Solarin zerknął na Nima i jego rękę spoczywającą na moim ramieniu.

– Ty zrobiłaś to samo – rzekł. – A Minnie nie jest nawet twoją babką. Lecz rozumiem, że to Sława wciągnął cię do Gry? Jego twarz i głos nie zdradzały, co dzieje się w jego głowie, choć nietrudno się było domyślić. Unikałam jego wzroku. Nim ścisnął moje ramię.

– *Mea culpa* – przyznał z uśmiechem.

– Co działo się z tobą i Minnie, gdy stwierdziliście, że statek waszego ojca odpłynął? – spytałam Solarina. – Jak przeżyliście?

Solarin skubał płatki cynii i wrzucał je do fontanny.

– Zabrała mnie z powrotem do lasu i ukrywaliśmy się, dopóki nie ucichła burza – powiedział zamyślony. – Bardzo długo przedzieraliśmy się wzdłuż wybrzeża, aż dotarliśmy do Gruzji jak dwoje wieśniaków wędrujących na rynek. Gdy oddaliliśmy się od domu na bezpieczną odległość, zatrzymaliśmy się, by pomówić o przyszłości. „Jesteś dostatecznie duży, by zrozumieć, co ci powiem, lecz nie na tyle, by mi pomóc w misji, którą muszę wypełnić. Gdy dorośniesz, skontaktuję się z tobą i powiem ci, co masz zrobić. Teraz jednak muszę wrócić i spróbować uratować twoją matkę. Gdybym wzięła cię ze sobą, tylko byś mi przeszkadzał i narażał na niebezpieczeństwo". – Solarin spojrzał na nas oszołomiony. – Wszystko zrozumiałem – dodał.

– Minnie wróciła zatem, by uratować twoją matkę z rąk milicji? – spytałam.

– Ty zrobiłaś to samo dla swojej przyjaciółki Lily, nieprawdaż? – odpowiedział pytaniem.

– Minnie umieściła Saszę w sierocińcu – przerwał Nim, przytulając mnie mocno i patrząc na brata. – Ojciec zmarł wkrótce po naszym przybyciu do Ameryki, więc musiałem sam sobie radzić, całkiem jak Sasza w Rosji. Choć nigdy nie byłem pewien, zawsze w głębi serca wiedziałem, że szachowe cudowne dziecko – Solarin – o którym czytałem w gazetach, to naprawdę mój brat. Nazwałem się Nim – to taki prywatny dowcip, gdyż tak właśnie zarabiałem na życie – kradnąc, ile się dało. To właśnie Mordechaj, którego spotkałem w Metropolitan Club pewnego wieczoru, odkrył, kim jestem naprawdę.

– A co się stało z waszą matką?

– Minnie zjawiła się za późno, by jej pomóc – odparł smutno Solarin, odwracając głowę. – Sama ledwo uciekła z Rosji. Nieco później dostałem od niej list. Nie był to właściwie list, tylko wycinek z „Prawdy". Choć nie było ani daty, ani adresu nadawcy, był on wysłany ze Związku Radzieckiego i wiedziałem, kto go wysłał. W artykule napisano, że słynny arcymistrz szachowy, Mordechaj Rad, będzie podróżował po Związku Radzieckim, wygłaszając prelekcje na temat statusu szachów jako sportu, dając pokazy i poszukując utalentowanych dzieci, ponieważ pisze właśnie książkę o cudownych dzieciach szachistach. Tak się składało, że jednym z miejsc, które miał odwiedzić, był mój sierociniec. Minnie usiłowała skontaktować się ze mną.

– A reszta jest historią – powiedział Nim, który cały czas trzymał rękę na moim ramieniu. Teraz objął drugim ramieniem Solarina i wprowadził nas do środka.

Przeszliśmy wielkie, słoneczne pokoje pełne wazonów z kwiatami i wypolerowanych mebli lśniących w promieniach słońca. W gigantycznej kuchni słońce tworzyło na podłogowych kafelkach złociste kałuże światła. Kwieciste sofy były nawet weselsze niż w mojej pamięci.

Nim spojrzał na mnie z czułością.

– Przywiozłaś mi największy dar – rzekł. – To, że Sasza jest tutaj, to prawdziwy cud. Ale największym cudem jest to, że żyjesz. Nigdy bym sobie nie wybaczył, gdyby coś ci się stało. – Objął mnie raz jeszcze, po czym poszedł do spiżarni.

Solarin położył na ziemi torbę z figurami, stanął przy oknie i patrzył przez zielone trawniki w kierunku morza. Łodzie unosiły się na falach jak mewy.

– To piękny dom – stwierdził łagodnie, spoglądając na fontannę na trawniku; woda spływała z jednego poziomu na drugi i wpadała do turkusowego basenu. Solarin milczał przez chwilę, a potem powiedział: – Mój brat kocha się w tobie.

Poczułam, że żołądek zbija mi się w zimną kulę.

– Nie wygłupiaj się – rzuciłam.

– O tym musimy pomówić – odparł, odwracając się i patrząc na mnie tymi zielonymi oczami, które zawsze sprawiały, że robiło mi się słabo. Chciał mi położyć rękę na włosach, lecz w tej samej chwili wszedł Nim z butelką szampana i kilkoma kieliszkami. Podszedł do nas i postawił wszystko na niskim stoliku przy oknie.

– Jest tyle spraw do omówienia, tyle do powspominania – powiedział do Solarina, otwierając butelkę. – Nadal trudno mi uwierzyć, że tutaj jesteś. Chyba już nigdy cię nie puszczę... – Może będziesz musiał – powiedział Solarin, po czym wziął mnie za rękę i poprowadził w kierunku sofy. Usiadł obok mnie, podczas gdy Nim nalewał szampana. – Teraz, gdy Minnie wypadła z Gry, ktoś musi pojechać do Rosji i zdobyć szachownicę.

– Wypadła z Gry? – spytał Nim, a ręka z butelką zastygła mu w powietrzu. – Jak mogła? To niemożliwe.

– Mamy nową Czarną Królową. – Solarin uśmiechnął się na widok wyrazu jego twarzy. – Tę, którą sam wybrałeś.

Nim wbił wzrok we mnie. Nagle zrozumiał wszystko.

– A niech to diabli! – zaklął, wracając do szampana. – Teraz znikła bez śladu, zostawiając nam całą robotę.

– Niezupełnie – rzekł Solarin. Sięgnął do kieszeni i wyciągnął kopertę. – Dostałem ją od Minnie, jest zaadresowana do Catherine. Miałem jej to dać zaraz po przyjeździe. Choć jej nie otwierałem, to przypuszczam, że zawiera informacje, które mogą być istotne dla nas wszystkich.

Wręczył mi zaklejoną kopertę, którą właśnie miałam otworzyć, gdy nagle do naszych uszu doszedł brzęczący dźwięk, który zidentyfikowałam dopiero po chwili. To był dzwonek telefonu. Telefon dzwonił!

– Sądziłam, że nie masz telefonu. – Spojrzałam na Nima oskarżycielskim wzrokiem, a on pośpiesznie odstawił butelkę.

– Bo nie mam – odparł z napięciem w głosie. Wyjął z kieszeni klucz i podbiegł do jednego z kredensów. Ze środka wyciągnął coś, co dzwoniło i przypominało telefon. – Ten telefon należy do kogoś innego, to coś w rodzaju „gorącej linii".

Solarin i ja zerwaliśmy się z miejsc.

– Mordechaj! – wyszeptałam, biegnąc do rozmawiającego Nima. – Na pewno jest tam Lily.

Nim spojrzał na mnie ponuro i podał mi słuchawkę.

– Ktoś chce zamienić z tobą kilka słów – powiedział cicho, zerkając na Solarina z dziwnym wyrazem twarzy.

– Mordechaj, tu Cat. Jest tam Lily? – spytałam.

– Kochanie! – zahuczał głos, który zawsze sprawiał, że odsuwałam słuchawkę od ucha: Harry Rad! – Rozumiem, że odbyłaś pomyślnie wędrówkę z tymi Arabami! Spotkamy się, żeby to oblać. Ale, kochanie, z przykrością muszę powiedzieć, że chyba coś się wydarzyło. Jestem tu z Mordechajem. Zadzwonił do mnie i powiedział, że Lily telefonowała. Mówiła, że jedzie tutaj z Grand Central Station. Więc popędziłem natychmiast. Ale ona nie przyjechała...

Nie wierzyłam własnym uszom.

– Myślałam, że nie rozmawiacie z Mordechajem! – krzyczałam do słuchawki.

– Kochanie, to jest meszuge – odparł uspokajająco Harry. – Mordechaj jest moim ojcem. Oczywiście, że z nim rozmawiam. Rozmawiam z nim nawet teraz, a przynajmniej on mnie słucha.

– Ale Blanche powiedziała...

– A to już zupełnie inna historia – wyjaśnił Harry. – Wybacz, że powiem coś takiego, lecz moja żona i szwagier nie są zbyt miłymi ludźmi. Bałem się o Mordechaja przez cały czas, odkąd poślubiłem Blanche Regine, jeśli wiesz, o co mi chodzi. To ja nie pozwalam mu przychodzić do domu...

Blanche Regine. Blanche Regine?! Oczywiście! Ale ze mnie idiotka! Dlaczego, u licha, nie zauważyłam tego wcześniej? Blanche i Lily – Lily i Blanche – przecież oba słowa kojarzą się z bielą, prawda? Córce dała na imię Lily, mając nadzieję, że pójdzie w jej ślady. Blanche Regine – Biała Królowa!

Stałam, ściskając słuchawkę, a w mózgu mi wirowało. Solarin i Nim stali w milczeniu. Oczywiście, że to był Harry – cały czas on! Harry, którego Nim wysłał do mnie jako klienta; Harry, który na siłę zaprzyjaźnił mnie ze swoją rodziną; Harry, który wiedział, że jestem znawcą komputerów, tak samo jak Nim. Harry, który zaprosił mnie na spotkanie z wróżką – przecież w istocie to on nalegał, bym przyjechała do Nowego Jorku w ten właśnie wieczór, a nie żaden inny.

Potem był ten wieczór, kiedy zaprosił mnie do siebie na kolację – to całe jedzenie i te wszystkie przystawki – i trzymał tak długo, że Solarin mógł spokojnie wślizgnąć się do mojego mieszkania i zostawić tam wiadomość! To Harry podczas tej kolacji, jak gdyby nigdy nic, poinformował pokojówkę Valérie, że udaję się do Algieru – Valérie, której matką była Thérèse, telefonistka pracująca w Algierze dla Kamela, i której młodszy brat, Wahad, mieszkał w kasbie i strzegł Czarnej Królowej! To właśnie Harry'ego oszukiwał Saul, pracując dla Blanche i Llewellyna. I może to Harry wrzucił ciało Saula do East River, żeby upozorować morderstwo na tle rabunkowym – i to nie tylko po to, by oszukać policję, lecz także własnych krewnych! To Harry, a nie Mordechaj, wysłał Lily do Algieru. Gdy przyznała się, że była na tym meczu szachowym, niebezpieczeństwo groziło jej nie tylko ze strony Hermanolda – który był pionkiem – lecz ze strony rodzonej matki i wuja!

I na koniec to przecież Harry ożenił się z Blanche – Białą Królową – tak samo jak Mireille przekonała Talleyranda, by poślubił kobietę z Indii. Lecz Talleyrand był tylko Skoczkiem!

– Harry, jesteś Czarnym Królem! – powiedziałam wstrząśnięta.

– Kochanie... – rzekł uspokajająco do słuchawki. Oczami wyobraźni widziałam obwisłe policzki upodabniające go do bernardyna i te smutne oczy. – Wybacz, że tak długo utrzymywałem to w tajemnicy. Teraz jednak rozumiesz całą sytuację. Jeśli Lily nie jest teraz z tobą...

– Zadzwonię do ciebie później – przerwałam. – Muszę kończyć rozmowę.

Rozłączyłam się i złapałam za ramię Nima, na którego twarzy malował się prawdziwy strach.

– Połącz się ze swoim komputerem – rzuciłam krótko. – Chyba wiem, dokąd poszła, lecz powiedziała, że zostawi wiadomość w komputerze, gdyby coś było nie tak. Mam tylko nadzieję, że nie podjęła żadnych pochopnych kroków.

Nim wykręcił numer, modem się włączył, gdy uzyskał połączenie. Przytknęłam ucho do słuchawki i po chwili nowoczesna technologia zafundowała mi cyfrowo odtworzony głos Lily: „Jestem na Palm Court przy Plaza". Może to tylko moja wyobraźnia, lecz miałam wrażenie, że ten cyfrowy głos drży jak prawdziwy. „Poszłam do siebie, żeby wziąć kluczyki, które trzymamy w tym sekretarzyku w salonie. Ale mój Boże..." Głos się urwał, czułam, jak narasta panika. „Pamiętasz ten obrzydliwy sekretarzyk Llewellyna z miedzianymi uchwytami? To nie są wcale miedziane uchwyty – to figury! Sześć sztuk wbudowanych w biurko. Spody figur wysuwają się jak gałki, a same figury są ukryte w fałszywych panelach w szufladach! Te szuflady są zawsze zamknięte, lecz nigdy nie pomyślałam... więc wzięłam nóż kuchenny i młotek z kuchni i rozbiłam jedną z przegródek. Wyjęłam dwie figury, a potem usłyszałam, że ktoś wchodzi do mieszkania. Wybiegłam tylnym wyjściem i zjechałam windą dla służby. Mój Boże, musisz natychmiast przyjechać. Nie mogę wrócić tam sama..." Odwiesiła słuchawkę. Czekałam na kolejną wiadomość, lecz to był koniec, więc odłożyłam słuchawkę.

– Musimy jechać – powiedziałam do Nima i Solarina, którzy stali nieco zdenerwowani. – Wszystko wyjaśnię po drodze.

– A co z Harrym? – spytał Nim, gdy wpychałam do kieszeni dziennik Mireille i biegłam po torbę z figurami.

– Zadzwonię do niego i powiem, żeby przyjechał do Plaza – odparłam. – Uruchom samochód. Lily znalazła kolejną partię figur.

Wydawało się, że jazda trwa wieczność. Pędziliśmy na złamanie karku, wymijając wszystkie możliwe samochody, aż wreszcie zielony morgan Nima zahamował z piskiem przed Plaza, płosząc stado gołębi. Wbiegłam do środka i przeszukałam Palm Court, ale nigdzie nie było Lily. Harry powiedział, że poczeka na nas, lecz wokół było pusto – sprawdziłam nawet toaletę.

Wymachując rękoma, pobiegłam więc z powrotem i wpadłam do samochodu.

– Coś jest nie tak – rzuciłam. – Skoro Harry na nas nie zaczekał, to znaczy, że nie było tu Lily.

– Albo był ktoś inny – zamruczał Nim. – Ktoś wchodził do mieszkania, gdy ona uciekała. Na pewno zauważyli, że znalazła figury, może nawet poszli za nią. Pewnie na Harry'ego czekał tu komitet powitalny... – Włączył silnik w zdenerwowaniu. – Gdzie mogli pójść najpierw? Do Mordechaja, po pozostałe dziewięć figur, czy do mieszkania?

– Sprawdźmy najpierw mieszkanie – odparłam. – Jest bliżej. Oprócz tego, gdy rozmawiałam z Harrym przed wyjściem, doszłam do wniosku, że mogę zorganizować własny komitet powitalny. – Nim spojrzał na mnie zdumiony. – Kamel Kader jest w mieście.

Solarin ścisnął moje ramię.

Wszyscy wiedzieliśmy, co to oznacza. Dziewięć figur u Mordechaja, osiem u mnie w torbie i sześć, które Lily widziała w mieszkaniu. To wystarczyło, by zapanować w Grze, a może nawet odczytać wzór. Zwycięzca w tej rundzie wygrywał wszystko.

Nim zahamował przed domem Harry'ego, wyskoczył z samochodu i rzucił kluczyki osłupiałemu odźwiernemu. Potem cała nasza trójka wpadła bez słowa do hallu. Wcisnęłam guzik windy. Odźwierny biegł za nami.

– Czy pan Rad już przyjechał? – rzuciłam przez ramię, gdy drzwi windy otwarły się z sykiem.

Odźwierny spojrzał na mnie ze zdumieniem, a potem skinął głową.

– Jakieś dziesięć minut temu – odparł. – Ze swoim szwagrem...

To przesądziło sprawę. Wskoczyliśmy do windy, zanim zdążył cokolwiek powiedzieć, i już mieliśmy ruszyć, gdy dostrzegłam coś kątem oka. Wystawiłam szybko rękę i zatrzymałam drzwi. Do hallu wbiegła mała, włochata kulka. Gdy schyliłam się, by wziąć ją na ręce, zobaczyłam Lily. Wciągnęłam ją do środka. Drzwi zamknęły się i ruszyliśmy.

– Nie złapali cię! – krzyknęłam.

– Nie, ale mają Harry'ego – odparła. – Bałam się zostać na Palm Court, więc wyszłam na zewnątrz z Ciarocą i czekałam w parku po drugiej stronie ulicy. Harry zachował się jak idiota: zostawił samochód pod domem i poszedł po mnie na piechotę. Okazało się, że śledzili jego, a nie mnie. Widziałam Hermanolda i Llewellyna tuż za nim. Przeszli obok mnie, nawet na mnie spojrzeli. Nie poznali mnie! – stwierdziła zdumiona. – Miałam Ciarocę w torbie razem z dwiema figurami. Są tutaj. – Poklepała torbę. Mój Boże, mieliśmy więc przy sobie całą naszą amunicję. – Szłam za nimi aż tutaj i czekałam po drugiej stronie ulicy, zupełnie nie wiedząc, co robić. Llewellyn był tak blisko Harry'ego, pewnie miał pistolet.

Drzwi się otwarły i Carioca wypadł do hallu. My wyszliśmy za nim. Lily szukała klucza, gdy otwarły się drzwi i stanęła w nich Blanche w białej, połyskliwej sukni koktajlowej, trzymając w ręku kieliszek z szampanem. Na jej twarzy gościł ten sam co zawsze zimny uśmiech.

– No cóż, oto jesteśmy wszyscy razem – powiedziała gładko, nadstawiając mi do pocałowania porcelanowy policzek. Zignorowałam ten gest, więc odwróciła się do Lily. – Weź tego psa i zamknij go w gabinecie – powiedziała chłodno. – Dość już wypadków jak na jeden dzień.

– Chwileczkę – wtrąciłam, gdy Lily schyliła się po psa. – Nie przyjechaliśmy tu na przyjęcie. Co zrobiliście z Harrym? – Minęłam Blanche i weszłam do mieszkania, którego nie oglądałam od pół roku. Nic się nie zmieniło, lecz teraz patrzyłam na nie inaczej – marmurowa posadzka w hallu z biało-czarnych płytek. Końcówka, pomyślałam sobie.

– Czuje się świetnie – odparła Blanche, idąc za mną w kierunku szerokich marmurowych schodów prowadzących do salonu. Solarin, Nim i Lily szli za mną. Llewellyn klęczał przy czerwonym, lakierowanym sekretarzyku, rozbijając szuflady, do których Lily nie zdążyła dotrzeć, i wyjmując pozostałe figury. Na podłodze wokół niego było pełno drzazg. Gdy szłam przez pokój, podniósł wzrok.

– Cześć, kochanie – powiedział, podnosząc się na powitanie. – Z ogromną radością dowiedziałem się, że masz te figury, o które cię prosiłem, tyle tylko, że nie grałaś w tej Grze tak, jak można by sobie tego życzyć. Rozumiem, że przeszłaś na przeciwną stronę. Szkoda. A ja zawsze tak cię lubiłem.

– Nigdy nie byłam po twojej stronie, Llewellyn – rzekłam ze wstrętem. – Chcę widzieć Harry'ego i nie wyjdę stąd, póki go nie zobaczę. Wiem, że macie tu jeszcze Hermanolda, ale nas jest więcej.

– Niezupełnie – odezwała się Blanche z odległego kąta pokoju, nalewając sobie szampana. Zerknęła na Lily, która stała z Cariocą w ramionach, mierząc ją wściekłym spojrzeniem, po czym podeszła bliżej, by przyjrzeć mi się swoimi niebieskimi oczami. – Jest tu jeszcze kilku waszych przyjaciół: pan Brodski z KGB, który w istocie pracuje dla mnie, oraz Szarrif, którego El-Marad był uprzejmy wysłać tu na moją prośbę. Już od dawna czekają tutaj na wasz przyjazd z Algieru, obserwując ten dom dniem i nocą. Wygląda na to, że wybraliście nieco dłuższą drogę.

Rzuciłam krótkie spojrzenie na Solarina i Nima. Powinniśmy się byli spodziewać czegoś takiego.

– Co zrobiłaś z moim ojcem?! – ryknęła Lily, podchodząc do Blanche z zaciśniętymi zębami. Carioca, wtulony w jej ramiona, warczał na Llewellyna.

– Siedzi związany w pokoju w głębi – odparła Blanche, jak zwykle bawiąc się swoim sznurem pereł, które zawsze miała na szyi. – Jest całkowicie bezpieczny i tak pozostanie, jeśli będziecie rozsądni. Chcę figur. Dość już było przemocy – na pewno wszyscy są nią zmęczeni. Nic się nikomu nie stanie, jeśli po prostu oddasz mi figury.

Llewellyn wyjął pistolet z kieszeni.

– A dla mnie nie dość – powiedział spokojnie. – A może tak puścisz tego małego potworka na podłogę, bym mógł spełnić moje największe marzenie?

Lily spojrzała na niego z przerażeniem. Położyłam jej rękę na ramieniu i zerknęłam na Nima i Solarina, którzy przesunęli się bliżej ściany. Uznałam, że już dość straciliśmy czasu – moje figury były na miejscu.

– Najwyraźniej nie śledziłaś, co dzieje się w tej Grze – zwróciłam się do Blanche. – Mam dziewiętnaście figur. Razem z tymi czterema, które zaraz mi dasz, będę mieć dwadzieścia trzy, co wystarczy, by rozwiązać wzór i zwyciężyć. – Kątem oka widziałam, że Nim kiwa głową z uśmiechem. Blanche patrzyła na mnie z niedowierzaniem.

– Chyba oszalałaś! – wybuchnęła. – Mój brat ma cię na muszce. Mój ukochany mąż – Czarny Król – jest zakładnikiem w sąsiednim pokoju. To właśnie cel całej Gry: unieruchomić Króla.

– Ale nie t e j Gry – odparłam, idąc w stronę baru, gdzie stał Solarin. – Możesz właściwie odejść z Gry. Nie znasz celów, posunięć, ba, nawet samych graczy. Nie jesteś jedyną osobą, która wstawiła pionka – takiego jak Saul – do swojego domu. Nie jesteś jedyną osobą, która ma sojuszników w Rosji i Algierii...

Stałam na stopniach z butelką szampana, uśmiechając się do Blanche. Jej zwykle blada cera zrobiła się biała jak papier. Pistolet Llewellyna był wycelowany w tę część mojego ciała, która – zgodnie z moimi życzeniami – miała jeszcze długo tykać, lecz nie sądziłam, by zdobył się na naciśnięcie spustu, póki nie usłyszy wszystkiego do końca. Solarin, stojący z tyłu, ścisnął mnie za łokieć.

– Co ty powiedziałaś? – spytała Blanche, przygryzając wargi.

– Gdy zadzwoniłam do Harry'ego i powiedziałam mu, by jechał do Plaza, nie był sam. Był z Mordechajem, Kamelem Kaderem i Valérie, waszą wierną pokojówką, która pracowała dla nas. Oni nie poszli tam z Harrym. Natomiast weszli tutaj wejściem dla służby. Może sobie popatrzysz?

I w tym momencie rozpętało się piekło. Lily puściła Cariocę, by rzucił się na Llewellyna, który o ułamek sekundy za długo wahał się między Nimem a kudłatym stworkiem. Chwyciłam butelkę z szampanem i cisnęłam nią prosto w głowę Llewellyna, akurat w chwili, gdy nacisnął spust. Nim zgiął się wpół. W ułamku sekundy byłam po drugiej stronie pokoju, złapałam Llewellyna za włosy i przycisnęłam go z całej siły do podłogi.

Zmagając się z Llewellynem, dostrzegłam kątem oka, jak Solarin sczepia się z wpadającym do pokoju Hermanoldem. Wgryzłam się w ramię Llewellyna, a Carioca wbił ząbki w jego nogę. Kilka kroków ode mnie Nim leżał na podłodze, jęcząc, a Llewellyn szarpał się ile sił, by dosięgnąć pistoletu. Chwyciłam butelkę szampana i roztrzaskałam mu ją na dłoni, a potem poprawiłam kopniakiem w podbrzusze. Wrzasnął z bólu, a ja na chwilę złapałam oddech.

Blanche biegła w kierunku marmurowych schodów, lecz Lily dogoniła ją, złapała za naszyjnik i mocno go skręciła. Blanche próbowała się wyrwać, lecz po chwili twarz jej ściemniała.

Solarin złapał Hermanolda za klapy, postawił go na nogi i trzasnął w szczękę z taką siłą, o jaką nigdy nie podejrzewałam szachistów. Wszystko to dostrzegłam w ułamku sekundy, a potem dałam nurka po pistolet. Llewellyn tarzał się z bólu, trzymając się za podbrzusze.

Z pistoletem w dłoni pochyliłam się nad Nimem, a Solarin pędził przez pokój.

– Wszystko dobrze – wysapał Nim, gdy Solarin dotknął miejsca, gdzie rosła ciemna plama krwi. – Idź po Harry'ego!

– Zostań tutaj – przykazał mi Solarin, ściskając mnie za ramię. – Pójdę tam. – Spojrzał z troską na brata, po czym popędził przez pokój i wbiegł po schodach.

Hermanold leżał nieprzytomny na schodach. Llewellyn, kilka stóp ode mnie, wił się na podłodze, krzycząc boleśnie, a Carioca zajadle atakował jego kostki, drąc na strzępy jego eleganckie skarpetki. Klęczałam obok Nima, który dyszał ciężko, trzymając ręką wilgotne miejsce na biodrze, gdzie krew tworzyła coraz większą plamę. Lily w dalszym ciągu zmagała się z Blanche, której perły rozsypały się po całym dywanie. Gdy pochyliłam się nad Nimem, w pokoju w głębi rozległy się jakieś hałasy i odgłosy walenia.

– Lepiej nie umieraj – powiedziałam cicho. – Po tym wszystkim, na co mnie naraziłeś, chciałabym mieć okazję jakoś ci się odpłacić. – Jego rana była mała, lecz głęboka; kula wyrwała mu kawałek ciała nad biodrem.

Nim podniósł na mnie wzrok i uśmiechnął się.

– Kochasz Saszę? – spytał.

Przewróciłam w zniecierpliwieniu oczami i wydałam głośne westchnienie.

– A więc nie jest z tobą aż tak źle – odparłam, pomagając mu usiąść i wręczając mu broń. – Pójdę sprawdzić, czy on jeszcze żyje.

Przemierzyłam pokój na czworakach, chwyciłam Blanche za włosy, oderwałam od Lily i wskazałam na pistolet trzymany przez Nima.

– On go użyje – ostrzegłam.

Lily poszła ze mną na tył domu, gdzie wszystkie dźwięki ucichły i zapadła podejrzana cisza. Kiedy podeszłyśmy na paluszkach do drzwi gabinetu, w progu pojawił się Kamel Kader. Na nasz widok rozjaśnił się w uśmiechu i wziął mnie za rękę.

– Dobra robota – powiedział wesoło. – Wygląda na to, że biała drużyna zrezygnowała z walki.

Lily i ja weszłyśmy do gabinetu, a Kamel ruszył przez hall w kierunku salonu. W środku siedział Harry, rozcierając sobie głowę. Za nim stali Mordechaj i Valérie, która wpuściła ich tylnymi drzwiami do mieszkania. Lily popędziła przez pokój i rzuciła się Harry'emu w ramiona, płacząc z radości. Pogłaskał ją po włosach, a Mordechaj mrugnął do mnie.

Rozejrzawszy się dookoła, zobaczyłam, jak Solarin wiąże ostatni węzeł na sznurze opasującym Szarrifa. Brodski leżał obok, obwiązany jak baleron. Solarin wcisnął Brodskiemu knebel do ust, po czym odwrócił się do mnie, łapiąc mnie za ramię.

– Mój brat? – spytał.

– Będzie dobrze – odparłam.

– Cat, skarbie – zahuczał Harry. – Dziękuję ci za uratowanie mojej córki.

Odwróciłam się, a Valérie przywitała mnie uśmiechem.

– Ziałuja, zie mój brat nie mógł tego zobaczicz – powiedziała, rozglądając się dokoła. – Bendzie mu smutno, on lubi cziasem dobra bójka.

Podeszłam, by ją uścisnąć.

– Porozmawiamy później – rzekł Harry. – Teraz chciałbym się pożegnać z moją żoną.

– Nienawidzę jej – powiedziała Lily. – Gdyby Cat mnie nie powstrzymała, byłabym ją zabiła.

– Nie zabiłabyś jej, kochanie – zaprzeczył Harry, całując ją w głowę. – Bez względu na to, kim jest, to przede wszystkim twoja matka. Nie byłoby ciebie tutaj, gdyby nie ona. Nigdy o tym nie zapominaj. – Po tych słowach zwrócił na mnie swoje smutne, psie oczy. – W pewnym sensie to wszystko moja wina – dodał. – Doskonale wiedziałem, kogo poślubiam. Ożeniłem się z nią dla Gry.

Pochylił smutno głowę i wyszedł z pokoju. Mordechaj poklepał Lily po ramieniu, patrząc na nią przez swoje grube, sowie okulary.

– Gra jeszcze się nie skończyła – powiedział łagodnie. – W pewnym sensie dopiero się zaczęła.

Solarin wziął mnie pod rękę i zaciągnął do ogromnej kuchni. Gdy pozostali sprzątali cały bałagan, on przyparł mnie do lśniącego, obitego miedzianą blachą stołu na środku. Przycisnął do moich ust wargi tak dzikie i gorące, jakby chciał mnie pożreć, a jego ręce wędrowały gorączkowo po moim ciele. Wszystko zniknęło – świadomość tego, co było, i tego, co miało przyjść – została tylko mroczna namiętność. Poczułam na szyi jego zęby, jego ręce we włosach, a w ustach jego język. Jęknęłam. Wreszcie odsunął się ode mnie.

– Muszę wracać do Rosji – wyszeptał mi do ucha. Jego wargi przesuwały się po mojej szyi. – Muszę znaleźć szachownicę. Tylko wówczas Gra będzie mogła dobiec końca...

– Jadę z tobą – powiedziałam, spoglądając mu w oczy.
Znowu wziął mnie w ramiona, zasypał pocałunkami moje oczy.

– To niemożliwe – zamruczał, cały drżąc z emocji. – Wrócę, przyrzekam. Przysięgam na każdą kroplę mojej krwi. Nigdy nie pozwolę ci odejść.

W tym właśnie momencie drzwi uchyliły się. Obejrzeliśmy się – wciąż spleceni w uścisku – i ujrzeliśmy Kamela i Nima wspartego ciężko na jego ramieniu.

– Sława... – zaczął Solarin, wciąż trzymając mnie za ramię, i zrobił krok w kierunku brata.

– Zabawa skończona – powiedział Nim i uśmiechnął się, a w tym uśmiechu były miłość i zrozumienie.

Kamel patrzył na mnie z uniesionymi brwiami, jakby chciał spytać, co się właściwie dzieje.

– Chodź, Sasza – rzekł Nim. – Czas skończyć Grę.

Biała drużyna – a przynajmniej ci, których udało się nam złapać – była unieruchomiona, związana i owinięta w białe prześcieradła. Przenieśliśmy ich przez kuchnię i zwieźliśmy windą dla służby do czekającej w garażu limuzyny Harry'ego. Całą piątkę – Szarrifa i Brodskiego, Hermanolda, Llewellyna i Blanche – umieściliśmy w obszernej, tylnej części samochodu. Kamel i Valérie usiedli z tyłu z pistoletem. Harry usiadł za kierownicą, a obok niego Nim. Nie było jeszcze ciemno, lecz przez przydymione okna przechodnie nie mogli dostrzec, co rozgrywa się w środku.

– Bierzemy ich najpierw do Nima – wyjaśnił Harry. – Potem Kamel załatwi statek.

– Możemy załadować ich do łódki na tyłach mojego ogrodu – śmiał się Nim, wciąż trzymając się za biodro. – Mieszkam na pustkowiu i nikt nie zauważy.

– A co zamierzacie z nimi zrobić, gdy już będą na pokładzie? – dopytywałam się.

– Valérie i ja wypłyniemy z nimi na morze – odparł Kamel. – Umówię się z algierską łodzią patrolową, żeby wypłynęła naprzeciw nam na wody międzynarodowe. Rząd Algierii z przyjemnością aresztuje konspiratorów, którzy wraz z pułkownikiem Kaddafim organizowali spisek przeciwko organizacji OPEC i planowali zamordować jej członków. Mówiąc szczerze, nie jest to wykluczone. Nabrałem podejrzeń co do prawdziwych zamiarów pułkownika w momencie, gdy podczas konferencji zapytał o ciebie.

– Cóż za wyborny pomysł – zaśmiałam się. – Dzięki temu powinniśmy mieć czas, by przeprowadzić wszystko do końca, nie obawiając się, że będą nam przeszkadzać. – A schyliwszy się do Valérie, dodałam: – Gdy będziesz w Algierze, uściskaj ode mnie matkę i Wahada.

– Moj brat uważia, zie jesteś bardzo dzielna – powiedziała Valérie, ściskając mnie za rękę. – On kazał mi powiedziecz, zie ma nadzieja, zie kiedysz też wrócisz do Algierii.

Tak więc Harry, Kamel i Nim wyruszyli w kierunku Long Island, wioząc zakładników. Przynajmniej Szarrif – a nawet Blanche, Biała Królowa – będą mieli okazję poznać algierskie więzienie od środka, która to przyjemność ominęła nas o włos.

Solarin, Lily, Mordechaj i ja wsiedliśmy do zielonego morgana Nima. Z czterema ostatnimi figurami, które wyjęliśmy z sekretarzyka, pojechaliśmy do mieszkania Mordechaja, gdzie czekała nas prawdziwa praca: rozwiązanie wzoru, nad którym tylu ludzi trudziło się od wieków. Lily siedziała za kierownicą, ja ponownie na kolanach Solarina, a Mordechaj tkwił wciśnięty między siedzeniami jak bagaż. Na kolanach trzymał Cariocę.

– No cóż, pieseczku – powiedział, głaszcząc go z uśmiechem – po tych wszystkich przygodach jesteś już chyba szachistą! A teraz do tych ośmiu figur, które przywiozłeś z pustyni, dodamy kolejne sześć, zdobyte nieoczekiwanie od białej drużyny. Całkiem udany dzień!

– Łącznie z dziewięcioma, które, jak mówiła Minnie, ma pan, to w sumie dwadzieścia trzy – dodałam.

– Dwadzieścia sześć – zaśmiał się Mordechaj. – Mam również te trzy, które Minnie zdobyła w Rosji w 1953 roku i które Ladislaus Nim i jego ojciec przywieźli przez morza do Ameryki!

– Zgadza się! – wykrzyknęłam. – Te dziewięć, które pan ma,

to te same, które Talleyrand zakopał w Vermoncie. Ale skąd pochodzi te osiem, które Lily i ja przywiozłyśmy z pustyni?

– Aha, zgadza się. Ale jest jeszcze coś, co mam dla ciebie, moja droga – powiedział radośnie Mordechaj. – Mam to w domu, razem z figurami. Być może Nim mówił ci, że tej nocy, gdy Minnie żegnała się z nim na tym urwisku w Rosji, dała mu jakieś ważne kartki?

– Tak – przerwał mu Solarin. – Wycięte z książki. Widziałem, jak to robiła. Pamiętam, choć byłem wówczas dzieckiem. Czy to był dziennik, który Minnie dała Catherine? Odkąd mi go pokazała, zastanawiam się, czy...

– Już wkrótce nie będziesz się musiał zastanawiać – powiedział tajemniczo Mordechaj. – Będziesz wiedział. Widzisz, te strony zawierają rozwiązanie największej tajemnicy. Sekret Gry.

Zaparkowaliśmy samochód Nima i udaliśmy się pieszo do mieszkania Mordechaja. Solarin niósł wszystkie figury, gdyż torba była teraz tak ciężka, że nikt inny nie byłby w stanie jej udźwignąć.

Było już po ósmej i w diamentowej dzielnicy panował niemal mrok. Mijaliśmy sklepy z opuszczonymi metalowymi roletami. Wiatr unosił gazety po opustoszałych chodnikach. Wciąż trwało Święto Pracy i wszystko było zamknięte.

Gdy uszliśmy kawałek, Mordechaj zatrzymał się i otworzył metalową kratę. Za nią znajdowała się wąska klatka schodowa. Ruszyliśmy za nim w półmroku. Mordechaj zatrzymał się na półpiętrze i otworzył kolejne drzwi.

Weszliśmy na ogromny strych, gdzie wielkie żyrandole zwieszały się z sufitu wysokiego na trzydzieści stóp. Gdy Mordechaj zapalił światło, owe rozświetlone kryształy odbijały się w długim szeregu wysokich okien na przeciwległej ścianie. Wszedłszy do środka, zobaczyliśmy grube dywany w ciemnych kolorach, lśniące drzewka i kanapy okryte futrami, stoliki pełne dzieł sztuki i książek. Tak właśnie wyglądałoby moje stare mieszkanie, gdyby było większe, a ja bogatsza. Jedną ze ścian zdobiła w całości ogromna, wspaniała tkanina, chyba równie stara jak szachy z Montglane.

Solarin, Lily i ja usiedliśmy na miękkich, głębokich sofach.

Przed nami na stole przygotowana była wielka szachownica. Lily zgarnęła z niej figury, a Solarin wyjął z torby nasze i zaczął je ustawiać na miejscach.

Figury z Montglane były za duże nawet na tę wielką alabastrową szachownicę, lecz wyglądały wspaniale, błyszcząc w łagodnym świetle sączącym się z żyrandoli. Mordechaj odsunął tkaninę i otworzył ogromny sejf wbudowany w ścianę. Wyjął stamtąd pudełko zawierające kolejne dwanaście sztuk, a Solarin poderwał się, by mu pomóc.

Gdy już wszystkie figury stanęły na szachownicy, przyjrzeliśmy się im uważnie. Były tam tańczące konie – skoczki – majestatyczni gońcy w postaci słoni i wieże – wielbłądy z siedzeniami w kształcie wież na grzbietach. Złoty król dosiadający swego słonia, królowa w lektyce – a wszystkie wysadzane szlachetnymi kamieniami i wyrzeźbione z taką precyzją i maestrią, jakich żaden artysta złotnik nie byłby w stanie odtworzyć. Brakowało tylko sześciu figur: dwóch srebrnych pionków i jednego złotego, złotego skoczka, srebrnego gońca i białego króla – również srebrnego.

Aż trudno było uwierzyć, że mamy przed sobą wszystkie te figury. Jakiż umysł wpadł na pomysł, by stworzyć coś, co jest zarazem tak piękne i śmiertelnie niebezpieczne?

Wyjęliśmy tkaninę i rozłożyliśmy ją na dużym stole obok szachownicy. Patrzyłam oszołomiona na kształty o dziwnym połysku, piękne barwy kamieni – szmaragdów i szafirów, rubinów i brylantów, żółć cytrynu, jasny błękit akwamaryny i bladą zieleń perydotytu, niemal taką samą jak zieleń oczu Solarina, który wyciągnął rękę i uścisnął mnie lekko.

Lily wyjęła kartkę, na której wyrysowałyśmy naszą wersję kolejności ruchów, i położyła ją obok tkaniny.

– Jest jeszcze coś, co chyba powinniście zobaczyć – powiedział Mordechaj, zamknąwszy sejf. Podszedł do mnie i podał mi mały pakiecik. Spojrzałam mu w oczy, powiększone za grubymi szkłami. Jego twarz, pomarszczona jak włoski orzech, rozjaśniła się w uśmiechu. Potem wyciągnął rękę do Lily, jakby chciał, żeby wstała. – Chodź, chcę, żebyś pomogła mi przygotować kolację. Poczekamy na przyjście twojego ojca i Nima. Będą głodni, gdy przyjadą. Tymczasem nasza przyjaciółka Cat może sobie poczytać to, co jej dałem.

Po czym zabrał Lily do kuchni mimo jej protestów. Gdy otwierałam pakiecik, Solarin przysiadł się bliżej. W środku znajdowały się kartki. Tak jak Solarin zgadł, był to ten sam papier co w starym dzienniku Mireille. Sięgnęłam do torby po dziennik, by porównać; nietrudno było odnaleźć miejsca, gdzie kartki zostały wycięte. Uśmiechnęłam się do Solarina. Objął mnie ramieniem, a ja ułożyłam się wygodnie na miękkiej sofie, rozwinęłam kartki i zaczęłam czytać. Był to ostatni rozdział dziennika Mireille...

OPOWIEŚĆ CZARNEJ KRÓLOWEJ

Gdy opuszczałam Charles'a Maurice'a Talleyranda owej wiosny 1799 roku, by powrócić do Anglii, w Paryżu rozkwitały kasztanowce. Było to bolesne rozstanie, albowiem znów spodziewałam się dziecka. We mnie powstawało nowe życie, a wraz z nim kiełkowała myśl – zakończyć tę Grę raz na zawsze.

Miały minąć cztery lata, zanim dane mi było ponownie ujrzeć Maurice'a. Cztery lata, podczas których świat miał przeżyć wielkie wstrząsy i ulec poważnym zmianom. We Francji Napoleon miał powrócić, by obalić dyrektoriat i mianować się Pierwszym Konsulem, a potem konsulem dożywotnim. W Rosji Paweł I miał zostać zamordowany przez grupę swoich generałów oraz najulubieńszego kochanka swojej matki – Płatona Zubowa. Mistyczny i tajemniczy Aleksander, który stał obok mnie w lesie przy konającej przeoryszy, miał teraz uzyskać dostęp do tej figury z Montglane, która znana była pod nazwą czarnej królowej. Świat, który znałam – a więc Anglia i Francja, Austria, Prusy i Rosja – miał znów rozpocząć wojnę. A Talleyrand – ojciec moich dzieci – miał uzyskać papieską dyspensę, o którą go prosiłam, pozwalającą mu poślubić Catherine Noël Worlée Grand – Białą Królową.

Ja jednak miałam tkaninę, rysunek szachownicy oraz pewność, że siedemnaście figur znajduje się niemal w zasięgu ręki. Nie tylko owe dziewięć, zakopane w Vermoncie, których miejsce ukrycia doskonale znałam, ale także osiem: siedem od madame Grand i jedna należąca do Aleksandra. Z tą wiedzą wybrałam się do Anglii – do Cambridge – gdzie zgodnie z tym, co mówił mi William Blake, przechowywane były pisma sir Isaaca Newtona. Pozwolenie na studiowanie tych dzieł zapewnił mi sam Blake, którego takie sprawy fascynowały w stopniu wręcz niezdrowym.

Boswell zmarł w maju 1795 roku, a Philidor, wielki mistrz szachowy, przeżył go o niespełna trzy miesiące. Tak oto stara gwardia wymarła – śmierć rozbiła wstrętną drużynę Białej Królowej. Musiałam wykonać swój ruch, zanim zdąży zebrać nową.

Tuż przed powrotem z Egiptu Szahina i Charlota wraz z wojskami Napoleona, 4 października 1799 roku w Londynie – dokładnie sześć miesięcy po moich urodzinach – wydałam na świat dziewczynkę. Ochrzciłam ją imieniem Eliza, na pamiątkę Elissy, tej wielkiej kobiety, która założyła Kartaginę i na której pamiątkę nazwano siostrę Napoleona. Wszelako przywykłam wołać na moją córkę Charlotte, nie tylko z powodu jej ojca, Charles'a Maurice'a i jej brata Charlota, lecz także na pamiątkę tej innej Charlotte, która oddała za mnie swoje życie.

Prawdziwa praca zaczęła się właśnie teraz, gdy Szahin i Charlot przyłączyli się do mnie w Londynie. Ślęczeliśmy nocami nad rękopisami Newtona, analizując w świetle świec jego notatki oraz eksperymenty. Jednak wysiłki nasze spełzały na niczym. Po wielu miesiącach doszłam do wniosku, że nawet ten wielki naukowiec nie zdołał odkryć sekretu. Wtedy jednak przyszło mi na myśl, że być może nie wiem, na czym polegał ów sekret.

– Ósemka – powiedziałam głośno pewnej nocy, gdy siedzieliśmy w naszych pokojach w Cambridge, skąd rozciągał się widok na ogrody i gdzie prawie sto lat temu pracował sam Newton. – Co właściwie znaczy ta Ósemka?

Szahin odrzekł:

– W Egipcie wierzono, że istnieje ośmiu bogów ważniejszych niż cała reszta. W Chinach wierzono w Ośmiu Nieśmiertelnych. W Indiach wierzą, że Kryszna „czarny" – ósme wcielenie Wisznu – również stał się nieśmiertelnym instrumentem ludzkiego zbawienia. A wyznawcy Buddy wierzą w Ośmioraką Ścieżkę do nirwany. W mitologiach świata jest wiele ósemek...

– Wszystkie jednak znaczą to samo – wtrącił Charlot, mój

mały syn, który był starszy, niżby wskazywał to jego wiek. – Alchemicy poszukiwali czegoś więcej niż tylko możliwości zamiany jednego metalu w drugi. Pragnęli tego, co robili Egipcjanie, gdy wznosili swoje piramidy, tego samego, co Babilończycy, którzy składali dzieci w ofierze swoim pogańskim bogom. Ci alchemicy zawsze zaczynali od modlitwy do Hermesa, będącego nie tylko wysłannikiem prowadzącym dusze zmarłych do Hadesu, lecz także bogiem uzdrowień...

– Szahin zaszczepił ci zbyt dużą dawkę mistycyzmu – powiedziałam. – My tymczasem szukamy naukowego wzoru.

– Ależ matko, czyż nie widzisz, że to jest właśnie to? – spytał Charlot. – Najpierw wzywają boga Hermesa. Podczas pierwszej fazy eksperymentu – szesnaście kroków – produkują czerwonawoczarny proszek, czyli osad. Robią z niego coś w rodzaju ciasta, które określa się mianem kamienia filozoficznego. Podczas drugiej fazy używają go jako katalizatora przy transmutacji metali. W trzeciej i ostatniej fazie mieszają ów proszek ze specjalną wodą, rosą zbieraną w pewnym okresie roku – gdy słońce znajduje się między Baranem i Bykiem. Wszystkie rysunki w księgach to pokazują – a przypada to dokładnie w dniu twoich urodzin – gdy woda spadająca z księżyca jest bardzo ciężka. Wtedy właśnie zaczyna się ostatnia faza.

– Nie rozumiem. – Miałam już mętlik w głowie. – Czym jest ta specjalna woda zmieszana z proszkiem z kamienia filozoficznego?

– Nazywają ją *al-iksir* – rzekł Szahin cicho. – Jej wypicie przynosi zdrowie, długie życie i leczy wszelkie rany.

– Matko – odezwał się Charlot, patrząc na mnie poważnie – to sekret nieśmiertelności. Eliksir życia.

Dojście do tego punktu w Grze zajęło nam cztery lata, choć jednak wiedzieliśmy, czemu ów wzór służy, nie potrafiliśmy go wykorzystać.

W sierpniu 1803 roku przyjechałam z Szahinem i moimi dziećmi do uzdrowiska Bourbon d'Archambault w centralnej Francji, od którego wywodzi się nazwa dynastii Burbonów. W tym samym czasie przybył tam Maurice Talleyrand, który każdego lata zażywał tu kąpieli w ciepłych wodach.

Owo uzdrowisko otaczały sędziwe dęby, a wzdłuż jego ścieżek rosły uginające się od ciężkiego kwiecia piwonie. Gdy w pierwszy ranek stałam na ścieżce w długiej, lnianej sukni, jakie nosiło się wówczas do kąpieli, i czekałam wśród kwiatów i motyli – dostrzegłam na ścieżce Maurice'a Talleyranda. Zmienił się w ciągu tych czterech lat, które minęły od naszego ostatniego spotkania. Choć ja nie miałam jeszcze trzydziestu lat, on zbliżał się do pięćdziesięciu – na jego przystojnej twarzy pojawiły się cienkie linie zmarszczek, a loki jego nie upudrowanych włosów połyskiwały srebrzyście w porannym słońcu. Ujrzawszy mnie, stanął jak wryty, wbijając we mnie wzrok. Miał wciąż te same uważne, mocno niebieskie oczy, które pamiętałam od tego ranka, gdy razem z Valentine ujrzałyśmy go po raz pierwszy w pracowni Davida.

Podszedł do mnie, jakby spodziewał się mnie tu spotkać, i wpatrując się we mnie, położył mi dłoń na włosach.

– Nigdy ci nie wybaczę, że nauczyłaś mnie, czym jest miłość, a potem zostawiłaś mnie z tą wiedzą samego – brzmiały jego pierwsze słowa. – Dlaczego nigdy nie odpowiadasz na moje listy? Dlaczego wciąż znikasz, a potem pojawiasz się, by złamać moje serce, gdy się trochę podleczy? Czasem myślę o tobie i żałuję, że cię w ogóle poznałem.

Potem, jakby na przekór swoim słowom, chwycił mnie i przyciągnął namiętnie do siebie. Jego usta zsunęły się na moją szyję i piersi. Jak zawsze, poczułam, że oszałamiająca moc jego miłości bierze nade mną górę. Walcząc z pożądaniem, które we mnie rosło, wyrwałam się z jego uścisku.

– Przybyłam, aby wyegzekwować obietnicę, którą mi złożyłeś – powiedziałam słabym głosem.

– Uczyniłem wszystko, co ci obiecałem, a nawet więcej – odparł z goryczą. – Poświęciłem dla ciebie wszystko: moje życie, wolność, może nawet nieśmiertelną duszę. Być może w oczach Bożych nadal jestem kapłanem. Dla ciebie poślubiłem kobietę, której nie kocham i która nigdy nie urodzi mi dzieci, których pragnę. Podczas gdy ty, która urodziłaś mi ich dwoje, nigdy nawet nie pozwoliłaś mi na nie spojrzeć.

– Są tutaj ze mną – rzekłam. Spojrzał na mnie z niedowierzaniem. – Ale najpierw, gdzie są figury Białej Królowej?

– Figury – powtórzył szorstko. – Nie lękaj się, mam je. Wydarte kobiecie, która kocha mnie miłością silniejszą od twojej. A teraz trzymasz moje dzieci jako zakładników, by wydostać ode mnie figury. Mój Boże, naprawdę nie mogę pojąć, jak to się dzieje, że wciąż jeszcze cię pragnę. – Przerwał. Nie potrafił ukryć przebijającej przez te słowa goryczy, która jednak zmieszana była z mroczną namiętnością. – A to, że żyję bez ciebie, wydaje mi się szczytem niemożliwości. Drżał teraz pod wpływem emocji. Jego ręce błądziły po mojej twarzy, jego usta szukały moich. Staliśmy na ścieżce, na której w każdej chwili ktoś się mógł pojawić. Siła jego uczucia była jak zwykle nie do opanowania. Odwzajemniałam jego pocałunki, wsuwając ręce między jego szaty.

– Tym razem – wyszeptał – nie powołamy do życia nowej istoty, lecz będziesz mnie kochać tak, jakby kończył się świat.

Gdy Maurice ujrzał nasze dzieci, na jego twarzy pojawił się wyraz takiego szczęścia, jakie niewątpliwie gości na twarzy świętego dostępującego niezwykłej wizji. Poszliśmy o północy do łaźni, a Szahin pilnował drzwi.

Charlot miał już dziesięć lat i wyglądał jak prorok, którym – wedle Szahina – miał być. Gęste, rude loki opadały mu na ramiona, a mocno niebieskie oczy jego ojca zdawały się przenikać czas i przestrzeń. Czteroletnia Charlotte przypominała Valentine w tym samym wieku. To właśnie ona oczarowała Talleyranda, gdy usiedliśmy w łaźni w Bourbon d'Archambault pośród parujących mineralnych wód.

– Chcę zabrać te dzieci ze sobą – powiedział Talleyrand, gładząc jasne włosy Charlotte, jakby nie mógł znieść myśli, że będą musieli się rozstać. – Życie, jakie upierasz się prowadzić, nie jest dobre dla dzieci. Nikt nie musi wiedzieć o naszym pokrewieństwie. Nabyłem posiadłości w Valençay, w związku z tym mogę nadać im tytuły i ziemię. Niech ich pochodzenie pozostanie tajemnicą. Musisz się zgodzić, gdyż w przeciwnym razie nie dostaniesz figur.

Wiedziałam, że ma rację. Jaką mogłam być dla nich matką, skoro o moim życiu już od dawna decydowały siły całkiem ode mnie niezależne? W oczach Maurice'a widziałam, że kocha ich oboje uczuciem mocniejszym nawet od mojego – był tym, który dał im życie. Pozostawał jednak pewien problem.

– Charlot musi zostać – zdecydowałam. – Urodził się na oczach bogini, i to on rozwiąże zagadkę. Tak zostało przepowiedziane.

Charlot podszedł do swego ojca i położył mu ręce na ramionach.

– Będziesz wielkim człowiekiem – powiedział. – Księciem o wielkiej mocy. Będziesz żył długo, lecz po nas nie będziesz miał żadnych dzieci. Musisz wziąć moją siostrę Charlotte i wżenić ją w swoją rodzinę, aby w jej dzieciach znów popłynęła nasza krew. Ja jednak muszę powrócić na pustynię. Tam jest moje przeznaczenie...

Talleyrand patrzył z osłupieniem na chłopca. On jednak jeszcze nie skończył.

– Musisz zerwać więzy łączące cię z Napoleonem, gdyż temu człowiekowi pisany jest upadek. Jeśli tak zrobisz, twoja moc przetrwa wiele zmian tego świata. I musisz jeszcze zrobić jedno – dla Gry. Zdobądź od Aleksandra w Rosji czarną królową. Powiedz mu, że przybywasz ode mnie. To będzie twoja ósma figura.

– Aleksandra? – spytał Talleyrand, patrząc na mnie przez kłęby pary. – Więc on też ma figurę? Ale dlaczego miałby mi ją dać?

– Ty dasz mu w zamian Napoleona – orzekł Charlot.

Talleyrand spotkał się z Aleksandrem na zjeździe erfurckim. Nie wiadomo, jaki pakt tam zawarli, lecz wszystko potoczyło się tak, jak przepowiedział Charlot. Napoleon upadł, powrócił i upadł na zawsze. Pod koniec jednak zrozumiał, że to Talleyrand go zdradził. „Monsieur – powiedział kiedyś przy śniadaniu, w obecności całego dworu – jest pan zwykłym gównem w jedwabnych pończochach. Jednak Talleyrand zdołał już uzyskać rosyjską figurę – czarną królową. Oprócz niej dał mi jeszcze coś cennego: obieg skoczka opracowany przez Amerykanina, Benjamina Franklina, który rzekomo miał odtwarzać wzór.

Zabrawszy owe osiem figur, tkaninę oraz rysunek szachownicy podarowany mi przez przeoryszę, pojechałam wraz z Szahinem i Charlotem do Grenoble. Tam właśnie, na południu Francji, niedaleko od miejsca, gdzie Gra się rozpoczęła, znaleźliśmy słynnego fizyka Jeana Baptiste'a Josepha Fouriera, którego Charlot i Szahin spotkali kiedyś w Egipcie. Mimo iż mieliśmy wiele figur, nie posiadaliśmy kompletu. Odczytanie wzoru zajęło nam trzydzieści lat. Lecz wreszcie się udało.

Tam właśnie, nocą, w mrocznym laboratorium Fouriera, cała nasza czwórka stała, obserwując powstający w tyglu kamień filozoficzny. Po trzydziestu latach i wielu niepomyślnych próbach wreszcie udało się nam przejść wszystkie szesnaście faz. Nazywano to „małżeństwem czarnego króla i białej królowej" – sekret, który przez tysiąc lat próbowano odkryć na nowo. Spalanie, oksydacja, krzepnięcie, zagęszczenie, rozpuszczenie, trawienie, destylacja, odparowywanie, sublimacja, oddzielenie, ługowanie, woskowanie, fermentacja, gnicie, rozmnożenie – i wreszcie ostateczny rezultat. Patrzyliśmy, jak lotne gazy wydobywają się z kryształów w szklanych pojemnikach świecących niczym konstelacje we wszechświecie. Unosząc się, gazy te przybierały rozmaite kolory – błękitny, fioletowy, różowy, karmazynowy, czerwony, pomarańczowy, żółty, złoty... Mówiono na to „pawi ogon" – widmo ciągłe światła białego. A niżej były już tylko fale, które można było usłyszeć, lecz nie zobaczyć.

Gdy rozpuściło się już i znikło, ujrzeliśmy coś blisko dna naczynia – jakiś gęsty, czerwonoczarny osad. Zdrapaliśmy go i owinęli w kawałek wosku pszczelego, by móc go potem rozpuścić w *aqua philosophica*.

Pozostawało tylko jedno pytanie: Kto będzie to pił?

Pracę nad wzorem zakończyliśmy w 1830 roku. Wiedzieliśmy z naszych ksiąg, że ten napój może być życiodajny, lecz może również – w przypadku popełnienia błędu – być śmiertelny. Powstawał też inny problem: jeśli to, co uzyskaliśmy, naprawdę jest eliksirem, musimy natychmiast ukryć figury. Postanowiłam wrócić w tym celu na pustynię

Ponownie przepłynęłam morze z przeczuciem, że robię to po raz ostatni. W Algierze udałam się z Szahinem i Charlotem do kasby. Był ktoś, kto mógł okazać się pomocny w czasie tej misji. Znalazłam go w haremie – przed nim wielkie płótno, a wokół niego wiele kobiet z zasłoniętymi twarzami leżących na miękkich otomanach. Gdy popatrzył na mnie i ujrzałam niebieskie oczy i rozrzucone w nieładzie włosy, przypomniał mi się David przed laty, gdy wraz z Valentine pozowałyśmy w jego pracowni. Lecz ten młody malarz znacznie bardziej przypominał kogoś innego – był dokładną repliką Charles'a Maurice'a Talleyranda.

– Twój ojciec przysłał mnie tutaj, panie – zwróciłam się do młodego człowieka, który był tylko kilka lat młodszy od mojego Charlota.

Malarz spojrzał na mnie dziwnym wzrokiem.

– Na pewno jesteś medium, pani – rzekł z uśmiechem. – Mój ojciec, monsieur Delacroix, od wielu lat nie żyje. – Poruszył pędzlem na znak, że chciałby jak najszybciej wrócić do malowania.

– Twój naturalny ojciec. – Po tych słowach twarz pociemniała mu od gniewu. – Mam na myśli księcia Talleyranda.

– To są pogłoski wyssane z palca – powiedział szorstko.

– Ja wiem co innego – odparłam. – Na imię mam Mireille i przybywam z Francji, by wypełnić misję, do której potrzebuję ciebie, panie. To jest mój syn, a twój przyrodni brat Charlot. I Szahin, nasz przewodnik. Chcę, żebyś udał się z nami na pustynię, gdzie zamierzam zwrócić ziemi rzecz o ogromnej wartości, która powinna tam zostać. Chcę zamówić u ciebie malowidło znaczące to miejsce i stanowiące ostrzeżenie dla wszystkich, którzy się zbliżą, że miejsce to jest strzeżone przez bogów.

Potem opowiedziałam mu całą historię.

Minęły tygodnie, nim dotarliśmy do Tasili. Wreszcie w ukrytej jaskini znaleźliśmy odpowiednie miejsce na kryjówkę. Eugene Delacroix wszedł na skalną ścianę, a Charlot udzielał mu wskazówek, gdzie ma namalować kaduceusz, a gdzie labrys symbolizujący Białą Królową, który dodał do istniejącej już sceny polowania.

Gdy praca została skończona, Szahin wyciągnął fiolkę z *aqua philosophica* i proszek zawinięty w wosk, aby zgodnie z przepisem rozpuszczał się powoli. Rozpuściliśmy zatem kulkę, a ja spojrzałam na fiolkę, którą trzymałam teraz w dłoni, czując na sobie wzrok Szahina i dwóch synów Talleyranda.

Przypomniałam sobie słowa Paracelsusa, wielkiego alchemika, któremu raz wydawało się, że rozwiązał wzór: „Będziemy jako bogowie" – powiedział. Przystawiłam fiolkę do ust... i wypiłam.

Gdy skończyłam czytać tę opowieść, drżałam od stóp do głów. Siedzący obok mnie Solarin ściskał moją dłoń z taką siłą, że aż zbielały mu kłykcie. Eliksir życia – więc o to chodziło we wzorze? Czy coś takiego mogło w ogóle istnieć? Myślałam gorączkowo. Solarin nalał nam brandy z karafki na stoliku. To prawda, pomyślałam, że specjalistom od inżynierii genetycznej udało się odkryć strukturę DNA, tego podstawowego klocka budującego życie, i stwierdzić, że ma on ten sam kształt co kaduceusz Hermesa – podwójna helisa, przypominająca Ósemkę. Nic jednak w starożytnych pismach nie sugerowało, że ktoś kiedykolwiek rozwikłał tę zagadkę. A jak to możliwe, że coś, co transmutuje metale, potrafi również zmieniać życie?

Teraz pomyślałam o figurach i miejscu, gdzie zostały zakopane. Czyż Minnie nie powiedziała, że sama ukryła je w Tasili, pod kaduceuszem, głęboko w skalnej ścianie? Skąd w takim razie wiedziała dokładnie, gdzie są ukryte, jeśli Mireille zostawiła je tam prawie dwieście lat wcześniej?

Wtedy przypomniałam sobie ten list, który Solarin przywiózł z Algieru i dał mi, gdy byliśmy u Nima – list od Minnie. Drżącą ręką sięgnęłam do kieszeni, wyjęłam go i rozdarłam kopertę. Solarin cały czas siedział obok mnie w milczeniu, sącząc brandy, lecz czułam na sobie jego wzrok.

Wyciągnęłam list z koperty i spojrzałam. Lecz zanim nawet zaczęłam czytać, po plecach przebiegł mi zimny dreszcz przerażenia: c h a r a k t e r   p i s m a   b y ł   t a k i   s a m   j a k   w   d z i e n n i k u! Choć list był napisany po angielsku, a dziennik w archaicznej francuszczyźnie, trudno byłoby odtworzyć te kwieciste zawijasy, jakich nie używano od stuleci.

Spojrzałam na Solarina, który patrzył na list z trwogą i niedowierzaniem. Popatrzeliśmy sobie w oczy, a potem wróciliśmy do listu. Rozłożyłam go na kolanach i zaczęliśmy czytać.

Moja droga Catherine!
Teraz znasz sekret, który poznało niewielu ludzi. Nawet Aleksander i Ladislaus nigdy nie zgadli, że nie jestem wcale ich babką, gdyż dwanaście pokoleń przeminęło od momentu, gdy wydałam na świat ich przodka – Charlota. Ojciec Kamela, który poślubił mnie na rok przed swoją śmiercią, wywodził się w prostej linii od mojego przyjaciela Szahina, którego kości spoczywają w ziemi od ponad stu pięćdziesięciu lat. Oczywiście możesz sobie pomyśleć, że jestem starą, zwariowaną kobietą. Myśl sobie, jak chcesz – lecz teraz ty jesteś Czarną Królową. Posiadasz część potężnej i niebezpiecznej tajemnicy. Część dostatecznie dużą, by rozwiązać tę zagadkę, tak jak ja to uczyniłam wiele lat temu. Lecz czy zdobędziesz się na to? Wybór należy do ciebie i tylko do ciebie.
Jeśli chcesz mojej rady, oto ona: zniszcz te figury – stop je, by już nigdy więcej nie były dla nikogo przyczyną tylu nieszczęść, ilu ja doświadczyłam w moim życiu. Historia pokazuje, że to, co może być wielkim błogosławieństwem dla ludzkości, może być również jej straszliwym przekleństwem. A zatem postępuj zgodnie ze swoim rozeznaniem. Błogosławię cię,

Twoja w Bogu
Mireille

Siedziałam z zamkniętymi oczami, a Solarin ściskał moją dłoń. Gdy otworzyłam oczy, zobaczyłam Mordechaja obejmującego ramieniem Lily. Tuż za nimi stali Nim i Harry, którzy zdążyli już wrócić. Wszyscy podeszli i zajęli miejsca przy stole, gdzie siedzieliśmy z Solarinem. Na jego środku stały figury.

– Co o tym sądzisz? – wyszeptał Mordechaj.

Harry pochylił się przez stół i poklepał mnie po drżącym ramieniu.

– A gdyby to była prawda? – spytał.

– Byłaby to najniebezpieczniejsza rzecz na świecie – powiedziałam, nie mogąc pohamować drżenia. Choć nie chciałam tego przyznać, wierzyłam w to. – Myślę, że ona ma rację. Powinniśmy zniszczyć te figury.

– Ale jesteś teraz Czarną Królową – rzekła Lily. – Nie musisz jej słuchać.

– Sława i ja studiowaliśmy fizykę – odezwał się Solarin. – Mamy trzy razy tyle figur co Mireille, gdy rozszyfrowała ten wzór. Choć nie mamy informacji zawartych w szachownicy, możemy do nich dojść. Mógłbym przywieźć szachownicę... – Ponadto ja mógłbym to częściowo wykorzystać już teraz, aby uleczyć odniesione rany – dodał Nim, trzymając się z grymasem za zranione biodro.

Zastanawiałam się, jak by to było – wiedzieć, że ma się moc, która pozwala żyć dwieście lat. Wiedzieć, że bez względu na to, co się zdarzy – wyjąwszy katastrofę samolotu – rany się zasklepią, a choroby będą uleczone. Lecz czy chciałam spędzić trzydzieści lat m o j e g o życia, próbując rozszyfrować ten wzór? Choć mogło mi to zająć mniej czasu, wiedziałam z doświadczenia Minnie, że ta chęć bardzo szybko przeradza się w obsesję – coś, co zniszczyło nie tylko jej życie, lecz także życie wszystkich, których znała bądź też z którymi się zetknęła. Czy chcę żyć długo zamiast szczęśliwie? Minnie, zgodnie z jej świadectwem, żyła dwieście lat w lęku i zagrożeniu, już po rozszyfrowaniu wzoru. Nic dziwnego, że zdecydowała się odejść z Gry.

Teraz decyzja należała do mnie. Spojrzałam na stojące na stole figury. To takie proste. Minnie nie wybrała Mordechaja jedynie dlatego, że jest mistrzem szachowym, ale również dlatego, że jest jubilerem. Niewątpliwie miał niezbędny sprzęt, by zbadać figury, stwierdzić, z czego zostały wykonane, i zrobić z nich cacuszka godne królowej. Lecz gdy patrzyłam na nie, wiedziałam, że nigdy się na to nie zdobędę. Bił od nich blask jakiegoś wewnętrznego życia. Między szachami z Montglane a mną powstała jakaś więź i najwyraźniej nie byłam w stanie jej zerwać.

Czułam na sobie wyczekujące spojrzenia.

– Zakopiemy te figury – powiedziałam powoli. – Lily mi pomoże; razem tworzymy dobry zespół. Wywieziemy je gdzieś – na pustynię albo w góry, a Solarin wróci po szachownicę. Ukryjemy szachy z Montglane w miejscu, gdzie nikt ich nie znajdzie przez następne tysiąc lat.

– Ale w końcu ktoś jednak je znajdzie – rzekł łagodnie Solarin.

Popatrzyłam na niego i przeszła między nami głęboka nić

porozumienia. Wiedział, co musi się wydarzyć, a ja zdawałam sobie sprawę, że jeśli wprowadzę w życie moją decyzję, może przez długi czas się nie spotkamy.

– Może za tysiąc lat naszą ziemię zamieszkiwać będzie jakiś przyjemniejszy gatunek, który będzie wiedział lepiej od nas, jak wykorzystać coś takiego dla powszechnego dobra, zamiast czynić z tego narzędzie zniszczenia. A może do tego czasu naukowcy sami odkryją na nowo ten wzór. Gdyby informacje zawarte w tym komplecie nie były już tajemnicą, lecz czymś powszechnie znanym, wówczas za cenę tych figur nie kupiłoby się nawet biletu metra.

– No to dlaczego nie rozwiążemy tego wzoru teraz? – spytał Nim. – I nie rozpowszechnimy wyniku?

Tym pytaniem trafił w samo sedno. Problem był następujący: ilu osobom, z tych, które znam, chciałabym ofiarować wieczne życie? Nie myślę tu o takich łotrach, jak Blanche albo El-Marad, ale nawet takich zwykłych oszustach, z którymi pracowałam, jak Jock Upham albo Jean Philippe Petard. Czy chciałabym, żeby ci ludzie żyli wiecznie? Czy to ja chciałam podejmować decyzję, że będą mieć taką szansę albo nie?

Teraz zrozumiałam, co Paracelsus miał na myśli, mówiąc: „Będziecie jak bogowie". Te decyzje zawsze podejmował ktoś większy od zwykłych śmiertelników – bez względu na to, czy nazywano go bogiem, duchem totemu czy też doborem naturalnym. Gdybyśmy to my posiadali władzę dawania lub zabierania czegoś tak ważnego, byłoby to igranie z ogniem. I gdybyśmy nie zachowali tego na zawsze w najgłębszej tajemnicy, tak jak czynili to starożytni kapłani, to bez względu na nasze poczucie odpowiedzialności bylibyśmy jak ci naukowcy, którzy wynaleźli pierwsze „urządzenia nuklearne".

– Nie – powiedziałam do Nima. Wstałam i spojrzałam na figury: te figury, dla których tyle razy i tak brawurowo narażałam swoje życie. Stojąc tam, zastanawiałam się, czy byłabym w stanie to zrobić – ukryć je w ziemi i nigdy nie czuć pokusy, by wrócić i je wykopać.

Harry uśmiechał się do mnie, jakby czytał w moich myślach.

– Jeśli ktokolwiek jest w stanie to zrobić, to właśnie ty – rzekł, dusząc mnie w niedźwiedzim uścisku. – Dlatego Minnie wybrała właśnie ciebie. Widzisz, kochanie, ona uważała, że masz w sobie siłę, której ona nigdy nie posiadała: aby oprzeć się pokusie siły, która przychodzi z wiedzą...

– Mój Boże, robicie ze mnie Savonarolę palącego książki – powiedziałam. – A tymczasem zamierzam je tylko ukryć na pewien czas.

Mordechaj podszedł do stołu z dużym półmiskiem pełnym rozkosznie pachnących przysmaków. Wypuścił Cariocę z kuchni, gdzie – wnosząc z wyglądu półmiska – pomagał w przygotowaniu jedzenia.

Pokój rozbrzmiewał teraz naszymi głosami. Po tak długim okresie ciągłego napięcia teraz przyszło nagłe odprężenie. Stałam obok Solarina i Nima, skubiąc jedzenie z półmiska, gdy Nim objął mnie ramieniem. Tym razem wyglądało na to, że Solarinowi wcale to nie przeszkadza.

– Właśnie porozmawialiśmy sobie z Saszą – rzekł Nim. – I jeśli nawet nie jesteś zakochana w moim bracie, to on jest zakochany w tobie. Strzeż się rosyjskich namiętności, trawią jak ogień – uśmiechnął się do Solarina z prawdziwą miłością.

– Nie jestem łatwopalna – odparłam. – A ponadto czuję do niego to samo. – Nie wiem dlaczego, ale Solarin spojrzał na mnie ze zdziwieniem i choć Nim nadal mnie obejmował, złapał mnie za ramiona i pocałował w usta.

– Nie będę go tam długo trzymał – obiecał Nim, mierzwiąc mi włosy. – Jadę z nim do Rosji po szachownicę. Raz w życiu stracić jedynego brata to aż nadto. Tym razem, jeśli pojedziemy, pojedziemy razem.

Podszedł do nas Mordechaj i nalał wszystkim szampana. Potem podniósł Cariocę i wziął własny kieliszek.

– Za szachy z Montglane. – Uśmiech rozjaśnił jego pomarszczoną twarz. – Niech spoczywają w spokoju przez tysiące tysięcy lat!

Wszyscy wypiliśmy po łyku, a Harry zawołał: „Brawo, brawo!"

– Za Cat i Lily, które stawiły czoło tylu niebezpieczeństwom – powiedział Harry, podnosząc kieliszek. – Niech żyją długie lata w szczęściu i przyjaźni. A nawet jeśli nie będą żyć wiecznie, niech każdy ich dzień przepełniony będzie radością. – Uśmiechnął się do mnie promiennie.

Nadeszła moja kolej. Podniosłam kieliszek i spojrzałam na

nich wszystkich – sowiookiego Mordechaja, Harry'ego, z jego psimi oczami, Lily, opaloną i szczuplejszą, Nima, z rudą głową proroka i dziwnymi, dwukolorowymi oczami, który uśmiechał się, jakby czytał w moich myślach. I wreszcie na Solarina, skupionego i napiętego, jakby siedział przy szachownicy. Oto stali wszyscy obok mnie – moi najbliżsi przyjaciele, ludzie, których prawdziwie kochałam. Lecz także ludzie, którzy – tak jak ja – byli śmiertelni i których czas nie oszczędzi. Nasze biologiczne zegary będą wciąż tykać i nic nie zdoła powstrzymać ich biegu. To, co mieliśmy osiągnąć, musieliśmy zrobić w okresie nie przekraczającym stu lat – tylko tyle czasu dane jest człowiekowi. Ale przecież nie zawsze tak było. Biblia mówi, że w dawnych czasach byli na ziemi giganci, ludzie o wielkiej sile, którzy żyli siedemset i osiemset lat. Gdzie zatem popełniliśmy błąd? Gdzie zgubiliśmy tę umiejętność? Potrząsnęłam głową, podniosłam kieliszek i uśmiechnęłam się.

– Za Grę – powiedziałam. – Grę królów... najniebezpieczniejszą grę: wieczną. Grę, którą właśnie wygraliśmy, przynajmniej w tej rundzie. I za Minnie, która walczyła przez całe swoje życie, by figury te nie wpadły w ręce osób, które wykorzystałyby je do złych celów – zdobycia władzy nad innymi. Niech żyje w pokoju, gdziekolwiek teraz jest, i z naszym błogosławieństwem...

– Brawo, brawo! – znów zawołał Harry, lecz ja jeszcze nie skończyłam.

– A teraz, gdy Gra dobiegła końca i postanowiliśmy zakopać figury, wypijmy za to, aby wystarczyło nam sił, by oprzeć się pokusie ponownego ich odkopania!

Wszyscy bili brawo i poklepywali się po plecach, pijąc szampana. Zupełnie jakbyśmy sami siebie chcieli przekonać.

Przyłożyłam kieliszek do ust i wolno go przechyliłam. Poczułam, jak bąbelki spływają mi do gardła – suche, kłujące i lekko gorzkawe. Gdy ostatnie krople spadły mi na język, pomyślałam – tylko przez ułamek sekundy – o tym, czego być może nigdy się nie dowiemy. Jak by to smakowało, jak bym się czuła, gdyby ten płyn, spływający mi teraz do gardła, to nie był szampan, tylko eliksir życia.

KONIEC GRY

Spis treści